De kleine vriend

DONNA TARTT BIJ DE BEZIGE BIJ
De verborgen geschiedenis

Donna Tartt

De kleine vriend

Vertaling Christien Jonkheer, Barbara de Lange
en Babet Mossel

2002
DE BEZIGE BIJ
AMSTERDAM

De vertalers ontvingen voor deze vertaling een werkbeurs van
de Stichting Fonds voor de Letteren

Het motto van Thomas van Aquino is vertaald door Paul Claes;
de fragmenten van Alfred Tennyson zijn vertaald door Peter
Verstegen (p. 512, uit: 'The Princess: A Medley')
en Driek van Wissen (p. 205, uit 'The Merman').

copyright © 2002 by Donna Tartt
copyright Nederlandse vertaling © 2002 Christien Jonkheer,
Barbara de Lange en Babet Mossel
Oorspronkelijke titel *The Little Friend*
Oorspronkelijke uitgever Alfred A. Knopf, New York
Omslagontwerp Studio Jan de Boer
Omslagillustratie Geoff Spear
Foto auteur Timothy Greenfield-Sanders
Vormgeving binnenwerk Perfect Service
Druk Wöhrmann, Zutphen
ISBN 90 234 0355 X
NUR 302

Voor Neal

En toch is de geringste kennis over de hoogste dingen te verkiezen boven de betrouwbaarste kennis over de geringste dingen.

– Thomas van Aquino, *Summa Theologica*, I, 1,5 AD I

'Dames en heren, ik heb nu handboeien om waaraan een Engelse smid vijf jaar heeft gewerkt. Ik weet niet of het me lukt me ervan te bevrijden, maar u kunt ervan op aan dat ik mijn best zal doen.'

– Harry Houdini, London Hippodrome, Saint Patrick's Day 1904

Inhoud

Proloog

De rest van haar leven zou Charlotte Cleve zich de dood van haar zoon verwijten omdat ze had besloten het moederdagetentje 's avonds te geven, en niet 's middags na de kerk, zoals de Cleves het gewend waren. Daarover hadden de oudere Cleves hun ongenoegen geuit, en al hing dat vooral samen met een principiële argwaan tegenover nieuwigheid, toch vond Charlotte dat ze aandacht had moeten schenken aan die onderstroom van wrevel, dat het een onopvallend maar onheilspellend voorteken was geweest van wat er te komen stond; een onduidelijk voorteken weliswaar, ook achteraf gezien, maar meer mogen we in dit leven misschien wel nooit verwachten.

Hoewel de Cleves zelfs de onbelangrijke voorvallen uit hun familiegeschiedenis graag met elkaar ophaalden en elkaar, compleet met gestileerde verhaallijn en retorische onderbrekingen, hele sterfscènes of huwelijksaanzoeken van honderd jaar geleden woordelijk navertelden, kwamen de gebeurtenissen van die verschrikkelijke moederdag nooit ter sprake. Ook niet in onbespiede groepjes van twee, bijeengebracht door een lange autorit of slapeloosheid in een nachtelijke keuken; en dat was opmerkelijk, want door die familiegesprekken kregen de Cleves greep op de wereld. Zelfs de wreedste en ongerijmdste catastrofes – de dood, bij een brand, van een pasgeboren nichtje van Charlotte; het jachtongeluk waarbij de oom van Charlotte was omgekomen toen ze nog op de lagere school zat – verhaalden ze elkaar steeds opnieuw, waarbij haar grootmoeders goedige en haar moeders strenge stem zich harmonisch vermengden met de bariton van haar grootvader en het gesnater van haar tantes, en het koor sommige versierinkjes, al improviserend ingelast door stoutmoedige solisten, gretig oppakte en verfijnde, tot ze ten slotte met vereende krachten uitkwamen op één lied, een lied dat vervolgens van buiten werd geleerd en keer op keer door het hele ensemble werd gezongen, een lied dat gaandeweg de herinnering uitholde en uiteindelijk de waarheid verving: de woedende brandweerman die het lichaampje niet had weten te reanimeren, lieflijk omgetoverd in een wenende brandweerman; de lusteloze jachthond, weken van slag door de dood van haar baasje, nu in de rol van de diepbedroefde Queenie uit de familieoverlevering, die hardnekkig het huis bleef doorzoeken naar haar dierbare en de hele nacht ontroostbaar in haar hok zat te janken, die een blije welkomstgroet blafte telkens als de geliefde geest door de tuin naderbij kwam, een geest die alleen zij kon waarnemen. 'Honden zien dingen die voor ons onzichtbaar zijn,' viel Charlottes tante Tat altijd precies op het juiste moment in. Ze had een hang naar mystiek en die geest was haar vinding.

Maar Robin: hun lieve kleine Robs. Ruim tien jaar later was zijn dood nog een kwelling; er viel geen detail van te verzachten, niet een van de verhaaltrucs die de Cleves beheersten kon die verschrikking verhelpen of transformeren. Dat moedwillige geheugenverlies had verhinderd dat Robins dood was omgezet in die lieflijke oude familietaal, die de pijnlijkste raadsels nog gladstreek tot een behaaglijke, bevattelijke vorm, en daardoor had de herinnering aan de gebeurtenissen van die dag iets chaotisch en verbrokkelds, een nachtmerrie van blinkende spiegelscherven die fel opglinsterden bij de geur van blauweregen, het knarsen van een waslijn, een bepaald, onweersachtig soort licht in de lente.

Soms leken die levendige herinneringsflitsen wel flarden van een boze droom, alsof het allemaal nooit was gebeurd. En tegelijk leek het in veel opzichten het enige echte dat er in Charlottes leven was gebeurd.

Er was maar één verhaalvorm waaraan ze die wirwar van beelden kon onderwerpen, en dat was die van het ritueel: het stramien van de familiebijeenkomst, onveranderd sinds haar kinderjaren. Maar ook dat hielp weinig. Het vaste patroon was dat jaar met voeten getreden, de huisregels in de wind geslagen. Achteraf gezien leek alles een wegwijzer die wees naar een ramp. Ze hadden niet bij haar grootvader thuis gegeten, zoals anders, maar bij haar. Orchideeën als corsage in plaats van de gebruikelijke rozenknopjes. Kipkroketten – waarvan ze allemaal hielden, Ida Rhew maakte lekkere, de Cleves aten ze op verjaardagsfeestjes en kerstavond – maar op moederdag aten ze die nooit en hadden ze, voor zover iedereen zich kon herinneren, nog nooit iets anders gegeten dan peultjes, maïspudding en ham.

Onweersachtige, klare lenteavond; lage, verwaaide wolken en goudgeel licht, het grasveld bespikkeld met paardebloemen en

bloeiende look. Het rook fris en straf, naar regen. In huis gelach
en gepraat, waar de verongelijkte stem van Charlottes oude tante
Libby heel even hoog en klaaglijk bovenuit kwam: 'Nou toch, zoiets heb ik nooit gedaan, Adelaide, zoiets heb ik nooit van zijn
leven gedaan!' De Cleves mochten tante Libby graag plagen. Ze
was een oude vrijster, bang voor alles, voor honden en onweer en
vruchtencake met rum, voor bijen, negers, de politie. Een harde
wind rammelde aan de waslijn en sloeg het hoge onkruid op het
landje aan de overkant van de straat plat. De hordeur knalde dicht.
Robin rende naar buiten, gierend van de lach om een mop die zijn
grootmoeder had verteld (Waarom was de brief vochtig? Omdat
er *port* op zat), en sprong met twee treden tegelijk het trapje af.
     Er had toch op zijn minst iemand buiten moeten zijn om op de
baby te passen. Harriet was toen nog geen jaar, een stevige, sombere zuigeling met een dikke bos zwart haar, die nooit huilde. Ze
zat op het tuinpad, vastgegespt in haar draagbare schommeltje,
dat op en neer zwaaide als je het opwond. Haar zusje Allison van
vier zat op het trapje rustig met Robins kat Weenie te spelen. In
tegenstelling tot Robin – die op die leeftijd aan één stuk door uitgelaten babbelde met zijn schorre stemmetje en omrolde van de
pret om zijn eigen grapjes – was Allison een schuw, schichtig
kind, dat begon te huilen als iemand haar het alfabet probeerde te
leren; en de grootmoeder van de kinderen (die zulk gedrag niet
kon velen) had nauwelijks oog voor haar.
     Tante Tat had eerder nog buiten met de baby zitten spelen.
Charlotte zelf had, af en aan dravend tussen keuken en eetkamer,
een paar keer haar hoofd om de deur gestoken, maar ze had niet
goed opgelet omdat Ida Rhew, de huishoudster (die had besloten
alvast een begin met haar maandagse was te maken), voortdurend
tussen het huis en de tuin heen en weer liep om de was op te hangen. Charlotte had zich daardoor ten onrechte gerust laten stellen,
want op haar normale wasdag, maandag, was Ida constant binnen
gehoorsafstand, in de tuin of bij de wasmachine op de achterveranda, en dan kon je zelfs de kleintjes veilig buiten laten. Maar
die dag stond Ida onder druk, fataal onder druk, vanwege het bezoek dat ze moest bedienen terwijl ze ook nog het fornuis en de
baby in de gaten moest houden; en ze was niet te genieten, want
anders kon ze 's zondags altijd om één uur naar huis en nu moest
haar man, Charley T., niet alleen zelf voor zijn eten zorgen maar
kon zij, Ida Rhew, ook niet eens naar de kerk. Ze had erop gestaan
de radio mee naar de keuken te nemen, dan kon ze in elk geval het

gospelprogramma uit Clarksdale horen. Met het geluid balorig op zijn hardst liep ze stuurs door de keuken in haar nette zwarte dienstersjurk met het witte schort en schonk ijsthee in hoge glazen, terwijl buiten de schone hemden aan de waslijn wapperden en kronkelden en hun mouwen omhoog gooiden van wanhoop om de naderende regen.

Robins grootmoeder was op een gegeven moment ook op de veranda geweest; zoveel was zeker, want ze had een kiekje genomen. Er waren niet veel mannen in de familie Cleve, en weerbarstig mannenwerk zoals bomen snoeien, in huis klussen en de ouderen naar winkel en kerk vervoeren kwam grotendeels op haar neer. Ze deed het monter en met een kordate zelfverzekerdheid waarvan haar bedeesde zusters versteld stonden. Zij konden niet eens autorijden, en de arme tante Libby was zo bang voor huishoudelijke apparaten en alles wat met techniek te maken had dat ze al in tranen uitbarstte bij het idee dat ze een gaskachel moest aansteken of een gloeilampje vervangen. Hoewel het fototoestel hun intrigeerde waren ze er ook beducht voor, en ze bewonderden de opgewekte overmoed waarmee hun zuster dat stoere voorwerp hanteerde, dat je als een vuurwapen moest laden, richten en afdrukken. 'Kijk Edith toch eens,' zeiden ze als ze haar met vlugge professionele gebaren het filmpje zagen doorspoelen of de scherpte instellen. 'Edith kan alles.'

Het familieoordeel wilde dat Edith ondanks haar verbluffende scala van vaardigheden niet veel gevoel voor kinderen had. Ze was arrogant en ongeduldig, en haar houding nodigde niet uit tot genegenheid; Charlotte, haar enige kind, was altijd naar haar tantes (vooral naar Libby) gelopen als ze getroost, gekoesterd, gerustgesteld wilde worden. En al mocht Harriet, de benjamin, nog maar weinig blijk geven van enige voorkeur voor iemand, Allison was doodsbang voor haar grootmoeders kordate pogingen haar tot praten te bewegen en was in tranen als ze bij haar moest logeren. Maar o, wat had Charlottes moeder veel van Robin gehouden, en wat had hij die liefde dubbel en dwars beantwoord. Ze balde met hem in de voortuin – zij, een waardige dame van middelbare leeftijd – en ving slangetjes en spinnen voor hem om mee te spelen, leerde hem gekke liedjes die zij als verpleegster in de Tweede Wereldoorlog van soldaten had geleerd:

Ik kende een meisje dat heette Heleen
Die had twee blauwe ogen en een houten been

en die zong hij meteen mee met zijn lieve schorre stemmetje. *EdieEdieEdieEdieEdie!* Zelfs haar vader en haar zusters noemden haar Edith, maar Edie was de naam die hij haar had gegeven toen hij nog maar amper kon praten en als een dolle over het grasveld rende, gierend van de pret. Op een keer, toen hij een jaar of vier was, had hij haar in alle ernst 'oudje' genoemd. Hij had haar met zijn sproetige handje over het voorhoofd geaaid en 'arm oudje' gezegd, plechtig als een uil. Charlotte zou er niet over hebben gepiekerd om zo vertrouwelijk om te gaan met haar pinnige, zakelijke moeder, en al helemaal niet als ze met hoofdpijn op bed lag, maar het voorval viel zeer bij Edith in de smaak en was nu een van haar geliefdste verhalen. Ze was al grijs toen hij werd geboren, maar in haar jonge jaren had ze net zulk glanzend koperrood haar gehad als Robin. *Voor Roodborstje Robin* of *Voor mijn eigen rode Robijntje* schreef ze op de kaartjes bij zijn verjaardags- en kerstcadeautjes. *Met liefs van je arme oudje.*

EdieEdieEdieEdieEdie! Hij was negen, maar inmiddels was het een familiegrapje, zijn traditionele begroeting, zijn liefdesliedje voor haar; en net als anders riep hij het haar toe door de tuin toen ze de veranda op kwam, die laatste middag dat ze hem ooit zou zien.

'Kom het oudje eens een kusje geven,' riep ze naar hem. Maar hoe graag hij zich meestal ook liet fotograferen, soms was hij ongedurig – stond dan op de foto als een roodharige vlek, een warreling van puntige ellebogen en knieën die ervandoor wilden – en hij zag het fototoestel nog niet op Ediths borst hangen of hikkend van de lach vloog hij weg.

'Kom jij eens terug, boef!' riep ze, en toen had ze in een opwelling het toestel omhoog gebracht en toch maar afgedrukt. Het was de laatste foto die ze van hem hadden. Onscherp. Platte groene vlakte, ietwat schuin genomen, met scherp op de voorgrond een witte leuning en de bollende glans van een gardeniastruik naast de veranda. Vochtige donkere onweerslucht, verschietend floers van diepblauw en leigrijs, kolkende wolken omkranst door spaken van licht. In een hoek van het beeld holde de vage schim van Robin, rug naar de kijker, over het wazige grasveld zijn dood tegemoet, die hem – bijna zichtbaar – opwachtte in de donkerte onder de tupeloboom.

Dagen later, in de verduisterde kamer, was Charlotte vanachter een mist van pillen een gedachte door het hoofd geschoten. Als

Robin ergens naartoe ging – naar school, naar een vriendje, een middagje spelen bij Edie – had hij er altijd aan gehecht afscheid te nemen, liefdevol en dikwijls nogal uitvoerig en plechtig. Ze had duizend en één herinneringen aan briefjes die hij had geschreven, uit ramen toegeworpen kusjes, zijn handje dat druk tegen haar op en neer rebbelde vanaf de achterbank van wegrijdende auto's: 'daag! daag!' Als peutertje had hij veel eerder 'daag' dan 'hallo' leren zeggen; zo begroette hij én nam hij afscheid van iedereen. Charlotte vond het wel heel wrang dat er ditmaal geen 'daag' was geweest. Ze had het zo druk gehad dat de laatste woorden die ze met Robin had gewisseld en zelfs de laatste keer dat ze hem had gezien haar niet helder meer voor de geest stonden, terwijl ze juist behoefte had aan iets concreets, een kleine, laatste herinnering die zijn hand in de hare zou laten glijden om haar – blind als ze nu voortstrompelde – te begeleiden door haar bestaan, dat zich plotseling als een woestijn voor haar uitstrekte tussen dit moment en het eind van haar leven. Half gek van verdriet en slapeloosheid babbelde ze maar door tegen Libby (het was tante Libby die haar er toen doorheen had geholpen, Libby met haar verkoelende doekjes en haar lavendelwatertjes, Libby die de ene na de andere doorwaakte nacht bij haar had gezeten, Libby die niet van haar zijde was geweken, Libby die haar had gered); want niemand, ook haar man niet, was in staat haar maar de schraalste troost te bieden, en hoewel zelfs haar eigen moeder (die op buitenstaanders de indruk maakte dat ze 'het goed opnam') uiterlijk en in haar doen en laten net als anders was en zich nog steeds dapper om de dagelijkse besognes bekommerde, zou ze nooit meer dezelfde zijn. Edie was versteend van smart. Het was vreselijk om aan te zien. 'Kom dat bed uit, Charlotte,' snauwde ze als ze de luiken opengooide, 'hier, neem een kop koffie, kam je haar, je kunt daar niet eeuwig zo blijven liggen'; en zelfs de onschuldige oude Libby huiverde soms als ze de koude schittering zag van de blik waarmee Edie zich van het raam omdraaide naar haar dochter, die daar roerloos in die donkere slaapkamer lag: een blik fel en meedogenloos als Arcturus.

'Het leven gaat door.' Een van Edies favoriete uitdrukkingen. En een leugen. Dat was de tijd dat Charlotte, hallucinerend van de medicijnen, nog steeds opstond om haar dode zoon wakker te maken voor school, dat ze vijf, zes keer per nacht wakker schrok en zijn naam riep. En soms, heel even, geloofde dat Robin boven lag en alles een boze droom was. Maar als haar ogen aan het don-

ker gewend waren en de akelige, troosteloze chaos op het nachtkastje zagen (papieren zakdoekjes, pillenflesjes, dode bloemblaadjes), barstte ze weer in huilen uit – al had ze al gehuild tot haar
hele ribbenkast pijn deed – omdat Robin niet boven was en evenmin op een andere plaats waarvan hij ooit zou terugkeren.
Hij had speelkaarten tussen de spaken van zijn fiets gestoken.
Hoewel ze het niet had beseft toen hij nog leefde had ze uit het
geratel altijd opgemaakt wanneer hij wegging en terugkwam. Er
was een kind in de buurt met een fiets die precies hetzelfde geluid
maakte, en telkens als ze dat in de verte hoorde sprong haar hart
op gedurende één subliem maar wreed moment van ongelovige
extase.
Had hij haar geroepen? Het was een marteling om aan zijn laatste ogenblikken te denken, en toch kon ze aan niets anders denken. Hoe lang had het geduurd? Had hij geleden? De hele dag lag
ze naar het slaapkamerplafond te staren, totdat de schaduwen eroverheen gleden, en daarna staarde ze naar het schijnsel van de
lichtgevende wijzerplaat in het donker.
'Niemand heeft er iets aan als je de hele dag in bed ligt te huilen,' zei Edie kortaf. 'Je zou je een stuk beter voelen als je iets aantrok en eens naar de kapper ging.'
In haar dromen was hij ontwijkend en afstandelijk, hield hij iets
achter. Ze snakte ernaar dat hij iets zou zeggen, maar hij keek haar
nooit aan, zei nooit iets. In de ergste periode had Libby steeds opnieuw iets tegen haar gemompeld, iets wat ze niet had begrepen.
Het is nooit de bedoeling geweest dat hij bij ons zou blijven, liefje. We
mochten hem niet houden. We hebben geboft dat hij nog zo lang bij ons
is geweest.
Dat was de gedachte die op die warme ochtend in de verduisterde kamer door een narcotische nevel heen bij Charlotte opkwam.
Dat het waar was wat Libby tegen haar had gezegd. En dat Robin
zijn hele leven, van klein af aan, op de een of andere vreemde manier afscheid van haar had proberen te nemen.

Edie was de laatste die hem had gezien. Daarna wist niemand het
meer precies. Terwijl haar familie in de huiskamer zat te praten –
nu met langere tussenpozen, af en toe genoeglijk rondkijkend in
afwachting van het moment dat ze aan tafel werden geroepen –
zocht Charlotte op haar knieën in het eetkamerbuffet naar haar
mooie linnen servetten (bij haar binnenkomst had ze gezien dat
de tafel met het doordeweekse katoen was gedekt; Ida beweerde

– net iets voor haar – dat ze nog nooit van die andere had gehoord, dat de geruite picknickservetten de enige waren die ze kon vinden). Ze had de mooie servetten net gevonden en wilde al naar Ida roepen ('zie je wel? precies waar ik zei dat ze lagen'), toen ze opeens werd overvallen door de overtuiging dat er iets mis was. 'De baby.' Dat was het eerste wat haar instinct haar ingaf. Ze sprong overeind, liet de servetten op het kleed vallen en rende de deur uit, de veranda op.

Maar Harriet mankeerde niets. Nog altijd vastgegespt in haar schommeltje staarde ze met grote ernstige ogen naar haar moeder. Allison zat op de stoep, duim in de mond. Ze wiegde heen en weer en zoemde als een wesp – ogenschijnlijk ongedeerd, maar Charlotte zag dat ze had gehuild.

'Wat is er?' zei Charlotte. 'Heb je je pijn gedaan?'

Maar Allison, nog altijd met haar duim in haar mond, schudde van nee.

Uit haar ooghoek zag Charlotte in een flits iets bewegen aan de rand van de tuin – Robin? Maar toen ze opkeek was er niemand te zien.

'Echt niet?' zei ze tegen Allison. 'Heeft poesje je gekrabd?'

Allison schudde van nee. Charlotte hurkte bij haar neer en inspecteerde haar: geen builen, geen blauwe plekken. De kat was weg.

Nog steeds ongerust gaf Charlotte Allison een kus op haar voorhoofd, bracht haar naar binnen ('kijk maar even wat Ida doet in de keuken, schatje') en liep daarna terug om de baby te halen. Ze had wel vaker zulke droomachtige vlagen van paniek gehad, meestal midden in de nacht en altijd bij een kind van nog geen halfjaar, schoot dan recht overeind uit een diepe slaap en vloog naar de wieg. Maar Allison had zich niet bezeerd en de baby mankeerde niets... Ze ging de huiskamer in en zette Harriet bij haar tante Adelaide, raapte de servetten op van het eetkamerkleed en liep afwezig – nog steeds half slaapwandelend, ze wist niet waarom – naar de keuken om het potje abrikozen voor de baby te halen.

Dix, haar man, had gezegd dat ze niet op hem moest wachten met eten. Hij was op eendenjacht. Dat was haar om het even. Als Dix niet op de bank was, was hij meestal ergens anders, op jacht of bij zijn moeder. Ze duwde de keukendeuren open en sleepte een kruk naar de kast om de abrikozen voor de baby te pakken. Ida Rhew stond diep voorovergebogen een blik broodjes uit de oven te trekken. *God,* zong een overslaande negerstem uit de transistor. *God don't never change.*

Dat gospelprogramma. Het liet Charlotte maar niet los, al had ze er nooit iets tegen iemand over gezegd. Als Ida die herrie niet zo hard had gezet, hadden ze misschien gehoord wat er in de tuin gebeurde, misschien geweten dat er iets mis was. Maar om te beginnen had zíj ('s nachts, woelend in haar bed, probeerde ze rusteloos de gebeurtenissen tot een mogelijke grondoorzaak te herleiden) de godvruchtige Ida op zondag laten werken. *Gedenk de sabbatdag, dat gij die heiligt.* In het Oude Testament werden de mensen voortdurend om heel wat minder door de Here verdelgd.

Ida Rhew bukte zich weer naar de oven en zei: Die broodjes zijn bijna goed.

Ik haal ze er wel uit, Ida. Het kan elk moment gaan regenen, denk ik. Ga jij de was maar even binnenhalen, en roep Robin aan tafel.

Toen Ida – mopperend en stijf – weer door de krakende deur binnenkwam, met een arm vol witte overhemden, zei ze: Hij wil niet.

Zeg maar dat hij nu meteen binnen moet komen.

Ik weet niet waar hij zit. Ik heb wel vijf keer geroepen.

Misschien is hij aan de overkant.

Ida gooide de hemden in de strijkmand. De hordeur sloeg dicht. *Robin,* hoorde Charlotte haar roepen. *Komen jij, of je gaat over de knie.*

En daarna nog eens: *Robin!*

Maar Robin kwam niet.

O, verdikkie, zei Charlotte, droogde haar handen af aan een keukenhanddoek en ging de tuin in.

Daar besefte ze, met een lichte onrust die vooral uit ergernis voortkwam, dat ze geen idee had waar ze moest zoeken. Zijn fiets stond tegen de veranda. Hij wist dat hij zo vlak voor het eten niet op pad mocht gaan, zeker niet als ze gasten hadden.

Robin! riep ze. Had hij zich verstopt? Er woonden geen leeftijdsgenootjes in de buurt, en al kwamen er weleens sjofele kinderen – zwarte en blanke – van de rivier aanwaaien naar de brede, door eiken beschaduwde trottoirs van George Street, nu zag ze er niet één. Van Ida mocht hij niet met ze spelen, wat hij soms toch deed. De kleintjes waren meelijwekkend, met hun knieën vol korstjes en hun vuile voeten, en hoewel Ida Rhew ze altijd ruw de tuin uit joeg gaf Charlotte ze in een teerhartige bui weleens een kwart dollar of een glaasje limonade. Voor de oudere – van dertien of veertien – vluchtte ze daarentegen maar wat graag naar binnen, die mocht Ida zo meedogenloos wegjagen als ze wilde. Ze schoten met luchtbuksen op honden, stalen bij iedereen spullen van de veranda, sloegen grove taal uit en zwierven tot diep in de nacht over straat.

Ida zei: Daarnet rende er nog van dat kleine uitschot voorbij.

Als Ida uitschot zei bedoelde ze blank. Ida had een hekel aan de blanke armeluiskinderen en gaf ze met eenzijdige verbetenheid de schuld van alles wat er misging rond het huis, zelfs van dingen waarvan Charlotte zeker wist dat ze er onmogelijk iets mee te maken konden hebben.

Was Robin erbij? vroeg Charlotte.

Nee mevrouw.

Waar zijn ze nu?

Ik heb ze weggejaagd.

Welke kant op?

Daarginder bij het ouwe spoor.

De oude buurvrouw, mevrouw Fountain, met haar witte vestje en haar vlinderbril, was haar huis uitgekomen om te kijken wat er aan de hand was. Vlak achter haar stond haar aftandse poedel Mickey, met wie ze een komische gelijkenis vertoonde: spitse neus, stijve grijze krulletjes, achterdochtig vooruitgestoken kin.

Nou nou, riep ze vrolijk. Hebben jullie daar groot feest?

Alleen de familie maar, riep Charlotte terug, en ze speurde de donkerende horizon achter Natchez Street af, waar de treinrails lijnrecht de verte in liepen. Ze had mevrouw Fountain te eten moeten vragen. Mevrouw Fountain was weduwe, en haar enige kind was in de oorlog met Korea gesneuveld, maar ze was ook een zeurkous en een boosaardige bemoeial. Meneer Fountain, die een stomerijtje had gerund, was vrij jong gestorven, en de mensen zeiden gekscherend dat ze hem zijn graf in had gepraat.

Wat is er aan de hand? zei mevrouw Fountain.

U heeft Robin zeker niet gezien, hè?

Nee. Ik heb de hele middag op zolder gezeten, opruimen. Ja, ik ben niet om aan te zien. Kijk eens wat ik allemaal voor troep naar buiten heb gezeuld. Ja, de vuilnisman komt pas dinsdag en ik laat het niet graag zo op straat staan maar ik weet anders ook niet wat ik ermee moet. Waar is Robin naartoe? Kan je hem niet vinden?

Hij zal wel niet ver weg zijn, zei Charlotte en liep de stoep op om de straat af te turen. Maar we moeten aan tafel.

Ida Rhew keek omhoog en zei: Er is onweer aan de lucht.
Hij zal toch niet in de visvijver gevallen zijn? zei mevrouw
Fountain bezorgd. Ik ben altijd al bang geweest dat een van de
kleintjes daarin zou vallen.

Die vijver is nog geen halve meter diep, zei Charlotte, maar ze
draaide zich toch om en liep naar de achtertuin.

Edie was de veranda op gekomen. Is er iets? vroeg ze.

Achter zit hij niet, riep Ida Rhew. Daar heb ik al gekeken.

Toen Charlotte langs het openstaande keukenraam aan de zijkant van het huis liep hoorde ze dat Ida's gospelprogramma nog
aan stond.

Softly and tenderly Jesus is calling
Calling for you and for me
See, by the portals he's waiting and watching...

De achtertuin was verlaten. De deur van het schuurtje stond op
een kier: niemand. Op de goudvissenvijver dreef een slijmerig
groen vlies, onverstoord. Toen Charlotte even omhoogkeek flitste
er een rafelige bliksemdraad door de zwarte wolken.

Mevrouw Fountain zag hem het eerst. De gil nagelde Charlotte
aan de grond. Ze draaide zich om en holde terug, vlug, vlug, niet
vlug genoeg – in de verte rommelde droge donder, alles lichtte
vreemd op onder de onweerslucht en de grond stuiterde naar haar
op terwijl haar hakken in de modderige aarde zakten, terwijl nog
steeds ergens dat koor zong en er boven haar hoofd een plotselinge harde wind, kil van de naderende regen, door de eiken zwiepte
met een geluid als van reuzenvleugels en het grasveld galgroen
rondom haar bolde en deinde als de zee, terwijl ze blind en panisch voortstruikelde naar – en dat wist ze, want in de schreeuw
van mevrouw Fountain lag het allemaal besloten, alles – wat het
allerergste zou zijn.

Waar was Ida eigenlijk toen ze daar aankwam? En Edie? Ze
herinnerde zich alleen mevrouw Fountain, een hand met een verfrommeld papieren zakdoekje stijf tegen haar mond gedrukt en
haar ogen wild rollend achter het paarlemoeren brilmontuur; mevrouw Fountain, en de keffende poedel, en – weergalmend van
nergens, ergens en overal tegelijk – het volle, onaardse vibrato van
Edies gegil.

Hij hing met zijn nek aan een stuk touw, dat over een lage tak
van de tupelo was gegooid die opzij van de verwilderde liguster-

haag tussen Charlottes huis en dat van mevrouw Fountain stond, en hij was dood. De neuzen van zijn slap afhangende tennisschoenen bungelden vijftien centimeter boven het gras. Weenie, de kat, lag op zijn buik schrijlings over een tak gevlijd en sloeg met een speels, trefzeker pootje naar Robins koperrode haar, dat opwoei en glansde in de wind en het enige aan hem was dat nog de goede kleur had.

Come home, zong het radiokoor melodieus:

> *Come home...*
> *Ye who are weary come home*

Uit het keukenraam wolkte zwarte rook. De kipkroketten waren verbrand. De familie was er altijd dol op geweest, maar na die dag kreeg niemand ze ooit nog door zijn keel.

I

De dode kat

Twaalf jaar na de dood van Robin Cleve was het voor iedereen nog net zo'n raadsel hoe hij aan een boom in zijn eigen tuin aan zijn eind was gekomen als op de dag dat het was gebeurd. In het stadje werd nog steeds over zijn dood gepraat. Meestal had men het dan over 'het ongeluk', hoewel de feiten (zoals besproken tijdens bridgelunches, bij de kapper, in eettentjes, bij de dokter in de wachtkamer en in de grote eetzaal van de country club) eerder op iets anders wezen. Je kon je ook moeilijk voorstellen dat een kind van negen het voor elkaar kreeg zich per ongeluk of door domme pech te verhangen. Iedereen kende de bijzonderheden, die een bron van veel speculatie en discussie vormden. Robin was opgehangen met een – weinig gangbaar – type vezelkabel dat weleens door elektriciens werd gebruikt, en niemand had enig idee waar die vandaan kwam of hoe Robin hem te pakken had gekregen. Het was dik, stug materiaal en de rechercheur uit Memphis had tegen de (inmiddels gepensioneerde) sheriff van de stad gezegd dat een kleine jongen als Robin de knopen naar zijn mening niet alleen had kunnen leggen. De kabel was op een slordige, knullige manier aan de boom vastgemaakt, maar of dat betekende dat de moordenaar onervaren of gehaast was, wist niemand. En uit de sporen op het lichaam viel (volgens Robins kinderarts, die met de gerechtsarts had gesproken, die weer het rapport van de plaatselijke lijkschouwer had bestudeerd) op te maken dat Robin niet door een gebroken nek maar door wurging om het leven was gekomen. Sommigen meenden dat hij al hangend was gestikt; anderen zeiden dat hij eerst was gewurgd en pas daarna aan de boom was opgeknoopt.

Volgens het stadje, en ook volgens Robins familie, was Robin vrijwel zeker het slachtoffer van een of ander misdrijf. Wat voor misdrijf precies, of door wie begaan, daarover tastte iedereen in het duister. Sinds de jaren twintig was er tweemaal een vrouw van goede komaf vermoord door een jaloerse echtgenoot, maar dat waren oude schandalen en de betrokkenen waren allang overleden. En verder werd er in Alexandria weleens een zwarte man dood gevonden, maar die moorden waren (zeiden de meeste blanken er prompt bij) doorgaans door andere negers gepleegd, en hielden voornamelijk verband met negerzaken. Een dood kind was heel iets anders – dat was angstaanjagend voor iedereen, rijk en arm, zwart en blank – en niemand begreep wie er zoiets had kunnen doen, of waarom.

In de buurt deden praatjes over een Geheimzinnige Sluiper de ronde, en nog jaren na Robins dood waren er mensen die beweerden hem te hebben gezien. Het was een boom van een man, daarover was iedereen het eens, maar verder liepen de beschrijvingen uiteen. Soms was hij zwart, soms blank; soms had hij spectaculair opvallende kenmerken, zoals een vinger te weinig, een horrelvoet, een wit litteken over één wang. Het zou een rondzwervende seizoenarbeider zijn die het kind van een Texaanse senator had gewurgd en aan de varkens gevoerd; een voormalige rodeoclown, die kleine kinderen de dood in lokte met kunstige lassofoefjes; een zwakzinnige psychopaat, die in elf staten werd gezocht en was ontsnapt uit de psychiatrische inrichting in Whitfield. Maar hoewel de ouders van Alexandria hun kinderen voor hem waarschuwden en men elk jaar met Halloween zijn enorme gestalte zag rondhinken in de omgeving van George Street, bleef de Sluiper een ongrijpbare figuur. Na de dood van de kleine Cleve was iedere landloper, zwerver en gluurder in een straal van honderdvijftig kilometer opgepakt en ondervraagd, maar het onderzoek had niets opgeleverd. En ofschoon niemand er graag bij stilstond dat er een moordenaar vrij rondliep, bleef de angst bestaan, vooral de angst dat hij de buurt nog steeds onveilig maakte en vanuit een onopvallend geparkeerde auto naar spelende kinderen zat te kijken.

In het stadje werd over dit soort dingen gepraat. In Robins familie niet, die had het er nooit over.

Robins familie praatte over Robin. Ze vertelden anekdoten uit de tijd dat hij peuter, kleuter en schoolkind was, wat ze zich ook maar konden herinneren van alle lieve, grappige en onbelangrijke dingen die hij ooit had gezegd of gedaan. Zijn oude tantes wisten nog massa's kleinigheden: speelgoed dat hij had gehad, kleren die hij had gedragen, onderwijzers die hij naar of aardig had gevonden, spelletjes die hij had gedaan, dromen die hij had verteld, dingen waar hij een hekel aan had gehad of naar had verlangd of dol

op was geweest. Sommige dingen klopten, andere niet; er zat nogal wat bij dat niemand kon weten, maar als de Cleves het over een
subjectieve kwestie eens wensten te zijn, werd die – automatisch
en volstrekt onherroepelijk – de waarheid, zonder dat een van hen
zich bewust was van de collectieve alchemie die dat had bewerk-
stelligd.

De raadselachtige, tegenstrijdige omstandigheden van Robins
dood leenden zich niet voor die alchemie. Hoe sterk de drang tot
revisie van de Cleves ook was, deze fragmenten lieten zich niet in
een plot onderbrengen, er viel geen logica, geen lering achteraf,
geen moraal uit dit verhaal op te maken. Robin zelf, of wat ze zich
van hem herinnerden, was het enige wat ze hadden; en hun verfijnde schildering van zijn karakter – door de jaren heen zorgvuldig verfraaid – was hun grootste meesterwerk. Omdat het zo'n
innemende kleine woelwater was en iedereen juist vanwege zijn
grillen en hebbelijkheden zoveel van hem had gehouden, kwam de
spontane beweeglijkheid van de levende Robin soms bijna pijnlijk
duidelijk uit hun reconstructies naar voren; dan was het bijna of
hij door de straat langs je heen scheerde op zijn fietsje, voorovergebogen, naar achteren wapperend haar, zo hard trappend dat de
fiets licht zwabberde – een druk, eigenzinnig, vitaal kind. Maar die
duidelijkheid was misleidend en verleende een bedrieglijke schijn
van waarheid aan wat een grotendeels verzonnen geheel was,
want in andere passages was het verhaal tot op de draad versleten,
glanzend maar vreemd kleurloos, zoals heiligenlevens weleens
zijn.

'Wat zou Robin dat enig hebben gevonden!' plachten de tantes
vertederd te zeggen. 'Wat zou Robin daarom hebben gelachen!'
In werkelijkheid was Robin een grillig, wispelturig kind geweest
– nu eens somber, dan weer bijna hysterisch – en die onbereken-
baarheid was een groot deel van zijn charme geweest. Maar al
hadden zijn jongere zusjes hem strikt genomen helemaal niet gekend, toen ze groter werden wisten ze precies welke kleur hun
gestorven broertje het mooist had gevonden (rood), welk boek het
fijnst (*De wind in de wilgen*) en welk personage in dat boek het
leukst (Pad), welke smaak ijs het lekkerst (chocolade) en welk
honkbalteam het beste (de Cardinals) en nog duizend en één dingen die ze – omdat het nu eenmaal levende kinderen waren, die de
ene week liever chocolade-ijs en de andere liever perzikijs hadden
– niet eens goed van zichzelf zouden weten. Daarom hadden ze
een buitengewoon innige band met hun gestorven broer en stak

zijn sterke, levendige, onveranderlijke persoonlijkheid met nooit
verblekende glans af tegen de onbestemdheid en onbestendigheid
van die van hen en van de mensen die ze kenden; en ze groeiden
op in de vaste overtuiging dat dat kwam door een zeldzame, en-
gelachtige uitstraling die Robin van nature bezat, en helemaal niet
doordat hij dood was.

Robins jongere zusjes hadden zich heel anders ontwikkeld dan
Robin, en verschilden ook sterk van elkaar.
    Allison was nu zestien. Van een bangelijk klein meisje dat een
gevoelige, snel verbrande huid had en bijna overal om huilde, was
ze onverwacht uitgegroeid tot de knapste van de twee: lange benen, rossig reebruin haar en vochtige reebruine ogen. Al haar gra-
tie lag in haar wazigheid. Haar stem was zacht, haar manier van
doen traag, haar mimiek vaag en dromerig; en ze stelde haar
grootmoeder Edie – die de voorkeur gaf aan sprankelend en flam-
boyant – enigszins teleur. Allisons schoonheid was teer en ingeto-
gen, als het bloeiende gras in juni, en berustte volledig op een
jeugdige frisheid die (dat wist niemand beter dan Edie) als eerste
zou verdwijnen. Ze dagdroomde, ze zuchtte vaak, had een onbeholpen manier van lopen – schuifelend, de tenen naar binnen gericht – en ook van spreken. Toch was ze knap, zoals een melkwit,
schuchter meisje dat kan zijn, en sinds kort kreeg ze telefoontjes
van de jongens uit haar klas. Edie had haar gadegeslagen terwijl ze
(neergeslagen blik, vuurrood gezicht), de hoorn tussen haar
schouder en oor geklemd, met de neus van haar molière heen en
weer schoof en stotterde van verlegenheid.
    Wat zonde, ergerde Edie zich hardop, dat zo'n bééldig meisje
(waarbij bééldig, zoals Edie het zei, hoorbaar gebukt ging onder
'zwak' en 'bleekzuchtig') zo'n slechte houding had. Allison moest
haar haren niet zo voor haar gezicht laten vallen. Allison moest
haar schouders rechten, fier rechtop staan en niet zo krom. Allison moest vrolijk kijken, zich eens ergens voor gaan interesseren,
anderen vragen over henzelf stellen als ze niets boeiends te zeggen wist. Dergelijke adviezen werden, hoe goed ook bedoeld, vaak
in het bijzijn van anderen gegeven, en op zo'n geïrriteerde toon
dat Allison, in tranen, struikelend de kamer uit vluchtte.
    'Nou, dat kan me niets schelen,' zei Edie dan luid in de stilte die
op zulke scènes volgde. 'Ze zal toch van iemand moeten leren hoe
ze zich moet gedragen. Als ik haar niet zo op de huid zat, was dat
kind niet altijd overgegaan, dat kan ik je wel zeggen.'

Dat was waar. Allison wás nog nooit blijven zitten, maar het had een paar keer niet veel gescheeld, vooral op de lagere school. *Zit te dromen*, stond er op Allisons rapporten bij Gedrag. *Slordig. Traag. Doet haar best niet.* 'Tja, daar zullen we dan wel wat aan moeten doen,' zei Charlotte verstrooid als Allison weer eens schoorvoetend thuiskwam met vijfjes en zesjes.

Maar al scheen zowel Allison als haar moeder zich van die lage cijfers niets aan te trekken, Edie trok zich die wel degelijk aan, en niet zo zuinig ook. Ze beende naar school en vroeg op hoge toon de onderwijzers te spreken; kwelde Allison met leeslijsten, systeemkaartjes en lange staartdelingen; corrigeerde Allisons boekverslagen en haar werkstukken voor de exacte vakken met een rood potlood, ook nu ze al op de middelbare school zat.

Je hoefde er bij Edie niet mee aan te komen dat Robin ook niet altijd zo'n goede leerling was geweest. 'Wilde haren,' zei ze dan bits. 'Die zou mettertijd heus wel zijn gaan werken.' Ze weigerde te erkennen waar hem de kneep werkelijk zat, want – dat wisten alle Cleves – als Allison net zo levendig was geweest als haar broer had Edie haar alle vijfjes en zesjes van de wereld vergeven.

Terwijl Robins dood en de jaren daarna Edie enigszins hadden verzuurd, was Charlotte gaandeweg in een soort onverschilligheid beland die elk facet van het leven van gevoel en kleur beroofde; en als ze het al voor Allison probeerde op te nemen, deed ze dat zwak en halfslachtig. In dat opzicht was ze op Dixon gaan lijken, haar man, die zijn gezin weliswaar fatsoenlijk onderhield, maar zijn dochters nooit veel steun of betrokkenheid had betoond. Zijn achteloosheid was niet tegen hen persoonlijk gericht; hij was iemand die overal een mening over had, en zijn lage dunk van meisjes verkondigde hij ongegeneerd en met nonchalante, gemeenzame welgemoedheid. (Zíjn dochters, placht hij met smaak te berde te brengen, zouden geen cent van hem erven.)

Dix had al nooit veel tijd thuis doorgebracht, maar nu was hij er bijna helemaal niet meer. Hij kwam uit een familie die Edie als parvenu betitelde (zijn vader had in sanitair gehandeld) en toen hij met Charlotte trouwde – verleid door haar afkomst, haar naam – dacht hij dat ze geld had. Het was nooit een gelukkig huwelijk geweest (tot diep in de nacht doorwerken op de bank of pokeren, jagen, vissen, football, golf, elk excuus voor een weekend weg was goed), maar na Robins dood verflauwde zijn gebruikelijke opgewektheid aanzienlijk. Hij wilde een punt achter de rouw zetten; hij kon niet tegen die stille kamers, die sfeer van verslonzing, matheid, verdriet, en hij zette de televisie zo hard mogelijk en stampte in voortdurende staat van frustratie door het huis, klapte in zijn handen, trok rolgordijnen omhoog en zei dingen als: 'Zo is het welletjes!' en: 'Kom, we maken er weer wat van!' en: 'We zetten samen onze schouders eronder!' Hij was stomverbaasd dat zijn goede bedoelingen niet op prijs werden gesteld. Toen zijn opmerkingen de tragedie niet uit zijn gezin vermochten te verdrijven, verloor hij er gaandeweg zijn belangstelling voor en zat hij, rusteloos als hij was, steeds vaker weken achter elkaar in zijn jachtkamp, tot hij, in een opwelling, een goed betaalde baan bij een bank in een andere stad aanvaardde. Hij deed of dat een groot en belangeloos offer was. Maar iedereen die Dix kende wist dat hij niet ter wille van zijn gezin naar Tennessee was verhuisd. Dix wilde een uitbundig leven, met Cadillacs, kaartavondjes en footballwedstrijden, nachtclubs in New Orleans, vakanties in Florida; hij wilde cocktails, lol, en een vrouw wier kapsel en huishouden altijd onberispelijk waren en die op afroep klaarstond met de borrelhapjes.

Maar het gezin van Dix was niet zonnig of uitbundig. Zijn vrouw en dochters waren teruggetrokken, eigenaardig, zwaarmoedig. Erger nog: op de een of andere manier had wat er was gebeurd hen allemaal besmet, ook Dix. Vrienden meden hen. Echtparen nodigden hen niet meer uit; kennissen belden niet meer. Er was geen kruid tegen gewassen. De meeste mensen werden nu eenmaal niet graag herinnerd aan de dood of aan narigheid. En om al die redenen had Dix zich genoopt gevoeld zijn gezin in te ruilen voor een gelambriseerd kantoor en een swingend uitgaansleven in Nashville, zonder een spoortje schuldgevoel.

Allison mocht Edie dan irriteren, de tantes waren dol op haar en zagen in veel van de trekjes waar Edie slecht tegen kon juist iets rustigs en poëtisch. In hun ogen was Allison niet alleen de Knapste maar ook de Liefste – geduldig, lankmoedig, lief voor dieren, oude mensen en kinderen –, kwaliteiten waarvoor de tantes alle mooie cijfers of vlotte praatjes cadeau gaven.

Trouwhartig sprongen de tantes voor haar in de bres. 'Na alles wat dat kind heeft doorgemaakt,' zei Tat een keer vinnig tegen Edie. Dat snoerde Edie wel even de mond. Niemand kon immers vergeten dat Allison en de baby op die verschrikkelijke dag als enigen in de tuin waren geweest; en hoewel Allison toen nog maar vier was, had ze vrijwel zeker iets gezien, iets gruwelijks hoogstwaarschijnlijk, waardoor ze een tikje uit het lood was geslagen.

Onmiddellijk daarna was ze door zowel de familie als de politie uitvoerig ondervraagd. Was er iemand in de tuin, een groot mens, een man misschien? Maar Allison – die later weliswaar, zonder aanwijsbare reden, in bed was gaan plassen en 's nachts gillend en in wilde paniek wakker werd – weigerde ja of nee te zeggen. Ze zoog op haar duim en drukte haar speelgoedhondje dicht tegen zich aan, en wilde niet eens zeggen hoe ze heette of hoe oud ze was. Niemand – zelfs Libby niet, de zachtmoedigste en geduldigste van haar oude tantes – kreeg een woord uit haar.

Allison herinnerde zich haar broer niet, en van zijn dood had ze zich nooit iets voor de geest kunnen halen. Als klein kind lag ze soms nog wakker als de rest van het huis al sliep, en probeerde dan, starend naar het oerwoud van schaduwen op het slaapkamerplafond, zo ver mogelijk terug te denken, maar zoeken was zinloos, er viel niets te vinden. De lieflijke alledaagsheid van haar prilste jaren – veranda, visvijver, poesje, bloembedden – was altijd aanwezig, rimpelloos, lichtend, onveranderlijk, maar als ze ver genoeg terugdacht stuitte ze telkens op een vreemd moment waarin de tuin uitgestorven was, het huis hol galmend en verlaten, met allerlei tekenen (wasgoed aan de lijn, de vaat van het middageten nog niet gedaan) die op een recent vertrek wezen, maar waarin haar hele familie weg was, verdwenen, waarheen wist ze niet, en Robins rode kat – toen nog maar een katje, nog niet de slome dikkop van een kater die hij zou worden – opeens raar deed, en wild, met lege ogen, over het grasveld stoof en een boom in schoot, bang van haar alsof ze een vreemde was. Ze was niet echt zichzelf in die herinneringen, tenminste niet als ze zo ver teruggingen. Hoewel ze de concrete achtergrond waartegen ze zich afspeelden – George Street, nummer 363, het huis waar ze haar hele leven al woonde – heel goed herkende, was zij, Allison, niet herkenbaar, zelfs niet voor haarzelf: ze was geen peuter en ook geen baby, alleen een blik, twee ogen die loom over een vertrouwde omgeving gleden en die beschouwden zonder persoonlijkheid of lichaam, leeftijd of verleden, alsof ze zich dingen herinnerde van voor haar geboorte.

Allison dacht niet bewust, maar op een uiterst vage en schimmige manier over dit alles na. Toen ze klein was kwam het niet bij haar op zich af te vragen wat die onthechte indrukken betekenden, en nu ze ouder was al helemaal niet. Ze dacht nauwelijks over het verleden na, en daarin week ze sterk af van haar familie, die aan bijna niets anders dacht.

Haar familieleden beseften dat niet. Zelfs al zou ze het hun proberen te vertellen, dan nog zouden ze het niet kunnen begrijpen. Voor mensen als zij, wier gedachten onophoudelijk door herinneringen werden bestookt en voor wie heden en toekomst uitsluitend bestonden als herhalingspatroon, was zo'n kijk op de wereld onvoorstelbaar. De herinnering – fragiel, wazig-helder, wonderbaarlijk – was voor hen de vonk van het leven zelf, en ze begonnen bijna geen zin zonder daar een beroep op te doen: 'Je herinnert je die batist met die groene bloemetjes toch nog wel?' drongen haar moeder en haar tantes dan aan. 'Die roze trosroos? Die citroenbiskwietjes? Weet je nog die mooie koude paasdag, toen Harriet nog maar een hummeltje was, toen jullie samen eieren zochten in de sneeuw en een grote sneeuwpaashaas maakten bij Adelaide in de voortuin?'

'Ja, ja,' loog Allison dan. 'Ik weet het nog.' En in zekere zin was dat ook zo. Ze had die verhalen zo vaak gehoord dat ze ze uit haar hoofd kende, ze woordelijk zou kunnen navertellen als ze wilde, soms zelfs hier en daar een detail inlassen dat in de herhalingen weg was gevallen: bijvoorbeeld dat Harriet en zij de neus en oren van de sneeuwhaas hadden gemaakt van roze bloesems die van de bevroren appelbomen waren gevallen. Die verhalen waren haar even vertrouwd als verhalen uit haar moeders jeugd, of uit boeken. Maar het was net of ze geen van alle in enig wezenlijk opzicht verband met haar hielden.

In werkelijkheid – en dat had ze nog nooit aan iemand toegegeven – waren er vreselijk veel dingen die Allison zich niet meer te binnen kon brengen. Ze had geen duidelijke herinneringen aan de kleuterschool, of de eerste klas, noch aan iets anders dat ze met zekerheid voor haar achtste kon plaatsen. Het was iets waar ze zich diep voor schaamde en wat ze (grotendeels succesvol) trachtte te verbergen. Haar kleine zusje Harriet beweerde nog dingen te weten van voordat ze één was.

Hoewel die nog geen zes maanden was geweest toen Robin was gestorven, zei ze dat ze zich hem nog kon herinneren, en volgens Allison en de overige Cleves zou dat weleens kunnen kloppen ook. Af en toe kwam Harriet voor de dag met een onbeduidend maar verbluffend accuraat feit – details omtrent weersomstandigheden of kleding, menu's van verjaardagsetentjes van voor haar tweede – dat iedereen versteld deed staan.

Maar Allison kon zich Robin helemaal niet meer herinneren. Dat was onvergeeflijk. Ze was bijna vijf toen hij stierf. Ook van de

periode vlak na zijn dood kon ze zich niets herinneren. Ze kende
de details van de hele episode: de tranen, het speelgoedhondje,
haar zwijgen; dat de rechercheur uit Memphis – een grote man
met een kamelenkop en vroegtijdig wit haar die Snowy Olivet
heette – haar foto's van zijn eigen dochter, Celia, had laten zien en
haar Almond Joy-repen had gegeven uit een grootverbruikersdoos
die hij in zijn auto had, en dat hij haar ook nog andere foto's had
laten zien, van kleurlingen en blanken met stekeltjeshaar en zware
oogleden; dat Allison op Tattycorums blauwe katoenfluwelen ca-
napé had gezeten – ze logeerde toen bij tante Tat, zij en de baby,
hun moeder lag nog steeds in bed – terwijl de tranen haar over de
wangen biggelden en ze de chocola van de repen pulkte en geen
woord wilde zeggen. Dat alles wist ze niet omdat ze het zich herinnerde maar omdat tante Tat het haar vele malen had verteld, in
haar dicht bij de gaskachel geschoven stoel, als Allison op winter-
middagen na school bij haar langsging, haar bijziende oude,
sherry-bruine ogen strak op een punt aan de andere kant van de
kamer gericht en haar stem vertederd, druk babbelend, vol nostal-
gie, alsof ze een verhaal over een afwezige derde vertelde.

Zo vertederd was de scherpziende Edie niet, en zo toegeeflijk
evenmin. De verhalen die zij Allison wenste te vertellen, hadden
vaak een eigenaardig allegorische ondertoon.

'Mijn moeders zuster,' begon Edie bijvoorbeeld terwijl ze Allison met de auto thuisbracht van pianoles, zonder haar blik ook
maar even van de weg af te wenden, haar elegante arendsneus fier
geheven, 'mijn moeders zuster kende een jongetje, Randall Sco-
field, van wie de hele familie bij een wervelstorm om het leven
was gekomen. Hij kwam thuis uit school en wat denk je dat hij
zag? Er was geen spaan meer heel van zijn huis en de negers die
er werkten hadden de lichamen van zijn vader en zijn moeder en
zijn drie kleine broertjes onder het puin vandaan gehaald, en zo
lagen die daar, helemaal onder het bloed en nog geen laken eroverheen, lijf aan lijf naast elkaar als een xylofoon. Een van de
broertjes was een arm kwijt en in de slaap van zijn moeder had
zich een ijzeren deurstop geboord. Nou, en weet je wat er toen
met dat jongetje gebeurde? Die was met stómheid geslágen. En
daarna heeft hij zeven jaar lang geen woord meer gezegd. Volgens
mijn vader had hij altijd en overal een stapeltje overhemdkarton-
netjes en een vetkrijtje bij zich en moest hij elk woord opschrijven
dat hij tegen iemand zei. Die kartonnetjes kreeg hij voor niets van
de baas van de stomerij in de stad.'

Dat verhaal vertelde Edie graag. Ze varieerde er weleens op: kinderen die tijdelijk blind waren geworden, hun tong hadden afgebeten of gek waren geworden bij de aanblik van zulke gruwelijke taferelen. De verhalen hadden een licht verwijtende teneur, die Allison nooit goed kon thuisbrengen.

Allison was meestal alleen. Ze draaide platen. Ze maakte collages van plaatjes die ze uit tijdschriften knipte, en kliederige kaarsen van gesmolten waskrijtjes. Ze tekende balletdanseresjes, paarden en muizenjongen in de kantlijn van haar meetkundeschrift. Tussen de middag zat ze bij een groepje vrij populaire meisjes aan tafel, al zag ze die buiten schooltijd zelden. Oppervlakkig gezien hoorde ze daarbij: ze droeg leuke kleren, had een gave huid, woonde in een groot huis in een nette straat, en ze mocht dan niet schrander of levendig zijn, ze had ook niets wat je tegen haar innam.

'Je zou toch zó populair kunnen zijn als je wilde,' zei Edie, die een expert was op het gebied van sociaal verkeer, al was het op middelbareschoolniveau. 'Het populairste meisje van je klas, als je maar wilde.'

Maar Allison had er geen zin in. Ze wilde niet dat kinderen naar tegen haar deden of haar uitlachten, en als niemand haar maar lastigviel vond ze het allang best. En op Edie na viel eigenlijk niemand haar lastig. Ze sliep veel. Ze liep alleen naar school. Als ze onderweg een hond tegenkwam bleef ze staan om ermee te spelen. 's Nachts droomde ze van een gele lucht waar iets wits tegen opbolde, iets als een laken, en dan was ze hevig van streek, maar zodra ze wakker werd wist ze er niets meer van.

Ze zat vaak bij haar oudtantes, in de weekends en na school. Ze stak draden in naalden voor ze, las hun voor als hun ogen moe werden, klom op trapjes om dingen van hoge stoffige planken te pakken, luisterde naar hun verhalen over gestorven schoolvriendinnen en pianorecitals van zestig jaar geleden. Soms maakte ze na school zoetigheid voor ze – karamel, noga, meringues – die ze mee konden nemen naar de bazaar van hun kerk. Ze werkte op gekoeld marmer, met een thermometer, nauwgezet als een chemicus, volgde het recept op de voet, streek de ingrediënten met een botermesje glad in het maatbekertje. De tantes – zelf ook net meisjes, rouge op de wangen, krullen in het haar, een en al pret – trippelden af en aan en heen en weer, opgetogen over de bedrijvigheid in de keuken, elkaar aansprekend met koosnaampjes van vroeger.

Wat een keukenprinsesje, tjilpten de tantes. Wat ben je toch beeldig. Wat ben je ook een schat, dat je ons komt opzoeken. Zo'n braaf meisje. Zo beeldig. Zo lief.

Harriet, de jongste, was beeldig noch lief. Harriet was pienter.

Al vanaf het moment dat ze kon praten was Harriet een lichtelijk ontregelend element in huize Cleve. Ze was een wildebras op het schoolplein, onbeleefd tegen bezoek, maakte ruzie met Edie, leende boeken over Djingiz Chan uit de bibliotheek en bezorgde haar moeder een punthoofd. Ze was twaalf en zat in de eerste klas van de junior high school. Ze haalde weliswaar altijd hoge cijfers, maar haar onderwijzers wisten nooit hoe ze met haar moesten omgaan. Soms belden ze haar moeder op, of Edie – dat was degene bij wie je moest zijn, zoals iedereen wist die de Cleves ook maar een beetje kende; zij was zowel generaal als gebiedster, de persoon met het meeste gezag in de familie en waarschijnlijk de enige die wel zou optreden. Maar Edie wist zelf ook niet goed hoe ze Harriet moest aanpakken. Harriet was niet echt ongehoorzaam of onhandelbaar, maar ze was arrogant en slaagde er op de een of andere manier in vrijwel elke volwassene met wie ze in aanraking kwam tegen de haren in te strijken.

Harriet had niets van de dromerige breekbaarheid van haar zusje. Ze was stevig gebouwd, als een kleine das, had een rond gezicht, een spitse neus, kort zwart haar in een pagekopje, een dun, gedecideerd mondje. Ze had een kordate manier van praten, een scherpe, hoge stem en een eigenaardig afgebeten dictie voor een kind uit Mississippi, waardoor onbekenden vaak vroegen waar ze dat yankee-accent in vredesnaam vandaan had. Haar ogen waren licht en doordringend en leken wel wat op die van Edie. De gelijkenis tussen haar grootmoeder en haar was treffend en bleef ook niet onopgemerkt, maar van de pittige, felogige schoonheid van de grootmoeder was bij het kleinkind alleen de felheid over, die iets verontrustends had. Chester, de tuinman, vergeleek hen voor zichzelf met havik en haviksjong.

Zowel voor Chester als voor Ida Rhew was Harriet een bron van ergernis en vermaak. Al vanaf het moment dat ze nog maar net kon praten, liep ze achter hen aan terwijl zij aan het werk waren, met bij elke stap een vraag. Hoeveel verdiende Ida? Kende Chester het onzevader? Wilde hij het voor haar opzeggen? Wat hen ook amuseerde was de onrust die ze tussen de doorgaans vreedzame Cleves stookte. Meer dan eens had ze nog net niet onherstelbare breuken veroorzaakt: door tegen Adelaide te zeggen dat Edie en Tat de kussenslopen die zij voor hen had geborduurd geen van beiden zelf hielden, maar ze mooi inpakten en aan anderen gaven; door Libby te vertellen dat haar zoetzuur niet te eten was – en dus in de verste verte niet het lievelingskostje waar zij het voor aanzag – en dat het bij buren en familie alleen in trek was omdat het zo merkwaardig goed werkte als onkruidverdelger. 'Weet je die kale plek in de tuin?' vroeg Harriet. 'Bij de achterveranda? Daar heeft Tatty zes jaar geleden zoetzuur van jou weggegooid, en sinds die tijd groeit er niets meer.' Het leek Harriet een goed idee om het zoetzuur in potten te doen en als onkruidverdelger te verkopen. Dan werd Libby miljonair.

Het duurde een dag of vier voordat tante Libby daarover was uitgehuild. Met Adelaide en de kussenslopen was het nog erger geweest. Anders dan Libby koesterde Adelaide haar wrok; twee weken lang wilde ze niet eens met Edie en Tat praten, en de taarten en pasteien die haar zusters als zoenoffer bij haar op de veranda zetten negeerde ze vierkant en liet ze staan voor de honden uit de buurt. Libby, aangeslagen door de breuk (waarin haar geen blaam trof: zij was de enige zuster die trouwhartig genoeg was om Adelaides kussenslopen niet alleen te houden maar zelfs te gebruiken, hoe lelijk ze ook waren) liep zenuwachtig van de een naar de ander in een poging om vrede te stichten. Bijna was dat gelukt of Harriet gooide weer olie op het vuur en vertelde aan Adelaide dat Edie de cadeautjes die ze van Adelaide kreeg niet eens uitpakte, maar er alleen het oude naamkaartje afhaalde en er een nieuw op deed voordat ze ze doorstuurde: voornamelijk naar liefdadigheidsorganisaties, sommige nog van negers ook. Het was zo'n rampzalige geschiedenis dat elke toespeling erop ook nu nog, jaren later, tot kattige opmerkingen en bedekte verwijten leidde en Adelaide tegenwoordig met verjaardagen en Kerstmis demonstratief een overdreven cadeau voor haar zusters kocht – een flesje Shalimar bijvoorbeeld, of een nachtjapon van Goldsmith in Memphis – waarvan ze meestal het prijsje vergat te verwijderen. 'Persoonlijk krijg ik graag handgemaakte cadeaus,' kon je haar met luide stem horen verkondigen: tegen de dames van haar bridgeclub, tegen Chester in de tuin, over het hoofd van haar vernederde zusters als ze net bezig waren de ongevraagde luxe uit te pakken. 'Dat zégt meer. Dat is atténter. Maar voor sommige mensen telt alleen hoeveel geld je eraan uit hebt gegeven. Die denken dat een cadeau alleen iets waard is als het uit de winkel komt.'

'Ik vind het mooi, Adelaide, wat je maakt,' zei Harriet altijd. En dat was nog waar ook. Hoewel ze niets aan schorten, kussenslopen en theedoeken had, bewaarde ze Adelaides kakelbonte linnengoed en had er laden vol van in haar kamer. Het waren niet de spullen zelf die ze mooi vond maar de dessins: Hollandse boerinnetjes, dansende koffiepotten, soezende Mexicanen met sombrero's. Ze was er zo verzot op dat ze ze uit andermans kasten stal, en het had haar buitengewoon geërgerd dat Edie de kussenslopen naar een liefdadigheidsinstelling stuurde ('Stel je niet aan, Harriet. Wat moet jij daar nou in vrédesnaam mee?') terwijl zij ze had gewild.

'Dat wéét ik, schatje,' prevelde Adelaide, met van zelfmedelijden trillende stem, en ze bukte om Harriet een theatrale kus te geven, waarbij Tat en Edie achter haar rug een blik wisselden. 'Eens, als ik er niet meer ben, zul je misschien blij zijn dat je ze hebt.'

'Die kleine,' zei Chester tegen Ida, 'stookt graag ruzie.'

Edie, zelf ook niet afkerig van ruzie, had een geduchte rivaal aan haar jongste kleindochter. Desondanks, of misschien juist daarom, hadden ze plezier in elkaar, en Harriet zat vaak bij haar grootmoeder. Edie klaagde wel veel over Harriets stijfkoppigheid en slechte manieren en mopperde dat ze altijd in de weg liep, maar hoe onuitstaanbaar Harriet ook was, Edie vond haar prettiger gezelschap dan de weinig spraakzame Allison. Ze had Harriet graag om zich heen, al zou ze dat niet toegeven, en miste haar op de middagen dat ze niet kwam.

De tantes hielden van Harriet, al was ze niet zo'n aanhankelijk kind als haar zusje, maar haar arrogantie zat hun dwars. Ze zei wat haar voor de mond kwam. Ze had geen enkel gevoel voor terughoudendheid of tact, en in dat opzicht leek ze meer op Edie dan Edie besefte.

De tantes deden vergeefse pogingen haar beleefdheid bij te brengen. 'Maar schatje, begríjp je dan niet,' zei Tat, 'dat als je vruchtencake niet lekker vindt, je die toch beter wel kunt eten dan de gastvrouw te kwetsen?'

'Maar ik vind vruchtencake niet lekker.'

'Dat weet ik, Harriet. Daarom gebruikte ik dat voorbeeld ook.'

'Maar vruchtencake is vies. Ik ken niemand die het lekker vindt. En als ik tegen haar zeg dat ik het lekker vind, dan blijft ze het me geven.'

'Ja, liefje, maar daar gaat het niet om. Het gaat erom dat als ie-

mand de moeite heeft genomen om iets voor je te maken, dat het
dan beleefd is om het te eten ook al lust je het niet.'
'In de bijbel staat dat je niet mag liegen.'
'Dat is niet hetzelfde. Dit is een leugentje om bestwil. De bijbel
heeft het over een ander soort leugen.'
'De bijbel heeft het niet over soorten. Die heeft het gewoon
over leugens.'
'Neem het nou maar van me aan, Harriet. Jezus zegt wel dat we
niet mogen liegen, maar dat betekent niet dat we onbeleefd tegen
onze gastvrouw moeten zijn.'
'Jezus zegt niets over onze gastvrouw. Hij zegt alleen dat liegen
een zonde is. "De Duivel is een leugenaar en de prins der leugen."
Dat zegt Hij.'
Daar wist Tat niets op te zeggen, waarop Libby het overnam en
spitsvondig zei: 'Maar Jezus zegt toch ook "gij zult uw naaste liefhebben"? Slaat dat dan niet op je gastvrouw? Je gastvrouw is ook
je naaste.'
'Precies,' zei Tattycorum verheugd, en vlug erachteraan: 'Niet
dat iemand daarmee wil zeggen dat je gastvrouw per se naast je
hoeft te wónen. "Gij zult uw naaste liefhebben" betekent alleen
maar dat je moet eten wat je wordt aangeboden, en je dankbaarheid tonen.'
'Ik zie niet in waarom dat betekent dat ik tegen mijn naaste
moet zeggen dat ik vruchtencake lekker vind. Terwijl het niet waar
is.'
Niemand, zelfs Edie niet, had enig idee wat je met die onverzet-
telijke betweterigheid aan moest. Het kon uren zo doorgaan. Het
maakte niet uit of je praatte tot je erbij neerviel. Al helemaal om
dol van te worden was dat Harriets argumenten, hoe onzinnig
ook, meestal op redelijk betrouwbare bijbelkennis berustten. Op
Edie maakte dat geen indruk. Ook al deed ze liefdadigheids- en
zendingswerk en zat ze in het kerkkoor, ze geloofde niet echt dat
elk woord in de bijbel waar was, zoals ze diep in haar hart ook
sommige van haar eigen favoriete uitspraken niet echt geloofde:
bijvoorbeeld dat alles wat er gebeurde altijd wel ergens goed voor
was, of dat negers vanbinnen precies hetzelfde waren als blanken.
Maar de tantes – vooral Libby – raakten soms in de war als ze te
lang nadachten over de dingen die Harriet zei. Haar drogredene-
ringen waren onmiskenbaar gebaseerd op de bijbel, maar druisten
in tegen het gezond verstand en alles wat fatsoenlijk was. 'Misschien,' zei Libby onzeker, als Harriet naar huis was gegaan voor

het eten, 'misschien ziet de Heer wel geen verschil tussen een leugentje om bestwil en een lelijke leugen. Misschien zijn ze in Zijn ogen wel allemaal lelijk.'

'Libby toch.'

'Misschien is er wel een klein kind voor nodig om ons daarop te wijzen.'

'Ik ga net zo lief naar de hel,' snibde Edie, die de voorafgaande woordenwisseling niet had meegemaakt, 'als ik altijd overal moet gaan vertellen wat ik echt van iedereen hier in de stad vind.'

'Edith!' riepen haar zusters in koor.

'Edith, dat meen je niet!'

'Wel degelijk. En ik hoef ook niet te weten wat iedereen in de stad van mij vindt.'

'Ik weet niet wat je kan hebben gedaan, Edith,' zei de zelfgenoegzame Adelaide, 'dat je denkt dat iedereen zo'n lage dunk van je heeft.'

In de keuken stond Libby's huishoudster Odean – die deed alsof ze hardhorig was – onbewogen naar dit alles te luisteren terwijl ze kippenragout en een paar broodjes opwarmde voor het avondeten van de oude dame. Zoveel opwindends gebeurde er niet bij Libby, en op de dagen dat Harriet kwam was de conversatie meestal wel wat verhitter.

In tegenstelling tot Allison – die door andere kinderen min of meer werd geaccepteerd zonder dat ze precies wisten waarom – was Harriet een bazig meisje, en niet bepaald geliefd. De vriendschappen die ze wél had waren niet lauw of oppervlakkig, zoals bij Allison. Ze had voornamelijk vriendjes, de meeste jonger dan zij, die met haar dweepten en na school de halve stad door fietsten om bij haar te kunnen zijn. Ze moesten Kruisvaartje met haar spelen, en Jeanne d'Arcje; ze moesten lakens omdoen en taferelen uit het Nieuwe Testament opvoeren, waarbij zij zichzelf de rol van Jezus toebedeelde. Het Laatste Avondmaal speelde ze het liefst. Daarbij zaten ze met zijn allen aan één kant van de picknicktafel, à la Da Vinci, onder de druivenranken die neerhingen van de pergola bij Harriet in de achtertuin, gretig wachtend op het moment dat zij – nadat ze een laatste avondmaal van Ritz-crackers en druiven-Fanta had uitgereikt – de tafel langs zou kijken, elke jongen heel even vasthoudend met haar koude blik. 'En toch zal een van jullie,' zei ze dan, met een kalmte die hen in vervoering bracht, 'zal een van jullie die hier vanavond zijn mij verraden.'

'Nee! Nee!' joelden ze dan opgetogen – inclusief Hely, de jongen die Judas speelde, maar Hely was dan ook Harriets favoriet en hij kreeg niet alleen Judas maar ook alle andere pikante discipelen te spelen: Johannes, Lucas, Simon Petrus. 'Nooit, Heer!'

Daarna kwam de optocht naar Gethsemane, dat in het diepe schemerduister onder de tupelo in de tuin gelegen was. Daar moest Harriet zich, in de rol van Jezus, door de Romeinen gevangen laten nemen – een gewelddadige gevangenneming, veel hardhandiger dan de in het evangelie beschreven versie – en dat was op zich al opwindend, maar de jongens waren vooral zo dol op Gethsemane omdat dat werd gespeeld onder de boom waarin haar broer was vermoord. De meesten van hen waren ten tijde van die moord nog niet geboren, maar ze kenden het verhaal allemaal, hadden het in elkaar gepast van flarden uit gesprekken van hun ouders of groteske halve waarheden die hun oudere broertjes en zusjes fluisterend vertelden in de donkere slaapkamer, en de boom wierp zijn diepgetinte schaduw al over hun fantasie sinds de allereerste keer dat hun kindermeisjes zich op de hoek van George Street voorover hadden gebogen om hen bij de hand te nemen en er met een sissend gefluisterde waarschuwing op te wijzen.

Iedereen vroeg zich af waarom die boom er nog stond. Men vond dat hij moest worden omgehakt – niet alleen vanwege Robin, maar ook omdat hij begon af te sterven vanuit de kruin, waar melancholieke grijze botten geknakt boven het zeewiergroene loof uitstaken, als door de bliksem verzengd. In het najaar blaakte hij hoogrood van toorn, en dan was hij nog een dag of twee mooi tot hij ineens al zijn blad liet vallen en naakt achterbleef. Als de bladeren weer aan de boom zaten, waren ze glanzend en leerachtig en bijna zwart van kleur. Ze gaven een zo diepe schaduw dat er nauwelijks gras onder groeide; bovendien was de boom te groot en stond hij te dicht bij het huis, en als het maar hard genoeg waaide, had de boomchirurg tegen Charlotte gezegd, zou ze op een ochtend bij het wakker worden merken dat hij dwars door haar slaapkamerraam was geslagen ('om nog maar te zwijgen van dat jongetje,' had hij tegen zijn compagnon gezegd toen hij zich de truck weer in hees en het portier dichtsloeg, 'hoe houdt dat arme mens het uit, elke ochtend als ze wakker wordt en haar tuin in kijkt dat ding daar te zien staan?'). Mevrouw Fountain had zelfs aangeboden de boom op haar kosten weg te laten halen, tactvol verwijzend naar het gevaar voor haar eigen huis. Dat was opmerkelijk, want mevrouw Fountain was zo zuinig dat ze haar oude aluminiumfolie schoonspoelde en oprolde om het opnieuw te gebruiken, maar Charlotte schudde alleen haar hoofd. 'Nee dank u, mevrouw Fountain,' zei ze, met iets zo afwezigs in haar stem dat mevrouw Fountain zich afvroeg of ze het niet goed had begrepen. 'Ik zal je zeggen,' snerpte ze. 'Ik wil het betalen! Met alle plezier! Mijn huis loopt ook gevaar, en als er een tornado komt en –' 'Nee dank u.'

Charlotte keek mevrouw Fountain niet aan – ze keek ook niet naar de boom, waarin de boomhut van haar dode zoon eenzaam wegrotte in de vork van een vermolmde tak. Ze keek naar de overkant van de straat, over het landje vol hoog opgeschoten koekoeksbloemen en vingergras heen, de verte in, waar de treinrails een mistroostig spoor langs de roestige daken van Niggertown trokken.

'Ik zal je zeggen,' zei mevrouw Fountain, nu op een andere toon. 'Ik zal je zeggen, Charlotte. Jij denkt van niet, maar ik weet wat het betekent om een zoon te verliezen. Maar dat is nu eenmaal Gods wil en je hebt het maar te aanvaarden.' Aangemoedigd door Charlottes zwijgen ging ze verder: 'En trouwens, het was niet je enige kind. Jij hebt de andere tenminste nog. Maar arme Lynsie – die was alles wat ík had. En er gaat geen dag voorbij dat ik niet aan die ochtend denk toen ik hoorde dat zijn vliegtuig was neergeschoten. We waren bezig met de kerstversieringen, ik stond in mijn nachtpon en duster op een ladder om een takje mistletoe aan de kroonluchter te hangen toen ik die klop op de voordeur hoorde. Porter, die schat van mijn hart – het was na zijn eerste hartaanval, maar voor zijn tweede…'

Haar stem stokte en ze keek even naar Charlotte. Alleen was Charlotte er niet meer. Ze had zich omgedraaid en drentelde naar huis terug.

Dat was jaren geleden, en de boom stond er nog steeds, nog steeds met Robins wegrottende oude boomhut bovenin. Nu deed mevrouw Fountain niet meer zo vriendelijk als ze Charlotte tegenkwam. 'Ze let voor geen sikkepit op die twee meisjes,' zei ze tegen de dames in de zaak van mevrouw Neely terwijl ze haar haar liet doen. 'En dat huis puilt gewoonweg uit van de troep. Als je door de ramen kijkt zie je stapels kranten tot aan het plafond.'

Mevrouw Neely, die in de spiegel mevrouw Fountains blik opving en vasthield terwijl ze de haarlak pakte, zei met een sluw trekje op haar vossengezicht: 'Zou ze soms af en toe een slokje nemen?'

'Dat zou me niets verbazen,' zei mevrouw Fountain.

Mevrouw Fountain ging dikwijls vanaf haar veranda tegen kinderen tekeer, die dan wegrenden en de wildste verhalen over haar verzonnen: dat ze kleine jongens ontvoerde (en opat); dat haar meermalen bekroonde rozenperk werd bemest met hun fijngemalen botten. De nabijheid van mevrouw Fountains griezelhuis maakte het naspelen van de arrestatie in Gethsemane bij Harriet in de tuin des te spannender. Soms slaagden de jongens er wel in elkaar bang te maken voor mevrouw Fountain, maar voor de boom waren ze vanzelf al bang. De vorm had iets wat hen beklemde; het gesmoorde grauw van zijn schaduw – maar een paar passen van het zonnige grasveld, en er toch lichtjaren vandaan – was ook al onheilspellend als je de geschiedenis eromheen niet kende. Ze hoefden elkaar niet te herinneren aan wat daar was gebeurd, dat deed de boom zelf wel. Die had zijn eigen gezag, zijn eigen duisternis.

In haar eerste schooljaren was Allison onbarmhartig geplaagd met Robins dood ('Mamma, mamma, mag ik buiten met mijn broertje gaan spelen?' 'Geen denken aan, je hebt hem deze week al drie keer opgegraven!'). Ze had het gepest lijdzaam zwijgend ondergaan – niemand wist hoe vaak wel niet, en hoe lang – tot een aardige onderwijzer had gemerkt wat er gaande was en er een einde aan had gemaakt.

Maar Harriet – misschien vanwege haar felle karakter, of anders alleen omdat haar klasgenootjes te jong waren om zich de moord nog te herinneren – waren dergelijke kwellingen bespaard gebleven. De tragedie in haar familie verleende haar een lugubere glamour die de jongens onweerstaanbaar vonden. Ze had het vaak over haar gestorven broertje, met een vreemde, koppige volharding die de indruk wekte dat ze Robin niet alleen had gekend maar ook dat hij nog leefde. Keer op keer betrapten de jongens zich erop dat ze naar Harriets achterhoofd of profiel staarden. Soms leek het wel of zij Robin wás: een kind als zij, dat uit het graf was opgestaan en dingen wist waarvan zij niets wisten. In haar ogen zagen ze de priemende blik van haar gestorven broertje, via het mysterie van hun bloedband. In werkelijkheid, al beseften ze dat geen van allen, leken Harriet en haar broertje nauwelijks op elkaar, ook niet op foto's; zo dartel, vrolijk en watervlug als hij was verschilde hij hemelsbreed van Harriet met haar zwartgalligheid en hooghartige humorloosheid, en het was puur de kracht van háár persoonlijkheid die hen gevangen en geboeid hield, niet de zijne.

De ironie van de situatie drong niet zo tot de jongens door, noch zagen ze de sterke overeenkomsten tussen de tragedie die ze naspeelden in de duisternis onder de tupelo en de tragedie die zich daar elf jaar eerder had voltrokken. Hely had zijn handen vol omdat hij Harriet niet alleen in de rol van Judas aan de Romeinen moest uitleveren, maar haar ook als Petrus te hulp moest schieten en een centurion het oor afslaan. Vergenoegd en zenuwachtig telde hij de dertig pinda's uit waarvoor hij zijn Heiland zou verraden, en terwijl de andere jongens hem stompten en duwden bevochtigde hij zijn lippen met een extra teug druiven-Fanta. Om Harriet te kunnen verraden mocht hij haar op haar wang kussen. Een keer had hij haar – opgehitst door de andere discipelen – een zoen midden op haar mond gegeven. De grimmigheid waarmee ze die had afgeveegd – een minachtende haal met de rug van haar hand over haar mond – had hij spannender gevonden dan de hele zoen zelf.

De in lakens gehulde figuren van Harriet en haar discipelen waren een spookachtige verschijning in de buurt. Soms werd Ida Rhew, als ze uit het raam bij de gootsteen naar buiten keek, getroffen door de wonderlijke sfeer van die kleine processie die onheilspellend over het grasveld schreed. Ze zag niet dat Hely ondertussen met zijn pinda's speelde, en ook de groene gympjes onder zijn gewaad zag ze niet, noch hoorde ze de andere discipelen boos fluisteren omdat ze hun klapperpistooltjes niet mee hadden mogen nemen ter verdediging van Jezus. De rij met wit omhangen figuurtjes, de lakens slepend over het gras, riep dezelfde nieuwsgierigheid en beklemming bij haar op als wanneer ze een wasvrouw in Palestina was geweest, tot haar ellebogen in een tobbe vuil bronwater, die in het warme schemerlicht van Pesach haar werk onderbrak om met haar pols haar voorhoofd af te vegen en heel even, bevreemd, naar die dertien gehuifde figuren te staren die daar voorbij gleden, over de stoffige weg naar de ommuurde olijfhof boven op de heuvel – het gewicht van hun opdracht zichtbaar in hun trage, plechtige tred, maar de achtergrond een raadsel: een begrafenis misschien? Een ziekbed, een berechting, een religieuze plechtigheid? Iets schokkends, hoe dan ook; genoeg om haar aandacht even af te leiden, al zou ze haar werk weer hervatten zonder het flauwste idee dat die kleine processie op weg was naar iets zo schokkends dat het de loop van de geschiedenis zou veranderen.

'Waarom moeten jullie toch altijd onder die nare ouwe boom

spelen?' vroeg ze aan Harriet toen die binnenkwam.

'Omdat,' zei Harriet, 'dat het donkerste plekje van de tuin is.'

Al van jongs af aan werd ze gefascineerd door archeologie: graf-heuvels van indianen, ruïnes van steden, begraven dingen. Het was begonnen met haar belangstelling voor dinosaurussen, een belangstelling die langzaam was veranderd. Wat Harriet interes-seerde, bleek zodra ze oud genoeg was om het onder woorden te brengen, waren niet de dinosaurussen zelf – de brontosaurussen met hun lange wimpers uit de zaterdagse strips, die zich lieten be-rijden of braaf hun hals bogen om als glijbaan voor kinderen te dienen – en ook niet de nachtmerrieachtige, krijsende tirannosau-russen en pterodactylussen. Wat haar interesseerde was het feit dat ze niet meer bestonden.

'Maar hoe wéten we nou,' had ze Edie gevraagd – die het woord 'dinosaurus' niet meer kon horen – 'hoe ze er echt uitzagen?'

'Omdat er botten zijn gevonden.'

'Maar, Edie, als ik jouw botten zou vinden, dan weet ik toch nog niet hoe jíj eruit hebt gezien.'

Edie, die perziken zat te schillen, gaf geen antwoord.

'Kijk nou, Edie. Kijk dan. Hier staat dat er alleen een bot van een poot is gevonden.' Ze klom op een kruk en hield haar met één hand verwachtingsvol het boek voor. 'En daar staat een plaatje van de hele dinosaurus.'

'Ken je dat liedje niet, Harriet?' kwam Libby tussenbeide, terwijl ze zich omdraaide van het aanrecht waar ze perziken stond te ont-pitten. Met haar beverige stem zong ze: 'The knee bone's connected to the leg bone... The leg bone's connected to the...'

'Maar hoe wéten ze nou hoe hij eruitzag? Hoe wéten ze dat hij groen was? Op het plaatje is hij groen gemaakt. Kijk. Kíjk dan, Edie.'

'Ik kijk toch,' zei Edie nors, hoewel ze niet keek.

'Nee, je kijkt niet!'

'Ik heb genoeg gezien.'

Toen Harriet ouder werd, een jaar of negen, tien, verschoof haar obsessie naar archeologie. Daarvoor vond ze een gewillige, zij het warrige gesprekspartner in haar tante Tat. Tat had dertig jaar lang op de plaatselijke middelbare school Latijn gegeven; toen ze gepensioneerd was had ze belangstelling opgevat voor allerlei Raadselen van de Oudheid die, volgens haar, vaak te maken had-den met Atlantis. De Atlantiden, zo legde ze uit, hadden de piramiden en de monolieten van Paaseiland gemaakt; de in de Andes gevonden getrepaneerde schedels en de in de graven van de farao's ontdekte moderne elektrische batterijen waren te verklaren uit de kennis van de Atlantiden. Haar boekenkasten stonden vol pseudo-wetenschappelijke eindnegentiende-eeuwse populaire boeken, die ze van haar ontwikkelde maar goedgelovige vader had geërfd, een vooraanstaand rechter die zijn laatste jaren opgesloten had gezeten in zijn slaapkamer waaruit hij telkens in pyjama trachtte te ontsnappen. In zijn bibliotheek, die hij aan zijn op één na jongste dochter Theodora – door hem liefdevol Tattycorum of kortweg Tat genoemd – had nagelaten, stonden boeken als *De antediluviaanse kwestie*, *Andere werelden dan de onze* en *Mu: feit of fictie?*

Tats zusters moedigden onderzoek in die richting niet aan: Adelaide en Libby vonden het onchristelijk en Edie vond het gewoon dom. 'Maar als er nou zoiets als Atlanta heeft bestaan,' zei Libby met een frons op haar naïeve gezicht, 'waarom staat er dan niets over in de bijbel?'

'Omdat het toen nog niet was gebouwd,' zei Edie tamelijk wreed. 'Atlanta is de hoofdstad van Georgia. De stad is in de Burgeroorlog door Sherman in de as gelegd.'

'O, Edith, doe niet zo naar...'

'De Atlantiden waren de voorouders van de oude Egyptenaren,' zei Tat.

'Kijk, daar heb je het al. De oude Egyptenaren waren geen christenen,' zei Adelaide. 'Ze vereerden katten en honden en dat soort dingen.'

'Ze hádden ook geen christenen kunnen zijn, Adelaide. Jezus was nog niet geboren.'

'Misschien niet, maar Mozes en de rest hielden zich tenminste aan de tien geboden. Die liepen geen katten en honden te vereren.'

'De Atlantiden,' sprak Tat waardig door het gelach van haar zusters heen, 'de Atlantiden wisten veel dingen die de wetenschappers van nu maar wat graag te weten zouden komen. Pappa wist van Atlantis, en hij was een goed christen, en hij had meer ontwikkeling dan wij in deze kamer met z'n allen bij elkaar.'

'Pappa,' mopperde Edie, 'páppa haalde me 's nachts altijd uit bed om te zeggen dat Keizer Wilhelm eraan kwam en dat ik het zilver in de put moest verstoppen.'

'Edith!'

'Dat is niet eerlijk, Edith. Toen was hij al ziek. En dat terwijl hij zo goed voor ons is geweest!'

'Ik zeg niet dat pappa geen goed mens was, Tatty. Ik zeg alleen maar dat ik degene was die voor hem moest zorgen.'

'Míj herkende pappa altijd wel,' zei Adelaide grif, die als jongste en – meende ze – haar vaders lieveling geen gelegenheid voorbij liet gaan om haar zusters daaraan te herinneren. 'Hij wist tot het eind toe wie ik was. Op de dag dat hij stierf pakte hij mijn hand en zei: "Lieve Addie, wat hebben ze me aangedaan?" Ik zou werkelijk niet weten waarom ik de enige was die hij herkende. Gek, hè?'

Harriet vond het heerlijk om in Tats boeken te kijken, niet alleen in die over Atlantis maar ook in degelijker werken zoals de *History* van Gibbon en die van Ridpath, en allerlei romans die in de oudheid speelden, met kleurige plaatjes van gladiatoren op de omslagen.

'Dat zijn natuurlijk geen geschiedkundige werken,' legde Tat uit. 'Het zijn gewoon luchtige romans met een historische achtergrond. Maar het zijn wel boeiende boeken, en leerzaam bovendien. Ik gaf ze vroeger altijd aan de kinderen op de middelbare school om hun belangstelling voor de Romeinse tijd te wekken. Dat kan nu vast niet meer, met het soort boeken dat tegenwoordig geschreven wordt, maar dit zijn keurig nette romans, niet van die rommel die je nu hebt.' Ze liet haar magere wijsvinger, met dikke knokkels van de reuma, over de rij gelijke boekruggen glijden. '*H. Montgomery Storm.* Ik geloof dat hij ook romans heeft geschreven over de *Regency*-tijd, maar dan onder de naam van een vrouw, ik ben vergeten hoe die was.'

Harriet had totaal geen belangstelling voor de gladiatorenromans. Het waren gewoon liefdesgeschiedenissen met een Romeins vernisje, en ze had een hekel aan alles wat ook maar riekte naar liefde of romantiek. Haar lievelingsboek was een dik, met kleurplaten geïllustreerd werk met de titel *Pompeji en Herculaneum: De vergeten steden.*

Tat vond het fijn om het samen met Harriet in te kijken. Ze zaten dan op Tats fluwelen sofa en sloegen samen de bladzijden om, bekeken muurschilderingen in tere tinten uit verwoeste villa's, volledig intact gebleven bakkerswinkels onder een vier meter dikke aslaag, met brood en al, de anonieme grijze gipsafgietsels van dode Romeinen, nog in de veelzeggende, van angst verwrongen houdingen waarin ze tweeduizend jaar geleden onder de regen van hete as op de keien waren gevallen.

'Ik snap niet dat die arme mensen niet het benul hadden om

eerder weg te gaan,' zei Tat. 'Ze wisten toen zeker niet wat een vulkaan was. En ik denk dat het een beetje leek op toen de orkaan Camille langs de Golf van Mexico trok. Er waren veel domme mensen die weigerden weg te gaan toen de stad werd geëvacueerd. Ze bleven zitten drinken in het Buena Vista Hotel alsof het een groot feest was. Nou, ik kan je wel vertellen, Harriet, ze zijn drie weken bezig geweest om de lijken uit de boomtoppen te halen toen het water was gezakt. En van het Buena Vista lag niet één steen meer op de andere. Jij kunt je het Buena Vista niet herinneren, lieverd. Ze hadden waterglazen beschilderd met maanvissen.' Ze sloeg de bladzijde om. 'Kijk. Zie je dat gipsafgietsel van dat dode hondje? Het heeft nog een koekje in zijn bek. Ik heb eens ergens een prachtig verhaal gelezen van iemand die over dat hondje heeft geschreven. In het verhaal was het hondje van een kleine bedeljongen uit Pompeji aan wie het verknocht was, en stierf het toen het iets te eten voor hem probeerde te halen voor onderweg, als hij uit Pompeji wegging. Zielig, hè? Niemand weet het natuurlijk zeker, maar het zal niet ver bezijden de waarheid zijn, denk je ook niet?'

'Misschien wilde de hond dat koekje zelf wel.'

'Dat denk ik niet. Eten was waarschijnlijk wel het allerlaatste waar de stakker aan dacht toen iedereen gillend door elkaar heen rende en er overal as viel.'

Hoewel Tat net zo geïnteresseerd was in de begraven stad als Harriet, vanwege het menselijke drama, begreep ze niet waarom Harriets fascinatie zich zelfs tot de geringste en minst opzienbarende aspecten van de verwoesting uitstrekte: kapotte gebruiksvoorwerpen, kleurloze potscherven, roestige bonken onbestemd metaal. En ze besefte helemaal niet dat Harriets obsessieve belangstelling voor brokstukken te maken had met haar familiegeschiedenis.

Net als de meeste oude families in Mississippi waren de Cleves vroeger rijker geweest. Er waren, net als bij het verdwenen Pompeji, alleen nog sporen van die rijkdom over en de familieleden mochten elkaar graag verhalen vertellen over hun verloren fortuin. Sommige waren waar. De yankees hadden inderdaad sieraden en zilver van de Cleves gestolen, maar niet de enorme schatten waar de zusters om treurden; rechter Cleve was zwaar getroffen door de beurskrach van '29 en op zijn seniele oude dag had hij een paar rampzalige beleggingen gedaan met als dieptepunt de investering van het grootste deel van zijn spaargeld in een bezopen project om de Auto van de Toekomst te ontwikkelen, een auto die kon vliegen. De rechter was, zo ontdekten zijn dochters tot hun ontsteltenis na zijn dood, een van de voornaamste aandeelhouders van het ter ziele gegane bedrijf.

Daarom moest het grote huis, dat al sinds de bouw in 1809 van de familie Cleve was, in allerijl worden verkocht om de schulden van de rechter af te betalen. De zusters treurden er nog steeds om. Ze waren er opgegroeid, net als de rechter zelf en zijn moeder en grootouders. Het ergste was dat de koper het meteen had doorverkocht aan iemand die er een rusthuis van had gemaakt en later, toen de vergunning van het rusthuis werd ingetrokken, een opvangtehuis. Drie jaar na de dood van Robin was het tot de grond toe afgebrand. 'Het had de Burgeroorlog overleefd,' zei Edie verbitterd, 'maar uiteindelijk hebben de nikkers het toch kapot gekregen.'

Eigenlijk was rechter Cleve degene die het huis had verwoest, niet 'de nikkers'; hij had het bijna zeventig jaar lang verwaarloosd, net als zijn moeder de veertig jaar daarvoor. Toen hij stierf waren de vloeren rot, was het fundament verzwakt door de termieten en stond het hele gebouw op instorten, maar nog steeds spraken de zusters liefdevol over het met de hand beschilderde behang – zachtblauw met koolrozen – dat in Frankrijk was besteld, over de marmeren schoorsteenmantels met gebeeldhouwde serafijnen en de handgemaakte kroonluchter van Boheems kristal, de dubbele trap – een voor de jongens en een voor de meisjes – die speciaal ontworpen was om gemengde feesten mogelijk te maken, en een muur waardoor de bovenverdieping van het huis in tweeën werd verdeeld, zodat ondeugende jongens niet midden in de nacht naar het gedeelte van de meisjes konden sluipen. Ze waren praktisch vergeten dat de jongenstrap, aan de noordzijde, toen de rechter overleed al in geen vijftig jaar meer een feest had beleefd en van bouwvalligheid onbruikbaar was, dat de eetkamer bijna was uitgebrand doordat de seniele rechter zelf een ongelukje met een olielamp had gehad, dat de vloeren doorzakten, dat het dak lekte, dat het trapje naar de achterveranda in 1947 was versplinterd onder het gewicht van een man van het gasbedrijf die de meter kwam opnemen, en dat het fameuze met de hand beschilderde behang in grote schimmelige plakkaten van het pleisterwerk losliet.

Het huis had de geestige naam Huize De Beproeving gedragen. Zo had de grootvader van rechter Cleve het genoemd omdat de bouw volgens hem bijna zijn dood was geweest. Er was niets meer

van over dan de twee schoorstenen en het bemoste pad – waarvan
de klinkers in een kunstig visgraatmotief waren gelegd – van het
fundament naar het trapje voor, waarin in verbleekt Delfts blauw
vijf gebarsten tegels stonden met de letters C L E V E.

Voor Harriet waren die vijf Hollandse tegels een veel fascine-
render overblijfsel van een vervlogen beschaving dan dode honden met koekjes in hun bek. Voor haar was het tere, waterige
blauw het blauw van de rijkdom, van de herinnering, van Europa,
van de hemel; en De Beproeving die zij eruit reconstrueerde, had
de fosforescerende, luisterrijke gloed van de droomwereld zelf.

In haar gedachten bewoog haar gestorven broertje zich als een
prins door de vertrekken van dit verloren paleis. Het huis was verkocht toen ze pas zes weken oud was, maar Robin was van de ma-
honiehouten leuningen gegleden (een keer, vertelde Adelaide, was
hij bijna door de glazen deur van de porseleinkast beneden gevlogen) en had domino gespeeld op het Perzische tapijt onder de toe-
ziende blikken van de marmeren serafijnen, met hun uitgeklapte
vleugels en hun sluwe, halfgeloken ogen. Hij was in slaap gevallen
aan de voeten van de beer die zijn oudoom had geschoten en opgezet, en hij had de pijl gezien, met verschoten gaaienveren aan
het uiteinde, die een Natchez-indiaan bij een ochtendlijke aanval
in 1812 op zijn betovergrootvader had afgeschoten en die in de
salonmuur was blijven zitten op de plaats waar hij zich erin had
geboord.

Afgezien van de Hollandse tegels restten er weinig concrete
artefacten van De Beproeving. De meeste meubels en tapijten en
alle tierlantijnen – de marmeren serafijnen, de kroonluchter – waren in kisten met het etiket 'divers' erop afgevoerd en verkocht
aan een antiekhandelaar in Greenwood die er maar de helft van de
werkelijke waarde voor had betaald. De fameuze pijlschacht was
in Edies handen verpulverd toen ze hem op de verhuisdag uit de
muur probeerde te trekken, en de kleine pijlpunt had zich tegen
alle pogingen om hem met een plamuurmes uit het pleisterwerk
te wrikken verzet. En de opgezette beer, aangevreten door mot-
ten, ging naar de vuilnisbelt waar een paar negerkinderen hem
verrukt uit hadden gered om hem aan zijn poten door de modder
naar huis te slepen.

Hoe moest ze die uitgestorven kolos dan reconstrueren? Wat
voor fossiele resten waren ervan over, wat voor aanwijzingen kon
ze volgen? Het fundament was er nog, een eindje buiten de stad,
ze wist niet precies waar, en eigenlijk deed dat er ook niet toe; ze

was er maar één keer, op een winterse middag lang geleden, mee naartoe genomen om het te zien. Voor een klein kind leek het of het de basis was geweest voor een bouwwerk dat veel groter was dan een huis, een stad bijna; ze herinnerde zich dat Edie (jongensachtig in haar kakibroek) opgewonden van de ene naar de andere kamer huppelde, terwijl haar adem in witte wolkjes naar buiten kwam, en wees waar de salon was geweest, de eetkamer, de bibliotheek – maar dat was allemaal wazig vergeleken met de vreselijke, vreselijke herinnering aan Libby in haar rode driekwartjas, die in tranen uitbarstte, haar gehandschoende hand uitstak en zich door Edie door het knerpende winterbos terug liet brengen naar de auto, met Harriet langzaam achter hen aan.

Uit De Beproeving waren nog wat onbeduidende artefacten gered – linnengoed, servies met monogram, een log rozenhouten buffet, vazen, porseleinen klokken, eetkamerstoelen, die over haar eigen huis en de huizen van haar tantes waren verspreid: willekeurige brokstukken, hier een beenbot, daar een wervel, waaruit Harriet de verkoolde luister die ze nooit had gezien begon te reconstrueren. En die behouden spullen straalden een geheel eigen, warm, sereen oud licht uit: het zilver was massiever, het borduursel overvloediger, het kristal brozer en het porselein van een teerder, zeldzamer kleur blauw. Maar het levendigst spraken tot haar de verhalen die ze te horen kreeg: zwaar opgesmukte dingen die Harriet nog verder verfraaide in haar onaantastbare mythe van het betoverde alcazar, het sprookjeskasteel dat nooit had bestaan. Ze bezat in uitzonderlijke, verontrustende mate het beperkte blikveld dat alle Cleves in staat stelde te vergeten wat ze zich niet wilden herinneren en te overdrijven of anderszins te wijzigen wat ze niet konden vergeten; en terwijl ze het skelet van het verdwenen monstrum, dat het fortuin van haar familie had gevormd, weer opbouwde, besefte ze niet dat er met bepaalde botten was geknoeid, dat andere bij totaal verschillende dieren hoorden en dat veel van de massiefste en spectaculairste botten helemaal geen botten waren, maar vervalsingen van gips. (De fameuze Boheemse kroonluchter was bijvoorbeeld helemaal niet afkomstig uit Bohemen, hij was niet eens van kristal: de moeder van de rechter had hem bij Montgomery Ward besteld.) En ze besefte al helemaal niet dat ze bij al haar inspanningen almaar bepaalde onaanzienlijke, stoffige brokstukjes vertrapte die, als ze de moeite had genomen ze te onderzoeken, de ware – en tamelijk teleurstellende – sleutel tot het hele bouwwerk konden leveren, en dat de machtige, imposante, weelderige Beproeving die ze in gedachten moeizaam had gereconstrueerd, geen replica was van een huis dat ooit had bestaan, maar een hersenschim, een sprookje.

Harriet zat hele dagen in het oude fotoalbum te turen in het huis van Edie (niet te vergelijken met De Beproeving: een driekamer-bungalow uit de jaren veertig). Daar had je de magere, verlegen Libby, het haar strak naar achteren, die er op haar achttiende al uitzag als een kleurloze oude vrijster; ze had iets van Harriets moeder (en van Allison) in haar mond en haar ogen. Dan de misprijzende Edie – negen jaar, een gezicht als een onweerswolk met dezelfde uitdrukking in het klein als haar vader de rechter, die achter haar stond te fronsen. Een vreemde Tat met een vollemaansgezicht, hangend in een rieten stoel met de wazige schaduw van een katje op haar schoot, onherkenbaar. Baby Adelaide, die drie echtgenoten zou overleven, koket lachend naar de camera. Ze was de knapste van de vier en ook zij had iets wat aan Allison deed denken, maar er begon zich al iets nukkigs rond haar mondhoeken te vormen. In het trapje van het ten ondergang gedoemde huis dat achter hen oprees zaten de Hollandse tegels met de naam CLEVE: nog net leesbaar, en alleen als je heel goed keek, maar dat was het enige op de foto wat onveranderd was gebleven.

Het mooist vond Harriet de foto's met haar broer erop. Edie had de meeste meegenomen: omdat het zo pijnlijk was ernaar te kijken waren ze uit het album gehaald en werden ze apart bewaard, in een hartvormig bonbondoosje op een plank in Edies kleerkast. Toen Harriet ze bij toeval vond, rond haar achtste, was dat een archeologische vondst in de orde van de ontdekking van het graf van Toetanchamon.

Edie wist helemaal niet dat Harriet de foto's had gevonden en dat ze voornamelijk daarom zo vaak bij haar kwam. Gewapend met een zaklantaarn zat Harriet ze achter in Edies muffe kleerkast tussen Edies zondagse jurken te bestuderen; soms stopte ze het doosje stiekem in haar Barbie-koffertje en nam het mee naar Edies schuurtje, waar ze van Edie, die blij was even van Harriet af te zijn, ongehinderd mocht spelen. Ze had de foto's een paar keer een nachtje mee naar huis genomen. Een keer had ze ze, toen haar moeder al naar bed was, aan Allison laten zien. 'Kijk,' zei ze. 'Dat is onze broer.'

Er verscheen een uitdrukking die veel weghad van angst op Allisons gezicht toen ze naar het open doosje staarde dat Harriet op haar schoot had gelegd.

'Ga je gang, kijk maar. Op sommige sta jij ook.'

'Ik wil ze niet zien,' zei Allison, en ze deed met een klap het deksel op de doos, die ze naar Harriet terugschoof.

Het waren kleurenfotootjes: verbleekte polaroids, roze geworden langs de randen, plakkerig en gescheurd op de plaats waar ze uit het album waren getrokken. Ze zaten onder de vingerafdrukken, alsof iemand ze vaak had bekeken. Bij sommige stonden zwarte catalogusnummers op de achterkant gestempeld omdat ze gebruikt waren bij het politieonderzoek, en op die foto's stonden de meeste vingerafdrukken.

Harriet kon er geen genoeg van krijgen. De tinten waren te blauw, onaards; en de kleuren waren met de jaren nog vreemder en onbestemder geworden. De droomverlichte wereld waar ze haar een glimp van boden, was magisch, in zichzelf besloten, voorgoed verloren. Daar had je Robin, slapend met zijn rode katje Weenie, rondstampend tussen de pilaren van het bordes van De Beproeving, proestend van het lachen, roepend naar de camera, bellenblazend met een kommetje met sop en een klosje. Daar stond hij, ernstig, in een gestreepte pyjama; in zijn welpenuniform van de padvinders – de knietjes overstrekt, trots op zichzelf; daar was hij weer veel kleiner, verkleed voor een toneelstukje van de kleuterschool – *Het koekenmannetje* – waarin hij een gulzige kraai had gespeeld. Het kostuum dat hij gedragen had was befaamd. Libby had er weken aan gewerkt: een zwart tricot pakje met oranje kousen, waaraan van pols tot oksel en van oksel tot boven aan de dij vleugels van zwart kripfluweel waren genaaid. Voor zijn neus was bij wijze van snavel een kegel van oranje karton gebonden. Het was zo'n mooi kostuum dat Robin het twee jaar achter elkaar met Halloween had gedragen, en na hem zijn zusjes, en nu, al die jaren later, kreeg Charlotte nog steeds telefoontjes van moeders uit de buurt die het te leen vroegen voor hun kinderen.

Edie had op de avond van de voorstelling een heel filmpje volgeschoten: allerlei foto's van Robin die opgewonden door het huis rende, met flapperende armen en achter hem aan wapperende vleugels terwijl een enkele veer neerdwarrelde naar het grote, kale tapijt. Met een zwarte vleugel om de hals van de verlegen Libby, de blozende naaister. Met zijn vriendjes Alex (een bakker, met witte voorschoot en muts) en de stoute Pemberton, het Koekenmannetje zelf, zijn gezichtje donker van woede vanwege zijn vernederende kostuum. Robin weer, ongeduldig, tegenspartelend, vastgehouden door zijn knielende moeder die een kam door zijn haar probeerde te halen. De vrolijke jonge vrouw op de foto was ontegenzeggelijk Harriets moeder, maar een moeder die ze nooit had gekend: zorgeloos, charmant, bruisend van levenslust. Harriet was in de ban van de foto's. Het liefst wilde ze de wereld die ze kende verwisselen voor die koele, blauwige helderheid, waarin haar broer nog leefde en het mooie huis er nog stond en iedereen altijd blij was. Robin en Edie in de grote, sombere salon, terwijl ze op hun knieën een bordspel speelden – ze kon niet zien welk, een spel met felgekleurde schijven en een kleurig wiel dat draaide. Daar waren ze weer, Robin, die met zijn rug naar de camera een grote rode bal naar Edie gooide, en Edie die met een komische blik een snoekduik maakte om hem te vangen. Daar stond hij de kaarsjes van zijn verjaardagstaart uit te blazen – negen kaarsjes, de laatste verjaardag die hij zou meemaken – Edie en Allison over hem heen gebogen om hem te helpen: lachende gezichten die straalden in het donker. Een warreling van kerstfeesten: dennentakken en engelenhaar, cadeautjes die onder de boom uit stromen, het buffet sprankelend van het geslepen glas van de punchbowl, de kristallen schotels met lekkers en sinaasappelen en met poedersuiker bestrooide cake op zilveren schalen, de serafijnen van de schoorsteenmantel getooid met hulst en iedereen lachend en de kroonluchter sprankelend in de hoge spiegels met alle broze vrolijkheid van Bohemen. Op de achtergrond zag Harriet op de feesttafel nog net het fameuze kerstservies: met een patroon van rood lint in een krans, klingelende sleebelletjes in reliëf van bladgoud. Het was aan diggelen gegaan bij de verhuizing – de verhuizers hadden het niet goed ingepakt – en er waren alleen een paar schoteltjes en een juskom van over, maar daar op de foto was alles er nog, hemels, schitterend, het complete servies.

Harriet zelf was vlak voor Kerstmis geboren, midden in de zwaarste sneeuwstorm die ooit in Mississippi was geregistreerd. In de hartvormige doos zat een foto van die sneeuwval: de twee iepen van De Beproeving glinsterend van het ijs en Bounce, de lang geleden overleden terriër van Adelaide, die dol van opwinding het besneeuwde pad afstormt naar zijn bazinnetje, de fotografe, vereeuwigd in zijn geblaf – met onscherpe pootjes die een waaier van sneeuw achter hem doen opstuiven – op het moment van verrukkelijke verwachting vlak voordat hij zijn geliefde bereikt. In de verte was de voordeur van De Beproeving opengegooid en stond Robin met zijn timide zusje Allison, die haar armen om zijn middel had geslagen, vrolijk naar de lens te zwaaien.

Hij zwaaide naar Adelaide – die de foto nam – en naar Edie, die zijn moeder uit de auto hielp; en naar Harriet, het pasgeboren zusje dat hij nog nooit had gezien en dat op die besneeuwde vrolijke kerstavond uit het ziekenhuis thuiskwam.

Harriet had pas twee keer sneeuw gezien, maar ze wist al zolang ze leefde dat ze in de sneeuw was geboren. Iedere kerstavond (bescheiden, bedrukte kerstfeesten nu, rond een gaskachel in Libby's benauwde huisje met de lage plafonds, waar ze samen eierpunch dronken) vertelden Libby, Tat en Adelaide hetzelfde verhaal, het verhaal over hoe ze met z'n allen in Edies auto waren gestapt en naar het ziekenhuis in Vicksburg waren gereden om Harriet op kerstavond in de sneeuw thuis te brengen.

'Jij was het mooiste kerstcadeautje dat we ooit hebben gekregen,' zeiden ze. 'Robin was zo opgewonden. De avond voordat we je gingen halen kon hij bijna niet in slaap komen, hij heeft je grootmoeder tot vier uur 's ochtends wakker gehouden. En de eerste keer dat hij je zag, toen we met je binnenkwamen, was hij even stil en toen zei hij: "Je hebt zeker het mooiste baby'tje gekozen dat ze hadden, mamma."'

'Harriet was zo'n lieve baby,' zei Harriets moeder weemoedig – ze zat bij de gaskachel, haar armen om haar knieën. Net als de verjaardag van Robin en de dag van zijn dood was Kerstmis extra moeilijk voor haar, dat wist iedereen.

'Was ik lief?'

'Ja, schatje.' Het was waar. Harriet had nooit gehuild of ook maar enige last gegeven voordat ze leerde praten.

Harriets lievelingsfoto uit de hartvormige doos, die ze keer op keer bij het licht van de zaklantaarn bestudeerde, was van haar en Robin en Allison in de salon van De Beproeving, naast de kerstboom. Voor zover ze wist was het de enige foto van hen drieën samen; het was de enige foto van haarzelf die in het oude huis van de familie was genomen. Er sprak niets uit over alle onheil dat hun boven het hoofd hing. De oude rechter zou een maand later dood zijn, De Beproeving zou voorgoed verloren zijn en Robin zou in de lente sterven, maar dat wist toen natuurlijk nog niemand; het was Kerstmis, er was een pasgeboren baby in huis, ze waren allemaal gelukkig en dachten dat dat altijd zo zou blijven.

Op de foto stond Allison (serieus in haar witte nachtjapon) op blote voeten naast Robin, die baby Harriet vasthield – met een mengeling van opwinding en verbijstering op zijn gezicht, alsof Harriet een kunstig stuk speelgoed was waar hij niet mee om wist te gaan. De kerstboom stond achter hen te schitteren, in de hoek van de foto stonden Robins kat Weenie en de nieuwsgierige Bounce snoezig toe te kijken, als de dieren die het wonder in de stal kwamen bekijken. Boven het tafereel glimlachten de marmeren serafijnen. Het licht op de foto was gebroken, sentimenteel, zwanger van onheil. Ook de terriër Bounce zou het kerstfeest daarna dood zijn.

Na Robins dood begon de First Baptist Church een collecte voor een geschenk te zijner nagedachtenis – een Japanse kwee of eventueel nieuwe kussens voor de kerkbanken – maar er kwam meer geld binnen dan verwacht. Een van de zes gebrandschilderde ramen van de kerk – die allemaal een episode uit het leven van Jezus uitbeeldden – was tijdens een winterse storm door een boomtak stukgeslagen en daarna met triplex dichtgespijkerd. De predikant, die nooit had gedacht de kosten van een vervangend raam te kunnen betalen, stelde voor het geld aan een nieuw raam te besteden.

Een groot deel van het fonds was bijeengebracht door de schoolkinderen uit de stad. Ze waren langs de deuren gegaan en hadden loterijen en taartverkopen georganiseerd. Robins vriend Pemberton Hull (die het Koekenmannetje had gespeeld toen Robin de kraai was in het toneelstukje van de kleuterschool) had bijna tweehonderd dollar gegeven voor het aandenken aan zijn overleden vriendje, een gulle gift die de negenjarige Pem beweerde te hebben verkregen door zijn spaarvarken stuk te slaan, maar die hij in feite uit de portemonnee van zijn grootmoeder had gepikt. (Hij had ook geprobeerd de verlovingsring van zijn moeder bij te dragen plus tien zilveren theelepeltjes en een vrijmetselaarsdasspeld waarvan niemand de herkomst wist te achterhalen; de speld was bezet met diamanten en was duidelijk veel geld waard.) Maar ook zonder die royale gaven kwam de totale som die Robins klasgenoten bijeen hadden gebracht op een flink bedrag en er werd voorgesteld de kapotte uitbeelding van de Bruiloft te Kana niet te vervangen door hetzelfde tafereel maar iets te doen om niet alleen Robin, maar ook de kinderen die zich zo voor hem hadden uitgesloofd, eer te bewijzen.

Op het nieuwe raam, dat anderhalf jaar later werd onthuld onder de bewonderende kreten van de baptistische gemeente, zat een vriendelijke, blauwogige Jezus op een rotsblok onder een olijfboom, in gesprek met een roodharige jongen met een honkbalpetje op, die onmiskenbare gelijkenis vertoonde met Robin.

LAAT DE KINDEREN TOT MIJ KOMEN

luidde de inscriptie onder het tafereel, en op een plaque eronder
stond gegraveerd:

Ter liefdevolle nagedachtenis van Robin Cleve Dusfresnes
Van de schoolkinderen van Alexandria, Mississippi
'Want hunner is het koninkrijk der hemelen'

Haar hele leven had Harriet haar broer zien schitteren in het illus-
tere gezelschap van aartsengel Gabriël, Johannes de Doper, Jozef
en Maria en natuurlijk Jezus zelf. De ochtendzon scheen door zijn
verheven gestalte, en de verstilde trekken van zijn gezicht (kort
neusje, schalks lachje) straalden dezelfde gelukzalige helderheid
uit. Juist dat kinderlijke maakte die helderheid des te stralender,
brozer dan bij Johannes de Doper en de anderen; toch sprak ook
uit zijn gezichtje de serene onaandoenlijkheid van de eeuwigheid,
als een geheim dat ze met elkaar deelden.

Wat was er precies gebeurd op Golgotha en in het graf? Hoe
bereikte het vlees vanuit nederigheid en smart die caleidoscoop
van de opstanding? Harriet wist het niet. Maar Robin wel, en het
geheim straalde van zijn verheerlijkte gelaat.

Jezus' eigen overgang was – terecht – een Mysterie genoemd,
maar gek genoeg wilde niemand er het fijne van weten. Wat werd
er precies bedoeld als er in de bijbel stond dat Jezus uit de dood
was opgestaan? Was Hij alleen in de geest teruggekeerd, als een
onbevredigend soort spook? Kennelijk niet, volgens de bijbel: de
ongelovige Thomas had een vinger in een van de spijkergaten in
Zijn handpalm gestoken, Hij was gezien, duidelijk genoeg, op de
weg naar Emmaüs, Hij had zelfs een hapje gegeten bij een van de
discipelen thuis. Maar als Hij echt in Zijn aardse lichaam uit de
dood was opgestaan, waar was Hij nu dan? En als Hij zoveel van
iedereen hield als Hij beweerde, waarom moest er dan ooit iemand sterven?

Toen Harriet een jaar of zeven, acht was, was ze naar de bibliotheek in de stad gegaan om boeken over magische kunsten te zoeken. Maar thuisgekomen ontdekte ze tot haar woede dat er alleen
maar goocheltrucs in stonden: balletjes die onder kopjes verdwenen, kwartjes die uit iemands oor vielen. Tegenover het raam
waarop Jezus en haar broer stonden was een tafereel van Lazarus
die uit de dood werd opgewekt. Keer op keer herlas Harriet het

verhaal van Lazarus in de bijbel, maar de meest elementaire vragen werden maar niet gesteld. Wat had Lazarus Jezus en zijn zusters te vertellen over zijn week in het graf? Stonk hij nog? Kon hij naar huis gaan en verder leven met zijn zusters of griezelden de mensen in zijn buurt van hem en moest hij misschien ergens anders gaan wonen, in zijn eentje, net als het monster van Frankenstein? Onwillekeurig dacht ze dat zij, Harriet, meer over het onderwerp te vertellen zou hebben gehad dan Lucas, als ze erbij was geweest. Misschien was het allemaal maar een verhaal. Misschien was Jezus niet zelf uit de dood herrezen, hoewel iedereen dat zei; maar als Hij wél de steen had weggerold en levend uit het graf was opgestaan waarom dan haar broer niet, die ze iedere zondag naast Hem zag schitteren?

Dat was Harriets grootste obsessie, de obsessie waar alle andere uit voortkwamen. Want het allerliefst – liever dan De Beproeving, liever dan wat ook –wilde ze haar broer terug. En verder wilde ze te weten komen wie hem had vermoord.

Op een vrijdagochtend in mei, twaalf jaar na de moord op Robin, zat Harriet aan Edies keukentafel het dagboek van kapitein Scott over zijn laatste expeditie naar de Zuidpool te lezen. Het boek stond opengeslagen tussen haar elleboog en een bord waarvan ze toast met roerei zat te eten. Allison en zij ontbeten op schooldagen vaak bij Edie. Ida Rhew, die voor het eten zorgde, kwam pas om acht uur en hun moeder, die toch al bijna nooit iets at, nam als ontbijt alleen een sigaret en soms een flesje cola.

Maar het was geen schooldag, het was een doordeweekse ochtend, in het begin van de zomervakantie. Edie stond bij het fornuis met haar genopte schort voor haar jurk voor zichzelf roerei te maken. Eigenlijk had ze liever niet dat Harriet aan tafel zat te lezen, maar het was gemakkelijker haar maar haar gang te laten gaan dan haar om de vijf minuten een standje te moeten geven.

Het ei was klaar. Ze draaide het vuur uit en liep naar de kast om een bord te pakken. Hiervoor moest ze over haar andere kleindochter heen stappen, die op haar buik monotoon lag te huilen, in haar volle lengte uitgestrekt op het keukenzeil.

Edie negeerde Allisons gehuil, stapte behoedzaam over haar heen en schepte het ei op een bord. Toen liep ze om Allison te vermijden om de keukentafel heen, ging tegenover Harriet zitten, die niets merkte, en begon in stilte het ei op te eten. Ze was hier veel te oud voor. Ze was al sinds vijf uur op en had schoon genoeg van de kinderen.

Het probleem was de kat van de kinderen, die op een handdoek in een kartonnen doos bij Allisons hoofd lag. Een week daarvoor was hij gestopt met eten. Toen was hij begonnen te mauwen als hij werd opgetild. Ze hadden hem meegenomen naar Edie om hem door haar te laten onderzoeken.

Edie kon goed met dieren omgaan, en ze dacht vaak dat ze een prima dierenarts of zelfs arts had kunnen worden als meisjes in haar tijd zulke dingen hadden mogen doen. Ze had ritsen jonge katjes en hondjes beter gemaakt, ze had uit het nest gevallen kleine vogeltjes grootgebracht en de wonden gewassen en gebroken botten gezet van allerhande gewonde dieren. De kinderen – niet alleen haar kleinkinderen maar alle kinderen uit de buurt – wisten dat en brachten hun eigen zieke huisdieren naar haar toe, plus alle zielige zwerfdiertjes of wilde beesten die ze vonden.

Maar hoe dol Edie ook was op dieren, ze deed er nooit sentimenteel over. Ook kon ze, zoals ze de kinderen voorhield, geen wonderen verrichten. Na een kordaat onderzoek van de kat – die inderdaad een futloze indruk maakte maar zo te zien verder niets had – was ze opgestaan en had haar handen aan haar schort afgeveegd, terwijl haar kleindochters hoopvol toekeken.

'Hoe oud is die kat eigenlijk?' vroeg ze.

'Zestieneneenhalf,' zei Harriet.

Edie bukte zich om het arme beest te aaien, dat met een schichtige, ongelukkige blik in zijn ogen tegen de tafelpoot leunde. Ze was zelf ook dol op de kat. Het was het katje van Robin geweest. Hij had het een keer in de zomer op het gloeiendhete trottoir gevonden en in de kom van zijn handen naar haar toe gebracht. Het had Edie de grootst mogelijke moeite gekost het te redden. De ogen waren nauwelijks open, een kluwen maden had een gat in zijn zij gevreten en ze herinnerde zich nog hoe gedwee en geduldig het diertje was blijven liggen toen ze de wond uitspoelde, in een ondiepe schaal lauw water, en hoe roze het water daarna was geweest.

'Hij wordt toch weer beter, hè, Edie?' vroeg Allison, toen al haast in tranen. De kat was haar beste vriend. Na de dood van Robin had hij zich aan haar gehecht: hij volgde haar overal, bracht haar presentjes die hij had gestolen of gedood (dode vogels, smakelijke hapjes afval, één keer – vreemd genoeg – een ongeopend pak havermoutkoekjes); en vanaf de eerste dag dat ze naar school

ging stond hij iedere middag om kwart voor drie aan de achterdeur te krabben om eruit gelaten te worden, zodat hij haar tot de
hoek tegemoet kon lopen.

Allison had de kat op haar beurt meer liefde geschonken dan
alle andere levende wezens, haar eigen familieleden incluis. Ze
praatte voortdurend met hem, gaf hem stukjes kip en ham van
haar eigen bord en liet hem 's nachts op zich slapen met zijn buik
tegen haar hals gedrapeerd.

'Hij heeft vast iets verkeerds gegeten,' zei Harriet.

'We zullen wel zien,' zei Edie.

Maar in de dagen daarop werd haar vermoeden bevestigd. De
kat mankeerde niets. Hij was gewoon oud. Ze bood hem tonijn
aan, en melk uit een oogdruppelaar, maar de kat sloot slechts zijn
ogen en spuugde de melk in een smerige schuimmassa tussen zijn
tanden door uit. De vorige ochtend, toen de kinderen nog op
school waren, had ze in de keuken de kat in een soort stuip aangetroffen. Ze had hem in zijn handdoek gewikkeld en was ermee
naar de dierenarts gegaan.

Toen de meisjes die middag bij haar langskwamen vertelde ze:
'Het spijt me, er is niets aan te doen. Ik ben vanmorgen met de kat
naar dokter Clark geweest. Hij vindt dat we hem moeten laten
inslapen.'

Harriet had de mededeling betrekkelijk gelijkmoedig opgenomen – wonderlijk genoeg, want ze was heel goed in staat om op
te vliegen als ze daar zin in had. 'Arme ouwe Weenie,' had ze gezegd terwijl ze op haar knieën bij de doos van de kat ging zitten.
'Arm poesje.' En ze legde haar hand op de zwoegende flank van
de kat. Ze hield bijna evenveel van hem als Allison, al schonk hij
weinig aandacht aan haar.

Maar Allison was bleek weggetrokken. 'Hoe bedoel je, inslapen?'

'Zoals ik het zeg.'

'Dat kan je niet doen. Ik wil het niet.'

'We kunnen niets meer voor hem doen,' zei Edie kortaf. 'De
dierenarts weet wat het beste is.'

'Je mag hem niet vermoorden.'

'Wat wil je dan? Het lijden van die arme stakker rekken?'

Allison liet zich met trillende lippen bij de doos van de kat op
haar knieën vallen en barstte in hysterisch snikken uit.

Dat was de vorige middag om drie uur. Sindsdien was Allison
niet van de zijde van het dier geweken. Ze had 's avonds niets ge-

geten, ze had een kussen en deken geweigerd, ze had alleen maar de hele nacht op de koude vloer liggen jammeren en huilen. Edie was een halfuurtje bij haar in de keuken blijven zitten en had nuchter geprobeerd haar ervan te overtuigen dat alles op aarde doodging en dat Allison dat moest leren aanvaarden. Maar Allison had alleen maar harder gehuild en ten slotte had Edie het opgegeven, was naar haar slaapkamer gegaan, had de deur dichtgedaan en was een Agatha Christie gaan lezen.

Eindelijk – rond middernacht volgens de wekker naast Edies bed – was het huilen bedaard. Nu was ze weer bezig. Edie nam een slokje thee. Harriet was verdiept in kapitein Scott en aan de andere kant van de tafel stond Allisons onaangeroerde ontbijt.

'Allison,' zei Edie.

Allisons schouders schokten; ze gaf geen antwoord.

'Allison. Kom ontbijten.' Het was de derde keer dat ze dat zei.

'Ik heb geen honger,' was het gesmoorde antwoord.

'Luister eens,' snauwde Edie. 'Ik ben het zat. Je bent te oud om je zo aan te stellen. Ik wil dat je nu metéén ophoudt met dat gejammer op de vloer. Sta op en kom eten. Vooruit. Je ontbijt wordt koud.'

Een gekwelde kreet was het enige antwoord op het standje.

'O, alsjeblieft,' zei Edie terwijl ze verderging met haar eigen ontbijt. 'Je doet maar wat je niet laten kunt. Ik vraag me af wat je leraren op school zouden zeggen als ze je als een klein kind op de vloer zagen rollen.'

'Moet je dit horen,' zei Harriet opeens. Ze begon op een schoolmeesterstoon voor te lezen uit haar boek.

'"Titus Oates is aan het einde van zijn krachten, lijkt het. Alleen God weet hoe het met hem en ons zal aflopen. Na het ontbijt hebben we de kwestie besproken; hij is een moedige, goede man en begrijpt de situatie, maar..."'

'Op dit moment zijn we niet bijster geïnteresseerd in kapitein Scott, Harriet,' zei Edie. Ze voelde dat ze zelf ook bijna aan het eind van haar Latijn was.

'Ik zeg alleen maar dat Scott en zijn mannen heel dapper waren. Ze lieten de moed niet zakken. Zelfs niet aan het eind, toen ze door de storm niet verder konden en wisten dat ze gingen sterven.' Ze vervolgde met luidere stem: '"Het einde is nabij, maar we blijven opgewekt en zullen dat ook volhouden..."'

'Tsja, de dood hoort nu eenmaal bij het leven,' zei Edie berustend.

'Scotts mannen hielden van hun honden en pony's, maar het werd zo erg dat ze ze allemaal moesten doodschieten. Moet je horen, Allison. Ze moesten ze ópeten.' Ze bladerde een aantal bladzijden terug en boog haar hoofd weer over het boek. '"De arme dieren. Ze hebben het geweldig goed gedaan gezien de verschrikkelijke omstandigheden waarin ze moesten werken, en het is moeilijk om ze zo te moeten doden..."'

'Laat haar ophouden!' jammerde Allison op de grond met haar handen voor haar oren.

'Hou op, Harriet,' zei Edie.

'Maar...'

'Geen gemaar. Allison,' zei ze scherp, 'sta op. Met huilen help je de kat niet.'

'Ik ben de enige hier die van Weenie houdt. Niemand anders kan het iets sche-he-helen.'

'Allison. *Allison.* Op een dag,' zei Edie terwijl ze het botermesje pakte, 'kwam je broertje bij me met een pad die hij had gevonden. Zijn poot was eraf gesneden door de grasmaaier.'

Het gebrul van de keukenvloer dat hierop volgde was zo luid dat Edie dacht dat haar hoofd zou barsten, maar ze ging door met boter op haar toast smeren – die inmiddels ijskoud was – en vertelde onverdroten verder: 'Robin wilde dat ik hem beter maakte. Maar dat kon ik niet. Ik kon niets voor dat arme beest doen. Ik kon hem alleen doodmaken. Robin begreep niet dat het soms barmhartiger is om een dier uit zijn lijden te verlossen als het zo erg lijdt. Hij huilde en huilde. Ik kon hem met geen mogelijkheid aan zijn verstand brengen dat de pad dood beter af was dan met die verschrikkelijke pijn. Hij was natuurlijk wel jonger dan jij nu.'

Deze korte monoloog had geen effect op het beoogde doelwit, maar toen Edie opkeek merkte ze, met enige ergernis, dat Harriet haar met open mond aanstaarde.

'Hoe heb je hem doodgemaakt, Edie?'

'Zo genadig als ik maar kon,' zei Edie kordaat. Ze had zijn kop afgehakt met een schoffel – en ze was ook nog zo nonchalant geweest om het onder de ogen van Robin te doen, waar ze spijt van had – maar ze was niet van plan in details te treden.

'Ben je erop gaan staan?'

'Niemand luistert naar mij,' barstte Allison opeens los. 'Mevrouw Fountain heeft Weenie vergiftigd. Ik weet het zeker. Ze zei dat ze hem dood wilde. Hij liep altijd door haar tuin en maakte pootafdrukken op de voorruit van haar auto.'

Edie zuchtte. Daar gingen ze weer. 'Ik mag Grace Fountain ook niet,' zei ze, 'het is een wraakzuchtig oud mens en ze steekt overal haar neus in, maar je maakt mij niet wijs dat ze die kat heeft vergiftigd.'

'Ik weet het zeker. Ik haat haar.'

'Je hebt er niets aan om zo te denken.'

'Ze heeft gelijk, Allison,' zei Harriet abrupt. 'Ik geloof niet dat mevrouw Fountain Weenie heeft vergiftigd.'

'Hoe bedoel je?' vroeg Edie, die zich, wantrouwig vanwege deze onverwachte bijval, naar Harriet omdraaide.

'Ik denk dat ik het wel zou weten als ze het had gedaan.'

'Hoe zou jij dat moeten weten?'

'Rustig maar, Allison. Ik geloof niet dat ze hem heeft vergiftigd. Maar als ze het wel heeft gedaan,' zei Harriet terwijl ze weer in haar boek keek, 'dan krijgt ze er spijt van.'

Edie was niet van plan die opmerking zomaar voorbij te laten gaan en wilde reageren, maar Allison begon weer te huilen, nog harder dan eerst.

'Het kan me niet schelen wie het heeft gedaan,' snikte ze met de muis van haar handen hard tegen haar ogen gedrukt. 'Waarom moet Weenie doodgaan? Waarom moesten al die arme mensen doodvriezen? Waarom is alles altijd zo afschuwelijk?'

Edie zei: 'Omdat de wereld nu eenmaal zo in elkaar zit.'

'Dan verafschuw ik de wereld.'

'Hou op, Allison.'

'Nee. Dat zal ik altijd blijven vinden.'

'Nou, dat is een heel puberale houding,' zei Edie. 'De wereld haten. Alsof dat de wereld iets kan schelen.'

'Ik zal hem mijn hele leven haten. Altijd en altijd.'

'Scott en zijn mannen waren heel dapper, Allison,' zei Harriet. 'Ook toen ze doodgingen. Luister. "We zijn er vreselijk aan toe, bevroren voeten enzovoort. Geen brandstof en ver van voedsel, maar het zou u goed doen als u bij ons in de tent was en ons hoorde zingen en opgewekt praten..."'

Edie stond op. 'Zo is het genoeg geweest,' zei ze. 'Ik ga met die kat naar dokter Clark. Jullie blijven hier.' Ze negeerde het hernieuwde gejammer aan haar voeten en begon onverstoorbaar de tafel af te ruimen.

'Nee, Edie,' zei Harriet terwijl ze haar stoel naar achteren schoof. Ze sprong op en rende naar de kartonnen doos. 'Arme Weenie,' zei ze terwijl ze de sidderende kat streelde. 'Arm poesje.

Neem hem alsjeblieft nog niet mee, Edie.'

De ogen van de oude kat waren half gesloten van de pijn. Zwakjes sloeg hij met zijn staart tegen de zijkant van de doos.

Allison nam bijna stikkend van het huilen het dier in haar armen en trok zijn snoetje dicht tegen haar wang aan. 'Nee, Weenie,' hikte ze. 'Nee, nee, nee.'

Edie ging naar haar toe en nam haar verrassend zachtzinnig de kat af. Toen ze hem voorzichtig optilde, uitte hij een zacht, bijna menselijk kreetje. De grijze kop, vertrokken in een grimas die de gele tanden ontblootte, had iets weg van die van een oude man, lijdzaam, en op van de pijn.

Edie kroelde hem teder achter zijn oren. 'Geef die handdoek even aan, Harriet,' zei ze.

Allison wilde iets zeggen, maar moest zo huilen dat het niet lukte.

'Niet doen, Edie,' smeekte Harriet. Ook zij huilde nu. 'Alsjeblieft. Ik heb nog geen afscheid kunnen nemen.'

Edie bukte zich en pakte de handdoek zelf, kwam toen weer overeind. 'Doe dat dan nu maar,' zei ze ongeduldig. 'De kat gaat nu mee en het duurt misschien wel even.'

Een uur later zat Harriet, met nog rode ogen, op Edies achterveranda een plaatje van een baviaan uit deel B van de Compton-encyclopedie te knippen. Toen Edies oude blauwe Plymouth van de oprit was weggereden was ze ook op de keukenvloer gaan liggen, naast de lege doos, en had ze net zo onbedaarlijk gehuild als haar zusje. Toen er geen tranen meer kwamen was ze opgestaan en naar de slaapkamer van haar grootmoeder gelopen om met een speld, die ze uit het tomaatvormige speldenkussen op de commode had getrokken, met kleine lettertjes IK HAAT EDIE in het voeteneinde van Edies bed te krassen, waarmee ze zich een paar minuten had vermaakt. Maar vreemd genoeg luchtte dat niet op en ineengedoken sniffend op het kleed aan het voeteneinde kwam ze op een leuker idee. Ze zou het gezicht van een baviaan uit de encyclopedie knippen en over Edies gezicht op een foto uit het familiealbum plakken. Ze had geprobeerd Allison voor dit plan te interesseren, maar Allison lag op haar buik bij de lege doos van de kat en weigerde zelfs te kijken.

Het hek van Edies achtertuin ging piepend open en Hely Hull stoof naar binnen zonder het achter zich te sluiten. Hij was elf, een jaar jonger dan Harriet, en zijn rossige haar hing in navolging van zijn oudere broer Pemberton tot op zijn schouders. 'Harriet,' riep hij terwijl hij het verandatrapje op kloste, 'hé, Harriet,' maar hij bleef abrupt staan toen hij het monotone gesnik uit de keuken hoorde. Toen Harriet opkeek zag hij dat zij ook had gehuild.

'O, nee,' zei hij verslagen. 'Je moet zeker naar kamp?'

Kamp Lake de Selby was Hely's – en Harriets – grootste nacht-merrie. Het was een christelijk kinderkamp waar ze de zomer daarvoor allebei naartoe waren gestuurd. Jongens en meisjes (ge-scheiden van elkaar aan weerskanten van het meer) werden vier uur per dag gedwongen tot bijbelstudie en de rest van de tijd moesten ze koorden vlechten en melige vernederende sketches opvoeren die de leiders hadden geschreven. Aan de jongenskant konden ze het niet laten Hely's naam verkeerd uit te spreken – niet als 'Healy', wat juist was, maar als het vernederende 'Helly' dat rijmde op 'Nelly'. Sterker nog, ze hadden bij het appèl onder dwang zijn haar geknipt als vermaak voor de andere kampdeelne-mers. En hoewel Harriet aan haar kant de godsdienstlessen best leuk had gevonden – voornamelijk omdat ze haar een gedwongen en gemakkelijk te schokken publiek boden waarvoor ze haar onorthodoxe opvattingen over de heilige schrift kon ventileren – was ze net zo diepongelukkig geweest als Hely: om vijf uur op-staan en licht uit om acht uur, geen tijd voor jezelf en geen andere boeken dan de bijbel, en heel veel 'degelijke, ouderwetse discipli-ne' (slaag, publiekelijke bespotting) om die regels af te dwingen. Aan het eind van de zes weken hadden Hely, zij en de andere bap-tistische kampdeelnemers lusteloos uit de ramen van de kerkbus zitten staren, zwijgend in hun groene T-shirts van kamp Lake de Selby, totaal verpletterd.

'Zeg tegen je moeder dat je je van kant maakt,' zei Hely opge-wonden. Een grote groep schoolvriendjes was de vorige dag weg-gestuurd: ze waren met afhangende schouders naar de knalgroene schoolbus gesjokt alsof die niet naar het zomerkamp maar regel-recht naar de hel reed. 'Ik heb gezegd dat ik me van kant maak als ik er nog eens heen moet. Ik heb gezegd dat ik dan op de weg ga liggen en me laat overrijden.'

'Daar gaat het niet om.' Harriet vertelde kort over de kat.

'Dus je hoeft niet naar kamp?'

'Als het aan mij ligt niet,' zei Harriet. Ze had wekenlang de post in de gaten gehouden om te zien of de inschrijfformulieren erbij zaten; toen die kwamen had ze ze verscheurd en tussen het vuilnis verstopt. Maar het gevaar was nog niet geweken. Edie, die de belangrijkste bedreiging vormde (haar verstrooide moeder had de formulieren niet eens gemist), had al een rugzak en een nieuw paar gympen voor Harriet gekocht en vroeg telkens om de paklijst.

Hely pakte de foto van de baviaan en keek ernaar. 'Waar is die voor?'

'O, die.' Ze legde het uit.

'Heb je geen beest dat beter bij haar past?' opperde Hely. Hij mocht Edie niet. Ze plaagde hem altijd met zijn haar en deed of ze dacht dat hij een meisje was. 'Een nijlpaard bijvoorbeeld. Of een varken.'

'Ik vind deze best goed.'

Al pinda's etend uit zijn broekzak leunde hij over haar schouder om te zien hoe Harriet de grauwende bavianenkop kunstig in de omlijsting van Edies kapsel plakte. Met ontblote snijtanden staarde het dier de kijker agressief aan terwijl Harriets grootvader – en profil – verrukt stralend naar zijn apenbruid keek. Onder de foto stond in Edies eigen handschrift:

Edith en Hayward
Ocean Springs, Mississippi
11 juni 1939

Ze keken er samen naar.

'Je hebt gelijk,' zei Hely. 'Het is best goed.'

'Ja. Ik had eerst aan een hyena gedacht, maar dit is beter.'

Ze hadden de encyclopedie net op de plank teruggezet en het album (met vergulde Victoriaanse reliëfkrullen) weer op de tafel gelegd toen ze Edies auto knerpend het grind van de oprit op hoorden rijden.

De hordeur sloeg. 'Meisjes,' hoorden ze haar roepen, alsof er niets was gebeurd.

Geen antwoord.

'Meisjes, om jullie een plezier te doen heb ik de kat mee naar huis genomen zodat jullie hem kunnen begraven, maar als ik niet ogenblikkelijk antwoord krijg breng ik hem regelrecht terug naar dokter Clark.'

Er volgde een run naar de voorkamer. Alle drie de kinderen stonden haar in de deuropening aan te kijken.

Edie trok een wenkbrauw op. 'Hé, wie is dat meisje?' zei ze quasi-verbaasd tegen Hely. Ze was dol op hem – hij deed haar denken aan Robin, afgezien van dat afschuwelijk lange haar – en ze besefte niet dat ze zijn bittere haat wekte met wat in haar ogen goedmoedig geplaag was. 'Ben jíj dat, Hely? Ik ben bang dat ik je niet herkende achter die gouden lokken.'

Hely grijnsde. 'We zaten naar foto's van u te kijken.'

Harriet gaf hem een schop.

'Nou, dat zal wel niet erg boeiend zijn geweest,' zei Edie. 'Meisjes,' zei ze tegen haar kleindochters, 'ik dacht dat jullie de kat wel in jullie eigen tuin zouden willen begraven. Daarom heb ik op de terugweg even aan Chester gevraagd om een graf te graven.'

'Waar is Weenie?' vroeg Allison. Haar stem klonk schor en ze had een wilde blik in haar ogen. 'Waar is hij? Waar heb je hem gelaten?'

'Bij Chester. Gewikkeld in zijn handdoek. Maak die maar niet open, meisjes.'

'Kom op,' zei Hely terwijl hij Harriet een por tegen haar schouder gaf. 'Laten we even kijken.'

Hij stond met Harriet in het donkere schuurtje van hun tuin, waar op Chesters werkbank Weenies lijk lag, gewikkeld in een blauwe badhanddoek. Allison, die nog steeds tranen met tuiten huilde, zocht in huis alle kastlades af naar een oude trui waar de kat altijd graag op had liggen slapen en waarmee ze hem wilde begraven.

Harriet keek even naar buiten door het raampje van de schuur, dat donzig was van het stof. In de hoek van het zonovergoten zomerse grasveld zag ze het silhouet van Chester, die hard op de bovenkant van een schop trapte.

'Goed,' zei ze. 'Maar vlug dan. Voor ze terugkomt.'

Pas later besefte Harriet dat het de allereerste keer was dat ze een dood dier had gezien of aangeraakt. Ze had niet verwacht dat ze zo geschokt zou zijn. De flank gaf niet mee en voelde koud en hard aan, en er stroomde een siddering van afschuw door haar vingers.

Hely kwam dichterbij staan om het beter te zien. 'Gadver,' zei hij opgewekt.

Harriet aaide de rode vacht. Die was nog steeds rood en nog steeds even zacht, ondanks de beangstigende stijfheid van het lichaam eronder. Zijn poten waren stram gestrekt, alsof hij zich schrap zette om niet in een teil water te worden gegooid; zijn ogen – die ook toen hij oud was en pijn had helder, indringend groen waren geweest – waren half gesloten en er lag een gelatine-achtig vlies over.

Hely boog naar voren om hem aan te raken. 'Hé,' gilde hij, en hij trok zijn hand met een ruk terug. 'Gadver.'

Harriet vertrok geen spier. Behoedzaam liet ze haar hand naar de roze plek op de flank van de kat glijden waar het haar nooit goed had willen groeien, de plek waar de maden hadden gezeten toen hij klein was. Toen Weenie nog leefde liet hij zich daar nooit door iemand aanraken; hij blies en haalde uit naar iedereen die het probeerde, ook naar Allison. Maar de kat lag doodstil, met de lippen weggetrokken van zijn opeengeklemde puntige tandjes, met de gemarmerde ogen bewegingloos omhoog gedraaid in de kassen. De huid was rimpelig, ruw als opgeborsteld handschoenen-leer, en in- en inkoud.

Dat was dus het geheim dat kapitein Scott en Lazarus en Robin allemaal kenden, dat zelfs de kat had gekend in zijn laatste uur: dat was het, de overgang naar het gebrandschilderde raam. Toen Scotts tent acht maanden later werd gevonden lagen Bowers en Wilson in hun over hun hoofd gesloten slaapzak en lag Scott in een open slaapzak met zijn arm om Wilson heen. Dat was op de Zuidpool, en dit was een frisse, groene ochtend in mei, maar de gedaante onder haar handpalm was zo hard als ijs. Ze ging met haar knokkel over het witte sokje van Weenies voorpoot. *Het is jammer*, had Scott met verstijvende hand geschreven terwijl het wit uit de witte onmetelijkheid hen zachtjes insloot en de flauwe potloodletters op het witte papier steeds flauwer werden, *maar ik geloof dat ik niet meer verder kan schrijven.*

'Je durft vast niet zijn oog aan te raken,' zei Hely nog iets dichterbij komend. 'Wedden?'

Harriet hoorde hem nauwelijks. Dit hadden haar moeder en Edie gezien: de buitenste duisternis, de verschrikking waarvan je nooit terugkeerde. Woorden die van het papier de leegte in gleden.

In het koele schemerdonker van het schuurtje kwam Hely nog dichterbij. 'Ben je bang?' fluisterde hij. Zijn hand ging steels naar haar schouder.

'Hou op,' zei Harriet, hem afschuddend.

Ze hoorde de hordeur dichtslaan, haar moeder die Allison riep; vlug gooide ze de handdoek weer over de kat.

Het zou haar nooit meer helemaal loslaten, dit duizelingwekkende moment; het zou haar de rest van haar leven bijblijven en het zou altijd onlosmakelijk verbonden blijven met het schemerige schuurtje – het blinkende ijzer van zaagtanden, de geur van stof en benzine – en drie dode Engelsen onder een gedenkteken van sneeuw met glinsterende ijspegels in hun haar. Geheugenverlies: ijsschotsen, extreme afstanden, het verstijfde lijk. De gruwel van alle lijken.

'Kom,' zei Hely met een hoofdbeweging. 'Gauw, wegwezen.'

'Ik kom,' zei Harriet. Haar hart bonkte en ze kreeg het benauwd – niet van angst, maar van iets wat veel weg had van woede.

Hoewel mevrouw Fountain de kat niet had vergiftigd, was ze wel blij dat hij dood was. Door het raam boven haar aanrecht – de uitkijkpost waar ze dagelijks urenlang de gangen van haar buren stond gade te slaan – had ze Chester bespied toen hij het gat groef, en glurend door het keukengordijn zag ze er nu drie kinderen omheen staan. Een van hen – dat kleine meisje, die Harriet – had een bundeltje in haar armen. Het grote meisje huilde.

Mevrouw Fountain zette haar paarlemoeren leesbril op het puntje van haar neus, sloeg een vest met glinsterende knopen om haar jasschort heen – het was warm die dag, maar ze had het snel koud en als ze naar buiten ging moest ze iets omslaan – en liep de achterdeur uit naar het hek.

Het was een wisselvallige, frisse, winderige dag. Er joegen lage wolken door de lucht. Het gras – dat nodig gemaaid moest worden; het was dieptreurig zoals Charlotte de boel had verwaarloosd – was bespikkeld met viooltjes, wilde klaver en uitgebloeide paardebloemen, het rimpelde in de wind in wilde stromingen en wervelingen, als een zee. De ranken van de blauweregen golfden over de veranda, teer als zeewier. Ze hingen in zo'n dichte deken over de achterkant van het huis dat de veranda bijna niet meer te zien was; blauweregen was best mooi als hij in bloei stond, maar de rest van het jaar was het een rommelige bende en bovendien was de bos zo zwaar geworden dat hij het hele afdak wel kon neerhalen – blauweregen was een parasiet, die de structuur van een huis aantastte als je de plant liet voortwoekeren – maar je had nu eenmaal mensen die alles met vallen en opstaan moesten leren.

Ze had verwacht dat de kinderen haar zouden begroeten en bleef een paar tellen verwachtingsvol bij het hek staan, maar ze negeerden haar en gingen door met wat ze deden.

'Wat doen jullie daar, kinderen?' vroeg ze liefjes.

Ze keken op, als geschrokken reeën.

'Zijn jullie iets aan het begraven?'

'Nee,' riep Harriet, de kleine, op een toon die mevrouw Fountain niet beviel. Dat was nog eens een bijdehandje.

'Het lijkt er anders wel op.'

'Toch is het niet zo.'

'Volgens mij zijn jullie die ouwe rooie kat aan het begraven.'

Geen antwoord.

Mevrouw Fountain tuurde over de rand van haar bril. Ja, het grote meisje huilde. Die was te oud voor zulke onzin. Het kleine meisje legde het omwikkelde geval in het gat.

'Dat doen jullie wel,' riep ze. 'Je maakt mij niets wijs. Het was een rotkat. Hij kwam elke dag bij mij en maakte altijd vieze pootafdrukken op de voorruit van mijn auto.'

'Let maar niet op haar,' zei Harriet binnensmonds tegen haar zus. 'Dat ouwe kreng.'

Hely had Harriet nog nooit horen schelden. Zijn nekvel prikkelde van boosaardig plezier. 'Kreng,' herhaalde hij, harder, en het scheldwoord smaakte heerlijk op zijn tong.

'Wat?' riep mevrouw Fountain schril. 'Wie zei dat?'

'Hou je kop,' zei Harriet tegen Hely.

'Wie van jullie zei dat? Wie is dat daar bij jullie, meisjes?'

Harriet was op haar knieën gaan zitten en schoof met blote handen de berg aarde terug in de kuil, boven op de blauwe handdoek. 'Schiet op, Hely,' siste ze. 'Gauw. Help nou.'

'Wie is dat daar?' snerpte mevrouw Fountain. 'Geef antwoord. Anders ga ik naar binnen en bel jullie moeder.'

'Shit,' zei Hely nu, in een opwelling van moed. Hij ging op zijn knieën naast Harriet zitten en hielp vlug de aarde terug te duwen. Allison stond met haar vuist tegen haar mond naast hen, terwijl de tranen over haar wangen stroomden.

'Geef ántwoord.'

'Wacht,' riep Allison opeens. 'Wacht.' Ze wendde zich van het graf af en holde over het gras naar het huis.

Harriet en Hely wachtten, met hun handen tot de pols in de aarde.

'Wat doet ze?' fluisterde Hely terwijl hij zijn voorhoofd afveegde met de pols van zijn bemodderde hand.

'Weet ik niet,' zei Harriet verbijsterd.

'Ben jij niet die kleine van Hull?' riep mevrouw Fountain. 'Kom onmiddellijk hier. Ik ga je moeder bellen. Kom ogenblikkelijk hier.'

'Ga maar bellen, kreng,' mompelde Hely. 'Ze is toch niet thuis.'

De hordeur sloeg dicht en Allison kwam struikelend naar buiten rennen, met één arm voor haar gezicht, blind van de tranen.

'Hier,' zei ze, en ze liet zich naast hen op haar knieën vallen en gooide iets in het open graf.

Hely en Harriet bogen naar voren om te kijken. Het was een foto van Allison, een officiële schoolfoto die de vorige herfst was gemaakt, waarop ze, vanuit de verse aarde, naar hen glimlachte. Ze had een roze trui met een kanten kraag aan en roze speldjes in haar haar.

Snikkend pakte Allison een grote handvol aarde en gooide die in het graf, op haar eigen lachende gezicht. De aarde viel tikkend op de foto. Nog even was het roze van Allisons trui zichtbaar, met haar verlegen ogen die hoopvol door een waas van aarde heen tuurden; toen kletterde er nog een handvol zwart op en waren ze weg.

'Kom op,' riep ze ongeduldig toen de twee jongere kinderen verwilderd in het gat en vervolgens naar haar staarden. 'Kom op, Harriet, help nou.'

'Heel goed,' krijste mevrouw Fountain. 'Ik ga nu naar binnen. Ik ga meteen jullie moeders opbellen. Kijk dan. Ik ga nu naar binnen. Hier krijgen jullie reuzespijt van.'

2

De merel

Een paar dagen later draaide Harriet tegen tien uur 's avonds, toen haar moeder en zusje boven lagen te slapen, zachtjes de sleutel in het slot van het wapenkabinet om. Harriets vader had de oude, verwaarloosde geweren geërfd van een oom die ze had verzameld. Van die mysterieuze oom Clyde wist Harriet alleen zijn beroep (ingenieur), zijn humeur ('zuur,' zei Adelaide, waarbij ze een gezicht trok: ze had met hem op de middelbare school gezeten) en zijn einde (vliegtuigongeluk voor de kust van Florida). Omdat hij 'vermist' was (zo noemde iedereen het), was oom Clyde voor Harriet niet echt dood. Telkens als zijn naam viel had ze een vaag beeld van een bebaarde schipbreukeling zoals Ben Gunn in *Schateiland*, die in eenzaamheid zijn leven sleet op een onbeschut zilt eilandje, met zijn broek aan flarden en een door zeewater aangetast horloge.

Voorzichtig, haar handpalm tegen de ruit om te voorkomen dat hij zou rinkelen, trok Harriet aan de stroeve oude deur van het wapenkabinet. Met een trilling schoot hij los. Op de bovenste plank stond een foedraal met antieke pistolen – koppels duelleerpistolen, ingelegd met zilver en paarlemoer, uitzonderlijke, kleine Derringers van nog geen tien centimeter lang. Daaronder stonden schuin naar links in chronologische volgorde de grotere wapens: Kentucky vuursteengeweren, een luguber negenponds Plains-geweer, een voorlader met een verroeste grendel, die nog uit de Burgeroorlog zou stammen. Van de nieuwere geweren was het Winchester-jachtgeweer uit de Eerste Wereldoorlog het indrukwekkendst.

Harriets vader, de eigenaar van deze collectie, was een verre, onaangename figuur. Omdat hij nog met Harriets moeder getrouwd was werd er geroddeld over het feit dat hij in Nashville woonde. Harriet had er geen flauw idee van hoe deze regeling tot stand was gekomen (al begreep ze vaag dat het iets met het werk van haar vader te maken had), maar vond er niets geks aan, want hij woonde al zolang Harriet zich kon herinneren niet bij hen. Iedere maand kwam er een cheque voor het huishoudgeld, hij kwam met Kerstmis en Thanksgiving thuis en in het najaar logeerde hij een paar dagen bij hen als hij op weg was naar zijn jachtkamp in de Delta. Harriet vond het een volkomen logische regeling, die goed paste bij het karakter van alle betrokkenen: van haar moeder, die erg weinig energie had (en het grootste deel van de dag in bed lag) en van haar vader, die te veel energie had, en van het verkeerde soort. Hij at snel, praatte snel en kon niet stil zitten – behalve met een borrel in zijn hand. In het openbaar maakte hij altijd grapjes en iedereen vond hem geestig, maar zijn onvoorspelbare humeur was binnenshuis niet altijd zo leuk, en met zijn impulsieve gewoonte om het eerste wat hem voor de mond kwam te zeggen, kwetste hij vaak zijn familieleden.

Het ergste was dat Harriets vader altijd gelijk had, ook als hij ongelijk had. Alles werd een machtsstrijd. Hoewel volstrekt onbuigzaam in zijn meningen was hij dol op discussies, en ook als hij in een goed humeur was (ontspannen met een cocktail in zijn stoel gezeten met een half oog op de televisie) zat hij Harriet graag te treiteren en te pesten, puur en alleen om te laten zien wie de baas was. 'Slimme meisjes zijn niet populair,' zei hij dan. Of: 'Wat heeft een opleiding eigenlijk voor nut als je later toch maar gaat trouwen.' En omdat Harriet woest werd van dat soort opmerkingen – die volgens hem de eerlijke, onschuldige waarheid waren – en ze weigerde te slikken, kwam er ruzie. Soms sloeg hij Harriet met een riem – omdat ze hem tegensprak – waarbij Allison glazig toekeek en haar moeder wegdook in de slaapkamer. Bij andere gelegenheden gaf hij Harriet voor straf zware, onmogelijke taken op (het gazon maaien met de handmaaimachine, in haar eentje de hele zolder schoonmaken), die Harriet pertinent weigerde uit te voeren. 'Doe het nou maar,' zei Ida Rhew dan, als ze met een zorgelijke blik haar hoofd om de deur van de zolder stak nadat haar vader naar beneden was gestormd. 'Schiet nou maar op, anders ga je er nog meer van langs krijgen als hij terugkomt!'

Maar Harriet – die kwaad zat te kijken tussen de stapels kranten en oude tijdschriften – stak geen vinger uit. Hij mocht haar slaan zoveel hij wilde, het kon haar niets schelen. Het ging om het principe. En vaak was Ida zo bezorgd om Harriet dat ze haar eigen werk liet liggen en naar boven ging om Harriets taak zelf uit te voeren.

Omdat haar vader altijd ruzie zocht en onrust stookte en nooit ergens over tevreden was, vond Harriet het niet meer dan terecht dat hij niet thuis woonde. Ze had het nooit raar gevonden en had nooit beseft dat anderen het wel een merkwaardige regeling vonden tot op een middag, toen ze in de vierde klas zat, de schoolbus het op een buitenweg begaf. Harriet zat naast Christy Dooley, een babbelziek jonger meisje met grote voortanden, dat elke dag een gehaakte witte poncho naar school aan had. Ze was de dochter van een politieagent, al zou je dat niet zeggen als je haar wittemuizengezicht en zenuwachtige manier van doen zag. Tussen de slokjes oude groentesoep uit haar thermosfles door kletste ze aan één stuk en vertelde allerlei geheimen (over onderwijzers, over de ouders van anderen) die ze thuis had gehoord. Harriet keek somber uit het raam in afwachting van iemand die de bus zou komen repareren, totdat ze zich met een schok realiseerde dat Christy het over háár vader en moeder had.

Harriet draaide zich om en staarde haar aan. O, maar iedereen wist het, fluisterde Christy terwijl ze onder haar poncho dichter tegen haar aankroop (ze wilde altijd dichterbij zitten dan prettig was). Vroeg Harriet zich dan niet af waarom haar vader in een andere stad woonde?

'Daar werkt hij,' zei Harriet. Dat was voor haar altijd een afdoende verklaring geweest, maar Christy slaakte een voldaan en zeer volwassen zuchtje en vertelde Harriet vervolgens het ware verhaal. Het kwam hierop neer: na de dood van Robin wilde Harriets vader verhuizen – naar een andere stad, ergens waar hij 'opnieuw' kon beginnen. Christy zette grote ogen op vol vertrouwelijke huiver. 'Maar zíj wilde niet.' Het was net of Christy het niet over Harriets moeder had maar over een vrouw uit een spookverhaal. 'Zíj zei dat zíj hier voorgoed wilde blijven.'

Harriet, die het toch al vervelend vond om naast Christy te zitten, schoof van haar weg en keek uit het raam.

'Ben je boos?' vroeg Christy geniepig.

'Nee.'

'Wat is er dan?'

'Je adem stinkt naar soep.'

In de jaren daarna had Harriet nog andere opmerkingen opgevangen, zowel van kinderen als van volwassenen, die erop neerkwamen dat er iets 'akeligs' was met hun familie, maar Harriet vond het allemaal belachelijk. De woonomstandigheden van haar familie waren praktisch, vernuftig zelfs. Het werk van haar vader in Nashville zorgde voor brood op de plank, maar niemand had plezier in zijn vakantiebezoekjes. Hij hield niet van Edie en de tantes en iedereen raakte van streek als hij Harriets moeder weer op wrede, weerzinwekkende wijze lastigviel. Het vorige jaar had hij haar net zo lang aan haar hoofd gezeurd om mee te gaan naar een kerstborrel tot ze (over haar schouders wrijvend door de dunne mouwen van haar nachtjapon heen) slikkend toestemde. Maar toen het tijd werd om zich te verkleden zat ze in haar badjas aan de toilettafel naar haar spiegelbeeld te staren zonder haar lippen te stiften of de spelden uit haar haar te trekken. Toen Allison op haar tenen bovenkwam om te kijken zei ze dat ze migraine had. Toen sloot ze zich in de badkamer op en zette de kranen open totdat Harriets vader (roodaangelopen, trillend) met zijn vuisten op de deur bonkte. Het was een vreselijke kerstavond geworden: Harriet en Allison zaten verstard in de zitkamer naast de boom terwijl de kerstliedjes (nu eens sonoor dan weer op jubeltoon) op volle kracht uit de stereo opklonken, maar toch niet hard genoeg om het geschreeuw boven te overstemmen. Het was een opluchting toen Harriets vader vroeg in de middag van eerste kerstdag met zijn koffer en zijn boodschappentas vol cadeautjes naar zijn auto stampte en weer wegreed naar Tennessee, en het gezin met een zucht in zijn verstrooide sluimertoestand terugviel.

Harriets huis was een slaperig huis – voor iedereen behalve Harriet, die van nature wakker en alert was. Wanneer ze als enige in het donkere, stille huis wakker was, zoals zo vaak, werd ze dikwijls overvallen door een zo intense, zo doffe en warrige verveling dat ze soms tot niets anders in staat was dan als verdoofd naar een raam of een muur staren. Haar moeder bleef bijna altijd in haar slaapkamer en als Allison naar bed was – meestal vroeg, om een uur of negen – was Harriet alleen: dan dronk ze melk zo uit het pak, doolde op haar sokken door het huis, tussen de stapels kranten die in bijna iedere kamer hoge bergen vormden. Harriets moeder was sinds Robins dood merkwaardig genoeg niet meer in staat om iets weg te gooien en de rotzooi waarmee de zolder en de kelder vol stonden begon zich nu ook naar de rest van het huis te verspreiden.

Soms vond Harriet het leuk om alleen op te zijn. Ze knipte lampen aan, zette de televisie of de pick-up aan, belde Bel-Een-Gebed of plaagde de buren met pesterige telefoontjes. Ze at waar ze zin in had uit de ijskast, klom op hoge planken en snuffelde in voor haar verboden kasten. Ze sprong op de bank tot de veren piepten, gooide de kussens op de grond en bouwde forten en reddingsvlotten op de vloer. Soms haalde ze de oude kleren uit haar moeders studententijd uit de kast (pastelkleurige sweaters met mottengaten, lange handschoenen in allerhande kleuren, een turkooizen galajapon die bij Harriet een sleep van dertig centimeter op de vloer vormde). Dat was riskant: Harriets moeder was heel zuinig op die kleren, al droeg ze ze nooit; maar Harriet legde alles zorgvuldig terug zoals ze het had aangetroffen, en als haar moeder er ooit iets van had gemerkt dan zei ze er niets van.

Alle wapens waren ongeladen. De enige munitie in het foedraal bestond uit twaalf-millimeterpatronen in een doosje. Harriet, die een gewoon geweer nauwelijks van een jachtgeweer kon onderscheiden, schudde het doosje leeg en legde de patronen in de vorm van een sterrenregen op het kleed. Een van de grote geweren had een bajonetaansluiting, wat interessant was, maar haar lievelingsgeweer was de Winchester met de richtkijker. Ze knipte de plafondlamp uit, legde de loop op de vensterbank en keek met toegeknepen ogen door het vizier – naar geparkeerde auto's, het asfalt dat schitterde onder de hoge lantaarns en de sproeiers die op weelderige, lege gazons stonden te sissen. Het fort werd aangevallen, zij bleef op haar post en bewaakte alle levens die ervan afhingen.

De windgong op de veranda van mevrouw Fountain klingelde. Aan de andere kant van het ongemaaide grasveld kon ze, langs de vettige loop van het geweer, de boom zien waaraan haar broer was gestorven. Door de glanzende donkere bladeren fluisterde de zachte wind, die speelde met de vloeiende schaduwen op het gras.

Als Harriet zo 's avonds laat door het duistere huis doolde, voelde ze soms haar gestorven broertje dicht naast zich, kameraadschappelijk, vertrouwelijk zwijgend. Ze hoorde zijn voetstappen in het kraken van de planken, bespeurde hem in het spel van een opwaaiend gordijn of de boog van een deur die vanzelf openzwaaide. Af en toe was hij ondeugend: dan verstopte hij haar boek of snoep, legde het terug op haar stoel als ze even niet keek. Harriet vond zijn gezelschap prettig. Ze had het gevoel dat het altijd nacht was waar hij leefde en dat hij helemaal alleen was als zij er niet bij was: ongedurig en eenzaam, met bungelende benen, in een wachtkamer met tikkende klokken.

Hier zit ik, zei ze bij zichzelf, op wacht. Want als ze met het geweer voor het raam zat kon ze de warme uitstraling van zijn aanwezigheid voelen. Er waren twaalf jaar verstreken sinds de dood van haar broer en er was veel veranderd of weg, maar het

uitzicht uit het zitkamerraam was nog hetzelfde. Zelfs de boom
stond er nog.

Harriets armen deden pijn. Ze legde het geweer zachtjes op de
grond voor haar leunstoel en ging in de keuken een ijslolly halen,
die ze op haar gemak opat in de zitkamer, in het donker bij het
raam. Daarna legde ze het stokje op een stapel kranten en nam
samen met het geweer haar post weer in. Het was druivenijs, haar
lievelingssmaak. Er lagen nog meer lolly's in de vriezer en niemand kon haar ervan weerhouden de hele doos leeg te eten, maar
het viel niet mee om ijsjes te eten en tegelijk het geweer op te houden.

Ze liet het geweer langs de donkere lucht glijden om een nacht-
vogel over de maanverlichte wolken te volgen. Er sloeg een autoportier. Vlug wendde ze het naar het geluid en ze ontdekte mevrouw Fountain, die laat thuiskwam van een koorrepetitie en over
het pad naar haar voordeur strompelde in het vage schijnsel van
de straatlantaarns, argeloos, zonder te weten dat haar ene glinsterende oorbel midden in het vizier van Harriet oplichtte. Veranda-
lamp uit, keukenlicht aan. Het silhouet van mevrouw Fountain,
kromme schouders, geitenkop, schoof achter het rolgordijn langs,
als een pop in een schimmenspel.

'Pang,' fluisterde Harriet. Eén spiertrekking, één kromming van
een gewricht en mevrouw Fountain was waar ze thuishoorde – bij
de duivel. Ze zou er goed passen, met kromme hoorns die uit haar
permanent staken en een pijlpuntige staart die door haar jurk
priemde. Terwijl ze met dat boodschappenkarretje van haar door
de hel rondroste.

Er kwam een auto aan. Ze draaide het geweer van mevrouw
Fountain weg en volgde de auto, uitvergroot en verend, in haar
vizier – tieners: raampjes open, scheuren – tot de rode achterlichten de hoek omsloegen en verdwenen.

Op de terugweg naar mevrouw Fountain zag ze het waas van
een verlicht raam voor de lens en toen zat ze, tot haar blijdschap,
midden in de eetkamer van de Godfreys aan de overkant. De
Godfreys waren blozend en vrolijk en ver in de veertig – kinder-
loos, sociaal, actief in de baptistengemeente – en het was een ge-
ruststelling te zien dat die twee nog op waren. Mevrouw Godfrey
stond geel roomijs uit een pak in een schaaltje te scheppen. Meneer Godfrey zat aan tafel met zijn rug naar Harriet. Ze waren
alleen, kanten tafelkleed, zacht brandende lamp met roze kap in
de hoek; alles scherp en intiem, tot en met het druivenbladmotief

op hun ijsschaaltjes en de haarspeldjes in het kapsel van mevrouw Godfrey.

De Winchester was een verrekijker, een camera, een manier om dingen te zien. Ze legde haar wang tegen de kolf, die glad en lekker koel was.

Op die avonden waakte Robin over haar, dat wist ze zeker, zoals zij over hem waakte. Ze kon zijn adem achter zich voelen: stil, kameraadschappelijk, blij dat ze bij hem was. En toch was ze soms bang van het gekraak en de schaduwen in het donkere huis.

Ongedurig, met zware armen door het gewicht van het geweer, ging Harriet verzitten. Af en toe rookte ze op zulke avonden een sigaret van haar moeder. Op de ergste avonden kon ze niet eens lezen, en de letters van haar boeken – ook van *Schateiland* en *Ontvoerd*, boeken waar ze dol op was en waar ze nooit genoeg van kreeg – veranderden in een soort primitief Chinees: onleesbaar, gemeen, een gekriebel waar ze niet bij kon. Eén keer had ze uit pure frustratie een porseleinen katje van haar moeder kapotgekeild: daarna had ze in paniek (want haar moeder hield van dat beeldje en had het al sinds ze klein was) de scherven in keukenpapier gewikkeld en in een lege cornflakesdoos gepropt die ze onder in de vuilnisbak had gestopt. Dat was twee jaar geleden. Voor zover Harriet wist had haar moeder nog steeds niet gemerkt dat het katje uit de porseleinkast was verdwenen. Maar telkens als Harriet eraan dacht, vooral als ze de neiging had weer zoiets te doen (een theekopje stukgooien, een tafelkleed met een schaar bewerken), werd ze bevangen door een bedwelmend, wee gevoel. Ze kon het hele huis in de fik steken als ze wilde, en niemand zou haar tegenhouden.

Een bruinige wolk was half voor de maan geschoven. Ze richtte het geweer opnieuw op het raam van de Godfreys. Nu had mevrouw Godfrey ook ijs. Tussen trage happen door zei ze met een tamelijk koele, verveelde uitdrukking op haar gezicht iets tegen haar echtgenoot. Meneer Godfrey zat met zijn ellebogen op het kanten tafelkleed. Ze kon alleen de achterkant van zijn kale hoofd zien – dat zich precies midden in het vizier bevond – zodat ze niet kon vaststellen of hij naar mevrouw Godfrey luisterde, laat staan of hij haar antwoord gaf.

Opeens stond hij op, rekte zich uit en liep de kamer uit. Mevrouw Godfrey, alleen aan tafel achtergebleven, zei iets. Terwijl ze de laatste hap ijs nam draaide ze haar hoofd een beetje alsof ze naar het antwoord van meneer Godfrey uit de andere kamer luisterde; toen stond ze op en liep naar de deur, onderwijl haar rok met de rug van haar hand gladstrijkend. Daarna werd het beeld zwart. Hun lamp was het enige licht in de straat geweest. Bij mevrouw Fountain was het allang uit.

Harriet keek even naar de klok op de schoorsteenmantel. Het was over elven en ze moest om negen uur op zijn voor de zondagsschool.

Er was niets om bang voor te zijn – de lantaarns schenen fel in de stille straat buiten – maar in huis was het doodstil en Harriet was een beetje schichtig. Al was hij op klaarlichte dag naar haar huis gekomen, ze was 's nachts het bangst voor de moordenaar. Als hij in haar nachtmerries terugkwam was het altijd donker: er waaide een koude wind door het huis, de gordijnen wapperden en alle ramen en deuren stonden open terwijl zij heen en weer rende om de ramen te sluiten, met de sloten worstelde en haar moeder doodgemoedereerd met coldcream op haar gezicht op de bank zat en geen vinger uitstak om haar te helpen, en nooit was er genoeg tijd voordat het glas brak en de gehandschoende hand naar binnen stak om de knop om te draaien. Soms zag Harriet de deur opengaan maar altijd werd ze wakker voordat ze een gezicht zag.

Op handen en knieën verzamelde ze de patronen. Ze legde ze netjes op een stapeltje in hun doos, veegde de vingerafdrukken van het geweer en zette het terug, sloot het wapenkabinet weer af en legde de sleutel in de roodleren doos in haar vaders bureau, waar hij hoorde: bij de nagelkniptang, een paar verschillende losse manchetknopen, het stel dobbelstenen in het groensuède buideltje en een stapeltje vergeelde lucifermapjes uit nachtclubs in Memphis, Miami en New Orleans.

Boven kleedde ze zich zachtjes uit zonder het licht aan te doen. In het andere bed lag Allison op haar buik, als een drijvend lijk. Over de beddensprei viel het maanlicht in vlekkerige patronen die veranderden en verschoven als de boomtakken bewogen in de wind. Om haar heen in bed was een bende knuffeldieren opeengepropt als op een reddingsvlot – een lapjesolifant, een gevlekte hond waarvan één kraaloog ontbrak, een wollig zwart lammetje en een kangoeroe van paars fluweel en een hele familie teddyberen – en hun onschuldige gestalten verdrongen zich rond haar hoofd in een aandoenlijk schaduwspel, alsof het dieren waren uit Allisons dromen.

'Goed, jongens en meisjes,' zei meneer Dial. Met één koud, walvisgrauw oog overschouwde hij de zondagsschoolklas van Harriet en Hely die, dankzij meneer Dials enthousiasme voor kamp Lake de Selby en het onwelkome pleidooi dat de ouders van zijn leerlingen ervoor hielden, meer dan half leeg was. 'Denken jullie eens even aan Mozes. Waarom was Mozes er zo op gebrand de kinderen Israëls naar het Beloofde Land te voeren?'

Stilte. Meneer Dial liet zijn taxerende verkopersblik over de verzameling ongeïnteresseerde gezichten glijden. De kerk, die geen raad had geweten met de nieuwe schoolbus, had een hulpplan bedacht om kansarme blanke kinderen van buiten het stadje op te halen voor de zondagsschool en mee te nemen naar de rijke, koele zalen van de First Baptist. Met vieze smoeltjes, schichtig, in voor de kerk ongepaste kleren, lieten ze hun neergeslagen ogen over de vloer dwalen. Alleen de uit de kluiten gewassen Curtis Ratliff, die achterlijk was en een paar jaar ouder dan de andere kinderen, gaapte meneer Dial bewonderend, met open mond aan.

'Laten we een ander voorbeeld nemen,' zei meneer Dial. 'Neem nou Johannes de Doper. Waarom wilde hij zo graag de wildernis in trekken om de weg te bereiden voor de komst van Christus?'

Pogingen om door te dringen tot die kleine Ratliffs, Scurlees en Odums hadden geen zin, die kinderen met hun tranende ogen en smalle gezichtjes, hun lijmsnuivende moeders en getatoeëerde, ontuchtige vaders. Ze waren hopeloos. De vorige dag nog had meneer Dial zich genoodzaakt gezien zijn schoonzoon Ralph, die bij hem in Dial Chevrolet werkte, naar een paar van de Scurlees te sturen om een nieuwe Mercury Marquis terug te vorderen. Het was het oude liedje: die ellendige sloebers reden al pruimend en bier zuipend uit literflessen in de duurste auto's rond zonder zich erom te bekommeren dat ze een halfjaar achterliepen met hun afbetaling. Een andere Scurlee en twee Odums wisten het nog niet, maar stonden voor maandagochtend op de nominatie voor een bezoekje van Ralph.

Meneer Dials blik viel op Harriet – het nichtje van Miss Libby Cleve – en haar vriendje, die jongen van Hull. Ze kwamen uit het oude Alexandria, een nette buurt: hun familie was lid van de country club en was min of meer bij met de afbetaling van hun auto.

'Hely,' zei meneer Dial.

Met een ruk en een verwarde blik schrok Hely op van het zondagsschoolblaadje dat hij in kleine vierkantjes had zitten vouwen.

Meneer Dial grijnsde. Door zijn kleine tanden, zijn ver uiteen staande ogen en bolle voorhoofd – plus zijn gewoonte van opzij naar de klas te kijken in plaats van recht vooruit – had hij iets weg van een onvriendelijke dolfijn. 'Kun jij ons vertellen waarom Johannes de Doper roepende was in de woestijn?'

Hely kromp ineen. 'Dat moest hij van Jezus.'

'Nou nee!' zei meneer Dial terwijl hij in zijn handen wreef. 'Laten we eens even nadenken over de situatie van Johannes. Ik vraag me af waarom hij hier de woorden van de profeet Jesaja aanhaalt in...' hij liet zijn vinger over de bladzijde glijden, 'vers 23?'

'Hij voerde Gods plan uit?' zei een zacht stemmetje op de eerste rij.

Dat was Annabel Arnold, die haar gehandschoende handen keurig gevouwen hield op het witte foedraal met de bijbel op haar schoot.

'Héél goed,' zei meneer Dial. Annabel kwam uit een fatsoenlijke familie – een fatsoenlijke christelijke familie, niet zo'n cocktaildrinkend country-clubgezin als dat van de Hulls. Annabel, majorettekampioene, had een belangrijke rol gespeeld bij de bekering van een joods medescholiertje tot Jezus. Op dinsdagavond deed ze mee aan de provinciale majorettekampioenschappen op de middelbare school, een evenement waarvan Dial Chevrolet een belangrijke sponsor was.

Meneer Dial zag dat Harriet iets wilde zeggen en hernam vlug het woord: 'Hebben jullie gehoord wat Annabel zei, jongens en meisjes?' vroeg hij opgewekt. 'Johannes de Doper deed dat volgens Gods plan. En waarom deed hij dat? Omdat,' zei meneer Dial terwijl hij zijn hoofd draaide en de klas strak met zijn andere oog aankeek, 'omdat Johannes de Doper een dóél had.'

Stilte.

'Waarom is het zo belangrijk om een doel in je leven te hebben, jongens en meisjes?' Terwijl hij op antwoord wachtte herschikte hij op het podium een stapeltje briefjes met aantekeningen steeds opnieuw in keurige vierkantjes, zodat de edelsteen in zijn massiefgouden ring het licht dat erop viel rood weerkaatste. 'Laten we daar eens over nadenken, hè? Zonder doel zijn we immers niet gemotiveerd? Zonder doel zal het ons nooit financieel voor de wind gaan! Zonder doel kunnen we niet volbrengen wat Jezus van ons wil als christen en lid van de samenleving!'

Hij merkte tot zijn schrik dat Harriet hem tamelijk agressief zat aan te staren.

'O nee!' Meneer Dial klapte in zijn handen. 'Want een doel

zorgt ervoor dat we ons concentreren op de dingen die van belang zijn. Het is belangrijk dat we, hoe oud we ook zijn, ieder jaar, iedere week en zelfs ieder uur ons een doel stellen, anders hebben we de fut niet om ons van de bank voor de televisie te verheffen en de kost te verdienen als we groot zijn.'

Onder het praten begon hij blaadjes papier en kleurpotloden uit te delen. Het kon geen kwaad te proberen die kleine Ratliffs en Odums eens wat arbeidsethos bij te brengen. Thuis kwamen ze er vast en zeker niet mee in aanraking, bij die luie uitkeringstrekkers. De oefening die meneer Dial hen wilde laten doen had hij zelf ook uitgevoerd op een congres voor Christelijke Verkooptechniek in Lynchburg in Virginia, waar hij de vorige zomer aan had deelgenomen, en hij had het een buitengewoon inspirerende oefening gevonden.

'We gaan nu allemaal een doel opschrijven dat we deze zomer willen bereiken,' zei meneer Dial. Hij vouwde zijn handen in de vorm van een kerk met zijn wijsvingers als spits die hij tegen zijn getuite lippen legde. 'Het mag een project zijn, een financiële of persoonlijke prestatie... of iets om je familie, de gemeenschap of de Heer te helpen. Je hoeft je naam er niet onder te zetten als je niet wilt, zet er maar gewoon een symbooltje onder dat aangeeft wie je bent.'

Heel wat slaperige hoofden schrokken in paniek omhoog.

'Niet te ingewikkeld! Je kunt bijvoorbeeld,' zei meneer Dial terwijl hij zijn vingers ineenvlocht, 'een voetbal tekenen als je van sport houdt! Of een blij gezichtje als je anderen graag vrolijk maakt!'

Hij ging weer zitten; en toen de kinderen niet meer naar hem maar op hun blaadje keken kreeg zijn brede grijns, die zijn kleine tanden ontblootte, in de mondhoeken iets verzuurds. Nee, het maakte niet uit, hoe je ook je best deed voor die Ratliffs en Odums enzovoort: je hoefde niet te denken dat je ze ook maar iets kon leren. Hij overzag de sullige gezichtjes die lusteloos op het eind van hun potlood sabbelden. Over een paar jaar zouden die arme stakkers meneer Dial en Ralph werk geven in de schuldeisersbranche, net zoals hun neven en broers nu.

Hely leunde opzij om te zien wat Harriet op haar blaadje had geschreven. 'Hé,' fluisterde hij. Hij had als symbool voor zichzelf braaf een voetbal getekend, waarna hij wel vijf minuten duf zwijgend voor zich uit bleef kijken.

'Geen gepraat daar,' zei meneer Dial.

Met een overdreven zucht stond hij op om het werk van de kinderen op te halen. 'Eens kijken,' zei hij terwijl hij de blaadjes op een stapeltje op zijn tafel legde. 'Ga maar in de rij staan en kies een blaadje... nee,' snauwde hij toen een paar kinderen van hun stoel opsprongen, 'niet rénnen, jullie zijn geen apen. Een voor een.'

Zonder enige geestdrift sloften de kinderen naar de tafel. Terug op haar stoel had Harriet de grootst mogelijke moeite om het papiertje dat zij had gepakt open te krijgen, want het was tergend klein opgevouwen tot het formaat van een postzegel.

Van Hely kwam onverwacht gegniffel. Hij schoof het blaadje dat hij had gepakt naar Harriet. Onder een cryptische tekening (een koploos vlekje op stokjes van poten, half stoel, half insect, dat een dier, voorwerp of zelfs apparaat moest verbeelden dat Harriet niet kon raden) tuimelden de misvormde letters als steentjes in een hoek van vijfenveertig graden van het papier. *Mijn deol*, wist Harriet te ontcijferen, *is met papie naar Opry Land.*

'Kom,' zei meneer Dial voorin. 'Laat er maar iemand beginnen. 't Geeft niet wie.'

Het lukte Harriet haar papiertje open te krijgen. Het was het handschrift van Annabel Arnold: rond en gekunsteld, met ingewikkelde krullen aan de g's en de ij's:

Mijn doel!
Mijn doel is elke dag even bidden dat God me nog iemand
stuurt die ik kan helpen!!!

Harriet keek er boosaardig naar. Onder aan het papier vormden twee hoofdletters B met de ruggen naar elkaar toe een ongeïnspireerde vlinder.

'Harriet?' zei meneer Dial opeens. 'Laten we bij jou beginnen.'

Op een vlakke toon waar haar minachting uit sprak – hoopte ze – las Harriet de krullerige belofte voor.

'Dat is nog eens een voortreffelijk doel,' zei meneer Dial vol warmte. 'Het is een oproep tot gebed, maar ook een oproep tot dienstverlening. Hier hebben we een jonge christen die begaan is met anderen in kerk en samenlevi... Wat valt er daar te lachen?'

De gniffelende bleekneusjes zwegen.

Meneer Dial zei met stemverheffing: 'Wat zegt dit doel over de persoon die dit heeft geschreven, Harriet?'

Hely tikte Harriet op haar knie. Naast zijn been maakte hij een onopvallend gebaar met zijn duim naar beneden: stumper.

'Staat er een symbool bij?'

'Wat zegt u?' zei Harriet.

'Wat voor symbool heeft de schrijver gekozen als teken voor zichzelf?'

'Een insect.'

'Een inséct?'

'Het is een vlinder,' zei Annabel zachtjes, maar meneer Dial hoorde haar niet.

'Wat voor insect?' wilde hij van Harriet weten.

'Ik weet het niet zeker, maar het lijkt wel of hij een angel heeft.'

Hely leunde naar haar toe om hem te zien. 'Gadver,' riep hij vol schijnbaar ongeveinsde afschuw, 'wat is dát?'

'Geef eens door,' zei meneer Dial scherp.

'Wie tekent er nou zoiets?' vroeg Hely terwijl hij geschrokken het lokaal rondkeek.

'Het is een vlínder,' zei Annabel ditmaal beter hoorbaar.

Meneer Dial stond op om het blaadje aan te pakken en toen opeens – zo onverwacht dat iedereen ervan schrok – liet Curtis Ratliff een opgetogen geklok horen. Hij wees naar iets op de tafel en begon opgewonden op zijn stoel op en neer te wippen.

'Rats mijs,' kakelde hij. 'Rats mijs.'

Meneer Dial stokte. Daar was hij nou altijd al bang voor geweest: dat de doorgaans gezeglijke Curtis op een goede dag een driftbui of stuipen zou krijgen.

Vlug stapte hij van het podium af om zich naar de eerste rij te haasten. 'Is er iets, Curtis?' vroeg hij bukkend, met een vertrouwelijke stem die in het hele lokaal te horen was. 'Moet je soms naar de wc?'

Curtis klokte, paars in het gezicht. Op en neer sprong hij op zijn krakende stoel, die te klein voor hem was – zo energiek dat meneer Dial schrok en een stap achteruit deed.

Curtis priemde met zijn vinger in de lucht. 'Rats mijs,' kraaide hij. Onverwachts dook hij uit zijn stoel – meneer Dial struikelde met een vernederend kreetje achteruit – en griste een verfrommeld vel papier van de tafel.

Hij streek het zorgzaam glad en gaf het aan meneer Dial. Hij wees naar het papier, hij wees naar zichzelf. 'Mijs,' zei hij stralend.

'O,' zei meneer Dial. Op de achterste rij hoorde hij gefluister en ongegeneerd vrolijk gegniffel. 'Inderdaad, Curtis, dat is jóuw blaadje.' Meneer Dial had het met opzet apart van die van de andere kinderen gelegd. Curtis vroeg altijd om potlood en papier – en ging huilen als hij het niet kreeg – maar kon lezen noch schrijven.

'Mijs,' zei Curtis. Hij wees met zijn duim naar zijn borst.

'Ja,' zei meneer Dial voorzichtig. 'Dat is jóúw doel, Curtis. Dat klopt.'

Hij legde het blaadje weer op de tafel. Curtis griste het weer weg en stak het hem met een verwachtingsvolle lach toe.

'Ja, dánk je, Curtis,' zei meneer Dial, wijzend naar zijn lege stoel. 'O, Curtis? Je mag nu gaan zitten. Ik wilde net...'

'Leve.'

'Als je nu niet gaat zitten, Curtis, kan ik niet...'

'Mijs leve!' krijste Curtis. Tot meneer Dials ontzetting begon hij op en neer te springen. 'Mijs leve! Mijs leve! Mijs leve!'

Meneer Dial keek perplex naar het gekreukte blaadje in zijn hand. Er stonden helemaal geen letters op, alleen de krabbels van een klein kind.

Curtis keek lief knipperend met zijn ogen naar hem op en kwam op hem af schommelen. Voor een mongool had hij buitengewoon lange wimpers. 'Leve,' zei hij.

'Wat zou Curtis' doel zijn geweest?' vroeg Harriet peinzend toen ze met Hely naar huis liep. Haar lakleren schoenen klakten op het trottoir. Het had die nacht geregend en het vochtige beton lag bezaaid met geurige plukjes gemaaid gras en geplette bloemblaadjes die van de struiken waren gevallen.

'Ik bedoel,' zei Harriet, 'zou Curtis eigenlijk wel een doel hébben?'

'Míjn doel was dat Curtis meneer Dial een schop onder z'n kont zou geven.'

Ze sloegen George Street in, waar de pecannotenbomen en de amberbomen volop in blad stonden en de bijen luid zoemden in de lagerstroemia, de sterjasmijn en de roze polyantharozen. De muffe, bedwelmende geur van de magnolia's was even penetrant als de hitte, zwaar genoeg om hoofdpijn van te krijgen. Harriet zweeg. Ze klikte voort, haar hoofd gebogen en haar handen op haar rug, diep in gedachten.

Voor de gezelligheid gooide Hely in een poging het gesprek weer op te pakken zijn hoofd in zijn nek en liet zijn beste dolfijnengehinnik horen. *'Daar heb je Flipper, Flipper,'* zong hij op een flemende toon. '*Wat een dolfijn.*'

Tot zijn tevredenheid lachte Harriet even. 'Flipper' was hun bijnaam voor meneer Dial, vanwege zijn hinniklach en bruinvisbolle voorhoofd.

'Wat had jij geschreven?' vroeg Hely. Hij had het jasje van zijn zondagse pak, waar hij een hekel aan had, uitgetrokken en sloeg ermee door de lucht. 'Had jij dat zwarte teken gemaakt?'

'Jep.'

Hely glom. Juist om dit soort cryptische en onvoorspelbare acties vereerde hij Harriet. Het viel niet te vatten waarom ze dat soort dingen deed, en waarom ze eigenlijk zo tof waren, maar tof waren ze. Meneer Dial was in elk geval wel van streek geraakt van het zwarte teken, zeker na die afgang met Curtis. Hij had met zijn ogen geknipperd en verontrust gekeken toen een kind achterin een leeg vel ophield met alleen dat griezelige tekentje in het midden. 'Er probeert iemand leuk te doen,' snauwde hij na een spookachtige stilte, en hij wendde zich meteen tot het volgende kind, want dat zwarte teken was écht griezelig – maar waarom? Het was alleen maar een potloodteken, en toch was het even merkwaardig stil geworden in de klas toen het kind het zo hield dat iedereen het kon zien. Dat was tekenend voor Harriets stijl: ze kon je de stuipen op het lijf jagen en je wist eigenlijk niet eens waarom.

Hij stootte haar met zijn schouder aan: 'Weet je wat leuk is? Je had *eikel* moeten schrijven. Ha!' Hely bedacht altijd streken die anderen moesten uithalen; zelf had hij daar het lef niet voor. 'In piepkleine lettertjes, weet je wel, zodat hij het bijna niet kon lezen.'

'Die zwarte stip komt uit *Schateiland*,' zei Harriet. 'Dat kreeg je van de piraten als ze je kwamen vermoorden, alleen maar een wit stuk papier met een zwarte stip erop.'

Thuis ging Harriet naar haar slaapkamer en haalde een schrift te voorschijn dat ze onder het ondergoed in haar ladekast had verstopt. Toen ging ze op de ongebruikte kant van Allisons litsjumeaux liggen, zodat ze vanuit de deuropening niet te zien was, al was de kans dat ze zou worden gestoord niet groot. Allison en haar moeder waren naar de kerk. Harriet had naar hen – en Edie en haar tantes – toe moeten gaan, maar haar moeder merkte het toch niet en het kon haar ook niet veel schelen als ze niet kwam.

Harriet mocht meneer Dial niet, maar het lesje op de zondagsschool had haar aan het denken gezet. Toen puntje bij paaltje

kwam had ze niet kunnen bedenken wat haar doel was – voor die
dag, voor de zomer, voor de rest van haar leven – en dat veront-
rustte haar, want op de een of andere manier was de vraag in haar
hoofd verstrikt geraakt met de akelige episode van de dode kat in
de schuur pas geleden.

Harriet legde zich graag zware lichamelijke taken op (ze had
een keer uitgeprobeerd hoe lang ze op achttien pinda's per dag
kon leven, het rantsoen van de Zuidelijken aan het eind van de
Burgeroorlog), maar daarbij ging het meestal om ontberingen
zonder praktisch nut. Het enige – povere – doel dat ze kon bedenken was de eerste prijs winnen in de zomerleeswedstrijd van de
bibliotheek. Harriet deed er al sinds haar zesde elk jaar aan mee –
en had twee keer gewonnen – maar nu ze ouder was en serieuze
boeken las had ze geen schijn van kans meer. Vorig jaar was de
prijs naar een lang, mager zwart meisje gegaan, dat twee of drie
keer per dag gigantische stapels peuterboeken ging lenen, zoals
Dr. Seuss en *Beertje Paddington* en *Make Way for Ducklings*. Harriet
had briesend achter haar in de rij gestaan met haar *Ivanhoe*, haar
Algernon Blackwood en haar *Mythen en legenden van Japan*. Zelfs
mevrouw Fawcett, de bibliothecaresse, had een wenkbrauw opgetrokken, waaruit duidelijk bleek hoe zíj erover dacht.

Harriet sloeg het schrift open. Ze had het van Hely gekregen.
Het was een heel gewoon spiraalschrift met een plaatje van een
strandbuggy voorop, dat voor Harriet niet hoefde, maar ze vond
het een fijn schrift omdat het lijntjespapier knaloranje was. Hely
had het twee jaar daarvoor als aardrijkskundeschrift willen gebruiken bij mevrouw Criswell, maar zij had hem te verstaan gegeven
dat die blitse strandbuggy noch dat oranje papier geschikt was
voor school. De eerste bladzijde van het schrift stond voor de
helft vol met losse aantekeningen van Hely (in viltstift, die mevrouw Criswell ook ongeschikt had verklaard en in beslag had
genomen).

Aardrijkskunde   Alexandria Academy
Duncan Hely Hull   4 september

De twee contenenten die één aangesloten landmassa vormen
zijn Eurpa en Asie

De ene helfd van de aarde boven de eqator heet de noordelijke.

Waarom zijn standaart meeteenheeden nootzaklijk?

Als een theorie de beste verklaring van een deel
van de natuur is?
Een Kaart heeft vier delen.

Harriet bekeek ze met vertederde minachting. Ze had verscheidene keren overwogen om de bladzijde eruit te scheuren, maar van lieverlee leek hij deel te zijn gaan uitmaken van het karakter van het schrift, waar je beter vanaf kon blijven.

Ze bladerde door naar de volgende bladzijde, waar haar eigen aantekeningen, in potlood, begonnen. Dat waren voornamelijk lijstjes. Lijstjes van boeken die ze had gelezen, en boeken die ze wilde lezen, van gedichten die ze uit haar hoofd kende; lijstjes van cadeaus die ze voor haar verjaardag of met Kerstmis had gekregen en van wie; lijstjes van oorden waar ze was geweest (niets exotisch) en lijstjes van oorden waar ze heen wilde (Paaseiland, Antarctica, Machu Picchu, Nepal). Er waren lijsten van mensen die ze bewonderde: Napoleon en Nathan Bedford Forrest, Djingiz Chan en Lawrence of Arabia, Alexander de Grote en Harry Houdini, en Jeanne d'Arc. Er was een hele bladzijde met klachten over het feit dat ze haar kamer moest delen met Allison. Er waren woordenlijsten – Latijn en Engels – en een onbeholpen cyrillisch alfabet dat ze op een middag toen ze niets beters te doen had, bloedig had zitten overschrijven uit de encyclopedie. Er waren ook brieven die Harriet had geschreven en nooit had verstuurd, aan allerlei mensen die ze niet mocht. Er was er een aan mevrouw Fountain, een aan haar gehate juf van de vijfde, mevrouw Beebe. Er was er ook een aan meneer Dial. In een poging twee vliegen in één klap te slaan had ze die geschreven in een gekunsteld, krullerig handschrift dat leek op dat van Annabel Arnold.

Beste meneer Dial (zo begon de brief),

Ik ben een meisje dat u kent en dat u al een tijdje in het geheim bewondert. Ik ben zo weg van u dat ik bijna niet kan slapen. Ik weet dat ik erg jong ben en mevrouw Dial is er natuurlijk ook nog, maar misschien kunnen we een keer 's avonds afspreken achter Dial Chevrolet. Ik heb gebeden bij deze brief, en de Heer heeft gezegd dat Liefde de oplossing is. Ik schrijf gauw weer. Laat deze brief alstublieft aan niemand lezen. P. S. U weet vast wel wie ik ben. Liefs, uw geheime Valentijn!

Eronder had Harriet een uit de krant geknipt footootje van Annabel Arnold geplakt naast het reusachtige, ziekelijk gele hoofd van meneer Dial dat ze in de Gouden Gids had gevonden – zijn ogen puilden uit van enthousiasme en zijn hoofd had een krans van cartooneske sterretjes met daarboven in een kakofonie van schreeuwende zwarte letters:

WAAR KWALITEIT VOOROP STAAT!
LAGE AANBETALING!

Nu ze de brieven weer zag kwam Harriet op het idee meneer Dial echt een briefje te sturen, een dreigbriefje vol spelfouten in een kinderlijk handschrift, zogenaamd van Curtis Ratliff. Maar, bedacht ze terwijl ze met haar potlood tegen haar tanden tikte, dat zou toch oneerlijk zijn tegenover Curtis. Ze wenste Curtis niets kwaads toe, vooral niet na zijn uitval naar meneer Dial.

Ze sloeg de bladzijde om en schreef op een leeg vel oranje papier:

Doelen voor de zomer
Harriet Cleve Dufresnes

Ze zat er ongedurig naar te kijken. Net als het houthakkerskind uit het sprookje werd ze bevangen door een raadselachtig verlangen, de wens ver te reizen en grootse daden te verrichten, en al zou ze niet precies kunnen omschrijven wat ze wilde doen, ze wist wel dat het iets moest zijn wat groots, grimmig en extreem moeilijk was.

Ze bladerde terug naar de lijst van mensen die ze bewonderde: overwegend generaals, militairen, ontdekkingsreizigers, allemaal daadkrachtige mensen. Jeanne d'Arc had hele legers aangevoerd toen ze nauwelijks ouder was dan Harriet. En toch had Harriets vader haar voor kerst vorig jaar een beledigend bordspel voor meisjes gegeven dat *Wat zal ik later worden?* heette. Het was een bijzonder onbenullig spel, bedoeld om je te helpen met je loopbaankeuze, maar hoe goed je het ook speelde, er waren maar vier toekomstmogelijkheden: lerares, ballerina, moeder en verpleegster.

De mogelijkheid die voorgesteld werd in haar gezondheidsleerboek (een wiskundige reeks van verkering, 'carrière', huwelijk en moederschap) interesseerde Harriet niet. Van alle helden op haar lijst was Sherlock Holmes de grootste, en hij had niet eens echt bestaan. Dan had je Harry Houdini. Hij was de meester van het onmogelijke en, wat belangrijker was voor Harriet, de meester van de ontsnapping. Geen gevangenis ter wereld kon hem tegenhouden: hij kon ontsnappen uit dwangbuizen, uit vergrendelde hutkoffers die in een snel stromende rivier waren gegooid en uit grafkisten die twee meter onder de grond waren begraven.

En hoe had hij dat gedaan? *Hij was niet bang.* Jeanne d'Arc was uitgereden met de engelen aan haar zijde, maar Houdini overwon de angst zelf. Voor hem geen goddelijke bijstand: hij had met pijn en moeite geleerd paniek, de angst voor verstikking, verdrinking en duisternis te onderdrukken. Met handboeien om in een afgesloten hutkoffer op de bodem van een rivier had hij niet één hartenklop aan angst verspild, was geen moment gezwicht voor de gruwel van de ketenen, het donker en het ijskoude water; als hij ook maar één seconde licht in het hoofd werd, als hij iets verknoeide bij het ademloze karwei dat hem te doen stond – rollend over de rivierbedding, steeds maar over de kop – zou hij nooit levend bovenkomen.

Een trainingsprogramma. Dat was het geheim van Houdini. Hij was iedere dag in een tobbe ijs gestapt, had enorme afstanden onder water gezwommen, geoefend tot hij zijn adem drie minuten kon inhouden. De tobbe ijs ging niet, maar zwemmen en haar adem inhouden kon ze wel.

Ze hoorde de voordeur toen haar moeder en zusje binnenkwamen, de klaaglijke stem van haar zus, onverstaanbaar. Vlug verstopte ze het schrift en rende naar beneden.

'Je moet geen *haten* zeggen, lieverd,' zei Charlotte verstrooid tegen Allison. Ze zaten met z'n drieën in hun zondagse kleren aan tafel en aten de kip die Ida voor de lunch had klaargezet.

Allison zat kauwend op een citroenschijfje uit haar ijsthee naar haar bord te kijken, haar haar viel in haar gezicht. Ze had haar eten weliswaar krachtig in stukjes gezaagd, op haar bord heen en weer geschoven en in onsmakelijke hoopjes opgestapeld (een gewoonte waarmee ze Edie woest kon maken), maar ze had er erg weinig van gegeten.

'Ik snap niet waarom Allison geen *haten* mag zeggen, moeder,' zei Harriet. 'Haten is een prima woord.'

'Het is niet netjes.'

'De bijbel staat er vol mee. Deze haat die, die haat weer iemand anders. Het staat zowat op elke bladzijde.'

'Zeg het nou niet.'

'Goed dan,' barstte Allison los. 'Ik veráfschuw mevrouw Biggs.'

Mevrouw Biggs was de zondagsschoollerares van Allison.

Charlotte, in haar verdoofde staat, was lichtelijk verbaasd. Allison was anders altijd zo'n bedeesd, zachtmoedig meisje. Dit soort wilde taal over mensen die ze haatte was meer iets voor Harriet.

'Allison toch,' zei ze. 'Mevrouw Biggs is zo'n lief oud mensje. En ze is een vriendin van je tante Adelaide.'

Allison, die lusteloos met haar vork door de brij op haar bord harkte, zei: 'En toch haat ik haar.'

'Als iemand op zondagsschool niet voor een dode kat wil bidden is dat nog geen reden om die te haten, schat.'

'Waarom niet? We moesten ook bidden dat Sissy en Annabel Arnold het majorettekampioenschap zouden winnen.'

Harriet zei: 'Daar moesten wij ook voor bidden van meneer Dial. Omdat hun vader kerkvoogd is.'

Allison legde het schijfje citroen zorgvuldig op de rand van haar bord. 'Ik hoop dat ze zo'n brandende baton laten vallen,' zei ze. 'Ik hoop dat die tent in de fik gaat.'

'Luister, meisjes,' zei Charlotte vaag in de stilte die volgde. Haar gedachten – die toch al niet helemaal bij de kwestie van de kat en de kerk en de wedstrijd waren – waren alweer afgedreven naar iets anders. 'Zijn jullie al bij het medisch centrum geweest voor de tyfusprik?'

Toen ze geen antwoord gaven zei ze: 'Vergeet nou niet om die maandagochtend meteen te halen. En ook een tetanusprik. Als jullie de hele zomer op blote voeten rondlopen en in drinkputten zwemmen...'

Haar stem stierf goedmoedig weg en ze at verder. Harriet en Allison zwegen. Ze hadden geen van beiden ooit in een drinkput gezwommen. Hun moeder dacht aan haar eigen jeugd en verwarde die met het heden, iets wat ze de laatste tijd steeds vaker deed – en de meisjes wisten niet goed hoe ze daarop moesten reageren.

Nog steeds in haar zondagse madeliefjesjurk, die ze de hele dag al aanhad, tripte Harriet in het donker naar beneden op haar witte

sokken waarvan de zolen grauw van het vuil waren. Het was half-
tien 's avonds en haar moeder en Allison waren een halfuur daarvoor naar bed gegaan.

Allisons slaperigheid kwam niet, zoals bij haar moeder, door
kalmerende middelen, maar had een natuurlijke oorzaak. Ze was
het gelukkigst als ze sliep, met haar hoofd onder haar kussen; ze
verlangde de hele dag naar haar bed en stortte zich erin zodra het
ook maar enigszins donker was. Maar Edie, die zelden meer dan
zes uur per nacht sliep, ergerde zich aan al dat gelummel in bed bij
Harriet thuis. Charlotte slikte al sinds de dood van Robin kalmeringsmiddelen en daar viel niet met haar over te praten, maar Allison was een andere kwestie. Denkend aan de ziekte van Pfeiffer
of hersenontsteking had ze Allison al een paar keer meegesleept
naar de dokter voor een bloedonderzoek, waarvan de uitslag telkens negatief was. 'Het is een tiener in de groei,' zei de dokter
tegen Edie. 'Tieners hebben veel rust nodig.'

'Maar zestien uur!' zei Edie verontwaardigd. Ze besefte heel
goed dat de dokter haar niet geloofde. Ze vermoedde ook, terecht,
dat hij degene was die de pillen voorschreef waardoor Charlotte
constant suf was.

'Al was het zeventien,' zei dokter Breedlove, die met één witgejaste bil op zijn rommelige bureau zat en Edie met een kille,
klinische blik aankeek. 'Als dat kind wil slapen, laat haar dan slapen.'

'Maar hoe kún je zoveel slapen?' had Harriet haar zusje een
keer nieuwsgierig gevraagd.

Allison haalde haar schouders op.

'Is het niet saai?'

'Ik vind het alleen saai als ik wakker ben.'

Dat snapte Harriet wel. Zelf was ze soms zo verlamd van verveling dat ze er misselijk en duf van werd, alsof ze met chloroform
was verdoofd. Maar dit keer keek ze vol spanning uit naar de eenzame uren die voor haar lagen, en in de woonkamer ging ze niet
naar het wapenkabinet maar naar het bureau van haar vader.

Er lagen allerlei interessante dingen in de la van haar vaders
bureau (gouden munten, geboorteakten, dingen waar ze niet aan
mocht komen). Na wat gerommel tussen de foto's en dozen met
afgestempelde cheques vond ze ten slotte wat ze zocht: een stopwatch van zwart plastic – een relatiegeschenk van een financie-
ringsmaatschappij – met een rood digitaal venster.

Ze ging op de bank zitten, nam een grote hap lucht en drukte tegelijkertijd de stopwatch in. Houdini had net zolang geoefend tot hij zijn adem minutenlang kon inhouden: een prestatie waardoor veel van zijn beste trucs mogelijk werden. Nu zou ze zien hoe lang ze haar adem kon inhouden zonder flauw te vallen.

Tien. Twintig seconden. Dertig. Ze voelde het bloed steeds harder in haar slapen kloppen.

Vijfendertig. Veertig. Harriets ogen begonnen te tranen, haar hart klopte achter haar oogbollen. Bij vijfenveertig ging er een spiertrekking door haar longen en moest ze haar neus dichtknijpen en een hand voor haar mond houden.

Achtenvijftig. Negenenvijftig. De tranen liepen uit haar ogen, ze kon niet stil blijven zitten, ze stond op en liep driftig rondjes om de bank terwijl ze met haar vrije hand wapperde en haar ogen wanhopig van het ene naar het andere voorwerp schoten – bureau, deur, zondagse lakschoenen op het dofgrijze tapijt – en ondertussen sprong de kamer mee op de maat van haar bonkende hartslag en ritselde de wal van kranten als door de voorschokken van een aardbeving.

Zestig seconden. Vijfenzestig. De zachtroze strepen in de gordijnen waren bloedrood geworden en het licht van de lamp rafelde uiteen in lange, iriserende tentakels die op de eb en vloed van een onzichtbaar tij meedeinden, totdat ook zij donkerder begonnen te worden, zwart langs de pulserende randen, terwijl het midden nog wit oplichtte en ze ergens een wesp hoorde zoemen, ergens vlak bij haar oor, maar misschien was het dat niet, misschien kwam het geluid uit haar binnenste; de kamer tolde en opeens kon ze haar neus niet meer dichtgeknepen houden, haar hand trilde en deed niet meer wat zij wilde en met een langgerekt, gemarteld raspend geluid viel ze in een regen van vonken achterover op de bank, terwijl ze met haar duim de stopwatch indrukte.

Ze bleef een hele tijd hijgend liggen, terwijl de fosforescerende feestlichtjes zachtjes van het plafond wegdreven.

Er klopte een glazen hamer, met kristallijn getinkel, onder aan haar schedel. Haar gedachten krulden ineen en ontvouwden zich in kunstig maaswerk van kopergoud dat in subtiele patronen door haar hoofd zweefde.

Toen de vonken verminderden en ze eindelijk overeind kon komen – duizelig, zich vasthoudend aan de rugleuning van de bank – keek ze op de stopwatch. Eén minuut en zestien seconden.

Dat was lang, langer dan ze had verwacht bij de eerste poging, maar ze voelde zich erg raar. Haar ogen deden pijn en het was of

de hele inhoud van haar hoofd door elkaar was geschud en opeengeperst, zodat het gehoor en het gezicht in de war waren geraakt,
en het gezicht en de smaak ook, en haar gedachten daardoorheen
waren gehusseld als de stukjes van een puzzel zodat ze niet wist
welk stukje waar moest.

Ze probeerde op te staan. Het was alsof ze probeerde op te
staan in een kano. Ze ging weer zitten. Echo's, zwarte klokken.

Goed, niemand had gezegd dat het gemakkelijk zou zijn. Als het
gemakkelijk was om te leren je adem drie minuten lang in te houden, dan zou de hele wereld het doen, niet alleen Houdini.

Ze bleef een paar minuten stil zitten en haalde diep adem zoals
ze bij zwemles had geleerd, en toen ze een beetje was bijgekomen
nam ze weer een grote teug adem en drukte de stopwatch in.

Dit keer nam ze zich voor niet naar de getallen te kijken die
voorbijsprongen, maar zich op iets anders te concentreren. Het
was erger als ze naar de getallen keek.

Naarmate ze het benauwder kreeg en haar hart in haar borst
luider bonkte, tripten er fonkelende speldenprikken in ijzige golven over haar hoofdhuid, net regendruppels. Haar ogen brandden.
Ze sloot ze. Tegen de pulserende rode duisternis viel een spectaculaire regen van vurige kooltjes. Een zwarte hutkoffer met kettingen erom ratelde over de losse keitjes van een rivierbedding, meegesleept door de stroming, *bonk, bonk, bonk* – iets zwaars en
zachts, een lichaam binnenin – en haar hand vloog omhoog om
haar neus dicht te knijpen alsof het stonk, maar de koffer bonkte
maar door, over de bemoste keien, en ergens speelde een orkest
in een rijk versierde schouwburg met stralende kroonluchters, en
Harriet hoorde de heldere sopraan van Edie boven de violen uit
jubelen: '*Many brave hearts lie asleep in the deep. Sailor, beware: sailor, take care.*'

Nee, het was Edie niet, het was een tenor: een tenor met zwart
brillantinehaar en een gehandschoende hand tegen de borst van
zijn smoking gedrukt, zijn bepoederde gezicht krijtwit in het voetlicht, zijn ogen en lippen zwart omlijnd als bij een acteur in een
stomme film. Hij stond voor fluwelen gordijnen met franje die
langzaam – onder een golf van applaus – uiteengingen en midden
op het toneel een enorm blok ijs met een ingevroren gehurkte
gestalte onthulden.

Stokkende adem. Het opgewonden orkest, dat voornamelijk uit
pinguïns bestond, voerde het tempo op. Het balkon stond vol met
elkaar verdringende ijsberen, waarvan sommige kerstmannetjes-

mutsen droegen. Ze waren te laat binnengekomen en hadden ruzie over wie waar zat. In hun midden zat mevrouw Godfrey met
glazige ogen ijs te eten uit een kom met een harlekijnmotiefje.

Opeens werd het licht gedempt. De tenor maakte een buiging
en verdween in de coulissen. Een van de ijsberen boog zich over
de balkonrand, gooide zijn kerstmannenmuts hoog in de lucht en
brulde: 'Driewerf hoera voor kapitein Scott!'

Er ging een oorverdovend rumoer op toen de blauwogige Scott
het podium op kwam in al zijn bont – dat stijf stond van het vet en
bedekt was met een laag ijs – de sneeuw uit zijn kleren schudde en
een in een want gestoken hand ophief naar het publiek. Achter
hem liet de kleine Bowers – op ski's – een zachte, verbaasde fluit-
toon horen terwijl hij zijn ogen dichtkneep tegen het voetlicht en
één arm omhoog bracht om zijn zonverbrande gezicht af te schermen. Dokter Wilson – zonder hoed of handschoenen, met ijskrap-
pen onder zijn laarzen – schoot langs hem heen het toneel op, met
een spoor van sneeuwvoetstappen achter zich aan die onder het
toneellicht onmiddellijk in plasjes veranderden. Zonder aandacht
te schenken aan het daverende applaus liet hij zijn hand over het
ijsblok glijden en maakte een paar aantekeningen in een in leer
gebonden schrift. Toen klapte hij het schrift dicht en het werd stil
in de zaal.

'De situatie is kritiek, kapitein,' zei hij, met witte ademwolkjes.
'De wind komt uit het noord-noordwesten en de bovenste en onderste gedeelten van de ijsberg vertonen een duidelijk verschil in
ontstaanstijd, waaruit men zou kunnen opmaken dat deze laag
voor laag is opgebouwd uit de jaarlijkse sneeuwval.'

'Dan moeten we onmiddellijk met de reddingsoperatie beginnen,' zei kapitein Scott. 'Osman! *Esj toe,*' zei hij ongeduldig tegen
de sledehond die blaffend om hem heen sprong. 'De ijsbijlen, lui-
tenant Bowers.'

Bowers toonde geen spoor van verbazing toen hij merkte dat de
skistokken in zijn wantenvuisten waren veranderd in een stel bijlen. Hij gooide er één behendig over het toneel naar zijn kapitein,
onder een uitbundig tumult van gegak, gebrul en vleugelgeklap, en
nadat ze hun wollen kleren, rul van de sneeuw, uit hadden geschud begonnen ze samen op het bevroren blok in te hakken, terwijl het pinguïnorkest weer inzette en dokter Wilson interessant
wetenschappelijk commentaar bleef leveren op de aard van het ijs.
Van het voortoneel kwam nu een zachte werveling van sneeuw
dwarrelen. Aan de rand van het podium hielp de brillantinetenor

de fotograaf van de expeditie, Ponting, zijn statief opzetten.

'Die arme kerel,' zei kapitein Scott tussen twee bijlslagen door (Bowers en hij schoten niet erg op), 'is aan het eind van zijn krachten, lijkt het.'

'Opschieten, kapitein.'

'Hou de moed erin, mannen,' brulde een ijsbeer vanaf het balkon.

'We zijn in Gods hand en als Hij niet ingrijpt zijn we verloren,' zei dokter Wilson somber. De zweetdruppels stonden op zijn slapen en de toneellichten weerkaatsten als witte schijfjes in de glazen van zijn ouderwetse brilletje. 'Laten we allen tezamen het onzevader en het credo zeggen.'

Blijkbaar kende niet iedereen het onzevader. Sommige pinguïns zongen 'Daisy, Daisy, give me your answer, do,' andere zeiden met de vleugel op het hart de eed van trouw aan Amerika op, maar toen verscheen er boven het toneel – met het hoofd naar beneden, aan de enkels neergelaten aan een spiralende ketting – de geboeide gestalte van een in jacquet gestoken man in een dwangbuis. Het werd stil in de zaal toen hij zich, draaiend, rukkend, roodaangelopen, uit de dwangbuis wurmde en die over zijn hoofd uittrok. Met zijn tanden begon hij aan de boeien te trekken, die een paar tellen later kletterend op de planken vielen en toen – nadat hij lenig omhoog was gekomen om zijn voeten los te maken – liet hij de drie meter boven de grond hangende ketting los en kwam neer terwijl hij met opgeheven arm het zwierige gebaar van een atleet maakte en een hoge hoed afnam die uit het niets was verschenen. Een zwerm roze duiven steeg fladderend op en begon tot groot genoegen van het publiek duikvluchten uit te voeren boven de zaal.

'Ik vrees dat de gebruikelijke middelen hier niet helpen, heren,' sprak de nieuwkomer tot de geschrokken ontdekkingsreizigers, terwijl hij de mouwen van zijn jacquet opstroopte en even bleef staan om stralend te lachen voor de lichtflits van het fototoestel. 'Ik ben twee keer bijna omgekomen bij een poging dit kunststukje uit te voeren – een keer in circus Beketow in Kopenhagen en een keer in het Apollotheater in Neurenberg.' Hij pakte uit het niets een met edelstenen bezette brander, waaruit een blauwe vlam van een meter lang kwam, waarna hij een pistool te voorschijn toverde dat hij met een luide knal en een rookwolkje in de lucht afschoot. 'Assistenten graag!'

Vijf Chinezen in helrode gewaden, met kalotjes en een lange zwarte vlecht op hun rug, kwamen aanrennen met brandbijlen en beugelzagen.

Houdini gooide het pistool naar de zaal – dat tot grote vreugde van de pinguïns in de lucht veranderde in een kronkelende zalm voordat het tussen hen neerkwam – en griste vervolgens het pikhouweel uit de handen van kapitein Scott. Met zijn linkerhand zwaaide hij het hoog in de lucht terwijl de brander in zijn rechterhand vuur spuwde. 'Mag ik het publiek eraan herinneren,' riep hij, 'dat de proefpersoon vierduizendzeshonderdvijfenzestig dagen, twaalf uur, zevenentwintig minuten en negenendertig seconden verstoken is geweest van zuurstofrijke levensadem, en dat er op het Noord-Amerikaanse toneel nog nooit een reddingspoging van deze omvang is gewaagd.' Hij gooide het pikhouweel terug naar kapitein Scott, stak zijn hand omhoog om de rode kat die op zijn schouder zat te aaien en knikte naar de dirigerende pinguïn. 'Aan u, maestro.'

De Chinezen – onder de opgewekte aanwijzingen van Bowers, die zich tot op zijn hemd had uitgekleed en zij aan zij met hen meewerkte – hakten ritmisch op de maat van de muziek op het blok in. Houdini maakte spectaculaire vorderingen met de brander. Er verspreidde zich een grote plas over het toneel: de pinguïnmusici stonden met veel plezier vrolijk te wiegen onder het ijswater dat in de orkestbak drupte. Kapitein Scott, links op het toneel, deed zijn best de sledehond Osman in toom te houden, die door het dolle heen was geraakt toen hij Houdini's kat had ontdekt, en schreeuwde nijdig naar de coulissen dat Meares hem moest komen helpen.

De mysterieuze gestalte in het ijsblok vol luchtbelletjes bevond zich op nog maar anderhalve decimeter van de brander en de beugelzagen van de Chinezen.

'Houd moed,' brulde de ijsbeer vanaf het balkon.

Er sprong nog een andere beer op. In zijn klauw, zo groot als een honkbalhandschoen, hield hij een tegenstribbelende duif, beet zijn kop eraf en spoog die in een bloederige klomp uit.

Harriet begreep niet precies wat er op het toneel gebeurde, maar het leek wel heel belangrijk. Brandend van ongeduld ging ze reikhalzend op haar tenen staan, maar de snaterende, swingende, op elkaars schouders staande pinguïns waren groter dan zij. Sommige lieten zich van hun stoel glijden en begonnen voorover hellend naar het toneel te hobbelen, duikend en waggelend, met de snavel naar het plafond en glasachtige ogen die wild stonden van bezorgdheid. Toen ze zich tussen hen door wrong kreeg ze een harde zet van achteren, ze struikelde naar voren en kreeg een hap vettige pinguïnveren in haar mond.

Opeens klonk er een triomfantelijke kreet van Houdini. 'Dames en heren!' riep hij. 'We hebben hem!'

De menigte verdrong zich op het podium. Harriet zag in haar verwarring de witte magnesiumontploffingen van Pontings antieke fototoestel en een groep Engelse bobby's die binnen kwam rennen met handboeien, gummiknuppels en dienstpistolen.

'Deze kant op, heren!' zei Houdini, die met een zwierige armzwaai een stap naar voren deed.

Soepel, onverwacht draaiden alle hoofden naar Harriet. Er was een onheilspellende stilte gevallen, waarin alleen het *tik tik tik* te horen was van het gesmolten ijs dat in de orkestbak drupte. Iedereen keek naar haar: kapitein Scott, de geschrokken kleine Bowers, Houdini met gefronste zwarte wenkbrauwen boven zijn basiliskblik. De pinguïns bogen zich, in links profiel, zonder met hun ogen te knipperen, opeens naar haar toe om haar met één geel, kil oog te monsteren.

Iemand wilde haar iets aangeven. *Je moet het zelf weten, lieverd...*

Harriet schoot recht overeind op de bank beneden.

'En, Harriet,' zei Edie monter toen Harriet verlaat bij haar achterdeur aan kwam zetten voor het ontbijt. 'Waar zat je? We hebben je gisteren in de kerk gemist.'

Ze knoopte haar schort los zonder te letten op Harriets zwijgzaamheid en haar gekreukte madeliefjesjurk. Ze was voor haar doen ongewoon opgewekt en zag er extra netjes uit in een marineblauw zomers mantelpakje met bijpassende blauwwitte pumps.

'Ik wilde al zonder jou beginnen,' zei ze terwijl ze ging zitten met haar toast en koffie. 'Komt Allison ook? Ik moet naar een vergadering.'

'Waarvan?'

'Van de kerk. Je tantes en ik gaan een uitstapje maken.'

Dat was nog eens nieuws, zelfs voor Harriet in haar verdoofde toestand. Edie en de tantes gingen nooit ergens heen. Libby had nog nooit een voet buiten Mississippi gezet en zij en de andere tantes waren dagenlang somber en doodsbang als ze verder dan een paar kilometer van huis moesten. Het water smaakte raar, mopperden ze, ze konden niet slapen in een vreemd bed, maakten zich zorgen over hun planten en hun katten, ze waren bang dat ze de koffie op hadden laten staan, dat er brand kwam, dat iemand bij hen inbrak of dat het Eind van de Wereld zou komen terwijl zij weg waren. Ze zouden in pompstations naar het toilet moeten, smerige toiletten, wie weet wat je daar voor ziekte opliep. In vreemde restaurants trok niemand zich iets aan van Libby's zoutloze dieet. En als de auto het begaf? Of als er iemand ziek werd?

'We gaan in augustus,' zei Edie. 'Naar Charleston. Een tocht langs historische huizen.'

'Rijd jij?' Edie wilde het niet toegeven, maar haar ogen waren niet meer zo goed en ze reed onverstoorbaar door rood licht, sloeg tegen het verkeer in linksaf en ging om de haverklap op haar rem staan om achterstevoren met haar zusters te kletsen – die, in hun tasjes zoekend naar tissues en pepermuntjes, net als Edie in zalige onwetendheid verkeerden over de uitgeputte, hologige beschermengel die met gespreide vleugels boven Edies Oldsmobile zweefde en aan één stuk door frontale botsingen moest voorkomen.

'Alle dames van onze vrouwenvereniging gaan mee,' zei Edie, druk happend van haar knapperige toast. 'Roy Dial, van de Chevroletgarage, leent ons een bus. Met chauffeur. Ik zou het niet erg vinden om met mijn eigen auto te gaan als er op de snelweg tegenwoordig niet zo krankzinnig werd gereden.'

'En heeft Libby gezegd dat ze meegaat?'

'Jazeker. Waarom niet? Mevrouw Hatfield Keene en mevrouw Nelson McLemore en al haar vriendinnen gaan ook.'

'Addie ook? En Tat?'

'Jazeker.'

'En ze willen echt? Ze worden niet gedwongen?'

'Je tantes en ik worden er niet jonger op.'

'Zeg, Edie,' zei Harriet plotseling, terwijl ze een hap brood doorslikte. 'Heb je negentig dollar voor me?'

'Négentig dollar?' zei Edie opeens fel. 'Natuurlijk niet. Waar heb jij negentig dollar voor nodig?'

'Moeder heeft ons lidmaatschap van de country club laten verlopen.'

'Wat moet jij nou in de country club?'

'Ik wil van de zomer gaan zwemmen.'

'Ga maar met dat jongetje van Hull mee als introducee.'

'Dat kan niet. Hij mag maar vijf keer iemand meenemen. En ik wil er veel vaker heen.'

'Ik zie er het nut niet van in negentig dollar aan de country club te betalen alleen voor het gebruik van het zwembad,' zei Edie. 'In Lake de Selby kun je net zoveel zwemmen als je wilt.'

Harriet zweeg.

'Gek, eigenlijk. Het kamp begint laat dit jaar. Ik had gedacht dat de eerste periode al was begonnen.'

'Blijkbaar niet.'

'Help me onthouden,' zei Edie, 'dat ik even opschrijf dat ik er vanmiddag over bel. Ik snap niet wat die lui mankeert. Wanneer zou die jongen van Hull gaan?'

'Mag ik van tafel?'

'Je hebt nog niet eens gezegd wat je vandaag gaat doen.'

'Ik ga naar de bibliotheek om me op te geven voor de zomer-leeswedstrijd. Ik wil weer winnen.' Dit was, dacht ze, niet het juiste moment om haar ware doel voor de zomer uiteen te zetten, niet zolang kamp Lake de Selby op de achtergrond dreigde.

'Nou, dat zal wel lukken,' zei Edie terwijl ze opstond om haar koffiekopje in de gootsteen te zetten.

'Mag ik iets vragen, Edie?'

'Dat hang ervan af.'

'Mijn broer is vermoord, hè?'

Edies ogen werden een moment lang wazig. Ze zette het kopje neer.

'Wie denk je dat het heeft gedaan?'

Edie bleef nog even uitdrukkingsloos kijken, maar toen – opeens – richtte ze een kwade blik op Harriet. Na een pijnlijk ogenblik – waarin Harriet als het ware de rook van zich af voelde slaan, net of ze een hoopje droge houtspaanders was dat smeulde in een lichtstraal – draaide ze zich om en zette ze het kopje in de gootsteen. Haar middel leek heel smal en haar schouders heel hoekig en militair in het marineblauwe mantelpakje.

'Pak je spullen,' zei ze kortaf, met haar rug nog naar Harriet toe.

Harriet wist niet wat ze moest zeggen. Ze had helemaal geen spullen bij zich.

Na de martelende stilte van de autorit (staren naar het stiksel van de bekleding, pulken aan een los stukje schuimplastic van de arm-leuning) had Harriet niet veel zin om naar de bibliotheek te gaan. Maar Edie bleef ijzig bij de stoeprand wachten en er zat voor Harriet niets anders op dan de trap op lopen (rug als een plank, zich ervan bewust dat ze werd nagekeken) en de glazen deuren open-duwen.

De bibliotheek leek leeg. Mevrouw Fawcett zat alleen, met een kop koffie, aan de balie de teruggebrachte boeken van de vorige avond te inspecteren. Het was een kleine vrouw, broos als een vogeltje, met kort peper-en-zoutkleurig haar, geaderde witte armen (ze droeg koperen armbanden tegen de reuma) en ogen die iets te pinnig keken en te dicht bij elkaar stonden, vooral doordat haar neus enigszins krom en smal was. De meeste kinderen waren bang voor haar, maar Harriet niet, die was dol op de bibliotheek en alles wat erbij hoorde.

'Ha, Harriet,' zei mevrouw Fawcett. 'Kom je je opgeven voor de zomerleeswedstrijd?' Ze pakte een affiche van onder de balie. 'Je weet hoe het werkt, hè?'

Ze gaf Harriet een kaart van de Verenigde Staten, die Harriet aandachtiger bestudeerde dan nodig. Zo overstuur zal ik dan wel niet zijn, hield ze zich voor, als mevrouw Fawcett er niets van merkt. Harriet was niet gauw gekwetst – in ieder geval niet door Edie, die zo vaak uit haar slof schoot – maar Edies hardnekkige zwijgen in de auto had haar van haar stuk gebracht.

'Dit jaar werken ze met een kaart van Amerika,' zei mevrouw Fawcett. 'Voor elke vier boeken die je meeneemt krijg je een sticker in de vorm van een staat die je op je kaart moet plakken. Zal ik hem voor je ophangen?'

'Nee dank u, dat doe ik zelf wel,' zei Harriet.

Ze liep naar het mededelingenbord aan de muur achterin. Het leesproject was zaterdag, eergisteren, net begonnen. Er hingen al een stuk of acht kaarten; de meeste waren leeg, maar op één zaten al drie stickers. Wie kon er nou sinds zaterdag al twaalf boeken hebben gelezen?

Toen ze met de vier boeken die ze had gekozen weer voor de balie stond, vroeg ze aan mevrouw Fawcett: 'Wie is Lasharon Odum?'

Mevrouw Fawcett boog zich van de balie af en wijzend naar de kinderhoek knikte ze zwijgend naar een figuurtje met samengeklit haar in een groezelig T-shirt en een broek die haar te klein was. Ze zat met grote ogen te lezen, ineengedoken in een stoel, terwijl haar adem rasperig tussen haar gebarsten lippen doorkwam.

'Daar zit ze,' fluisterde mevrouw Fawcett. 'Het arme kind. De hele week zit ze elke ochtend al op de stoep te wachten als ik open kom doen, en ze blijft daar muisstil zitten tot ik om zes uur dicht ga. Als ze al die boeken echt leest en niet alleen maar doet alsof, dan kan ze wel goed lezen voor haar leeftijd.'

'Mevrouw Fawcett,' zei Harriet, 'mag ik vandaag naar achteren, naar het krantenarchief?'

Mevrouw Fawcett keek geschrokken. 'Je mag de kranten niet mee naar huis nemen.'

'Dat weet ik. Ik moet iets uitzoeken.'

Mevrouw Fawcett keek Harriet over de rand van haar bril aan, ingenomen met dit volwassen aandoende verzoek. 'Weet je welke je moet hebben?' vroeg ze.

'O, gewoon de plaatselijke kranten. En misschien ook die van Memphis en Jackson. Van...' Ze aarzelde; ze was bang mevrouw Fawcett op een spoor te zetten als ze de datum van Robins dood noemde.

'Nou,' zei mevrouw Fawcett, 'eigenlijk mag ik je er niet toelaten, maar als je voorzichtig bent kan het vast geen kwaad.'

Harriet nam een omweg zodat ze niet langs Hely's huis hoefde – hij had gevraagd of ze mee ging vissen – om de geleende boeken thuis te brengen. Het was halfeen. Allison, slaperig en rozig, nog in pyjama, zat in haar eentje aan de eettafel humeurig een boterham met tomaat te eten.

'Wil jij er een met tomaat, Harriet?' riep Ida Rhew vanuit de keuken. 'Of heb je liever kip?'

'Tomaat, alsjeblieft,' zei Harriet. Ze ging naast haar zusje zitten. 'Ik ga vanmiddag naar de country club om me voor zwemmen op te geven,' zei ze. 'Ga je mee?'

Allison schudde haar hoofd.

'Moet ik jou ook opgeven?'

'Kan me niet schelen.'

'Weenie zou niet willen dat je zo deed,' zei Harriet. 'Hij zou willen dat je gelukkig was, dat je gewoon doorging met leven.'

'Ik zal nooit meer gelukkig zijn,' zei Allison terwijl ze haar boterham neerlegde. Er begonnen tranen op te wellen onder de wimpers van haar verdrietige, reebruine ogen. 'Ik wou dat ik dood was.'

'Allison?' vroeg Harriet.

Ze gaf geen antwoord.

'Weet jij wie Robin heeft vermoord?'

Allison begon stukjes korst van haar boterham te plukken. Ze trok er een reepje af en rolde het tussen haar duim en wijsvinger tot een bolletje.

'Jij was in de tuin toen het gebeurde,' zei Harriet terwijl ze haar zus aandachtig aankeek. 'Dat heb ik in de krant in de bibliotheek gelezen. Er stond dat je de hele tijd buiten was.'

'Jij was er ook.'

'Ja, maar ik was een baby. Jij was vier.'

Allison trok nog een laagje korst van de boterham en at het bedachtzaam op, zonder Harriet aan te kijken.

'Vier is best oud. Ik herinner me bijna alles wat me overkwam toen ik vier was.'

Op dat moment kwam Ida Rhew binnen met Harriets bord. Beide meisjes zwegen. Toen ze weer in de keuken was zei Allison: 'Laat me alsjeblieft met rust, Harriet.'

'Je móét je er iets van herinneren,' zei Harriet zonder haar ogen van Allison af te wenden. 'Het is belangrijk. Denk na.'

Allison spietste een schijfje tomaat aan haar vork en at het zorgvuldig rondom knabbelend op.

'Zeg, ik heb vannacht gedroomd.'

Allison keek geschrokken naar haar op.

De plotselinge aandacht van Allison was Harriet niet ontgaan en ze vertelde uitvoerig haar droom van die nacht.

'Volgens mij betekent hij iets,' zei ze. 'Volgens mij moet ik proberen uit te vinden wie Robin heeft vermoord.'

Ze at haar boterham op. Allison keek haar nog steeds aan. Edie dacht ten onrechte dat Allison dom was, wist Harriet, het viel alleen niet mee om erachter te komen wat ze dacht, en je moest haar voorzichtig aanpakken om haar niet bang te maken.

'Je moet me helpen,' zei Harriet. 'Weenie zou dat ook willen. Hij hield van Robin. Hij was het poesje van Robin.'

'Dat kan ik niet,' zei Allison. Ze duwde haar stoel achteruit. 'Ik moet weg. *Dark Shadows* begint zo.'

'Wacht even,' zei Harriet. 'Je moet iets doen. Wil je iets voor me doen?'

'Wat dan?'

'Wil je proberen de dromen te onthouden die je 's nachts hebt en wil je ze dan opschrijven en 's morgens aan mij laten lezen?'

Allison keek haar uitdrukkingsloos aan.

'Je slaapt de hele tijd. Dan moet je ook dromen. Soms herinner je je in je dromen dingen die je niet meer weet als je wakker bent.'

'Allison,' riep Ida vanuit de keuken. 'Ons programma begint.' Allison en zij waren bezeten van *Dark Shadows*. 's Zomers keken ze er iedere dag samen naar.

'Kom je ook kijken?' vroeg Allison aan Harriet. 'Het was deze week hartstikke goed. Ze zijn weer terug in het verleden. Ze leggen uit hoe Barnabas vampier is geworden.'

'Vertel het maar als ik weer thuiskom. Ik ga naar de country club om ons allebei voor het zwembad op te geven. Goed? Als ik jou opgeef ga je dan een keer met me zwemmen?'

'Wanneer begint je kamp eigenlijk? Of ga je deze zomer niet?'

'Kom nou,' zei Ida Rhew, die binnenstormde met haar eigen middageten, een boterham met kip. De vorige zomer had Allison haar verslaafd gemaakt aan *Dark Shadows* – Ida had, aanvankelijk vol argwaan, samen met haar gekeken – en nu volgde Ida gedurende het schooljaar de dagelijkse afleveringen en als Allison thuiskwam gingen ze er even voor zitten zodat Ida haar kon vertellen wat er allemaal was gebeurd.

Liggend op de koude tegelvloer van de badkamer, met de deur op slot en een vulpen in de aanslag boven haar vaders chequeboekje, dwong Harriet zich tot kalmte voordat ze begon te schrijven. Ze kon haar moeders handschrift goed imiteren en dat van haar vader nog beter. Maar bij zijn aaneengeschreven hanenpoten mocht ze geen moment aarzelen: als de pen eenmaal op het papier stond moest ze in één keer doorschrijven, zonder nadenken, anders zag het er knullig uit, en klopte het niet. Edies handschrift was preciezer: rechtop, ouderwets, barok als een ballet, en haar hoge, magistrale hoofdletters waren moeilijk vloeiend na te maken, zodat Harriet langzaam te werk moest gaan en steeds even moest stoppen om naar een voorbeeld van Edies handschrift te kijken. Het resultaat kon ermee door, maar al trapten anderen erin, ze trapten er niet altijd in en Edie nooit.

Harriets pen zweefde boven de lege regel. De ijselijke herkenningsmelodie van *Dark Shadows* kwam net door de gesloten badkamerdeur zweven.

Uit te betalen aan: *Alexandria Country Club* schreef ze overhaast in haar vaders grote, slordige handschrift. *Honderdtachtig dollar.* Dan de handtekening van de grote geldschieter, het gemakkelijkste gedeelte. Ze slaakte een diepe zucht en bekeek haar werk: niet slecht. Het waren cheques van de plaatselijke bank, zodat de rekeningafschriften naar Harriets huis werden gestuurd en niet naar Nashville; als de afgestempelde cheque terugkwam zou zij hem uit de envelop halen en verbranden, en geen haan die ernaar kraaide. Sinds de eerste keer dat ze genoeg lef had gehad om deze truc uit te halen had Harriet zich (stukje bij beetje) de vijfhonderd dollar van haar vaders rekening toegeëigend. Dat was hij haar verschuldigd, vond ze; als ze niet bang was geweest haar eigen systeem te verpesten had ze met alle genoegen zijn hele rekening geplunderd.

'De Dufresnes,' zei tante Tat, 'zijn kílle mensen. Dat zijn ze altijd geweest. En ik heb ze ook nooit bijzonder beschaafd gevonden.'

Harriet was het daarmee eens. Haar ooms van de Dufresneskant leken allemaal min of meer op haar vader: hertenjagers en sportlui, luidruchtig en grof in de mond, met zwarte verf door hun grijzende haar gekamd, bejaarde variaties op het thema Elvis met hun dikke buiken en laarzen met elastiek. Ze lazen geen boeken, hun moppen waren plat, in hun manieren en vooroordelen waren ze krap een generatie verwijderd van achterlijke boeren. Ze had grootmoeder Dufresnes maar één keer ontmoet: een prikkelbare vrouw met een roze plastic kralenketting en een stretch broekpak, die in Florida in een appartementencomplex woonde met een schuifpui en giraffes van zilverfolie op het behang. Harriet had daar een week gelogeerd – en had zich dood verveeld omdat grootmoeder Dufresnes geen bibliotheekpasje had en geen andere boeken bezat dan de biografie van een man die de Hiltonhotelketen had opgezet en een paperback met de titel *A Texan Looks at LBJ*. Haar zoons hadden haar uit de plattelandsarmoede van Tallahatchie County weggehaald en die flat in een complex voor bejaarden in Tampa voor haar gekocht. Ze stuurde Harriets familie ieder jaar met Kerstmis een kist grapefruits. Verder hoorden ze zelden iets van haar.

Toch had Harriet wel iets gemerkt van de wrok die Edie en de tantes jegens haar vader koesterden, maar ze had geen idee hoe diep die zat. Hij was geen attente echtgenoot of vader, mopperden ze, ook niet toen Robin nog leefde. Het was een schande zoals hij de meisjes verwaarloosde. Het was een schande zoals hij zijn vrouw verwaarloosde – vooral nadat hun zoon was gestorven. Hij had gewoon doorgewerkt, net als altijd, had niet eens vrij genomen van de bank, en nauwelijks een maand nadat zijn zoon onder de grond was gestopt was hij gaan jagen in Canada. Geen wonder dat Charlotte psychisch nooit meer de oude was geworden, met zo'n waardeloze echtgenoot.

'Het zou beter zijn,' zei Edie kwaad, 'als hij gewoon van haar zou scheiden. Charlotte is nog jong. En die aardige jonge man van Willory heeft net dat stuk grond bij Glenwild gekocht, hij komt uit de Delta, hij heeft geld...'

'Nou ja,' zei Adelaide, 'maar financieel is ze goed af bij Dixon.'

'Ik bedoel dat ze een veel betere man zou kunnen krijgen.'

'En ík bedoel, Edith, dat een stuivertje raar kan rollen. Ik weet niet hoe het met kleine Charlotte en de meisjes verder zou moeten als Dix niet zo goed verdiende.'

'Nou ja,' zei Edie, 'dat is wel zo.'

'Ik vraag me weleens af,' zei Libby beverig, 'of we er wel goed aan hebben gedaan toen we Charlotte afraadden om naar Dallas te verhuizen.'

Daar was kort na de dood van Robin sprake van geweest. De bank had Dixon promotie aangeboden als hij zich in Texas zou vestigen. Enkele jaren later had hij geprobeerd zijn gezin mee te krijgen naar een stad in Nebraska. In plaats van Charlotte en de meisjes aan te sporen om mee te gaan waren de tantes beide keren in paniek geraakt, en Adelaide en Libby en zelfs Ida Rhew waren wekenlang bij het idee alleen al in tranen uitgebarsten.

Harriet blies op de handtekening van haar vader, hoewel de inkt al droog was. Haar moeder schreef altijd cheques van deze rekening uit – zo betaalde ze alles – maar Harriet had gemerkt dat ze het saldo nooit controleerde. Als Harriet het had gevraagd had ze de rekening voor de country club grif betaald, maar kamp Lake de Selby hing als een dreigende onweerswolk aan de horizon en Harriet durfde niet over de country club en het zwembad te beginnen uit angst haar moeder eraan te herinneren dat de inschrijfformulieren niet waren gekomen

Ze stapte op haar fiets en reed naar de country club. Het kantoor was gesloten. Iedereen zat te lunchen in de eetzaal. Ze liep de gang door naar de clubwinkel, waar ze Hely's grote broer Pemberton aantrof, die achter de toonbank een sigaret stond te roken en een blad over stereo-installaties las.

'Kan ik het geld aan jou geven?' vroeg ze. Ze mocht Pemberton graag. Hij was in hetzelfde jaar geboren als Robin en was Robins vriend geweest. Nu was hij eenentwintig en volgens sommigen was het zonde dat zijn moeder zijn vader ervan had weerhouden hem naar de militaire academie te sturen toen dat nog iets zou hebben uitgehaald. Pem was op de middelbare school weliswaar populair geweest en op bijna elke bladzijde van het jaarboek van zijn eindexamenklas stond wel een foto van hem, maar hij was een nietsnut en een beetje een beatnik, en hij had het niet lang volgehouden op de Vanderbilt Universiteit en de Universiteit van Mississippi, Ole Miss, en zelfs niet op de Delta State Universiteit. Nu woonde hij thuis. Zijn haar was nog een stuk langer dan dat van Hely. 's Zomers was hij badmeester bij de country club en 's winters sleutelde hij alleen maar aan zijn auto en luisterde hij naar harde muziek.

'Hoi, Harriet,' zei Pemberton. Hij zou zich wel alleen voelen, dacht Harriet, zo in zijn eentje in de winkel. Hij droeg een gescheurd T-shirt, een geruite korte broek en golfschoenen zonder sokken; bij zijn elleboog op de toonbank stonden de resten van een hamburger met friet op een bord met het monogram van de country club. 'Kom eens, dan mag je me helpen een geluidsinstallatie voor de auto uit te zoeken.'

'Ik weet niets van installaties. Ik wil deze cheque hier afgeven.'

Pem veegde met zijn grote knuist zijn haar achter zijn oren, nam de cheque aan en bekeek hem. Hij was slungelig, ongedwongen en een stuk groter dan Hely, en hij had net zulk warrig, blond haar – met lichte strepen bovenop en donkere eronder. Hij had dezelfde trekken als Hely, maar fijner besneden, en een beetje een scheef gebit, maar dat stond eigenlijk leuker dan als zijn tanden recht hadden gestaan.

'Goed, laat maar hier,' zei hij ten slotte, 'al weet ik eigenlijk niet wat ik ermee moet. Hé, ik wist trouwens niet dat je vader in de stad was.'

'Is-ie ook niet.'

Pemberton keek haar met één opgetrokken wenkbrauw sluw aan en wees op de datum.

'Hij heeft hem opgestuurd,' zei Harriet.

'Waar zit die ouwe Dix eigenlijk? Ik heb hem al in geen tijden gezien.'

Harriet haalde haar schouders op. Ze mocht haar vader niet, maar ze wist ook dat ze niet over hem hoorde te kletsen of klagen.

'Nou, als je hem ziet, vraag dan maar of hij mij ook eens een cheque stuurt. Ik zou deze speakers wel willen hebben.' Hij schoof het tijdschrift over de toonbank naar haar toe om ze aan te wijzen.

Harriet keek er aandachtig naar. 'Ze zien er allemaal hetzelfde uit.'

'Had je gedacht, schatje. Die van Blaupunkt zijn helemaal te gek. Zie je wel? Compleet zwart, met die zwarte knoppen op de tuner? Zie je hoe klein die is vergeleken met die van Pioneer?'

'Nou, dan neem je die toch.'

'Zodra jouw pa me driehonderd ballen stuurt.' Hij nam een laatste trek van zijn sigaret en drukte hem met luid gesis op het bord uit. 'Weet jij waar dat maffe broertje van me uithangt?'

'Geen idee.'

Pemberton leunde met vertrouwelijk naar voren gebogen schouder naar haar toe. 'Waarom ga je eigenlijk met hem om?'

Harriet keek strak naar de puinhopen van Pems lunch: koude frieten en een geknakte peuk die in een plas ketchup lag te sissen.

'Werkt hij je niet op je zenuwen?' vroeg Pemberton. 'En waarom laat je hem als vrouw verkleed rondlopen?'

Harriet keek geschrokken op.

'Je weet wel, in Martha's dusters.' Martha was de moeder van Pem en Hely. 'Hij vindt het fantastisch. Elke keer dat ik hem zie rent hij met een idiote sloop of handdoek over zijn hoofd het huis uit. Dat moet van jou, zegt-ie.'

'Helemaal niet.'

'Kom op, *Harriet.*' Hij sprak haar naam uit alsof hij die belachelijk vond. 'Als ik langs jullie huis rij hangen er altijd een stuk of acht jongetjes met lakens om zich heen bij jullie in de tuin rond. Ricky Ashmore noemt jullie de baby-Ku Klux Klan, maar volgens mij vind jij het gewoon leuk om ze te dwingen zich als meisjes te verkleden.'

'Het is een spel,' zei Harriet onbewogen. Zijn vasthoudendheid ergerde haar, die bijbelscènes waren verleden tijd. 'Luister eens, ik wilde je iets vragen. Over mijn broer.'

Nu was het Pembertons beurt om zich niet op zijn gemak te voelen. Hij pakte het stereotijdschrift weer op en begon het aandachtig te bestuderen.

'Weet jij wie hem vermoord heeft?'

'Nóú,' zei Pemberton pesterig. Hij legde het tijdschrift neer. 'Ik zal je wat verklappen als je belooft dat je het aan niemand doorvertelt. Je kent die ouwe mevrouw Fountain, die naast jullie woont, hè?'

Harriet keek hem met zoveel onverholen minachting aan dat hij in een deuk lag.

'Hè?' zei hij. 'Geloof je het niet, van mevrouw Fountain en al die mensen die onder haar huis begraven liggen?' Een paar jaar eerder had Pem Hely de stuipen op het lijf gejaagd met het verhaal dat iemand menselijke botten uit de border van mevrouw Fountain had zien steken, en dat mevrouw Fountain haar overleden echtgenoot had opgezet en in een ligstoel had gepoot om haar 's avonds gezelschap te houden.

'Je weet dus niet wie het heeft gedaan.'

'Nee,' zei Pemberton een beetje kortaf. Hij herinnerde zich nog altijd dat zijn moeder naar zijn slaapkamer was gekomen (hij was bezig een modelvliegtuigje te bouwen: gek, de dingen die je soms bijbleven) en hem op de gang had geroepen om te zeggen dat Robin dood was. Het was de enige keer dat hij haar ooit had zien huilen. Pem had niet gehuild: hij was negen, snapte er niks van en was gewoon zijn kamer weer in gegaan, had de deur dichtgedaan en was – onder een wolk van groeiend onbehagen – verdergegaan met zijn Sopwith Camel en hij wist nog hoe de lijm in de naden in druppels was opgedroogd, het zag er niet uit, en uiteindelijk had hij hem onafgemaakt weggegooid.

'Je moet over zulke dingen geen grapjes maken,' zei hij tegen Harriet.

'Ik maak geen grapjes. Ik meen het bloedserieus,' zei Harriet hooghartig. Niet voor het eerst bedacht Pemberton hoe anders ze was dan Robin: zo anders dat het haast niet te geloven was dat ze familie van elkaar waren. Misschien kwam het voor een deel door haar donkere haar waardoor ze zo ernstig leek, maar in tegenstelling tot Robin had ze iets zwaarwichtigs met die pompeuze manier van doen en haar pokerface waar geen lachje af kon. Om Allison heen (die nu ze op de middelbare school zat zich leuk begon te bewegen: hij had haar laatst nog op straat nagekeken zonder dat hij had beseft wie ze was) flakkerde de wispelturigheid van Robins geest, maar Harriet was met de beste wil van de wereld niet aardig of wispelturig te noemen. Harriet was een rare.

'Volgens mij heb je te veel Nancy Drews gelezen, schatje,' zei hij tegen haar. 'Dat is allemaal gebeurd lang voordat Hely geboren was.' Hij oefende een slag met een onzichtbare golfclub. 'Vroeger stopten er hier wel vier treinen per dag, en bij het spoor had je veel meer zwervers.'

'Misschien loopt de dader nog wel rond.'

'Als dat waar is, waarom is hij dan niet gepakt?'

'Is je iets vreemds opgevallen voordat het gebeurde?'

Pem snoof minachtend. 'Hoe bedoel je, iets engs of zo?'

'Nee, gewoon raar.'

'Luister eens, het was geen film. Er heeft echt niemand een viezerik of een griezel daar in de buurt gezien en het even vergeten te melden.' Hij zuchtte. Nog jaren daarna was het favoriete spelletje in de schoolpauze de moord op Robin: een spel dat – doorgegeven en in de loop der jaren veranderd – op de lagere school nog steeds geliefd was. Maar in de speelpleinversie werd de moordenaar gepakt en gestraft. De kinderen gingen in een kring bij de schommel staan en lieten een regen van doodklappen op de onzichtbare schurk neerkomen die op zijn knieën in het midden lag.

'Een hele tijd,' zei hij hardop, 'kwam er zowat elke dag iemand van de politie of een predikant met ons praten. De kinderen op school schepten altijd op dat ze wisten wie het had gedaan, of dat ze het zelf hadden gedaan. Alleen om aandacht te trekken.'

Harriet keek hem strak aan.

'Dat doen kinderen. Danny Ratliff – sodeju. Die liep de hele tijd op te scheppen over dingen die hij nooit had gedaan: iemand in zijn knieschijven schieten of ratelslangen bij oude vrouwen in de auto gooien. De sterke verhalen die ik hem heb horen vertellen in de Poolhal, je gelooft 't niet...' Pemberton zweeg even. Hij kende Danny Ratliff al sinds hun kindertijd: een slappe lefgozer, die eeuwig en altijd gewichtig liep te doen, vol bluf en loze dreigementen. Maar al zag hij het beeld zelf heel goed voor zich, hij wist niet hoe hij het aan Harriet moest duidelijk maken.

'Hij... Danny is gewoon gestoord,' zei hij.

'Waar kan ik die Danny vinden?'

'Hoho. Je kunt beter bij Danny Ratliff uit de buurt blijven. Hij is net uit de gevangenis.'

'Waar heeft hij voor gezeten?'

'Messentrekkerij of zo. Ik weet 't niet meer. Alle Ratliffs hebben weleens in de gevangenis gezeten vanwege een gewapende overval of moord, behalve die kleine, dat achterlijke joch. En Hely zei dat híj meneer Dial gisteren een pak op zijn flikker heeft gegeven.'

Harriet was ontzet. 'Dat is niet waar. Curtis heeft hem met geen vinger aangeraakt.'

Pemberton gniffelde. 'Jammer. Als iemand een pak op zijn flikker verdient is meneer Dial het wel.'

'Je hebt me nog niet gezegd waar ik die Danny kan vinden.'

Pemberton zuchtte. 'Luister, Harriet,' zei hij. 'Danny Ratliff is net zo oud als ik, weet je. Dat hele gedoe met Robin gebeurde toen wij in de vierde zaten.'

'Misschien was het wel een kind dat het heeft gedaan. Misschien hebben ze hem daarom nooit gepakt.'

'Nou, ik snap niet waarom jij je verbeeldt dat jij zo geniaal bent dat je die zaak kunt oplossen als het niemand anders is gelukt.'

'Zei je dat hij in de Poolhal komt?'

'Ja, en in de Black Door Tavern. Maar ik zeg je, Harriet, dat hij er niets mee te maken had en zelfs als hij dat wel had kun je hem beter met rust laten. Hij heeft een hele zooi broers en ze zijn allemaal een beetje gek.'

'Gek?'

'Niet op díé manier. Ik bedoel... de ene is evangelist – je hebt hem vast weleens gezien, hij staat altijd bij de snelweg te brullen over de Verlossing en dat soort ongein. En de grote broer, Farish, heeft een poosje in het gekkenhuis in Whitfield gezeten.'

'Waarom?'

'Omdat hij een klap op zijn kop had gekregen van een laadschop of zo. Ik weet 't niet meer. Er zijn hele hordes broers en ze worden allemaal om de haverklap ingerekend. Voor autodiefstal,' voegde hij eraan toe toen hij zag hoe Harriet hem aankeek. 'Inbraak. Niet zoiets als wat jij bedoelt. Als ze iets met Robin te maken hadden gehad hadden de smerissen het er jaren geleden al uit geslagen.'

Hij pakte Harriets cheque, die nog op de toonbank lag. 'Oké, dame? Is dit voor jou én Allison?'

'Ja.'

'Waar is ze?'

'Thuis.'

'Wat doet ze?' vroeg Pemberton, op zijn ellebogen naar voren leunend.

'Ze kijkt naar *Dark Shadows*.'

'Denk je dat ze van de zomer nog in het zwembad komt?'

'Als ze zin heeft.'

'Heeft ze een vriendje?'

'Ze wordt weleens door jongens opgebeld.'

'O ja?' zei Pemberton. 'Door wie dan?'

'Ze heeft geen zin om met ze te praten.'

'Hoezo?'

'Weet ik niet.'

'Denk je dat ze wel met mij wil praten als ik eens opbel?'

Harriet zei plotseling: 'Weet je wat ik van de zomer ga doen?'

'Nou?'

'Ik ga het hele zwembad onder water zwemmen, in de lengte.'

Pemberton – die een beetje genoeg van haar begon te krijgen – sloeg zijn ogen ten hemel. 'Nee maar,' zei hij, 'en daarna kom je zeker op de cover van *Rolling Stone*?'

'Ik weet zeker dat ik het kan. Ik heb gisteravond bijna twee minuten mijn adem ingehouden.'

'Vergeet 't maar, schatje,' zei Pemberton, die er geen woord van geloofde. 'Je verdrinkt. En dan moet ik je uit het bad vissen.'

Harriet zat de hele middag op de veranda voor het huis te lezen. Ida deed de was, zoals altijd op maandagmiddag, haar moeder en zusje sliepen. Ze had *De mijnen van koning Salomon* bijna uit toen Allison, geeuwend, op blote voeten, naar buiten kwam strompelen in een bloemetjesjurk die zo te zien van hun moeder was. Met een zucht ging ze op de kussens van de schommelbank liggen en zette zich met het topje van haar grote teen af.

Onmiddellijk legde Harriet haar boek neer en ging naast haar zusje zitten.

'Heb je nog gedroomd toen je sliep?' vroeg ze.

'Weet ik niet meer.'

'Als je het niet meer weet, heb je misschien wel gedroomd.'

Allison gaf geen antwoord. Harriet telde tot vijftien en toen herhaalde ze – ditmaal langzamer – beleefd wat ze net had gezegd.

'Ik heb niet gedroomd.'

'Je zei toch dat je het niet meer wist.'

'Ik weet het ook niet.'

'Hoi,' klonk een nasaal stemmetje dapper vanaf het trottoir.

Allison drukte zich op haar ellebogen omhoog. Harriet, kwaad om deze onderbreking, keek om en zag Lasharon Odum, het groezelige meisje dat mevrouw Fawcett die ochtend in de bibliotheek had aangewezen. Ze hield een witharig wezentje van onduidelijk geslacht bij de pols, in een truitje vol vlekken dat de buik niet helemaal bedekte, en op haar heup hield ze een baby in een plastic luierbroekje. Ze bleven als wilde diertjes, bang om al te dichtbij te komen, op een afstandje staan kijken met hun lege ogen, die in hun zonverbrande gezichten een griezelige, zilverige glinstering hadden.

'Hé, hallo,' zei Allison terwijl ze opstond en voorzichtig de trap af liep om hen te begroeten. Allison mocht dan verlegen zijn, ze hield van kinderen – blank of zwart, en hoe kleiner hoe beter. Ze begon vaak gesprekjes met de vieze schooiertjes die van de krotten bij de rivier hier naartoe kwamen lopen, hoewel Ida Rhew het haar had verboden. 'Straks ga je ze niet meer zo leuk vinden als je luizen of ringworm hebt,' zei ze.

De kinderen keken Allison waakzaam aan, maar bleven staan toen ze dichterbij kwam. Allison aaide de baby over zijn hoofdje. 'Hoe heet hij?' vroeg ze.

Lasharon Odum gaf geen antwoord. Ze keek langs Allison naar Harriet. Zo jong als ze was had haar gezicht iets afgetobds en ouds; haar ogen waren doordringend, primitief ijsgrijs, als van een wolvenjong. 'Ik heb jou in de biebeloteek gezien,' zei ze.

Onbewogen, zonder te reageren, keek Harriet terug. Ze interesseerde zich niet voor baby's en kleine kinderen, en ze was het met Ida eens dat ze het recht niet hadden zich ongevraagd in hun tuin te wagen.

'Ik heet Allison,' zei Allison tegen haar. 'En jij?'

Lasharon schuifelde heen en weer.

'Zijn dat je broertjes? Hoe heten ze? Nou?' vroeg ze terwijl ze op haar hurken ging zitten om het middelste kind aan te kijken, dat een bibliotheekboek aan de achterflap vasthield, zodat de opengevallen bladzijden over de grond sleepten. 'Kun jij me vertellen hoe je heet?'

'Toe dan, Randy,' zei het meisje terwijl ze de peuter aanstootte.

'Randy? Heet je zo?'

'Zeg 'es: ja mevrouw, Randy.' Ze gaf de baby op haar heup een por. 'Zeg 'es: dat is Randy en ik ben Rusty,' zei ze, met een hoog schel stemmetje sprekend voor de baby.

'Randy en Rusty?'

Smeerkees en Snotneus, dat lijkt er meer op, dacht Harriet.

Met nauw verholen ongeduld zat ze op de schommel met haar voet te tikken terwijl Allison geduldig al hun leeftijden uit Lasharon loskreeg en haar een complimentje maakte omdat ze zo'n goede oppas was.

'Mag ik je bibliotheekboek eens zien?' vroeg Allison aan het jongetje dat Randy heette. 'Nou?' Ze stak haar hand uit maar hij draaide koket zijn hele lichaam van haar weg, irritant grijnzend.

'Dat is zijnes niet,' zei Lasharon. Behalve scherp en sterk nasaal was haar stem ook fijntjes en helder. 'Die is van mij.'

'Waar gaat het over?'

'Ferdinand de Stier.'

'Ik herinner me Ferdinand nog wel. Dat was dat jongetje dat liever aan bloemen rook dan dat hij vocht, toch?'

'Jij bent mooi, mevrouw,' flapte Randy eruit, die nog niets had gezegd. Hij zwaaide opgewonden met zijn arm heen en weer zodat de bladzijden van het open boek over de stoep schuurden.

'Mag jij wel zo met bibliotheekboeken omgaan?' vroeg Allison.

In zijn verwarring liet Randy het boek helemaal vallen.

'Raap op,' zei zijn grote zus, met een gebaar alsof ze hem wilde slaan.

Randy dook soepel voor de klap weg en, zich ervan bewust dat Allisons blik op hem rustte, deed een stap achteruit en begon met zijn onderlichaam te wiegen in een merkwaardig wulps en volwassen aandoend dansje.

'Waarom zegt zíj niks?' vroeg Lasharon terwijl ze langs Allison naar Harriet gluurde, die op de veranda woest naar hen zat te kijken.

Geschrokken keek Allison naar Harriet om.

'Ben jij haar ma?'

Uitschot, dacht Harriet, met een gloeiend gezicht.

Ze moest wel lachen om Allisons gestotterde ontkenning, maar opeens begon Randy zijn schunnige hoeladansje te overdrijven in een poging de aandacht weer op te eisen.

"n Vent heeft pa z'n auto gejat,' zei hij. "n Vent van de baptische kerk.'

Giechelend ontweek hij de mep van zijn zus, en hij leek net meer te willen vertellen toen Ida Rhew plotseling het huis uit kwam stormen – de hordeur knalde achter haar dicht – en op de kinderen afrende, in haar handen klappend alsof het vogels waren die de zaadjes van een akker pikten.

'Maak dat je wegkomt,' riep ze. 'Schiet op.'

In een oogwenk waren ze verdwenen, met baby en al. Ida Rhew stond op de stoep en schudde haar vuist. 'Jullie hebben hier niets te zoeken,' riep ze hen na. 'Straks roep ik de politie.'

'Ida!' jammerde Allison.

'Niks te "Ida", jij.'

'Maar het waren maar kinderen! Ze deden niets.'

'Nee, en ze gaan ook niks doen,' zei Ida Rhew. Ze bleef ze nog een minuut roerloos nakijken, waarna ze haar handen afveegde en zich naar het huis omdraaide.

Ferdinand de Stier lag scheef op de stoep, waar de kinderen het boek hadden laten vallen. Ze bukte zich moeizaam en raapte het met duim en wijsvinger aan één punt op alsof het besmet was. Met het boek op armlengte, kwam ze steunend overeind en wilde om het huis heen naar de vuilnisbak lopen.

'Maar Ida!' zei Allison. 'Dat is een bibliotheekboek!'

'Maakt mij niet uit waar het vandaan komt,' zei Ida Rhew zonder om te kijken. 'Het is vies. Ik wil niet dat jullie het aanraken.'

Charlotte stak met een ongerust gezicht en slaperige ogen haar hoofd om de voordeur. 'Wat is er aan de hand?' vroeg ze.

'Het waren alleen maar een paar kleine kinderen, moeder. Ze deden niemand kwaad.'

'O jee,' zei Charlotte, terwijl ze de linten van haar bedjasje strakker om haar middel trok. 'Wat jammer nou. Ik was van plan om op jullie kamer een zak met oud speelgoed bij elkaar te zoeken voor als ze weer langskwamen.'

'Moeder!' riep Harriet uit.

'Je weet best dat je niet meer met die ouwe babyspullen speelt,' zei haar moeder sereen.

'Maar ze zijn van mij. Ik wil ze houden.' Harriets speelgoed-boerderij... de Dancerina- en Chrissiepoppen die ze niet had ge-wild maar toch had gevraagd omdat de andere meisjes in haar klas ze hadden... de bepruikte, in zwierige Franse kostuums gestoken muizenfamilie die Harriet in de etalage van een heel erg dure win-kel in New Orleans had gezien en waar ze om had gesmeekt en gehuild – ze had gezwegen en geweigerd te eten totdat Libby, Adelaide en Tat uiteindelijk heimelijk het Pontchartain Hotel uit waren geglipt en hun geld bij elkaar hadden gelegd om de familie voor haar te kopen. De Kerstmis van de Muizen: de gelukkigste van Harriets hele leven. Ze was nog nooit zo overdonderd van blijdschap geweest als toen ze die prachtige rode doos had ge-opend en er wolken van vloeipapier in het rond vlogen. Hoe was het mogelijk dat Harriets moeder elk vodje krantenpapier dat het huis in kwam bewaarde – en al boos werd als Ida ook maar een snipper weggooide – maar dat ze wel Harriets muizen wilde weg-geven aan vieze, vreemde kinderen?

Want dat was precies wat er gebeurd was vorig jaar oktober toen de muizenfamilie van Harriets ladekast was verdwenen. Na een hysterische zoektocht had Harriet de muizen op zolder opge-duikeld, in een doos met ander speelgoed van haar. Toen ze haar moeder dat voor de voeten wierp gaf die toe dat ze een paar spul-len, waar Harriet volgens haar niet meer mee speelde, had verza-meld om aan kansarme kinderen te geven, maar ze scheen niet te beseffen hoeveel Harriet van de muizen hield, noch dat ze het aan haar had moeten vragen voor ze ze wegnam. ('Ik weet dat je ze van je tantes hebt gekregen, maar die Dancerinapop had je toch ook van Adelaide of een van de andere tantes gekregen? En díé wil je niet houden.') Harriet vermoedde dat haar moeder zich het hele voorval niet eens herinnerde, een vermoeden dat werd beves-tigd door haar niet-begrijpende blik.

'Snap je dat dan niet?' riep Harriet wanhopig uit. 'Ik wil mijn speelgoed houden!'

'Wees toch niet zo egoïstisch, liefje.'

'Maar het is van mij!'

'Ik snap niet dat je die arme kindertjes een paar spullen misgunt waar je zelf te oud voor bent,' zei Charlotte, verward knipperend met haar ogen. 'Als je had gezien hoe blij ze waren met het speelgoed van Robin...'

'Robin is dóód.'

'Als je dat grut iets geeft,' zei Ida Rhew somber – ze was weer achter het huis vandaan gekomen en veegde met de rug van haar hand haar mond af – 'is het vies of kapot voor ze thuis zijn.'

Toen Ida Rhew aan het eind van haar werkdag naar huis was gegaan, plukte Allison *Ferdinand de Stier* uit de vuilnisbak en nam het boek weer mee naar de veranda, waar ze het in het schemerlicht inspecteerde. Het was in een hoop koffiedik beland en de bladzijden waren bruingevlekt en bobbelig langs de rand. Ze maakte het zo goed mogelijk schoon met een stukje keukenpapier, haalde een briefje van tien dollar uit haar bijouteriedoosje en stak dat voor in het boek. Tien dollar moest de schade toch ruimschoots dekken, leek haar. Als mevrouw Fawcett zag in wat voor staat het boek verkeerde zouden ze het moeten betalen of hun bibliotheekpasje moeten inleveren, en het was uitgesloten dat zulke kinderen de boete zelf bij elkaar konden schrapen.

Ze ging op het trapje zitten, haar kin in haar handen. Als Weenie niet dood was gegaan zou hij nu naast haar staan spinnen, oren plat tegen zijn kop en staart als een haak om haar blote enkel geslagen, met samengeknepen ogen over het donkere grasveld spiedend naar die woelige nachtdierenwereld vol gedruis die zij niet kon zien: slakkensporen en spinnenwebben, broosvleugelige vliegen, kevers en veldmuizen en al die woordloze beestjes die daar piepend, tsjirpend of stil in de weer waren. Dat nietige wereldje van hen was haar eigenlijke thuis, vond ze, dat verborgen duister van sprakeloosheid en wild bonzende harten.

Er zeilden snelle grillige wolken langs een volle maan. De zwarte tupelo wiegelde in de wind, de onderkant van zijn bladeren bleek opwuivend in het donker.

Allison herinnerde zich vrijwel niets van de dagen na Robins dood, maar één ding herinnerde ze zich wel, iets geks: dat ze zo hoog mogelijk in die boom klom en er dan uitsprong, steeds opnieuw. Meestal benam de val haar de adem. Zodra het tuiten van de schok verstomde klopte ze zich af, klom er weer in en sprong nog eens. *Bonk.* Keer op keer. Ze had er eens van gedroomd, al-

leen raakte ze in die droom de grond niet. In plaats daarvan plukte
een warme wind haar uit het gras en slingerde haar de lucht in en
daar vloog ze, met haar blote tenen rakelings langs de boomtoppen. Dook omlaag, als een boerenzwaluw, scheerde een paar meter over het grasveld en dan weer omhoog, tolde rond en schoot
hoog de duizelingwekkende ruimte in. Maar omdat ze toen klein
was en het verschil tussen droom en werkelijkheid niet begreep,
was ze steeds uit die boom blijven springen. Ze hoopte dat die
magische warme wind uit haar droom haar met een vlaag van onderop de hemel in zou tillen als ze maar vaak genoeg sprong.
Maar dat gebeurde natuurlijk nooit. Balancerend op de hoge tak
hoorde ze Ida Rhews jammerkreet van de veranda, zag Ida naar
haar toe rennen, in paniek. En dan lachte Allison en stapte ze er
toch af, met Ida's wanhopige schreeuw zalig sidderend in haar
buik tijdens haar val. Ze had zo vaak gesprongen dat ze haar voet-
holtes had geknakt; nog een wonder dat haar nek niet was geknakt.

De avondlucht was warm en de nachtvlinderbleke bloemen van
de gardenia bij de veranda verspreidden een zware, warme geur
als van drank. Allison gaapte. Hoe kon je ooit absoluut zeker weten wanneer je droomde en wanneer je wakker was? In een droom
dacht je dat je wakker was, ook al was je het niet. En ze mocht dan
het idee hebben dat ze nu wakker was en thuis met blote voeten
op de voorveranda zat, met een bibliotheekboek vol koffievlekken
naast zich op het trapje, dat wilde nog niet zeggen dat ze niet boven in bed lag en het allemaal droomde: veranda, gardenia's, alles.

Overdag, als ze thuis ronddwaalde of met haar armen vol boeken door de kille, naar lysol ruikende gangen van haar school liep,
overkwam het haar dikwijls dat ze zich afvroeg: waak ik of slaap
ik? Hoe kom ik hier?

Als ze dan plotseling tot haar schrik merkte dat ze (bijvoorbeeld) in het biologielokaal zat (aan spelden geprikte insecten, de
roodharige meneer Peel neuzelend over de interfase van celdelin-
gen), kon ze vaak achterhalen of ze wel of niet droomde door de
spoel van haar geheugen terug te winden. Hoe bén ik hier eigenlijk gekomen? dacht ze dan, beduusd. Wat had ze gegeten bij het
ontbijt? Had Edie haar met de auto naar school gebracht, was er
een keten van gebeurtenissen waardoor ze op de een of andere
manier tussen deze donker betimmerde muren, in dit ochtendlijke klaslokaal was beland? Of was ze net nog ergens anders geweest – op een stil landweggetje, of in de tuin bij haar thuis, met

een gele lucht achter een wit ding dat er als een laken tegen opbolde?

Als ze daar dan diep over had nagedacht, kwam ze tot de conclusie dat ze niet droomde. Omdat de klok aan de muur kwart
over negen aangaf, het uur waarop ze biologie had; en omdat ze
nog op haar eigen plaats zat, volgens alfabet, met Maggie Dalton
voor zich en Richard Echols achter zich, en omdat het piepschui-
men prikbord met de insecten nog aan de muur achterin hing – de
bestoven maanvlinder in het midden – tussen de plaat van het kat-
tenskelet en die van het centrale zenuwstelsel.

Toch kon het gebeuren – meestal thuis – dat Allison tot haar
verontrusting losse draadjes en scheurtjes in het weefsel van de
werkelijkheid ontdekte, waar ze geen logische verklaring voor
wist. De rozen hadden de verkeerde kleur: rood, niet wit. De waslijn was niet waar hij hoorde maar waar hij tot voor vijf jaar geleden stond, voor de storm hem omver had geblazen. Een lichtknop
was net even anders van vorm of zat op de verkeerde plek. Geheimzinnige achtergrondfiguren op familiefoto's of vertrouwde
schilderijen die haar nog nooit waren opgevallen. Angstaanjagende spiegelbeelden in de zitkamerspiegel achter het brave familieta-
fereeltje. Een zwaaiende hand uit een open raam.

Welnee, zei haar moeder of Ida als Allison erop wees. *Stel je niet
aan. Dat is altijd zo geweest.*

Hoe, 'zo'? Dat wist ze niet. Of ze nu sliep of waakte, de wereld
was een onberekenbaar spel: schuivende decors, dwarreling en
nagalm, weerspiegeld licht. En dat alles siepelde als zout tussen
haar gevoelloze vingers door.

Pemberton Hull reed van de country club naar huis in zijn pastelblauwe Cadillac uit '62 met open dak (het chassis moest opnieuw
uitgelijnd, de radiator lekte en het was een verschrikking om aan
onderdelen te komen, hij moest ze bij een groothandel in Texas
bestellen en dan twee weken wachten voor hij ze kreeg, maar die
auto was zijn kindje, zijn oogappel, zijn enige grote liefde, en iedere cent die hij in de country club verdiende ging op aan benzine of
reparatiekosten), en toen hij George Street in draaide gleed het
licht van zijn koplampen over de kleine Allison Dufresnes, die
helemaal alleen op het trapje van de voorveranda bij haar thuis
zat.

Hij stopte voor het huis. Hoe oud was ze? Vijftien? Zeventien?
Vast minderjarig, maar hij had nu eenmaal een vurig zwak voor

lijzige, verwezen meisjes met dunne armen en haar dat in hun ogen hing.

'Hoi,' zei hij tegen haar.

Ze schoot niet verschrikt overeind, sloeg alleen zo dromerig en omfloerst haar ogen op dat zijn nek ervan tintelde.

'Zit je op iemand te wachten?'

'Nee. Zomaar wat te wachten.'

Caramba, dacht Pemberton.

'Ik was net op weg naar de drive-in,' zei hij. 'Zin om mee te gaan?'

Hij dacht dat ze wel Nee zou zeggen, of Geen Tijd, of Even Aan Mijn Moeder Vragen, maar ze veegde met een rinkeling van haar bedelarmband het bronskleurige haar uit haar ogen en zei (een slag te laat; dat vond hij juist zo leuk aan haar, dat slome, slaperige, anders dan andere): 'Waarom?'

'Waarom wat?'

Ze haalde alleen haar schouders op. Het intrigeerde Pem. Allison was zo... van de wereld, hij wist niet hoe hij het anders moest omschrijven. Ze sleepte met haar tenen onder het lopen, en ze had haar haar anders dan de andere meisjes, haar kleren zaten er nét naast (neem nou die bloemetjesjurk die ze aanhad: ouwe-dameskleding), en toch had haar onbeholpenheid iets wazigs en zweverigs waar hij helemaal gek van werd. Er begonnen flarden van een romantisch scenario bij hem op te komen (auto, radio, rivieroever).

'Kom op,' zei hij. 'Ik zorg dat je om tien uur weer thuis bent.'

Harriet lag op haar bed een plak cake te eten en in haar schrift te schrijven toen er voor haar open raam met stoer geronk een auto optrok. Ze keek net op tijd naar buiten om een glimp op te vangen van haar zus die, haren in de wind, met Pemberton wegzoefde in zijn open cabriolet.

Geknield in de brede vensterbank, met haar hoofd tussen de gele organdie gordijnen door en de gele eismaak van de droge cake in haar mond, tuurde Harriet verbaasd de straat in. Ze was perplex. Allison ging nooit ergens heen, afgezien van een eindje verderop naar een van de tantes en misschien eens naar de super-markt.

Er verstreken tien minuten, toen een kwartier. Harriet voelde een lichte steek van jaloezie. Wat hadden die twee elkaar in vre-desnaam te zeggen? Het bestond toch niet dat Pemberton iemand als Allison leuk vond?

Terwijl ze omlaag staarde naar de verlichte veranda (lege schommelbank, *Ferdinand de Stier* op de bovenste tree van het trapje) hoorde ze in de azaleaborder iets ritselen en toen ze die kant op keek zag ze Lasharon Odum stilletjes het grasveld op sluipen.

Het kwam niet bij Harriet op dat ze stiekem dat boek terug kwam halen. Er was iets aan de kruiperige stand van Lasharons schouders waar ze woest van werd. Zonder nadenken keilde ze haar laatste stukje cake uit het raam.

Lasharon slaakte een gil. Achter haar bewogen de heesters plotseling heftig. Even later scheerde er een schim over het grasveld en holde weg, midden over de helder verlichte straat, op flinke afstand struikelend gevolgd door een kleiner figuurtje dat niet zo hard kon rennen.

Harriet staarde nog even, geknield in de vensterbank, tussen de gordijnen door naar het glinsterende stuk verlaten wegdek waarover de kleine Odums spoorloos waren verdwenen. Maar de avond was stil als glas. Er bewoog geen blad, nergens klonk kattengejammer; de maan scheen in een plas op de stoep. Zelfs de klingelende windgong op mevrouw Fountains veranda zweeg.

Algauw verliet ze haar post, verveeld en geërgerd. Ze verdiepte zich weer in haar schrift en was al bijna vergeten dat ze eigenlijk boos op Allison had willen wachten toen er voor het huis een autoportier dichtsloeg.

Ze glipte terug naar het raam en schoof tersluiks het gordijn open. Allison, die aan de bestuurderskant van de blauwe Cadillac op straat stond, speelde verstrooid met haar bedelarmband en zei iets onverstaanbaars.

Pemberton brulde van het lachen. Zijn haar lichtte Assepoestergeel op onder de straatlantaarns; het was zo lang dat hij, toen het voor zijn gezicht viel en alleen het spitse puntje van zijn neus erdoorheen stak, wel een meisje leek. 'Denk dat maar niet, liefje,' zei hij.

Liefje? Wat had dat te betekenen? Harriet liet het gordijn los en legde het schrift onder het bed terwijl Allison achter de auto langs naar het huis liep, haar blote knieën rood in de helle achterlichten van de Cadillac.

De voordeur ging dicht. Pems auto scheurde weg. Allison tripte naar boven – nog steeds op blote voeten, ze was zonder schoenen meegegaan – en kwam afwezig de slaapkamer in. Zonder Harriet te groeten liep ze meteen door naar de spiegel en tuurde ernstig naar haar gezicht, met haar neus bijna tegen het glas. Daarna ging ze op de rand van haar bed zitten en veegde zorgvuldig de steentjes weg die in haar gelige voetzolen gedrukt zaten.

'Waar ben je geweest?' vroeg Harriet.

Allison, die haar jurk over haar hoofd wurmde, zei iets onduidelijks.

'Ik zag jullie wegrijden. Waar gingen jullie heen?' vroeg ze, toen haar zusje geen antwoord gaf.

'Weet ik niet.'

'Wéét je dat niet?' zei Harriet en ze staarde aandachtig naar Allison, die af en toe een verstrooide blik op haar spiegelbeeld wierp terwijl ze in haar witte pyjamabroek stapte. 'Was het leuk?'

Allison – die het zorgvuldig vermeed Harriet aan te kijken – knoopte haar pyjamajasje dicht, kroop in bed en begon haar knuffels dicht om zich heen te leggen. Ze moesten op een bepaalde manier rondom haar lichaam worden geschikt voor ze kon slapen. Daarna trok ze de dekens over haar hoofd.

'Allison?'

'Ja?' klonk even later het gedempte antwoord.

'Weet je nog waar we het laatst over hadden?'

'Nee.'

'Dat weet je bést. Dat je je dromen zou opschrijven?'

Toen er geen antwoord kwam zei Harriet, iets luider: 'Ik heb een blaadje bij je bed gelegd. En een pen. Heb je het gezien?'

'Nee.'

'Kijk dan even. *Kijken*, Allison.'

Allison stak haar hoofd net zo ver onder de deken uit dat ze onder de lamp op haar nachtkastje een uit een spiraalschrift gescheurd blaadje kon zien liggen. Bovenaan stond in Harriets handschrift: *Dromen. Allison Dufresnes. 12 juni.*

'Dank je, Harriet,' zei ze half verstaanbaar, en voor Harriet nog iets kon zeggen, trok ze de deken weer omhoog en gooide zich op haar zij, met haar gezicht naar de muur.

Nadat Harriet nog even strak naar de rug van haar zusje was blijven kijken, trok ze het schrift weer onder haar bed uit. Eerder die dag had ze aantekeningen gemaakt van het verslag in de plaatselijke krant, dat veel nieuws voor haar bevatte: de ontdekking van het lichaam, de pogingen tot reanimatie (Edie had hem kennelijk met de heggenschaar van de boom losgeknipt en was met zijn levenloze lichaam in de weer geweest tot de ambulance arriveerde), haar moeders crisis en ziekenhuisopname, het commentaar van de sheriff ('geen aanwijzingen', 'frustrerend') in de weken daarna. Verder had ze alles opgeschreven wat ze zich van Pems opmerkingen kon herinneren – belangrijk of niet. En hoe meer ze had opgeschreven, des te meer kwam er weer bij haar boven, allerlei losse feiten die ze in de loop van de jaren hier en daar had opgevangen. Dat Robin maar een paar weken voor het begin van de zomervakantie was gestorven. Dat het die dag had geregend. Dat er rond die tijd af en toe was ingebroken in de buurt, gereedschap uit schuurtjes was gestolen: was er een verband? Dat de avonddienst van de baptistische kerk net uitging toen ze Robins lichaam hadden gevonden en dat de oude dokter Adair – een gepensioneerde kinderarts van in de tachtig, die op de terugweg naar huis toevallig langsreed met zijn familie – als een van de eersten was gestopt om te helpen. Dat haar vader toen in zijn jachtkamp zat, en dat de predikant daar in zijn auto heen had gemoeten om het hem te vertellen.

Al kom ik er niet achter wie hem heeft vermoord, dacht ze, ik kom er in elk geval achter hoe het is gebeurd.

De naam van haar eerste verdachte had ze ook. Alleen al door het op te schrijven besefte ze hoe gauw je zoiets weer vergat en hoe belangrijk het was om voortaan alles maar dan ook alles op papier te zetten.

Plotseling kreeg ze een inval. Waar woonde hij? Ze sprong uit bed en ging de trap af naar het telefoontafeltje in de gang. Toen ze in de gids zijn naam zag staan – *Danny Ratliff* – liep er een kriebelig rillinkje over haar rug.

Er stond geen gewoon adres bij, alleen *Rt 260*. Ze kauwde besluiteloos op haar lip, draaide het nummer en hapte verrast naar adem toen er bij de eerste rinkel al werd opgenomen (akelig televisiekabaal op de achtergrond). Een man grauwde: 'Jáallo!'

Met een klap smeet Harriet – alsof ze een deksel dichtsmakte op een duivel – met beide handen de hoorn op de haak.

'Ik zag gisteravond dat mijn broer jouw zus wou zoenen,' zei Hely tegen Harriet terwijl ze samen bij Edie achter op het verandatrapje zaten. Hely was haar na het ontbijt komen ophalen.

'Waar dan?'

'Bij de rivier. Ik zat te vissen.' Hely sjouwde de hele tijd naar de rivier met zijn bamboehengel en zijn zielige emmertje pieren. Er ging nooit iemand met hem mee. En er had ook nooit iemand zin in de brasempjes en zonnebaarsjes die hij ving, dus liet hij die bijna altijd weer vrij. Als hij daar zo alleen in het donker zat – hij vond 's avonds vissen het fijnst, bij het gerikkik van de kikkers en een breed wit lint van maanlicht dobberend op het water – fantaseerde hij bij voorkeur dat Harriet en hij als grotemensen in een hutje bij de rivier woonden, helemaal alleen. Daar kon hij uren op voortborduren. Vuile gezichten en bladeren in hun haar. Kampvuurtjes bouwen. Kikkers en modderschildpadden vangen. Harriets fel opgloeiende ogen als ze hem plotseling aankeek in het donker, als een kleine wilde kat.

Hij rilde. 'Was maar meegegaan gisteravond,' zei hij. 'Ik heb een uil gezien.'

'Wat deed Allison?' zei Harriet ongelovig. 'Vissen? Nee toch zeker?'

'Neu.' Hij schoof op zijn achterwerk wat dichterbij en zei vertrouwelijk: 'Ik hoorde Pems auto boven aan de oever, zie je. Je weet wel dat geluid dat die maakt' – geroutineerd, met getuite lippen, deed hij het na: *wop wop wop wop*! – 'je hoort hem op een kilometer afstand al aankomen, dus dan weet ik dat hij het is, en ik dacht dat mamma hem had gestuurd om me te halen, dus ik pakte mijn spullen en klom omhoog. Maar op míj zat hij niet te wachten.' Hely lachte, een veelbetekenend snuiflachje dat zo wereldwijs klonk dat hij het bijna meteen herhaalde, ditmaal nog bevredigender.

'Wat is er zo leuk?'

'Nóu' – hij maakte gretig gebruik van deze gouden kans om dat wereldwijze nieuwe lachje nog een derde keer uit te proberen – 'Allison zat helemaal in het hoekje, maar Pem had zijn arm over de bank liggen en hij boog zich naar haar toe' – hij stak zijn arm achter Harriets schouders, bij wijze van demonstratie – 'kijk, zo.' Hij maakte een hard smakkend geluid en Harriet schoof geërgerd van hem weg.

'Zoende zij hem terug?'

'Volgens mij kon het haar geen biet schelen. Ik was helemaal tot vlákbij geslopen,' zei hij vrolijk. 'Ik wou al een pier in de auto gooien, alleen had Pem me dan in elkaar getimmerd.'

Hij bood Harriet een pinda aan uit zijn broekzak, maar ze wilde niet.

'Wat is er? Het is geen vergíf.'

'Ik hou niet van pinda's.'

'Mij best, heb ik er meer,' zei hij en stak hem in zijn mond. 'Kom op, ga dan vandaag mee vissen.'

'Nee dank je.'

'Ik heb midden tussen het riet een zandbank ontdekt. Er loopt een paadje naartoe. Je vindt het vast heel leuk. Het is wit zand, net Florida.'

'Néé.' Harriets vader sloeg ook vaak dat irritante toontje aan, als hij haar zelfverzekerd garandeerde dat ze iets (football, volksdansmuziek, barbecues van de kerk) 'heel leuk' zou vinden waarvan ze heel goed wist dat ze het vreselijk vond.

'Wat héb je, Harriet?' Het kwetste Hely dat ze nooit deed wat hij wilde. Hij wilde samen met haar over het smalle pad door het hoge gras lopen, hand in hand, sigaretten rokend als grotemensen, hun blote benen onder de schrammen en de modder. Een fijn regentje en een rand opgewaaid fijn wit schuim langs de rietzoom.

Harriets oudtante Adelaide was altijd onvermoeibaar in de weer met haar huishouden. In tegenstelling tot haar zusters – met hun huisjes die tot de nok toe waren volgestouwd met boeken, pronkkasten en prullaria, knippatronen, bakken met zaailingen van Oost-Indische kers en potten met venushaar, door de katten aan rafels gekrabd – hield Adelaide er geen tuin en geen dieren op na, had ze een hekel aan koken en gruwde ze van wat zij 'troep' noemde. Ze klaagde er wel over dat ze geen huishoudster kon bekostigen – waar Edie en Tat woedend van werden, want met de drie uitkeringen die Adelaide (dankzij drie dode echtgenoten) maandelijks beurde had ze het heel wat ruimer dan zij – maar eigenlijk was ze dol op poetsen (aan haar jeugd in het vervallen Huize De Beproeving had ze een afschuw van rommel overgehouden) en ze was het gelukkigst als ze gordijnen waste, linnengoed streek of in haar kale, naar ontsmettingsmiddel ruikende huisje liep te redderen met een stofdoek en een spuitbus met citroenmeubelwas.

Als Harriet langskwam was Adelaide meestal de kleden aan het zuigen of stond ze haar keukenkastjes uit te soppen, maar ditmaal lag ze op de bank in de huiskamer: parelknopjes in de oren, het haar – in een smaakvolle asblonde spoeling – pas gepermanent, de enkels van haar in nylons gestoken benen over elkaar geslagen. Ze was altijd al de mooiste van de drie zusters geweest en met haar vijfenzestig jaren was ze bovendien de jongste. Anders dan bij de bedeesde Libby, Edie de Walkure of de nerveuze, warhoofdige Tat, zat er bij Adelaide een onderstroom van koketterie, een ondeugende sprankel van het Vrolijke Weeuwtje, en mocht zich in

Alexandria onverwachts de juiste man aandienen (een kekke, kalende heer in een tweed jasje, met oliebronnen misschien, of stoeterijen) en een oogje op haar krijgen, dan was een vierde echtgenoot niet uitgesloten.

Adelaide was verdiept in het juninummer van het tijdschrift *Town and Country*, dat net was gekomen. Ze zat juist de rubriek 'Getrouwd' te bekijken. 'Wie van deze twee denk jij nou dat het geld heeft?' vroeg ze aan Harriet, en ze liet haar een foto zien van een donkerharige jongeman met een ijzige, gekwelde blik aan de zijde van een zonnig blondje in een hoepelrok met tournure, waarin ze wel een babydinosaurus leek.

'Die man kijkt alsof hij moet overgeven.'

'Wat is dat toch altijd met blond*ines*? Met blondines heb je meer lol en dat soort dingen. Volgens mij is dat iets wat ze op de televisie hebben verzonnen. De meeste vrouwen die blond van zich*zélf* zijn hebben weke trekken, en ze zien er flets en muizig uit als ze niet een hoop werk van hun uiterlijk maken. Moet je dat arme kind zien. Moet je nou toch z*ién*. Ze lijkt wel een schaap met dat gezicht.'

'Ik wilde het met je over Robin hebben,' zei Harriet, die het niet nodig vond dat onderwerp met voorzichtige tact aan te roeren.

'Wat zei je, liefje?' mompelde Adelaide terwijl ze een foto van een liefdadigheidsbal bekeek. Een slanke jongeman in smoking – met een fris, zelfbewust, open gezicht – viel bijna achterover van het lachen, één hand op de rug van een elegante brunette in een zoetroze baljurk met bijpassende lange handschoenen.

'*Robin*, Addie.'

'O lieverd,' zei Adelaide weemoedig en ze keek even op van de knappe jongen op de foto. 'Als Robin nu bij ons was zouden de meisjes op hem afkomen als vliegen op de honing. Al toen hij nog maar een klein hummeltje was... zo'n prét als hij altijd had, soms rolde hij gewoonweg om van het lachen. Hij sloop graag van achteren op me af om zijn armen om me heen te slaan en aan mijn oor te knabbelen. Zo schattig. Precies Billy Boy, dat parkietje dat Edith had toen we klein waren...'

Adelaides stem stierf weg toen haar blik weer op de glimlach van de triomfantelijke jonge yankee viel. 'Tweedejaarsstudent', stond eronder. Robin zou nu ongeveer net zo oud zijn als hij nog leefde. Even rilde ze van verontwaardiging. Wat voor recht had die F. Dudley Willard, wie dat ook was, om daar springlevend te staan lachen in de Palm Court van het Plaza Hotel, met dat orkest-

je en dat sjieke meisje in haar satijnen japon dat naar hem terug-
lachte? Adelaides eigen echtgenoten waren respectievelijk door de
Tweede Wereldoorlog, een per ongeluk afgevuurde kogel en een
zwaar hartinfarct geveld; bij de eerste was ze van twee doodgeboren jongetjes bevallen en het dochtertje dat ze van de tweede had
gekregen, was, anderhalf jaar oud, overleden aan rookvergiftiging
toen de schoorsteen van het oude appartement in West Third
Street midden in de nacht in brand was gevlogen – harde slagen
van het lot, wreed, verlammend. En toch kwam je er wel doorheen, van het ene pijnlijke moment naar het volgende, van de ene
pijnlijke ademtocht naar de volgende. Als ze nu aan de doodgeboren tweeling dacht herinnerde ze zich alleen hun tere, volmaakt
gevormde gezichtjes, de ogen vredig gesloten, alsof ze sliepen.
Maar van alle tragedies in haar leven (en daar had ze meer dan
haar portie van gehad) was er niet een die zo gemeen doorziekte
en dooretterde als de moord op de kleine Robin, een wond die
knaagde en schrijnde en met de tijd dieper invrat.

Harriet zag de afwezige blik van haar tante en schraapte haar
keel. 'Waar ik eigenlijk voor kwam, Adelaide,' zei ze.

'Ik vraag me altijd af of zijn haar later donkerder zou zijn geworden,' zei Adelaide terwijl ze de foto in het tijdschrift een eindje van zich afhield om hem over haar leesbril heen te bestuderen.
'Ediths haar was behoorlijk rood toen we klein waren, maar niet
zo rood als het zijne. Dat was écht rood. Niks geen oranje.' Tragisch, dacht ze. Die verwende yankeekinderen die daar maar rond-
hopsten in het Plaza Hotel terwijl haar prachtige kleine neefje, in
ieder opzicht hun meerdere, onder de grond lag. Robin had niet
eens de kans gekregen om een meisje aan te raken. Vertederd
dacht Adelaide aan haar drie temperamentvolle huwelijken en
haar eigen rijk bedeelde meisjesjaren vol steelse kusjes in vesti-
aires.

'Wat ik wilde vragen is of je enig idee had wie het had kunnen –'

'Die zou later heel wat harten hebben gebroken, lieverd. Al die
eerstejaarsstudentetjes aan de Ole Miss hadden erom gevóchten
wie hem mee mocht vragen naar de debutantenassemblee in
Greenwood. Niet dat ik nou zoveel zie in dat malle debutantenge-
doe, al dat geballoteer en die kliekjes en die burgerlijke –'

Klop klop klop: een silhouet bij de hordeur. 'Addie?'

Adelaide schrok op en riep: 'Wie is daar? Edith?'

'Lieverd,' zei Tattycorum, die met een verwilderde blik binnen
kwam gestormd en haar lakleren tasje in een leunstoel gooide,

zonder ook maar naar Harriet te kijken, 'lieverd, wil je wel geloven dat die schurk van een Roy Dial van de Chevroletgarage de
hele vrouwenvereniging zestig dollar per persoon wil laten betalen voor ons kerkuitstapje naar Charleston? Met die gammele
schoolbus?'

'Zéstig dóllar?' gilde Adelaide. 'Hij zei dat hij die bus aan ons
zou lenen. Hij zei dat het grátis was.'

'Dat zegt hij nog steeds. Hij zegt dat die zestig dollar voor de
benzíne is.'

'Dat is genoeg benzine om naar Rood China te rijden!'

'Nou, Eugenie Monmouth belt de dominee om haar beklag te
doen.'

Adelaide sloeg haar ogen ten hemel. 'Volgens mij kan Édith
beter bellen.'

'Dat doet ze vast wel als ze het hoort. Weet je wat Emma Cara-
dine zei? "Hij probeert er gewoon een slaatje uit te slaan."'

'Zeg dat wel. Hij moest zich schamen. Als je nagaat dat Eugenie, Liza, Susie Lee en alle anderen van de bijstand leven –'

'Als het nou tíén dollar was. Tien dollar, dat had ik nog kunnen
begrijpen.'

'En Roy Dial was toch zo'n geweldige kerkvoogd en weet ik
wat. Zéstig dóllar?' zei Adelaide. Ze stond op, liep naar het telefoontafeltje om pen en papier te pakken en begon te rekenen. 'Lieve help, ik zal de atlas erbij moeten halen,' zei ze. 'Hoeveel dames
zitten er in die bus?'

'Vijfentwintig denk ik, nu mevrouw Taylor heeft afgezegd en
die arme oude mevrouw Newman McLemore is gevallen en haar
heup heeft gebroken... Dag lieve Harriet!' zei Tat en ze dook op
haar af om haar een kusje te geven. 'Heeft je grootmoeder je dat
al verteld? Onze vrouwenvereniging gaat een uitstapje maken.
"De historische tuinen van de Carolina's". Ik verheug me er vreselijk op.'

'Nou, ik weet niet zo zeker of ik nog wel mee wil, nu we zo'n
buitensporig bedrag aan Roy Díal moeten betalen.'

'Hij moest zich doodschamen. Punt uit. Met dat grote nieuwe
huis in Oak Lawn en al die gloednieuwe auto's en campers en boten en noem maar op –'

'Ik wil iets vragen,' zei Harriet wanhopig. 'Iets belangrijks. Over
toen Robin doodging.'

Addie en Tat waren op slag stil. Adelaide keek op van de atlas.
Hun plotselinge kalmte was zo onthutsend dat Harriet de schrik
om het hart sloeg.

'Jullie zaten binnen toen het gebeurde,' zei ze in die onbehaaglijke stilte, en de woorden buitelden er iets te snel uit. 'Hebben jullie toen niets gehoord?'

De twee oude dames keken elkaar even aan, een flits van bedachtzaamheid waarin ze stilzwijgend iets met elkaar leken te overleggen. Daarna haalde Tatty diep adem en zei: 'Nee. Niemand heeft iets gehoord. En weet je wat ik vind?' zei ze, toen Harriet haar in de rede wilde vallen met een nieuwe vraag. 'Ik vind dit niet zo'n goed onderwerp om zomaar even achteloos aan te snijden.'

'Maar ik –'

'Je hebt hier je moeder of je grootmoeder toch niet mee lastiggevallen, hè?'

Adelaide zei stijfjes: 'Ik vind het ook niet zo'n goed onderwerp van gesprek. En ik vind eigenlijk,' zei ze door Harriets luide tegensputteren heen, 'dat je nu maar weer eens gauw naar huis moest, Harriet.'

Hely zat, half verblind door de zon, onder aan de met dicht struikgewas overwoekerde oever van een beek zwetend naar de roodwitte dobber van zijn bamboehengel te turen, die op het troebele water wiegelde. Hij had zijn pieren losgelaten, met het idee dat het hem zou opvrolijken als hij ze in een grote glibberende kluwen op de grond stortte om te zien hoe ze wegkronkelden of gaten in de grond boorden of zoiets. Maar ze beseften niet dat ze uit het emmertje bevrijd waren en gleden, eenmaal ontward, rustig heen en weer rond zijn voeten. Het was om somber van te worden. Hij plukte er een van zijn gympje, bekeek de mummieachtige gelede onderkant en slingerde hem toen het water in.

Op school had je zat meisjes die mooier dan Harriet waren, en aardiger ook. Maar er was er niet een zo slim, of zo moedig. Mistroostig dacht hij aan al haar talenten. Ze kon handschriften – onderwijzershandschriften – vervalsen en volwassen aandoende excuusbriefjes schrijven als een beroeps; ze kon bommetjes maken van azijn en zuiveringszout, stemmen imiteren aan de telefoon. Ze was dol op vuurwerk afsteken, in tegenstelling tot een heleboel meisjes, die nog niet in de buurt van een snoer zevenklappers durfden te komen. In de tweede klas was ze eens naar huis gestuurd omdat ze een jongen zo gek had gekregen een lepel cayennepeper te eten, en twee jaar geleden had ze paniek gezaaid toen ze zei dat de spookachtige oude kantine in het souterrain van de school een poort naar de hel was. Als je het licht uitdeed verscheen het gezicht van de duivel op de muur. Er was een groepje meisjes dat giechelend naar beneden liep, het licht uitdeed – en in hysterisch geschreeuw uitbarstte, krijsend van angst. Daarna begonnen er kinderen schoolziek te worden, te vragen of ze tussen de middag thuis mochten gaan eten, wat dan ook, als ze maar niet naar het souterrain hoefden. Na een paar dagen van toenemende onrust riep juf Miley de kinderen bij elkaar, voerde ze samen met de strenge oude juf Kennedy van de zesde klas de trap af naar de verlaten kantine (iedereen in een dichte drom achter hen aan), en deed het licht uit. 'Zie je nou?' zei ze smalend. 'Toch wel dom van jullie, hè?'

Achteraan, met een iel, nogal wanhopig stemmetje dat op de een of andere manier meer gezag had dan de branie van de juf, zei Harriet: 'Hij is er wel. Ik zie hem.'

'Zie je wel!' riep een jongetje. 'Zie je wel?'

Stokkende adem; toen gekrijs en paniek. Want jawel, zodra je ogen aan het donker gewend waren, zag je in de linker bovenhoek van de ruimte een spookachtige groenige gloed flakkeren (zelfs juf Kennedy knipperde beduusd met haar ogen), en als je maar lang genoeg keek was het net een kwaadaardig gezicht met spleetogen en een zakdoek voor zijn mond.

Die hele commotie over de kantineduivel – ouders die naar school belden en een gesprek met de directeur eisten, dominees die meteen hun kans roken, Church of Christ en Baptisten, een lawine van verbijsterde en strijdlustige preken met titels als *Eruit met de duivel* en *Satan op onze scholen?* – het was allemaal Harriets werk, de vrucht van dat koele, meedogenloze, berekenende koppie van haar. Harriet! Ze mocht dan klein zijn, op het schoolplein was ze een felle, en als ze vocht vocht ze gemeen. Toen Fay Gardner een keer over haar had geklikt, had Harriet onder de bank kalm de grote sierspeld losgemaakt die haar Schotse rokje bij elkaar hield. Ze had de hele dag op haar kans gewacht, en die middag, toen Fay blaadjes ronddeelde, had ze bliksemsnel uitgehaald en Fay in de rug van haar hand gestoken. Dat was de enige keer dat Hely de directeur ooit een meisje had zien slaan. Drie meppen met de liniaal en ze had geen kik gegeven. Nou én, had ze koeltjes gezegd toen hij haar op weg van school naar huis had gecomplimenteerd.

Hoe moest hij zorgen dat ze van hem hield? Wist hij maar iets nieuws en leuks om haar te vertellen, een leuk feitje of een gaaf geheim, iets wat indruk op haar zou maken. Of dat ze in een brandend huis zat opgesloten of door boeven achterna werd gezeten, zodat hij er als een held op af kon stormen om haar te redden.

Hij was op de fiets naar dit afgelegen beekje gekomen, dat zo klein was dat het niet eens een naam had. Verderop langs de oever zat een groepje zwarte jongens, niet veel ouder dan hij, en nog een eindje verder zag hij een paar oude zwarte mannen, ieder in zijn eentje, in tot boven de enkels opgestroopte kaki broek. Een van hen – met een emmertje van piepschuim en een grote strooien sombrero waarop in het groen *Souvenir uit Mexico* stond – kwam behoedzaam op hem af. 'Goeiedag,' zei hij.

'Hoi,' zei Hely, op zijn hoede.

'Waarom gooi jij al die goeie pieren op de grond?'

Hely wist niet zo gauw wat te zeggen. 'Ik had er benzine op gemorst,' zei hij ten slotte.

'Daar kunnen ze best tegen. De vissen vreten ze toch wel. Kan je ze niet even afspoelen?'

'Och, laat maar.'

'Ik help je wel. We husselen ze gewoon door dat ondiepe water hier.'

'Neem ze maar mee als je ze wilt hebben.'

De oude man grinnikte droogjes, bukte zich en begon zijn emmertje te vullen. Hely voelde zich vernederd. Hij bleef naar zijn aasloze haakje in het water staren, kauwde korzelig op pinda's uit een plastic zakje in zijn broekzak en deed of hij niets zag.

Hoe kon hij zorgen dat ze van hem hield, dat ze het merkte als hij er niet was? Misschien dat hij iets voor haar kon kopen, alleen wist hij niet wat ze wou hebben en had hij geen geld. Kon hij maar een raket of een robot maken, of messen werpen en dingen raken zoals in het circus; of had hij maar een motor, dan kon hij misschien net zulke kunstjes als Evel Knievel.

Dromerig, met half toegeknepen ogen, tuurde hij over het beekje, naar een oude zwarte vrouw die aan de overkant aan het vissen was. Laatst had Pemberton hem een keer, 's middags op een landweggetje, laten zien hoe je in de Cadillac moest schakelen. Hij zag zichzelf en Harriet over Highway 51 scheuren, met open dak. Oké, hij was nog maar elf, maar in Mississippi kon je op je vijftiende je rijbewijs halen, en in Louisiana op je dertiende. Als het moest kon hij makkelijk voor dertien doorgaan.

Ze konden wat te eten meenemen. Augurken en boterhammen met jam. Misschien dat hij uit zijn moeders drankkastje whisky kon pikken, of anders een fles Dr. Tichenor – dat was een ontsmettingsmiddel en het smaakte goor, maar het was wél honderd-

veertig procent. Ze konden naar Memphis rijden, naar het mu-
seum, dan kon ze de botten en verschrompelde koppen van de
dinosaurussen zien. Zoiets vond ze leuk, leerzaam. Daarna konden ze het centrum in rijden naar het Peabody Hotel en de eenden
bekijken die daar door de lobby stapten. Ze konden in een grote
kamer op het bed op en neer springen en garnalen en steaks boven laten komen en de hele nacht televisie kijken. En niemand die
ze zou verbieden om in bad te gaan, als ze zin hadden. Zonder
kleren. Zijn gezicht gloeide. Hoe oud moest je zijn om te mogen
trouwen? Als hij de verkeerspolitie ervan kon overtuigen dat hij
vijftien was kon hij daar een dominee toch ook wel van overtuigen? Hij zag zich al met haar op zo'n krakkemikkige veranda in
DeSoto County staan: Harriet in dat roodgeruite short van haar
en hij in Pems oude Harley Davidson-T-shirt, dat zo verschoten
was dat je het stukje waar *Ride Hard Die Free* stond bijna niet kon
lezen. Harriets warme kleine hand brandend in de zijne. 'En nu
mag u de bruid kussen.' Na afloop zou de domineesvrouw met een
glaasje limonade komen. En dan waren ze voorgoed getrouwd en
zouden ze aldoor met de auto op stap gaan en lol maken en vis
eten die hij voor ze ving. Thuis zouden zijn moeder en vader en
iedereen doodongerust zijn. Fantastisch zou het zijn.

Hij werd uit zijn dromen opgeschrikt door een harde knal –
gevolgd door een plons en hoog, waanzinnig gelach. Consternatie
aan de overkant – de oude zwarte vrouw liet haar hengel vallen en
sloeg haar handen voor haar gezicht terwijl er een pluim van
druppeltjes uit het bruine water opspoot.

Toen nog een. En nog een. Het gelach – een angstaanjagend
gehoor – schalde van het houten bruggetje over de beek. Hely
hield verbijsterd zijn hand omhoog tegen de zon en zag twee blanke mannen, vaag. De grootste van de twee (een stuk groter dan de
ander) was niet meer dan een massief silhouet, dubbelgeslagen
van het lachen, en Hely kreeg alleen een verwarde indruk van zijn
handen, die over de reling bungelden: grote vuile handen, met
grote dikke zilveren ringen. De kleinste gestalte (cowboyhoed,
lang haar) richtte met twee handen een blinkend zilverkleurig pistool op het water. Weer schoot hij, en er sprong een oude man
achteruit toen de kogel vlak bij het eind van zijn vislijn een witte
waaier van druppels omhoog joeg.

Op de brug schudde de grote kerel zijn leeuwenmanen naar
achteren en liet een schor kraaiend gelach horen; Hely zag de ruige omtrek van een baard.

De zwarte jongetjes hadden hun hengels neergegooid en krabbelden tegen de oever op, en de oude zwarte vrouw aan de overkant hinkte er licht en vlug achteraan, met één hand haar rokken opschortend, een arm uitgestrekt, huilend.

'Opschieten, opoe.'

Weer ging het pistool af, echo's ketsten van de rotsige walkant, er vielen brokken steen en aarde in het water. Nu schoot die kerel gewoon alle kanten op. Hely stond aan de grond genageld. Er floot een kogel langs hem, die een stofwolkje deed opstuiven naast een boomstronk waarachter een van de zwarte mannen lag weggekropen. Hely gooide zijn hengel neer, draaide zich om, schoot ervandoor – glijdend, bijna vallend – en holde zo hard hij kon naar het kreupelhout.

Hij dook in een bosje braamstruiken en schreeuwde het uit toen de doornen zijn blote benen schramden. Terwijl er weer een schot knalde vroeg hij zich af of die kinkels van die afstand konden zien dat hij blank was, en zo ja, of het ze wat uitmaakte.

Harriet, verdiept in haar schrift, hoorde een luide jammerkreet door het open raam en daarna gegil van Allison, uit de voortuin: 'Harriet! Harriet! Kom gauw!'

Harriet sprong op, schopte het schrift onder haar bed en holde de trap af naar buiten. Allison stond op het trottoir te huilen, het haar voor haar gezicht. Harriet was al halverwege het tuinpad toen het tot haar doordrong dat het kiezelbeton te heet was aan haar blote voeten, en hinkelde – scheef hangend, uit haar evenwicht – op één voet terug naar de veranda.

'Kom nou! Schiet nou op!'

'Ik moet even schoenen aandoen.'

'Wat is er aan de hand?' riep Ida Rhew uit het keukenraam. 'Waarom maken jullie zo'n herrie daarbuiten?'

Harriet rende bonkend naar boven en klepperend op haar sandalen weer naar beneden. Voor ze kon vragen wat er was stoof Allison, snikkend, al op haar af, greep haar bij de arm en trok haar mee de straat op. 'Kóm nou. Vlug, vlug.'

Struikelend schuifelde Harriet (rennen ging niet zo goed op die sandalen) zo snel mogelijk achter haar aan, tot Allison bleef staan, nog steeds huilend, en met een brede zwaai van haar vrije arm wees naar iets wat midden op straat schril piepend lag te flapperen.

Het duurde heel even voor Harriet besefte waar ze naar keek:

een merel, één vleugel vastgekleefd in een plasje teer. De vrije vleugel klapperde panisch op en neer: Harriet kon, vol afschuw, tot in de strot van het krijsende beest kijken, tot de blauwe wortel van zijn puntige tongetje.

'Doe iets!' riep Allison.

Harriet wist niet wat. Ze liep naar de vogel toe, maar sprong verschrikt achteruit toen hij bij haar nadering schel snerpte en met zijn scheve vleugel sloeg.

Mevrouw Fountain was haar zijveranda op komen schuifelen. 'Blijf van dat beest af, jullie,' riep ze met een nijdig dun stemmetje, een schimmige gedaante achter de hor. 'Dat is vies.'

Harriet graaide naar de vogel – haar hart sloeg snel tegen haar ribben – in elkaar krimpend, alsof ze een gloeiend kooltje probeerde te pakken; ze durfde hem eigenlijk niet aan te raken en toen de punt van zijn vleugel langs haar pols streek trok ze onwillekeurig met een ruk haar hand terug.

Allison gilde: 'Krijg je hem los?'

'Weet ik niet,' zei Harriet, en ze deed haar best om een kalme indruk te maken. Ze ging achter de vogel staan, met het idee dat hij misschien tot bedaren kwam als hij haar niet kon zien, maar hij krijste en kronkelde alleen nog razender. Er staken afgebroken vleugelpennen uit de smurrie, en – zag Harriet, met een onpasselijk gevoel – glanzende rode kringels die op rode tandpasta leken.

Trillend van de zenuwen knielde ze neer op het warme asfalt. 'Hou op,' fluisterde ze terwijl ze behoedzaam haar beide handen naar hem toe bewoog, 'sssj, wees maar niet bang...' maar hij was gek van angst, fladderde en spartelde, zijn felle zwarte oog hel blikkerend van angst. Ze schoof haar handen onder hem, gaf zijn vastgekleefde vleugel zo goed mogelijk steun en wilde hem oplichten, haar ogen dichtknijpend voor de vleugel die haar wild in het gezicht sloeg. Er klonk een gruwelijke krijs en toen Harriet haar ogen opendeed zag ze dat ze de vastgekleefde vleugel van zijn schouder had gescheurd. Daar lag hij, in de teer, grotesk uitgespreid, met een bot dat blauwig glimmend uit de losgerukte bovenkant stak.

'Leg nou maar neer,' hoorde ze mevrouw Fountain roepen. 'Straks bijt dat beest je nog.'

De vleugel was er helemaal af, besefte Harriet, perplex, terwijl de vogel vocht en worstelde in haar met teer besmeurde handen. Er was alleen nog een kloppende, sijpelende rode plek waar de vleugel had gezeten.

'Leg neer,' riep mevrouw Fountain. 'Straks loop je nog honds-dolheid op. Daarvoor krijg je prikken in je buik.'

'Gauw, Harriet,' riep Allison, die haar aan haar mouw stond te trekken, 'kom gauw, we gaan ermee naar Edie,' maar er trok een sidderende stuiptrekking door de vogel en daarop verslapte hij in haar glibberig bebloede handen, en de glanzende kop knakte op-zij. De weerschijn van zijn verentooi – groen op zwart – blonk als tevoren, maar de helle zwarte schittering van pijn en angst in zijn ogen was al verdoft tot sprakeloos ongeloof, de onbegrepen gru-wel van de dood.

'Gáúw, Harriet,' riep Allison. 'Hij gaat dood. Hij gaat dood.'

'Hij is dood,' hoorde Harriet zichzelf zeggen.

'Wat mankeert jou?' riep Ida Rhew tegen Hely, die door de achter-deur de keuken in kwam rennen – langs het fornuis, waar Ida zwe-tend de melk met custard stond te roeren voor een bananen-pudding – de hordeur achter zich dicht liet knallen en de trap op denderde naar Harriets kamer.

Hij stormde zonder kloppen naar binnen. Ze lag op bed, en zijn toch al jagende hartslag versnelde bij de aanblik van de arm die ze over haar gezicht had geslingerd, de holle witte oksel, haar vuile bruine voetzolen. Hoewel het nog maar halfvier was had ze haar pyjama aan; en haar short en blouse, die vol met een kleverige zwarte smurrie zaten, lagen in een prop op het kleedje voor het bed.

Hely schopte ze weg en plofte hijgend aan haar voeten neer. 'Harriet!' Hij was zo opgewonden dat hij haast geen woord kon uitbrengen. 'Ik ben beschoten! Ze hebben op me geschoten!'

'Geschoten?' Met een slaperig gepiep van de springveren draai-de Harriet zich op haar zij en keek hem aan. 'Waarmee?'

'Met een echt wapen. Nou ja, bíjna op me geschoten. Ik zat bij het water, en toen páng, een harde plons, water –' Woest wapper-de hij met zijn ene hand door de lucht.

'Hoe kan er nou iemand bijna op je schieten?'

'Ik méén het, Harriet! Er vloog een kogel zó langs mijn hoofd. Ik ben in een bosje doornstruiken gesprongen om te ontsnappen. Moet je mijn benen zien! Ik –'

Hij zweeg ontdaan. Op haar ellebogen steunend lag ze naar hem te kijken, wel aandachtig maar totaal niet meelevend, niet eens erg geschrokken. Te laat drong zijn vergissing tot hem door: het viel al niet mee haar bewondering te winnen, maar gehengel naar medelijden had al helemaal geen zin.

Hij sprong op van zijn plekje aan het voeteneind en liep naar de deur. 'Ik heb stenen naar ze gegooid,' zei hij stoer. 'En ik heb tegen ze geschreeuwd. Toen renden ze weg.'

'Waar schoten ze mee?' vroeg Harriet. 'Met een luchtbuks of zo?'

'Néé,' zei Hely na kort, geschokt zwijgen; hoe moest hij haar de ernst hiervan laten inzien, het gevaar? 'Het was een écht wapen, Harriet. Echte kogels. Nikkers die alle kanten op renden –' Hij maakte een machteloos gebaar, niet in staat het haar allemaal duidelijk te maken, de gloeiende zon, de echo's van de walkant, het gelach, de paniek –

'Waarom ben je niet meegegaan?' jammerde hij. 'Ik heb je nog zó gevraagd of je mee–'

'Als ze met een echt wapen schoten vind ik het stom dat je daar stenen bleef staan gooien.'

'Néé! Dat heb ik niet gez–'

'Dat is precies wat je hebt gezegd.'

Hely haalde diep adem en voelde zich opeens slap van uitputting en vertwijfeling. De springveren kreunden toen hij weer ging zitten. 'Wil je niet eens weten wie het waren?' zei hij. 'Het was zo eng, Harriet. Gewoon zo... éng...'

'Ja hoor, ik wil het best weten,' zei Harriet, maar ze leek niet erg ongerust of zo. 'Wie waren het dan? Kinderen?'

'Néé,' zei Hely verontwaardigd. 'Volwassenen. Grote kerels. Ze wilden de dobbers van de hengels schieten.'

'Waarom schoten ze dan op jou?'

'Ze schoten op iederéén. Niet alleen op mij. Ze waren –'

Hij zweeg toen Harriet opstond. Nu pas drongen haar pyjama, haar groezelige zwarte handen, de vuile kleren op het zondoorstoofde kleedje echt tot Hely door.

'Hé man. Wat is dat allemaal voor zwarte troep?' vroeg hij meelevend. 'Zit je in de problemen?'

'Ik heb per ongeluk een vleugel van een vogel afgerukt.'

'Gedver. Hoe kwam dat?' zei Hely, die zijn eigen problemen even vergat.

'Hij zat vast in de teer. Hij was toch wel doodgegaan, of door een kat gepakt.'

'Een lévende vogel?'

'Ik wou hem redden.'

'Maar wat doe je nou met je kleren?'

Ze wierp een vage, bevreemde blik op hem.

'Dat gaat er niet meer af. Dat is teer. Je krijgt op je lazer van Ida.'

'Kan mij wat schelen.'

'Moet je hier zien. En hier. Het hele kleedje zit onder.'

Even bleef het doodstil in de kamer, op het gezoem van de raamventilator na.

'Mijn moeder heeft thuis een boek waarin staat hoe je allerlei soorten vlekken wegkrijgt,' zei Hely, wat zachter nu. 'Ik heb een keer chocola opgezocht toen ik een reep op een stoel had laten liggen en die was gesmolten.'

'Kreeg je het eraf?'

'Niet helemaal, maar als ze het daarvóór had gezien, had ze me vermoord. Geef mij die kleren maar. Ik neem ze wel mee naar mij thuis.'

'Er staat vast niets over teer in dat boek.'

'Dan gooi ik ze wel weg,' zei Hely, blij dat hij eindelijk haar aandacht had. 'Je bent gek als je ze in jullie eigen vuilnisbak stopt. Hier,' en hij liep om het bed heen, 'help even dat bed verschuiven, dat ze het niet op het kleedje ziet zitten.'

Libby's huishoudster Odean, die er onvoorspelbare tijden van komen en gaan op nahield, was halverwege het uitrollen van een lap deeg uit Libby's keuken vertrokken. Toen Harriet binnenkwam was de tafel bestoven met bloem en bezaaid met appelschillen en deegfliedertjes. Aan het uiteinde van de tafel zat Libby – nietig en frêle – een kop slappe thee te drinken, die overdreven groot leek in haar sproetige kleine handen. Ze zat over de kruiswoordpuzzel in de krant gebogen.

'O, ben ik even blij dat jij er bent, lieverd,' zei ze, zonder commentaar op Harriets onaangekondigde komst en zonder haar een standje te geven – zoals Edie prompt zou hebben gedaan – omdat ze over straat was gegaan met een pyjamajasje over haar spijkerbroek en met pikzwarte handen. Verstrooid klopte ze op de zitting van de stoel naast haar. 'Bij de *Commercial Appeal* zit een nieuwe man voor de kruiswoordpuzzels, en die maakt toch zulke moeilijke. Allemaal oude Franse woorden en technische dingen en zo.' Met het stompe puntje van haar potlood wees ze een paar bekladde hokjes aan. '"Metaalelement". Het moet met een t beginnen, want de eerste vijf boeken van de Hebreeuwse schrift heten zéker tora, maar er bestáát geen metaal dat met een t begint. Of wel?'

Harriet keek er even aandachtig naar. 'Je hebt nog een letter nodig. Telluur heeft zeven letters en tantaal ook.'

'Wat ben jij toch knap, lieverd. Daar heb ik nog nooit van gehoord.'

'Laten we maar eens kijken,' zei Harriet. 'Zes verticaal, scheidsrechter bij tennis of cricket. Dat is umpire, dus dat metaalelement moet telluur zijn.'

'Goeie help! Wat leren ze jullie tegenwoordig toch veel op school. Wij leerden als meisjes geen stéék over al die akelige elementen en zo. Het was een en al rekenen en Europese geschiedenis.'

Samen bogen ze zich over de puzzel, en net toen ze zich het hoofd braken over een woord van zeven letters voor verwerpelijke vrouw met een s, kwam Odean de keuken weer in en begon daar zo woest met pannen te rammelen dat ze naar Libby's slaapkamer moesten vluchten.

Libby, de oudste van de zusters Cleve, was de enige die nooit getrouwd was, al waren ze in hun hart allemaal (op de driemaal getrouwde Adelaide na) oude vrijsters. Edie was gescheiden. Er werd nooit gesproken over de mysterieuze verbintenis waaruit Harriets moeder was voortgekomen, hoewel Harriet daar dolgraag meer van wilde weten en haar tantes bestookte met vragen. Maar los van een paar oude foto's die ze had gezien (wijkende kin, licht haar, waterig glimlachje) en een paar naar meer smakende zinnetjes die ze weleens had opgevangen ('... hield van een borreltje...', '...zijn eigen graf gegraven...') wist Harriet eigenlijk niet meer van haar grootvader van moederszijde dan dat hij een tijd in een ziekenhuis in Alabama had gelegen, waar hij een paar jaar geleden was gestorven. Toen ze jonger was, was Harriet (door *Heidi*) op het idee gekomen dat zij wel een gezinshereniging voor elkaar zou kunnen krijgen, als iemand haar maar naar het ziekenhuis bracht zodat ze hem kon spreken. Heidi had die zwartgallige Zwitserse grootpapa daar hoog in de Alpen toch ook betoverd, toch ook 'nieuw leven ingeblazen'?

'Haha! Dáár zou ik maar niet op rekenen,' had Edie gezegd, met een nogal krachtige ruk aan de in de knoop geraakte draad achter op haar naaiwerk.

Tat had het beter getroffen, met een tevreden alhoewel saai huwelijk van negentien jaar met de eigenaar van een houtfabriek – Pinkerton Lamb, in de buurt bekend als meneer Pink – die in de zagerij dood was gebleven aan een embolie voordat Harriet en

Allison geboren waren. De forse, hoffelijke meneer Pink (een stuk ouder dan Tat en een kleurrijke verschijning met zijn leren beenkappen en sportieve Engelse jasjes) had geen kinderen kunnen verwekken; van de adoptie waarvan sprake was geweest was nooit iets gekomen, maar noch haar kinderloosheid noch haar weduwschap had Tat uit haar evenwicht gebracht; ja, ze was eigenlijk bijna vergeten dat ze ooit getrouwd was geweest, en reageerde lichtelijk verbaasd als ze eraan werd herinnerd.

Libby – de oude vrijster – was negen jaar ouder dan Edie, elf jaar ouder dan Tat en ruim zeventien jaar ouder dan Adelaide. Ze was nooit zo knap geweest als haar jongere zusters, met haar bleke teint, platte boezem en al van jongs af bijziende ogen, maar de werkelijke reden waarom ze nooit was getrouwd was dat de zelfzuchtige oude rechter Cleve – wiens veelgeplaagde vrouw bij de geboorte van Adelaide was gestorven – haar thuis wilde houden om voor hem en de drie jongere meisjes te zorgen. Door een beroep te doen op de onzelfzuchtige, toegewijde natuur van de arme Libby en de enkele vrijer die op het toneel verscheen weg te jagen, hield hij haar bij zich in De Beproeving als onbetaalde kindermeid, kokkin en kaartpartner totdat hij, toen Libby tegen de zeventig liep, stierf en een berg schulden en een nagenoeg berooide Libby achterliet.

Dat drukte haar zusters als een last op het geweten – alsof Libby's dienstbaarheid hun schuld was geweest en niet die van hun vader. 'Schandelijk,' zei Edie. 'Een meisje van zeventien, en pappa dwingt haar twee kinderen en een baby groot te brengen.' Maar Libby had het offer welgemoed gebracht, zonder spijt. Ze was dol op haar knorrige, ondankbare oude vader en zag het als een voorrecht om thuis te kunnen blijven en voor haar moederloze zusjes te zorgen, van wie ze buitensporig veel en volstrekt belangeloos hield. Vanwege haar generositeit, geduld en onverstoorbaar goede humeur beschouwden haar zusters (die niet zo'n zacht karakter hadden als zij) Libby als nauwelijks minder dan een heilige. Als jonge vrouw was ze nogal kleurloos en onooglijk geweest (maar van een stralende lieftalligheid wanneer ze lachte); nu, op haar tweeëntachtigste, had ze iets kinderlijks en vertederends, met haar satijnen muiltjes, haar roze satijnen bedjasjes en haar met roze linten afgezette angora vestjes, en dan die enorme blauwe ogen en dat zijdezachte witte haar.

Toen ze de geborgenheid van Libby's slaapkamer in stapte, met de houten jaloezieën en eendeneiblauwe muren, was het of ze een vriendelijk onderzees koninkrijk binnengleed. Buiten, in de brandende zon, hadden de gazons, de huizen, de bomen, bleek uitgebeten, iets vijandigs; de in het helle licht schitterende trottoirs deden haar aan de merel denken, aan de felle, onbegrepen verschrikking die in zijn ogen blonk. Libby's kamer bood bescherming tegen dat alles: tegen hitte, stof en wreedheid. Aan de kleuren en materialen was sinds Harriets vroegste jeugd niets veranderd: doffe donkere vloerplanken, met kwastjes versierde chenille beddensprei en stoffige organza gordijnen, het kristallen bonbonschaaltje waarin Libby haar haarspelden bewaarde. Op de schoorsteenmantel sluimerde een stevige, eivormige presse-papier van aquamarijn glas, die binnenin belletjes had en het zonlicht als zeewater filterde, en die in de loop van de dag veranderde als een levend wezen. 's Ochtends blonk hij helder, tegen tien uur vonkte hij op zijn flonkerendst, en rond het middaguur taande hij tot een koel jade. Als klein kind had Harriet vele lange, behaaglijke uren mijmerend op de vloer doorgebracht, terwijl het licht in de presse-papier hoog opzwierde en fladderde, slingerde en neerzonk, en het getijgerde licht nu eens hier dan weer daar op de blauwgroene muren glansde. Het vloerkleed met zijn patroon van bloeiende ranken was een speelbord, haar eigen geheime slagveld. Ontelbare middagen had ze, op handen en knieën, speelgoedlegers laten optrekken over die groene kronkelpaden. Boven de schoorsteenmantel hing, het middelpunt van de kamer, de nostalgische oude, rookgrijze foto van De Beproeving, witte zuilen spookachtig oprijzend uit het zwart van immergroen struikgewas.

Samen deden ze de kruiswoordpuzzel, Harriet op de leuning van Libby's met chintz beklede stoel. De porseleinen klok stond onverstoorbaar te tikken op de schoorsteenmantel, met dezelfde genoeglijke, bemoedigende tik die Harriet haar hele leven al kende; en de blauwe slaapkamer was net de hemel, vriendelijk geurend naar poezen, cederhout, stoffig linnen, naar vetiverwortel, Limes de Buras-poeder en een soort donkerpaars badzout dat Libby al gebruikte zolang Harriet zich kon herinneren. Alle oude dames gebruikten vetiverwortel, in zakjes genaaid, om de mot uit hun kleren te houden; en hoewel Harriet het ouderwetse, muffe luchtje al van jongs af aan kende had het nog steeds een prikkelend vleugje geheimzinnigheid, iets droefs en uitheems, als rottende bossen of de rook van houtvuren in de herfst; het was de oude, donkere geur van kleerkasten uit de plantagetijd, van De Beproeving, van het verleden zelf.

'Laatste!' zei Libby. '"De kunst van het vredestichten." Derde letter c, en t-i-e aan het eind.' *Plok plok plok*, ze telde de vakjes met haar potlood.

'"Conciliatie"?'

'Ja. O hemeltje... wacht even. Die c staat niet goed.'

Zwijgend piekerden ze verder.

'Aha!' riep Libby. '"Pacificatie"! Zorgvuldig vulde ze de letters in met haar stompe potlood. 'Klaar,' zei ze blij en zette haar bril af. 'Dank je wel, Harriet.'

'Niets te danken,' zei Harriet nors; ze kon het toch niet goed hebben dat Libby op het laatste woord was gekomen.

'Ik weet ook niet waarom ik me zo druk maak om die malle puzzels, maar ik denk wél dat ze mijn geest scherp helpen houden. Meestal krijg ik er maar driekwart van ingevuld.'

'Libby –'

'Eens even raden wat je wilt, kind. Zullen we even kijken of Odeans taart al uit de oven is?'

'Libby, waarom wil niemand ook maar íéts vertellen over de dood van Robin?'

Libby legde de krant neer.

'Is er vlak daarvoor soms iets raars gebeurd?'

'Iets raars, lieverd? Wat bedoel je in vredesnaam?'

'Maakt niet uit –' Harriet kon niet op de woorden komen. 'Een aanwijzing.'

'Ik weet van geen aanwijzing,' zei Libby, na een eigenaardig kalme stilte. 'Maar als je over iets raars wilt horen, een van de raarste dingen die mij ooit van mijn leven zijn overkomen, is een dag of drie voor Robins dood gebeurd. Heb je dat verhaal weleens gehoord over die herenhoed die ik in mijn slaapkamer vond?'

'O,' zei Harriet teleurgesteld. Het verhaal over de hoed op Libby's bed had ze al zo vaak gehoord.

'Iedereen dacht dat ik gek was. Een nette zwarte herenhoed! Maat acht! Een stetson! Nog mooi ook, en geen zweet op de hoedenband. En die lag daar zomaar op het voeteneind van mijn bed, bij klaarlichte dag.'

'Je bedoelt dat je niet wist hoe hij daar kwam,' zei Harriet verveeld. Ze had het hoedenverhaal wel honderd keer gehoord. Behalve Libby vond niemand het erg mysterieus.

'Lieverd, het was woensdagmiddag om twee uur –'

'Er is iemand binnengekomen die hem daar heeft laten liggen.'

'Nee hoor, dat kán niet. Dan hadden we hem gezien of gehoord.

Odean en ik waren de hele tijd thuis – ik was hier net naartoe verhuisd vanuit De Beproeving, na pappa's dood – en Odean was nog geen twee minuten eerder even in de slaapkamer geweest om schoon linnengoed op te bergen. Toen lag er daar geen hoed.'

'Misschien heeft Odean hem er neergelegd.'

'Odean heeft die hoed daar níét gelegd. Ga haar maar vragen.'

'Nou, dan was er iemand stiekem binnengekomen,' zei Harriet ongeduldig. 'En hebben Odean en jij hem gewoon niet gehoord.' Odean – die meestal niet zoveel zei – vertelde de geschiedenis van het Mysterie van de Zwarte Hoed altijd net zo graag als Libby, en hun verhalen kwamen overeen (behalve in stijl, want dat van Odean was veel raadselachtiger, gelardeerd met veel hoofdschudden en lange stiltes).

'Laat ik je dit zeggen, schatje,' zei Libby, kwiek naar voren leunend in haar stoel, 'Odean was schoon wasgoed aan het opbergen en liep af en aan door het huis en ik zat in de gang aan de telefoon met je grootmoeder, en de slaapkamerdeur stond wijd open, precies in het verlengde van mijn blik... nee, géén raam,' praatte ze door Harriet heen, 'de ramen waren vergrendeld en de voorzetramen zaten er nog op. Geen mens had die slaapkamer in gekund zonder dat Odean en ik hem állebei hadden gezien.'

'Er heeft iemand heeft een grap met je uitgehaald,' zei Harriet. Dat was het eensgezinde oordeel van Edie en de tantes, en Edie had Libby meer dan eens aan het huilen (en Odean woedend aan het mokken) gekregen door plagerig te insinueren dat Libby en Odean aan de keukensherry hadden gezeten.

'En wat was daar de grap dan van?' Ze begon van streek te raken. 'Een zwarte herenhoed op het voeteneind van mijn bed leggen? Het was een dúre hoed, hoor. En ik ben er nog mee naar de kledingzaak gegaan en daar zeiden ze dat zulke hoeden niet in Alexandria werden verkocht en voor zover zij wisten ook nergens dichterbij dan Memphis. En ziedaar – drie dagen nadat ik die hoed in mijn huis had gevonden, was de kleine Robin dood.'

Harriet zweeg en dacht daarover na. 'Maar wat heeft dat met Robin te maken?'

'Lieverd, de wereld zit vól dingen die wij niet begrijpen.'

'Maar waarom een hoed?' zei Harriet, na even verbluft te hebben gezwegen. 'En waarom zouden ze die dan bij jóú in huis hebben gelegd? Ik zie het verband niet.'

Libby vouwde haar handen en zei: 'Ik heb nog een verhaal voor je. Toen ik in De Beproeving woonde kende ik een heel aardige vrouw, Viola Gibbs, die als kleuterleidster in het centrum werkte. Ze zal ergens achter in de twintig zijn geweest. Goed. Op een dag kwam mevrouw Gibbs door de achterdeur haar huis in, en volgens haar man en al haar kinderen sprong ze achteruit en begon in de lucht te slaan, alsof er iets achter haar aan zat, en voor ze het wisten viel ze op de keukenvloer. Dood.'

'Ze zal wel door een spin zijn gebeten.'

'Mensen gaan niet zomaar dood aan een spinnenbeet.'

'Of ze had een hartaanval.'

'Nee nee, daar was ze te jong voor. Ze was haar hele leven nog geen dag ziek geweest, ze was niet allergisch voor bijensteken en het was geen slagaderbreuk, niets van dat al. Ze viel gewoon zomaar zonder enige reden dood neer, pal voor de ogen van haar man en kinderen.'

'Zo te horen moet het vergif zijn geweest. Wedden dat haar man het heeft gedaan.'

'Welnee. Maar dat is niet het rare van dat verhaal, lieverd.' Libby knipperde beleefd met haar ogen en wachtte even tot ze zeker wist dat Harriet luisterde. 'Zie je, Viola Gibbs had een tweelingzuster. Het rare van het verhaal is dat dat tweelingzusje een jaar daarvoor, op de kóp af een jaar...' Libby tikte met haar wijsvinger op tafel, '... uit een zwembad in Miami klom en opeens een blik vol afgrijzen op haar gezicht kreeg, zo werd het verteld, *een blik vol afgrijzen*. Tientallen mensen hebben het gezien. Toen begon ze te gillen en met haar handen in de lucht te slaan. En voor iemand het wist viel ze dood neer op het beton.'

'Waardoor?' zei Harriet, na een beteuterde stilte.

'Dat weet niemand.'

'Maar ik begrijp het niet.'

'Niemand begrijpt het.'

'Je kan toch niet door iets onzichtbaars worden aangevallen?'

'Die twee zusjes wel. Twéélingzusjes. Precies een jaar na elkaar.'

'Bij Sherlock Holmes heb je ook zo'n soort geval. *Het avontuur van de gespikkelde band.*'

'Ja, dat verhaal ken ik, Harriet, maar dit is anders.'

'Waarom? Denk je dan dat de duivel ze achterna zat?'

'Ik zeg alleen dat er vreselijk veel dingen op de wereld zijn die wij niet begrijpen, dotje, en dat er verborgen verbanden bestaan tussen dingen die op het eerste gezicht helemaal niets met elkaar te maken hebben.'

'Denk je dan dat de duivel Robin heeft vermoord? Of een geest?'

Libby greep zenuwachtig naar haar bril en zei: 'Hemeltje, wat is er achter allemaal aan de hand?'

Er was inderdaad opschudding: geagiteerde stemmen, een ontstelde kreet van Odean. Harriet liep achter Libby aan naar de keuken en zag daar een gezette, oude zwarte vrouw met sproetige wangen en een hoofd vol grijze vlechtjes die aan tafel met haar handen voor haar gezicht zat te snikken. Achter haar schonk Odean, zichtbaar van streek, karnemelk in een glas met ijsblokjes. 'Het is mijn tante,' zei ze, zonder Libby aan te kijken. 'Ze is even uit haar doen. Ze is zo weer in orde.'

'Maar wat is er in 's hemelsnaam aan de hand? Moeten we de dokter halen?'

'Nee mevrouw. Ze heeft geen pijn. Ze is alleen geschrokken. Er hebben blanke mannen met pistolen op haar geschoten, bij de beek.'

'Met pistólen? Wat heeft dat in 's hemelsnaam –'

'Hier, neem een slokje karnemelk,' zei Odean tegen haar tante, wier borst heftig op en neer ging.

'Van een glaasje Madeira knapt ze vast meer op,' zei Libby en ze trippelde naar de achterdeur. 'Dat heb ik niet in huis. Ik loop gauw even naar Adelaide.'

'Nee mevrouw,' jammerde de oude vrouw. 'Ik drink geen sterke drank.'

'Maar –'

'Alstublieft mevrouw. Nee mevrouw. Geen whisky.'

'Maar Madeira is geen whisky. Dat is maar – o, hemeltje.' Libby keek Odean hulpeloos aan.

'Ze is zo weer in orde.'

'Wat is er gebeurd?' vroeg Libby, haar hand tegen haar hals, en ze keek bekommerd van de ene vrouw naar de andere.

'Ik viel niemand lastig.'

'Maar waarom –'

'Ze zéí,' zei Odean tegen Libby, 'dat er twee blanke mannen op de brug klommen en die gingen daar met pistolen op iedereen schieten.'

'Is er iemand gewond geraakt? Moet ik de politie bellen?' vroeg Libby ademloos.

Dit ontlokte Odeans tante zo'n kreet van ontzetting dat zelfs Harriet van haar stuk raakte.

'Wat is er in 's hemelsnaam?' riep Libby, die inmiddels blosjes op haar wangen had en half hysterisch was.

'O mevrouw, alstublieft. Nee mevrouw. Alstublieft geen politie bellen.'

'Maar waarom in vredesnaam niet?'

'Och Here. Ik ben bang van de politie.'

'Ze zei dat het er een van Ratliff was,' zei Odean. 'Die ene die net uit de gevangenis is.'

'*Ratliff*?' zei Harriet, en ondanks de verwarring in de keuken draaiden alle drie de vrouwen zich om en keken haar aan, zo luid en vreemd klonk haar stem.

'Ida, weet jij iets over mensen die Ratliff heten?' vroeg Harriet de volgende dag.

'Dat het uitschot is,' zei Ida, grimmig een theedoek uitwringend. Ze liet de verschoten lap met een klets op de kookplaat neerkomen. Harriet, die op de brede vensterbank van het open raam zat, keek hoe ze loom de vetspikkeltjes van de eieren-met-spek-pan van die ochtend wegveegde, neuriënd en knikkend met een trance-achtige kalmte. Die dromerigheid, die over Ida kwam als ze monotoon werk deed – erwten doppen, de kleden uitkloppen, glazuur voor een taart roeren – was Harriet al van jongs af vertrouwd, en ze vond de aanblik even kalmerend als die van een boom die in de wind heen en weer wiegde, maar het was ook altijd een duidelijk teken dat Ida met rust gelaten wilde worden. Als je haar in zo'n bui stoorde kon ze fel uitvallen. Harriet had haar tegen Charlotte en zelfs tegen Edie zien snauwen als een van hen op het verkeerde moment snibbig tegen haar uitviel over iets onbenulligs. Maar soms – vooral als Harriet haar iets moeilijks wilde vragen, of iets geheims of diepzinnigs – antwoordde ze met een serene, orakelachtige openhartigheid, als iemand onder hypnose.

Harriet ging verzitten en trok een knie onder haar kin. 'Wat weet je verder?' zei ze en speelde zogenaamd nonchalant met de gesp van haar sandaal. 'Over de Ratliffs?'

'Er valt niks te weten. Je hebt ze zelf gezien, toch. Dat stel dat laatst stiekem de tuin in kwam.'

'Hier?' zei Harriet na een korte verbouwereerde stilte.

'Ja hoor. Daarginder... Ja hoor, die heb je warempel wel gezien,' zei Ida Rhew op zachte, zangerige toon, bijna alsof ze in zichzelf praatte. 'En als het een stelletje vieze geiten waren die hier in de tuin van je mamma kwamen rondscharrelen, dan vonden jullie ze vast nog zielig ook... "Kijk eens. Kijk eens zo schattig." Voor je het weet gaan jullie ze verwennen en ermee spelen. "Kom dan, meneertje Geit, eet maar suiker uit mijn hand." "Meneertje Geit, wat ben jij vies. Kom maar, dan ga ik je wassen." "Arme meneertje Geit." En tegen de tijd dat je doorkrijgt,' praatte ze bedaard door Harriets geschokte kreet heen, 'doorkrijgt hoe vals en gemeen ze zijn, dan krijg je ze met geen stok meer weg. Ze rukken de kleren van de waslijn en ze vertrappen de bloembedden en ze staan de hele nacht buiten te blèren en te blaten en te mekkeren... En wat ze niet eten, dat stampen ze fijn en dat laten ze in de modder liggen. "Vooruit! Wij willen meer!" Denk je dat die ooit genoeg hebben? O nee. Maar ik zal je zeggen,' zei Ida en ze sloeg haar roodomrande ogen op naar Harriet, 'ík heb hier liever een stelletje geiten rondhollen dan een zootje kleine Ratliffs die alsmaar vragen en vragen en willen hébben.'

'Maar Ida –'

'Vals! Vies!' Met een komische grimas wrong Ida Rhew de theedoek uit. 'En voor je het weet horen jullie alleen nog maar hébben, hébben hébben. "Geef dit ding." "Koop dat ding."'

'Dat waren geen Ratliffs, Ida, die kinderen. Die van laatst.'

'Kijken jullie maar uit,' zei Ida Rhew berustend en ze ging weer aan het werk. 'Jullie moeder blijft maar gewoon naar ze toe gaan, jullie kleren en jullie speelgoed weggeven aan die en aan die en aan wie er ook maar aan komt lopen. Na een tijdje vragen ze niet eens meer. Dan komen ze het gewoon pakken.'

'Ida, dat waren Odums. Die kinderen in de tuin.'

'Eén pot nat. Er zit er geeneen bij die goed en kwaad uit elkaar kan houden. Als jij een van die kleine Odums was...' ze zweeg even om haar theedoek weer uit te slaan '...en je mamma en pappa voerden nooit een klap uit en ze leerden jou dat er van zijn leven niks mis is met roven en haten en stelen en alles van een ander afpakken wat jij wilde hebben? Hmmm? Dan kón jij niks anders als roven en stelen. Warempel. Dan wist je van zijn leven niet dat daar ook maar iets mis mee was.'

'Maar –'

'Ik zeg niet dat je geen gekleurde mensen hebt die niet deugen. Je hebt gekleurde mensen die niet deugen en je hebt blanke mensen die niet deugen... Ik weet alleen dat ik mijn tijd niet ga verdoen aan zo'n Odum, en aan niemand niet die de hele tijd bedenkt wat hij niet heeft, en hoe hij het van een ander kan krijgen. O nee. Als ik het niet verdien,' zei Ida somber, en ze stak een vochtige hand op, 'en ik heb het niet, dan hoef ik het ook niet te hebben ook. O nee. Warempel niet. Dan doe ik het wel zonder.'

'Ida, de Odums kunnen me niets schélen.'

'Die moeten je ook niets kunnen schelen.'

'Nou, ze kunnen me geen zier schelen.'

'Daar ben ik blij om.'

'Ik wil wat over de Rátliffs weten. Wat kan je me –'

'Nou, ik kan je vertellen dat die bakstenen hebben gesmeten naar het kleindochtertje van mijn zus toen ze naar school liep, in de eerste klas,' zei Ida bits. 'Wat zeg je daarvan? Grote volwassen kerels. Bakstenen smijten en "nikker" en "ga terug naar je oerwoud" roepen naar dat arme kind.'

Harriet zweeg, geschokt. Zonder op te kijken bleef ze aan het riempje van haar sandaal frunniken. Bij het woord 'nikker' – en dat uit Ida's mond – werd ze rood.

'Bakstenen!' Ida schudde haar hoofd. 'Van die aanbouw bij de school die ze toen aan het maken waren. En als je het mij vraagt waren ze er nog trots op ook, maar het hoort niet, voor helemaal niémand, bakstenen gooien naar zo'n kleintje. Laat mij maar eens zien waar dat staat in de bijbel, "gooi bakstenen naar uw naaste". Hmm? Al zoek je de hele dag, je zal het niet vinden want het staat er niet in.'

Harriet, die zich helemaal niet op haar gemak voelde, geeuwde om haar verwarring en ontsteltenis te verbergen. Hely en zij zaten op de Alexandria Academy, net als bijna alle blanke kinderen in het district. Zelfs mensen als de Odums, de Ratliffs, de Scurlees lagen krom om hun kinderen niet op de openbare scholen te hoeven doen. Zeker, een gezin als dat van Harriet (en Hely) zou met bakstenen gooien naar kinderen afkeuren, of ze nou blank waren of zwart – 'of paars', zoals Edie bij discussies over huidskleur graag naar voren mocht brengen. Maar evengoed zat Harriet op de blankenschool.

'Die lui noemen zich evangelisten. Die daar stonden te sissen en dat arme schaap uitmaakten voor roetmop en zwartje. Maar een groot mens heeft nooit geen reden om een klein mens kwaad te doen,' zei Ida Rhew grimmig. 'Dat leert de bijbel. "Zo wie een van deze kleinen, die in Mij geloven, ergert..." '

'Zijn ze gearresteerd?'

Ida Rhew snoof smalend.

'Nóú?'

'Soms trekt de politie misdadigers meer voor dan de mensen waartegen ze die misdaad begaan.'

Daar dacht Harriet over na. Voor zover ze wist was de Ratliffs niets overkomen vanwege die schietpartij bij de beek. Blijkbaar konden die mensen ongestraft doen waar ze zin in hadden.

'Het is tegen de wet om in het openbaar bakstenen te gooien,' zei ze hardop.

'Maakt niks uit. De politie heeft de Ratliffs niks gedaan toen ze de Missionary Baptist Church in de brand staken, toen jij nog maar een baby was, nee toch? Toen Martin Luther King in de stad was geweest? Ze reden er gewoon zo langs en gooiden die whiskyfles met een brandende lap erin door het raam.'

Harriet hoorde haar hele leven al over die brand in de kerk – en ook over andere branden, in andere steden in Mississippi, die in haar hoofd allemaal door elkaar liepen – maar ze had nog nooit gehoord dat de Ratliffs dat hadden gedaan. Je zou denken (zei Edie) dat negers en arme blanken elkaar niet zo zouden haten, omdat ze zoveel gemeen hadden – voornamelijk dat ze arm waren. Maar asociale blanken als de Ratliffs hadden alleen negers om op neer te kijken. Ze konden het niet hebben dat negers tegenwoordig net zo goed waren als zij, en vaak zelfs heel wat rijker en respectabeler. 'Een arme neger heeft tenminste nog het excuus van zijn afkomst,' zei Edie. 'De arme blanke heeft zijn status alleen aan zijn eigen karakter te wijten. En ja, dát kan natuurlijk niet. Dat zou betekenen dat hij de verantwoordelijkheid voor zijn eigen luiheid en asociale gedrag moet nemen. Nee, hij loopt liever vol branie kruizen in brand te steken en de negers de schuld van alles te geven dan dat hij iets aan zijn ontwikkeling doet of hogerop probeert te komen.'

In gedachten verzonken bleef Ida Rhew de kookplaat poetsen, al was dat niet meer nodig. 'Warempel wel, zo is het en niet anders,' zei ze. 'Dat tuig heeft Miss Etta Coffey net zo zeker vermoord als wanneer ze haar in haar hart hadden gestoken.' Ze perste haar lippen op elkaar terwijl ze met korte, afgemeten kringetjes de verchroomde knoppen poetste. 'Die goeie Miss Etta, die was rechtschapen, die zat soms de hele nacht te bidden. Mijn moeder ziet 's avonds laat nog dat licht branden bij Miss Etta, ze zegt tegen mijn pappa dat hij moet opstaan, en hij gaat erheen en klopt op het raam en vraagt aan Miss Etta of ze gevallen is, of hij haar overeind moet helpen. Zij roept nee dank u, zij en Jezus hebben nog wat te bespreken!'

'Edie heeft me een keer verteld –'

'O ja. Miss Etta, die zit ter rechterhand Gods. Samen met mijn moeder en mijn pappa, en mijn arme broertje Cuff die aan de kanker dood is gegaan. En lieve lieve Robin, die zit er ook bij daarboven. God heeft voor al Zijn kinderen een plaatsje. Warempel wel.'

'Maar volgens Edie was die oude dame niet bij die bránd omgekomen. Volgens Edie had ze een hartaanval gehad.'

'*Volgens Edie?*'

Je kon Ida beter niet tegenspreken als ze die toon aansloeg. Harriet keek naar haar nagels.

'Niet *door die brand* doodgegaan. Poe!' Ida rolde de natte doek tot een prop en sloeg die met een klets tegen het aanrecht. 'Ze is toch zeker doodgegaan door de rook? En door al dat dringen en schreeuwen en die mensen die vochten om eruit te komen? Ze was óúd, Miss Coffey. Zij was zo gevoelig, ze kon geen hertenvlees eten en geen vis van de haak halen. En dan komt dat afschuwelijke uitschot aanrijden en gooit vuur door het raam –'

'Is die kerk helemáál afgebrand?'

'Ver genoeg afgebrand.'

'Volgens Edie –'

'Was Edie erbij?'

Haar stem klonk schrikwekkend. Harriet durfde niets te zeggen. Ida keek haar een paar tellen woedend aan, en toen hees ze haar rok omhoog en stroopte haar kous af, dik en vleeskleurig opgerold tot boven haar knie, vele tinten lichter dan Ida's diepdonkere huid. En nu kwam er boven het ondoorzichtige rolletje nylon een strak stukje huid van een centimeter of vijftien te voorschijn: roze als een ongekookt knakworstje, hier glimmend en afstotelijk glad, daar rimpelig en pokdalig, in zowel kleur als structuur gruwelijk afstekend tegen het behaaglijke paranootbruin van Ida's knie.

'Zou Edie deze brandwond niet goed genoeg vinden?'

Harriet kon geen woord uitbrengen.

'Ik weet alleen dat ík het goed heet vond.'

'Doet dat pijn?'

'Het dééd pijn, warempel wel.'

'En nu?'

'Nee. Maar het jeukt weleens. Vooruit maar jij,' zei ze tegen de kous terwijl ze hem weer begon op te stropen. 'Ik heb er geen hinder van. Die kous, daar word ik soms gek van.'

'Is dat een derdegraadsbrandwond?'

'Derde, vierde én vijfde.' Weer lachte Ida, niet zo'n prettig lachje ditmaal. 'Ik weet alleen dat het zo'n erge pijn deed dat ik zes weken niet kon slapen. Maar misschien vindt Edie een brand pas goed heet als allebei je benen er helemaal afbranden. En dat zal de wet ook wel vinden, denk ik, want die zal nooit straf geven aan de mensen die het gedaan hebben.'

'Dat móét.'

'Wie zegt dat?'

'De wet. Daar is het de wet voor.'

'Er is één wet voor de zwakken, en een andere voor de sterken.'

Met meer overtuiging dan ze voelde zei Harriet: 'Nee hoor. Het is dezelfde wet voor iedereen.'

'Waarom lopen die lui dan nog vrij rond?'

Harriet zweeg even, bedremmeld, en zei toen: 'Ik vind dat je het tegen Edie moet zeggen. En anders zeg ik het.'

'*Edie?*' Ida Rhews mond vertrok vreemd, bijna alsof ze geamuseerd was; ze stond op het punt iets te zeggen maar zag ervan af.

Wat? dacht Harriet, en de schrik sloeg haar om het hart. *Weet Edie het?*

Haar afschuw en walging bij die gedachte waren duidelijk te zien, alsof er een gordijn voor haar gezicht was weggerukt. Ida's blik verzachtte zich – *het is waar*, dacht Harriet, ongelovig, *ze heeft het al tegen Edie gezegd, Edie weet het.*

Maar Ida Rhew was opeens weer druk aan de gang met het fornuis. 'En waarom moet ik Miss *Edie* volgens jou met die narigheid lastigvallen, Harriet?' zei ze met haar rug naar Harriet en op schertsende en iets te joviale toon. 'Zij is zo'n oude dame. Wat denk je dat zíj gaat doen? Op hun tenen staan?' Ze gniffelde, en hoewel dat hartelijk en onmiskenbaar oprecht klonk was Harriet niet gerustgesteld. 'Ze op hun kop slaan met dat zwarte tasje?'

'Ze moet de politie bellen.' Was het denkbaar dat Edie ervan wist en de politie níét had gebeld? 'Wie jou dat heeft aangedaan moet de gevangenis in.'

'De gevangenis?' Tot Harriets verbazing schaterde Ida het uit. 'Ach wat ben je ook een schatje. Die zitten gráág in de gevangenis. Airconditioning in de zomer, en gratis doppertjes en maïsbrood. En zat vrije tijd om te lummelen en met ander uitschot te kletsen.'

'Hebben de Ratliffs het gedaan? Weet je dat zeker?'

Ida sloeg haar blik ten hemel. 'Ze hebben er in de hele stad over lopen opscheppen.'

Het huilen stond Harriet nader dan het lachen. Hoe konden die nog vrij rondlopen? 'En die bakstenen hebben zij ook gegooid?'

'Warempel wel. Volwassen kerels. En jongens. En die ene die zichzelf evangelist noemt – die heeft niet zélf gegooid, die stond alleen te schreeuwen en met zijn bijbel te zwaaien en de anderen op te hitsen.'

'Er is een Ratliff van Robins leeftijd,' zei Harriet, en ze keek oplettend naar Ida. 'Dat weet ik van Pemberton.'

Ida zweeg. Ze wrong de theedoek uit en liep naar het afdruiprek om de schone afwas op te bergen.

'Die moet nu dus een jaar of twintig zijn.' Oud genoeg, dacht Harriet, om bij die mannen te horen die op het bruggetje over de beek hadden staan schieten.

Ida tilde met een zucht de zware gietijzeren koekenpan uit het afdruiprek en bukte om hem in het kastje te zetten. De keuken was verreweg het schoonste vertrek van het huis, Ida had hier met pijn en moeite een bolwerk van orde geschapen, vrij van de stoffige kranten die verder overal in huis lagen opgestapeld. Er mochten van Harriets moeder geen kranten worden weggegooid – een zo oeroude en onschendbare regel dat zelfs Harriet er niet aan tornde – maar op grond van een of andere stilzwijgende overeenkomst hield ze ze weg uit de keuken, waar Ida de scepter zwaaide.

'Hij heet Danny,' zei Harriet. 'Danny Ratliff. Die ene van Robins leeftijd.'

Ida keek even om. 'Wat moet jij opeens allemaal met die Ratliffs?'

'Herinner je je die nog? Danny Ratliff?'

'Here God, ja.' Ida trok een lelijk gezicht terwijl ze op haar tenen ging staan om een papkom weg te zetten. 'Als de dag van gisteren.'

Harriet hield haar uitdrukking angstvallig neutraal. 'Kwam hij bij ons thuis? Toen Robin nog leefde?'

'O ja. Zo'n náre kleine schreeuwlelijk. Die kreeg ik hier maar niet weg. Hij timmerde met honkbalknuppels op de veranda, sloop hier als het donker was door de tuin en een keer heeft hij Robins fiets weggepakt. Ik zei het tegen je arme mamma, steeds opnieuw zei ik het tegen haar, maar ze deed er niets aan. "Kánsarm," zei ze. Kansarm m'n grootje.'

Ze trok de la open en begon – lawaaiig, met een hoop gerammel – de schone lepels op te bergen. 'Naar mij luisterde nooit iemand. Ik zéí het tegen je moeder, ik zéí het tegen haar, ik zei de hele tijd dat die kleine Ratliff niet deugde. Met Robin wilde vechten. Altijd schelden en rotjes afsteken en dingen gooien. Op een dag moest dat wel misgaan. Ik zag het gewoon aankomen, al zag verder niemand het. Wie lette er elke dag op Robin? Wie stond er altijd uit dit raam hier naar hem te kijken...' ze wees, naar het raam boven de gootsteen, naar de namiddaglucht en al het bladerrijke groen van de zomerse tuin, '... terwijl hij daar vlak voor mijn neus zat te spelen met zijn soldaatjes of zijn poesje?' Verdrietig schudde ze haar hoofd en schoof de bestekla dicht. 'Zo'n braaf kereltje, dat broertje van je. Zoemde als een klein meikevertje voor je voeten, en hij zette heus weleens een grote mond tegen me op, maar daar had hij altijd spijt van. Hij zat nooit uren te mokken, zoals jij. En soms kwam hij aanhollen en dan sloeg hij zijn armen om me heen, kijk, zó, en dan zei hij: "Ik ben zo alleen, Ida!" Ik zei tegen hem dat hij niet met dat schorem moest spelen, keer op keer zei ik het tegen hem, maar hij voelde zich alleen, en je moeder zei dat zij er geen kwaad in zag, en soms deed hij het toch.'

'Vocht Danny Ratliff met Robin? Hier in de tuin?'

'O ja. En vloeken en stelen deed hij ook.' Ida deed haar schort af en hing het aan een haakje. 'En ik heb hem de tuin uit gejaagd nog geen tien minuten voor je mamma die arme kleine Robin daar aan die boomtak zag hangen.'

'Echt waar, de politie dóét niks tegen mensen als hij,' zei Harriet, en ze begon weer van voren af aan over de kerk en Ida's been en de oude dame die was verbrand, maar Hely was al die verhalen beu. Wat híj spannend vond was dat er een gevaarlijke misdadiger vrij rondliep, en het idee dat hij iets heldhaftigs zou kunnen doen. Hij was wel blij dat hij aan het kerkkamp was ontkomen, maar tot nu toe verliep de zomer hem wat al te rustig. Een moordenaar te pakken nemen was een heel wat leuker vooruitzicht dan toneelstukjes doen, of van huis weglopen, of een van die andere dingen die hij deze zomer met Harriet had willen ondernemen.

Ze zaten in het schuurtje bij Harriet in de achtertuin, waar ze zich al sinds de kleuterschool terugtrokken voor vertrouwelijke gesprekken. Het was er benauwd en rook naar benzine en stof. Aan haken aan de wand hingen dikke zwarte, opgerolde gummi slangen; achter de grasmaaier verrees een spichtig woud van tomatenstaken, door spinrag en schaduw bizar uitgerekte geraamtes. De lichtbundels die zich als sabels door de gaten in het roestige zinken dak boorden, kruisten elkaar in het schemerduister, en waren zo donzig van het stof dat ze tastbaar leken, alsof er geel poeder op je vingertoppen achter zou blijven als je er je handen doorheen haalde. Het schemerdonker en de hitte verhoogden de sfeer van geheimzinnigheid en opwinding die in het schuurtje hing nog eens extra. Chester bewaarde pakjes Kool-sigaretten in het schuurtje, en ook flessen Kentucky Tavern whisky, steeds weer op andere geheime plekken. Toen Hely en Harriet kleiner waren hadden ze er geweldige schik in gehad om water over de sigaretten te gieten (en Hely had er ook een keer in een gemene bui op geplast) en de whiskyflessen leeg te schenken en met thee te vullen. Chester had ze nooit verklikt, want die whisky en die sigaretten mocht hij niet eens hebben.

Harriet had Hely al alles verteld wat er te vertellen viel, maar ze was zo over haar toeren na haar gesprek met Ida dat ze onrustig heen en weer bleef lopen en steeds opnieuw begon. 'Ze wist dat Danny Ratliff het heeft gedaan. Ze wíst het. Ze zei zelf dat hij het heeft gedaan, en ik had haar niet eens verteld wat je broer heeft gezegd. Volgens Pem schepte hij ook over andere dingen op, erge dingen –'

'Laten we suiker in zijn benzinetank doen! Daar gaat een motor finaal van naar de knoppen.'

Ze wierp hem een blik vol afkeer toe, wat hem enigszins kwetste; hij had het een uitstekend idee gevonden.

'Of we schrijven een brief aan de politie zonder onze naam eronder te zetten.'

'Wat schiet je daar nou mee op?'

'Als we het tegen mijn vader zeggen gaat die ze vast opbellen.'

Harriet snoof smalend. Hely's hoge dunk van zijn vader, de schooldirecteur, deelde ze niet.

'Laat jóúw geweldige idee dan maar eens horen,' zei Hely sarcastisch.

Harriet beet op haar onderlip. Haar pony plakte tegen haar voorhoofd van de warmte. 'Ik wil hem vermoorden,' zei ze.

Hely's hart sloeg over van opwinding bij de harde, afstandelijke uitdrukking op haar gezicht. 'Mag ik helpen?' vroeg hij meteen.

'Nee.'

'Je kan hem toch niet in je eentje vermoorden!'

'Waarom niet?'

Haar blik bracht hem van zijn stuk. Hij wist zo gauw geen goed antwoord te bedenken. 'Omdat hij groot is,' zei hij ten slotte. 'Hij timmert je in elkaar.'

'Ja, maar reken maar dat ik slimmer ben dan hij.'

'Laat mij nou helpen. Hoe wil je het trouwens aanpakken?' zei hij, en duwde tegen haar voet met de neus van zijn gympje. 'Heb je een wapen?'

'Mijn vader heeft wapens.'

'Die grote ouwe geweren? Zo'n ding krijg jij niet eens van de grond.'

'Wélwaar!'

'Misschien wel, maar – hé zeg, je hoeft toch niet kwáád te worden,' zei hij, toen haar gezicht verstrakte. 'Met zo'n groot geweer kan ík niet eens schieten, en ik weeg wel veertig kilo. Ik zou omvallen van de terugslag, of misschien zelfs blind worden. Als je je oog vlak voor het vizier houdt wordt je oogbal zo uit zijn kas gestoten.'

'Waar heb je dat allemaal geleerd?' zei Harriet, na even aandachtig te hebben gezwegen.

'Bij de padvinderij.' Dat was eigenlijk niet waar; hij wist niet precies hoe hij eraan kwam, maar hij was er vrij zeker van dat het klopte.

'Ik was niet van de kabouters afgegaan als ik er dat soort dingen had geleerd.'

'Nou ja, je leert ook een hoop onzin bij de welpen. Veiligheid in het verkeer en zo.'

'En als we een pistool nemen?'

'Dat zou beter zijn,' zei Hely en hij keek achteloos een andere kant op om zijn tevredenheid te verbergen.

'Kan jij daarmee schieten?'

'O ja.' Hely had nog nooit van zijn leven een echt wapen in zijn handen gehad – zijn vader jaagde niet en stond het zijn zoons ook niet toe – maar hij had wél een luchtbuks. Hij wilde net over het zwarte pistooltje beginnen dat zijn moeder in haar nachtkastje bewaarde toen Harriet zei: 'Is het moeilijk?'

'Schieten? Ik vind van niet,' zei Hely. 'Maak je niet druk, ik schiet hem wel voor je neer.'

'Nee, dat wil ik zelf doen.'

'Oké, dan leer ik het je wel,' zei Hely. 'Ik zal je tráínen. We beginnen vandáág.'

'Waar?'

'Hoezo, waar?'

'We kunnen toch niet in de achtertuin gaan schieten.'

'Precies, poesje, dat gaat zeker niet,' zei de vrolijke stem van een silhouet dat zich opeens in de deur van het schuurtje aftekende.

Hely en Harriet – hevig geschrokken – keken op in de witte plof van een polaroidflitslicht.

'Móéder!' schreeuwde Hely, en hij sloeg zijn armen voor zijn gezicht en struikelde achteruit over een blik benzine.

Met een klik en een zoem spuwde het toestel de foto uit.

'Niet boos worden, jongens, ik kon het niet laten,' zei Hely's moeder, op een afwezige toon waaruit duidelijk bleek dat het haar geen klap kon schelen of ze boos waren of niet. 'Ida Rhew dacht dat jullie wel hier zouden zitten. Apekop' – zo noemde Hely's moeder hem altijd, een koosnaampje dat hij haatte – 'was je vergeten dat pappa vandaag jarig is? Ik wil dat Pem en jij thuis zijn als hij terugkomt van de golfbaan, dan kunnen we hem verrassen.'

'Je moet me niet zo besluipen!'

'Kom kom. Ik had net een paar filmpjes gekocht en jullie zagen er gewoon té schattig uit. Hopelijk staat dat er goed op...' Ze bekeek de foto en blies erop met getuite, glimmend roze gestifte lippen. Hoewel ze even oud was als Harriets moeder kleedde en gedroeg zij zich veel jonger. Ze had blauwe oogschaduw op, en haar huid was diepbruin en vol sproeten omdat ze bij haar in de achtertuin altijd in bikini rondparadeerde ('als een bakvis!' zei Edie), en ze had haar haar net zo laten knippen als veel tienermeisjes.

'Hou óp!' jengelde Hely. Hij schaamde zich voor zijn moeder. Op school plaagden de jongens hem met haar korte rokjes.

Hely's moeder lachte. 'Ik weet wel dat je niet van slagroomtaart houdt, Hely, alleen is het wél je vaders verjaardag. Maar zal ik je eens een geheimpje vertellen?' Hely's moeder praatte altijd met dat zonnige, beledigende kinderstemmetje tegen Hely, alsof hij op de kleuterschool zat. 'Bij de bakker hadden ze chocoládetaartjes, wat zeg je daarvan? Ga nou maar mee. Je moet je nog wassen en schone kleren aan... Harriet, het spijt me dat ik het zeggen moet, poesje, maar ik moest van Ida Rhew zeggen dat je moet komen eten.'

'Mag Harriet niet bij ons eten?'

'Vandaag niet, apekop,' zei ze vrolijk, met een knipoog naar Harriet. 'Dat begrijpt Harriet wel, hè, honnepon?'

Harriet, beledigd over haar vrijpostige manier van doen, staarde haar koel aan. Ze zag niet in waarom zij beleefder tegen Hely's moeder zou moeten zijn dan Hely zelf.

'Ik weet zeker dat ze het begrijpt, toch, Harriet? De volgende keer dat we weer hamburgers bakken in de tuin mag ze komen. Trouwens, als Harriet meeging zouden we voor haar geen taartje hebben, vrees ik.'

'Eén taartje?' krijste Hely. 'Heb je maar één taartje voor me gekocht?'

'Niet zo hebberig, apekop.'

'Eén is te weinig!'

'Eén taartje is genoeg voor zo'n stoute jongen... O, kijk nou toch. Je lacht je dood.'

Ze bukte om de polaroid te laten zien – die nog wel flets was, maar al scherp genoeg om te zien wat erop stond. 'Zou hij nog bijkleuren?' zei ze. 'Jullie lijken net twee marsmannetjes.'

En dat was waar. Hely en Harriet hadden allebei ronde, glimmend rode ogen, als de ogen van nachtdiertjes die onverwacht in het licht van koplampen kijken, en door het flitslicht zagen hun verblufte gezichten vaalgroen.

3

De Poolhal

Soms zette Ida voordat ze aan het eind van de dag naar huis ging iets lekkers klaar voor het avondeten: een stoofschotel, gebakken kip, een enkele keer zelfs een toetje of een vruchtentaart. Maar vanavond stonden er op het aanrecht alleen kliekjes waar ze vanaf wilde: oeroude plakken ham, bleek en slijmerig omdat ze zo lang in het plastic hadden gelegen, en een koude aardappelprak.

Harriet was woedend. Ze deed de provisiekast open en staarde naar de te ordelijke planken, rijen duffe potten suiker en bloem, gedroogde erwten en maïsmeel, macaroni en rijst. Haar moeder at 's avonds hooguit een paar happen van het een of ander en vaak nam ze genoegen met een kommetje ijs of een handje crackers. Soms maakte Allison roerei, maar Harriet had genoeg van die eeuwige eieren.

Er daalde lusteloosheid op haar neer, als spinrag. Ze brak een stengel spaghetti af en begon erop te zuigen. De meelsmaak was vertrouwd – net plaksel – en bracht een onverwachte explosie van beelden van de kleuterschool teweeg: groene tegelvloeren, geverfde houtblokjes die voor bakstenen moesten doorgaan, ramen die te hoog zaten om naar buiten te kijken...

Diep in gedachten, nog steeds op het splintertje droge spaghetti kauwend, en met een tobberige frons waardoor je goed kon zien hoe ze op Edie en rechter Cleve leek, sleepte Harriet een stoel naar de ijskast – behoedzaam, om geen lawine van kranten te veroorzaken. Somber klom ze erop en begon het vriesvak te doorzoeken. Maar tussen die knisperende pakjes lag ook niets fatsoenlijks, alleen een doos met dat walgelijke pepermuntijs waar haar moeder zo gek op was (vooral 's zomers gingen er dagen voorbij dat ze niets anders at) begraven onder een lading in folie verpakte hompen. Gemaksvoedsel was in de ogen van Ida Rhew, die de boodschappen deed, een belachelijk, onnatuurlijk fenomeen. Kant-en-klare maaltijden vond ze ongezond (alleen afgeprijsde kocht ze weleens) en tussendoortjes wees ze als televisieonzin van de hand. ('Tussendóórtjes? Wat moet je met tussendoortjes als je je bord leegeet?')

'Je moet het tegen je moeder zeggen hoor,' fluisterde Hely toen Harriet zich – sip – weer bij hem voegde op de veranda. 'Ida moet doen wat zij zegt.'

'Jaja, weet ik.' De moeder van Hely had Ramona ontslagen toen Hely had verklikt dat ze hem met een haarborstel had geslagen; Ruby had ze ontslagen omdat Hely van haar niet naar *Bewitched* mocht kijken.

'Kom op dan. Kom op.' Hely stootte haar voet aan met de neus van zijn gymp.

'Straks.' Maar dat zei ze alleen om haar gezicht te redden. Harriet en Allison zouden nooit over Ida klagen en meer dan eens had Harriet – zelfs als ze over iets onrechtvaardigs boos op Ida was – liever gelogen dan Ida in moeilijkheden te brengen. Bij Harriet thuis ging alles nu eenmaal anders dan bij Hely. Hely liet zich er, net als Pemberton vroeger, op voorstaan dat hij zo lastig was dat zijn moeder geen enkele huishoudster langer dan een jaar of twee in dienst kon houden; samen hadden ze er minstens tien doorheen gejaagd. Het maakte Hely niet uit of het nu Roberta, Ramona, Shirley, Ruby of Essie Lee was die tv zat te kijken als hij uit school thuiskwam. Maar Ida vormde de stevige spil van Harriets wereld: die geliefde, onvervangbare mopperpot met haar grote, hartelijke handen en enorme, vochtige, bolle ogen en haar glimlach, die Harriet voorkwam als de eerste die ze in haar leven had gezien. Harriet vond het vreselijk om te merken hoe achteloos haar moeder soms met Ida omging, alsof Ida maar een toevallige passant in hun leven was in plaats van een wezenlijk onderdeel ervan. Harriets moeder raakte soms over haar toeren, liep dan huilend rondjes door de keuken en zei dingen die ze niet meende (al had ze er achteraf altijd spijt van) en de gedachte dat Ida ontslagen kon worden (of, wat waarschijnlijker was, kwaad weg zou lopen, want ze mopperde voortdurend over het lage loon dat ze kreeg) was zo angstaanjagend dat Harriet die niet toe kon laten.

Tussen de glibberige in aluminiumfolie verpakte klonten ontdekte Harriet een ijslolly, druivensmaak. Met moeite wrikte ze hem los en dacht jaloers aan de vrieskast bij Hely thuis die tjokvol zat met verschillende soorten ijs, diepvriespizza's, kipquiches en alle denkbare kant-en-klaarmaaltijden.

Zonder de moeite te nemen de stoel terug te zetten liep ze de veranda op en ging in de schommelbank op haar rug *Het jungle-*

boek liggen lezen. Traag trok de kleur weg uit de dag. De warme groentinten van de tuin verbleekten tot grijsblauw, en terwijl ze van grijsblauw in purperzwart overgingen, klonken de krekels schril op en begonnen er in het donkere, overwoekerde stuk bij het hek van mevrouw Fountain zwakjes een paar glimwormen te knipperen.

Verstrooid liet Harriet het ijslollystokje uit haar vingers op de grond vallen. Ze had zich al minstens een halfuur lang niet verroerd. Haar achterhoofd lag in een ellendig oncomfortabele hoek tegen de houten leuning van de schommel maar toch bewoog ze zich niet en bracht ze alleen het boek telkens wat dichter naar haar neus.

Algauw was het eigenlijk te donker om nog te kunnen lezen. Haar hoofdhuid prikte en achter haar ogen voelde ze een bonzende druk maar ze bleef liggen, stijve nek of niet. Sommige stukken van *Het jungleboek* kende ze bijna van buiten: de lessen die Mowgli van Bagheera en Baloe krijgt en de aanval, met Kaa, op de bende van Bandar. De minder avontuurlijke stukken verderop, waarin Mowgli genoeg begint te krijgen van zijn leven in de jungle, sloeg ze vaak over. Kinderboeken waarin de kinderen groot werden vond ze maar niets, want groot worden betekende (zowel in het echt als in boeken) dat alle kleur opeens uit het karakter verdween; als bij toverslag verruilden de helden en heldinnen hun avonturen voor een saaie geliefde, waarna ze trouwden en kinderen kregen en zich gingen gedragen als kuddedieren.

Iemand was buiten vlees aan het roosteren. Lekker rook het. Harriets nek deed vreselijk pijn, maar ze had een onverklaarbare tegenzin om op te staan en het licht aan te doen. Ze kon haar aandacht niet bij de woorden houden en haar gedachten dwaalden doelloos weg, over de bovenkant van de heg tegenover haar – net een stuk zwarte kriebelwol – tot ze ze bij de lurven greep en met geweld terugstuurde naar het verhaal.

Diep in de jungle sluimerde de ruïne van een stad: verzakte tempels, door klimplanten verstikte waterputten en terrassen, vervallen schatkamers vol goud en edelstenen waar niemand, ook Mowgli niet, een fluit om gaf. In die ruïne huisden de slangen die Kaa de Python minachtend het Giftige Volk noemde. Terwijl ze verder las, begon de jungle van Mowgli heimelijk bezit te nemen van het klamme, halftropische duister van haar eigen achtertuin, infecteerde die met een ordeloze, schimmige dreiging: kikkers kwaakten en vogels krijsten in de met ranken overwoekerde bomen. Mowgli

was een jongen, maar een wolf was hij ook. En zij was wie ze was
– Harriet – maar voor een deel nog iets anders.

Er zweefden zwarte vleugels over haar heen. Lege ruimte. Harriets gedachten zakten weg en verstilden. Ineens wist ze niet meer hoe lang ze daar al in die schommel lag. Waarom lag ze niet op bed? Was het later dan ze dacht? Er gleed iets donkers haar hoofd binnen... zwarte wind... *kou*...

Ze schrok, zo hevig dat de schommel schokte – er fladderde iets in haar gezicht, iets vettigs, iets wat worstelde, ze kreeg geen adem meer...

Wild sloeg en mepte ze in de lucht, spartelend in de leegte, op de piepende schommel, zonder te weten wat boven of onder was, tot het ergens in haar achterhoofd daagde dat de klap die ze net gehoord had haar bibliotheekboek was dat op de grond viel.

Harriet staakte haar geworstel en bleef stil liggen. Het heftige schommelen nam af, bedaarde, en de planken van het verandadak zwiepten steeds trager langs tot ze uiteindelijk stopten. Daar lag ze in de onwezenlijke stilte, en dacht na. Zonder haar was die vogel ook wel doodgegaan, maar dat deed er niets aan af dat zij hem in feite gedood had.

Het bibliotheekboek lag open op de houten vloer. Ze draaide zich op haar buik om het te pakken. Er kwam een auto de hoek om, George Street in, en toen het schijnsel van de koplampen over de veranda streek, lichtte er als een wegwijzer die plotseling opblinkt in het donker een plaatje op van de Witte Cobra, met daaronder:

Die kwamen jaren geleden hierheen om de schat mee te nemen. Ik sprak tot hen in de duisternis en ze vielen stil neer.

Harriet draaide zich weer op haar rug en bleef minutenlang roerloos liggen; toen stond ze gebroken op en strekte haar armen boven haar hoofd. Daarna strompelde ze naar binnen, de te fel verlichte eetkamer door, waar Allison in haar eentje aan tafel de koude aardappelprak zat te eten uit een witte kom.

Weest stil, gij kleine, want ik ben de Dood. Dat was ook van een cobra, uit iets anders van Kipling. De cobra's in zijn verhalen waren meedogenloos maar spraken prachtig, als boze koningen uit het Oude Testament.

Harriet liep door naar de keuken, naar de telefoon aan de muur, en draaide Hely's nummer. Hij ging vier keer over. Vijf keer. Toen werd er opgenomen. Gekwebbel op de achtergrond. 'Nee, zonder staat je leuker,' zei de moeder van Hely tegen iemand en toen, in de hoorn: 'Hallo?'

'Met Harriet. Mag ik Hely spreken, alstublieft?'

'*Harriet!* Natuurlijk, snoepje...' De hoorn werd neergelegd. Harriets ogen waren nog niet aan het licht gewend en ze keek knipperend naar de eetkamerstoel die nog bij de ijskast stond. De bijnaampjes en koosnaampjes van Hely's moeder verrasten haar telkens weer: *snoepje* was niet bepaald iets wat Harriet vaak te horen kreeg.

Commotie: schuivende stoel, insinuerend lachje van Pemberton. Hely's jammerende protest steeg er schril boven uit.

Er sloeg een deur. 'Hoi!' Zijn stem klonk knorrig maar opgewonden. 'Harriet?'

Ze klemde de hoorn tussen schouder en oor en draaide zich om naar de muur. 'Hely, wat denk je, zouden we een gifslang kunnen vangen?'

Er viel een geïmponeerde stilte, waarin Harriet tevreden besefte dat hij precies snapte waar ze heen wilde.

'Koperkop? Watermocassin? Welke zou het giftigst zijn?'

Het was een paar uur later en ze zaten in het donker op de verandatrap achter Harriets huis. Hely was bijna gek geworden van het wachten tot de verjaardagsdrukte voorbij was zodat hij stiekem weg kon glippen, naar haar toe. Zijn moeder, achterdochtig geworden door zijn verdwenen eetlust, had de vernederende conclusie getrokken dat hij last had van verstopping en was eindeloos op zijn kamer blijven hangen om hem uit te horen over zijn stoelgang en hem laxeermiddelen aan te smeren. Toen ze hem eindelijk, met tegenzin, een nachtzoen had gegeven en met zijn vader naar boven was vertrokken, was hij nog minstens een halfuur stijf en met zijn ogen open onder de dekens blijven liggen, opgefokt alsof hij liters cola had gedronken, of net de nieuwe James Bond had gezien, of alsof het kerstavond was.

Hij was nog opgefokter geworden toen hij het huis uit moest sluipen – op z'n tenen de gang door, dan omzichtig, centimeter voor centimeter, de krakende achterdeur opendoen. Na de koelte van zijn slaapkamer, waar de airconditioning zoemde, was de avondlucht drukkend en warm; zijn haar zat tegen zijn nek geplakt en hij had het een beetje benauwd. Harriet zat op de tree onder hem met haar kin op haar knieën een koude kippenpoot te eten die hij voor haar van huis had meegebracht.

'Wat is het verschil tussen een watermocassin en een koper-kop?' vroeg ze. In het maanlicht glommen haar lippen een beetje van het kippenvet.

'Ik heb altijd gedacht dat het een en dezelfde rotslang was,' zei Hely. Hij was in alle staten.

'De koperkop is een andere soort. De watermocassin en de ka-toenbek zijn juist hetzelfde.'

'Een watermocassin valt je aan als hij er zin in heeft,' zei Hely opgetogen, letterlijk herhalend wat Pemberton een paar uur daar-voor had gezegd toen Hely hem had uitgehoord. Hely was doods-bang voor slangen en wilde niet eens naar een plaatje van een slang in de encyclopedie kijken. 'Die zijn ontzettend agressief.'

'Zitten ze alleen in het water?'

'Een koperkop is ruim een halve meter lang, heel dun en knál-rood,' zei Hely, die nog maar iets herhaalde van wat Pemberton gezegd had omdat hij het antwoord op haar vraag niet wist. 'Ze houden niet van water.'

'Zou je die makkelijker kunnen vangen?'

'Túúrlijk,' zei Hely, al had hij geen idee. Hely zag bij een slang feilloos – aan het ronde of het spitse van de kop, ongeacht de kleur of grootte van het beest – of hij giftig was of niet, al hield zijn kennis daarmee op. Alle gifslangen had hij nooit iets anders genoemd dan mocassins, en elke landgifslang was voor hem dom-weg een watermocassin die op dat moment even niet in het water was.

Harriet gooide het kippenbotje naast het trapje naar beneden, veegde haar vingers af aan haar blote schenen, vouwde een papie-ren servetje open en begon aan het stuk verjaardagstaart dat Hely had meegebracht. Beide kinderen zwegen een tijdje. Zelfs overdag hing er over de tuin bij Harriet een benauwende verwaarlozing, een haveloosheid; de tuin leek bezoedeld, leek kouder dan de an-dere tuinen in George Street. En in het donker, als de topzware wirwar van woekerende planten tot één zwarte massa ineenvloei-de, leek hij wel te vibreren van verborgen leven. Mississippi zat vol slangen. Hely en Harriet hoorden al hun hele leven de verha-len over vissers die gebeten waren door watermocassins die langs de spanen omhoog kronkelden of zich uit lage, overhangende bo-men in kano's lieten vallen; over loodgieters en ongedierteverdel-gers en verwarmingsmonteurs die gebeten werden als ze onder het huis aan het werk waren; over waterskiërs die in slangennesten onder water tuimelden om dan opgezet, met glazige ogen te komen bovendrijven, zo dik gezwollen dat ze als plastic opblaasbeesten in het kielzog van de motorboot dobberden. Ze wisten allebei dat je 's zomers niet zonder laarzen en lange broek het bos in kon, dat je nooit grote stenen moest omdraaien en niet over stronken mocht stappen zonder eerst aan de achterkant te kijken en dat je uit de buurt moest blijven van hoog gras, hakhout, troebel water, rioolbuizen, kruipruimtes en verdachte gaten. Hely dacht met een onbehaaglijk gevoel aan zijn moeders herhaalde vermaningen om toch vooral op te passen bij de verwilderde heggen, de drassige, al lang in onbruik geraakte goudvisvijver en de rottende houtstapels in de tuin bij Harriet. *Zij kan er niets aan doen, had ze gezegd, haar moeder houdt de boel niet goed bij, maar wee je gebeente als ik merk dat je daar op blote voeten rondloopt...*

'Er zit een slangennest – van die kleine rooie waar jij het over had – onder de heg. Chester zegt dat ze giftig zijn. De afgelopen winter toen de grond bevroren was heb ik er zo'n bal' – ze tekende een cirkel zo groot als een softbal in de lucht – 'van gevonden. Met ijs erop.'

'Wie is er nou bang voor dóóie slangen?'

'Ze waren niet dood. Chester zei dat ze weer tot leven kwamen als ze ontdooiden.'

'Gadver!'

'Hij heeft de hele bal in de fik gestoken.' Het was een voorval dat Harriet wat al te levendig was bijgebleven. In gedachten zag ze nog steeds hoe Chester, met hoge laarzen aan, in de platte, winterse tuin benzine over de slangen goot en het blik een eind van zich af hield. Toen hij de lucifer erbij gegooid had, was de vlam een onwezenlijke, oranje bol die geen licht of warmte verspreidde over het doffe groenzwart van de heg erachter. Zelfs van die afstand had het geleken of de slangen kronkelden en opeens gruwelijk tot leven waren opgegloeid; een ervan had zijn kop uit de kluwen gestoken en had blind heen en weer gezwaaid, als een ruitenwisser. Onder het branden hadden ze een weerzinwekkend knetterend geluid gemaakt, een van de akeligste geluiden die Harriet ooit had gehoord. De rest van de winter en een deel van de lente was er op die plek een bergje vettige as en verkoolde ruggenwervels blijven liggen.

Verstrooid pakte ze het stuk taart, legde het toen weer neer. 'Chester zei dat je nooit echt van zulke slangen af komt. Je kan ze wel telkens verjagen, en dan verdwijnen ze misschien wel een tijdje, maar als ze eenmaal ergens wonen en ze vinden het daar fijn, komen ze vroeg of laat toch terug.'

Hely bedacht hoe vaak hij wel niet de korte weg door de heg had genomen. Zonder schoenen aan. Hij vroeg: 'Ken jij het Reptielenland aan de oude autoweg? Bij het Versteende Woud? Waar dat pompstation is. Er werkt zo'n griezel met een hazenlip.'

Harriet draaide zich om en keek hem met grote ogen aan. 'Ben jij daar geweest?'

'Jep.'

'Is je moeder daar dan gestópt?'

'Nee zeg,' zei Hely, een beetje beschaamd. 'Alleen Pem en ik. Op de terugweg van honkballen.' Zelfs Pemberton, zelfs Pem, had eigenlijk niet zo'n zin gehad bij het Reptielenland te stoppen. Maar ze hadden bijna zonder benzine gezeten.

'Ik ken niemand die daar echt geweest is.'

'Die man daar is zó eng. Zijn armen zitten helemaal vol tatoeages van slangen.' En vol littekens, alsof hij heel vaak gebeten was, had Hely gezien toen hij de tank volgooide. En geen tanden of kunstgebit – wat zijn grijns iets weeks, akeligs en slangachtigs had gegeven. En het ergste was nog die boa constrictor die zich om zijn nek kronkelde: *wil je 'm aaien, jongen?* had hij gevraagd toen hij zijn hoofd in de auto stak en Hely strak aankeek met zijn lege ogen die schitterden in de zon.

'Hoe is het daar? In het Reptielenland?'

'Het stinkt er. Naar vis. Ik heb die boa constrictor aangeraakt,' zei hij erbij. Hij had het niet durven weigeren, uit angst dat de slangenman hem dan over hem heen zou gooien. 'Hij voelde koud aan. Als een autobank in de winter.'

'Hoeveel slangen heeft hij?'

'O, mán. Aquariums met slangen, een hele muur vol! En dan nog een hele zooi die gewoon los buiten lagen. Op een stuk land met hekken erom, de "Ratelslang-ranch" heette dat. En dan had je daarachter nog een gebouwtje dat helemaal volgeschilderd was met allerlei woorden en plaatjes en rotzooi.'

'Waarom kropen ze er niet uit?'

'Weet ik niet. Ze lagen eigenlijk best stil. Alsof ze ziek waren of zo.'

'Aan een zieke slang heb ik niks.'

Hely bedacht ineens iets geks. Stel nou dat de broer van Harriet niet was doodgegaan toen ze klein was? Als hij nog zou leven, leek hij misschien wel op Pemberton, en zou hij haar pesten en aan haar spullen zitten. Ze zou hem vast niet eens aardig vinden.

Met zijn ene hand pakte hij zijn blonde haar bijeen in een paardenstaart, en met de andere wapperde hij koele lucht tegen zijn nek. 'Geef mij maar een langzame slang en niet zo'n snelle die je als een gek achterna komt,' zei hij vrolijk. 'Ik heb een keer die zwarte mamba's op de tv gezien. Drie meter lang zijn die! En weet je wat die doen? Ze komen op hun achterste tweeënhalve meter overeind en dan jagen ze je met een bloedgang achterna met hun bek wijdopen, en als ze je inhalen,' zei hij, harder pratend om Harriet te overstemmen, 'en als ze je inhalen, dan gaan ze meteen op je gezicht af.'

'Heeft hij er dan ook zo een?'

'Hij heeft alle slangen die er bestaan. O ja, dat vergat ik nog, ze zijn zo giftig dat je binnen tien tellen dood bent. Vergeet het setje tegengif maar. Je bent er geweest.'

Het zwijgen van Harriet was overweldigend. Met haar donkere haar en haar armen zo om haar knieën leek ze net een kleine Chinese piraat.

'Weet je wat we moeten hebben?' vroeg ze na een tijdje. 'Een auto.'

'Ja!' zei Hely opgewekt, na een geprikkelde, verslagen stilte waarin hij zichzelf verwenste omdat hij tegen haar had opgeschept dat hij kon rijden.

Tersluiks wierp hij haar een blik toe, leunde op platte handen achterover en keek naar de sterren. 'Kan niet' of 'nee' moest je nu eenmaal niet tegen Harriet zeggen. Hij had haar van daken zien afspringen, kinderen zien aanvallen die twee keer zo groot waren als zij, verpleegsters zien schoppen en bijten als ze een prik moest op de kleuterschool.

Omdat hij niets te zeggen wist wreef hij maar in zijn ogen. Hij was slaperig, maar niet lekker slaperig – meer alsof hij nachtmerries zou krijgen, en alles gloeide en jeukte. Hij moest denken aan de gevilde ratelslang die hij in het Reptielenland aan een paal van het hek had zien hangen: rood, één bonk spier, blauw dooraderd.

'Harriet,' vroeg hij, 'zou het niet makkelijker zijn om de politie te bellen?'

'Een stuk makkelijker,' zei ze prompt, en hij voelde een golf van genegenheid voor haar. Dat was zo goed van Harriet: als je ineens van onderwerp veranderde ging ze hup! met je mee.

'Dat moeten we dan maar doen. We kunnen in die telefooncel

bij het stadhuis gaan bellen en dan zeggen we dat we weten wie je broertje heeft vermoord. Ik kan precies de stem van een oude vrouw nadoen.'

Harriet keek hem aan alsof hij gek was.

'Waarom moet ik hem door ándere mensen laten straffen?' vroeg ze.

De uitdrukking op haar gezicht gaf hem een onbehaaglijk gevoel. Hely keek de andere kant op. Zijn oog viel op het vettige servetje op de stoep, met de half opgegeten taartpunt erop. Want waar het uiteindelijk op neerkwam was dat hij alles zou doen wat ze van hem vroeg, wat dan ook, en dat wisten ze allebei.

De koperkop was klein, nauwelijks dertig centimeter, en veruit de kleinste van de vijf die Hely en Harriet die ochtend in een uur zoeken hadden ontdekt. Hij lag doodstil, in een slordige S, tussen armetierig onkruid dat opschoot in een laag bouwzand naast het doodlopende stuk aan het eind van Oak Lawn Estates, een nieuwbouwwijk achter de country club.

De huizen in Oak Lawn waren geen van alle ouder dan zeven jaar en opgetrokken in allerlei stijlen: neo-tudor, rechthoekige ranch-stijl, hypermodern en zelfs een paar zogenaamde antebellum van spiksplinternieuwe, knalrode baksteen, met sierpilaren aan hun gevel. Ze waren wel groot, en ook niet goedkoop, maar dat nieuwe gaf ze iets kils en afwerends. In het achterste stuk van de wijk, waar Hely en Harriet hun fietsen hadden gezet, werd nog veel gebouwd – kale, afgepaalde percelen, met stapels teerpapier en timmerhout, gipsplaten en isolatiemateriaal, tussen geraamten van geel nieuw grenenhout waar de lucht overdreven blauw doorheen gutste.

In tegenstelling tot de lommerrijke, oude George Street, die nog uit de negentiende eeuw dateerde, waren er nauwelijks grote bomen en trottoirs ontbraken er helemaal. Vrijwel al het groen was ten prooi gevallen aan kettingzaag en bulldozer, ook de eiken, waarvan sommige, volgens een boomspecialist van de universiteit van Mississippi die er een tot mislukken gedoemde reddingscampagne voor voerde, daar al stonden toen La Salle in 1682 de Mississippi af kwam varen. Het grootste deel van de humuslaag die door hun wortels was vastgehouden was de beek ingespoeld en meegevoerd door de rivier. De harde laag eronder was platgewalst om een vlak terrein te krijgen, en in de zurig ruikende, schrale grond die restte wilde weinig groeien. Als er al gras opkwam, was het magertjes; de met vrachtwagens aangevoerde magnolia's en kornoeljes begonnen meteen te kwijnen, tot er alleen dorre takken uit de hoopvolle cirkels compost staken die met siertegels waren afgezet. De korstige aarde – rood als Mars, bemorst met zand en zaagsel – stak scherp af tegen de rand van het asfalt, dat zo zwart en zo nieuw was dat het nog kleverig oogde. Verderop, naar het zuiden, lag een van ongedierte vergeven moeras, dat ieder voorjaar volliep zodat de wijk overstroomde.

De meeste huizenbezitters in Oak Lawn Estates waren carrière-makers: projectontwikkelaars, politici en makelaars in onroerend goed, ambitieuze jonge stellen die hun arme boerenafkomst uit de stadjes van Piney Woods of de heuvels wilden ontvluchten. Alsof ze die plattelandsafkomst haatten, hadden ze stelselmatig elk stukje aarde dat zich ervoor leende met steen of beton overdekt, elke boom die er stond uitgerukt.

Maar Oak Lawn had zelf wraak genomen voor dat meedogenloze platwalsen. De bodem was drassig en het gierde er van de muggen. Zodra je een gat in de grond groef liep het vol met zeewiergroen water. Als het regende kwam in de fonkelnieuwe wc-potten het rioolwater omhoog – beruchte zwarte smurrie, die uit de kranen en de luxe regelbare douchekoppen drupte. Omdat de humuslaag was weggeschraapt moesten er tonnen zand worden aangevoerd om te voorkomen dat de huizen in het voorjaar compleet zouden wegspoelen; de schildpadden en slangen konden ongehinderd net zo ver van de rivier het binnenland in kruipen als ze maar wilden.

Oak Lawn Estates was vergeven van de slangen – groot en klein, giftig en niet-giftig, slangen die van modder hielden, slangen die van water hielden en slangen die graag op droge stenen lagen te bakken in de zon. Als het warm was steeg er zelfs een slangengeur van de grond op, net zoals er modderwater opsteeg waarmee je voetafdrukken in de platgewalste aarde volliepen. Ida Rhew vond de lucht van slangenmuskus op visseningewanden lijken – die van zuigkarpers en katvissen, aaseters die van afval leefden. Als Edie een plantgat groef voor een azalea of een roos, vooral op het tuinencomplex van de Garden Club bij de snelweg, wist ze volgens haar precies wanneer ze met haar spa dicht bij een slangennest zat, want dan ving ze de geur van rotte aardappels op, zei ze. Harriet had zelf ook vaak genoeg slangenstank geroken (het sterkst in het reptielenhuis in de dierentuin van Memphis, en bij bange slangen die gevangen zaten in glazen potten in het biologie-

lokaal), maar ook wel als het wrange, ranzige luchtje dat werd uit-
gewasemd door modderige beekoevers en ondiepe meertjes, of
door riolen en dampende slikgronden in augustus, en een enkele
keer – als het heel warm was, na een regenbui – had ze het geroken in haar eigen tuin.

Harriets spijkerbroek en blouse waren doorweekt van het
zweet. Omdat er in deze wijk en in het moeras erachter bijna geen
bomen stonden, droeg ze een strohoed om geen zonnesteek te
krijgen, maar de zon beukte wit en genadeloos neer als de wrake
Gods. Ze was slap van de angst en de hitte. De hele ochtend had
ze zich groot gehouden terwijl Hely – die het vertikte om iets op
zijn hoofd te zetten en al vuurrood verbrand was – al rondhuppe-
lend honderduit kletste over een James Bond-film, iets met drugs-
bendes en waarzeggers en dodelijke tropische slangen. Op de fiets
erheen had hij haar al gek gezeurd over de stuntrijder Evel Knievel en *Wheelie and the Chopper Bunch*, een tekenfilm die op zater-
dagochtend werd uitgezonden.

'Je had het moeten zien,' zei hij nu, terwijl hij telkens driftig de
druipende haarslierten uit zijn gezicht naar achteren harkte. 'O
mán, James Bond zette die slang zo in de fik! Hij had zo'n spuitbus
met deodorant. Hij ziet in de spiegel die slang, draait zich om, zó,
houdt zijn sigaar voor die bus en *wam!* die vlam schiet zo door de
kamer, *woesj –*'

Hij wankelde achteruit en maakte een briesend geluid met zijn
lippen, terwijl Harriet de soezende koperkop bekeek en ingespannen nadacht over de beste aanpak. Als jachtuitrusting hadden ze
de luchtbuks van Hely bij zich, twee puntig geslepen gevorkte
stokken, de veldgids *Reptielen en amfibieën van de zuidoostelijke
Verenigde Staten*, de tuinhandschoenen van Chester, een tourni-
quet, een zakmes en kleingeld voor de telefoon voor het geval een
van hen een beet opliep, en een oude blikken broodtrommel van
Allison (*Campus Queen*, stond erop, vol plaatjes van cheerleaders
met paardenstaarten en kittige schoonheidskoninginnen met een
diadeem in hun haar); Harriet had met een schroevendraaier zitten zwoegen om een paar gaatjes in het deksel te boren. Ze waren
van plan om de slang slinks te benaderen – liefst nadat hij had aangevallen en voor hij weer alert was – en hem dan met de gevorkte
stok achter de kop vast te klemmen. Dan zouden ze hem vlak achter de kop beetgrijpen (zo dichtbij dat hij zich niet bliksemsnel
kon omdraaien om te bijten), in de trommel gooien en die met de
klemmen dichtklikken.

Maar dat was allemaal makkelijker gezegd dan gedaan. Bij de eerste slangen die ze hadden ontdekt – drie jonge koperkoppen, glimmende, roestbruine exemplaren die gezellig samen op een betontegel lagen te stoven – waren ze te bang geweest om eropaf te gaan. Hely gooide er een baksteen tussen. Twee schoten er in verschillende richtingen vandoor, de derde begon woedend aan te vallen, lage uitvallen, keer op keer, naar de steen, naar de lucht, naar alles wat zijn aandacht trok.

Ze waren allebei doodsbang. Behoedzaam, de gevorkte stokken een stuk voor zich uit, cirkelden ze om hem heen; ze sprongen snel op hem af en even snel weer terug als het beest zich bliksemsnel omdraaide om aan te vallen – nu weer hier, dan weer daar; hij sloeg ze rondom van zich af. Harriet was zo bang dat ze bijna van haar stokje ging. Hely priemde naar het dier, en miste; de slang ontweek hem met een zwaai en zwiepte toen met zijn volle lengte op hem af waarop Harriet met een gesmoorde kreet de achterkant van zijn kop tussen de vork van haar stok klemde. Meteen begon hij angstaanjagend fel met de vrije halve meter van zijn lange lijf te slaan alsof hij van de duivel bezeten was. Harriet sprong misselijk van walging achteruit zodat zijn staart niet tegen haar benen sloeg; met één gespierde ruk kronkelde het beest zich vrij – in de richting van Hely, die achteruit veerde met een gil alsof hij werd vastgenageld met een ijzeren piek – en schoot het dorre gras in.

Dat was ook zoiets van Oak Lawn Estates: als er in George Street een kind – of wie dan ook – zo lang en zo schel en zo hard had gegild, zouden mevrouw Fountain, mevrouw Godfrey, Ida Rhew en nog een heel stel huishoudsters in een oogwenk naar buiten zijn gestormd ('Hé jullie! Laat die slang met rust! Vort!'). En dat was dan menens, tegenspraak werd niet geduld, en als ze weer binnen waren zouden ze voor alle zekerheid voor het keukenraam zijn blijven kijken. Zo niet in Oak Lawn. Daar waren de huizen griezelig potdicht, net bunkers of grafkelders. De mensen kenden elkaar daar niet. Hier in Oak Lawn kon je je longen uit je lijf krijsen, kon een ontsnapte boef je wurgen met een stuk prikkeldraad, en niemand die naar buiten kwam om te kijken wat er aan de hand was. In die intense, van hitte zinderende stilte, kwamen er spookachtige flarden maniakaal gelach van een spelprogramma op de tv uit het dichtstbijzijnde huis: een woning in haciëndastijl met dichte luiken, afwerend weggedoken op een kale lap grond vlak achter de iele dennen. Donkere ruiten. In de met zand bestoven carport stond een glanzende nieuwe Buick.

'Ann Kendall? Kom maar beneden!' Uitzinnig applaus van het publiek.

Wie woont er in dat huis? dacht Harriet versuft, met één hand boven haar ogen. Een dronken vader die niet naar zijn werk was? Een lamlendige moeder met kleine kinderen (zoals die slonzige jonge moedertjes voor wie Allison hier weleens kwam babysitten), die in een verduisterde kamer naar de tv lag te kijken terwijl de vuile was zich ophoopte?

'Vreselijk programma, *The Price is Right*,' zei Hely, die met een kreungeluidje terugdeinsde terwijl hij een paniekerige blik op de grond wierp. 'Bij *Tattle Tales* hebben ze geld en auto's.'

'Ik vind *Jeopardy* wel leuk.'

Hely luisterde niet. Als een bezetene hakte hij met zijn gevorkte stok in op het onkruid. '*From Russia with love...*' zong hij en toen nog eens, omdat hij de rest niet meer wist: '*From Russia with LOVE...*'

Ze hoefden niet lang te zoeken naar de vierde slang, een mocassin: glimmend en levergeel, niet langer dan de koperkoppen maar dikker dan Harriets arm. Hely, die ondanks zijn zenuwen per se voorop wilde, trapte er bijna op. Als een springveer schoot de slang omhoog, stootte toe en miste op een haar na zijn kuit; Hely's reflexen stonden door de vorige ontmoeting op scherp: hij sprong achteruit en pinde hem in één vloeiende beweging vast. 'Ha!' riep hij.

Harriet lachte luid en begon met trillende handen aan de sluiting van het Campus Queen-trommeltje te morrelen. Deze slang was trager en minder wendbaar. Nijdig schuurde hij zijn stevige, gespierde lijf – van een akelig vuilgeel – heen en weer over de grond. Maar hij was veel dikker dan die koperkoppen, zou hij wel in de trommel passen? Hely, die zo in paniek was dat hij ook in de lach schoot, hoog en hysterisch, spreidde zijn vingers, bukte om hem te grijpen...

'Z'n kop!' gilde Harriet en ze liet de trommel uit haar handen kletteren.

Hely sprong achteruit. De stok viel uit zijn hand. De mocassin bleef roerloos liggen. Toen richtte hij heel soepel zijn kop op en keek ze met zijn spleetpupillen één lang ijskoud moment aan voor hij zijn bek opendeed (spookachtig wit vanbinnen) en op ze afkwam.

Ze draaiden zich om en renden weg, knalden tegen elkaar op – bang om in een sloot te tuimelen, maar ook te bang om naar de grond te kijken – terwijl het kreupelhout kraakte onder hun gympen en de penetrante lucht van vertrapt onkruid om hen heen opwolkte in de hitte als de geur van de angst zelf.

Een smerige sloot vol wriemelende kikkervisjes sneed ze af van het asfalt. De betonwanden waren glibberig van het mos, en de sloot was te breed om met één sprong te nemen. Ze lieten zich omlaag glijden (van de stank van riool en visrot die daardoor opkolkte schoten ze in een onbedaarlijke hoestbui), lieten zich op hun handen voorover vallen en klauterden aan de andere kant omhoog. Toen ze zich overeind hesen en omkeken – de tranen stroomden over hun wangen – zagen ze alleen het spoor dat ze door het schriele onkruid met de gele bloemetjes hadden getrokken, en de weemoedige pastelkleuren van de neergesmeten broodtrommel verder terug.

Ze wankelden als beschonkenen, hijgend, knalrood, uitgeput. Ze hadden allebei het gevoel dat ze elk moment flauw konden vallen, maar zitten kon nergens, want op de grond was het niet veilig. Een kikkertje dat al poten had kwam uit de sloot gepletst en bleef stuiptrekkend liggen op de weg; door zijn geflapper en het geschraap van zijn slijmerige vel op het asfalt begon Harriet opnieuw te kokhalzen.

Hun normale schooletiquette – die voorschreef dat ze behalve bij duwen of stompen strikt een meter afstand van elkaar hielden – was even vergeten en ze klampten zich aan elkaar vast om overeind te blijven; Harriet zonder zich af te vragen of ze laf leek, Hely zonder zich af te vragen of hij zou proberen haar te zoenen of bang te maken. Hun spijkerbroeken waren plakkerig van klissen en klevers, hinderlijk zwaar, doorweekt met stinkend slootwater. Hely stond voorovergebogen braakgeluiden te maken.

'Gaat het een beetje?' vroeg Harriet – en ze gaf bijna over toen ze op zijn mouw een klodder geelgroene geplette kikkervis zag.

Hely kokhalsde als een kat die een haarbal kwijt moest, maakte zich schokschouderend los en liep terug om de gevallen stok en de broodtrommel op te halen.

Harriet greep hem van achteren bij zijn met zweet doordrenkte hemd. 'Wacht even,' bracht ze er met moeite uit.

Ze gingen op hun fiets zitten, voeten aan de grond, om uit te rusten – Hely op zijn Sting Ray met het ossenkopstuur en het bananenzadel, Harriet op haar Western Flyer, die van Robin was geweest; allebei hijgend en zonder iets te zeggen. Toen het bonken van hun hart wat bedaard was, en ze ieder ernstig een slokje van het lauwe, naar plastic smakende water uit de veldfles van Hely hadden genomen, liepen ze weer het veld in, ditmaal gewapend met de luchtbuks.

Hely's verblufte zwijgen had plaatsgemaakt voor aanstellerij. Opschepperig, met dramatische gebaren, beschreef hij hoe hij de watermocassin ging vangen en wat hij ermee ging doen: in zijn kop schieten, door de lucht zwaaien, laten knallen als een zweep, in tweeën hakken, met zijn fiets over de moten rijden. Zijn gezicht was vuurrood en zijn ademhaling snel en oppervlakkig; af en toe loste hij een schot in het gras en moest hij stoppen om de luchtbuks wild pompend – *pff pff pff* – weer op druk te brengen.

Ze hadden de sloot gemeden en liepen in de richting van de huizen in aanbouw, waar ze bij gevaar sneller weer op de weg konden klauteren. Harriet had hoofdpijn en haar handen waren koud en klam. Hely – luchtbuks slingerend aan de schouderband – banjerde onophoudelijk kletsend heen en weer en stompte woest om zich heen, zonder te merken dat er in het stille stuk in het dunne gras op nog geen meter van zijn voet (onopvallend, in een vrijwel rechte lijn) een slang lag die in *Reptielen en amfibieën van de zuidoostelijke Verenigde Staten* zou zijn omschreven als *koperkop, (juveniel)*.

'En dan dat koffertje, dat traangas afschiet als je het openmaakt. Daar zitten ook kogels in, en een mes dat uit de zijkant knalt...'

Harriets hoofd tolde. Kreeg ze maar een dollar voor iedere keer dat Hely begon over het koffertje uit *From Russia with Love* dat kogels en traangas afschoot.

Ze deed haar ogen dicht en zei: 'Zeg, je pakte die slang daarnet te laag. Hij had je kunnen bijten.'

'Hou je kop!' riep Hely na een tel boos zwijgen. 'Het is jouw schuld. Ik hád hem! Als jij niet...'

'Pas op! Achter je.'

'*Mocassin?*' Hij zakte door z'n knieën en zwaaide het geweer rond. 'Wáár? Waar zit die klootzak?'

'Daar,' zei Harriet, en, nog eens, vertwijfeld een stap naar voren nemend om te wijzen: 'Dáár.' Blindelings slingerde de puntige kop omhoog, waarbij de bleke, gespierde onderkaak zichtbaar werd, om daarna met een soort sidderbeweging weer in te zakken.

Hely boog voorover om hem beter te bekijken en zei teleurgesteld: 'Bah, wat een kleintje.'

'De grootte maakt niks... hé,' zei ze, onhandig opzij springend toen de koperkop in een rode flits een uitval deed naar haar enkel.

Er vloog een regen van pinda's voorbij, en vervolgens zeilde de hele plastic zak over haar schouder en plofte op de grond. Ze stond te wankelen, uit evenwicht en huppend op één voet, en toen stootte de koperkop (ze was zijn positie even uit het oog verloren) opnieuw toe.

Eén kogeltje sloeg lamlendig tegen haar gymp; een ander priemde in haar kuit; ze gilde en sprong achteruit toen ze in het stof bij haar voeten ploften. Maar de slang was nu geprikkeld en zette fel zijn aanval door, ook al lag hij onder vuur; keer op keer viel hij met strakke doelgerichtheid op haar voeten aan.

Duizelig, half buiten zichzelf, klauterde ze het asfalt op. Ze veegde met haar onderarm over haar gezicht (vrolijk pulseerden er transparante kloddes door haar zonverblinde gezichtsveld, botsend, samensmeltend, als vergrote amoeben in een druppel vijverwater) en toen ze weer helder kon zien, merkte ze dat de kleine koperkop zijn kop had opgericht en haar van ruim een meter afstand zonder verbazing of emotie lag aan te kijken.

In zijn paniek had Hely de luchtbuks geblokkeerd. Hij liet hem vallen en rende onder onsamenhangende kreten weg om de stok te halen.

'Wacht even.' Met een uiterste krachtsinspanning trok ze zich los van de ijzige blik van de slang, zo helder als kerkklokken; *wat heb ik toch?* dacht ze, terwijl ze achteruit wankelde, naar het midden van de zinderende weg, *een zonnesteek?*

'O, jezus.' De stem van Hely, waar vandaan wist ze niet. 'Harriet?'

'Wacht.' Nauwelijks beseffend wat ze deed (haar knieën waren slap en wilden niet meewerken, alsof ze van een marionet waren die ze niet goed bespelen kon) deed ze nog een stap achteruit en belandde toen met een plof op het hete asfalt.

'Gaat het wel?'

'Laat me met rust,' hoorde Harriet zichzelf zeggen.

De zon ziedde rood door haar gesloten oogleden. Er brandde een nabeeld van de slangenogen tegen, in boosaardig negatief: zwart voor de iris, bijtend geel voor de snee van de pupil. Ze haalde adem door haar mond, en de rioolstank van haar doorweekte broek was zo sterk dat ze die proefde; ineens drong het tot haar door dat ze niet veilig was op de grond; ze probeerde overeind te krabbelen maar de grond gleed weg...

'Harriet!' De stem van Hely, heel ver weg. 'Wat is er nou? Doe niet zo eng.'

Ze knipperde; het witte licht brandde alsof er citroensap in haar ogen werd gespoten, en het was verschrikkelijk om het zo heet te hebben, zo blind te zijn, en zo verward in armen en benen...

Voor ze het wist was ze op haar rug beland. De hemel was wolkeloos, harteloos felblauw. De tijd leek een halve tel te hebben overgeslagen, alsof ze in een en hetzelfde moment was weggezakt en met een schok weer wakker geworden. Haar gezichtsveld werd verduisterd door iets massiefs. In paniek sloeg ze beide armen voor haar gezicht, maar de donkere vorm verschoof alleen maar, om daarna nog beklemmender op te doemen aan de andere kant.

'Kom op, zeg, Harriet. Het is maar water.' Ze hoorde die woorden in haar achterhoofd maar hoorde ze ook weer niet. Volkomen onverwachts voelde ze toen iets kouds in haar mondhoek; kronkelend probeerde ze het te ontwijken, krijsend uit alle macht.

'Geschift zijn jullie,' zei Pemberton. 'Op de fiets helemaal naar deze klotebuurt. Het is bloedheet, man.'

Harriet lag plat op haar rug op de achterbank van Pems Cadillac en keek naar de lucht die door een koel kantwerk van takken boven haar langs schoot. Die bomen betekenden dat ze het schaduwloze Oak Lawn achter zich hadden gelaten en weer op de oude vertrouwde County Line Road zaten.

Ze deed haar ogen dicht. Er klonk loeiharde pop uit de speakers van de stereo en tegen het rood van haar gesloten oogleden vonkten en flikkerden af en toe flarden schaduw.

'Op het sportveld zie je geen hond,' zei Pem boven de wind en de muziek uit. 'En zelfs niet in het zwembad. Iedereen zit in het clubhuis naar *One Life to Live* te kijken.'

Het kleingeld voor de telefoon was inderdaad goed van pas gekomen. Hely was – heel moedig, want hij was bijna even overstuur en ziek van de hitte als Harriet – op zijn fiets gesprongen en had ondanks zijn duizeligheid en de kramp in zijn benen de kilometer afgelegd naar de telefoon op het parkeerterrein van de Jiffy Qwik-Mart. Maar Harriet, die moederziel alleen op het zengende asfalt aan het eind van het van slangen vergeven doodlopende stuk weg veertig martelende minuten lang had moeten wachten, was te warm en te suf om er dankbaar voor te zijn.

Ze richtte zich iets op, genoeg om het haar van Pemberton te zien – dor kroezend van het chloorwater in het zwembad – dat wapperend als een rafelige gele vlag naar achteren waaide. Zelfs op de achterbank kon ze zijn zure en onmiskenbaar volwassen

luchtje ruiken: zweet, scherp en mannelijk onder de kokoszonne-
brand, vermengd met sigaretten en iets wat op wierook leek.

'Wat deden jullie helemaal in Oak Lawn? Kennen jullie daar
iemand?'

'Neu,' zei Hely, op de achteloos vlakke toon die hij aansloeg
tegen zijn broer.

'Wat voerden jullie daar dan uit?'

'Slangen vangen om – hé, kap daarmee,' snauwde hij en zijn
hand schoot omhoog naar die van Harriet die aan zijn haar trok.

'Nou, als jullie slangen willen vangen is dat wel de goeie plek,'
zei Pemberton sloom. 'Ik weet van Wayne, die klusjesman van de
country club, dat de werklui er in die buurt wel zestig hebben
doodgemaakt toen ze er voor een vrouw die daar woont een
zwembad moesten aanleggen. Zestig. In één tuin.'

'Gifslangen?'

'Weet ik veel. Ik zou nog voor geen miljoen op die rotplek willen wonen,' zei Pemberton met een laatdunkende, arrogante
hoofdbeweging. 'Die Wayne heeft ook verteld dat iemand van de
ongediertebestrijding er onder een van die lullige huizen driehonderd heeft gevonden. Driehonderd onder één huis. Zodra er een
overstroming komt waar de genie met zandzakken niet meer te-
genop kan, worden al die carrièretrutten daar aan flarden gebeten.'

'Ik heb een mocassin gevangen,' zei Hely quasi-luchtig.

'Mooi, hoor. Wat heb je ermee gedaan?'

'Ik heb hem weer laten gaan.'

'Dat zal wel, ja.' Pemberton keek hem even uit zijn ooghoek
aan. 'Viel hij je aan?'

'Neu.' Hely schoof een beetje op zijn stoel.

'Nou, bij mij hoef je niet aan te komen met het verhaal over
slangen die banger zijn voor jou dan jij voor de slang. Watermocassins zijn krengen. Die komen je echt wel achterna. Tink Pitt-
mon en ik zijn in het Oktobehameer een keer aangevallen door
een joekel van een mocassin en ik zweer het je, we waren niet eens
bij dat mormel in de buurt maar hij kwam ons evengoed het hele
meer door achterna.' Pem maakte een golvende, zwiepende handbeweging. 'Het enige wat je van hem in het water zag was die witte, wijdopen bek. En dan *beng beng beng* met zijn kop als een
stormram tegen de aluminium zijkant van de kano. Iedereen op de
pier stond ernaar te kijken.'

'En toen?' vroeg Harriet, die rechtop was gaan zitten en over de
voorbank leunde.

'Hé, daar hebben we Tijger ook weer. Ik dacht al dat we je naar de dokter moesten brengen.' Het gezicht van Pem in de achteruitkijkspiegel verraste haar: krijtwitte lippen en witte zonnebrandcrème op zijn neus, en zo donker verbrand dat ze moest denken aan de bevroren gezichten van de mannen op Scotts poolexpeditie.

'Dus jij gaat graag op slangenjacht?' vroeg hij aan Harriets spiegelbeeld.

'Nee,' zei Harriet, geërgerd en verward tegelijk over zijn geamuseerde toon. Ze liet zich terugzakken op de achterbank.

'Daar hoef je je niet voor te schamen.'

'Wie zegt dat ik me schaam?'

Pem schoot in de lach. 'Jij laat je niet kennen, Harriet. Dat mag ik wel. Maar jullie zijn wel stom bezig met die gevorkte stokken, vind ik. Je kan beter een dubbele waslijn door een aluminiumpijp trekken zodat je aan het eind een lus krijgt. Dan hoef je alleen maar die lus over zijn kop te gooien en de uiteinden strak te trekken. En dan heb je hem. Je kan hem in een glazen pot meenemen naar de tentoonstelling op school en dan slaat iedereen écht steil achterover' (met een snelle zwaai van zijn rechterarm mepte hij Hely op zijn hoofd) 'toch?'

'Hou je kop!' gilde Hely, die woest over zijn oor wreef. Pem begon altijd weer over de vlinderpop die hij voor de tentoonstelling had meegenomen naar school. Hij had hem zes weken lang vol toewijding verzorgd, er boeken op nageslagen, aantekeningen gemaakt, hem bij de juiste temperatuur bewaard en alles precies gedaan zoals het moest, maar toen hij hem ten slotte op de dag van de tentoonstelling mee naar school had genomen – liefdevol op een stuk watten in een juwelenkistje gevlijd – bleek het geen pop te zijn maar een versteende kattendrol.

'Misschien dácht je alleen maar dat je een watermocassin had gevangen,' zei Pemberton lachend, zijn stem verheffend boven de razende stroom scheldwoorden die Hely op hem losliet. 'Misschien was het wel helemaal geen slang. Zo'n dikke versgedraaide hondendrol in het gras kan verdomd veel lijken op...'

'Op jóú!' schreeuwde Hely, die een regen van stompen op de schouder van zijn broer liet neerkomen.

'Ik zei toch, *hou er nou over op*, oké?' zei Hely voor minstens de tiende keer.

Hij was met Harriet in het zwembad, waar ze aan de rand van

het diepe in het water hingen. De middagschaduwen werden lang. In het ondiepe waren een stuk of vijf kleintjes aan het gillen en spatten, zonder aandacht te schenken aan de dikke, zenuwachtige vrouw die langs de kant heen en weer liep en ze smeekte eruit te komen. Aan de kant van de bar lag een groep schoolmeiden in bikini op ligstoelen, met handdoeken over hun schouders, te praten en giechelen. Pemberton had vrij. Hely ging bijna nooit zwemmen als Pemberton dienst had als badmeester want die had het op hem gemunt; vanaf zijn hoge stoel riep hij hem dan scheldwoorden en bevelen toe die nergens op sloegen (zoals 'Niet rennen bij het water!' als Hely niet eens hardliep, maar gewoon stevig doorstapte) en dus controleerde hij voordat hij ging zwemmen altijd zorgvuldig Pembertons weekrooster, dat op de ijskast zat geplakt. Een ramp was het, want 's zomers ging hij het liefst elke dag.

'Stomme zak,' mopperde hij terwijl hij aan Pem dacht. Hij was nog steeds razend dat hij over die kattendrol op school was begonnen.

Harriet keek hem effen aan, met een soort vissenblik eigenlijk. Haar haar zat slap tegen haar hoofd aangeplakt en over haar gezicht liepen kriskras golvende lichtstrepen, wat haar lelijk maakte, met kleine oogjes. Hely ergerde zich al de hele middag aan haar; zonder dat hij het had gemerkt waren zijn gêne en irritatie overgegaan in wrok en nu voelde hij boosheid opborrelen. Harriet had toen ook meegelachen om die kattendrol, samen met de leraren en de juryleden en alle anderen op de tentoonstelling, en bij die gedachte begon hij weer te koken van woede.

Ze keek hem nog steeds aan. Hij sperde spottend zijn ogen wijd open. 'Heb ik wat van je aan of zo?' vroeg hij.

Harriet zette zich af van de rand en maakte – nogal opzichtig – een achterwaartse salto. Ja hoor, dacht Hely. Straks wilde ze natuurlijk ook nog gaan kijken wie het langst zijn adem in kon houden onder water, een wedstrijdje dat Hely niet kon uitstaan omdat zij er goed in was en hij niet.

Toen ze weer bovenkwam deed hij net alsof hij haar ergernis niet opmerkte. Nonchalant spoot hij een straal water naar haar – een voltreffer, precies in haar oog.

'*I'm looking over my dead dog Rover,*' begon hij te zingen met een suikerzoet stemmetje waarvan hij wist dat zij er de pest aan had:

That I overlooked before
One leg is missing
One leg is gone

'Dan ga je morgen toch niet mee. Ik ga net zo lief alleen.'

'*One leg is scattered all over the lawn...*' zong Hely, vlak boven haar, terwijl hij omhoog keek met een voldane uitdrukking van wie-doet-me-wat.

'Het maakt me echt niet uit of je meegaat.'

'Ik ga tenminste niet op de grond liggen janken als een klein kind.' Hij knipperde snel met zijn wimpers. '*O, Hely. Help me, help me!*' riep hij met een hoog stemmetje waar de meiden aan de overkant van het bad om in de lach schoten.

Een lading water trof hem midden in zijn gezicht.

Hij bespoot haar met zijn vuist, vakkundig, en dook weg om haar tegenaanval te ontwijken. 'Harriet, hé, Harriet,' zei hij met een babystemmetje. Hij voelde zich onverklaarbaar met zichzelf ingenomen omdat hij haar op stang had gejaagd. 'Zullen we paardje spelen? Dan ben ik de voorkant en jij gewoon jezelf.'

Triomfantelijk zette hij zich af om de revanche te ontwijken en zwom met luidruchtig gespetter snel naar het midden van het bad. Hij was vreselijk verbrand, en het chloorwater beet als zuur in zijn gezicht, maar hij had die middag vijf cola's gedronken (drie toen hij uitgedroogd en uitgeput thuiskwam en later nog twee, met ijs en gestreepte rietjes, bij het stalletje van het zwembad) en zijn oren suisden en de suiker joeg snel door zijn bloed. Hij was uitgelaten. Vroeger had hij zich door Harriets roekeloosheid vaak gekleineerd gevoeld. Maar al had de slangenjacht hem zelf tijdelijk gek en verdwaasd gemaakt van angst, iets in hem verheugde zich nog steeds over haar flauwte.

Opgetogen kwam hij weer boven, spugend en watertrappend. Toen hij het prikkende water uit zijn ogen had weggeknipperd drong het tot hem door dat Harriet niet meer in het bad was. In de verte zag hij haar haastig naar de dameskleedkamer lopen, met haar hoofd omlaag en een zigzag van natte voetsporen op het beton achter haar.

'Harriet!' schreeuwde hij zonder erbij na te denken, een onachtzaamheid die hem een slok water opleverde; hij had er niet aan gedacht dat hij in het diepe was.

De hemel was duifgrijs en de avondlucht zwaar en zacht. Op het trottoir hoorde Harriet nog vaag het geschreeuw van de kleintjes in het ondiepe. Een briesje bracht kippenvel op haar armen en benen. Ze sloeg haar handdoek dichter om zich heen en begon snel naar huis te lopen.

Een auto vol schoolmeiden kwam de hoek om gieren. Het waren de meiden uit de klas van Allison die in alle clubjes zaten en alle verkiezingen wonnen: de kleine Lisa Leavitt, Pam McCormick met haar donkere paardenstaart, Ginger Herbert, die de Beauty Revue had gewonnen en Sissy Arnold, die niet zo knap was als de rest maar even populair. Hun gezichten – filmsterrengezichten, in de lagere klassen alom aanbeden – lachten je van bijna iedere bladzij van het schooljaarboek toe. Ze stonden er triomfantelijk in de schijnwerpers op het vergeelde gras van het footballveld, in cheerleaderuniform, in majorettepakjes met lovertjes, in baljurken met handschoenen op de reünie, slap van de lach in de een of andere kermisattractie, of uitgelaten rollend achter op een hooiwagen bij het oogstfeest – en ondanks die uiteenlopende stijlen, van sport- tot vrijetijds- tot avondkledij, waren het net poppen met altijd hetzelfde kapsel en altijd dezelfde lach.

Geen van hen keurde Harriet een blik waardig. Ze staarde naar de stoep toen ze langszoefden met een jengelende nagalm van popmuziek in hun kielzog; haar wangen gloeiden van boze en onbegrijpelijke schaamte. Als Hely naast haar had gelopen, hadden ze vrijwel zeker afgeremd om iets te roepen, want Lisa en Pam waren allebei verliefd op Pemberton. Maar wie Harriet was wisten ze vast niet eens, al zaten ze al vanaf de kleuterschool bij Allison in de klas. Allison had thuis bij haar bed een collage met vrolijke kleuterfoto's: Allison die met Pam McCormick en Lisa Leavitt danst in een kringetje; Allison en Ginger Herbert met een rode neus, lachend, boezemvriendinnen hand in hand ergens in een winterse achtertuin. Bloedig vervaardigde gewrochten voor Valentijnsdag uit de eerste klas, waarop in potlood stond: 'Kusje voor mijn allerbeste vriendin. Liefs Ginger!!!' Al die genegenheid viel met geen mogelijkheid te rijmen met de huidige Allison en de huidige Ginger (met handschoenen, gloss op de lippen, in chiffon, onder een boog van kunstbloemen). Allison was niet minder knap dan de rest (en een stuk knapper dan Sissy Arnold met haar lange heksentanden en haar wezellijf) maar op de een of andere manier was ze van de jeugdvriendin en gelijke van deze prinsessen gedegradeerd tot bijwagen, iemand die nooit werd opgebeld, alleen als ze wilden weten wat het huiswerk was. Zo was het hun moeder ook vergaan. Ze was een populair lid van de studentenvereniging geweest, in haar jaar verkozen tot best geklede studente, en had ook talloze vrienden die nu nooit meer belden. De Thorntons en de Bowmonts – die ooit wekelijks met de ouders van Harriet hadden gekaart en vakantiehuisjes aan de Golf van Mexico met hen hadden gedeeld – kwamen nu niet eens meer langs als de vader van Harriet thuis was. Als ze Harriets moeder tegenkwamen bij de kerk had hun vriendelijkheid iets geforceerds: de mannen deden overdreven hartelijk, in de stem van de vrouwen klonk een schrille, oppervlakkige monterheid en ze keken Harriets moeder nooit recht in de ogen. Ginger en de andere meiden in de schoolbus behandelden Allison precies zo: vrolijk gebabbel, maar afgewende blik, alsof Allison een besmettelijke ziekte had.

Harriet (somber starend naar de stoep) werd uit deze gedachten opgeschrikt door een gorgelend geluid. De arme achterlijke Curtis Ratliff, die 's zomers eeuwig door de straten van Alexandria zwierf en met zijn waterpistool katten en auto's besproeide, kwam van de overkant op haar afgehobbeld. Toen hij zag dat ze keek, brak er een brede lach door op zijn geplette gezicht.

'Hat!' Hij zwaaide naar haar met allebei zijn armen – zijn hele lijf wiegde mee van de inspanning – en begon toen moeizaam op en neer te springen, met zijn voeten naast elkaar, alsof hij een brandje wilde uittrappen. 'Jij goed? Jij goed?'

'Hallo Alligator,' zei Harriet om hem een plezier te doen. Curtis had een lange fase gekend waarin hij alles en iedereen *alligator* noemde: zijn juf, zijn schoenen, de schoolbus.

'Jij goed? Jij goed, Hat?' Dat zou zo doorgaan tot ze hem antwoord gaf.

'Ja hoor, Curtis. Met mij gaat het goed.' Curtis was niet echt doof, maar wel hardhorend, en je moest niet vergeten om luid en duidelijk te spreken.

Zijn lach werd nog breder. Zijn tonnetjeronde lijf, zijn vage, lieve peutergedrag deden denken aan Mol uit *De wind in de wilgen*. 'Ik hou taat,' zei hij.

'Curtis, je staat midden op straat, hoor!'

Curtis verstijfde, hand voor zijn mond. 'Oh-ooo!' kraaide hij, en nog eens: 'Oh-ooo!' Hij hupte de straat over, wipte over de stoeprand – met beide voeten, alsof hij over een sloot sprong – en bleef vlak voor haar staan. 'Óh-ooo!' zei hij, en hij verslapte als een pudding in hulpeloos gegiechel, handen voor zijn gezicht.

'Sorry, maar je staat in de weg,' zei Harriet.

Door zijn gespreide vingers gluurde Curtis naar haar op. Hij glunderde zo dat zijn donkere oogjes versmalden tot spleetjes.

'Slangen bijten,' zei hij onverwachts.

Harriet stond perplex. Deels vanwege zijn slechte gehoor praatte Curtis niet zo duidelijk. Ze had hem vast verkeerd verstaan, hij had natuurlijk iets anders gezegd: bang van bijen? taart snijden? lange meiden?

Maar voor ze nog iets kon vragen, slaakte Curtis een diepe, zakelijke zucht en stak zijn waterpistool in de band van zijn stijve nieuwe spijkerbroek. Toen pakte hij haar hand beet en wiegde die in zijn eigen, grote, weke, kleverige hand.

'Bijten!' zei hij opgewekt. Hij wees op zichzelf en op het huis aan de overkant, draaide zich om en ging er met lange stappen vandoor, terwijl Harriet hem – een beetje van slag – nakeek en haar handdoek nog wat strakker om haar schouders trok.

Harriet wist het niet, maar gifslangen waren ook het onderwerp van een gesprek dat werd gevoerd op nog geen tien meter afstand van waar zij stond: op de bovenverdieping van een houten huis aan de overkant, een van de huurpanden in Alexandria die het eigendom waren van Roy Dial.

Het was een heel gewoon huis: wit, twee verdiepingen, met een open buitentrap opzij zodat de bovenverdieping een eigen ingang had. Dat was het werk van meneer Dial, die de binnentrap had afgesloten om het huis dubbel te kunnen verhuren. Voordat hij het had opgekocht en in twee appartementen had gesplitst, was het het eigendom geweest van Annie Mary Alford, een oude baptistendame die als boekhoudster op de houtzagerij had gewerkt. Toen ze op een regenachtige zondag op het parkeerterrein bij de kerk was gevallen en haar heup had gebroken, was meneer Dial (die als christelijk zakenman belang stelde in oude en zieke mensen, in het bijzonder in de welgestelden onder hen zonder familie die hen kon bijstaan) zo vriendelijk geweest om dagelijks bij juffrouw Annie Mary langs te gaan om blikken soep, autotochtjes buiten de stad, stichtelijke lectuur, fruit van het seizoen en zijn onpartijdige diensten als executeur-testamentair en zaakgelastigde aan te bieden.

Aangezien meneer Dial braaf zijn verdiensten op de royale bankrekening van de First Baptists zette, voelde hij zich gerechtvaardigd in zijn aanpak. Hij bracht toch zeker troost en christelijke naastenliefde in die dorre levens? Soms lieten 'de dames' (zoals hij ze noemde) hun bezittingen zonder slag of stoot aan hem na, zozeer beurde zijn welwillende aanwezigheid hen op; juffrouw Annie Mary echter, die per slot van rekening vijfenveertig jaar lang boekhoudster was geweest, was zowel van nature als uit ervaring achterdochtig, en na haar dood was het een hele schok voor hem dat ze – heel achterbaks, vond hij – buiten hem om met een notaris uit Memphis in zee was gegaan en een testament had opgemaakt dat de korte, informele schriftelijke overeenkomst ontkrachtte waarover hij zo discreet mogelijk was begonnen terwijl hij aan het ziekenhuisbed troostend haar hand in de zijne nam.

Waarschijnlijk had meneer Dial het huis na haar dood niet eens gekocht (want bepaald goedkoop was het niet) als hij het tijdens haar laatste ziekbed niet al het zijne had gewaand. Na de boven- en benedenverdieping tot twee afzonderlijke appartementen te hebben gemaakt, en nadat hij de pecannoten en rozenstruiken (bomen en struiken betekenden onderhoudskosten) had laten rooien, had hij het benedenhuis vrijwel meteen aan een stel mormoonse zendelingen verhuurd. Dat was nu bijna tien jaar geleden, en de mormonen zaten er nog steeds, ondanks hun volledig vruchteloos gebleken missie, waarmee ze al die tijd niet één inwoner van Alexandria tot hun veelwijvende Jezus uit Utah hadden kunnen bekeren.

De mormonenjongens geloofden dat iedere niet-mormoon naar de hel ging ('Wat zal het straks hol klinken bij jullie daarboven!' gnuifde meneer Dial graag, als hij op de eerste van de maand de huur kwam innen; dat was zo zijn standaardgrapje tegen hen). Maar het waren keurig verzorgde, beleefde jongens, die je heus niet meteen ongevraagd met hel en verdoemenis zouden bestoken. Ook onthielden ze zich van alcohol en alle tabaksproducten en betaalden ze hun rekeningen op tijd. Met de bovenwoning lag het lastiger. Omdat meneer Dial weigerde geld te spenderen aan de installatie van een tweede keuken, viel die verdieping nauwelijks te verhuren, als je tenminste geen zwarten als huurder wilde. In de afgelopen tien jaar had de bovenverdieping onderdak geboden aan een fotostudio, het hoofdkwartier van de padvindsters, een kleuterklasje, een showroom voor wedstrijdprijzen en een omvangrijke familie Oost-Europeanen, die zodra meneer Dial zijn hielen had gelicht al hun vrienden en familie in huis hadden genomen en met een kookplaatje bijna het hele pand in de as hadden gelegd.

In dat bovenhuis stond Eugene Ratliff nu – in de voorkamer,

waar het zeil en het behang nog steeds ernstige brandsporen ver-
toonden van het ongeluk met het kookplaatje. Hij streek nerveus
met zijn hand over zijn haar (dat hij achterover droeg, in de verdwenen vetkuivenstijl van zijn tienerjaren) en keek uit het raam
naar zijn achterlijke jongere broertje, dat net de deur uit was gegaan en nu buiten op straat een donkerharig meisje lastigviel. Op
de vloer achter hem stond een twaalftal dynamietkisten vol gifslangen: bosratelslangen, houtratelslangen, oostelijke diamantra-
telslangen, watermocassins en koperkoppen en – met een kist
voor zichzelf – één koningscobra, helemaal uit India.

Aan de muur hing, over een schroeiplek heen, een met de hand
geschreven bord dat Eugene zelf had geschilderd en dat hij van
zijn huisbaas meneer Dial uit de voortuin had moeten verwijderen:

MET HULP VAN DE GOEDE HEER: TER HANDHAVING EN
VERBREIDING VAN DE PROTESTANTSE GODSDIENST EN
DE UITVOERING VAN AL ONZE BURGERLIJKE WETTEN. GIJ
DRANKSMOKKELAAR, DRUGSDEALER, GOKKER, COMMU-
NIST, ECHTBREKER EN ALLE WETSOVERTREDERS: DE HE-
RE JEZUS HEEFT U IN DE PIJLING, ER ZIJN I DUIZEND
OGEN OP U GERICHT. LAAT UW BEZIGHEDEN VAREN
VÓÓR DE ONDERZOEKSJURY VAN CHRISTUS KOMT. RO-
MEINEN 7:4. DEZE EVANGELIZATIE WIL UITSLUITEND DE
EERBAARHEID EN DE ONSCHENDBAARHEID VAN ONS
HUISELIJK LEVEN UITDRAGEN.

Eronder zat een plakplaatje van de Amerikaanse vlag, en verder:

DE JOOD EN HUN GEMEENTEN, DUS DE ANTICHRIST,
HEEFT ONZE OLIE EN EIGENDOMMEN GESTOLEN. OPEN-
BARING 18:3. OPENBARING 18:11-15. JEZUS ZAL HERENI-
GEN. OPENBARING 19:17.

De gast van Eugene – een pezige jongeman van een jaar of drie-
entwintig, met starre ogen, simpele buitenmanieren en flaporen
– kwam naast hem voor het raam staan. Hij had zijn best gedaan
zijn korte haar met de weerborstels te pletten maar het stond nog
steeds in dwarse plukken overeind.

'Voor onnozelen als hij heeft de Heer Zijn bloed vergoten,'
merkte hij op. Zijn lach was de verstarde lach van de godsdienstfa-

naat, een lach waaruit hoop of stompzinnigheid sprak, afhankelijk van hoe je het bekeek.

'Prijs de Heer,' zei Eugene vrij mechanisch. Eugene vond slangen akelig, of ze nu giftig waren of niet, maar hij had om de een of andere reden aangenomen dat de exemplaren op de vloer achter hem waren gemolken of anderszins onschadelijk gemaakt – dat moest wel, anders konden die verhalen toch nooit waar zijn over die predikers uit de rimboe, zoals zijn gast, die ratelslangen op de lippen kusten en ze in hun hemd stopten en door hun kerkjes met golfplatendak heen en weer slingerden? Eugene had zelf nooit een dienst meegemaakt waar ze met slangen werkten (en zelfs diep in het kolenmijngebied van Kentucky, waar zijn gast was opgegroeid, kwam dat niet veel voor). Wel had hij vaak genoeg kerkgangers meegemaakt die in tongen spraken of stuiptrekkend over de grond rolden. Hij had meegemaakt dat er duivels werden uitgedreven, met de klap van een vlakke hand tegen het voorhoofd van de bezetene, en dat er onreine geesten werden opgehoest in bloederige klodders spuug. Hij had handopleggingen meegemaakt waardoor lammen konden lopen en blinden konden zien; en op een avond had hij bij een dienst van de pinksterbeweging aan een rivier in Pickens (Mississippi) gezien dat een zwarte evangelist die Cecil Dale McAllister heette, een dikke vrouw met een groen broekpak aan uit de dood had opgewekt.

Eugene zette geen vraagtekens bij het bestaan van die verschijnselen, evenmin als hij en zijn broers vraagtekens zetten bij de capriolen en de vetes van de World Wrestling Federation – dat sommige van die wedstrijden doorgestoken kaart waren, stoorde hen niet. Natuurlijk waren veel van degenen die in Zijn naam wonderen verrichtten bedriegers; talloze leden van het oplichtersgilde waren voortdurend op zoek naar nieuwe manieren om de medemens te tillen, en Jezus Zelf was tegen ze uitgevaren – maar al was maar vijf procent van de geclaimde wonderen van Christus die Eugene had meegemaakt echt, dan was die vijf procent toch wonderbaarlijk genoeg? De devotie van Eugene jegens zijn Schepper werd luidkeels beleden, was standvastig en werd gedreven door angst. Dat Christus de macht bezat de lasten te verlichten van de gevangenen, de onderdrukten en de onderdrukkers, de drankzuchtigen, verbitterden en ellendigen, stond buiten kijf. Maar de loyaliteit die Hij vroeg was absoluut, want het instrument Zijner wrake werkte sneller dan het instrument Zijner genade.

Eugene verkondigde het Woord, maar was niet bij een bepaald

kerkgenootschap aangesloten. Net als de profeten en Johannes de Doper predikte hij aan eenieder die oren had om te horen. Eugene was weliswaar gezegend met een diep geloof, maar het had de Heer niet behaagd hem te zegenen met charisma of redenaarstalent; soms leken de hindernissen die hij moest overwinnen (zelfs in de schoot van het gezin) onoverkomelijk. Gedwongen het Woord te verkondigen in leegstaande pakhuizen en langs de grote weg, moest hij werken in het zweet zijns aanschijns onder de verdorvenen der aarde.

De hillbilly-prediker was niet door Eugene bedacht. Zijn broers Farish en Danny hadden het bezoek geregeld ('om je Woord te steunen, als het ware') en wel met zoveel gefluister, geknipoog en gesmoes in de keuken dat het Eugenes achterdocht gewekt had. Eugene had de bezoeker nog nooit gezien. Hij heette Loyal Reese, en was de jongste broer van Dolphus Reese, een aartszwendelaar uit Kentucky die eind jaren zestig met Eugene samen had gewerkt in de wasserij van de Parchman-strafgevangenis, waar Eugene en Farish toen zaten voor twee veroordelingen wegens autodiefstal. Dolphus zou nooit meer vrij komen. Hij zat een vonnis van levenslang plus negenennegentig jaar uit wegens afpersing en twee veroordelingen voor moord met voorbedachten rade, waaraan hij volgens hem niet schuldig was: hij was erin geluisd, zei hij.

Dolphus en Farish, de broer van Eugene, waren maatjes, twee handen op één buik – ze hielden nog steeds contact, en Eugene had het vermoeden dat Farish, eenmaal buiten de gevangenismuren, Dolphus behulpzaam was bij zaakjes erbinnen. Dolphus was bijna twee meter lang, kon autorijden als Junior Johnson en was (volgens eigen zeggen) zes manieren machtig om iemand met z'n blote handen om zeep te helpen. Maar anders dan de zwijgzame, norse Farish, was Dolphus een prater van de eerste orde. Hij was het verloren zwarte schaap uit een familie van evangelisten van de Holiness-kerk, nu al de vierde generatie; Eugene had met veel plezier geluisterd naar de verhalen van Dolphus – boven het geraas van de grote bedrijfswasmachines in de gevangeniswasserij uit – over zijn jeugd in Kentucky: zingen op de straathoeken van mijnstadjes in de bergen tijdens een kerstsneeuwstorm, rondreizen in de gammele schoolbus die zijn vader als basis voor zijn evangelisatie gebruikte, en waar het hele gezin maanden achtereen in woonde – dan aten ze blikjesvlees, zo uit het blik, en sliepen ze op stapels maïskaf achterin, waar de ratelslangen in hun kooi ritselden aan hun voeten; zo reden ze van stadje naar stadje, de politie steeds één stap voor, met opwekkingsbijeenkomsten in de open-lucht en middernachtelijke gebedsdiensten bij het schijnsel van olietoortsen, alle zes kinderen klappend en dansend bij tamboerij-nen en hun moeders postordergitaar, terwijl hun vader strychnine slurpte uit een weckfles en ratelslangen om zijn nek en armen wond, of als een levende riem om zijn middel – hun schubbige lijven zigzaggend opverend op de maat van de muziek, alsof ze de lucht in klommen – terwijl hij predikte in tongen, stampend, tril-lend van top tot teen, aanhoudend orerend over de kracht van de Levende God, over tekenen en wonderen, over de vreze en blijd-schap van Zijn onmetelijke, ontzagwekkende liefde.

De gast – Loyal Reese – was de benjamin van het gezin, de baby waarover Eugene had horen vertellen in de gevangeniswasserij, die als boreling te slapen was gelegd tussen de ratelslangen. Hij werkte al sinds zijn twaalfde met slangen en oogde argeloos als een kalf, met zijn grote boerenflaporen, zijn glad achterovergе-kamde haar en de wezenloze gelukzaligheid die uit zijn bruine ogen straalde. Voor zover Eugene wist, was er op Dolphus na nie-mand uit die familie ooit met de politie in aanraking geweest, be-halve om hun eigenaardige religieuze praktijken. Maar Eugene was ervan overtuigd dat zijn eigen laatdunkende, boosaardige broers (allebei met verdovende middelen in de weer) een bijbe-doeling hadden met dit bezoek van Dolphus' jongste broer – dat wil zeggen, boven op hun streven Eugene last en ellende te bezor-gen. Zijn broers waren lui, en al mochten ze Eugene graag pesten, de jonge Reese met al zijn reptielen helemaal naar hier halen was veel te veel moeite voor een practical joke. De jonge Reese zelf, met z'n grote oren en pukkelige huid, leek trouwens niets in de gaten te hebben: vervuld van intense hoop, bezield door zijn roe-ping, en maar een tikje bevreemd over de terughoudende ont-vangst van Eugene.

Door het raam keek Eugene zijn broertje Curtis na die buiten wegsjokte. Hij had zijn bezoeker niet uitgenodigd, en wist niet goed wat hij hier in de Missie met al die gekooide, sissende reptie-len aan moest. Hij had ze zich ergens anders voorgesteld, opgeslo-ten in een kofferbak of schuur, niet te gast in zijn eigen hoofd-kwartier. Eugene had sprakeloos staan toekijken hoe de ene met zeil afgedekte kist na de andere moeizaam de trap werd opge-sleept.

'Had je me niet kunnen zeggen dat het gift van die krengen er nog in zit?' vroeg hij plompverloren.

Het broertje van Dolphus leek verbaasd. 'Dat is niet volgens de Heilige Schrift,' zei hij. Zijn hillbilly-accent was even nasaal als dat van Dolphus, maar zonder diens ironie of luchtige jovialiteit. 'Als we met de Tekenen werken, werken we met de slang zoals God hem heeft gemaakt.'

'Ze hadden me wel kunnen bijten,' zei Eugene kortaf.

'Niet als gezalfde des Heren, broeder!'

Hij wendde zich af van het raam en keek hem recht aan; Eugene week even terug onder de felle kracht van die blik.

'Lees de Handelingen maar, broeder. Het Evangelie volgens Marcus! Er zal hier een overwinning op de duivel komen in het einde der tijden, zoals is aangezegd in de tijd van de bijbel... *Als tekenen zullen deze dingen de gelovigen volgen: slangen zullen zij opnemen, en zelfs indien zij iets dodelijks drinken –* '

'Die beesten zijn gevaarlijk.'

'Zijn hand heeft de slang gemaakt, broeder, zoals Hij ook het lammetje heeft gemaakt.'

Eugene gaf geen antwoord. Hij had de goedgelovige Curtis gevraagd om samen met hem in het appartement te wachten op de jonge Reese. Omdat Curtis zo'n dappere jonge hond was – als hij dacht dat iemand van wie hij hield pijn werd gedaan of in gevaar was, was hij meteen diepgeraakt en schoot hij stuntelig en vruchteloos te hulp – had Eugene hem bang proberen te maken door net te doen of hij was gebeten.

Maar de grap had zich tegen hem gekeerd. Nu schaamde hij zich voor de streek die hij hem had willen leveren, vooral omdat Curtis zo lief meelevend gereageerd had op Eugenes angstkreet toen de ratelslang zich ineenrolde, een uitval deed naar het gaas en Eugenes hand vol gif sproeide; hij had Eugenes arm geaaid en bezorgd geïnformeerd: 'Gebijt? Gebijt?'

'Die plek op je gezicht, broeder?'

'Wat is daarmee?' Eugene was zich sterk bewust van het gruwelijke rode litteken van een brandwond in zijn gezicht, en vond het niet prettig als vreemden erover begonnen.

'Is dat niet een Teken?'

'Ongeluk,' zei Eugene kortaf. De wond was veroorzaakt door een mengseltje van loog en bakvet dat in de gevangenis bekendstond als 'Angola coldcream'. Dat had een venijnig etterbakje dat Weems heette – hij kwam uit Cascilla, Mississippi en zat voor aanranding met geweld – tijdens een ruzie om een pakje sigaretten in Eugenes gezicht gegooid. In de tijd dat Eugene van die brandwond genas, was de Heer hem in de donkere nacht verschenen om hem te laten weten wat zijn missie op deze aarde was; Eugene had de ziekenboeg verlaten met een hersteld gezichtsvermogen en het vaste voornemen zijn belager te vergeven – maar Weems was dood. Een andere misnoegde gevangene had Weems' keel doorgesneden met een scheermes dat in de steel van een tandenborstel was vastgesmolten – een daad die Eugene alleen nog maar sterkte in zijn kersverse geloof in de machtige raderen der Voorzienigheid.

'Wij die Hem liefhebben,' zei Loyal, 'dragen allen Zijn Teken.' En hij stak zijn handen uit – een pokdalig netwerk van littekenweefsel. Eén zwartverkleurde vinger had een gruwelijk bol gezwel als top en van een andere restte alleen een stompje.

'Waar het om gaat is dit,' zei Loyal. 'We moeten bereid zijn voor Hem te sterven, zoals Hij bereid was om te sterven voor ons. En als we de dodelijke slang oppakken en daar in Zijn naam mee werken, tonen we onze liefde voor Hem zoals Hij zijn liefde getoond heeft voor jou en voor mij.'

Eugene was geroerd. De jongen was oprecht, dat was duidelijk – geen kermiszwendelaar, maar een man die zijn geloof in praktijk bracht, die zijn leven offerde aan Jezus, zoals de martelaren van vroeger. Maar precies op dat moment werden ze opgeschrikt door geklop op de deur, een reeks snelle, felle tikjes.

Eugene knikte Loyal even toe, toen keken ze weer weg van elkaar. Alles bleef doodstil, op hun ademhaling na en het droge, knerperige geritsel uit de dynamietkratten – een afschuwelijk geluid, zo zwak dat Eugene het nu pas hoorde.

Tik tik tik tik tik. Weer die aanmatigende, nuffige klop – Roy Dial, dat kon niet missen. Eugene had geen huurachterstand, maar Dial – huisbaas in hart en nieren, en onbedwingbaar bemoeizuchtig – kwam vaak met een smoesje rondsnuffelen.

De jonge Reese legde een hand op Eugenes arm. 'Een sheriff uit Franklin County wil me arresteren,' fluisterde hij Eugene in het oor. Zijn adem geurde naar hooi. 'Mijn vader is daar met vijf anderen eergisteravond opgepakt – ordeverstoring.'

Eugene stak geruststellend zijn hand op, maar meneer Dial rammelde verbeten aan de klink. 'Hallo? Is er iemand thuis?' *Tik tik tik tik tik.* Een korte stilte en toen hoorde Eugene tot zijn ontsteltenis dat er steels een sleutel in het slot werd omgedraaid.

Hij stoof naar de achterkamer, net op tijd om te zien dat de ketting de opengaande deur tegenhield.

'Eugene?' Gerammel aan de klink. 'Is daar iemand?'

'Eh, het spijt me, meneer Dial, maar u komt niet zo gelegen,' riep Eugene op de beleefde babbeltoon die hij aansloeg tegen mensen van het incassobureau en handhavers der wet.

'Eugene, jongen! Luister, alle begrip, maar ik wil toch wel even een woordje met je wisselen.' De neus van een zwarte brogue gleed tussen deur en deurpost. 'Okidoki? Eén tel maar.'

Eugene sloop dichterbij, draaide één oor naar de deur. 'Eh, wat kan ik voor u doen?'

'Eugéne!' Weer rammelde de klink. 'Eén tel maar, en dan zul je van mij geen last meer hebben.'

Hij kan zelf wel evangelist worden, dacht Eugene nors. Hij veegde zijn mond af met de rug van zijn hand en zei op de gladste en vriendelijkste toon die hij kon opbrengen: 'Eh, ik wil u niet graag de deur wijzen maar het komt nu niet zo goed uit, meneer Dial! Ik zit helemaal midden in mijn bijbelstudie!'

Een korte stilte voor de stem van meneer Dial weer klonk: 'Goed dan. Maar Eugene – voor vijf uur 's middags mag je niet al die vuilnis bij de stoep zetten. Als ik een bekeuring krijg, komt die voor jouw rekening.'

'Meneer Dial,' zei Eugene terwijl hij strak naar de koelbox op zijn keukenvloer keek, 'ik vind het vervelend u dit te vertellen maar ik denk met permissie dat die vullis daar van de mormonenjongens is.'

'Dat is mijn probleem niet, van wie het is. De reinigingsdienst wil niet dat het hier voor vijven buitenstaat.'

Eugene keek op zijn horloge. *Vijf voor vijf, doperse duivel die je bent.* 'Goed. Ik zal het zeker in de gaten houden.'

'Bedankt! Ik zou het op prijs stellen als we elkaar op dit punt ter wille konden zijn, Eugene. En nog iets – is Jimmy Dale Ratliff een neef van jou?'

Na een argwanend zwijgen zei Eugene: 'Achterneef.'

'Ik kom er maar niet achter wat z'n telefoonnummer is. Heb jij dat voor me?'

'Jimmy Dale en zo hebben daar geen telefoon.'

'Als je hem ziet, Eugene, wil je dan vragen of hij langskomt op het kantoor? We moeten het even over de afbetaling van zijn auto hebben.'

In de daaropvolgende stilte dacht Eugene aan Jezus die de tafels van de geldwisselaars had omgekeerd en de handelaars uit de tempel had verdreven. Vee en runderen verhandelden ze daar – de auto's en vrachtauto's van de bijbelse tijd.

'In orde?'

'Ik zal ervoor zorgen, meneer Dial!'

Eugene luisterde naar Dials voetstappen die de trap af gingen – eerst langzaam, halverwege stilvallend, daarna weer in sneller tempo. Toen sloop hij naar het raam. Meneer Dial liep niet meteen naar zijn eigen auto (een Chevrolet Impala met garagekenteken) maar bleef een paar minuten buiten het gezichtsveld van Eugene in de voortuin rondhangen – waarschijnlijk om de pick-up van Loyal, ook een Chevrolet, te inspecteren, of misschien om rond te neuzen bij die arme mormonen, die hij graag mocht maar genadeloos pestte door ze te bestoken met provocerende bijbelteksten en ze door te zagen over hun opvattingen over kwesties als het hiernamaals.

Pas toen de Chevrolet startte (met een nogal sloom, onwillig geluid voor zo'n nieuwe wagen) ging Eugene weer naar zijn gast, die hij geknield aantrof, op één knie, in vurig gebed, trillend van top tot teen, en met duim en wijsvinger tegen zijn ogen gedrukt als een gelovige footballspeler voor het begin van een wedstrijd.

Eugene voelde zich niet op zijn gemak, want hij wilde zijn gast niet storen maar had ook geen zin om mee te bidden. Stilletjes liep hij terug naar de voorkant van het huis en pakte uit zijn koelbox een warm, zweterig stuk kaas – die ochtend pas gekocht, en sinds de aankoop geen moment uit zijn gedachten – en sneed er met zijn zakmes gulzig een homp af. Hij werkte het zo, zonder crackers, naar binnen, zijn schouders krom en zijn rug naar de open deur van de kamer waar zijn gast nog steeds tussen de dynamietkisten geknield zat, en vroeg zich af waarom hij nooit op het idee was gekomen om gordijnen op te hangen in de Missie. Het had hem nooit eerder nodig geleken omdat dit een bovenverdieping was; zijn eigen tuin was weliswaar kaal, maar de bomen in de andere tuinen schermden hem af van de ramen van de buren. Toch zou wat extra privacy geen kwaad kunnen zolang hij de slangen onder zijn hoede had.

Ida Rhew stak haar hoofd om de deur van Harriets kamer, haar armen vol schone handdoeken. Ze keek naar een schaar op het kleed en vroeg: 'Je knipt toch geen plaatjes uit dat boek?'

'Nee, Ida,' zei Harriet. Zwakjes dreef door het open raam het geronk van kettingzagen binnen: er sneuvelden bomen, de een na de ander. Uitbreiding, aan iets anders dacht het bestuur van de baptistenkerk niet: nieuwe recreatieruimte, nieuw parkeerterrein, een nieuw jeugdcentrum. Straks zou er in dat hele stuk geen boom meer overeind staan.

'Pas op dat ik je niet betrap.'

'Ja, Ida.'

'Wat ligt die schaar daar dan?' Strijdlustig knikte ze in de richting van de schaar. 'Berg op dat ding,' zei ze. 'Nu meteen.'

Gehoorzaam liep Harriet naar haar bureau, legde de schaar in de la en schoof die dicht. Ida haalde haar neus op en beende ervandoor. Harriet ging op het voeteneind van haar bed zitten wachten; zodra Ida buiten gehoorsafstand was, trok ze de la open en pakte de schaar weer.

Harriet had zeven jaarboeken van Alexandria Academy, te beginnen met de eerste klas. Pemberton had twee jaar geleden zijn einddiploma gehaald. Ze bladerde een voor een de pagina's van zijn seniorenjaarboek door en bekeek elke foto aandachtig. Pemberton was overal. Pem op groepsfoto's van het tennis- en golfteam; Pem in geruite broek, onderuitgezakt aan een tafel in de studiezaal; Pem in avondkleding, tegen een feestelijk decor met witte slingers, samen met de rest van het reünistencomité. Zijn voorhoofd glom en zijn gezicht gloeide knalrood en blij; hij leek dronken. Diane Leavitt – de grote zus van Lisa – had een gehandschoende hand bij hem ingehaakt, en ondanks haar lach zag je dat ze beteuterd was dat niet zij maar Angie Stanhope zojuist tot Koningin van de Reünisten was uitgeroepen.

En dan de portretten van de hogereklassers. Smokings, pukkels, parels. Boerenmeiden met brede koppen die er zo opgedirkt voor de foto onwennig uitzagen. Een stralende Angie Stanhope, die dat jaar alles gewonnen had, meteen na haar eindexamen was getrouwd en die er tegenwoordig flets, uitgeblust en papperig uitzag als Harriet haar in de winkel tegenkwam. Maar van Danny Ratliff geen spoor. Was hij blijven zitten? Van school gegaan? Ze bladerde verder, naar de kinderfoto's van de eindexamenkandidaten (Diane Leavitt met een plastic speelgoedtelefoontje; een boos kijkende Pem met een kletsnatte luier, trots bij een babyzwembadje) en met een schok besefte ze dat ze een foto van haar gestorven broertje voor zich had.

Ja, Robin: daar had je hem, op een bladzij helemaal voor zich alleen: tenger, sproeterig, vrolijk, met een enorme strohoed op die zo te zien van Chester was. Hij lachte – niet alsof er iets grappig was, maar lief, alsof hij degene achter de camera aardig vond. RO-

BIN WE MISSEN JE!!! luidde het bijschrift. En daaronder hadden zijn klasgenoten die hun diploma hadden gehaald allemaal hun handtekening gezet.

Ze bekeek de foto langdurig. Hoe Robins stem had geklonken zou ze nooit weten, maar haar hele leven al hield ze van zijn gezicht, en de ontwikkeling ervan had ze liefdevol gevolgd via een doodlopend spoor van kiekjes: willekeurige momenten, wonderen van alledaags licht. Hoe zou hij er als volwassene hebben uitgezien? Het viel niet te zeggen. Naar zijn foto's te oordelen was Pemberton als klein kind heel lelijk geweest: bonkige schoudertjes, o-benen, geen nek, zonder de geringste aanwijzing dat hij later zo knap zou worden.

Ook in de klas van Pem van het jaar daarvoor geen Danny Ratliff (wel weer Pem zelf, als Jolige Junior), maar toen ze haar vinger langs de alfabetische lijst van een klas lager liet glijden stuitte ze ineens op zijn naam: *Danny Ratliff.*

Haar blik sprong naar het vak ernaast. In plaats van een foto stond daar alleen een valse spotprent van een tiener die met zijn ellebogen op tafel over een vel papier zat gebogen met het opschrift 'Spiekbrief'. Onder de tekening stond met schreeuwerige, ludieke hoofdletters : TE DRUK − GEEN FOTO VOORHANDEN.

Dus hij was minstens één keer blijven zitten. Was hij daarna dan helemaal van school verdwenen?

Toen ze nog een jaar terugging, vond ze hem eindelijk: een jongen met een dikke pony die ver over zijn voorhoofd hing, tot over zijn wenkbrauwen − knap, maar op een dreigende manier, net zo'n criminele popster. Hij zag er ouder uit dan de anderen uit zijn klas. Zijn ogen gingen half schuil achter het lange haar, wat hem een boosaardige, gluiperige uitstraling gaf; zijn lippen waren brutaal op elkaar geperst alsof hij op het punt stond kauwgum uit te spugen of een scheetgeluid te maken.

Ze bleef lang naar de foto kijken. Daarop knipte ze hem zorgvuldig uit en stopte hem in haar oranje schrift.

'Harriet, beneden komen.' De stem van Ida, onder aan de trap.

Harriet borg het haastig op en riep: 'Wat is er, Ida?'

'Wie heeft er gaten in deze broodtrommel zitten boren?'

Hely kwam die middag niet opdagen en die avond evenmin. De volgende ochtend (het regende) kwam hij ook niet en daarom besloot Harriet naar het huis van Edie te gaan om te kijken of die ontbijt had klaargemaakt.

'Een kerkvoogd!' zei Edie. 'En die probeert een slaatje te slaan uit een uitstapje van de kerk voor weduwen en dames op leeftijd!' Ze was – het stond haar goed – gekleed in een tuinbroek en een kakihemd, want ze zou die dag met de tuinclub gaan werken op de militaire begraafplaats van de gesneuvelden uit de Burgeroorlog. '"Jawel," zei hij tegen mij' (met pruillippen deed ze de stem van meneer Dial na) '"maar met de Greyhound zou het u tachtig dollar kosten." De Greyhound! "Tja!" zei ik. "Dat verbaast me niets! Voor zover ik weet is Greyhound nog steeds een bedrijf met winstoogmerk!"'

Ze keek over de rand van haar halve brilletje in de krant terwijl ze dit zei; haar stem was vorstelijk, vernietigend. Ze had geen aandacht geschonken aan het zwijgen van haar kleindochter, zodat Harriet, die stoïcijns krakend haar toast verorberde, zich nog verder en vastberadener in haar wrok terugtrok. Sinds haar gesprek met Ida vond ze Edie heel onsympathiek – vooral omdat Edie constant brieven schreef aan volksvertegenwoordigers, petities op touw zette en zich inzette voor het behoud van historisch monument zus en bedreigde diersoort zo. Ida's welzijn was toch minstens even belangrijk als die plaatselijke waterkippen waar Edie zich zo voor uitsloofde?

'Ik ben er natuurlijk niet over begonnen,' zei Edie, met een hooghartig snuifje – als om te zeggen: en daar mag hij wel blij om zijn – terwijl ze haar krant pakte en glad schudde, 'maar ik vergeef het Roy Dial nooit dat hij pappa zo heeft beduveld met die laatste auto die hij kocht. Pappa was op het laatst niet meer zo helder in die dingen. Als Dial hem had neergeslagen en beroofd, had dat geen verschil gemaakt.'

Harriet kreeg door dat ze te opvallend naar de achterdeur zat te kijken en wijdde zich weer aan haar ontbijt. Als ze niet thuis was wanneer Hely langskwam, liep hij meestal door naar hier, en dat was soms vervelend omdat Edie Harriet wondergraag met Hely plaagde, met gemompelde terzijdes over vriendjes en romantiek, of van die irritante liefdesliedjes die ze dan zachtjes neuriede. Harriet kon toch al slecht tegen plagen, maar plagen met jongens tergde haar tot het uiterste. Edie deed net alsof ze dat niet wist, en beschouwde het resultaat van haar werk (tranen, ontkenning) met theatrale verbazing. 'Me dunkt dat zij te fel is in haar tegenwerping!' zei ze dan vrolijk, op die monter-spottende toon die Harriet zo tegenstond; of, nog zelfgenoegzamer: 'Je moet dat ventje wel erg graag mogen als je zo van streek raakt als hij ter sprake komt.'

'Volgens mij,' zei Edie, die Harriet daarmee uit haar mijmerin-
gen deed opschrikken, 'volgens mij moeten ze de kinderen op
school een warm middagmaal geven maar de ouders geen cent.'
Ze had het over een artikel uit de krant. Even daarvoor had ze het
over het Panamakanaal gehad, hoe zot het was om dat gewoon uit
handen te geven.

'Laat ik eerst maar eens de rouwadvertenties lezen,' zei ze. 'Dat
zei pappa altijd. "Laat ik eerst maar eens de rouwadvertenties lezen, misschien is er wel een bekende overleden."'

Ze sloeg de achterpagina op. 'Hield die regen nu maar op,' zei
ze met een blik uit het raam, zich schijnbaar niet van Harriets aanwezigheid bewust. 'Er valt binnen genoeg te doen, de schuur moet
schoongemaakt, en de bloempotten moeten gedesinfecteerd, maar
ik geef je op een briefje dat de mensen bij het opstaan na één blik
op het weer...'

Als bij afspraak ging op dat moment de telefoon.

'Daar heb je 't al,' zei Edie, terwijl ze in haar handen klapte en
van tafel opstond. 'De eerste die vanochtend afzegt.'

Harriet liep door de motregen naar huis, haar hoofd gebogen onder een gigantische van Edie geleende paraplu, waarmee ze toen
ze klein was nog Mary Poppins had gespeeld. Er zong water in de
goten; lange rijen oranje daglelies, neergeslagen door de regen,
bogen zich driftig naar de stoep, alsof ze tegen haar schreeuwden.
Ze verwachtte half en half dat Hely in zijn gele oliejas spetterend
door de plassen aan zou komen rennen, en dan zou ze hem nege-
ren, maar de dampende straten waren leeg: geen mensen, geen
auto's.

Omdat er niemand was om haar van spelen in de regen te weerhouden, sprong ze uitdagend van plas tot plas. Had ze nu eigenlijk
ruzie met Hely? De langste periode dat ze niet met elkaar hadden
gepraat was in de vierde klas geweest. Toen hadden ze in de pauze
ruzie gekregen; het was winter, februari, de natte sneeuw joeg
tegen de ruiten en alle kinderen waren prikkelbaar omdat ze voor
de derde achtereenvolgende dag niet het speelplein op mochten.
Het lokaal was overvol en het stonk er: naar schimmel en krijtstof
en zure melk, maar vooral naar urine. De lucht was in de vaste
vloerbedekking getrokken; op klamme dagen werd iedereen er
gek van, en knepen de kinderen hun neus dicht of maakten kok-
halsbewegingen; zelfs juf Miley liep achter door het lokaal met
een spuitbus luchtverfrisser, 'Glade Floral Bouquet', die ze met

meedogenloze, ritmische zwaaien in het rond spoot terwijl ze gewoon doorging met haar uitleg over staartdelingen of haar dictee – met als gevolg dat er gedurig een weeë deodorantnevel om de kinderhoofden hing en ze riekend als een damestoilet op huis aan gingen.

Eigenlijk mocht juf Miley haar klas niet zonder toezicht achterlaten, maar ze vond de pieslucht even erg als de kinderen en stak vaak de gang over voor een praatje met de juf van de vijfde, mevrouw Rideout. Ze koos altijd een kind uit om tijdens haar afwezigheid toezicht te houden en ditmaal was haar keus op Harriet gevallen.

Dat 'toezicht houden' was geen pretje. Terwijl Harriet bij de deur stond te kijken of juf Miley al terugkwam, begonnen de andere kinderen – die alleen maar hoefden te zorgen dat ze op tijd weer op hun plaats zaten – door het stinkende, benauwde lokaal te rennen: ze lachten, jengelden, speelden tikkertje, gooiden met damstenen, smeten elkaar keiharde proppen papier in het gezicht. Hely en een jongen die Greg DeLoach heette hadden zich vermaakt met pogingen de op wacht staande Harriet met die proppen op haar achterhoofd te raken. Ze dachten dat ze toch niet zou gaan klikken. Iedereen was zo bang voor juf Miley dat niemand ooit klikte. Maar Harriet was in een nijdige bui omdat ze naar de wc moest en een hekel had aan Greg DeLoach, zo'n type dat in zijn neus peuterde en dan de korstjes snot opat. Als Hely met Greg speelde, besmette Gregs karakter hem als een ziekte. Samen begonnen ze Harriet dan uit te schelden, bekogelden haar met natgespuugde propjes, en gilden het uit als ze bij hen in de buurt kwam.

Dus toen juf Miley terugkwam, verklikte Harriet Greg, en Hely ook, en als toegift zei ze erbij dat Greg haar voor hoer had uitgescholden. Greg had Harriet inderdaad weleens voor hoer uitgescholden (en een keer zelfs voor iets raadselachtigs dat had geklonken als 'hoerenhopper') maar ditmaal had hij niets ergers gezegd dan 'vieze trut'. Hely moest voor straf vijftig moeilijke woorden extra leren, maar Greg kreeg behalve die woorden ook nog twaalf meppen met de liniaal (voor alle letters van 'verdomme' en 'hoer') van de strenge oude juf Kennedy met haar gele tanden, die zo groot was als een man en in de lagere klassen alle meppen uitdeelde.

Hely was vooral zo lang kwaad op Harriet geweest omdat het hem drie weken had gekost om die woorden goed genoeg uit zijn hoofd te leren voor de schriftelijke overhoring. Harriet had zich onverstoorbaar en vrij moeiteloos aangepast aan het leven zonder Hely, want dat was net zo'n leven als anders, alleen eenzamer; maar twee dagen na de overhoring stond hij bij Harriet aan de achterdeur om te vragen of ze mee ging fietsen. Na een ruzie was het meestal Hely die de draad weer oppakte, of hij nu de schuldige was of niet – omdat hij sneller vergat, en sneller in paniek raakte als hij een uur niets te doen had en niemand had om mee te spelen.

Harriet schudde de paraplu uit, zette hem op de achterveranda, en liep door de keuken naar de gang. Ida Rhew kwam uit de huiskamer en posteerde zich voor haar voordat ze de kans kreeg de trap op te gaan naar haar kamer.

'Luister eens, jij!' zei ze. 'We zijn nog niet klaar over die broodtrommel. Ik weet dat jij die gaten in dat ding hebt gemaakt.'

Harriet schudde van nee. Ze voelde zich weliswaar gedwongen aan haar eerdere ontkenning vast te houden, maar had de fut niet voor een feller protest.

'Dan wil je me zeker wijsmaken dat er iemand heeft ingebroken om dat te doen?'

'Het is de trommel van Allison.'

'Jij weet best dat jouw zus geen gaten in dat ding geboord heeft,' riep Ida haar achterna naar boven. 'Jij gaat me warempel niet voor de gek houden.'

> *We're gonna turn it on...*
> *We're gonna bring you the power...*

Hely zat in kleermakerszit wezenloos op de vloer voor de televisie, met een halfleeggegeten kom Giggle Pops op schoot en zijn vechtrobots – een lamgedraaide, met een bungelende elleboog – terzijde geschoven. Ernaast lag met zijn gezicht naar de vloer een G.I. Joe die als scheidsrechter had gefungeerd.

The Electric Company was een educatief programma, maar tenminste niet zo saai als *Mister Rodgers*. Lusteloos nam hij nog een hap Giggle Pops – ze waren nu helemaal klef, en de melk zag groen van de kleurstof, maar de minimarshmallows leken nog steeds wel aquariumgrind, zo hard. Zijn moeder was daarnet naar beneden komen rennen en had haar hoofd om de deur van de huiskamer gestoken om te vragen of hij zin had om koekjes te helpen bakken; hij werd kwaad bij de gedachte dat zijn smalende weigering haar zo koud had gelaten. Oké, had ze net zo vrolijk geantwoord, mij best.

Nee, hij zou haar heus de lol niet doen om belangstelling te tonen. Bakken was voor meisjes. Als zijn moeder echt van hem hield, bracht ze hem met de auto naar de bowlingbaan.

Hij nam nog een hap Giggle Pops. Alle suiker was weggesmolten en ze smaakten helemaal niet lekker meer.

Bij Harriet thuis sleepte de dag zich voort. Het leek niemand op te vallen dat Hely al een tijdje niet geweest was – behalve gek genoeg Harriets moeder, uitgerekend degene die het nog voor elkaar zou krijgen om niets te merken als het dak van het huis gerukt werd door een wervelwind. 'Waar is de kleine Price?' riep ze die middag uit de serre naar Harriet. Ze noemde Hely zo omdat Price de meisjesnaam was van zijn moeder.

'Weet ik niet,' zei Harriet kortaf en liep naar boven. Maar algauw verveelde ze zich – liep kribbig wat tussen bed en vensterbank heen en weer, keek hoe de regen tegen de ruiten sloeg – en binnen de kortste keren was ze weer beneden.

Nadat ze een tijdje doelloos had rondgehangen in de keuken en er ten slotte was weggejaagd, ging ze maar in een verloren hoekje van de gang zitten, waar de planken vloer mooi glad was, om een spelletje *jacks* te doen. Onder het spelen telde ze hardop, met een vlakke neuriestem, in een soort verdovende wisselwerking met het gebonk van het balletje en dat monotone zingen van Ida uit de keuken:

Daniel saw that stone, hewn out the mountain
Daniel saw that stone, hewn out the mountain
Daniel saw that stone, hewn out the mountain

Het balletje was van hard plastic dat hoger stuiterde dan rubber. Als het die ene uitstekende spijkerkop raakte, kaatste het in een onverwachte richting weg. En die ene uitstekende spijker – zwart, in een schuine hoek zodat hij wel een piepkleine Chinese sampanhoed leek – zelfs die spijker was een onschuldig, goedaardig voorwerpje waarop Harriet haar aandacht kon richten, een welkom vast punt in de chaos van de tijd. Hoe vaak had Harriet al niet met haar blote voet op die spijker getrapt? Hij was met een hamer krom getikt, en niet zo scherp dat je je eraan kon snijden, al was ze er eens op haar vierde, toen ze op haar achterwerk door de gang gleed, met haar onderbroekje aan blijven haken zodat het ge-scheurd was: een blauw broekje, uit een hele set van de Kiddie Korner, waar met roze letters de dagen van de week op gebor-duurd stonden.

Drie, zes, negen, een om van te groeien. De kopspijker was trouw, was sinds ze klein was niet veranderd. Nee, hij was op zijn plaats gebleven, en woonde stilletjes in zijn donkere getijdepoeltje achter de deur terwijl de rest van de wereld in de soep draaide. Zelfs de Kiddie Korner, waar tot voor kort alle kleren van Harriet vandaan kwamen, was nu dicht. De kleine, rozebepoederde me-vrouw Rice – een vast punt in Harriets jonge jaren, met haar grote zwarte bril en grote gouden bedelarmband – had de winkel ver-kocht en was naar een verpleegtehuis gegaan. Harriet liep niet graag langs de leegstaande winkel, al bleef ze er wel altijd staan om met haar hand boven haar ogen door de stoffige spiegelruit naar binnen te turen. De gordijnen waren van de ringen gehaald en de vitrines waren leeg. Overal lagen stukken krant op de vloer, en in het lege halfduister stonden spookachtige etalagepoppen van kinderformaat – gebruind, bloot, met hun plastic pagekapsels – wezenloos allerlei kanten op te staren.

> *Jesus was the stone, hewn out the mountain*
> *Jesus was the stone, hewn out the mountain*
> *Jezus was the stone, hewn out the mountain*
> *Tearing down the kingdom of this world*

En vieren. En vijven. Ze was de *jacks*kampioen van Amerika. De *jacks*kampioen van de wereld. Met een enthousiasme dat maar voor een klein deel geveinsd was, riep ze de scores af, juichte zich-zelf toe en sloeg steil achterover van haar eigen prestaties. Heel even voelde die opwinding zelfs aan als echte lol. Maar hoe ze ook haar best deed, vergeten dat het niemand iets kon schelen of ze lol had, dat wilde niet lukken.

Danny Ratliff werd met een akelige schok uit zijn dutje wakker. Hij had het de afgelopen weken met een minimum aan slaap moe-ten doen, want Farish, zijn oudste broer, had in de prepareer-schuur achter de wooncaravan van hun grootmoeder, waar ze dieren opzetten, een drugslab ingericht. Scheikundig geschoold was Farish bepaald niet, maar de methamfetamine was van redelij-ke kwaliteit en de opzet zelf was puur winstgevend. Met die drugs, zijn ziekengeld en de hertenkoppen die hij opzette voor jagers in de buurt, verdiende Farish vijf keer zoveel als wat hij vroeger met inbraken en diefstal van autoaccu's bij elkaar had gescharreld. Van zulke zaakjes hield hij zich nu verre. Sinds hij uit de inrichting was ontslagen, benutte Farish zijn niet onaanzienlijke talenten alleen voor een strikt adviserende functie. Hij had zijn broers wel alles geleerd wat hij wist, maar ging niet langer met ze mee op pad; hij weigerde details van specifieke klussen aan te horen, weigerde zelfs bij ze in de auto te stappen. En al beheerste hij bijna alle onderdelen van het vak – sloten opensteken, auto's starten zonder sleuteltje, tactische terreinverkenning, ontsnapping na de misdaad – oneindig veel beter dan zijn broers, deze nieuwe strategie van afzijdigheid was uiteindelijk beter voor hen allemaal, want Farish was de meester, en veel waardevoller thuis dan achter de tralies.

Het geniale van het amfetaminelab was dat hij dankzij het opzetten van dieren (een onderneming die Farish volkomen legaal al zo'n twintig jaar met tussenpozen runde) aan chemicaliën kon komen die anders lastig verkrijgbaar waren; bovendien maskeerde het prepareerbedrijf voor een heel groot deel de duidelijk herkenbare kattenpislucht van de speedproductie. De Ratliffs woonden in het bos, op flinke afstand van de weg, maar zelfs daar zou de lucht hen onherroepelijk verraden; volgens Farish waren er al heel wat fabriekjes te gronde gegaan aan pottenkijkende buren of een ongelukkige windrichting: recht in het raampje van een voorbijrijdende politieauto.

Het regende niet meer; de zon scheen door de gordijnen. Danny kneep er zijn ogen voor dicht, draaide zich onder luid gepiep van de beddenveren om en begroef zijn gezicht in het kussen. Zijn caravan – een van de twee achter de grote stacaravan van zijn grootmoeder – lag op vijftig meter van het lab, maar de speed en het prepareren en de hitte zorgden samen voor een stank die ver droeg, en Danny was er zo misselijk van dat hij bijna moest braken. Het was een mengsel van kattenpis, formaline, bederf en dood dat bijna overal in bleef hangen: in kleren en meubels, in het water en de lucht en in de plastic bekers en borden van zijn grootmoeder. Zijn broer stonk er zo naar dat je maar beter twee meter bij hem vandaan kon blijven en al een paar keer had Danny de stank tot zijn ontzetting bespeurd in zijn eigen zweet.

Hij bleef gespannen liggen en zijn hart bonkte. Al een paar weken was hij bijna non-stop opgefokt, zonder slaap, op een paar onrustige hazenslaapjes na. Blauwe lucht, snelle muziek op de radio, lange, speedy nachten die eindeloos voortgleden naar een denkbeeldig verdwijnpunt terwijl hij plankgas bleef rijden, hele nachten lang, de een na de ander, donker en dan licht en dan weer donker, alsof je op een lang vlak stuk weg door zomerse plensbuien gleed. Je hoefde nergens heen, je wilde alleen maar snel. Sommigen (Danny niet) jakkerden zo snel en zo ver en zo wild dat ooit het moment kwam dat de zoveelste zwarte ochtend met tandengeknars en vroeg vogelgefluit er een te veel was en er iets knapte en dan was het dag met je handje. Constant op stoom, wilde ogen, geen seconde rust in je lijf; je weet zeker dat de maden aan je beenmerg vreten, dat je vriendin je bedriegt, de regering je door de televisie heen begluurt en de honden boodschappen blaffen in morse. Danny had eens zo'n uitgemergelde speedfreak meegemaakt (wijlen K.C. Rockingham) die zich met een stopnaald lek prikte tot zijn armen eruit zagen alsof ze tot de ellebogen in de frituur waren gedompeld. Er boorden zich mijnwormpjes in zijn vel, zei hij. Twee weken lang had hij dag en nacht in bijna eufore toestand voor de televisie het vel van zijn onderarmen zitten scheuren terwijl hij 'hebbes!' en 'beet!' schreeuwde tegen de denkbeeldige beestjes. Farish was ook een paar keer bijna in dat krijsstadium beland (één keer was het goed raak en had hij zwaaiend met een pook staan schreeuwen over Kennedy) en Danny was niet van plan het ooit zover te laten komen.

Nee, hij voelde zich prima, tof voelde hij zich, alleen zweette hij als een tijger, had hij het veel te warm en was hij een beetje prikkelbaar. Zijn ene ooglid wilde maar niet ophouden met trillen. Geluiden, ook heel zachte, begonnen hem op zijn zenuwen te werken maar hij was vooral murw geslagen door steeds dezelfde nachtmerrie, die nu al een hele week terugkwam. Die leek voortdurend vlak boven hem te hangen, op de loer, wachtend tot hij in slaap viel; als hij dan op bed lag en onrustig wegdoezelde, sloeg de droom toe, greep hem bij de enkels en sleurde hem met misselijkmakende snelheid mee de diepte in.

Hij draaide zich op zijn rug en staarde naar de poster met het bikinimeisje op het plafond. Alsof hij een zware kater had, zo drukten de kwade dampen van de droom nog op hem. Maar hoe afgrijselijk die ook was, nooit kon hij zich bij het wakker worden details herinneren, geen mensen, geen situaties (al was er altijd nog minstens één iemand bij), alleen die verbijstering dat hij meegezogen werd in de blinde, luchtloze leegte: worsteling, donkere wiekslagen, doodsangst. Als hij erover zou vertellen zou het nog niet eens zo erg klinken, maar nooit had hij een droom gehad die gruwelijker was.

Op de halfopgegeten donut – zijn lunch – die op het kaarttafeltje naast zijn bed lag zaten klonters vliegen. Toen Danny opstond stegen ze met één zoem op om even wild in het rond te schieten voor ze weer op de donut landden.

Nu zijn broers Mike en Ricky Lee voorlopig vast zaten, had Danny de caravan voor zich alleen. Maar het was een oud geval, en laag, en al hield Danny hem angstvallig schoon – ramen gezeemd en nooit vuile afwas – toch was het er armoedig en benauwd. De elektrische ventilator ging eentonig zoemend heen en weer en liet de voddige gordijntjes wapperen als hij er langskwam. Uit het borstzakje van zijn spijkerhemd dat over een stoel hing pakte hij een snuifdoosje, waar geen snuif in zat maar zo'n dertig gram methamfetamine in poedervorm.

Hij snoof een flinke portie van de rug van zijn hand. Het brandde zo lekker, en prikte zo heerlijk achter in zijn keel dat zijn ogen vochtig werden. Bijna meteen verdween de grauwsluier: helderder kleuren, sterkere zenuwen, het leven niet meer zo slecht. Haastig, met trillende handen, tikte hij er nog een portie uit voordat de klap van de eerste aankwam.

Ha, ja: een weekje op het land. Regenbogen, schittering. Opeens voelde hij zich helder, uitgerust, de situatie meester. Danny maakte zijn bed op, strak als een trommelvel, leegde de asbak en spoelde hem om in de gootsteen, gooide het colablikje en de restanten van de donut weg. Op het kaarttafeltje lag een half afgemaakte legpuzzel (kleurloos landschapje, winterbomen en waterval) waar hij zich menig speedy nachtje mee vermaakt had. Daar een tijdje aan werken? Ja: de puzzel. Maar toen werd zijn aandacht getrokken door de toestand van de elektriciteitsdraden. Door het hele vertrek warrelden er snoeren: kronkelend om de ventilator, zigzaggend tegen de muren. Wekkerradio, televisie, broodrooster, de hele reut. Hij sloeg naar een vlieg om zijn hoofd. Misschien moest hij iets aan die snoeren doen – ze een beetje fatsoeneren. Uit de televisie bij zijn grootmoeder sneed glashelder de stem van een presentator door de mist: 'Doctor Death vliégt door het lint...'

'Donder op!' hoorde Danny zichzelf ineens roepen. Voor hij het wist had hij twee vliegen doodgemept en inspecteerde hij de vegen op de rand van zijn cowboyhoed. Hij kon zich niet herinneren dat hij die hoed had opgepakt, nee, niet eens dat hij hier binnen gelegen had.

'Waar kom jíj nou vandaan?' zei hij tegen de hoed. Héél raar. De dol geworden vliegen zoefden rond zijn hoofd maar Danny werd volledig in beslag genomen door de hoed. Waarom lag die binnen? Hij had hem in de auto laten liggen, dat wist hij zeker. Hij smeet hem op zijn bed – ineens wilde hij niet meer dat het ding hem aanraakte – en iets aan die brutale positie van de hoed, zoals hij daar helemaal alleen op het keurig opgemaakte bed lag, gaf hem de kriebels.

Fuck it, dacht Danny. Hij liet zijn nekwervels kraken, schoot in zijn spijkerbroek en liep naar buiten. Voor de caravan van zijn grootmoeder trof hij Farish aan die in een aluminium ligstoel hing en met een zakmesje het vuil vanonder zijn nagels pulkte. Rondom hem lagen allerlei in de steek gelaten objecten waarmee hij zich vermaakt had: een slijpsteen, een schroevendraaier en een deels ontmantelde transistorradio, een pocket met een hakenkruis op het omslag. Op de grond temidden van dit alles zat hun jongste broertje, Curtis, zijn korte dikke beentjes in v-vorm gespreid voor zich, neuriënd te knuffelen met een nat, smerig jong katje dat hij tegen zijn wang gedrukt hield. Danny's moeder had Curtis gekregen toen ze zesenveertig was en zwaar aan de drank – maar al had hun vader (zelf ook aan de drank en eveneens overleden) luidkeels de geboorte betreurd, Curtis was een lief joch, dol op taart, mondharmonicamuziek en Kerstmis; hij was wel onhandig en traag, maar verder was er niets mis met hem, behalve dat hij dovig was en graag de televisie een beetje te hard had staan.

Farish, kaken strak opeen, knikte naar Danny zonder op te kijken. Hij was zelf ook aardig onder de invloed. De rits van zijn bruine overall (een uniform van de pakketpost, met een gat op zijn borst waar de naam *United Parcel Service* had gezeten) stond bijna tot aan zijn navel open, zodat je de dikke vacht van zwarte borstharen zag. Het hele jaar door droeg Farish alleen die bruine overalls, behalve als hij voor moest komen of naar een begrafenis moest. Hij kocht ze met ladingen tegelijk tweedehands van de pakketpost. Jaren daarvoor had Farish inderdaad bij de posterijen gewerkt, zij het niet als pakketbezorger in een bestelauto maar als bode. Volgens hem was het een puike manier om rijke buurten af te leggen – je wist wie er met vakantie was, wie zijn ramen openliet, wie er ieder weekend zijn kranten liet liggen en wie er een hond had die de zaak zou kunnen compliceren. Maar juist die truc had Farish zijn baan als postbode gekost en ze hadden hem ervoor naar de nationale gevangenis in Leavenworth kunnen sturen als de officier had kunnen bewijzen dat Farish een van de inbraken had gepleegd onder werktijd.

Als er in de Black Door Tavern iemand Farish met zijn post-plunje pestte of vroeg waarom hij dat uniform eigenlijk droeg, zei hij altijd kortaf dat hij bij de post had gewerkt. Maar dat kon nooit de ware reden zijn, want Farish had een gloeiende hekel aan de nationale overheid, en aan de posterijen in het bijzonder. Volgens Danny was Farish zo aan die overalls gehecht omdat hij zulke uni-formkleding had gedragen in de psychiatrische inrichting (weer een ander verhaal), maar dat was niet bepaald een onderwerp waar Danny (of wie dan ook) graag tegen Farish over begon.

Hij wilde net naar de grote caravan lopen toen Farish de rugleu-ning van zijn stoel recht zette en het mes dichtklapte. Zijn knie wipte als een razende. Farish had een raar oog – met een wit waas erover – en na al die jaren voelde Danny zich nog steeds niet op z'n gemak als Farish het, zoals nu, onverhoeds op hem richtte.

'Gum en Eugene hebben net een meningsverschilletje gehad over de televisie,' zei hij. Gum was hun oma, van vaderskant. 'Eu-gene vindt dat Gum niet naar haar mensen mag kijken.'

Onder het praten staarden de beide broers over de open plek naar het dichte, stille bos, zonder naar elkaar te kijken – Farish breeduit in zijn stoel, Danny naast hem, als passagiers in een volle trein. 'Mijn mensen', zo noemde hun grootmoeder de soap waar ze altijd naar keek. Rond een autowrak schoot lang gras op, tussen het hoge onkruid lag een kapotte kruiwagen lui op z'n rug.

'Eugene vindt dat programma niet christelijk. Hà!' zei Farish, die daarbij zo'n harde pets op zijn knie gaf dat Danny ervan schrok. 'En worstelen, daar ziet hij niks verkeerd aan. Of football. Wat is er nou zo christelijk aan worstelen?'

Met uitzondering van Curtis – die van alles en iedereen hield, zelfs van bijen en wespen en de bladeren die van de bomen vielen – had de hele familie moeite met Eugene. Hij was de op een na oudste broer, en was na de dood van hun vader de adjudant van Farish geweest in het familiebedrijf (diefstal). Hij vervulde die taak plichtsgetrouw, zij het niet bijzonder energiek of bevlogen, maar toen hij eind jaren zestig voor diefstal in de Parchman-straf-gevangenis zat, had hij een visioen gekregen waarin hem werd opgedragen henen te gaan en de Heiland te verheerlijken. Sinds-dien was de verhouding met de rest van de familie een tikkeltje stroef. Hij weigerde nog langer zijn handen te bezoedelen aan wat hij het werk van Satan noemde, al zag hij er geen been in om – en

Gum was nooit te beroerd daar luidkeels op te wijzen – te profiteren van de kost en inwoning die de Satan met diens werken verschafte.

Dat liet Eugene koud. Hij bestookte hen met bijbelteksten, bekvechtte onophoudelijk met zijn grootmoeder en werkte eigenlijk iedereen op de zenuwen. Hij had zijn vaders gebrek aan humor geërfd (hoewel – gelukkig – niet zijn driftige aard) en ook vroeger, toen hij nog auto's stal en hele nachten dronken rondschuimde, was Eugene geen bijster onderhoudend gezelschap geweest, en al was hij niet haatdragend of snel beledigd – in de grond was het best een geschikte vent – van dat zieltjes winnen van hem hadden ze schoon genoeg.

'Wat doet Eugene hier trouwens?' vroeg Danny. 'Ik dacht dat hij wel op de Missie zou zitten met onze slangenbezweerder.'

Farish schoot in de lach – een schril, alarmerend giechellachje. 'Ik denk dat onze Eugene die Loyal daar wel in z'n eentje laat zitten met al die slangen.' Eugenes vermoeden dat er bij het bezoek van Loyal Reese andere motieven een rol speelden dan opwekking en christelijke naastenliefde was juist, want het bezoek was vanuit de gevangenis op touw gezet door Loyals broer Dolphus. Sinds de vaste koerier van Dolphus afgelopen februari was opgepakt voor een andere zaak, was er geen zending amfetamine meer bij het lab van Farish de deur uitgegaan. Danny had aangeboden het spul zelf in de auto naar Kentucky te brengen, maar Dolphus duldde geen ander op zijn afzetterrein (een begrijpelijke houding voor iemand achter de tralies) en bovendien, waarom zou hij een koerier inhuren als zijn broertje Loyal het spul gratis kon vervoeren? Loyal zelf mocht er natuurlijk niets van weten – die was zo vroom dat hij nooit bewust zou meewerken aan het soort plannetjes dat Dolphus in de gevangenis had uitgebroed. Hij moest naar een 'toogdag' van de kerk in Oost-Tennessee; dat hij naar Alexandria kwam rijden, was om Dolphus terwille te zijn, wiens oude vriend Farish een broer had (Eugene) die hulp nodig had als startende ondernemer in de revivalbusiness. Meer wist Loyal niet. Maar wanneer hij – in alle onschuld – terugging naar Kentucky, zou hij naast zijn reptielen een aantal secuur verpakte bundeltjes vervoeren die Farish in de motor van zijn pick-up had verstopt.

'Wat ik nou niet snap,' zei Danny, met een verre blik op de dennenbossen die donker en drukkend om hun stoffige open plek stonden, 'is waarom ze eigenlijk met die krengen willen werken.

Worden ze dan niet gebeten?'

'En niet zo allejezus zuinig ook.' Farish gaf een driftige ruk met zijn hoofd. 'Moet je maar eens aan Eugene vragen. Krijg je goddomme meer te horen dan je ooit hebt willen weten.' Zijn motorlaars ging spastisch op en neer. 'Stel, je zit aan die slang en hij bijt je niet – da's een wonder. Stel, je zit aan die slang en hij bijt je wel – ook een wonder.'

'Een slangenbeet is toch geen wonder?'

'Wel als je niet naar de dokter gaat, maar op de grond gaat liggen rollen en vraagt of Jezus even langs wil komen. En dan niet doodgaat.'

'En als je wel doodgaat?'

'Ook weer een wonder. Opgenomen door de Heer als Teken van Zijn liefde.'

Danny snoof minachtend. 'Nou, ik mag barsten als ik het snap,' zei hij terwijl hij zijn armen over zijn borst vouwde. 'Als het toch altijd een wonder is, waar gaat het dan nog om?' De lucht was helderblauw boven de dennen, weerspiegelde blauw in de plassen op de grond, en hij voelde zich high, heel lekker, en eenentwintig. Misschien dat hij wel even in zijn auto naar de Black Door reed, of naar het stuwmeer.

'Als ze die bosjes daar ingaan en een paar stenen omdraaien vinden ze geheid een nest vol wonderen,' zei Farish zuur.

Danny lachte en zei: 'Weet je wat een wonder zou wezen, Eugene die met een slang in de weer gaat.' Eugenes verkondiging van het Woord was ondanks zijn religieuze bezieling niet meeslepend, maar merkwaardig vlak en houterig. Afgezien van Curtis – die iedere keer braaf naar voren kwam sjokken om gered te worden – had hij voor zover Danny wist nog geen zieltje gewonnen.

'Als je het mij vraagt zie jij Eugene van z'n leven niet met een slang werken! Die krijgt nog geen wurm aan een vishaak. Zeg broertje' – Farish, blik strak op de dwergdennen, knikte even als om de verandering van onderwerp aan te geven – 'wat vind je van die grote witte ratelslang die hier gister aan is komen kruipen?'

Hij bedoelde de speed, de lading die hij net klaar had. Tenminste, Danny dácht dat hij dat bedoelde. Vaak kwam je er moeilijk achter waar Farish heen wilde, vooral als hij had gebruikt of gedronken.

'Nou?' Farish keek abrupt op naar Danny, en knipoogde – een nauwelijks waarneembaar trillen van zijn ooglid.

'Niet slecht,' zei Danny op zijn hoede; hij hief zijn hoofd, relaxed moest het lijken, en draaide het naar de andere kant, rustig... Farish kon ineens ontploffen als iemand het waagde hem niet te begrijpen, ook al snapte vaak geen hond wat hij bedoelde.

'Niet slécht.' De blik van Farish kon linksom of rechtsom, maar toen schudde hij zijn hoofd. 'Loepzuiver poedertje. Je knalt er zó van door je dak. Ik werd vorige week bijna gek toen ik met dat naar jodium stinkende spul aan het rotzooien was. Ik het door de peut halen, door dat middeltje tegen ringworm, noem maar op, maar die troep bleef zo plakken dat ik het nauwelijks mijn neus in geramd kreeg. Ik kan je wel zeggen,' grinnikte hij, terwijl hij zich liet terugzakken in zijn stoel en de leuningen vastgreep alsof hij op het punt stond op te stijgen, 'hoe je dit spul ook versnijdt, het blijft...' Hij schoot overeind en schreeuwde: 'Ik zeg toch, *hou dat beest bij me weg!*'

Een klap, een gesmoorde kreet; Danny schrok en zag vanuit zijn ooghoek het katje door de lucht zeilen. Curtis, zijn koboldachtige trekken verfrommeld tot een grimas van angst en verdriet, wreef met een vuist in zijn oog en liep struikelend achter het beestje aan. Het was het laatste van het nest; de Duitse herders van Farish hadden de rest al voor hun rekening genomen.

'Hoe vaak heb ik nou niet gezegd,' zei Farish, die dreigend opstond, 'hoe vaak heb ik nou niet gezegd dat hij die kat bij mij uit de buurt moet houden.'

'Ja,' zei Danny kortaf en hij keek de andere kant op.

De avonden waren altijd te stil bij Harriet thuis. De klokken tikten te hard; achter de lage krans van licht van de tafellampen werden de kamers sombere spelonken, en de hoge plafonds weken in een schijnbaar eindeloze donkerte. In de herfst, en in de winter, als de zon om vijf uur onderging, was het nog erger; maar opblijven met Allison als enig gezelschap was in sommige opzichten erger dan alleen opblijven. Allison lag aan de andere kant van de bank, haar gezicht asblauw in de gloed van de televisie, haar blote voeten in Harriets schoot.

Doelloos staarde ze op Allisons voeten neer – vochtig waren ze, roze als ham, en merkwaardig schoon als je bedacht dat ze altijd zonder sokken en schoenen rondliep. Geen wonder dat Allison en Weenie het zo goed met elkaar hadden kunnen vinden. Weenie was meer mens dan kat geweest, maar Allison was meer kat dan mens, zoals ze in haar eentje rondtrippelde en meestal iedereen negeerde, om zich dan weer doodleuk bij Harriet neer te vlijen als ze daar zin in had en zonder iets te vragen haar voeten bij haar op schoot te leggen.

Allisons voeten waren behoorlijk zwaar. Opeens schokten ze – heftig. Harriet keek op en zag Allisons oogleden trillen. Ze lag te dromen. Onmiddellijk greep Harriet haar kleine teentje beet en trok het naar achteren, waarop Allison een gil gaf en haar voet optrok als een ooievaar.

'Waar droom je over?' wilde Harriet weten.

Allison – met een rood wafeltjespatroon van de bank in haar wang geprent – wendde haar door de slaap versufte blik af alsof ze haar niet herkende – nee, nee, dat ook weer niet, dacht Harriet, die haar zusjes verwarring met scherpe, koele afstandelijkheid gadesloeg. *Het is alsof ze mij ziet en ook nog iets anders.*

Allison sloeg haar handen voor haar ogen. Zo bleef ze nog even doodstil liggen voor ze opstond. Haar wangen waren opgezet, haar ogen dik en ondoorgrondelijk.

Harriet bleef haar aandachtig aankijken. 'Je droomde écht, hè.'

Allison geeuwde. In haar ogen wrijvend wankelde ze slaapdronken naar de trap.

'Wacht nou!' riep Harriet. 'Je moet me nog vertellen wat je droomde.'

'Dat kan ik niet.'

'Kan je niet? Wíl je niet, zul je bedoelen.'

Allison draaide zich om en keek haar aan – met een vreemde blik, vond Harriet.

'Ik wil niet dat het uitkomt,' zei ze en liep door naar de trap.

'Dat wát uitkomt?'

'Wat ik net heb gedroomd.'

'Wat was dat dan? Ging het over Robin?'

Allison bleef op de onderste tree staan en keek om. 'Nee,' zei ze, 'het ging over jou.'

'Dat was maar negenenvijftig seconden,' zei Harriet koeltjes boven het gehoest en geproest van Pemberton uit.

Pem greep de kant van het zwembad vast en veegde met zijn onderarm over zijn ogen. 'Gelul,' zei hij terwijl hij naar adem snakte. Hij was donkerrood aangelopen, bijna de kleur van Harriets pennyshoes. 'Je hebt te langzaam geteld.'

Met een lange, nijdige puf blies Harriet alle lucht uit haar longen. Ze haalde een keer of tien diep en krachtig adem, tot haar hoofd begon te tollen, en op het hoogtepunt van haar laatste inademing nam ze een duik en was ze vertrokken.

De heenweg was simpel. Op de terugweg, door de kille blauwe tijgerstrepen van licht, verdichtte alles zich en vertraagde tot slow-motion – een kinderarm die voorbij zweefde, dromerig en lijkwit, een kinderbeen, vol kleine witte belletjes die aan de overeind staande beenharen hingen, wegglijdend met een trage, schuimende trap terwijl haar bloed in haar slapen beukte, terugvloeide, weer beukte en terugvloeide en beukte, als golven van de zee die op het strand sloegen. Boven haar – bijna onvoorstelbaar – schetterde het leven verder in felle kleuren, razendsnel, bloedheet. Schreeuwende kinderen, voeten die op warme stenen kletsten, kleintjes die ineengedoken met vochtige handdoeken om hun schoudertjes zogen aan blauwe ijslolly's, de kleur van het zwembadwater. *Bomb pops*, heetten ze. Ze waren dat jaar een rage en bij iedereen favoriet. Kleumende pinguïns op de koelvitrine van het kraampje. Blauwe lippen... blauwe tongen... rillen rillen en klappertanden, *koud....*

Ze barstte met een oorverdovende knal door de waterspiegel, alsof het een ruit was; het water was daar niet diep maar ook weer niet zo ondiep dat ze er staan kon, en ze hupte naar lucht happend rond op haar tenen, terwijl Pemberton – die met belangstelling had toegekeken – soepeltjes in het water dook en op haar af gleed.

Voor ze het wist, viste hij haar bedreven op en ineens lag haar oor tegen zijn borst en keek ze op naar de nicotinegele randjes van zijn tanden. Zijn wrange luchtje – volwassen, ánders, en voor Harriet niet echt aangenaam – was zelfs in de chloorlucht van het bad nog scherp.

Harriet liet zich uit zijn armen rollen – daarop wierp Pemberton zich op zijn rug, met een harde pets die een gordijn van water op deed stuiven terwijl Harriet spetterend naar de kant ging en er nogal demonstratief op klauterde, in haar geel met zwart gestreepte badpak waarin ze (volgens Libby) net een hommel leek.

'Wat krijgen we nou? Word jij dan niet graag opgepikt?'

Zijn toon was superieur en vertederd, alsof ze een katje was dat hem gekrabd had. Met een nijdige blik schopte Harriet een waternevel in zijn gezicht.

Pem dook weg. 'Wat is er nou?' vroeg hij plagerig. Hij wist heel goed – ergerlijk goed – hoe knap hij was, met zijn arrogante lachje en zijn zonnebloemgouden haar dat achter hem in het blauwe water golfde, als de lachende zeemeerman uit de geïllustreerde Tennyson van Edie:

Wie wil ooit
Een meerman zijn
Die alleen is met zijn lied
In zijn onderzees gebied
Fier getooid
Met een kroon in gouden schijn

'Nou?' Pemberton liet haar enkel los en bespatte haar, lichtjes, schudde toen zijn hoofd zodat de druppels in het rond vlogen. 'Waar is mijn geld?'

'Welk geld?' vroeg Harriet geschrokken.

'Ik heb je toch leren hyperventileren? Net als op die dure cursussen waar ze diepzeeduikers vertellen hoe dat moet?'

'Jawel, maar meer heb je me ook niet verteld. Ik oefen elke dag met adem inhouden.'

Pem deinsde met een gekwetste uitdrukking achteruit. 'We hadden toch een afspraak, Harriet?'

'Nietwaar!' riep Harriet, die niet tegen plagen kon.

Pem schoot in de lach. 'Laat maar. Eigenlijk zou ik jou voor lessen moeten betalen. Zeg...' Hij liet zijn hoofd onder water zakken, dook toen weer op, 'is je zus nog steeds zo uit haar doen over die kat?'

'Ik geloof het wel, hoezo?' vroeg Harriet nogal achterdochtig. Ze kon niet begrijpen wat Pem in Allison zag.

'Ze zou een hond moeten nemen. Honden kunnen kunstjes, maar katten kan je niks leren. Die trekken zich nergens een moer van aan.'

'Zij ook niet.'

Pemberton lachte. 'Een pup is volgens mij precies wat ze nodig heeft. In het clubhuis hangt een briefje met "chowchowpuppy's te koop".'

'Ze wil liever een kat.'

'Heeft ze weleens een hond gehad?'

'Nee.'

'Nou dan. Dan weet ze niet wat ze mist. Katten zien er wel slim uit, maar eigenlijk zitten ze alleen maar een beetje te staren.'

'Weenie niet. Dat was een geniaal beest.'

'Já, ja.'

'Nee, écht. Die snapte alles wat we zeiden. Hij probeerde met ons te praten! Allison was altijd bezig hem te trainen. Hij deed vreselijk zijn best maar zijn bekje was gewoon zo anders dat de klanken er niet goed uit kwamen.'

'Ja, dat zal best,' zei Pemberton die zich omdraaide om op zijn rug te drijven. Zijn ogen waren even felblauw als het water.

'Hij heeft wel een paar woorden geleerd.'

'O ja? Wat dan?'

'"Neus" bijvoorbeeld.'

Pemberton, die naar de lucht lag te kijken, zijn blonde haren als een waaier op de waterspiegel, zei sloom: 'Neus? Raar woord om een kat te leren.'

'Ze wilde beginnen met namen van dingen, dingen die ze aan kon wijzen. Zoals Miss Sullivan met Helen Keller deed. Dan raakte ze Weenies neus aan en zei ze: "Neus! Dat is jouw neus. Jij hebt een neus!" En dan wees ze op haar eigen neus. En dan weer op die van hem. En zo ging ze maar door.'

'Ze had zeker niks anders te doen.'

'Nee, eigenlijk niet. Zo zaten ze vaak de hele middag. En na een tijdje hoefde Allison alleen maar naar haar neus te wijzen of Weenie tilde zijn pootje op en raakte zijn eigen neusje aan, en nee, eerlijk, ik méén het,' zei ze, dwars door Pembertons luide spotlach heen, 'nee, echt, dan gaf hij zo'n gek miauwtje alsof hij "neus" wou zeggen.'

Pemberton wentelde zich op zijn buik en kwam spetterend weer boven. 'Ga toch weg.'

'Nee, echt. Vraag maar aan Allison.'

Pem keek alsof hij er genoeg van had. 'Alleen maar omdat hij een geluidje maakte...'

'Ja, maar het was niet zomaar een geluidje.' Ze schraapte haar keel en probeerde het na te doen.

'Je denkt toch niet dat ik dat geloof.'

'Ze heeft het op de band staan! Allison heeft een heleboel bandjes van hem opgenomen! Het meeste klinkt als gewoon gemiauw maar als je goed luistert kun je hem er echt een paar woorden op horen zeggen.'

'Maak dat de kat wijs, Harriet.'

'Het is echt waar. Vraag maar aan Ida Rhew. Iedere middag begon hij precies om kwart voor drie aan de achterdeur te krabben, want dan moest Ida hem eruit laten zodat hij Allison van de bus kon halen.'

Pemberton dook even onder om zijn haar naar achteren te krijgen, en kneep daarna eerst het ene en toen het andere neusgat dicht om luidruchtig snuitend zijn oren te laten knappen. 'Waar-

om heeft Ida Rhew eigenlijk de pest aan me?' vroeg hij opgewekt.
'Weet ik niet.'
'Ze heeft me nooit gemogen. Als ik vroeger met Robin kwam spelen deed ze altijd akelig tegen me, ook toen ik nog op de kleuterschool zat. Dan trok ze een tak van een van die struiken die jullie daar achter hebben en zat ze me door de hele tuin achterna.'
'Hely mag ze ook niet.'
Pemberton nieste en veegde met de rug van zijn hand zijn neus af. 'Wat is er eigenlijk met jou en Hely aan de hand? Ga je niet meer met hem?'
Harriet was verbijsterd. 'Ik ben nooit met Hely gegaan!'
'Hij zegt van wel.'
Harriet hield haar mond. Hely hapte altijd en begon van alles te roepen als Pemberton hem uitlokte maar zij trapte daar niet in.

Martha Price Hull, de moeder van Hely – die met de moeder van Harriet op school had gezeten – stond er berucht om dat ze haar zoons gruwelijk verwende. Ze aanbad ze hartstochtelijk; ze mochten van haar alles doen wat ze wilden, en wat hun vader ervan vond maakte niet uit; bij Hely kon je er niets over zeggen omdat hij nog te jong was, maar dat Pemberton het zo slecht deed lag volgens iedereen aan die verwennerij. De idolate opvoedingsmethoden van Martha Price waren legendarisch. Grootmoeders en schoonmoeders kwamen altijd met haar en haar zoontjes aanzetten als afschrikwekkend voorbeeld voor dwepende jonge moeders: het leed zou later niet te overzien zijn als je (bijvoorbeeld) toestond dat je kind drie jaar lang alleen maar chocoladetaart at, zoals in het notoire geval van Pemberton. Van zijn vierde tot zijn zevende had Pemberton niets anders willen eten dan die chocoladetaart; en niet zomaar chocoladetaart (werd er met grimmige nadruk aan toegevoegd) maar een speciale ook nog, waar gecondenseerde melk en allerlei dure ingrediënten in gingen, en om die te bakken had de adorerende Martha Price dagelijks om zes uur 's ochtends op moeten staan. De tantes hadden het nog steeds over die keer dat Pem – als gast van Robin – bij Libby thuis het middageten niet gewild had, en met zijn vuistjes op tafel trommelend ('als koning Hendrik de Achtste') chocoladetaart had geëist. ('Toch niet te geloven? "Van mamma krijg ik chocoladetaart." Van mij had hij een flink pak slaag gekregen.') Dat Pemberton groot was geworden in het verheugende bezit van een gaaf gebit was een wonder; zijn gebrek aan vlijt en een goed betaalde baan daarentegen was volgens eenieder volledig verklaarbaar door die rampzalige opvoeding.

Er werd vaak gespeculeerd over de bittere gêne die hij moest wekken bij Pems vader – dat was namelijk de directeur van Alexandria Academy, die jongeren beroepshalve discipline hoorde bij te brengen. Meneer Hull was niet zo'n schreeuwende rood aangelopen ex-sporter die je op privé-scholen als Alexandria Academy doorgaans aantrof; hij was niet eens coach, maar doceerde bètavakken in de laagste klas van de middelbare school en bracht de rest van zijn tijd door op zijn directeurskamer, waar hij met de deur dicht boeken over luchtvaarttechniek zat te lezen. Maar al had hij op school de wind eronder, en waren de leerlingen doodsbang voor zijn stiltes, thuis werd zijn gezag ondermijnd door zijn vrouw en het kostte hem dan ook veel moeite zijn eigen jongens in het gareel te houden – dat gold vooral voor Pemberton, die altijd aan het dollen was en achter zijn vader gezichten stond te trekken als er groepsfoto's werden genomen. Alle ouders voelden mee met meneer Hull; het was iedereen duidelijk dat je Pemberton half bewusteloos moest slaan wilde je hem stil krijgen, en al maakte de vernietigende wijze waarop hij hem bij openbare gelegenheden de mantel uitveegde alle aanwezigen nerveus, Pem zelf leek er zich allerminst aan te storen en ging doodleuk verder met zijn kwinkslagen en bijdehante opmerkingen.

Al kon het Martha Hull dan niet schelen dat haar zoontjes stad en land afschuimden, hun haar lieten groeien tot over hun schouders, wijn dronken bij het avondeten en toetjes aten als ontbijt, aan een paar regels viel in huize Hull niet te tornen. Pemberton mocht niet roken in het bijzijn van zijn moeder, ook al was hij twintig, en Hely mocht het natuurlijk helemaal niet. Harde popmuziek was taboe (al lieten Pemberton en zijn vriendjes wel de Who en de Stones door de buurt schallen als zijn ouders niet thuis waren – wat bij Charlotte verwarring, bij mevrouw Fountain gemopper en bij Edie kokende woede opleverde.) En al liet Pemberton zich niet meer door zijn ouders weerhouden om te gaan en te staan waar hij wilde, Hely mocht onder geen beding naar Pine Hill (een achterbuurt waar je pandjeshuizen en obscure eet- en danslokaaltjes had) of de Poolhal.

In die Poolhal bevond Hely zich nu – nog steeds mokkend over Harriet. Hij had zijn fiets verderop neergezet, in het steegje bij het stadhuis, voor als zijn vader of moeder hier langskwamen. Hij stond sikkeneurig barbecuechips naar binnen te werken – te verkrijgen aan de stoffige toonbank waar ook sigaretten en kauwgum werden verkocht – en snuffelde in het rek met strips bij de deur.

De Poolhal lag op nog geen honderd meter afstand van het stadhuisplein en had geen drankvergunning, maar was toch de ruigste plek van Alexandria, nog beruchter dan de Black Door of de Esquire Lounge in Pine Hill. Men zei dat er in drugs werd gehandeld en dat er werd gegokt bij het leven; er had zich menige schiet- en steekpartij voorgedaan, en ook mysterieuze brandjes. De slecht verlichte ruimte met de gevangenisgroen geverfde muren van betonblokken en de tl-buizen die flikkerden aan de met schuimplaten betimmerde plafonds was op die middag tamelijk verlaten. Van de zes pooltafels waren er maar twee bezet, en een stel boerenjongens met glad naar achteren gekamd haar en spijkerhemden met drukknoopjes stond rustig achterin te flipperen.

De schimmelige sfeer van verdorvenheid in de Poolhal sloot goed aan bij Hely's gevoel van wanhoop, maar hij kon niet poolbiljarten en durfde niet bij de tafels te gaan staan om te kijken. Toch kikkerde het hem al op om daar gewoon onopgemerkt bij de deur te staan, chips etend en die spannende lucht van ontaarding inademend.

Wat Hely zo aantrok in de Poolhal waren de stripboeken. Ze hadden daar het beste assortiment van de stad. De drugstore verkocht Richie Rich en Betty and Veronica; de Big Star supermarkt had die ook, plus Superman (op een ongelukkig geplaatst rek, vlak bij de kippen aan het spit, zodat Hely niet lang kon snuffelen zonder zijn billen te verbranden), maar de Poolhal had Sergeant Rock en *Weird War Tales* en *G.I. Combat* (echte soldaten die echte spleetogen afmaakten); verder nog Rima the Jungle Girl in haar pantervelbadpak, en tot slot (dat was het allermooiste) hadden ze een uitgebreide collectie horrorstrips (weerwolven, levend begraven mensen, kwijlende kadavers die van het kerkhof kwamen geschuifeld) die Hely stuk voor stuk waanzinnig boeiend vond: *Merkwaardige mysteries* en *Huis der geheimen*, *Het spookuur* en *Dagboek van het fantoom* en *Verboden vertellingen van het duistere kasteel*... Hij had nooit geweten dat er zulk meeslepend leesmateriaal bestond – en al helemaal niet dat hij, Hely, dat gewoon bij hem in de stad kon kopen – tot hij op een middag moest nablijven en in een lege schoolbank een exemplaar van *Verhalen van huize onheil* vond. Op het omslag stond een plaatje van een invalide meisje in een griezelig oud huis, dat gillend wanhopige pogingen deed om met rolstoel en al een reusachtige cobra te ontvluchten. Binnenin ging het invalide meisje schuimbekkend en stuiptrekkend ten onder. En er was nóg meer – vampiers, uitgestoken ogen, broedermoord. Hely was in vervoering geraakt. Hij had het minstens vijf keer van a tot z gelezen, mee naar huis genomen en herlezen tot hij het van voor naar achter en weer terug uit zijn hoofd kende, alle verhalen – 'Satans kamergenoot', 'Kom in mijn doodskist', 'Reisbestemming Transsylvanië'. Het was zonder enige twijfel het beste stripboek dat hij ooit onder ogen had gehad; hij dacht dat het enig in zijn soort was, een fantastisch, afwijkend fenomeen, onbereikbaar, en hij raakte finaal buiten zinnen toen hij een paar weken daarna een jongen op school die Benny Landreth heette een strip zag lezen die er heel veel op leek; deze heette *Zwarte magie* en had een plaatje van een mummie die een archeoloog wurgde op het omslag. Hij smeekte Benny – een rotjoch dat een klas hoger zat – of hij die strip van hem mocht kopen; en toen dat niet lukte, bood hij hem eerst twee en daarna drie dollar als hij de strip een minuutje, één minuutje maar, mocht bekijken.

'Ga er zelf maar een kopen in de Poolhal,' had Benny gezegd terwijl hij hem oprolde en er Hely mee tegen zijn hoofd mepte.

Dat was twee jaar geleden. Nu waren die horrorstrips het enige wat Hely door moeilijke periodes van zijn leven kon slepen: waterpokken, saaie autoritten, kamp Lake de Selby. Omdat hij niet veel te spenderen had en de toegang tot de Poolhal hem strikt was ontzegd, bleven zijn aankoopexpedities, waar hij verlangend naar uitzag, beperkt tot hooguit eens per maand. De dikzak achter de kassa vond het kennelijk niet erg dat Hely zo lang bij het rek bleef hangen en leek hem eigenlijk nauwelijks op te merken, wat goed uitkwam omdat Hely soms uren op de strips stond te studeren om de verstandigste keus te maken.

Hij was hierheen gegaan om Harriet even te vergeten, maar na die chips had hij nog maar vijfendertig dollarcent, en de strips kostten twintig cent per stuk. Halfhartig bladerde hij door een verhaal in *Duistere kastelen* dat 'Demon aan de deur' heette (*AARRRGGGHH – !!! – IK – HEB EEN WALGELIJK KWAAD ONTKETEND... DAT IN DIT LAND ZAL RONDWAREN TOT ZONSOPGANG!!!!!*) maar zijn blik bleef afdwalen naar de Charles Atlas-advertentie voor bodybuilding op de bladzij ernaast. 'Bekijk jezelf eens eerlijk in de spiegel. Heb je de dynamische spierspanning die vrouwen graag zien? Of ben je een magere, schriele, halfdode slappeling van vierenveertig kilo?'

Hely wist niet precies hoeveel hij woog, maar vierenveertig kilo leek hem erg veel. Bedrukt bestudeerde hij het 'voor'-plaatje – een vogelverschrikker eigenlijk – en vroeg zich af of hij de informatie aan moest vragen of dat het zwendel was, net als de X-ray Spex die hij besteld had via een advertentie in *Huiveringwekkende geheimen*. Met die röntgenbril zou je door huid en muren en vrouwenkleding heen kunnen kijken. Hij had een dollar achtennegentig plus vijfendertig cent porto gekost, en toen hij na eeuwen wachten eindelijk kwam, bleek het niet meer dan een plastic montuurtje met twee kartonnen inzetplaatjes: een tekening van een hand waar je de botjes doorheen kon zien, en een van een sexy secretaresse in een doorkijkjurk met een zwarte bikini eronder.

Er viel een schaduw over Hely heen. Opkijkend zag hij twee figuren, met hun rug half naar hem toe, die van de pooltafels naar het rek waren gedrenteld om ongestoord te kunnen praten. Hely herkende er een van: Catfish de Bienville, huisjesmelker en plaatselijke beroemdheid; hij had een gigantisch roestrood afrokapsel en reed rond in een op bestelling gemaakte Gran Torino met getint glas. Hely zag hem vaak in de poolhal, en ook bij de autowasserij, waar hij op zomeravonden buiten stond te praten. Hij had de trekken van een zwarte, maar geen donkere huid; hij had blauwe ogen en een sproetenvel dat even blank was als dat van Hely. Maar het meest viel hij op door zijn kleding: zijden overhemden, wijd uitlopende pijpen, riemen met gespen zo groot als boterhamborden. Ze zeiden dat hij dat allemaal kocht bij de Lansky Brothers in Memphis, waar Elvis ook zijn kleren vandaan had. Ondanks de warmte droeg hij een rood corduroy tuniekjasje, strakke witte broek met wijde pijpen, en rode lakleren schoenen met plateauzolen.

Niet Catfish was aan het woord, maar de ander: een ondervoed, ruw type met afgekloven nagels. Hij leek nauwelijks ouder dan een tiener, was niet erg lang, niet erg schoon, met scherpe jukbeenderen en sluik hippiehaar in een middenscheiding; maar hij had het harde, gemene van een onderkoelde popster en zijn houding was kaarsrecht, alsof hij heel belangrijk was, al was hij dat duidelijk niet.

'Waar haalt hij het geld vandaan om te spelen?' fluisterde Catfish hem toe.

De jongen met het hippiehaar keek op. 'Ziektewet, denk ik.' Zijn ogen waren opvallend zilverig blauw, en hadden iets starends en stars. Ze hadden het zeker over de arme Carl Odum, die aan de overkant van het lokaal de ballen opzette en zei dat hij iedereen die dat wilde met plezier elk gewenst bedrag uit de zak zou spelen. Carl, een weduwnaar met een hele rits smerige kindertjes – het leken er wel een stuk of tien – was rond de dertig maar leek twee keer zo oud: hals en gezicht verwoest door de zon, bleke ogen met roze randjes. Kort na de dood van zijn vrouw was hij bij een ongeluk op de eierpakkerij een paar vingers kwijtgeraakt. Hij was dronken en bralde dat hij iedereen in de hal aankon, vingers of geen vingers. Hij stak zijn verminkte hand omhoog: 'Kijk, dit is mijn brug. Meer heb ik niet nodig.' Er zat vuil gegrift in zijn handpalm en de nagels van zijn resterende vingers: wijsvinger en duim.

Odum richtte zijn opmerkingen tot de vent met de baard die naast hem bij de pooltafel stond: een reusachtige vent, een beer van een vent, die een bruine overall droeg met een rafelig gat in de borst waar het label had moeten zitten. Hij negeerde Odum en hield zijn blik strak op de tafel gericht. Zijn lange haar, vol grijze strepen, hing in ruige klitten tot over zijn schouders. Hij was enorm, en er leek iets mis met zijn schouders, alsof de armen niet lekker in de kom zaten; ze hingen stijfjes omlaag, met kromme ellebogen en slap afhangende handen, ongeveer zoals je je de voorpoten van een beer voorstelde als die beer op zijn achterpoten ging staan. Hely kon zijn ogen niet van hem afhouden. Met die woeste zwarte baard en die bruine overall leek hij net een krankzinnige Zuid-Amerikaanse dictator.

'Alles wat met poolbiljart of poolen heeft te maken,' zei Odum. 'Je zou het een tweede natuur kunnen noemen.'

'Ja, sommigen van ons hebben dat talent,' zei de grote vent in de bruine overall, met een diepe maar niet onaangename stem. Terwijl hij dat zei keek hij op, en Hely zag met schrik dat hij een heel eng oog had: een melkwit glasoog dat helemaal opzij rolde in de kas.

Veel dichterbij – maar een meter bij Hely vandaan – veegde de jongen met de kille blik zijn haar uit zijn gezicht en zei gespannen tegen Catfish: 'Twintig dollar de partij. Elke keer dat hij verliest.' Behendig schudde hij met zijn andere hand een sigaret te voorschijn, met een snelle zwiep, alsof hij dobbelstenen gooide – en Hely zag met belangstelling dat zijn handen ondanks de bestudeerde nonchalance van het gebaar trilden als die van een oude man. Daarop boog hij zich naar voren om Catfish iets in het oor te fluisteren.

Catfish lachte. 'Verliezen, ben jíj van de pot gerukt,' zei hij. Met een vloeiende, gracieuze beweging draaide hij zich om en slenterde naar de flipperkasten achterin.

De ruige jongen stak zijn sigaret op en liet zijn blik door het lokaal gaan. Zijn ogen – die zilverig bleek uit zijn gebruinde gezicht knalden – deden Hely huiveren toen ze over hem heen gleden zonder hem te zien: de ogen van een wildeman, vol licht; Hely moest denken aan oude foto's die hij had gezien van jonge soldaten in de Burgeroorlog.

Aan de overkant van het lokaal, bij de pooltafel, had de man met de baard in de bruine overall alleen dat ene goede oog – maar het brandde met een soortgelijk fel, zilverig licht. Hely – die ze over de rand van zijn strip heen aandachtig opnam – zag een zweem van familieverwantschap tussen de twee. Ze waren op het eerste gezicht wel heel verschillend (de man met de baard was ouder en veel dikker dan de jongen) maar hadden hetzelfde lange, donkere haar en dezelfde zonverbrande huid, dezelfde starre blik en stijf gehouden nek, een soortgelijke manier van praten, binnensmonds, alsof ze rotte tanden wilden verbergen.

'Voor hoeveel ga je mee?' vroeg Catfish na een tijdje, toen hij weer naar zijn maatje was teruggeglipt.

De jongen lachte kakelend, en bij de overslag in dat lachje liet Hely bijna zijn strip vallen. Hij had ruimschoots de tijd gehad om met dat hoge spotlachje kennis te maken, het had hem lang, heel lang achtervolgd van de brug over de beek toen hij zich door de struiken had geworsteld en de geweerschoten weergalmden tussen de steile wanden.

Het was hem. Zonder die cowboyhoed – daarom had Hely hem niet herkend. Het was hem, geen twijfel aan. Terwijl het bloed hem naar het hoofd steeg, begon hij weer verwoed naar zijn strip te staren, naar het verbijsterde meisje dat zich vastklampte aan Johnny Perils schouder (*Johnny! Dat wassen beeld! Het bewoog!*).

'Odum speelt niet slecht, Danny,' zei Catfish rustig. 'Vingers of geen vingers.'

'Ja, kan zijn dat hij Farish kan hebben als hij nuchter is. Maar niet als hij bezopen is.'

Er floepten twee lampjes aan in Hely's hoofd. *Danny? Farish?* Beschoten worden door een stel hufters was al spannend genoeg, maar beschoten worden door de Ratliffs was andere koek. Hij wilde meteen naar huis om het aan Harriet te vertellen. Kon die verschrikkelijke sneeuwman echt de beroemde Farish Ratliff zijn? Hely had nooit van een andere Farish gehoord – niet in

Alexandria en ook niet daarbuiten.

Met moeite dwong Hely zich naar zijn strip te blijven kijken. Hij had Farish Ratliff nog nooit van dichtbij gezien – alleen uit de verte, als iemand hem aanwees terwijl ze in de auto zaten, of op een onscherpe foto in de plaatselijke krant – maar had al wel zijn hele leven verhalen over hem gehoord. Ooit was Farish Ratliff de beruchtste zware jongen van Alexandria geweest, het brein achter een familiebende die in alle denkbare soorten inbraken en kruimeldiefstallen deed. Verder had hij door de jaren heen een aantal belerende pamfletten geschreven en verspreid met titels als 'Je geld of je leven' (een protest tegen de nationale inkomstenbelasting), 'Rebellentrots: antwoord aan de critici' en 'Niet met MIJN dochter!' Aan dat alles was echter een paar jaar geleden een eind gekomen door het incident met de bulldozer.

Waarom Farish het besluit had genomen die bulldozer te stelen wist Hely niet. Volgens de krant had de voorman koud ontdekt dat het ding van de bouwplaats achter de Party Ice Company was verdwenen of er kwam al een melding dat Farish ermee over de grote weg scheurde. Hij negeerde een politiebevel om te stoppen, keerde en zette de laadschop in als verdedigingswapen. Toen de agenten het vuur openden, reed hij een wei met koeien in, dwars door een prikkeldraadomheining, zodat de beesten in paniek uiteenstoven, en manoeuvreerde de bulldozer ten slotte op zijn kant in een sloot. De agenten, die aan kwamen rennen door de wei, schreeuwend dat Farish eruit moest komen met zijn handen omhoog, bleven ineens stokstijf staan toen ze zagen dat het verre figuurtje van Farish in de cabine van de bulldozer een pistool tegen zijn slaap zette en schoot. Er had een foto in de krant gestaan van een agent, een zekere Jackie Sparks, die oprecht ontdaan over het lichaam gebogen in de wei stond terwijl hij aanwijzingen schreeuwde naar het ambulancepersoneel.

Al bleef het een raadsel waarom Farish de bulldozer gepikt had, het eigenlijke raadsel was waarom hij zich door het hoofd had geschoten. Volgens sommigen was dat omdat hij niet naar de gevangenis terug durfde, maar anderen zeiden, welnee, de gevangenis stelt voor iemand als Farish niks voor, zo erg was dat vergrijp niet en na een jaartje of twee had hij toch weer buitengestaan. Het was een ernstige kogelwond en Farish was er bijna aan bezweken. Hij had andermaal het nieuws gehaald door om aardappelpuree te vragen toen hij wakker werd uit een volgens de artsen vegeterende toestand. Na ontslag uit het ziekenhuis – met een rechteroog dat officieel blind was verklaard – werd hij op grond van ontoerekeningsvatbaarheid naar de psychiatrische inrichting van de staat Mississippi in Whitfield gestuurd, een maatregel die misschien niet onterecht was.

Sinds hij uit de inrichting was ontslagen was Farish in diverse opzichten een ander mens. Het was niet alleen dat oog. Ze zeiden dat hij niet meer dronk; voor zover bekend pleegde hij ook geen inbraken meer bij benzinestations, en stal hij evenmin nog auto's of kettingzagen uit privé-garages (al zorgden zijn jongere broers op die punten ruimschoots voor compensatie). Zijn racistische activiteiten waren ook naar de achtergrond verdwenen. Hij stond niet meer bij openbare, door de overheid gefinancierde, scholen op de stoep zijn eigenhandig vervaardigde pamfletten tegen integratie in het onderwijs uit te delen. Hij runde een prepareerlab en al met al was hij, met zijn uitkering en de opbrengst van opgezette hertenkoppen en baarzen voor de plaatselijke jagers en vissers, een tamelijk rechtschapen burger geworden – zeiden ze.

En daar had je hem nu, Farish Ratliff in levenden lijve – voor de tweede keer deze week, als je de brug meetelde. De enige Ratliffs die Hely verder weleens bij hem in de buurt zag waren Curtis (die in Alexandria en omstreken rondzwierf en met zijn waterpistool op auto's schoot) en Broeder Eugene, een soortement predikant. Die Eugene zag je af en toe preken op het stadsplein, en vaker nog wankelend in de hete dampen van de snelweg waar hij luidkeels oreerde over Pinksteren en zijn vuist schudde tegen het verkeer. Van Farish werd gezegd dat hij ze sinds hij zich door zijn kop had geschoten niet meer allemaal op een rij had, maar Eugene (had Hely zijn vader horen zeggen) was ronduit geschift. Die at rode aarde uit andermans tuinen en ging op de stoep liggen stuiptrekken als hij de stem van God hoorde donderen.

Catfish stond zacht te praten met een groepje mannen van middelbare leeftijd bij de pooltafel naast die van Odum. Een van hen, een dikke vent in een geel sporthemd, met achterdochtige varkensoogjes – net diep in het deeg gezakte rozijnen – wierp een korte blik op Farish en Odum, schreed toen vorstelijk naar de andere kant van de tafel en potte de volgende bal. Zonder naar Catfish te kijken deed hij een weloverwogen greep in zijn achterzak en één tel later deed een van de drie toeschouwers die achter hem stond hetzelfde.

'Hé,' zei Danny Ratliff vanaf de andere kant van het lokaal tegen Odum. 'Wacht eens even. Als het nu om geld gaat, is Farish eerst aan de beurt.'

Farish schraapte met een hard kotsgeluid zijn keel en verplaatste zijn gewicht op de andere voet.

'Die ouwe Farish heeft nog maar één oog,' zei Catfish die gladjes op Farish toeschoof en hem een klopje op zijn rug gaf.

'Kijk uit jij,' zei Farish nogal dreigend, met een nijdige ruk van zijn hoofd die niet helemaal voor de show leek.

Catfish boog zich hoffelijk over de pooltafel heen en stak zijn hand uit naar Odum. 'Catfish de Bienville is de naam,' zei hij.

Geërgerd wuifde Odum hem weg. 'Ik ken jou wel.'

Farish gooide een paar muntjes in de metalen gleuf en gaf er een harde ruk aan. De ballen schoten los uit het onderstel.

'Ik heb deze blindeman al een paar keer ingemaakt. Ik speel een partij met iedereen hier die kan zien.' Odum wankelde terug en hield zich staande door zijn keu stevig op de grond te planten. 'Ga eens achteruit jij en sta me niet zo in de weg,' snauwde hij tegen Catfish, die weer achter hem was geglipt, 'ja jíj...'

Catfish boog zich naar hem toe om iets in zijn oor te fluisteren. Traag trokken Odums witblonde wenkbrauwen zich samen in een frons van verwarring.

'Speel jij liever niet om geld, Odum?' vroeg Farish spottend na een korte stilte, terwijl hij de ballen van onder de tafel pakte en ze begon op te zetten. 'Ben je soms ouderling bij de baptisten?'

'Nee,' zei Odum. De inhalige gedachte die Catfish in zijn oor had geplant begon zich een weg te banen over zijn roodverbrande gezicht, zo duidelijk waarneembaar als een wolk die door een lege lucht drijft.

'Pa,' klonk een scherp stemmetje in de deuropening.

Het was Lasharon Odum. Een van haar scharminkelige heupen stak opzij in een houding die Hely stuitend volwassen voorkwam. Ze hield er een baby op in evenwicht die even groezelig was als zij, ook met een oranje kring om de mond, van een ijslolly, of van Fanta.

'Kijk wie we daar hebben,' zei Catfish theatraal.

'Pa, je had gezegd dat we je moesten komen roepen als de grote wijzer op de drie stond.'

'Honderd dollar,' zei Farish in de daaropvolgende stilte. 'Graag of niet.'

Odum krijtte zijn keu en trok een paar denkbeeldige hemdsmouwen op. Daarna zei hij kortaf tegen zijn dochtertje, zonder haar aan te kijken: 'Je pa is nog niet zo ver, pop. Hier hebben jullie allebei een dubbeltje. Ga maar bij de strips kijken.'

'Pa, je zei dat ik moest...'

'Gá nou maar. Jouw afstoot,' zei hij tegen Farish.

'Ik heb ze opgezet.'

'Weet ik,' zei Odum met een nonchalant handgebaar. 'Vooruit, ga jij maar.'

Farish liet zich voorover zakken, met zijn gewicht op de tafel. Hij keek met zijn goeie oog langs de keu – pal in het gezicht van Hely – en zijn blik was zo kil alsof hij langs de loop van een geweer keek.

Pats. De ballen schoten uiteen. Odum liep naar de andere kant en bestudeerde de tafel een paar tellen. Toen draaide hij snel zijn nek opzij om hem te laten kraken en boog zich voorover voor zijn stoot.

Catfish glipte tussen de mannen die van de flipperkasten en de andere pooltafels aan waren komen lopen om te kijken. Steels fluisterde hij iets tegen de man in het gele shirt, net toen Odum met een flitsend jumpshot niet een, maar twee halve ballen potte.

Gejoel en gejuich. Catfish liep weer terug naar Danny, onder geroezemoes van de toeschouwers. 'Odum kan de hele dag zo blijven doorgaan,' fluisterde hij, 'zolang ze het maar bij eight-ball houden.'

'Dat krijgt Farish ook voor mekaar als hij eenmaal op dreef is.'

Odum legde nu een andere combinatie neer – een subtiele stoot, waarbij de witte bal via een hele bal die vastlag een andere in een pocket tikte. Opnieuw gejuich.

'Wie doen er mee?' vroeg Danny. 'Die twee daar bij de flipperkasten?'

'Ze willen niet,' zei Catfish, die onopvallend achterom keek, naar een punt boven Hely's hoofd, terwijl hij uit het horlogezakje van zijn leren vest een metalen voorwerpje pakte, ongeveer met de omvang en vorm van een golftee. Vlak voordat zijn beringde vingers zich eromheen sloten, zag Hely dat het een bronsfiguurtje van een blote mevrouw met hoge hakken en een enorm afrokapsel was.

'Waarom niet? Wie zijn het dan?'

'Gewoon een stel goedchristelijke jongens,' zei Catfish, terwijl Odum een makkelijke bal potte in een middenpocket. Steels, met zijn hand half in de zak van zijn jasje, schroefde hij het hoofd van de dame los en duwde het met zijn duim in zijn zak. 'Die lui daar' – hij beduidde met zijn ogen de man in het gele sporthemd en zijn dikke vrienden – 'zijn hier op doorreis uit Texas.' Catfish keek onopvallend om zich heen, draaide zich toen om alsof hij moest niezen en nam snel een heimelijke snuif. 'Ze zitten in de garnalen-visserij,' zei hij terwijl hij zijn neus afveegde aan de mouw van zijn jasje, en zijn blik neutraal over het stripboekenrek en Hely's hoofd liet glijden en het flesje in zijn handpalm verborgen aan Danny doorgaf.

Danny snoof luidruchtig en kneep zijn neusgaten dicht. Zijn ogen begonnen te tranen. 'Godallemachtig,' zei hij.

Met een harde stoot potte Odum nog een bal. Onder luid gejoel van de lui van de garnalenboot keek Farish grimmig naar de tafel; hij liet de keu horizontaal in zijn nek balanceren en had aan weerskanten zijn ellebogen erover gehaakt, zodat zijn kolossale handen eronder bungelden.

Catfish deed een soepel, komisch danspasje achteruit. Hij leek plotseling uitgelaten. '*Mistah Farish*,' schalde hij vrolijk door het lokaal – zijn toon een imitatie van een populaire zwarte televisie-komiek – 'doorziet de érnst van de situatie.'

Hely was opgewonden en zo van streek dat hij het gevoel kreeg dat zijn hoofd op knappen stond. Wat dat flesje betekende was hem ontgaan, maar de rare taal en het verdachte gedrag van Cat-fish niet; Hely snapte niet precies wat er allemaal aan de hand was maar hij begreep wel dat het om gokken ging en dat dat tegen de wet was. Zoals het ook tegen de wet was om op een brug te staan schieten, al werd er niemand geraakt. Zijn oren gloeiden; die wer-den altijd rood als hij iets spannend vond en hij hoopte maar dat niemand het zag. Achteloos legde hij de strip die hij had bekeken terug en pakte een nieuwe uit het rek: *Geheimen van het spookslot*. Een skelet in een getuigenbankje stak een knokige arm uit naar het publiek terwijl een spookachtige advocaat bulderde: 'En nu zal mijn getuige – het SLACHTOFFER in deze zaak – aanwijzen... DE MAN DIE HEM VERMOORD HEEFT!!!'

'Kom op, geef hem een ros!' riep Odum onverwachts, terwijl de eight-ball over het laken scheerde, tegen de band kaatste en aan de andere kant in de hoekpocket kletterde.

In het daaropvolgende pandemonium haalde Odum een flesje whisky uit zijn achterzak en nam een lange, dorstige teug. 'Voor de dag met die honderd dollar, Ratliff.'

'Dat zit wel goed. Met nog honderd erbij ook als het moet,' snauwde Farish, terwijl de ballen uit het onderstel vielen en hij ze weer opzette. 'De winnaar stoot af.'

Odum haalde zijn schouders op en tuurde langs de keu – gerim-

pelde neus, opgetrokken bovenlip die zijn konijnentanden bloot-
gaf – en stootte toen zo hard af dat niet alleen de witte bal bleef
tollen op de plaats waar hij de ballen had geraakt, maar ook nog
eens de acht in een hoekpocket verdween.

De mannen van de garnalenboot klapten en joelden. Ze hadden
zo te zien het gevoel dat er iets moois zat aan te komen. Catfish
swingde arrogant op ze af – los in de knieën, kin in de lucht – om
de financiën te bespreken.

'Zo snel heb je je geld nog nooit verloren!' riep Danny van de
andere kant.

Hely merkte dat Lasharon Odum vlak achter hem was komen
staan – niet doordat ze iets zei maar doordat de snotverkouden
baby smerig rochelend en piepend ademhaalde. Hij schoof opzij
en mopperde: 'Hoepel op, zeg.'

Schuw volgde ze hem, en dook in de hoek van zijn gezichtsveld
op. 'Mag ik een kwartje lenen?'

De zielige dreintoon van haar stem stootte hem nog meer af
dan het gereutel van de baby. Nadrukkelijk keerde hij haar de rug
toe. Farish deed onder de theatrale blikken van de garnalenvissers
weer een greep in de bak.

Odum klemde zijn kaak tussen zijn handen en liet zijn nekwervels kraken, naar links en naar rechts: *kriks*. 'Wou je nog meer
klappen?'

'*Oh, all right now,*' zong Catfish zachtjes met de jukebox mee,
met zijn vingers knippend. '*Baby what I say.*'

'Wat is dat voor teringmuziek op dat ding?' grauwde Farish, die
de ballen met nijdig gekletter liet neerkomen.

Catfish swingde pesterig met zijn magere heupen. 'Relax, Farish.'

'Weg jij,' zei Hely tegen Lasharon, die weer dichterbij was geschoven, bijna tegen hem aan. 'Ik moet die snotlucht van jou niet.'

Hij walgde zo van haar nabijheid dat hij het harder zei dan zijn
bedoeling was, en hij verstijfde toen de onvaste blik van Odum
vaag hun richting opdraaide. Ook Farish keek op, en zijn goeie
oog trof Hely als een mes.

Odum haalde diep en dronken adem en legde zijn keu weg.
'Zien jullie die kleine meid daar?' vroeg hij melodramatisch aan
Farish en diens metgezel. ''t Is erg dat ik het zeggen moet, maar
die kleine meid daar doet het werk van een volwassen vrouw.'

Catfish en Danny Ratliff zonden elkaar geschrokken een korte
blik.

'Moeten jullie mij eens zeggen. Waar vind je nog zo'n lieve kleine meid als die daar die zorgt voor het huishouden, die zorgt voor de kleintjes, die zorgt dat er eten op tafel komt en die ploetert en sjouwt en zich van alles ontzegt zodat haar arme ouwe papaatje niets te kort komt?'

Eten dat zij op tafel zet zou ik niet lusten, dacht Hely.

'Die jeugd van tegenwoordig denkt dat ze maar van alles moeten krijgen,' zei Farish onbewogen. 'Waren ze maar allemaal zoals die van jou tevreden met niks.'

'Toen ik en mijn broertjes en zusjes opgroeiden hadden we niet eens een ijskast,' zei Odum aangedaan. Hij begon op dreef te raken. 'De hele zomer moest ik onkruid kappen tussen de katoen...'

'Ik heb ook heel wat katoenvelden moeten wieden in mijn leven.'

'... en mijn moeder, die heeft zich op die velden afgebeuld als een nikker. En ik... ik mocht niet eens naar school! Mijn vader en moeder hadden me thuis nodig. Nee, wij hadden thuis nooit niks, maar als ik er het geld voor had zou ik alles voor die kleintjes daar kopen. Ze weten wel dat hun ouwe pa het liever aan hun zou geven dan aan zichzelf. Nou? Dat weten jullie toch wel, jongens?'

Zijn onvaste blik dwaalde van Lasharon en de baby naar Hely zelf. 'Ik zei, dat weten jullie toch wel jongens?!' herhaalde hij, op luidere en minder genoeglijke toon.

Hij keek Hely recht aan. Die dacht verbluft: *jee, is die ouwe zak zo ver heen dat hij denkt dat ik er een van hem ben?* Met open mond staarde hij terug.

'Ja, pa,' fluisterde Lasharon, nog net hoorbaar.

De roodomrande ogen van Odum verzachtten en zwalkten in de richting van zijn dochter; dat vochtige trillen van zijn lip, in puur zelfmedelijden, gaf Hely een nog veel onbehaaglijker gevoel dan alles wat hij die middag al had meegemaakt.

'Horen jullie dat? Horen jullie die kleine meid? Kom eens hier en sla je armen eens lekker rond pappa zijn nek,' zei hij terwijl hij met een knokkel een traan wegsloeg.

Lasharon hees de baby op haar knokige heup en liep langzaam naar hem toe. Iets aan de bezitterigheid van Odums omhelzing, en de gelatenheid waarmee zij die onderging – zoals een treurige oude hond gelaten de aanraking van zijn baasje ondergaat – stootte Hely af maar maakte hem ook een beetje bang.

'Deze kleine meid houdt heel veel van haar pappa, hè?' Hij drukte haar met tranen in de ogen tegen zijn borst.

Hely zag tot zijn voldoening aan de nadrukkelijke blik die ze elkaar toewierpen dat Catfish en Danny Ratliff het kleffe gedoe van Odum even walgelijk vonden als hij.

'Zij weet wel dat haar pappa het niet breed heeft! Zij hoeft al dat speelgoed en snoep en die dure kleertjes niet!'

'Waarom zou ze ook?' zei Farish plompverloren.

Odum, die was meegesleept door het geluid van zijn eigen stem, draaide zich wazig om en trok een rimpel in zijn voorhoofd.

'Jazeker. Je hebt het goed gehoord. Wat moet ze ook met al die troep? Wat moet wie dan ook met al die troep? Toen wij klein waren hadden we dat toch ook allemaal niet?'

Er trok een trage golf van verrassing over Odums gezicht.

'Wat je zegt, broeder!' riep hij opgetogen.

'Schaamden wij ons soms dat we arm waren? Waren wij te goed om te werken? Wat goed genoeg is voor ons, is goed genoeg voor haar, of niet soms?'

'Precies!'

'En wie wil die kinderen wijsmaken dat ze beter zijn dan hun bloedeigen ouders? De nationale overheid! Waarom denk je dat de regering zijn neus in onze eigen zaken steekt en al die voedselbonnen en inentingen rondstrooit en ons probeert te lijmen met nieuwerwetse scholen? Dat zal ik jullie zeggen. Om onze kinderen te hersenspoelen, zodat die denken dat ze méér moeten hebben dan hun ouders, en neer gaan kijken op hun afkomst, en hogerop willen dan hun bloedeigen familie. Hoe het met jou zit, dat weet ik niet, ik heb nooit iets gratis en voor niks gekregen van mijn vader.'

Gemompelde bijval uit het hele lokaal.

Odum schudde mismoedig zijn hoofd. 'Nee. Mijn pa en moe hebben mij nooit iets voor niks gegeven. Ik heb er altijd zelf voor kromgelegen. Voor alles wat ik heb.'

Farish knikte kort naar Lasharon en de baby. 'Dan moet jij me eens wat vertellen. Waarom zou zij meer moeten hebben dan wij?'

'Dat is zo waar als het woord van God! Laat pappa met rust, pop,' zei Odum tegen zijn dochter, die lusteloos aan zijn broekspijp trok.

'Kom nou mee, pa, toe.'

'Paatje is nog niet zo ver, pop.'

'Maar pa, ik moest toch helpen onthouden dat de Chevroletgarage om zes uur dichtgaat.'

Catfish gleed met een uitdrukking van geforceerde hartelijkheid naar de garnalenvissers, van wie er een net op zijn horloge had gekeken, en praatte zachtjes op ze in. Maar toen begon Odum in de zak van zijn smerige spijkerbroek te wroeten en haalde er na even rondtasten de dikste stapel bankbiljetten uit die Hely ooit had gezien.

Iedereen was meteen vol aandacht. Odum gooide de biljetten op de pooltafel.

Met beschonken devotie knikte hij naar het geld. 'De rest van mijn verzekeringsgeld. Voor deze hand hier. Dat gaat naar de Chevroletgarage om die pepermuntvreter Roy Dial te betalen. Die schoft is gisteren godbetert mijn auto komen afpakken...'

'Zo werken die lui,' zei Farish nuchter. 'Die klootzakken van de belasting en de kredietbank en de politie. Die dringen gewoon je eigen huis binnen als ze er zin in hebben en pakken wat ze pakken willen...'

'En,' zei Odum met stemverheffing, 'ik ga er straks meteen naartoe om hem terug te halen. Met dát geld.'

'Eh, ik wil me er niet mee bemoeien, maar je gaat al dat geld toch zeker niet aan een auto vergooien?'

Odum wankelde achteruit en vroeg strijdlustig: 'O nee?' Het geld, op het groene laken, lag in een gele cirkel van licht.

Farish stak een smerige klauw op. 'Wat ik bedoel is dit: als je je auto wít koopt, bij zo'n gladjanus als Dial, krijg je eerst de pure diefstal van Dial met zijn financiering over je heen, en daarbovenop nog eens die graaiers van de overheid, want die willen ook hun deel. Hoe vaak ik al niet tegen die omzetbelasting geprotesteerd heb. Omzetbelasting is in strijd met de grondwet. En ik kan precies aanwijzen waar dat in de grondwet van dit land staat opgetekend.'

'Kom nou, pa,' zei Lasharon zwakjes, terwijl ze dapper aan Odums broekspijp bleef plukken. 'Kom pa, ga nou mee.'

Odum raapte zijn geld bij elkaar. De kern van Farish' betoog leek niet echt tot hem te zijn doorgedrongen. 'Ik denk er niet over.' Hij hijgde. 'Ik laat me door die vent niet iets afpakken wat van mij is. Ik ga nu meteen naar Dial Chevrolet, om hem dit onder zijn neus te douwen' – hij sloeg de stapel tegen de pooltafel – 'en dan zeg ik tegen hem, dan zeg ik: "Hier met mijn auto, pepermuntvreter."' Moeizaam stopte hij de biljetten in de rechterzak van zijn spijkerbroek terwijl hij in de linker naar een muntje viste. 'Maar eerst laat ik jouw vierhonderd en nog eens twee erbij zeggen dat ik je nóg een keer met eight-ball kan pakken.'

Danny Ratliff, die strakke rondjes had lopen draaien bij de cola-automaat, ademde hoorbaar uit.

'Dat is een hoge inzet,' zei Farish onbewogen. 'Ga ik eerst?'

'Ga je gang,' zei Odum met een dronken, grootmoedig handgebaar.

Zonder enige uitdrukking op zijn gezicht haalde Farish een grote zwarte portefeuille uit zijn heupzak die met een ketting aan een riemlus van zijn overall vastzat. Met de snelle vakkundigheid van een kassier telde hij zeshonderd dollar uit in briefjes van twintig en legde die op de pooltafel.

'Dat zijn veel contanten, vriend,' zei Odum.

'Vriend?' Farish lachte koud. 'Ik heb maar twee vrienden. Mijn twee beste vrienden.' Hij stak de portefeuille – nog steeds dik van de biljetten – omhoog. 'Zie je deze? Dat is vriend nummer een, en die heb ik altijd hier in mijn heupzak. En vriend nummer twee heb ik ook altijd bij me. Dat is mijn .22.'

'Pa,' zei Lasharon moedeloos, met een zoveelste rukje aan haar vaders broekspijp. 'Kom nou.'

'Wat sta jíj daar te kijken, rotjoch?'

Hely schrok zich een ongeluk. Danny Ratliff torende nog geen halve meter bij hem vandaan boven hem uit, met dat afschuwelijke licht in zijn ogen.

'Nou? Geef antwoord als ik je iets vraag, rotjoch.'

Ze keken nu allemaal naar hem – Catfish, Odum, Farish, de garnalenvissers en de dikzak achter de kassa.

Als van heel ver hoorde hij Lasharon Odum met haar vlijmende stemmetje zeggen: 'Hij staat hier gewoon met mij naar de strips te kijken, pa.'

'O ja? O ja?'

Hely, zo versteend van schrik dat hij geen woord kon uitbrengen, knikte.

'Hoe heet jij?' Dat kwam nors van de overkant. Hely keek op en zag het goeie oog van Farish Ratliff op hem gericht als een drilboor.

'Hely Hull,' zei Hely zonder nadenken, en meteen sloeg hij ontzet een hand voor zijn mond.

Farish grinnikte droogjes. 'Goed zo, jongen,' zei hij terwijl hij zijn keu met een blauw krijtje bewerkte. 'Niks vertellen als ze je niet dwingen.'

'Aha, ik weet wel wie dit ettertje is,' zei Danny Ratliff tegen zijn grote broer, en wees toen met zijn kin op Hely. 'Hull heet je, zei je toch?'

'Ja, meneer,' zei Hely doodongelukkig.

Danny liet een hoog, kil lachje horen. 'Ja, menéér. Moet je dat horen. Kom bij mij niet aan met dat gemeneer, kleine...'

'Die jongen doet niks kwaad met een beetje beleefdheid,' zei Farish bits. 'Hull, zei je?'

'Ja, meneer.'

'Familie van die jonge Hull die in die oude Cadillac-cabrio rondrijdt,' zei Danny tegen Farish.

'Pa,' zei Lasharon Odum luid, in de gespannen stilte. 'Pa, mogen ik en Rusty naar de strips gaan kijken?'

Odum gaf haar een pets op haar achterwerk. 'Ga maar, pop. Zeg,' zei hij dronken tegen Farish, en hij stampte met zijn keu op de vloer om zijn woorden kracht bij te zetten, 'als we dat spelletje nog doen, laten we het dan nou doen. Ik moet er zo vandoor.'

Maar tot grote opluchting van Hely was Farish al begonnen om de ballen op te zetten, na een laatste, lange blik in zijn richting.

Hely concentreerde zich uit alle macht op zijn strip. De letters dansten een beetje op de maat van zijn hartslag. *Niet opkijken*, hield hij zichzelf voor, *ook niet heel even.* Zijn handen trilden en zijn gezicht gloeide zo vurig dat hij het gevoel had dat het alle aandacht trok, als een brandje.

Farish maakte de afstoot, eentje die klonk als een klok, zo luid dat Hely ineenkromp. Er ploft een bal in een pocket, ongeveer vijf lange, uitdijende seconden later gevolgd door een tweede.

De mannen van de garnalenboot vielen stil. Ergens rookte iemand een sigaar, en Hely kreeg hoofdpijn van de stank, net als van de schreeuwerige inkt die over het papier stuiterde.

Een lange stilte. *Plonk.* Weer een lange stilte. Heel, heel zachtjes begon Hely in de richting van de deur te schuifelen.

Plonk, plonk. De stilte zinderde bijna van de spanning.

'Jezus!' riep iemand. 'En jij zei dat die zak niks zag!'

Commotie. Hely was de kassa al voorbij en bijna de deur uit toen er een hand uitschoot die hem van achteren bij zijn hemd greep, waarop hij zich geconfronteerd zag met de buffelkop van de kale man achter de kassa. Met afgrijzen besefte hij dat hij nog steeds *Geheimen van het spookslot* in zijn hand hield, dat hij nog niet had afgerekend. In paniek wroette hij in de zak van zijn korte broek. Maar de man had geen aandacht voor hem – keek niet eens naar hem, al had hij hem nog zo stevig bij zijn hemd vast. Hij had alleen aandacht voor wat er aan de pooltafel gebeurde.

Hely gooide een muntje van vijfentwintig en een van tien cent op de toonbank en schoot de deur uit zodra de man zijn hemd losliet. De middagzon deed pijn aan zijn ogen na de donkere poolhal; hij zette het op een rennen over de stoep, zo verblind door het licht dat hij nauwelijks zag waar hij liep.

Op het plein was geen mens te zien – te laat in de middag – en er stonden maar een paar auto's. Fiets – waar was z'n fiets? Hij rende langs het postkantoor, langs de vrijmetselaarstempel, en was al halverwege Main Street toen hij bedacht dat hij hem in het steegje achter het stadhuis had gezet, nu een heel eind achter zich.

Hij draaide zich om en rende hijgend terug. In het steegje was het donker en glibberig van het mos. Als kleine jongen was Hely er eens in volle vaart ingedoken zonder te kijken waar hij liep, en was toen halsoverkop over de schimmige, liggende gestalte van een zwerver (een riekende hoop vodden) gevallen die dwars op zijn pad lag. Toen Hely op hem neerplofte was hij tierend opgesprongen en had Hely bij zijn enkel gegrepen. Hely had geschreeuwd alsof er kokende olie over hem werd gegoten en was in zijn paniek om weg te komen een schoen kwijtgeraakt.

Maar nu was hij zo bang dat het hem niet kon schelen over wie hij zou struikelen. Hij schoot het steegje in, uitglijdend over het bemoste beton, en pakte zijn fiets. Hij had niet genoeg ruimte om erop te springen, en kon er nauwelijks keren. Hij greep de fiets bij het stuur, wist met veel wrikken en trekken de draai te maken en rende er toen de steeg mee uit – om tot zijn ontzetting op Lasharon Odum te stuiten, die hem met de baby op de stoep stond op te wachten.

Hely verstijfde. Sloom hees ze de baby hoger op haar heup en keek hem aan. Hij had geen idee wat ze van hem moest, maar hij was zo bang dat hij niets kon uitbrengen, en daarom bleef hij daar maar met bonkend hart staan.

Een eeuwigheid later verschoof ze de baby nog eens en zei: 'Ik wil die strip.'

Zonder een woord te zeggen haalde Hely het blaadje uit zijn achterzak en gaf het aan haar. Uitdrukkingsloos, zonder een spoortje dankbaarheid, verplaatste ze het gewicht van de baby naar haar ene arm en stak de andere uit om het aan te pakken, maar de baby was haar voor, stak zijn armpjes uit en greep het blad tussen zijn smerige handjes. Met een ernstige blik bracht hij het dicht naar zijn gezichtje om het daarna keurend tussen zijn kleverige, met oranje bevlekte lipjes te stoppen.

Walgelijk vond Hely het; dat ze het stripblad wilde om te lezen was nog tot daaraan toe, maar dat de baby het als bijtring mocht gebruikten, dat ging hem te ver. Lasharon probeerde de strip niet af te pakken. Ze flikflooide alleen tegen de baby en schudde hem vertederd op en neer – alsof het nog zo'n lekker, schoon ventje was in plaats van het miezerige snotwurm dat ze daar had.

'Waarom doet paatje huilen?' vroeg ze op een vrolijk babytoontje terwijl ze hem in zijn kleine snoetje keek. 'Waarom doet paatje huilen, daarbinnen? Nou?'

'Doe wat aan,' zei Ida Rhew tegen Harriet. 'Je staat de hele vloer onder te druipen.'

'Nietwaar. Ik ben onderweg al opgedroogd.'

'Ga je toch maar aankleden.'

Op haar slaapkamer deed Harriet haar badpak uit en trok een kakikleurige korte broek aan en het enige schone T-shirt dat ze had: wit, met zo'n geel lachebekje op de voorkant. Ze had een hekel aan het ding, een verjaardagscadeautje van haar vader. Het T-shirt was te kinderachtig, en dat haar vader kennelijk had gevonden dat het bij haar paste zat haar nog meer dwars dan het ding zelf.

Wat ze niet wist was dat het T-shirt (net als de haarspeldjes met het vredesteken erop en die andere felgekleurde misplaatste cadeautjes die haar vader voor haar verjaardag naar haar opstuurde) helemaal niet door haar vader was gekozen, maar door zijn vriendin in Nashville; en dat Harriet en Allison het uitsluitend aan die vriendin (die Kay heette) te danken hadden dat ze überhaupt cadeautjes kregen. Kay was de iets te dikke erfgename van een bescheiden fortuin (vergaard met limonade), met een suikerzoete stem, een onnozel lachje en diverse psychologische problemen. Ook dronk ze een tikje te veel; ze zat vaak met Harriets vader te snotteren in de kroeg omdat die arme dochtertjes van hem in Mississippi waren overgeleverd aan die gestoorde moeder van ze.

Iedereen in Alexandria wist van de vriendin die Dix er in Nashville op nahield, behalve zijn eigen familie en die van zijn vrouw. Niemand had het lef om het aan Edie, of de hardvochtigheid om het aan de anderen te vertellen. De collega's van Dix op de bank wisten ervan, en keurden het af, want af en toe bracht hij het mens mee naar een receptie; verder had de schoonzus van Roy Dial, die in Nashville woonde, het echtpaar Dial verteld dat de tortelduifjes zelfs samenwoonden, en meneer Dial had (ere wie ere toekomt) daar wel zijn mond over gehouden, maar mevrouw Dial had het in Alexandria rondgebazuind. Zelfs Hely wist ervan. Toen hij een jaar of tien was had hij zijn moeder er een keer over horen praten. Dat had hij haar laten weten waarop hij haar op zijn erewoord had moeten beloven er nooit tegen Harriet over te beginnen, en daar had hij zich aan gehouden.

Het kwam geen moment bij Hely op om zijn moeder niet te gehoorzamen. Maar ook al hield hij het geheim – het enige echte geheim dat hij voor Harriet had – het leek hem niet dat Harriet er erg overstuur van zou zijn als ze erachter kwam. En dat had hij goed gezien. Alleen Edie zou het erg hebben gevonden – en dan alleen nog uit gekrenkte trots, want ze mopperde er weliswaar over dat haar kleindochters zonder vader opgroeiden, maar had (evenmin als de anderen) nooit beweerd dat de terugkeer van Dix dat gemis zou kunnen opheffen.

Harriet voelde zich knorrig, zo knorrig dat ze wonderlijk genoeg weer de humor inzag van het T-shirt met het lachebekje erop. De zelfingenomenheid van dat lachje deed haar aan haar vader denken – al had die weinig reden om zo vrolijk te zijn, of van Harriet vrolijkheid te verwachten. Het was ook geen wonder dat Edie hem verachtte. Je hoorde het al aan de manier waarop ze zijn naam uitsprak: 'Dixon', nooit 'Dix'.

Met een loopneus en brandende ogen van het chloorwater zat ze in de vensterbank uit te kijken over de voortuin, naar het diepe groen van de zomerse bomen, vol in blad. Haar armen en benen voelden zwaar en vreemd van al het zwemmen, en er lag een zwart vernis van droefenis over de kamer, zoals altijd wanneer Harriet er een tijdje stil zat. Toen ze klein was, zat ze soms zachtjes voor zichzelf haar adres op te zeggen zoals dat zou moeten luiden voor een bezoeker uit de ruimte. Harriet Cleve Dufresnes, George Street 363, Alexandria, Mississippi, Amerika, Planeet Aarde, Melkweg... en soms kreeg ze een gevoel alsof ze stikte bij het besef van die oneindige, galmende leegte, alsof ze opgeslokt werd door de zwarte muil van het heelal – als piepklein wit korreltje in een wit suikerstrooisel waar nooit een eind aan kwam.

Ze moest hevig niezen. De druppeltjes sproeiden in het rond. Ze kneep in haar neus en met tranende ogen sprong ze op en rende naar beneden om een papieren zakdoekje te halen. De telefoon ging. Ze zag nauwelijks waar ze liep. Ida stond onder aan de trap bij het telefoontafeltje en voor Harriet het wist zei Ida: 'Hier is ze,' en drukte de hoorn in haar hand.

'Moet je horen, Harriet. Danny Ratliff zit nú in de poolhal en zijn broer ook. Zíj hebben toen op die brug op me geschoten.'

'Wacht even,' zei Harriet, die het allemaal niet meer kon volgen. Met moeite onderdrukte ze een nieuwe nies.

'Maar ik heb hem gezíén, Harriet. Hij is doodeng. En die broer van hem ook.'

Hij ratelde maar verder, over roof en wapens en diefstal en gokken; geleidelijk aan drong het gewicht van wat hij zei tot haar door. Onthutst hoorde ze hem aan; de niesdrang was verdwenen maar ze had nog steeds een loopneus en onhandig draaide ze haar hoofd en probeerde haar neus af te vegen aan het pofmouwtje van haar T-shirt, met dezelfde rollende beweging van haar hoofd waarmee Weenie de kat altijd langs het vloerkleed schuurde als hij iets in zijn oog had.

'Harriet?' vroeg Hely midden in zijn verhaal. In zijn gretigheid om haar te vertellen wat er was gebeurd, was hij vergeten dat ze eigenlijk ruzie hadden.

'Ja, ik ben er.'

Er volgde een korte stilte, waarin Harriet zich bewust werd van de televisie die bij Hely gezellig stond te kwebbelen op de achtergrond.

'Wanneer ben je uit de poolhal weggegaan?' vroeg ze.

'Een kwartiertje geleden.'

'Zouden ze er nog zijn?'

'Misschien wel. Volgens mij gingen ze vechten. Die lui van de boot waren razend.'

Harriet nieste. 'Ik moet hem zien. Ik ga er nu meteen op de fiets naartoe.'

'Hé stop. Ben je gek,' zei Hely geschrokken, maar ze had al opgehangen.

Gevochten hadden ze niet – tenminste niet zo dat Danny dat woord zou willen gebruiken. Toen het er even naar had uitgezien dat Odum niet over de brug wilde komen, had Farish een stoel gepakt, hem met die stoel tegen de vloer geslagen, en was hij hem systematisch gaan schoppen (terwijl Odums kinderen in de deuropening angstig ineenkrompen) zodat Odum al snel lag te janken en smeken of Farish het geld wilde aannemen. Van groter zorg waren de garnalenvissers, die echt lastig hadden kunnen worden als ze dat hadden gewild. Maar al had de dikke vent in het gele sporthemd wat bloemrijke dingen te melden, de anderen hadden alleen onder elkaar gemopperd en zelfs wat gelachen, al was het als een boer met kiespijn. Ze waren aan het passagieren en zaten goed bij kas.

Op de zielige smeekbeden van Odum had Farish bijzonder onverstoorbaar gereageerd. "t Is eten of gegeten worden' was zijn lijfspreuk, en wat hij een ander kon afpakken beschouwde hij als zijn rechtmatig eigendom. Terwijl Odum als een bezetene rondhinkte en Farish smeekte rekening te houden met de kinderen, deed de waakzame, opgeruimde uitdrukking van Farish Danny denken aan de manier waarop het koppel Duitse herders van Farish keek als ze net een kat hadden doodgebeten of op het punt stonden dat te doen: alert, zakelijk en speels. *Even goede vrienden, kattepoes. Volgende keer beter.*

Danny bewonderde die nuchterheid van Farish, maar zelf kon hij niet zo goed tegen zulke dingen. Hij stak een sigaret op, ook al had hij al een vieze smaak in zijn mond van het vele roken.

'Relax,' zei Catfish, die soepel achter Odum opdook en een hand op zijn schouder legde. Catfish had een onverwoestbaar goed humeur; wat er ook gebeurde, hij bleef vrolijk, en hij kon maar niet begrijpen dat niet iedereen die zelfde veerkracht bezat.

Met een krachteloos soort, half verdwaasde branie – eerder meelijwekkend dan bedreigend – wankelde Odum achteruit en riep: 'Blijf van me af, nikker.'

Catfish gaf geen krimp. 'Voor iemand die zo speelt als jij, *brother*, is dat geld toch zó teruggewonnen? Als je zin hebt moet je me straks maar komen opzoeken in de Esquire Lounge, dan verzinnen we er wel iets op.'

Odum belandde strompelend met zijn rug tegen de betonnen muur. 'Mijn auto,' zei hij. Hij had een dik oog en bloed om zijn mond.

Onwillekeurig flitste er een akelige jeugdherinnering door Danny's hoofd: plaatjes van blote vrouwen, verstopt in een tijdschrift over vissen en jagen dat zijn vader bij de wc had laten liggen. Opwinding, maar morbide opwinding, het zwart en het roze tussen de vrouwenbenen vermengd met een bloedende hertenbok met een pijl door zijn oog op de ene bladzij, en op de andere bladzij een vis aan de haak. En dat alles – het stervende, door zijn voorpoten gezakte hert, de snakkende vis – was vermengd met de herinnering aan dat benauwende gespartel uit zijn nachtmerrie.

'Stop!' zei hij.

'Stop wat?' vroeg Catfish afwezig terwijl hij de zakken van zijn tuniekjasje beklopte op zoek naar het flesje.

'Dat geluid in mijn oren. Het houdt maar niet op.'

Catfish nam een snelle snuif en gaf het flesje door aan Danny. 'Trek het je niet zo aan. Zeg Odum,' riep hij door het lokaal. 'De Heer heeft de opgewekte verliezer lief.'

Danny kneep in zijn neus. 'Wauw.' De tranen sprongen hem in de ogen. De ijskoude smaak van ontsmettingsmiddel achter in zijn keel gaf hem een schoon gevoel: alles was weer buitenkant, alles blonk weer op de glanslaag van de wateren die als een plensbui over de beerput spoelden waar hij doodziek van was: armoede, vet en bederf, blauwige darmen vol drek.

Hij gaf het flesje terug aan Catfish. Er woei een ijzig frisse wind door zijn kop. De slonzige, smerige sfeer van de poolhal – drabbig en smoezelig grauw – werd plotseling helder schoon en grappig. Met een hoge, melodieuze *ping* trof hem het hilarische inzicht dat de huilerige Odum met zijn boerenplunje en grote roze pompoenenhoofd sprekend op Elmer Fudd leek. De lange, dunne Catfish hing, als Bugs in eigen persoon uit het konijnenhol opgedoken, tegen de jukebox. Grote voeten, grote voortanden, zelfs de manier waarop hij zijn sigaret vasthield: zo hield Bugs Bunny zijn wortel ook vast, als een sigaar, net zo eigenwijs.

Danny, die zich lekker, licht en dankbaar voelde, deed een greep in zijn zak en trok twee briefjes van twintig uit zijn stapel; hij had nog honderdtachtig dollar over, contant in het handje. 'Geef dat maar aan hem, voor zijn kinderen, man,' zei hij terwijl hij Catfish het geld in de hand drukte. 'Ik ben weg.'

'Waar naartoe?'

'Gewoon weg,' hoorde Danny zichzelf zeggen.

Hij slenterde naar zijn auto. Het was zaterdagavond, de straten waren verlaten en er lag een heldere zomernacht voor hem, met sterren, warme wind en nachthemels vol neon. De auto was een schoonheid: een Trans Am, in die heerlijke bronskleur, met een zonnedak, ventilatieroosters en regelbare luchtinlaat. Danny had zijn lieveling net gewassen en in de was gezet, en het licht straalde er zo fonkelend en warm vanaf dat ze wel een ruimteschip op het punt van opstijgen leek.

Een van de kinderen van Odum – nogal schoon voor een kind van hem, en met zwart haar bovendien, zeker een van een andere moeder – zat pal aan de overkant voor de ijzerwinkel. Ze keek in een boek en zat te wachten op die waardeloze vader van haar. Ineens merkte hij dat ze naar hem keek; ze had geen vin verroerd, maar haar ogen keken niet meer naar het boek, ze waren op hem gericht en waren ook op hem gericht geweest, zoals je dat soms wel hebt met speed, dat je bijvoorbeeld ergens een uithangbord zag en dat dan twee uur lang bleef zien; daar flipte hij van, net als van die cowboyhoed op het bed eerder die dag. Met speed verloor je je gevoel voor tijd, ja, zeg dat wel (*daarom noemen ze het ook speed!* dacht hij met een hete golf van verrukking over zijn eigen slimheid: *pep versnelt! tijd vertraagt!*) ja, het rekte de tijd uit als een elastiekje, maakte de tijd beurtelings langer en korter, en soms kreeg hij het gevoel dat alles, maar dan ook alles hem aanstaarde, tot katten en koeien en tijdschriftfoto's aan toe; toch leek er een eeuwigheid voorbijgegaan, de wolken joegen boven zijn hoofd als in een versnelde natuurfilm en nog steeds staarde het meisje hem strak aan – haar ogen kilgroen, als een lynx uit de hel, als de duivel zelf.

Maar nee: ze staarde hem helemaal niet aan. Ze keek in haar boek alsof ze nooit iets anders gedaan had. De winkels waren dicht, geen auto's op straat, lange schaduwen en glinsterende straatstenen, als in een boze droom. Danny kreeg een flashback van de afgelopen week toen hij een keer 's ochtends naar de White Kitchen was gegaan nadat hij bij het stuwmeer de zon had zien opkomen: de serveerster, de politieagent, de melkboer en de postbode hadden zich allemaal omgedraaid om hem aan te staren toen hij de deur openduwde – ze deden het terloops, alsof ze alleen nieuwsgierig opkeken door het geklingel van de bel – maar hij wist dat het ze ernst was, ze keken naar hém, jawel, naar hém, overal ogen, groenglimmende ogen, de fosforogen van Satan. Hij had toen al drie etmalen niet geslapen, slap en klam was hij, bang dat zijn hart zou knappen in zijn borst als een barstensvolle waterballon, hier in de White Kitchen waar de vreemde kleine tienerserveersters hem met groene blikken doorboorden...

Rustig, rustig nou, zei hij tegen zijn jagende hart. Goed, dan hád dat kind naar hem gekeken, nou én? Wat dan nog? Wat dan nog, verdomme? Danny had zelf heel wat warme, nare uren op diezelfde bank op zijn eigen vader zitten wachten. Het wachten zelf was niet zo erg, maar wel de angst voor wat hem en de kleine Curtis te wachten stond als het spel daarbinnen niet goed was afgelopen. Er was geen reden om aan te nemen dat Odum zijn verlies niet op precies dezelfde manier zou proberen te verlichten: zo ging het er in de wereld aan toe. 'Zolang jij onder míjn dak woont...' Het peertje boven de keukentafel slingerend aan zijn snoer, hun grootmoeder die in iets bleef roeren op het fornuis alsof het getier, de klappen en de kreten geluiden waren van de televisie.

Er trok een soort spastische rilling door Danny heen en hij zocht in zijn zak naar kleingeld dat hij het meisje toe kon werpen. Dat had zijn vader ook af en toe gedaan bij andermans kinderen, als hij had gewonnen en in een goeie bui was. Opeens kwam er een onwelkome herinnering aan Odum bovendrijven: Odum – als spichtige tiener in een tweekleurig sporthemd, zijn witblonde kippenkontje gelig van de brillantine waarmee hij het had gefatsoeneerd – die met een pakje kauwgum neerhurkte naast de kleine Curtis en zei dat hij niet moest huilen...

Met een knal drong het tot hem door – een hoorbare knal van verbazing, die hij kon voelen als een kleine explosie in zijn hoofd – dat hij hardop aan het praten was, al de hele tijd, terwijl hij dacht dat hij stilletjes aan het denken was. Of toch niet? Hij had de muntjes nog in zijn hand, maar toen hij zijn arm hief om ze te gooien, ging er weer een schok door zijn hoofd omdat het meisje was verdwenen. De bank was leeg; er was geen spoor van haar te bekennen – ook niet van enig ander levend wezen, zelfs geen zwerfkat – niet links en niet rechts.

'Asjemenou,' zei hij heel zachtjes tegen zichzelf, bijna fluisterend.

'Maar wat is er dan gebéúrd?' vroeg Hely gek van ongeduld. Ze zaten met z'n tweeën op de roestige trap van een leegstaand katoenpakhuis bij de spoorlijn. Het lag op een door dwergdennen omgeven stuk drasland, en de stinkende zwarte modder trok veel vliegen aan. De deuren van het pakhuis waren bespikkeld met donkere plekken van twee zomers geleden, toen Hely en Harriet samen met Dick Pillow, die nu in kamp de Selby zat, zich een paar dagen hadden vermaakt met het gooien van bemodderde tennisballen.

Harriet gaf geen antwoord. Ze was zo stil dat hij er beroerd van werd. In zijn opwinding stond hij op en begon heen en weer te lopen.

Het bleef stil. Ze leek niet onder de indruk van zijn stoere geijsbeer. Een briesje rimpelde het oppervlak van een met water volgelopen bandenspoor in de modder.

Onzeker – vurig wensend haar niet te ergeren maar even vurig wensend haar aan het praten te krijgen – porde hij haar met zijn elleboog. 'Toe nou,' zei hij bemoedigend. 'Heeft hij je iets gedaan?'

'Nee.'

'Maar goed ook. Anders nam ik hem te grazen.'

Het dennenbos – grotendeels vliegdennen, waardeloos voor de houtkap – was dicht en benauwend. De rode bast was korstig, met grote rode en zilverige schilferplekken, als bij de huid van een slang. Achter het pakhuis sjirpten sprinkhanen in het hoge gras.

'Kom op.' Hely sprong op en doorkliefde de lucht met een karateslag, gevolgd door een meesterlijke trap. 'Aan mij kan je het vertellen.'

Vlakbij klonk de triller van een cicade. Hely keek midden in een slag op: cicades betekenden onweer, regen op komst, maar door de zwarte wirwar van takken brandde de lucht nog steeds wolkeloos, verstikkend blauw.

Hij gaf nog een stel karateslagen ten beste, met hese, dubbele grommen, 'hah, hah,' maar Harriet keek niet eens.

'Wat heb je nou?' vroeg hij agressief, het lange haar van zijn voorhoofd schuddend. Haar afwezige gedrag maakte hem vreemd paniekerig, en het akelige vermoeden besloop hem dat ze een geheim plannetje had bedacht waar hij niet in voor kwam.

Ze keek naar hem op, zo abrupt dat hij even dacht dat ze op zou springen om hem een schop te verkopen. Maar ze zei alleen: 'Ik zat te denken aan het najaar toen ik in de tweede zat. Toen ik in de achtertuin een graf had gegraven.'

'Een graf?' Dat wilde er bij Hely niet zo in. Hij had in zijn eigen tuin ook heel wat gaten proberen te graven (ondergrondse bunkers, tunnels naar China) maar was nooit verder gekomen dan een halve meter. 'Hoe kwam je daar dan in en uit?'

'Het was niet diep. Zoiets.' Ze hield haar handen ongeveer dertig centimeter van elkaar. 'En zo lang dat ik er net in kon liggen.'

'Waarom deed je dat dan eigenlijk? Hé, Harriet!' riep hij – hij had net op de grond een reusachtige kever ontdekt met knipscharen en horens van wel vijf centimeter lang. 'Moet je kijken! Man! Zo'n grote tor heb ik nog nooit gezien.'

Harriet boog zich voorover en bekeek hem zonder veel belangstelling. 'Ja, wat een joekel, zeg,' zei ze. 'Maar goed. Weet je nog die keer dat ik met bronchitis in het ziekenhuis lag? Toen ik niet bij het Halloweenfeest op school kon zijn?'

'O, ja,' zei Hely, die zijn blik van de kever afwendde en met moeite de neiging onderdrukte om hem op te pakken en ermee te gaan sollen.

'Dáárom was ik ziek. De grond was echt heel koud. Ik dekte me toe met dode bladeren en dan bleef ik liggen tot het donker werd en Ida riep dat ik binnen moest komen.'

'Hé, moet je horen,' zei Hely die de verleiding niet had kunnen weerstaan en zijn voet had uitgestoken om de kever met zijn teen te porren. 'In Ripleys *Believe It or Not* heb je een vrouw met een telefoon in haar graf. Als je het nummer draait, gaat de telefoon onder de grond rinkelen. Maf, hè?' Hij kwam naast haar zitten. 'O, ik heb nog iets. Moet je horen, dit is te gek. Dat mevrouw Bohannon een telefoon in haar kist had, en dat ze je dan midden in de nacht opbelde: *Ik wil mijn blonde pruik. Geef mijn blonde pruihuik teruuug...*'

'Laat dat,' zei Harriet scherp, met haar blik op zijn hand die steels naar haar toekroop. Mevrouw Bohannon, de kerkorganiste, was afgelopen januari na een lang ziekbed overleden. 'Mevrouw Bohannon is trouwens met haar pruik op begraven.'

'Hoe weet je dat?'

'Van Ida. Haar echte haar was uitgevallen, door de kanker.'

Ze bleven een tijdje zwijgend zitten. Hely keek om zich heen of hij de reuzenkever nog zag, maar die was jammer genoeg verdwenen; hij schommelde heen en weer en schopte ritmisch met de hak van zijn gymp tegen het metalen stootbord van de trap, *bong bong bong bong.*

Wat was dat nou allemaal – dat verhaal over dat graf? Híj vertelde háár altijd alles. Hij was helemaal klaar geweest voor een sinistere fluistersessie in het tuinschuurtje, vol plots, spanning en dreigementen – zelfs als Harriet hem was aangevlogen was dat beter geweest dan niets.

Uiteindelijk stond hij op, zich overdreven uitrekkend en zuchtend. 'Goed dan,' zei hij gewichtig. 'Het plan is als volgt. Tot het avondeten oefenen met de katapult. Op het oefenterrein.' Met 'oefenterrein' bedoelde Hely het afgeschutte stuk van hun achtertuin tussen de moestuin en het schuurtje waar zijn vader de grasmaaier had staan. 'En dan gaan we na een dag of twee over op pijl en boog...'

'Ik heb geen zin in spelletjes.'

'Nou, ik ook niet,' zei Hely beledigd. Het wás ook maar een speelgoedpijl-en-boog, met blauwe zuignapjes in plaats van pijlpunten, en hij vond dat wel vernederend, maar het was beter dan niks.

Maar geen van zijn plannen kon Harriet interesseren. Hij dacht even diep na en stelde toen voor – na een berekenend 'Hé!' om de suggestie van ontluikende opwinding te wekken – dat ze meteen naar zijn huis zouden gaan voor een 'inventarisatie van de wapens' (al wist hij best dat ze niet meer hadden dan alleen die luchtbuks, een roestig zakmes en een boemerang waarmee ze geen van beiden overweg konden). Toen ook dat met een schouderophalen werd afgedaan, stelde hij voor (lukraak en wanhopig, want haar onverschilligheid was onverdraaglijk) om een van zijn moeders *Good Housekeeping*-tijdschriften te zoeken en Danny Ratliff op te geven als lid van de Book of the Month Club.

Daar keek Harriet van op, maar de blik die ze hem toewierp was niet bemoedigend.

'Nee, lúíster nou.' Hij geneerde zich een beetje, maar was net zeker genoeg van het juiste effect van de boekenclubtactiek om door te zetten. 'Het is het ergste wat je iemand kan aandoen. Een jongen van school heeft het geflikt bij mijn vader. Als we maar genoeg van dat schorem opgeven, en ook váák genoeg... ja, nou ja zeg,' zei hij, van zijn stuk gebracht door Harriets onaangedane blik. 'Míj kan het niet schelen, hoor.' Het stond hem nog levendig voor de geest hoe gruwelijk saai het was geweest om de hele dag alleen thuis te zitten, en hij was zelfs met alle plezier spiernaakt op straat gaan liggen als zij dat van hem had gevraagd.

'Hoor eens, ik ben moe,' zei ze kribbig. 'Ik ga even naar Libby.'

'Goed,' zei Hely na een stoïcijns maar verbijsterd zwijgen. 'Ik fiets wel met je mee.'

Zwijgend liepen ze naast hun fiets over het grindpad naar de straat. Hely aanvaardde de hoofdrol van Libby in Harriets leven zonder die helemaal te begrijpen. Ze was anders dan Edie en de andere tantes – liever, meer als een moeder. Toen ze nog op de kleuterschool zaten had Harriet tegen Hely en de andere kinderen gezegd dat Libby haar moeder wás, en vreemd genoeg had niemand – ook Hely niet – dat in twijfel getrokken. Libby was oud en woonde in een ander huis dan Harriet, en toch was zij degene geweest die Harriet die eerste schooldag aan haar handje de klas in had gebracht, degene die op Harriets verjaardag taartjes meenam om uit te delen en die hielp met de kostuums voor *Assepoester* (waarin Hely een gedienstige muis had gespeeld en Harriet de kleinste – en gemeenste – van de boze stiefzusters). Edie kwam ook weleens op school, als Harriet straf kreeg omdat ze had gevochten of brutaal was geweest, maar niemand had ooit háár voor de moeder van Harriet gehouden; ze was veel te streng, net een van die valse wiskundeleraressen op de middelbare school.

Jammer genoeg was Libby niet thuis. 'Miss Cleve is naar de begraafplaats,' zei een slaperig uit haar ogen kijkende Odean (die pas na lang wachten aan de achterdeur kwam). 'Onkruid trekken bij de graven.'

'Wil je erheen?' vroeg Hely aan Harriet toen ze weer op de stoep stonden. 'Vind ik best, hoor.' Het was een lange, zware en warme fietstocht naar de militaire begraafplaats, over het viaduct van de snelweg heen en door haveloze buurten met Mexicaanse eettentjes, Griekse, Italiaanse en zwarte kindertjes die samen voetbalden op straat, een morsige, gezellige kruidenierswinkel waar een oude man met een gouden voortand harde Italiaanse koekjes en Italiaans ijs verkocht en losse sigaretten voor vijf dollarcent per stuk.

'Ja, maar Edie is ook op de begraafplaats. Die is voorzitster van de tuinclub.'

Hely aanvaardde die smoes zonder problemen. Hij bleef Edie zoveel mogelijk uit de buurt en dat Harriet haar wilde mijden vond hij helemaal niet raar. 'Dan gaan we toch naar mijn huis,' zei hij, het haar uit zijn ogen vegend. 'Kom op.'

'Misschien is tante Tatty thuis.'

'We kunnen toch ook gewoon bij jou of bij mij op de veranda gaan spelen?' zei Hely, die tamelijk verbitterd een pindadop uit zijn zak tegen de voorruit van een geparkeerde auto mikte. Libby was best lief, maar die andere twee tantes waren bijna net zo erg als Edie.

Harriets tante Tat was met de rest van de tuinclub naar de begraafplaats gegaan, maar had gevraagd of iemand haar naar huis wilde brengen omdat ze zo'n hooikoorts had; ze was rusteloos, haar ogen jeukten, haar handen zaten onder de dikke rode bulten van de haagwinde en ze begreep evenmin als Hely waarom er die middag zo nodig in háár huis moest worden gespeeld. Toen ze opendeed had ze haar vuile tuinkleren nog aan: een bermuda met een lange Afrikaanse tuniek erover. Edie had er net zo een; het waren cadeautjes van een vriendin die voor de baptistenzending in Nigeria zat. De Kente-stof was kleurrijk en koel en de dames droegen die exotische presentjes vaak, voor licht tuinwerk en boodschappen – geheel onwetend van de Black Power-boodschap die hun 'kaftans' voor nieuwsgierige buitenstaanders uitdroegen. Jonge zwarten hingen uit de raampjes van voorbijrijdende auto's om Edie en Tatty met geheven vuist te groeten. 'Grijze Panters!' riepen ze en 'Eldridge en Bobby, *right on!*'

Tattycorum hield niet van tuinieren; Edie had haar overgehaald aan het tuinclubproject mee te doen en nu wilde ze haar broek en 'kaftan' zo gauw mogelijk in de wasmachine gooien. Ze wilde een anti-allergietablet, ze wilde in bad, ze wilde haar bibliotheekboek uitlezen dat de volgende dag terug moest. Ze was niet blij de kinderen te zien toen ze opendeed, maar toch begroette ze hen vriendelijk, met maar een zweempje ironie. 'Je ziet wel dat het hier maar een makkelijke boel is, Hely,' zei ze voor de tweede keer toen ze hen voorging op een zigzagroute door een schemerige gang, versmald door zware oude juristenboekenkasten, naar een keurige woon-eetkamer die overheerst werd door een reusachtig mahonie dressoir uit De Beproeving en een vlekkerige oude vergulde spiegel, zo hoog dat hij het plafond raakte. De roofvogels van Audubon keken dreigend uit de hoogte op hen neer. Een gigantisch Malayer-tapijt – ook uit De Beproeving en veel te groot voor de kamers van dit huis – lag een halve meter dik opgerold in de deuropening aan de andere kant van het vertrek, als een fluwelige stam die koppig rottend het pad versperde. 'Voorzichtig aan, hier,' zei ze, en stak een hand uit om de kinderen er een voor een overheen te helpen, als een akela die hen over een omgevallen boom in het bos loodste. 'Vraag maar aan Harriet hoe het in onze familie zit; haar tante Adelaide is de huisvrouw. Libby kan goed met kleintjes overweg, en Edith zorgt dat de treinen op tijd blijven rijden, maar ik heb van al die dingen geen kaas gegeten. Nee, mijn vader noemde mij altijd de archivaris. Weet je wat dat is?'

Ze keek om, scherp en monter met haar roodomrande ogen. Er zat een vuile veeg onder haar jukbeen. Hely wendde onopvallend zijn blik af, want hij was een beetje bang voor al die oude dametjes van Harriet, die iets vogelachtigs hadden met hun lange neuzen en hun schrandere manier van doen – net een stelletje heksen.

'Nee?' Tat draaide haar hoofd weg en nieste heftig. 'Archivaris,' zei ze naar adem snakkend, 'is gewoon een deftig woord voor "hamsteraar"... Harriet, lieverd, neem het je ouwe tantetje maar niet kwalijk dat ze zo doorratelt tegen je arme gezelschap. Ze wil Hely niet vervelen, en hoopt maar dat hij thuis niet tegen dat aardige moedertje van hem gaat zeggen wat voor bende het hier is. De volgende keer,' ging ze zachter verder toen ze met Harriet wat bij Hely achterop raakte, 'de volgende keer moet je je tante Tatty eerst even bellen voor je dat hele eind hier naartoe komt, lieverd. Stel je voor dat je voor een dichte deur had gestaan.'

Ze gaf de onbewogen Harriet een klapzoen op haar ronde wang (wat was dat kind smerig, maar het ventje was wel schoon, hoewel een tikje vreemd gekleed in een lang wit T-shirt dat tot over zijn knieën hing, net een opanachthemd). Op de achterveranda liet ze hen alleen en ze haastte zich naar de keuken waar ze – met rinkelende theelepel – limonade maakte van kraanwater en een zakje poeder met citroensmaak uit de winkel. Tattycorum had echte citroenen en suiker in huis – maar tegenwoordig trokken ze allemaal hun neus op voor puur natuur, zeiden Tatty's vriendinnen van de vrouwenvereniging van de kerk die kleinkinderen hadden.

Ze riep naar de kinderen dat ze hun glaasje moesten komen halen ('Ik ben bang dat het hier maar een makkelijke boel is, Hely, hopelijk vind je het niet erg om jezelf te bedienen') en haastte zich naar de achterkant van het huis om zich op te frissen.

Aan de waslijn van Tat, die boven de achterveranda was gespannen, hing een geruite lappendeken, met grote bruine en zwarte vakken. Het kaarttafeltje waaraan ze zaten stond daarvoor, als in een toneeldecor, en de vierkanten van de quilt waren het spiegelbeeld van de vierkantjes van het schaakbord tussen hen in.

'Hé, Harriet, doet die deken jou niet ergens aan denken?' vroeg Hely vrolijk terwijl hij tegen de sporten van zijn stoel schopte. 'Aan het schaaktoernooi in *From Russia with Love*. Weet je wel? Die eerste scène, met dat gigantische schaakbord.'

'Als je die loper aanraakt, moet je hem ook verzetten,' zei Harriet.

'Ik heb al een zet gedaan. Met die pion daar.' Hij had niet zoveel op met schaken, en met dammen trouwens evenmin; van allebei kreeg hij pijn in zijn hoofd. Hij tilde zijn limonadeglas op en deed of hij een geheime boodschap van de Russen ontdekte die tegen de bodem geplakt zat, maar zijn opgetrokken wenkbrauw was niet aan Harriet besteed.

Zonder tijd te verspillen liet Harriet het zwarte paard naar het midden van het bord springen.

Hely zette met een klap zijn glas neer en riep: 'Mijn gelukwensen, meneer,' al stond hij niet schaak en was er niets bijzonders aan het spel. 'Een briljante manoeuvre.' Dat kwam uit de dialoog van het schaaktoernooi in de film, en hij was apetrots dat hij het nog wist.

Ze speelden verder. Hely sloeg een pion van Harriet met zijn loper en gaf zich een pets tegen het voorhoofd toen Harriet meteen met een paard kwam aanspringen om de loper te slaan. 'Dat mag helemaal niet zo,' zei hij, al wist hij eigenlijk niet eens of dat waar was; hij kon maar niet onthouden hoe die paarden mochten springen en dat was pech, want het waren nu juist de stukken waar Harriet het meest van hield en waar ze het beste mee uit de voeten kon.

Harriet zat narrig naar het bord te staren, kin op haar hand. 'Volgens mij weet hij wie ik ben,' zei ze plotseling.

'Je hebt toch niks gezegd, hè?' vroeg Hely ongerust. Ondanks zijn bewondering voor haar moed had hij het niet zo'n goed idee gevonden dat ze in haar eentje naar de poolhal ging.

'Hij kwam naar buiten en staarde me aan. Verder deed hij niks, alleen maar staren.'

Gedachteloos verzette Hely een pion, om maar iets te doen. Hij voelde zich opeens heel moe en kriegel. Hij hield niet van limonade – hij had liever cola – en schaken was ook al niet zijn favoriete tijdverdrijf. Hij had zelf ook een spel – heel mooi, van zijn vader gekregen – maar schaakte er nooit mee, alleen als Harriet kwam, en hij gebruikte de stukken nog het vaakst als zerken voor zijn speelgoedsoldaten.

Het was drukkend warm, zelfs met de snorrende ventilator en de jaloezieën half omlaag; de allergieën van Tat zaten in haar hoofd als een logge last die alles vertekende. Het hoofdpijnpoeder had een bittere smaak in haar mond achtergelaten. Ze legde *Mary Queen of Scots* omgekeerd op de chenille sprei en sloot even haar ogen.

Van de veranda geen kik: de kinderen speelden best rustig, maar alleen al de wetenschap dat ze er waren maakte het moeilijk om te ontspannen. Er viel zoveel te tobben over dat kleine groepje verschoppelingen in George Street, en er viel zo weinig aan te doen, dacht ze terwijl ze het glas water van haar nachtkastje pakte. En over Allison – het achternichtje van wie Tat in haar hart het meeste hield – tobde ze nog het meest. Allison leek op haar moeder Charlotte, te teerhartig. Tat had ervaren dat juist zachtaardige, lieve meisjes als Allison en haar moeder het meest te lijden hadden van de slagen en wreedheden van het leven. Harriet leek op haar grootmoeder – te veel eigenlijk, daarom voelde Tat zich nooit zo bij haar op haar gemak; het was een tijgerjong met felle ogen, nu ze klein was nog wel vertederend, maar dat zou met iedere centimeter die ze groeide minder worden. En Harriet was nu weliswaar nog niet oud genoeg om op eigen benen te staan, maar die dag zou weldra aanbreken en dan zou ze (net als Edith) floreren tegen de klippen op – hongersnood, beurscrisis of Russische invasie ten spijt.

De slaapkamerdeur piepte. Tat schrok, hand tegen haar ribben. 'Harriet?'

Old Scratch – Tatty's zwarte kater – sprong soepel op het bed en zat haar met zwiepende staart aan te kijken.

'Wat doe jij nu hier, Bombo?' vroeg hij – of eigenlijk, vroeg Tatty voor hem, op de hoge, brutale toon waarmee zij en haar zusjes al van jongs af aan gesprekken met hun huisdieren voerden.

'Je jaagt me de stuipen op het lijf, Scratch,' antwoordde ze, een octaaf zakkend naar haar natuurlijke stem.

'Ik kan de deur openkrijgen, Bombo.'

'Ssst.' Ze stond op en deed de deur dicht. Toen ze weer ging liggen, rolde de kat zich knus op tegen haar knie, en binnen de kortste keren lagen ze allebei te slapen.

Met een vertrokken gezicht probeerde Danny's grootmoeder Gum tevergeefs met beide handen een gietijzeren pan maïsbrood van het fornuis te tillen.

'Wacht even, Gum, laat mij maar,' zei Farish, en hij sprong zo snel op dat hij de aluminium keukenstoel omstootte.

Lachend naar haar favoriete kleinzoon deed Gum een stap opzij en schuifelde bij het fornuis weg. 'Och, ik pak 'm wel, Farish,' zei ze zwakjes.

Danny zat, wensend dat hij ergens anders was, naar het geruite tafelzeil te staren. Er was weinig loopruimte in de krappe keuken van de caravan en het werd er zo warm van het koken dat het er, met al die luchtjes erbij, zelfs 's winters onaangenaam was. Een paar minuten daarvoor was hij weggedoezeld in een dagdroom, een droom over een meisje – geen echt meisje, maar de geest van een meisje. Donker zwierend haar, als wier aan de oever van een ondiepe poel: misschien zwart, misschien groen. Ze was verrukkelijk dichtbij gekomen, als om hem te kussen, maar toen had ze in zijn geopende mond geademd, koele, frisse heerlijke lucht, lucht als een ademtocht uit het paradijs. Hij huiverde bij die zoete herinnering. Hij wilde alleen zijn, van de dagdroom genieten, want de droom vervloog snel en hij wilde er heel graag in terugglijden.

Maar hij zat in de caravan. 'Farish,' zei zijn grootmoeder intussen, 'van mij hoef je niet op te staan, echt niet.' Bezorgd, haar handen tegen elkaar klemmend, volgde ze met haar blik het zout en de stroop die Farish pakte en met een klap op tafel zette. 'Laat nou, asjeblieft.'

'Ga zitten, Gum,' zei Farish streng. Het was hun vaste ritueel, zo ging het bij iedere maaltijd.

Met spijtige blikken en een overdreven vertoon van tegenzin strompelde Gum mopperend naar haar stoel terwijl Farish – gierend van de pep, die zijn oren uitkwam – heen en weer denderde tussen fornuis, tafel en de koelkast op de veranda en met luide klappen en dreunen de tafel dekte. Toen hij haar een volgeladen bord toeschoof wuifde ze het zwakjes weg.

'Nemen jullie maar eerst, jongens,' zei ze. 'Eugene, wil jij dit?'

Farish keek dreigend naar Eugene – die er rustig bijzat, zijn handen in zijn schoot gevouwen – en smakte het bord voor Gum neer.

'Hier... Eugene...' Met bevende handen bood ze het bord aan Eugene aan, die het niet wilde aannemen en achteruitdeinsde.

'Je ben al zo'n spriet, Gum,' bulderde Farish. 'Straks lig je weer in het ziekenhuis.'

Zwijgend veegde Danny het haar uit zijn gezicht en nam een stuk maïsbrood. Hij was te verhit en opgefokt om te eten en dankzij de goddeloze stank uit het speedlab – samen met die van ranzig vet en uien – had hij het gevoel dat hij nooit meer honger zou krijgen.

'Ja,' zei Gum met een weemoedige glimlach naar het tafelzeil. 'Ik kook toch zo graag voor jullie.'

Danny wist vrij zeker dat zijn grootmoeder lang niet zo graag voor haar jongens kookte als ze zei. Ze was een uitgemergeld, bruingelooid mensje, krom van dat eeuwige kruiperige gedoe, zo afgeleefd dat ze eerder honderd leek dan haar werkelijke leeftijd – ergens rond de zestig. Ze was het kind van een cajun-Franse vader en een volbloed Chickasaw-moeder, geboren in een deelpachtershut met een aarden vloer, zonder sanitair (ontberingen die ze dagelijks aanstipte voor haar kleinzoons) en ze was op haar dertiende met een vijfentwintig jaar oudere pelsjager getrouwd. Je kon je haast niet voorstellen hoe ze er toen uit had gezien, want in haar armoedzaaierjeugd was er geen geld geweest voor flauwekul als fototoestellen en foto's, maar Danny's vader (die zijn Gum hartstochtelijk had aanbeden, meer als een minnaar dan als een zoon) herinnerde zich haar als een meisje met blozende wangen en glanzend zwart haar. Ze was pas veertien toen hij werd geboren en ze was (volgens hem) 'het knapste apie in de hele wereld'. Met 'apie' bedoelde hij cajun, maar Danny dacht toen hij klein was min of meer dat Gum een halve aap was, omdat ze met haar diepliggende donkere ogen, haar scherpe gezicht en donkere, gerimpelde handen, veel op een aapje leek.

Gum was ook erg klein. Ze leek met het jaar te krimpen. Ze was verschrompeld tot weinig meer dan een sintel, met haar ingevallen wangen en een mond zo strak en scherp als een scheermes. Zoals ze haar kleinzoons op gezette tijden voorhield, had ze haar hele leven gewerkt, en het was zwaar werk geweest (waar ze zich niet voor schaamde, zij niet) zodat ze voortijdig was versleten.

Curtis zat tevreden smakkend zijn eten weg te werken terwijl Farish om Gum heen schoot en haar steeds eten en hulp aanbood, wat ze allemaal droevig met een gekwelde uitdrukking afsloeg. Farish was intens aan zijn grootmoeder gehecht en haar kwalen en algeheel meelijwekkende manier van doen ontroerden hem altijd weer, terwijl zij op haar beurt Farish precies zo vleide als ze hun overleden vader had gevleid met haar sentimentele, gedweeë, onderdanige gedrag. En zoals ze met haar gevlei het slechtste uit Danny's vader had bovengehaald (zijn zelfmedelijden had gekoesterd, zijn driftbuien had gevoed, zijn trots en vooral zijn gewelddadige karakter had gestreeld) zo was er iets in dat geflikflooi van haar wat ook Farish' wrede kanten versterkte.

'Dat kan ik echt niet allemaal op, Farish,' mompelde ze (ondanks het feit dat het al te laat was voor enig protest en haar kleinzoons inmiddels ook allemaal een bord hadden). 'Geef dit bord maar aan je broer Eugene.'

Danny schoof met een wanhopige blik een eindje achteruit. Zijn geduld was door de pep aan flarden gereten en alles aan het gedrag van zijn grootmoeder (haar zwakke, afwijzende gebaar, haar lijdzame toon) was erop berekend, zo zeker als twee plus twee vier was, dat Farish opstoof en tegen Eugene uitviel.

En dat lukte. 'Aan hém?' Farish keek woedend naar de andere kant van de tafel, waar Eugene over zijn bord gebogen zat te schrokken. Eugenes eetlust was een gevoelige kwestie, een eeuwige bron van ruzie, want hij at meer dan alle anderen in huis en droeg weinig bij aan de kosten.

Curtis stak, met volle mond, één vettige knuist uit om een stuk kip aan te pakken dat zijn grootmoeder hem met bevende hand over de tafel heen aanreikte. Zo snel als een bliksemschicht sloeg Farish het weg: een gemene klap waar Curtis' mond van openviel.

Er vielen een paar klodders half gekauwd eten op het tafelkleed.

'Ach... als hij het nou zo lekker vindt mag hij het toch wel hebben,' zei Gum teder. 'Hier, Curtis, wil je nog meer?'

'Curtis,' zei Danny sidderend van irritatie – hij dacht niet dat hij het aankon dit honderden malen herhaalde onaangename eettafeldrama zich nog één keer te zien afspelen. 'Hier, neem mijne maar.' Maar Curtis – die de essentie van dit spelletje niet doorhad en nooit door zou krijgen – lachte en stak zijn hand uit naar de kippenbout die trillend voor zijn gezicht hing.

'Als hij dat aanpakt,' gromde Farish met zijn ogen opgeslagen naar het plafond, 'dan zweer ik dat ik hem alle hoeken van...'

'Hier, Curtis,' herhaalde Danny. 'Neem de mijne nou.'

'Of de mijne,' zei de gast, de evangelist die naast Eugene aan het hoofdeind van de tafel zat, onverwacht. 'Er is genoeg. Als het kind het graag wil.'

Ze waren allemaal vergeten dat hij er was. Iedereen staarde hem aan, een gelegenheid die Danny aangreep om onopvallend naar voren te leunen en zijn hele walgelijke maal over te hevelen op het bord van Curtis.

Curtis klokte opgetogen bij deze meevaller. 'Lief!' riep hij uit en hij sloeg zijn handen in elkaar.

'Het smaakt allemaal echt heerlijk,' zei Loyal beleefd. Zijn blauwe ogen stonden opgewonden, en te indringend. 'Dank u wel.'

Farish zat stil met het maïsbrood in zijn hand. 'Je hebt van gezicht niks van Dolphus weg.'

'Nou, mijn moeder vindt anders van wel. Dolphus en ik zijn blond, net als haar kant van de familie.'

Farish grinnikte en begon met een stuk maïsbrood erwten in zijn mond te schuiven: ook al was hij zichtbaar knetterstoned, dan nog wist hij altijd in Gums bijzijn zijn eten naar binnen te werken om haar niet te kwetsen.

'Als je 't over Kaïn hebt kan ik één ding wel zeggen, broeder Dolphus kon waarachtig de boel meekrijgen,' zei hij met zijn mond vol. 'Hij hoefde vroeger in Parchman maar hup te zeggen en je sprong. En als je níét sprong, dan sprong hij op jou. Curtis, verdomme,' riep hij uit, terwijl hij met een getergde blik zijn stoel naar achteren schoof. 'Wil je me nou kotsmisselijk maken? Gum, kan je niet zorgen dat-ie niet met z'n poten in die schaal zit?'

'Hij weet niet beter,' zei Gum, die krakend opstond om de schaal buiten bereik van Curtis te zetten en zich toen weer heel, heel langzaam in haar stoel liet zakken, als in een ijskoud bad. Ze maakte een buiginkje naar Loyal. 'Onze lieve Heer heeft niet veel tijd voor dit exemplaar gehad, ben ik bang,' zei ze met een verontschuldigend gezicht. 'Maar we houden toch van ons monstertje, hè, Curtis?'

'Lief,' kweelde Curtis. Hij bood haar een stuk maïsbrood aan.

'Laat maar, Curtis. Dat hoeft Gum niet.'

'God vergist zich niet,' zei Loyal. 'Zijn liefhebbende blik rust op ons allen. Gezegend is Hij die al Zijn schepselen een verschillend uiterlijk geeft.'

'Nou, laten we maar hopen dat God niet net de andere kant op kijkt als jullie met die ratelslangen in de weer gaan,' zei Farish met een valse blik naar Eugene, terwijl hij nog een glas ijsthee inschonk. 'Loyal? Heet je zo?'

'Jawel. Loyal Bright. Bright naar mijn moeders kant.'

'En, zeg 'es, Loyal, wat heeft 't nou voor nut om al die beesten hierheen te slepen als ze toch in die rotkisten moeten blijven? Hoe lang ben je al bezig met die opwekkingsbijeenkomsten?'

'Eén dag,' zei Eugene met volle mond, zonder op te kijken.

'Ik kan niet van tevoren bepalen of ik met die slangen ga werken,' zei Loyal. 'We worden door God uitverkoren, of niet. Het is aan Hem om ons de Overwinning te schenken. Soms behaagt het Hem om ons geloof op de proef te stellen.'

'Dan voel je je zeker wel behoorlijk stom, als je voor al dat volk staat en er is geen slang te bekennen.'

'Nee, hoor. De slang is Zijn schepping en doet Zijn wil. Als we met slangen gaan werken terwijl het niet volgens Zijn wil is, dan gaat het mis.'

'Goed, Loyal,' zei Farish terwijl hij naar achteren leunde in zijn stoel, 'wou je zeggen dat God onze Eugene niet geschikt vindt? Misschien worden jullie daardoor opgehouden.'

'Eén ding is zeker,' zei Eugene opeens, ''t helpt niet als anderen de slangen met stokken opporren of er sigarettenrook naar blazen of pesten en treiteren –'

'Zeg, wacht eens even –'

'Ik heb zelf gezien dat je ermee in de pick-up zat te klooien, Farsh.'

'*Farsh*,' zei Farish op een hoge, spottende toon. Eugene sprak sommige woorden raar uit.

'Je hoeft me niet uit te lachen.'

'Toe,' zei Gum zwakjes. 'Toe nou toch.'

'Gum,' zei Danny, en toen, zachter: 'Gum,' want zijn stem

klonk zo hard en onverwachts dat iedereen aan tafel overeind schoot.

'Ja, Danny?'

'Wat ik wou vragen, Gum...' Hij was zo high dat hij het verband tussen de dingen waarover werd gesproken en de woorden die uit zijn mond kwamen niet meer zag. 'Ben je nou al opgeroepen voor die jury?'

Zijn grootmoeder vouwde een stuk wit brood dubbel en doopte het in een plasje maïsstroop. 'Ja.'

'Hè?' zei Eugene. 'Wanneer begint het proces?'

'Woensdag.'

'Hoe moet je daar nou komen nu de pick-up naar z'n moer is?'

'Jury?' zei Farish, die meteen rechtop zat. 'Waarom weet ik daar niks van?'

'Je arme, ouwe Gum wou je er niet mee lastigvallen, Farish...'

'De pick-up is niet zo erg kapot,' zei Eugene, 'ze kan er alleen niet mee rijden. Ik kan het stuur bijna niet om krijgen.'

'Jury?' Farish duwde ruw zijn stoel van de tafel af. 'Waarom roepen ze een zieke op? Ze hadden toch wel een gezond iemand kunnen vinden –'

'Ik doe mijn plicht met liefde,' zei Gum op een martelaarstoon.

'Huh, dat zal wel, maar ik vind dat ze wel iemand anders hadden kunnen zoeken. Je moet daar de hele dag zitten, op die harde stoelen, en met jouw reuma...'

Gum zei fluisterend: 'Nou, eigenlijk zit ik er meer over in dat ik misselijk word van dat andere middel dat ik nu moet slikken.'

'Je hebt toch wel gezegd dat je op die manier zo weer in het ziekenhuis ligt, hoop ik. Een arme ouwe zwakke vrouw uit haar huis slepen...'

Loyal viel hem tactvol in de rede: 'Wat is dat met permissie voor proces, mevrouw?'

Gum sopte haar brood in de stroop. 'Nikker, die een tractor heeft gestolen.'

Farish zei: 'Moet je alleen daarvoor helemaal daarheen?'

'Ach ja,' zei Gum vredig, 'vroeger hadden we al die flauwekul niet met van die echte processen en zo.'

Toen er geen reactie kwam op Harriets kloppen duwde ze Tats slaapkamerdeur behoedzaam open. In het schemerdonker zag ze haar oude tante, die op de witte zomersprei lag te doezelen met haar bril af en haar mond open.

'Tat?' vroeg ze onzeker. Het rook in de kamer naar medicijnen, mineraalwater, vetiverwortel, menthol en stof. Een ventilator snorde in lome halve cirkels waardoor de ragdunne gordijnen naar links en dan naar rechts opwaaiden.

Tat bleef slapen. Het was koel en stil in de kamer. Foto's in zilveren lijstjes op de commode: rechter Cleve en Harriets overgrootmoeder – met een camee om – voor de eeuwwisseling; Harriets moeder als debutante in de jaren vijftig, met lange handschoenen en ingewikkeld kapsel; een met de hand ingekleurd portret van Tats echtgenoot, meneer Pink, als jongeman; en een glanzende persfoto – van veel later – van meneer Pink die een prijs van de kamer van koophandel in ontvangst neemt. Op de logge toilettafel stonden Tats spullen: Ponds coldcream, een jampot met haarspelden, speldenkussen, een kam en borstel van bakeliet en één lippenstift – een kleine, simpele, bescheiden familie, keurig gerangschikt als voor een groepsportret.

Harriet voelde zich alsof ze zo kon gaan huilen. Ze wierp zich op het bed.

Tat schrok wakker. 'Goeie God! Harriet?' Nietsziend kwam ze overeind en tastte naar haar bril. 'Wat is er? Waar is je kameraadje?'

'Naar huis. Hou je van me, Tatty?'

'Wat is er? Hoe laat is het, liefje?' vroeg ze terwijl ze tevergeefs naar de wekker tuurde. 'Je huilt toch niet?' Ze kwam naar voren om met haar handpalm Harriets voorhoofd te voelen, maar het was vochtig en koel. 'Wat is er in vredesnaam?'

'Mag ik blijven logeren?'

Tat was uit het veld geslagen. 'Ach, schat. Je arme Tat is bekaf van de allergieën... Vertel me alsjeblieft wat er aan de hand is, liefje. Voel je je naar?'

'Ik zal niet lastig zijn.'

'Schat. Ach, schat. Je bent me nóóit tot last en Allison ook niet, maar...'

'Waarom mag ik dan nooit bij jou of Libby of Adelaide blijven logeren?'

Tat was perplex. 'Toe, Harriet,' zei ze. Ze stak haar arm uit om haar bedlampje aan te knippen. 'Je weet best dat dat niet waar is.'

'Jullie vragen me nooit!'

'Nou, weet je wat, Harriet. Ik haal de agenda. Dan kiezen we een dag volgende week, dan voel ik me ook beter en...'

Haar stem stierf weg. Het kind huilde.

'Luister eens,' zei ze op opgewekte toon. Tat probeerde altijd wel geïnteresseerd te doen als haar vriendinnen lyrisch over hun kleinkinderen spraken, maar het speet haar niets dat ze er zelf geen had. Kinderen verveelden en irriteerden haar, iets wat ze dapper geheim trachtte te houden voor haar nichtjes. 'Ik zal even een washandje pakken. Je knapt wel op als... Nee, kom maar mee. Sta op, Harriet.'

Ze pakte Harriet bij haar groezelige hand en nam haar door de donkere gang mee naar de badkamer. Ze draaide beide kranen van de wastafel open en gaf haar een stuk roze toiletzeep. 'Hier, lieverd. Was je gezicht en je handen... Eerst je handen. En nu je gezicht afspoelen met koud water, daar knap je van op...'

Ze maakte een washandje nat en begon naarstig Harriets wangen ermee te boenen, waarna ze het aan haar gaf. 'Hier, schat. Dit is lekker koel, was je nek en je oksels. Wil je dat voor mij doen?'

Harriet deed het – werktuiglijk, met één haal over haar hals, waarna ze de lap onder haar bloesje stak voor een paar flauwe veegjes.

'Kom. Dat kan beter. Moet je je van Ida nooit wassen?'

'Ja, tante,' zei Harriet helemaal moedeloos.

'Hoe kom je dan zo vies? Zorgt ze wel dat je elke dag in bad gaat?'

'Ja, tante.'

'Moet je met je hoofd onder de kraan en controleert ze dan of de zeep nat is als je klaar bent? Alleen maar in een bad met warm water zitten helpt niet, Harriet. Ida Rhew weet heel goed dat ze je moet...'

'Ida kan het niet helpen! Waarom krijgt Ida altijd van alles de schuld?'

'Dat is niet zo. Ik weet wel dat je van Ida houdt, schat, maar je grootmoeder moest misschien maar eens met haar praten. Ida heeft niets verkeerd gedaan, alleen hebben gekleurde mensen andere opvattingen... O, alsjeblieft, Harriet,' zei Tatty handenwringend. 'Nee. Begin nou alsjeblieft niet wéér.'

Na het eten liep Eugene enigszins bezorgd achter Loyal aan naar buiten. Loyal zag er vredig uit, en had wel zin in een ontspannen ommetje voor de spijsvertering, maar Eugene (die na het eten zijn ongemakkelijke zwarte evangelistenpak had aangetrokken) was helemaal klam van de zenuwen. Hij bekeek zichzelf in de zijspiegel van Loyals pick-up en haalde gauw een kam door zijn vette grijze kippenkontje. De opwekkingsbijeenkomst van de vorige avond (ergens op een boerderij, aan de andere kant van het district) was geen succes geweest. De sensatiezoekers die bij de openluchtbijeenkomst waren komen opdagen, hadden gegniffeld en met flessendoppen en grind gegooid, ze hadden het collectebord genegeerd en waren nog voor de dienst was afgelopen opgestaan en duwend en dringend vertrokken, en je kon het ze moeilijk kwalijk nemen. De jonge Reese – met zijn ogen als blauwe gasvlammen en zijn naar achteren geblazen haar, alsof hij net een engel had gezien – had misschien wel meer geloof in zijn pink dan dat hele stel gniffelaars bij elkaar, maar er was niet één slang uit de kist gekomen, niet één; en Eugene had zich er weliswaar voor gegeneerd, maar hij had ook geen zin om ze er met zijn eigen handen uit te gaan halen. Loyal had hem verzekerd dat hun vanavond, in Boiling Spring, een warmere ontvangst te wachten stond – maar Boiling Spring interesseerde Eugene geen bal. Oké, je had daar wel een echte gemeente van gelovigen, maar die was van iemand anders. Overmorgen zouden ze proberen op het plein een menigte op te trommelen – maar hoe moest dat in vredesnaam als hun mooiste lokmiddel – de slangen – bij de wet verboden was?

Loyal zat er blijkbaar niet over in. 'Ik ben hier om Gods werk te doen,' zei hij. 'En het is Gods werk om tegen de Dood te strijden.' De vorige avond had hij zich niets aangetrokken van het gejouw van de menigte, maar al was Eugene nog zo bang voor de slangen en al wist hij dat hij ze zelf niet kon vastpakken, hij verheugde zich ook niet bepaald op nog zo'n avond van publiekelijke vernedering.

Ze stonden buiten op de verlichte plaat beton die ze de 'carport' noemden, met een gasgrill aan de ene kant en een basketbalring aan de andere. Eugene keek nerveus naar Loyals pick-up – naar het zeil dat over de achterin opgestapelde zwarte kisten met slangen lag, naar de sticker waarop in schuine, fanatieke letters stond: DEZE WERELD IS DE MIJNE NIET! Curtis zat veilig binnen televisie te kijken (als hij ze zag weggaan ging hij jammeren dat hij meewilde) en Eugene wilde net voorstellen om maar in te stappen en op pad te gaan toen de hordeur piepend openging en Gum op hen af kwam schuifelen.

'Hallo, mevrouw!' riep Loyal hartelijk.

Eugene wendde zich half af. Tegenwoordig moest hij constant zijn afschuw van zijn grootmoeder onderdrukken en zich voorhouden dat Gum gewoon een oude vrouw was – en nog ziek ook, al jaren. Hij herinnerde zich nog de dag lang geleden, toen hij en Farish klein waren, dat zijn vader midden op de dag dronken naar huis gewankeld kwam en ze uit de caravan naar buiten sleurde, alsof ze een pak slaag zouden krijgen. Zijn gezicht was rood aangelopen en hij sprak met opeengeklemde kaken. Maar hij was niet kwaad: hij huilde. *O God, ik ben er de hele ochtend al ziek van, al vanaf dat ik het weet. Here God heb meelij. Die arme Gum zal nog maar een paar maanden bij ons zijn. Volgens de dokters is ze helemaal opgevreten door de kanker.*

Dat was twintig jaar geleden. Sindsdien waren er vier broers geboren – en opgegroeid en het huis uit of de gevangenis in gegaan, of gewond geraakt – en lagen vader, oom en moeder plus een doodgeboren zusje onder de zoden. Maar met Gum ging het prima. Er waren Eugenes hele jeugd lang met de regelmaat van de klok doodvonnissen uitgesproken door verschillende artsen en medewerkers van de gezondheidsdienst, vonnissen die Gum nog steeds zo om het halfjaar ontving. Ze vertelde het slechte nieuws tegenwoordig zelf, verontschuldigend, nu hun vader dood was. Haar milt was vergroot en kon elk moment scheuren, haar lever, haar alvleesklier of haar schildklier hadden het opgegeven, ze was van binnen weggevreten door nu eens deze dan weer die vorm van kanker – zoveel verschillende soorten dat haar botten zo langzamerhand zwart verkoold waren, als verbrande kippenpoten in de houtoven. En inderdaad: Gum zag er ook uit of ze was opgevreten. De gezwellen, die niet in staat waren haar te doden, hadden hun intrek in haar genomen, zich in haar ribbenkast genesteld, stevig wortel geschoten en hun tentakels door haar huid heen gestoken en haar besprenkeld met zwarte moedervlekken – zodat je (volgens Eugene), als je Gum in dit stadium zou opensnijden, helemaal geen bloed meer zou aantreffen, maar alleen één grote giftige sponzige massa.

'Verexcuseer de vraag, mevrouw,' zei Eugenes gast beleefd, 'hoezo noemen uw jongens u eigenlijk Gum?'

'Dat weet geen mens, die naam is gewoon blijven hangen,' zei Farish grinnikend, die uit zijn prepareerlab schoot en tegelijk met een bundel elektrisch licht op de zegge. Hij stormde op haar af, sloeg zijn armen van achteren om haar heen en kietelde haar alsof ze geliefden waren. 'Hé, Gum, moet ik je in de achterbak gooien, bij de slangen?'

'Hou op,' zei Gum mat. Ze vond het onwaardig om te laten zien hoe fijn ze dit soort ruwe attenties vond, maar ze vond het wel degelijk fijn; en al was haar gezicht uitdrukkingsloos, haar zwarte oogjes glommen van plezier.

Eugenes gast gluurde argwanend door de open deur van de raamloze prepareer-annex-pepschuur, die in het kille licht van een plafondpeertje baadde: bekerglazen, koperen pijp, een ongelooflijk ingewikkeld in elkaar geflanst stelsel van vacuümpompen, buizen, branders en oude badkranen. Al die gruwelijkheden die aan het prepareerwerk herinnerden – het embryo van een poema op sterk water, een doorzichtige plastic doos voor visgerei met een assortiment aan glazen ogen – gaven het geheel het aanzien van het laboratorium van Frankenstein.

'Kom maar, kom binnen,' zei Farish, terwijl hij zich met een ruk omdraaide. Hij had Gum losgelaten, greep Loyal van achter bij zijn overhemd en loodste hem half trekkend, half duwend door de deur het laboratorium binnen.

Eugene kwam er bezorgd achteraan. Zijn gast – misschien gewend aan soortgelijk ruw gedrag van broeder Dolphus – maakte geen zenuwachtige indruk, maar Eugene kende Farish goed genoeg om te weten dat zijn goede humeur iets was om behoorlijk zenuwachtig van te worden.

'Farsh,' zei hij schel. 'Farsh.'

De donkere planken binnen stonden vol glazen potten met chemicaliën en rijen whiskyflessen waar de labels af waren gepeuterd, gevuld met een donkere vloeistof die Farish voor zijn laboratoriumwerk nodig had. Danny zat met een paar huishoudhandschoenen aan op een omgekeerde emmer met een klein voorwerp ergens aan te peuteren. Achter hem stond een glazen filtreerkolf te borrelen en aan de donkere balken hing een opgezette kiekendief met gespreide vleugels dreigend te kijken alsof hij zo in een duikvlucht kon aanvallen. Op de planken stonden ook opgezette forelbaarzen op eenvoudige houten standaards, kalkoenpoten, vossenkoppen, katten – van volwassen katers tot kleine katjes – spechten, slangenhalsvogels en een half dichtgenaaide, stinkende zilverreiger.

'Ik zal je vertellen, Loyal, ik kreeg eens van iemand een mannetjesmocassin zó dik in het rond, ik wou dat ik hem nog had, dan kon ik hem laten zien, want volgens mij was die groter dan wat jij daar in je pick-up hebt...'

Op zijn duimnagel bijtend kwam Eugene behoedzaam binnen en keek over Loyals schouder, alsof hij door Loyals ogen voor het eerst de opgezette katten, de zilverreiger met zijn geknakte hals en zijn als kinkhoorntjes geribbelde oogkassen zag. 'Voor het prepa-

reren,' zei hij hardop toen hij merkte dat Loyals blik op de rijen
whiskyflessen bleef rusten.

'De Here wil dat we Zijn koninkrijk beminnen, behouden en
behoeden,' zei Loyal opkijkend naar de lugubere wanden, die met
hun stank, lijken en schaduwen op een uitsnede van de hel leken.
'Je zal me vergeven als ik niet weet of dat inhoudt dat we ze mogen opzetten en uitstallen.'

In de hoek zag Eugene een stapel Hustlers. De foto op de bovenste was walgelijk. Hij legde zijn hand op Loyals arm. 'Kom, we
moeten ervandoor,' zei hij, want hij wist niet wat Loyal zou zeggen of doen als hij die foto zag, en elke onvoorspelbare reactie in
het bijzijn van Farish was uit den boze.

'Nou,' zei Farish, 'je kan best wel gelijk hebben, Loyal.' Tot Eugenes ontzetting leunde Farish over zijn aluminium werktafel
heen, schudde zijn haar naar achteren en snoof door een opgerold
bankbiljet een wit goedje op dat bij Eugenes weten wel speed zou
zijn. 'Neem me even niet kwalijk. Maar begrijp ik het goed, Loyal,
dat jij een lekker dikke T-bonesteak net zo rap kan wegwerken als
die broer van mij?'

'Wat is dat?' vroeg Loyal.

'Hoofdpijnpoeder.'

'Onze Farish is invalide,' viel Danny hem behulpzaam bij.

'Lieve hemel,' zei Loyal vriendelijk tegen Gum, die er met haar
slakkengang net in was geslaagd van de pick-up naar de deur te
schuifelen. 'Uw kinderen zijn wel geslagen met rampspoed.'

Farish schudde zijn haar naar achteren en kwam luid snuivend
overeind. Hij mocht dan de enige in de familie zijn die ziekengeld
beurde, hij had liever niet dat zijn eigen narigheid in één adem
werd genoemd met Eugenes misvormde gezicht en al helemaal
niet met de veel omvangrijkere problemen van Curtis.

'Zeg dat wel, Loyle,' zei Gum terwijl ze droevig haar hoofd
schudde. 'Onze lieve Heer heeft me een zwaar kruis gegeven met
m'n kanker, m'n reuma en m'n suiker en ditte...' Ze wees op een
etterende paarszwarte korst in haar hals zo groot als een kwartje.
'Daar hebben ze de aderen van jullie arme ouwe Gum schoonge-
schraapt,' zei ze gretig terwijl ze haar hals boog zodat Loyal de
plek beter kon zien. 'Daar doen ze zo'n katentur in, hier, zie je
wel...'

'Hoe laat waren jullie van plan die lui te gaan opwekken?' vroeg
Danny vrolijk, toen hij met een vinger tegen zijn neus overeind-
kwam na zijn dosis hoofdpijnpoeder.

'We moeten weg,' zei Eugene tegen Loyal. 'Kom mee.'

'En toen,' zei Gum intussen tegen Loyal, 'toen staken ze zo'n hoe-heet-'t ballonnetje in mijn halsslachtader, en toen...'

'Hij moet weg, Gum.'

Gum giechelde en pakte met een zwartbespikkelde klauw de mouw van Loyals witte overhemd beet. Ze was opgetogen zo'n aandachtige toehoorder te hebben gevonden en wilde hem niet zo gemakkelijk laten ontkomen.

Harriet liep van Tatty naar huis. De brede trottoirs werden overschaduwd door pecannotenbomen en magnolia's en lagen bezaaid met platgetrapte bloesem van de lagerstroemia. In de warme lucht kwam het droevige avondlijke klokgelui van de First Baptist aandrijven. De huizen in Main Street waren voornamer dan de achttiende- en negentiende-eeuwse huizen van George Street – classicistisch, neo-Italiaans, Victoriaans, overblijfselen van een ingestorte katoeneconomie. Sommige, weinige, waren nog steeds in het bezit van nakomelingen van de families die ze hadden gebouwd en er waren er zelfs een paar gekocht door rijke mensen van buiten de stad. Maar er was ook een toenemend aantal bouwvallen, met driewielers in de tuin en waslijnen tussen de Dorische zuilen.

Het begon te schemeren. Er flikkerde een vuurvliegje aan het eind van de straat en vlak voor haar neus flikkerden er nog twee vlug achter elkaar, *pof, pof.* Ze had nog geen zin om naar huis te gaan – nog niet – en hoewel Main Street verlaten en een beetje griezelig werd zo ver van het centrum, nam ze zich voor nog een eindje door te lopen, tot het Alexandria Hotel. Iedereen noemde het nog steeds het Alexandria Hotel, al had er zolang Harriet leefde geen hotel gezeten – zelfs niet zolang Edie leefde. Tijdens de gelekoortsepidemie van 1879, toen de zwaar beproefde stad werd overspoeld door zieke en doodsbange vreemdelingen die uit Natchez en New Orleans naar het noorden waren gevlucht, waren de gillende, ijlende en om water smekende stervenden als sardientjes in een blik op de veranda en het balkon van het stampvolle hotel opeengepakt, terwijl de doden op het trottoir ervoor lagen opgestapeld.

Zo ongeveer om de vijf jaar probeerde iemand het Alexandria Hotel nieuw leven in te blazen en in gebruik te nemen als textielzaak of vergaderruimte of zoiets, maar die pogingen waren nooit een lang leven beschoren. Iedereen vond het al akelig om erlangs te moeten lopen. Een paar jaar daarvoor had een stel mensen van buiten de stad in de hal een tearoom geopend, maar die was nu gesloten.

Harriet bleef op het trottoir staan. Aan het eind van de uitgestorven straat doemde het hotel op – een witte ruïne met lege ogen, onscherp in het schemerlicht. Opeens meende ze in een raam boven iets te zien bewegen – iets fladderigs, als een lap stof – en ze draaide zich om en rende met bonkend hart weg door de lange straat in het invallende donker, alsof een vloot spoken haar achterna kwam zeilen.

Ze rende in één ruk door naar huis en ging met veel lawaai door de voordeur naar binnen – buiten adem, afgepeigerd, met zwevende bolletjes voor haar ogen. Allison zat beneden televisie te kijken.

'Moeder is ongerust,' zei ze. 'Ga maar zeggen dat je thuis bent. O, en Hely heeft gebeld.'

Harriet was al halverwege de trap toen haar moeder – *pets, pets, pets* – met luid klepperende slippers naar beneden kwam stuiven. 'Waar zát je? Geef onmiddellijk antwoord!' Haar gezicht was rood en glom, ze had een gekreukt oud wit gala-overhemd, dat van Harriets vader was geweest, over haar nachtjapon aangetrokken. Ze greep Harriet bij de schouders en rammelde haar door elkaar en toen – ongelooflijk maar waar – smakte ze haar tegen de muur zodat Harriets hoofd tegen een ingelijste prent van de zangeres Jenny Lind sloeg.

Harriet begreep er niets van. 'Wat is er?' vroeg ze verbouwereerd.

'Weet je wel hoe ongerust ik ben geweest?' De stem van haar moeder klonk hoog en vreemd. 'Ik heb me gek gepiekerd waar je zat. *Ik... werd... gek!*'

'Moeder?' In verwarring hield Harriet haar arm voor haar gezicht. Was ze soms dronken? Zo deed haar vader ook weleens als hij met Thanksgiving thuis was en te veel had gedronken.

'Ik dacht dat je dood was. Hoe durf je...'

'Wat is er toch?' De plafondlamp gaf een koud licht en het enige waar Harriet aan kon denken was naar boven gaan, naar haar kamer. 'Ik was gewoon bij Tat.'

'Onzin. Vertel op.'

'Echt waar,' zei Harriet ongeduldig, terwijl ze nog eens probeerde langs haar moeder te komen. 'Bel haar dan als je mij niet gelooft.'

'Reken maar dat ik dat zal doen, meteen morgenvroeg. En nu vertel je me waar je hebt gezeten.'

'Doe dan,' zei Harriet geïrriteerd, omdat ze niet langs haar kon komen. 'Bél haar dan.'

Harriets moeder kwam snel en boos een tree naar beneden en Harriet stapte even snel twee treden af. Haar gefrustreerde blik viel op het pastelkleurig portret van haar moeder (stralende ogen, vol humor, in een cameljas en met de glanzende paardenstaart van een populair tienermeisje), een straatportret uit haar studiejaar in Parijs. De ogen, die sprankelden door de overdreven lichtpuntjes van wit krijt, leken zich open te sperren van warm medeleven met Harriets dilemma.

'Waarom kwel je me zo?'

Harriet keerde zich van het krijtportret af en keek weer in hetzelfde gezicht dat, veel ouder, vaag onnatuurlijk aandeed, alsof het na een verschrikkelijk ongeluk weer in elkaar was gezet.

'Waaróm?' gilde haar moeder. 'Wil je me soms gek maken?'

Harriets hoofdhuid prikte en tintelde van angst. Haar moeder deed weleens vreemd, of verward of boos, maar nooit zo. Het was pas zeven uur en in de zomer speelde Harriet vaak nog tot tien uur buiten zonder dat haar moeder het zelfs maar in de gaten had.

Allison stond onder aan de trap, met één hand op de tulpvormige knop van de trappaal.

'Allison?' vroeg Harriet kortaf. 'Wat is er met moeder?'

Harriets moeder gaf haar een klap. De klap deed niet erg pijn, maar klonk wel heel hard. Harriet bracht haar hand naar haar wang en staarde haar moeder aan, die snel ademde, met vreemde korte pufjes.

'Moeder? Wat heb ik gedaan?' Ze was te geschrokken om te huilen. 'Als je zo ongerust was, waarom heb je Hely dan niet gebeld?'

'Ik kan de Hulls toch niet zo vroeg in de ochtend opbellen en het hele huis wakker maken!'

Allison, onder aan de trap, keek even verbijsterd als Harriet zich voelde. Om een of andere reden dacht Harriet dat zij de oorzaak van het misverstand was, wat dat dan ook mocht zijn.

'Jíj hebt iets gedaan,' tierde ze. 'Wat heb je tegen haar gezegd?'

Maar Allisons ogen – rond en vol ongeloof – waren op hun moeder gericht. 'Moeder?' zei ze. 'Hoe bedoel je: "ochtend"?'

Charlotte, met één hand op de leuning, keek aangeslagen.

'Het is ávond. Dinsdagavond,' zei Allison.

Charlotte bleef een ogenblik doodstil staan, met grote ogen en halfopen mond. Toen roffelde ze de trap af – met haar hakloze slippers – en keek door het raam naast de voordeur.

'O, mijn God,' zei ze en ze leunde met beide handen op de vensterbank naar voren. Ze deed de deur van het slot en stapte in het schemerlicht de veranda op. Heel langzaam, alsof ze droomde, liep ze naar een schommelstoel en ging zitten.

'Lieve hemel,' zei ze. 'Je hebt gelijk. Toen ik wakker werd wees de klok halfzeven en, ik zweer het, ik dacht dat het ochtend was.'

Een tijdlang klonk er geen ander geluid dan dat van de krekels en de stemmen op straat. De Godfreys hadden gasten: er stond een onbekende witte auto op de oprit en voor het huis stond een stationcar geparkeerd. In het gelige licht op hun achterveranda stegen rookslierten op van de barbecue.

Charlotte keek naar Harriet op. Haar gezicht was bezweet, veel te wit, en de pupillen van haar ogen waren zo groot, zwart en verzwelgend dat de irissen tot bijna niets waren geslonken, blauwe corona's oplichtend rond verduisterde manen.

'Ik dacht dat je de hele nacht weg was gebleven, Harriet...' Ze was klam en snakte naar adem alsof ze half verdronken was. 'Ach, kindje van me. Ik dacht dat je ontvoerd was, of dood. Moeder had een nare droom en... O, lieve God, ik heb je geslagen.' Ze sloeg haar handen voor haar gezicht en begon te huilen.

'Kom mee naar binnen, moeder,' zei Allison zachtjes. 'Alsjeblieft.' De Godfreys en mevrouw Fountain moesten hun moeder maar niet in haar nachtjapon op de veranda zien huilen.

'Kom eens hier, Harriet. Kun je het me vergeven? Moeder is gek,' snikte ze in Harriets haar. 'Het spijt me zo...'

Harriet, in een ongelukkige houding tegen de borst van haar moeder geperst, probeerde niet tegen te spartelen. Ze had het gevoel dat ze stikte. Boven haar, als van ver, huilde en hoestte haar moeder met een gedempt gekuch, als een aangespoelde schipbreukeling. Het roze weefsel van de nachtjapon, die tegen Harriets wang was gedrukt, was zo uitvergroot dat het niet eens stof leek, maar een technische kruisarcering van grof geweven koorden. Het was wel interessant. Harriet sloot het oog dat tegen haar moeders borst rustte. Het roze verdween. Beide ogen open: en floep, daar was het weer. Ze experimenteerde met links en rechts knipogen en zag het drogbeeld heen en weer springen totdat er een dikke traan – buitensporig groot – op de stof drupte en zich tot een vuurrode vlek uitbreidde.

Opeens greep haar moeder haar bij de schouders. Haar gezicht glom en rook naar coldcream, haar ogen waren inktzwart en on-

aards, net de ogen van een verpleegsterhaai die Harriet weleens in
een aquarium aan de Golf van Mexico had gezien.

'Je kunt je het niet voorstellen,' zei ze.

Opnieuw zat Harriet tegen haar moeders nachtjapon gedrukt.
Concentreer je, hield ze zich voor. Als ze haar gedachten goed
richtte kon ze ergens anders zijn. Ze klemde haar kiezen op elkaar.

Schuin over de veranda lag een parallellogram van licht. De
voordeur stond open. 'Moeder?' hoorde ze Allison heel zwak zeggen. 'Alsjeblieft...'

Toen haar moeder zich eindelijk bij de hand liet nemen en naar
binnen loodsen, bracht Allison haar behoedzaam naar de bank,
legde een kussen achter haar hoofd en zette de televisie aan – het
gebabbel een openlijke opluchting, de levendige muziek, de zorgeloze stemmen. Daarna liep ze af en aan om zakdoekjes, hoofdpijn-
poeders, sigaretten en een asbak, een glas ijsthee en de ijszak te
halen, die haar moeder in het vriesvak bewaarde – doorzichtig
plastic, zwembadblauw, in de vorm van een half harlekijnsmasker
van carnaval – en voor haar ogen droeg als ze last had van haar
voorhoofdsholtes of van iets wat ze schele hoofdpijn noemde.

Van die kleine, troostrijke verzameling nam haar moeder de
zakdoekjes en de thee aan, en afwezig mompelend hield ze de
blauwgroene ijszak tegen haar voorhoofd. 'Wat moeten jullie wel
niet denken... Ik schaam me zo...' Het ijsmasker ontsnapte niet aan
de aandacht van Harriet, die haar moeder vanuit de stoel tegenover haar zat te bestuderen. Ze had haar vader vaak, de ochtend
nadat hij gedronken had, met het blauwe ijsmasker om zijn hoofd
gebonden stijf aan zijn bureau zien zitten terwijl hij telefoneerde
of boos in zijn paperassen bladerde. Maar haar moeder rook niet
naar drank. Toen ze buiten op de veranda tegen haar moeders
borst gedrukt zat had ze niets geroken. Haar moeder dronk helemaal niet – niet zoals Harriets vader. Zo af en toe maakte ze een
cola met bourbon, maar meestal liep ze er de hele avond mee rond
tot het ijs smolt en het papieren servetje doorweekt was, en viel ze
in slaap voordat ze het glas had weten leeg te drinken.

Allison verscheen weer in de deuropening. Ze keek vlug even
naar hun moeder om te controleren of ze het niet zag, en zei toen
geluidloos tegen Harriet: *Het is zijn verjaardag.*

Harriet knipperde met haar ogen. Natuurlijk, hoe had ze dat
kunnen vergeten? Meestal was het op zijn sterfdag, in mei, dat bij
hun moeder de stoppen doorsloegen: huilbuien, onverklaarbare

paniekaanvallen. Een paar jaar geleden was het zo erg geweest dat ze het huis niet uit kon voor Allisons afscheidsfeest van de lagere school. Maar dit jaar was die dag in mei zonder incidenten voorbijgegaan.

Allison schraapte haar keel. 'Ik laat een bad voor je vollopen, moeder,' zei ze. Haar stem klonk vreemd kordaat en volwassen. 'Je hoeft er niet in als je niet wilt.'

Harriet stond op om naar boven te gaan, maar haar moeders arm schoot uit in een paniekerig, bliksemsnel gebaar, alsof ze vlak voor een auto de straat op wilde lopen.

'Meisjes! Mijn twee lieve meisjes!' Ze klopte op de bank naast zich, en al was haar gezicht opgezet van het huilen, in haar stem klong vaag de geest – zwak maar helder – van de studente op het portret in de hal.

'Waarom heb je in vredesnaam niets gezegd, Harriet?' vroeg ze. 'Was het leuk bij Tatty? Waar hebben jullie het over gehad?'

Opnieuw zat Harriet met haar mond vol tanden in het onwelkome schijnsel van haar moeders aandacht. Ze dacht aan het spookhuis op de kermis waar ze een keer was geweest toen ze klein was, waar een spook in het donker aan een lange vislijn zachtjes heen en weer gleed en – onverwachts – uit zijn spoor was gesprongen en recht in haar gezicht was geschoten. Nog steeds schrok ze weleens overeind uit een diepe slaap omdat die witte vorm uit het donker op haar af vloog.

'Wat heb je bij Tatty gedaan?'

'Geschaakt.' In de stilte die volgde probeerde Harriet een grappige of vermakelijke opmerking te bedenken om erachteraan te zeggen.

Haar moeder sloeg haar arm om Allison heen, zodat die zich niet buitengesloten voelde. 'En waarom ben jij niet meegegaan, liefje? Hebben jullie al gegeten?'

'En nu volgt de ABC-film van de Week,' klonk er op de televisie. '*Me, Natalie* met in de hoofdrollen Patty Duke, James Farentino en Martin Balsam.'

Tijdens de titelrol van de film stond Harriet op om naar haar kamer te gaan, maar haar moeder kwam haar achterna de trap op.

'Haat je je moeder nou om haar vreemde gedrag?' vroeg ze toen ze verloren in de deuropening van Harriets kamer stond. 'Waarom kom je niet samen met ons naar de film kijken? Gezellig met z'n drietjes.'

'Nee, dank je,' zei Harriet beleefd. Haar moeders blik was strak op het tapijt gericht – onrustbarend dicht bij de plaats, besefte Harriet, van de teervlek. Hij was voor een deel bij de rand van het bed te zien.

'Ik...' Er leek een snaar in haar moeders keel te springen, hulpeloos schoot haar blik van Allisons knuffels naar de stapel boeken op de vensterbank bij Harriets bed. 'Je zult me wel haten,' zei ze schor.

Harriet keek naar de vloer. Ze kon er niet tegen als haar moeder zo melodramatisch deed. 'Nee, moeder,' zei ze. 'Ik heb gewoon geen zin om naar die film te kijken.'

'Ach, Harriet. Ik had zo'n nare droom. En het was vreselijk dat je er niet was toen ik wakker werd. Je weet toch dat moeder van je houdt, hè, Harriet?'

Harriet kon met geen mogelijkheid een antwoord bedenken. Ze voelde zich een beetje verlamd, alsof ze onder water zat: de lange schaduwen, het spookachtige, groenige licht van de lamp, de wind die in de gordijnen deinde.

'Je weet toch dat ik van je houd?'

'Jawel,' zei Harriet, maar haar stem klonk zwak alsof hij van heel ver kwam, of van iemand anders was.

4

De Missie

Het was wel gek, bedacht Harriet, dat ze geen hekel aan Curtis had gekregen ondanks alles wat ze nu over zijn familie wist. Een heel eind verderop in de straat – op dezelfde plek waar ze hem laatst was tegengekomen – marcheerde hij, stampend en heel vastberaden, langs de stoeprand. Hij hobbelde heen en weer, zijn waterpistool stijf in beide vuisten geklemd, en zijn tonnetjeronde lijf schommelde van links naar rechts.

Uit het bouwvallige huis dat hij bewaakte – een soort goedkope huurappartementen – klonk de klap van een hordeur. Op de buitentrap verschenen twee mannen die een grote kist met een zeil erover tussen zich in zeulden. Die met zijn gezicht naar Harriet was erg jong en erg onhandig en had een erg glimmend voorhoofd; zijn haar stond recht overeind en zijn wijd opengesperde ogen keken verschrikt, alsof hij net een ontploffing had meegemaakt. De voorste man, die achteruit omlaag liep, struikelde zowat van de haast; en ondanks het gewicht van de kist, de smalte van de trap en het gevaarlijk scheefgezakte zeil – dat zo te zien elk moment kon wegglijden en zich om hun benen wikkelen – pauzeerden ze nog geen seconde maar bonkten met halsbrekende vaart naar beneden.

Curtis slaakte een loeiende kreet, wiebelde even en richtte het waterpistool op hen terwijl ze de kist draaiden en er voorzichtig mee naar een pick-up liepen die op de oprit stond. Over de laadbak lag nog een zeil. De oudste en potigste van de twee (wit overhemd, zwarte broek en openhangend zwart vest) schoof het met zijn elleboog opzij en tilde zijn kant van de kist over de rand.

'Kijk uit!' riep de jonge vent met het woeste haar toen de kist met een harde klap kantelde.

De andere – nog steeds met zijn rug naar Harriet – veegde met een zakdoek zijn voorhoofd af. Zijn grijze haar zat glad naar achteren geplakt in een vettig kippenkontje. Ze legden het zeil samen terug en gingen de trap weer op.

Harriet sloeg dit geheimzinnige gezwoeg zonder veel nieuws-gierigheid gade. Hely kon innig tevreden urenlang op straat naar arbeiders staan gapen, en als het hem echt interesseerde ging hij ze de oren van het hoofd vragen. Maar lading, werklui of materiaal –Harriet vond er allemaal niets aan. Haar interesseerde Curtis. Als het waar was wat Harriet haar hele leven al hoorde waren zijn broers niet aardig voor hem. Soms kwam Curtis op school met zijn armen en benen vol enge rode bloeduitstortingen, een soort rood dat karakteristiek was voor Curtis, de kleur van cranberryge-lei. Er werd gezegd dat hij nu eenmaal kwetsbaarder was dan hij eruitzag en gauw tekende, zoals hij ook sneller kouvatte dan ande-re kinderen, maar toch riepen de onderwijzers hem weleens bij zich om te vragen hoe hij aan die plekken kwam; wat ze dan pre-cies vroegen en wat Curtis precies antwoordde wist Harriet niet, maar de kinderen hadden vaag het idee dat Curtis thuis werd mis-handeld. Hij had geen ouders, alleen die broers en een gammele ouwe grootmoeder die klaagde dat ze te zwak was om voor hem te zorgen. Hij kwam vaak 's winters zonder jas op school, en had ook vaak geen lunchgeld of lunch mee (of anders iets ongezonds, een pot jam of zoiets, die ze hem dan moesten afnemen). Op de smoesjes die de grootmoeder daar steevast over verkocht reageer-den de onderwijzers met ongelovige blikken. De Alexandria Aca-demy was per slot een particuliere school. Als Curtis' familie zich het schoolgeld kon veroorloven – duizend dollar per jaar – waar-om dan geen middageten, en geen jas?

Harriet had met Curtis te doen, maar op afstand. Hoe goedhar-tig hij ook was, iedereen werd zenuwachtig van zijn grove, onbe-holpen motoriek. Kleine kinderen waren bang van hem; in de schoolbus wilden de meisjes niet naast hem zitten, omdat hij hun gezicht, kleren en haar probeerde aan te raken. En ze moest er niet aan denken wat hij ging doen zodra hij haar zag staan. Bijna werktuiglijk stak ze over, met neergeslagen blik en tegelijk vol schaamte.

Weer knalde de hordeur dicht, en net toen de twee mannen met een nieuwe kist de trap af bonkten, kwam er een langgerekte, ge-stroomlijnde, parelgrijze Lincoln Continental de hoek om zwaai-en. Meneer Dial, en profil, gleed statig langs. Tot Harriets stomme verbazing draaide hij de oprit in.

De twee mannen hadden de laatste kist in de pick-up getild, het zeil erover getrokken en liepen de trap weer op, nu met kalmere, krakende stappen. Het autoportier ging open: *klik.* 'Eugene?' riep meneer Dial. Hij stapte uit en liep Curtis glad voorbij, blijkbaar zonder hem te zien. '*Eugene!* Eén momentje graag.'

De man met het grijze kippenkontje verstarde. Toen hij zich omkeerde zag Harriet – met een nachtmerrieachtige schok – het spetterige rode litteken op zijn gezicht, als een handafdruk met rode verf.

'Ben ík even blij dat ik je hier tref! Jou krijg je ook niet makkelijk te pakken, Eugene,' zei meneer Dial, die ongenood achter hen aan de trap op liep. Naar de pezige jonge man – wiens ogen heen en weer schoten, alsof hij ervandoor wilde – stak hij een hand uit. 'Roy Dial, Dial Chevrolet.'

De oudste man, zichtbaar in verlegenheid, plukte aan de rand van het rode litteken op zijn wang en zei: 'Dit is – dit is Loyal Reese.'

'Reese?' Meneer Dial nam de vreemdeling welwillend op. 'Niet van hier, dacht ik?'

De jonge man stotterde iets, en hoewel Harriet niet kon verstaan wat hij zei kwam zijn tongval duidelijk over: een hoge hillbilly-stem, nasaal en schel.

'Ach! Fijn je hier bij ons te hebben, Loyal... Alleen even op bezoek, zeker? Want...' zei meneer Dial en hij stak een hand op om elk protest bij voorbaat te smoren, 'er staan wél voorwaarden in het huurcontract. Eenpersoonsbewoning. Het kan geen kwaad om even vast te stellen dat we elkaar daarin begrijpen, hè Gene?' Meneer Dial sloeg zijn armen over elkaar, precies zoals hij in Harriets zondagsschoolklasje deed. 'O, trouwens, hoe bevalt de nieuwe hordeur die ik er voor je in heb gezet?'

Eugene bracht met moeite een glimlach te voorschijn en zei: 'Mooie deur, meneer Dial. Hij loopt beter dan die andere.' Met dat litteken en die glimlach zag hij eruit als een goedgemutste griezel uit een horrorfilm.

'En de geiser?' zei meneer Dial, terwijl hij zijn handen ineenvlocht. 'Die moet 't nu een stúk sneller doen, dacht ik zo, voor je warme bad en dergelijke. Nu zit je er toch warmpjes bij, niet dan? Ha ha ha.'

'Nou eh, meneer Dial...'

'Mag ik even ter zake komen, Eugene?' zei meneer Dial, en hij hield zijn hoofd zoetsappig schuin. 'Het is in ons beider belang dat we onze communicatielijnen openhouden, vind je ook niet?'

Eugene keek beduusd.

'Kijk, de laatste twee keer dat ik even bij je aanwipte weigerde je me de toegang tot deze huurwoning. Kom, Eugene, maak het me nou niet moeilijk,' zei hij, en hij stak zijn hand op, Eugene geroutineerd de mond snoerend. 'Wat heeft dat te betekenen? Hoe kunnen we deze situatie verbeteren?'

'Ik vat met permissie niet wat u bedoelt, meneer Dial.'

'Ik hoef je er toch zeker niet op te wijzen, Eugene, dat ik als je huisbaas het recht heb om het pand te betreden wanneer het mij uitkomt. Laten we het elkaar nou niet moeilijk maken, goed?' Hij liep verder naar boven. De jonge Loyal Reese – die verschrikter dan ooit keek – ging zachtjes achteruit de trap op naar de woning.

'Ik begrijp met permissie het probleem niet, meneer Dial! Als ik iets verkeerd heb gedaan –'

'Ik wil je mijn zorgen niet verhelen, Eugene. Ik heb klachten gehad over een luchtje. Toen ik hier laatst even aanwipte viel het mij persoonlijk ook op.'

'Wil u niet even binnenkomen, meneer Dial?'

'Zeker wel, Eugene, als het mag. Want kijk, het zit zo. Ik heb bepaalde verantwoordelijkheden tegenover al mijn huurders in een perceel.'

'Hat!'

Harriet maakte een sprongetje van schrik. Curtis stond heen en weer wiegend met zijn ogen dicht naar haar te wuiven.

'Blind,' riep hij naar haar.

Meneer Dial keek om, halverwege. 'Nee maar, hallo, Curtis! Goed uitkijken, hè,' zei hij opgewekt, en met een blik van lichte weerzin deed hij een stap opzij.

Hierop zwaaide Curtis zijn been omhoog in een paradepas en liep met stampende voeten de straat over naar Harriet, zijn armen recht voor zich uit, bungelende handen, als Frankenstein.

'Moster,' lispelde hij. 'Oeoeoe, mostrer.'

Harriet kon wel door de grond zinken. Maar meneer Dial had haar niet gezien. Hij draaide zich om en liep, al pratend ('Nee, wacht even, Eugene, ik wil echt dat je mijn positie in deze begrijpt'), gedecideerd verder naar boven terwijl de twee andere mannen zenuwachtig voor hem achteruit gingen.

Curtis bleef voor Harriet staan. Voor ze iets kon zeggen vlogen zijn ogen open. 'Veters dicht,' verzocht hij.

'Ze zitten dicht, Curtis.' Dit was een vast ritueel. Omdat Curtis zijn schoenveters niet kon strikken, liep hij op het schoolplein voortdurend naar andere kinderen toe om te vragen of ze hem wilden helpen. En nu knoopte hij zo een gesprek aan, of zijn veters nu wel of niet los zaten.

Plotseling stak Curtis een arm naar voren en pakte Harriet bij de pols. 'Hebbus,' babbelde hij tevreden.

Voor ze het wist sjorde hij haar kordaat mee naar de overkant. Ze probeerde zich los te rukken en zei boos: 'Hou op. Laat los!' Maar Curtis sjouwde door. Hij was oersterk. Harriet struikelde achter hem aan. 'Hou óp,' riep ze, en schopte hem zo hard ze kon tegen zijn scheen.

Curtis bleef staan. Hij liet zijn klamme, kwabbige greep om haar pols verslappen. De blik in zijn ogen was leeg en nogal beangstigend, maar toen stak hij zijn hand uit en gaf haar met vlakke, wijd gespreide vingers een harde, onbeholpen aai over haar hoofd, als een peuter die een poesje wil aaien. 'Jij sterk, Hat,' zei hij.

Harriet deed een stap opzij en wreef over haar pols. 'Dat mag je niet meer doen,' mompelde ze. 'Mensen zo rondsleuren.'

'Ikke brááf moster, Hat!' gromde Curtis met zijn brommende monsterstem. 'Aardig!' Hij klopte op zijn buik. 'Alleen koekjes eten!'

Hij had haar helemaal naar de overkant getrokken, tot op de oprit achter de pick-up. Met vreedzaam onder zijn kin bungelende klauwen sjokte hij, in zijn Koekjesmonster-houding, naar de achterkant en lichtte het zeil op. 'Kijk, Hat!'

'Wil ik niet,' zei Harriet kribbig, maar net toen ze wilde weglopen, kwam er uit de achterbak een droog, woest gesnor opzetten.

Slangen. Harriet knipperde verbijsterd met haar ogen. De pickup stond vol kisten, afgedekt met draadgaas, en in die kisten zaten ratelslangen, watermocassinslangen, koperkoppen, grote slangen en kleine slangen, verstrengeld in dikke gevlekte knopen, geschubde witte snuiten die nu eens hier, dan weer daar uit de kluwen naar buiten flitsten, als vlammen, tegen de kratwanden stootten, de spitse koppen introkken, zich ineenrolden en uithaalden naar het draadgaas, het hout, elkaar, dan terugveerden en – emotieloos, starend – met hun witte buiken laag over de bodem gleden, in een soepele s-vorm uitgulpten... *tik tik tik*... tot ze tegen de zijkant van de kist botsten en sissend achteruitdeinsden, de kluwen weer in.

'Niet aardig, Hat,' hoorde ze Curtis achter zich zeggen, met zijn zware stem. 'Mag niet aankomen.'

De kisten hadden gescharnierde draadgazen deksels en waren aan weerszijden voorzien van handvatten. De meeste waren ge-

verfd, wit, zwart, het baksteenrood van boerenschuren; sommige
hadden opschriften – bijbelverzen – in schots en scheve bloklet-
tertjes, met motiefjes van koperen spijkerkoppen: crucifixen,
schedels, davidsterren, zonnen, manen en vissen. Andere waren
versierd met kroonkurken, knopen, glasscherven en zelfs foto's:
verbleekte polaroids van doodskisten, stemmige gezinnen, starende boerenjongens die ratelslangen ophielden in het donker, hoge
vuren vlammend op de achtergrond. Op één foto, vlekkerig en
spookachtig, stond een mooi meisje, het haar strak naar achteren
gekamd, de ogen stijf dicht en het scherp getekende, lieflijke gezichtje naar de hemel geheven. Haar vingertoppen zweefden vlak
bij haar slapen, boven een valse vette houtratelslang die over haar
hoofd gedrapeerd lag, zijn staart deels om haar hals gewonden.
Daarboven stond, in een ratjetoe van vergeelde, uit een krant ge-
knipte letters, de boodschap:

SLAap meT JEZuS
REESiE fOrd
1935-52

Achter haar koerde Curtis – een onduidelijke kreun, iets als
'spook'.

Te midden van de overdaad aan kisten – fonkelend, veelkleurig,
vol opschriften – trok een angstaanjagend tafereel Harriets blik.
Even kon ze haar ogen bijna niet geloven. In zijn afzonderlijke
behuizing, een rechtopstaande kist, wiegelde een koningscobra
majesteitelijk heen en weer. Onder het scharnier, waar het draadgaas op het hout aansloot, vormden rode kopspijkertjes de woorden HERE JEZUS. Hij was niet wit, zoals de cobra die Mowgli was
tegengekomen in de Koele Holen, maar zwart; zwart als Sarr en
Sarreena, met wie het vosaapje Rikki-tikki-tavi in de tuinen van
het grote huis in de legerplaats Segowlee op leven en dood om de
jongen Teddy had gestreden.

Stilte. Het schild van de cobra was gespreid. Kalm staarde hij
Harriet aan, kaarsrecht, het lijf geruisloos schommelend, heen en
weer, heen en weer, zachtjes als haar eigen ademhaling. *Kijk en
huiver*. Zijn kleine rode ogen waren de onverstoorbare ogen van
een god: je zag er oerwouden in, wreedheid, opstanden en rituelen, wijsheid. Op de achterkant van zijn schild, wist ze, zat het
briltecken dat de grote god Brahma bij het hele cobravolk had
aangebracht toen de eerste cobra zich oprichtte en zijn schild

openspreidde om Brahma in zijn slaap te beschutten.

Uit het huis kwam een gedempt geluid – een deur die dichtging. Harriet keek even omhoog en zag nu pas dat de ramen op de eerste verdieping zilverig blikkerden als metaal: ze waren geblindeerd met aluminiumfolie. Terwijl ze daarnaar stond te staren – want het was een griezelige aanblik, op zich even verontrustend als de slangen – balde Curtis zijn vingertoppen samen en bracht zijn arm kronkelend voor Harriets gezicht. Langzaam, langzaam vouwde hij zijn hand open, met een beweging als van een mond die zich opensperde. 'Moster,' fluisterde hij, en sloot zijn hand toen tweemaal achter elkaar: *snap snap.* 'Háp!'

De deur boven wás dichtgegaan. Harriet deed een stap achteruit van de pick-up en luisterde gespannen. Een stem – gedempt, maar hoorbaar vol afkeuring – was zojuist een andere spreker in de rede gevallen: meneer Dial was dus nog boven, achter die dichtverzilverde ramen, en ditmaal was Harriet nu eens blij zijn stem te horen.

Plotseling pakte Curtis haar weer bij de arm en begon haar naar de trap te trekken. Harriet schrok zo dat ze niet meteen protesteerde, maar toen ze merkte waar hij heen ging begon ze tegen te spartelen en te schoppen en probeerde zich schrap te zetten. 'Nee, Curtis,' riep ze, 'ik wil niet, hee, hou op –'

Ze wilde hem net in zijn arm bijten toen haar blik op zijn grote witte tennisschoen viel.

'Curtis, hee, Curtis, je veter zit los,' zei ze.

Curtis bleef staan en sloeg een hand voor zijn mond. 'Oh-ooo!' Hij bukte zich, een en al verwarring – en Harriet rende weg zo hard ze kon.

'Die zijn van de kermis,' zei Hely, op dat irritante toontje van hem, alsof je hem er niets over hoefde te vertellen. Harriet en hij zaten op zijn kamer, met de deur dicht, op het onderste bed van zijn stapelbed. Bijna alles in Hely's kamer was zwart of goud, ter ere van de New Orleans Saints, zijn favoriete footballteam.

Harriet pulkte met haar duimnagel aan een ribbel van de zwarte corduroy beddensprei en zei: 'Volgens mij niet.' Uit Pembertons kamer, verderop in de gang, klonken dof bonkende bassen van de stereo.

'Kijk maar bij de Ratelslang-ranch, daar zijn alle gebouwen ook volgeschilderd met plaatjes en zo.'

'Ja,' zei Harriet met tegenzin. Ze kon het niet onder woorden brengen, maar de kratten die ze in de laadbak van die pick-up had gezien – met die schedels en sterren en maansikkels, die bibberige bijbelcitaten vol spelfouten – riepen een heel ander gevoel op dan dat bonte, ouderwetse reclamebord van de Ratelslang-ranch: een knipogende lindegroene slang die zich om een dellerige vrouw in een tweedelig badpak slingerde.

'Nou, van wie zouden ze dan zijn?' zei Hely. Hij zat een stapel klapkauwgumplaatjes te sorteren. 'Vast van die mormonen. Die wonen daar op kamers.'

'Hmm.' De mormonen die op de benedenverdieping van meneer Dials huurhuis woonden waren een duf stel. Ze leken nogal een afgezonderd leven te leiden, zo met zijn tweeën; ze hadden niet eens een echte baan.

Hely zei: 'Volgens mijn opa geloven mormonen dat ze na hun dood een planeetje voor zichzelf krijgen om op te wonen. En vinden ze dat je best meer dan één vrouw mag hebben.'

'Die twee in meneer Dial zijn huis hebben helemaal geen vrouw.' Ze hadden eens op een middag bij Edie aangeklopt toen Harriet daar was. Edie had ze binnengelaten, hun lectuur aangenomen, ze zelfs een glas limonade aangeboden toen ze geen cola wilden; ze had tegen ze gezegd dat ze haar aardige jongens leken maar dat het allemaal flauwekul was waar zij in geloofden.

'Hé, laten we meneer Dial bellen,' zei Hely onverwachts.

'Jáá hoor.'

'Ik bedoel, bellen en dan iemand nadoen en vragen wat er daar aan de hand is.'

'Wie dan nadoen?'

'Ik weet niet – wil jij deze?' Hij gooide haar een sticker van Wacky Packs toe: een groen monster met bloeddoorlopen ogen op steeltjes, in een strandbuggy. 'Die heb ik dubbel.'

'Nee dank je.' Met die zwartgouden gordijnen en volgestickerde ramen – Wacky Packs, STP, Harley-Davidson – had Hely vrijwel alle zonlicht uit zijn kamer gebannen. Het was deprimerend, net of je in een souterrain zat.

'Hij is hun huisbaas,' zei Hely. 'Kom op, bel hem nou.'

'Wat moet ik dan zeggen?'

'Bel Edie anders. Als die zoveel over mormonen weet.'

Opeens begreep Harriet waarom hij zo graag wilde opbellen: het kwam door die nieuwe telefoon op zijn nachtkastje, met een hoorn met druktoetsen die in een footballhelm van de Saints gemonteerd zat.

'Als ze denken dat ze later op hun eigen privé-planeet gaan wonen en zo,' zei Hely, met een knikje naar de telefoon, 'wie weet wat ze dan nog meer denken? Misschien hebben die slangen iets met die kerk van ze te maken.'

Omdat Hely er maar naar bleef kijken en omdat ze geen idee had wat ze anders moest doen, trok Harriet de telefoon naar zich toe en toetste Edies nummer in.

'Hallo?' zei Edie kortaf nadat hij twee keer was overgegaan.

'Edie,' zei Harriet in de footballhelm, 'geloven mormonen iets over slangen?'

'Harriet?'

'Bijvoorbeeld, houden ze slangen als huisdier, of... ik weet niet, houden ze allemaal slangen en zo bij zich thuis?'

'Waar heb je dát in vredesnaam vandaan? Harriet?'

Na een ongemakkelijke stilte zei Harriet: 'Van de tv.'

'De televisie?' vroeg Edie ongelovig. 'Welk programma?'

'*National Geographic*.'

'Ik wist niet dat je van slangen hield, Harriet. Ik dacht dat jij altijd al begon te gillen en schreeuwen van "Red me! Red me!" bij het eerste het beste grasslangetje in de tuin.'

Harriet ging niet in op die gemene steek onder water.

'Toen wij klein waren hoorden we weleens verhalen over evangelisten op het platteland die met slangen werkten. Maar dat waren gewoon boerenkinkels uit de heuvels van Tennessee, geen mormonen. Heb jij *Studie in rood* van Sir Arthur Conan Doyle trouwens gelezen, Harriet? Dáár staat nou veel uitstekende informatie over het mormoonse geloof in.'

'Ja, weet ik,' zei Harriet. Met dat verhaal was Edie bij haar mormoonse bezoekers ook komen aanzetten.

'Die oude serie van Sherlock Holmes staat bij je tante Tat, dacht ik. Zij zou ook weleens een exemplaar van het *Boek van Mormon* kunnen hebben, in die luxecassette van mijn vader vroeger, je weet wel, die doos met Confucius en de koran en de religieuze teksten van de –'

'Ja, maar waar vind ik iets over die mensen met die slangen?'

'Het spijt me, ik versta je niet. Wat is dat voor echo? Waar bel je vandaan?'

'Ik ben bij Hely.'

'Het klinkt net of je op de wc zit te bellen.'

'Nee, die telefoon heeft gewoon een gekke vorm... Maar hoor eens, Edie,' zei ze, want Hely zat met zijn armen te zwaaien om haar aandacht te trekken, 'wat is dat dan met die mensen van die slangen? Waar zitten die?'

'In de woeste wouden en de bergen en de dorre streken van de aarde, meer weet ik er ook niet van,' zei Edie plechtstatig.

Harriet had nog niet opgehangen of Hely zei gejaagd: 'Weet je, er was vroeger een showroom voor wedstrijdprijzen op de bovenverdieping van dat huis. Herinner ik me net. Volgens mij zitten die mormonen alleen beneden.'

'Wie huurt die verdieping dan?'

Hely prikte – opgewonden – met zijn vinger in de telefoon, maar Harriet schudde haar hoofd; ze ging Edie niet nog eens bellen.

'En die pick-up? Heb je het kenteken onthouden?'

'Jeetje,' zei Harriet. 'Nee.' Ze had er nog niet bij stilgestaan, maar de mormonen reden geen auto.

'Heb je gezien of hij uit het district Alexandria kwam? Denk na, Harriet, denk na!' zei hij melodramatisch. 'Dát weet je toch nog wel.'

'Nou, we kunnen er toch gewoon even heen fietsen om te kijken? Want als we nu meteen gaan – hè, hou op,' zei ze en draaide geïrriteerd haar hoofd weg toen Hely een denkbeeldig hypnotiseurshorloge voor haar gezicht heen en weer liet slingeren.

'Jij gaat 'eel 'eel sjlaperig worden,' zei Hely met een zwaar Transsylvanisch accent. ''Eel sjlaperig... 'eel sjlaperig...'

Harriet duwde hem weg; hij zwenkte naar de andere kant en wapperde met zijn vingers vlak voor haar gezicht. 'Sjlaperig... sjlaperig...'

Harriet wendde haar hoofd af. Maar hij bleef om haar heen draaien, en ten slotte gaf ze hem een zo hard mogelijke stomp. 'Jezus!' schreeuwde Hely. Hij greep zijn arm vast en viel achterover op bed.

'Ik zéi toch dat je op moest houden.'

'Jemig, Harriet!' Hij ging rechtop zitten, wreef over zijn arm en trok een gezicht. 'Je slaat op mijn telefoonbotje!'

'Nou, zit dan ook niet zo te stangen!'

Opeens klonk er een razend geroffel van vuisten op de dichte deur van Hely's kamer. 'Hely? Heb jij daar iemand bij je? Opendoen jullie, nou meteen.'

'Essie!' brulde Hely, en hij liet zich getergd achterover op bed vallen. 'We dóén niks.'

'Doe die deur open. Opendoen.'

'Doe het zelf.'

En daar stormde Essie Lee binnen, de nieuwe huishoudster, zo nieuw dat ze niet eens wist hoe Harriet heette – al verdacht Harriet haar ervan dat ze alleen maar deed alsof. Ze was een jaar of vijfenveertig, veel jonger dan Ida, met ronde wangen en ontkroesd haar, vlossig en vol dooie punten.

'Wat denken jullie wel, dat jullie de naam van de Here zomaar ijdel uitgillen? Jullie moesten je schamen,' riep ze. 'Dat zit hier met de deur dicht te spelen. Jullie doen hem niet meer dicht, hoor je?'

'Pem mag zijn deur wél dicht.'

'Maar die heeft ook geen meisje over de vloer.' Essie draaide zich met een ruk om en keek Harriet woest aan, alsof ze een plasje kattenkots op het kleed was. 'En maar gillen en vloeken en flikflooien.'

'Zo praat je niet tegen mijn bezoek,' riep Hely schel. 'Dat mag jij niet. Ik ga het tegen mijn moeder zeggen.'

'*Ik ga het tegen mijn mamma zeggen*,' bauwde Essie zijn gejengel na, terwijl ze een lelijk gezicht trok. 'Vooruit, ga maar gauw zeggen. Je doet niks als klikken over dingen die ik geeneens gedaan heb, zoals toen je tegen je mamma zei dat ík die chocolaatjes had opgegeten terwijl je best wist dat je dat zelf had gedaan? Jawel, dat wist je best.'

'Ga weg!'

Harriet zat gegeneerd naar het kleed te turen. Nooit had ze kunnen wennen aan de uitzinnige drama's die bij Hely thuis losbarstten wanneer zijn ouders op hun werk waren: Hely en Pem tegen elkaar (geforceerde sloten, van de muur gerukte posters, afgepakt en aan snippers gescheurd huiswerk) of, vaker, Hely en Pem tegen steeds weer andere huishoudsters: Ruby, die dubbelgeklapte witte boterhammen at en van wie ze nooit naar iets mochten kijken dat op dezelfde tijd als *General Hospital* op de televisie kwam; Zuster Bell, de Jehova's getuige; Shirley, met bruine lippenstift en massa's ringen, eeuwig en altijd aan de telefoon; mevrouw Doane, een sombere oude vrouw die als de dood was voor inbrekers en met een slagersmes op schoot de wacht hield bij het raam; Ramona, die Hely achterna zat met een haarborstel, buiten zichzelf van razernij. Ze waren geen van allen bijzonder vriendelijk of aardig, maar dat kon je ze moeilijk kwalijk nemen als je bedacht dat ze de hele tijd met Hely en Pem opgescheept zaten.

'Moet je dat horen,' zei Essie minachtend, 'lelijk scharminkel.' Ze maakte een vaag gebaar naar de monsterlijke gordijnen, de stickers die zijn ramen verduisterden. 'Wat zou ík graag de brand steken in dit hele lelijke –'

'Ze dreigt dat ze ons huis in brand gaat steken!' krijste Hely, met een rooie kop. 'Jij hebt gehoord wat ze zei, Harriet. Ik heb een getuige. Ze heeft net gedreigd dat ze ons huis –'

'Ik zei niks over je huis. Waag het eens –'

'Wélwaar. Hè, Harriet? Ik ga het tegen mijn moeder zeggen,' riep hij, zonder te wachten op antwoord van Harriet, die te verbijsterd was om een woord uit te brengen, 'en dan gaat ze het arbeidsbureau bellen dat je gek bent en dat ze je niet meer naar mensen hun huis mogen sturen –'

Pems hoofd verscheen achter Essie in de deuropening. Hij stak zijn onderlip uit naar Hely en trok een babyachtig bibberend pruilmondje. *'O-o, wie zit ew nou in de puwee,'* tjilpte hij geveinsd meelevend.

Dat had hij niet moeten zeggen, en zeker niet op dat moment. Essie Lee draaide zich om haar as, met uitpuilende ogen. 'Zo heb jij niet tegen mij te praten!' schreeuwde ze.

Pemberton – wenkbrauwen gefronst – knipperde glazig tegen haar.

'Niksnut! Ligt de hele dag op bed, geen dag van zijn leven gewerkt! Ik moet de kost verdienen. Mijn kind –'

'Wat heeft zíj?' vroeg Pemberton aan Hely.

'Essie heeft gedreigd dat ze het huis in brand gaat steken,' zei Hely schijnheilig. 'Harriet is mijn getuige.'

'Dat zei ik helemaal niet!' Essies dikke wangen trilden van emotie. 'Je liegt!'

Pemberton – op de gang maar uit het zicht – schraapte zijn keel. Achter Essies pompende schouders schoot zijn hand omhoog en wenkte: de kust is vrij. Met een snelle duimbeweging wees hij naar de trap.

Zonder waarschuwing greep Hely Harriets hand vast, trok haar de badkamer in, die zijn kamer verbond met die van Pemberton, en deed de deur achter hen op de knip. 'Schiet op!' schreeuwde hij tegen Pemberton, die in zijn kamer bezig was de andere deur open te doen, en daarna stormden ze bij Pemberton naar binnen (waar Harriet in het halfduister over een tennisracket struikelde) en stoven achter hem aan de kamer uit en de trap af.

'Dat was goed maf,' zei Pemberton. En dat was het eerste wat er tot dan toe was gezegd. Ze zaten met zijn drieën aan de verlaten picknicktafel achter Jumbo's Drive-in, op een betonnen verhoging naast een paar eenzame kinderwipzitjes, een circusolifant en een verkleurde gele eend op een metalen veer. Ze hadden een minuut of tien zomaar wat rondgereden in de Cadillac, gedrieën op de voorbank, zonder airco en bijna gestoofd onder het dichte dak, tot Pem ten slotte was gestopt bij Jumbo.

'Misschien moeten we even naar de tennisbaan om het tegen moeder te zeggen,' zei Hely. Pem en hij deden ongewoon hartelijk tegen elkaar, zonder het te overdrijven, eensgezind na de ruzie met Essie.

Pemberton nam een laatste slurpende teug van zijn milkshake en gooide de beker in de afvalbak. 'Man, heb je die even afgezeken.' Het helle middaglicht, weerkaatsend van de spiegelruit, gloeide wit op om zijn kroezige zwembadhaar. 'Dat mens is niet normaal. Ik was bang dat ze jullie ging aanvliegen of zo.'

'Hé,' zei Hely, en hij ging rechtop zitten. 'Die sirene.' Even luisterden ze alle drie naar het geluid in de verte.

'Vast de brandweer,' zei Hely bedrukt. 'Op weg naar ons huis.'

'Vertel nog eens, wat was er nou?' zei Pem. 'Ging ze zomaar door het lint?'

'Compleet gestoord. Hé, geef mij eens een sigaret,' zei hij er achteloos achteraan toen Pem een pakje Marlboro – geplet in de zak van zijn afgeknipte spijkerbroek – op tafel gooide en in zijn andere zak naar een vuurtje zocht.

Pem stak zijn sigaret aan en schoof lucifers en sigaretten buiten Hely's bereik. De rook stonk scherper en gemener dan anders, tussen de uitlaatgassen van de weg die boven het warme beton bleven hangen. 'Ik moet zeggen, ik heb het aan zien komen,' zei hij hoofdschuddend. 'Ik zei het nog tegen ma. Dat mens is niet fris. Zeker uit Whitfield ontsnapt.'

'Zó erg was het nou ook weer niet,' liet Harriet zich ontvallen. Sinds ze het huis uit waren gevlucht, had ze nog bijna niets gezegd.

Pem en Hely draaiden zich allebei om en gaapten haar aan alsof ze niet goed snik was. 'Huh?' zei Pem.

'Aan wie zijn kant sta jij?' zei Hely gepikeerd.

'Ze hééft niet gezegd dat ze het huis in brand wilde steken.'

'Wélwaar!'

'Nee! Ze zei alleen *in brand steken*. Ze zei niet *het huis*. Ze bedoelde Hely's posters en stickers en zo.'

'O ja?' zei Pemberton bedaard. 'Hely's posters in brand steken?
Dat vind jij dan zeker wel kunnen.'

'Ik dacht dat wij vrienden waren, Harriet,' zei Hely verongelijkt.

'Maar ze zei niet dat ze het huis in brand wilde steken,' zei Harriet. 'Ze zei alleen maar... Ik bedoel,' zei ze toen Pemberton veelbetekenend met zijn ogen draaide tegen Hely, 'zo erg was het gewoon niet.'

Hely schoof demonstratief van haar weg op de bank.

'Echt niet,' zei Harriet, die zich met de minuut onzekerder voelde. 'Ze was gewoon... kwaad.'

Pem draaide weer met zijn ogen en blies een wolk rook uit. 'Je méént 't, Harriet.'

'Maar... maar jullie doen net of ze ons met een slagersmes heeft nagezeten.'

Hely snoof beledigd. 'Nou, volgende keer doet ze dat misschien ook wel! Ik ga niet meer alleen met haar in huis zitten,' zei hij nog eens, vol zelfmedelijden naar het beton starend. 'Ik ben het spuugzat om alsmaar met de dood bedreigd te worden.'

De rit door Alexandria duurde kort en bood niet meer verrassingen of vermaak dan de dagelijkse eed van trouw aan de vlag. Langs de oostkant van Alexandria kronkelde de rivier de Houma zich, met een scherpe knik rond de zuidkant, om tweederde van de stad heen. Houma betekende rood in de taal van de Choctaw, maar de rivier was geel: vettig, traag, met de glans van okerkleurige, net uit de tube geknepen olieverf. Vanuit het zuiden stak je hem over via een ijzeren tweebaansbrug, nog uit de tijd van Roosevelt, naar wat toeristen het historische centrum noemden. Een brede, rechte, ongastvrije straat – akelig stil in de brandende zon – kwam uit op het stadsplein, met het mistroostige standbeeld van de soldaat van het Zuidelijke leger die tegen zijn rechtopstaande geweer aan hing. Vroeger werd hij overschaduwd door eiken, maar die hadden een jaar of twee eerder het veld moeten ruimen voor een chaotisch maar goedbedoeld complex van stedelijke memorabilia – klokkentoren, belvédères, lantaarnpalen, muziektent – dat zich op het kleine en nu schaduwloze pleintje verhief als een rommelig bij elkaar geveegde hoop speelgoed.

In Main Street, tot aan de First Baptist-kerk, waren de meeste huizen groot en oud. Oostwaarts, voorbij Margin Street en High Street, lagen de spoorbaan, de leegstaande katoenfabriek en de pakhuizen waar Hely en Harriet weleens speelden. Daarachter – de kant van Levee Street en de rivier op – troosteloosheid: auto-kerkhoven, schroothandels, krotten met zinken daken, scheefge-zakte veranda's en door de modder scharrelende kippen.

Op het naargeestigste punt – bij het Alexandria Hotel – ging Main Street over in de autoweg, Highway 5. De Interstate had Alexandria links laten liggen, en nu ging de autoweg gebukt onder hetzelfde verval als de winkels aan het plein: verlaten supermark-ten en parkeerterreinen, zinderend in een giftige grijze hittenevel; de Checkerboard Feed Store en het oude pompstation Southland, nu dichtgespijkerd (het verbleekte uithangbord: een guitig zwart poesje met witte bef en sokken dat met zijn pootje naar een ka-toenbol sloeg). Een afslag naar het noorden, County Line Road op, voerde hen langs Oak Lawn Estates en onder een verlaten via-duct door naar koeienweiden, katoenvelden en stoffige deelpach-tersbedoeninkjes, moeizaam in stand gehouden op de onvruchtba-re rode klei. Daar lag ook de school van Harriet en Hely – de Alexandria Academy – een kwartier rijden van de stad: een laag, vormeloos uitwaaierend gebouw van B-2-blokken en golfplaten dat als een vliegtuighangar midden in een stoffig veld stond. Vijf-tien kilometer verder noordwaarts, voorbij de school, hadden de dennen de weiden volledig verdrongen en zich aan weerszijden van de weg aaneengerijd tot een hoge, donkere, verstikkende muur die onverbiddelijk doorliep, vrijwel tot de grens met Tennessee.

Maar in plaats van verder door te rijden hielden ze stil voor het stoplicht bij Jumbo's Drive-in, waar de olifant, opgericht op zijn achterpoten, met zijn zongebleekte slurf een lichtbol omhoog-hield die reclame maakte voor:

ROOMIJS

MILKSHAKES

HAMBURGERS

en keerden daar met een boog – langs de gemeentelijke begraaf-plaats, hoog op zijn heuvel verrijzend als het achterdoek van een toneel (zwarte ijzeren hekken, sierlijk gehalsde stenen engelen, wakend over de marmeren poorten naar noord, zuid, oost en west) – terug naar de stad.

In Harriets vroegste jeugd was het oostelijke deel van Natchez Street exclusief blank. Nu woonden er zowel zwarten als blanken, grotendeels in harmonie. De zwarte gezinnen waren jong en be-

middeld, met kleine kinderen; de meeste blanken, zoals Allisons
pianolerares en Libby's vriendin mevrouw Newman McLemore,
waren oude dames, weduwen zonder verwanten.

'Hé Pem, rijd hier eens wat zachter, bij dat mormonenhuis,' zei
Hely.

Pem keek hem verbaasd aan. 'Wat is daarmee?' vroeg hij, maar
minderde toch vaart.

Curtis was er niet meer en meneer Dials auto evenmin. Op de
oprit stond een pick-up, maar Harriet zag dat het niet dezelfde
was. De klep stond open en de bak was leeg op een metalen gereedschapskist na.

Hely brak zijn klaagzang over Essie Lee abrupt af en zei: 'Zitten
ze dáárin?'

'Sodeju hé, wat ís dat daarboven?' zei Pemberton en hij remde
midden op straat. 'Zit daar aluminiumfolie op de ramen?'

'Vertel eens aan hem wat je gezien hebt, Harriet. Ze zegt dat ze
gezien heeft dat –'

'Ik wil niet eens weten wat ze daarboven uitspoken. Maken ze
daar soms pornofilms of zo? Sodeju hé,' zei Pemberton, en hij
zette de auto in zijn vrij en tuurde met zijn hand boven zijn ogen
omhoog, 'welke máfkikker plakt al zijn ramen nou dicht met aluminiumfolie?'

'O jee.' Hely draaide zich met een ruk weer om en staarde strak
voor zich uit.

'Wat krijgen we nou?'

'Schiet op Pem, wegwezen.'

'Wat is er?'

'Kijk,' zei Harriet, na een korte, gefascineerde stilte. In het middelste raam was een zwart driehoekje verschenen, waar het aluminiumfolie van binnenuit los werd gepeuterd door een naamloze
maar listige nagel.

Toen de auto wegreed trok Eugene het aluminiumfolie met bevende vingers weer over het raam. Hij voelde een migraineaanval
opkomen. Er liepen tranen uit zijn oog; en toen hij van het raam
wegliep en in het donker en de verwarring tegen een krat frisdrank opliep, kliefde het kabaal een felle zigzagstriem van pijn
over de linkerkant van zijn gezicht.

Migraine zat bij de Ratliffs in de familie. Over Eugenes grootvader – 'Pawpaw' Ratliff, allang dood – werd verteld dat hij eens,
geplaagd door wat hij 'schele hoofdpijn' noemde, met een stuk

hout het oog van een koe uit de kas had geslagen. En op een kerst-avond lang geleden had Eugenes vader, door dezelfde pijn gekweld, Danny zo'n harde klap gegeven dat hij voorover tegen de vrieskist was geknald en een blijvende tand had gebroken.

Dit keer was de hoofdpijn plotselinger komen opzetten dan anders. Van die slangen zou iedereen beroerd worden, nog afge-zien van de spanning die Roy Dials onverwachte komst had ver-oorzaakt, maar de politie of Dial zou hier toch zeker niet komen rondsnuffelen in zo'n opzichtig oud slagschip als die auto die daarnet voor het huis was gestopt.

Hij liep naar de andere kamer, waar het koeler was, en ging aan het kaarttafeltje zitten, het hoofd in de handen. De boterham met ham die hij tussen de middag had gegeten, proefde hij nóg. Die was hem niet zo goed bekomen, en door de overheersende, bittere aspirinesmaak in zijn mond werd de herinnering nog onaangena-mer.

Van die hoofdpijn werd hij altijd overgevoelig voor geluid. Toen hij voor het huis die motor had horen draaien, was hij meteen naar het raam gegaan, in de volle overtuiging de sheriff van Clay Coun-ty te zien – of anders op zijn minst een politiewagen. Maar de on-gerijmdheid van die cabriolet liet hem niet los. Tegen beter weten in trok hij de telefoon naar zich toe en draaide het nummer van Farish – want hoe het hem ook tegenstond om Farish te bellen, hier wist hij geen raad mee. Het was een lichte auto; door de felle zon en de pijn in zijn hoofd had hij niet goed kunnen zien wat voor merk, een Lincoln misschien of een Cadillac, of misschien zelfs een grote Chrysler. En van de inzittenden had hij alleen het ras kunnen vaststellen – blank –, hoewel een van hen goed zicht-baar naar het raam had gewezen. Wat had zo'n antieke pronkwa-gen daar te zoeken, zo pal voor de Missie? Farish had in de gevan-genis een hoop patserige types leren kennen – types waarmee het, in veel opzichten, kwaaier kersen eten was dan met de politie.

Terwijl Eugene, met gesloten ogen en de hoorn zo ver mogelijk van zijn gezicht vandaan, probeerde uit te leggen wat er net was gebeurd, zat Farish luidruchtig en onverstoorbaar iets te eten, aan het geluid te horen een kom cornflakes, knisper slobber knisper slobber. Toen hij was uitgesproken, klonk er aan de andere kant van de lijn nog een hele tijd niets anders dan het kauwen en slik-ken van Farish.

Ten slotte zei Eugene, met zijn hand stijf op zijn linkeroog in de duisternis: 'Farsh?'

'Nou, in één ding heb je wel gelijk. Een smeris of een schuldei-ser heeft nooit geen wagen die zo in de kijkerd loopt,' zei Farish. 'Misschien lui van het syndicaat in Florida. Broeder Dolphus heeft daar weleens een klus aan de hand gehad.'

De kom tikte tegen de hoorn toen Farish hem, zo te horen, aan zijn mond zette en het laatste restje melk opdronk. Geduldig wachtte Eugene op de rest van de zin, maar Farish smakte alleen met zijn lippen en zuchtte. Vaag gekletter van lepel tegen kom.

'Wat kan een syndicaat in Florida nou van mij willen?' vroeg hij ten slotte.

'Al sla je me dood. Ben je soms het slechte pad opgegaan of zo?'

'De Here leidt mij op het rechte pad, broeder,' antwoordde Eu-gene stijfjes. 'Ik doe niks anders als deze Missie runnen en mijn leven aan Christus wijden.'

'Tja. Aangenomen dat dat klopt. Kan zijn dat ze achter die klei-ne van Reese aanzitten. Wie weet wat die heeft uitgevreten.'

'Nou even eerlijk, Farsh. Jij hebt me wat op m'n dak geschoven en ik weet, ik wéét,' zei hij dwars door Farish' tegenwerpingen heen, 'dat het met die verdovende middelen te maken heeft. Daar-om is die jongen uit Kentucky hier. Vraag me niet hoe ik het weet, ik weet het gewoon. Als je nou maar gewoon zei waarom je hem hier hebt gehaald.'

Farish lachte. 'Héb ik niet gedaan. Dolphus zei dat hij naar die toogdinges wou –'

'In Oost-Tennessee.'

'Ja ja, maar hij was nog nooit hier in de buurt geweest. Ik dacht dat jij en die jongen het wel leuk zouden vinden om kennis aan mekaar te krijgen, want jij begint net en die jongen heeft een grote gemeente van zijn eigen, en ik zweer bij God dat er verders niks achter steekt, dat ik weet.'

De lijn bleef langdurig stil. Er was iets aan Farish' ademhaling waardoor Eugene voelde hoe zelfgenoegzaam hij grijnsde, zo dui-delijk alsof hij het zag.

'Maar op één punt heb je wel gelijk,' zei Farish toegeeflijk, 'het is niet te zeggen wat die Loyal in de zin heeft. En daar bied ik mijn excuses voor aan. Reken maar dat je het zo link nog niet kan ver-zinnen of ouwe Dolphus heeft er de hand in gehad.'

'Hier zit Lóyal niet achter. Dit hebben jij en Danny en Dolphus zelf uitgebroed.'

'Jij maakt het niet best, aan je stem te horen,' zei Farish. 'Heb je soms weer van die koppijn?'

'Ik voel me beroerd.'

'Zeg, als ik jou was zou ik even gaan liggen. Moeten jullie vanavond niet preken?'

'Hoezo?' vroeg Eugene achterdochtig. Toen hij, daarnet met Dial, op het nippertje de dans was ontsprongen – puur geluk dat ze die slangen al in de wagen hadden voor hij kwam opdagen – had Loyal zich verontschuldigd voor alle last die hij had veroorzaakt ('ik had niet begrepen hoe het zat, dat jij hier in de stad woont en zo') en aangeboden de slangen naar een geheime plek te brengen.

'Wij komen naar je luisteren,' zei Farish ruimhartig. 'Ik en Danny.'

Eugene streek met een hand over zijn ogen. 'Dat heb ik liever niet.'

'Wanneer gaat Loyal weer terug?'

'Morgen. Zeg, Farsh, ik wéét dat je wat van plan bent. Ik wil niet dat je die jongen in de problemen brengt.'

'Wat maak jij je zo druk over hem?'

'Weet ik niet,' zei Eugene, wat ook zo was.

'Nou, tot vanavond dan,' zei Farish en hij hing op voor Eugene nog een woord kon zeggen.

'Wat ze daarboven uitspoken, liefje, geen idee,' zei Pemberton. 'Maar wie die verdieping huurt weet ik wel: de grote broer van Danny en Curtis Ratliff. Die is evangelist.'

Hierop keek Hely stomverbaasd naar Harriet.

'Zo maf als een deur,' zei Pem. 'Heeft iets aan zijn gezicht. Hij staat altijd bij de weg naar de auto's te schreeuwen en met zijn bijbel te zwaaien.'

'Is dat die man die laatst naar de auto toe kwam en op het raampje tikte toen pappa moest stoppen bij het kruispunt?' vroeg Hely. 'Die met dat enge gezicht?'

'Misschien is hij wel niet gek, misschien is dat maar komedie,' zei Pem. 'De meeste van die evangelisten uit de heuvels die zo tekeergaan en flauwvallen en op hun stoelen staan te springen en het gangpad op en neer rennen, die stellen zich alleen maar aan. Het is één grote nep, dat opgefokte reli-gedoe.'

'Harriet – Harriet, moet je horen!' zei Hely, die het niet meer hield van de opwinding en op en neer wipte. 'Ik ken die gast. Hij staat elke zaterdag te preken op het plein. Hij heeft zo'n zwart kistje met een microfoon erop aangesloten, en –' Hij keek zijn broer weer aan. 'Denk je dat hij met slangen werkt? Harriet, zeg nou wat je daar hebt gezien.'

Harriet kneep hem.

'Hmm? Slangen? Als hij met slangen werkt,' zei Pemberton, 'dan is het een nog grotere mafkikker dan ik al dacht.'

'Misschien zijn ze wel tam,' zei Hely.

'Imbeciel. Alsof je een slang kan témmen.'

Het was dom dat hij Farish over die auto had verteld. Eugene had spijt dat hij erover begonnen was. Farish had een halfuur later teruggebeld, net toen Eugene eindelijk een beetje was weggedommeld – en tien minuten daarna nog eens. 'Heb je nog verdachte personen in werkkleren in de straat voor je huis gezien? Trainingspakken of stofjassen of zoiets?'

'Nee.'

'Ben je door iemand geschaduwd?'

'Hoor 'es, Farsh, ik probeer een beetje te rusten.'

'Ik zal je even uitleggen hoe je merkt dat ze je schaduwen. Je rijdt door rood of je gaat van de verkeerde kant een eenrichtingsstraat in en dan kijk je of die persoon achter je aanrijdt. Of –. Zeg. Misschien moest ik zelf maar naar jou komen om de boel te bekijken.'

Alleen met de grootste moeite kon Eugene Farish ervan weerhouden naar de Missie te komen voor wat hij 'een onderzoekje' noemde. Hij nestelde zich in de zitzak voor een tuk. Koud was het hem gelukt in een versufte, onrustige slaap te glijden of het drong tot hem door dat Loyal zich over hem heen boog.

'Loyle?' stamelde hij.

'Ik heb slecht nieuws,' zei Loyal.

'Wat is er dan?'

'Er zat een afgebroken sleutel in het slot. Ik kon er niet in.'

Eugene bleef stil zitten en probeerde te begrijpen waar het over ging. Hij sliep nog half; hij had iets gedroomd over verloren sleutels, autosleuteltjes. Hij was midden in de nacht gestrand in een ongure bar met een keiharde jukebox, ergens buiten de stad aan een landweggetje, zonder te weten hoe hij thuis moest komen.

Loyal zei: 'Ze hadden gezegd dat ik die slangen naar een jachthut in Webster County kon brengen. Maar daar zat een afgebroken sleutel in het slot en ik kon er niet in.'

'Ah.' Eugene schudde zijn hoofd om helder te worden en keek om zich heen. 'Dus dat betekent...'

'De slangen zitten beneden, in mijn pick-up.'

Het bleef een tijdje stil.

'Ik zeg het maar eerlijk, Loyle, ik heb een migraineaanval gehad.'

'Ik haal ze wel. Je hoeft niet te helpen. Ik krijg ze in mijn eentje wel boven.'

Eugene wreef over zijn slapen.

'Hoor eens, ik kan geen kant op. Het is wreed om ze daar te laten bakken in die hitte.'

'Wat je zegt,' zei Eugene mat. Maar hij zat niet over het welzijn van de slangen in, hij zat erover in dat ze daar open en bloot bleven liggen en dus konden worden ontdekt – door Dial, door die mysterieuze snuffelaar in de cabriolet, wie zou het zeggen. En opeens schoot hem te binnen dat hij ook over een slang had gedroomd, een gevaarlijke slang die ergens vrij rondkroop tussen de mensen.

'Oké,' zei hij met een zucht tegen Loyal, 'haal ze maar hier dan.'

'Ik beloof je dat ze morgenochtend weg zijn. Het is niet zo'n succes voor jou geweest, hè,' zei Loyal. Uit zijn doordringende blauwe ogen sprak oprecht medeleven. 'Mij te gast hebben.'

'Jij kan er ook niks aan doen.'

Loyal haalde een hand door zijn haar. 'Ik wou nog even zeggen dat ik het naar mijn zin heb gehad hier bij jou. Als de Here je niet roept om met slangen te werken – nou, dan heeft Hij daar Zijn redenen voor. Mij roept Hij ook weleens niet.'

'Ik begrijp het.' Eugene had het gevoel dat hij nog iets moest zeggen, maar hij kon de juiste toon niet zo gauw treffen. En hij durfde niet te zeggen wat hij voelde: dat zijn geest dor en leeg was, dat hij geen goed mens was van nature, in zijn geest en zijn hart. Dat hij van onrein bloed was, en uit een onrein geslacht kwam, dat God op hem neerkeek en zijn gaven minachtte, zoals Hij de gaven van Kaïn had geminacht.

'Op een dag word ik wel geroepen,' zei hij, met een monterheid die hij niet voelde. 'De Here is gewoon nog niet aan me toe.'

'Er zijn ook nog andere gaven van de Heilige Geest,' zei Loyal. 'Bidden, preken, voorspellen, visioenen. Zieken de hand opleggen. Liefdadigheid en barmhartige werken. Zelfs in je eigen familie –' hij aarzelde discreet. 'Daar valt ook goed te doen.'

Lusteloos keek Eugene op in de vriendelijke, onbevangen ogen van zijn gast.

'Het gaat niet om wat jij wil,' zei Loyal. 'Het gaat om de volmaakte wil van God.'

Toen Harriet door de achterdeur de keuken in kwam trof ze daar
een natte vloer en een schone aanrecht aan – maar geen Ida. Het
was stil in huis: geen radio, geen ventilator, geen voetstappen, alleen het monotone zoemen van de Frigidaire. Achter zich hoorde
ze iets krabbelen: geschrokken draaide ze zich om, net op tijd om
een kleine grijze hagedis tegen de hor van het open raam omhoog
te zien klauteren.

Met die hitte kreeg ze hoofdpijn van het dennenluchtje van het
schoonmaakmiddel dat Ida gebruikte. In de eetkamer stond de
zware porseleinkast uit De Beproeving ineengedoken tussen de
wanordelijke stapels kranten. Door de twee langwerpige vlees-
schotels die rechtop tegen de bovenste plank stonden, was het net
of hij je wild aankeek; laag en gespannen op zijn gebogen poten
helde hij aan één kant een tikje voorover, als een oude cavalerist
uit vervlogen tijden die aanstalten maakte om over de krantensta-
pels heen naar voren te springen. Harriet liet er een liefkozende
hand over glijden terwijl ze zich erlangs wurmde, en het was net
of de oude kast zijn schouders introk en zich gedienstig plat tegen
de muur drukte om haar voorbij te laten.

Ze vond Ida Rhew in de woonkamer in haar lievelingsfauteuil,
waar ze haar middagboterham at, knopen aannaaide of erwten
dopte terwijl ze naar een soap keek. De fauteuil zelf – mollig,
koesterend, met een versleten tweed bekleding en bobbelige vul-
ling – was op Ida gaan lijken zoals een hond soms op zijn baasje
lijkt, en wanneer Harriet 's nachts niet kon slapen, ging ze weleens naar beneden en rolde zich dan op in die stoel, haar wang
tegen het bruine tweed, vreemde droevige oude liedjes voor zich
uit neuriënd die alleen Ida zong, liedjes uit Harriets vroegste
jeugd, liedjes zo oud en geheimzinnig als de tijd zelf, over geesten
en gebroken harten en geliefden, gestorven en voorgoed heengegaan:

Mis je dan je moeder niet, somtijds, somtijds?
Mis je dan je moeder niet, somtijds, somtijds?
De bloemen bloeien er eeuwig en immer,
Daar zal de zon nooit ondergaan.

Allison lag op haar buik voor de stoel, haar enkels over elkaar geslagen. Ida en zij keken uit het raam voor hen. De zon stond laag
en oranje aan de hemel en de televisieantenne op het dak van mevrouw Fountain priemde door de zinderende avondgloed heen.

Wat hield ze van Ida! Het overviel haar met een kracht die haar deed duizelen. Zonder oog voor haar zusje stoof ze de kamer door en sloeg hartstochtelijk haar armen om Ida's hals.

Ida schrok. 'Genade,' zei ze, 'waar kom jij opeens vandaan?'

Harriet sloot haar ogen en vlijde haar gezicht in de vochtige warmte van Ida's hals, die naar kruidnagel rook, en naar thee en houtvuren, en naar nog iets, iets bitterzoets en vederlichts maar onmiskenbaars dat voor Harriet de geur van de liefde zelf was.

Ida reikte achter zich en maakte Harriets arm los. 'Wou je me smoren?' zei ze. 'Moet je daar eens zien. Wij zitten net naar die vogel daar op het dak te kijken.'

Zonder zich om te draaien zei Allison: 'Hij komt elke dag.'

Harriet hield haar hand boven haar ogen. Op de schoorsteen van mevrouw Fountain stond, verdekt opgesteld tussen twee bakstenen, een roodschoudertroepiaal: pront, soldatesk van houding, met vaste, scherpe blik en dwars over elke vleugel een vurige streek helderrood, als een epaulet.

''t Is een mallerd,' zei Ida. 'En hij klinkt zo.' Ze tuitte haar lippen en imiteerde deskundig de roep van de roodschoudertroepiaal: niet het vloeiende gorgelen van de boslijster, dat neerdook in het droog snorrende *tssjrr tssjrr tssjrr* van een krekel en dan weer opveerde in extatische, snikkende trillers, niet het heldere drietonige fluitje van de matkopmees en ook niet de rauwe kreet van de blauwe gaai, als een roestig, knarsend hek. Dit was een felle, ratelende, ongewone kreet, een alarmschreeuw – *kanzjeriiie!* – die werd afgekapt door een omfloerste, koerende toon.

Allison schoot in de lach. 'Kijk!' zei ze en ging op haar knieën zitten, want de vogel had zich plotseling opgericht en zette zijn glanzende mooie kopje schrander schuin. 'Hij hoort je!'

'Doe nog eens!' zei Harriet. Ida wilde niet zomaar altijd vogels voor ze nadoen, daar moest ze voor in de stemming zijn.

'Hè ja, Ida, toe!'

Maar Ida lachte alleen wat en schudde haar hoofd. 'Jullie weten dat oude verhaal toch nog, hè,' zei ze, 'van hoe hij aan zijn rode vleugels komt?'

'Nee,' zeiden Harriet en Allison meteen, al wisten ze het nog best. Nu ze ouder waren vertelde Ida ze steeds minder vaak verhalen, en dat was jammer, want Ida's verhalen waren vreemd en fantastisch en vaak huiveringwekkend: verhalen over verdronken kinderen en geesten in het bos en de jachtpartij van de roodkopgier; over wasbeertjes met gouden tanden die baby's beten in hun wiegje, en over behekste schoteltjes met melk die 's nachts in bloed veranderde...

'Nou, er was er eens, lang geleden, een lelijke kleine bochelaar,' zei Ida, 'die zo kwaad op alles was dat hij besloot om de hele wereld in brand te steken. Dus pakte hij een fakkel, zo kwaad als maar kon, en liep naar de grote rivier, waar alle dieren woonden. Want vroeger had je niet al die kleine riviertjes van niks die je nu hebt. Toen had je alleen die ene.'

Aan de overkant op de schoorsteen van mevrouw Fountain klapperde de vogel met zijn vleugels – kort en zakelijk – en vloog weg.

'O kijk nou. Weg is hij. Wil mijn verhaal niet horen.' Met een diepe zucht keek Ida op de klok, rekte zich uit en stond op – tot Harriets ontzetting. 'En het is trouwens tijd dat ik naar huis ga.'

'Vertel nou nog even!'

'Morgen.'

'Niet weggaan, Ida!' riep Harriet toen Ida Rhew de korte, behaaglijke stilte verbrak met een zucht en naar de deur liep, langzaam, alsof haar benen pijn deden – arme Ida. 'Alsjeblieft?'

'O, morgen ben ik er weer, hoor,' zei Ida droogjes, zonder om te kijken, en ze hees haar bruin papieren boodschappentas onder haar arm en slofte moeizaam weg. 'Wees maar niet bang.'

'Zeg, Danny,' zei Farish, 'morgen vertrekt Reese, dus we zullen vanavond naar het plein moeten om naar dat gedoe van Eugene te luisteren, hoe heet het...' hij wapperde verstrooid met zijn hand. 'Je weet wel. Die kerkse lulkoek.'

Danny schoof zijn stoel achteruit. 'Waarvoor?' zei hij. 'Waarvoor moet dat?'

'Die jongen gaat morgen weg. Morgenvróég, als ik hem een beetje ken.'

'Nou, vooruit, dan gaan we gauw even naar de Missie en doen we dat spul gelijk in de wagen.'

'Kan niet. Hij is ergens heen.'

'Gotsamme.' Danny bleef even zitten nadenken. 'Waar wou je het verstoppen? In de motor?'

'Ik weet plekjes dat de FBI die hele wagen overhoop kan halen en dan vinden ze het nog niet.'

'Hoe lang heb je daarvoor nodig?' vroeg Danny, en toen hij opeens een vijandig licht in Farish' ogen zag vonken, herhaalde hij: 'Ik zei, *hoe lang heb je daarvoor nodig*? Om het spul te verstoppen.'

Farish was een tikje doof aan één oor, van dat schot, en als hij speedy en paranoïde was kon hij je soms op een totaal geschifte manier verkeerd verstaan, dan dacht hij dat je had gezegd dat hij de pleuris kon krijgen terwijl je hem feitelijk had gevraagd of hij de deur dicht wilde doen of het zout aangeven.

'Hoe lang dacht je?' Farish stak vijf vingers op.

'Oké, goed. Moet je horen. Waarom laten we die preek niet gewoon schieten en gaan we later naar de Missie? Dan hou ik ze boven aan de praat terwijl jij dat pakje ergens in die wagen legt, en klaar zijn we.'

'Weet je wat mij niet lekker zit,' zei Farish opeens. Hij schoof aan naast Danny en begon met een zakmes zijn nagels schoon te maken. 'Er was daarnet een auto bij Gene zijn huis. Heeft hij over gebeld.'

'Een auto? Wat voor auto?'

'Niks aan te zien. Stond voor het huis.' Farish slaakte een zwartgallige zucht. 'Hij reed weg toen ze zagen dat Gene uit het raam naar ze keek.'

'Dat betekent vast niks.'

'Hè?' Farish deinsde achteruit en kneep zijn ogen tot spleetjes. 'Niet zo fluisteren. Daar kan ik niet tegen, dat gefluister van jou.'

'Ik zei, *dat betekent niks.*' Danny keek zijn broer strak aan en schudde zijn hoofd. 'Wie moet er nou wat van Eugene?'

'Ze moeten Eugene niet,' zei Farish zwartgallig. 'Ze moeten mij. Ik zal je zeggen, er zijn overheidsinstanties waar ze zúlke dossiers over mij hebben.'

'Farish.' Als Farish zo opgelierd was, moest je hem niet over de overheid laten beginnen. Dan ging hij de hele nacht tekeer, en de volgende dag erbij.

'Hoor eens,' zei hij, 'als je die belasting nou eens betaalde –'

Farish vuurde een snelle, spinnijdige blik op hem af.

'Daar was laatst een brief van. Als jij je belasting niet betaalt, Farish, dan komen ze gehéíd achter je aan.'

'Het heeft niks met belasting uitstaande,' zei Farish. 'De overheid houdt me al twintig jaar in de smiezen.'

Harriets moeder duwde de deur naar de keuken open, waar Harriet – het hoofd in de handen – aan tafel hing. In de hoop dat haar moeder zou vragen wat er was zakte ze nog wat dieper weg, maar haar moeder keek niet en liep meteen door naar de ijskast, waar ze het gestreepte drieliterpak pepermuntijs uit te voorschijn haalde.

Harriet keek hoe ze op haar tenen ging staan om een wijnglas van de bovenste plank te pakken, waar ze vervolgens omslachtig een paar lepels ijs in schepte. Ze had een heel oude nachtpon aan, met vliesdunne ijsblauwe stroken en linten bij de hals. Als klein meisje had Harriet haar ogen er niet vanaf kunnen houden, omdat hij op het gewaad van de blauwe fee uit haar Pinokkio-boek leek. Nu vond ze hem alleen maar oud: slobberig, en vervaald bij de zomen.

Toen haar moeder het ijs weer in het vriesvak wilde zetten, zag ze Harriet lusteloos aan tafel zitten. 'Wat is er met je?' vroeg ze terwijl de deur van de ijskast met een klap dichtviel.

'Ten eerste,' zei Harriet luid, 'verga ik van de honger.'

Harriets moeder fronste haar wenkbrauwen – vaag, vriendelijk – en daarna (nee, laat ze het niet zeggen, dacht Harriet) vroeg ze precies wat Harriet wist dat ze zou vragen. 'Wil je niet een beetje ijs?'

'Ik... háát... dat... ijs.' Hoe vaak had ze dat al niet gezegd?

'Hmm?'

'Ik háát pepermuntijs, moeder.' Opeens was ze radeloos: luisterde er dan nooit iemand naar haar? 'Ik vind het goor! Ik heb het nooit lekker gevonden! Niemand heeft het ooit lekker gevonden, jij bent de enige!'

Het gekwetste gezicht van haar moeder deed haar goed. 'Het spijt me... ik dacht alleen dat we allemaal wel zin hadden in iets lichts en koels... nu het 's avonds zo warm is...'

'Ik niet.'

'Nou, laat Ida dan iets voor je maken...'

'Ida is weg!'

'Heeft ze niets voor je neergezet?'

'Nee!' Tenminste, niets waar Harriet trek in had: alleen tonijn.

'Tja, waar heb je dan wel zin in? Het is zo warm – niet iets machtigs natuurlijk,' zei ze weifelend.

'Jawél!' Bij Hely thuis hadden ze altijd echt avondeten, al was het nog zo warm, uitvoerige, vette, warme maaltijden waarvan het snikheet werd in de keuken: braadvlees, lasagna, gefrituurde garnalen.

Maar haar moeder luisterde niet. 'Een toastje misschien,' zei ze opgewekt terwijl ze het pak ijs terugzette in de vriezer.

'Tóást?'

'Hoezo, wat is daar dan mis mee?'

'Geen mens heeft tóást als avondeten. Waarom kunnen wij niet

net zo eten als gewone mensen?' Harriets juf had de kinderen
eens gevraagd twee weken lang hun dagelijkse menu bij te houden, en toen Harriet het zo op papier zag staan, was ze ervan geschrokken zo ongezond als haar dagelijkse menu eruitzag, zeker
op de avonden dat Ida niet kookte: ijslolly's, zwarte olijven, toast
met boter. Dus had ze de echte lijst verscheurd en uit een kookboek dat haar moeder voor haar huwelijk had gekregen (*Duizend
manieren om uw gezin te plezieren*) zorgvuldig een keurig nette
reeks verantwoorde maaltijden overgeschreven: kipschnitzels,
gegratineerde pompoenschotel, tuinsalade, appelmoes.

'Ida hoort te zorgen,' zei haar moeder, opeens vinnig, 'dat je iets
te eten krijgt. Daar betaal ik haar voor. Als ze haar plicht niet doet
zullen we iemand anders moeten zoeken.'

'Hou je mond!' schreeuwde Harriet, overweldigd door de onrechtvaardigheid daarvan.

'Je vader zeurt me de hele tijd aan mijn hoofd over Ida. Volgens
hem doet ze niet genoeg in huis. Ik weet wel dat je Ida graag mag,
maar –'

'Zij kan het niet helpen!'

'– als ze niet doet wat er van haar wordt verwacht, zullen zij en
ik eens een woordje met elkaar moeten spreken,' zei haar moeder.
'Morgen...'

Ze drentelde de kamer uit met haar glas pepermuntijs. Harriet
– daas en verbluft door de wending die hun gesprek had genomen
– legde haar voorhoofd op tafel.

Even later hoorde ze iemand de keuken in komen. Dof keek ze
op en zag Allison in de deuropening staan.

'Dat had je niet moeten zeggen,' zei ze.

'Laat me met rust!'

Net op dat moment ging de telefoon. Allison nam op en zei:
'Hallo?' Toen kwam er een wezenloze uitdrukking op haar gezicht. Ze liet de hoorn los, zodat die aan het snoer bleef bungelen.

'Voor jou,' zei ze tegen Harriet en liep de keuken uit.

Ze had nog geen hallo gezegd of Hely kwam er gejaagd overheen: 'Harriet? Moet je horen –'

'Kan ik bij jullie komen eten?'

'Nee,' zei Hely, na een korte verbouwereerde stilte. Ze hadden
al gegeten, maar hij had van de opwinding geen hap door zijn keel
kunnen krijgen. 'Moet je horen, Essie is écht door het lint gegaan.
Ze heeft een paar glazen stuk gesmeten in de keuken en toen is ze
weggegaan, en mijn vader is naar haar huis gereden en Essies

vriend kwam de veranda op en ze hebben ontzettende heibel gekregen en toen heeft pappa gezegd dat hij tegen Essie moest zeggen dat ze niet meer hoefde te komen en dat ze ontslagen was.
Wáúw! Maar daar bel ik niet voor,' zei hij gauw, omdat Harriet
begon te stotteren van afschuw toen ze dat hoorde. 'Moet je horen, Harriet. We hebben niet veel tijd. Die evangelist met dat litteken, die zit nú op het plein. Ze zijn met z'n tweeën. Ik zag het met
pappa op de terugweg van Essie, maar ik weet niet hoe lang ze
daar blijven. Ze hebben een luidspreker. Je kan ze híér helemaal
horen.'

Harriet legde de hoorn op het aanrecht en liep naar de achterdeur. En jawel, vanuit de door druivenranken omwoekerde geborgenheid van de veranda hoorde ze de blikkerige galm van een luidspreker: iemand die iets schreeuwde, onverstaanbaar, het gesis en
geknetter van een slechte microfoon.

Toen ze de hoorn weer oppakte hoorde ze Hely aan de andere
kant van de lijn hortend ademen, geheimzinnig.

'Kan je hierheen komen?' vroeg ze.

'Ik zie je op de hoek.'

Het was na zevenen en nog licht. Harriet maakte haar gezicht
nat met water uit de gootsteenkraan en haalde haar fiets uit het
schuurtje. Ze schoot de oprit af, het grind opspattend onder haar
banden, tot *bam* haar voorwiel de straat op knalde – en daar ging
ze.

Hely stond op de hoek te wachten, zijn benen aan weerskanten
van zijn fiets. Toen hij haar aan zag komen, peesde hij weg; trappend als een bezetene had ze hem algauw ingehaald. De straatlantaarns waren nog niet aan; het rook naar pas gesnoeide heggen,
insectenverdelger en kamperfoelie. Rozenperken laaiden
dieprood, karmijnpaars, tropisch oranje op in het verflauwende
licht. Ze stoven langs dommelige huizen, ruisende tuinsproeiers,
een keffende terriër die achter ze aan schoot, ze een straat of twee
bleef najagen op zijn jakkerende korte pootjes en toen achterbleef.

Met een scherpe bocht reden ze Walthall Street in. De brede
puntgevels van meneer Lilly's withouten Victoriaanse huis vlogen
op hen af in een hoek van vijfenveertig graden, als een woonboot
die schuin op zijn kant op een groene kade aan wal was getrokken.
Harriet liet zich op haar vaart door de bocht zwieren, bedwelmd
door de geur van meneer Lilly's klimrozen – zoetroze trossen, in
volle wolken neertuimelend van het latwerk aan de veranda – die

vluchtig langs haar streek terwijl ze nog even voortgleed, haar
voeten stil, en trapte daarna verwoed verder, met een boog Main
Street in: een spiegelzaal, witte gevels en zuilen in het warme
licht, in langgerekt, statig perspectief weglopend naar het plein –
waar de smalle witte spijlen en pieken van muziektent en
belvédères in de wazige lavendelblauwe verte spits oprezen tegen
het diepblauwe toneeldoek van de hemel – alles verstild als een
van achteren belicht decor van de jaarlijkse schoolvoorstelling
(*Ons stadje*), op de twee mannen in wit overhemd en donkere
broek na die daar heen en weer banjerden, met hun armen zwaaiden, vooroverbogen en weer terugveerden om luid uit te halen, in
het midden samenkwamen en van daaruit kruislings heen en weer
gingen tussen alle vier de hoeken. Ze trokken van leer als twee
veilingmeesters, met versterkte en ritmisch gescandeerde zalvende
praatjes die elkaar naderden, op elkaar stootten en weer uit elkaar
weken in twee gescheiden lijnen, Eugene Ratliffs mummelende
bas en de hysterische hoge tegenstem van de jongere man, boers
en nasaal, met de scherp aangetokkelde i's en e's van het heuvel-
land.

'– jullie mamma –'
'– jullie pappa –'
'– jullie arme kindje dat onder de grond ligt –'
'Zeg je dat ze weer opstaan?'
'*Ik zeg dat ze weer opstaan.*'
'Zeg je dat ze herrijzen?'
'*Ik zeg dat ze herrijzen.*'
'*De Bijbel zegt dat ze herrijzen.*'
'*Christus zegt dat ze herrijzen.*'
'*De profeten zeggen dat ze herrijzen.*'

Terwijl Eugene Ratliff met zijn voet stampte en in zijn handen
klapte, waarbij er een vettige piek uit het grijze kippenkontje los-
raakte en voor zijn gezicht viel, wierp de man met de woeste
haardos zijn handen omhoog en begon plotseling te dansen. Hij
schokte over zijn hele lichaam; zijn witte handen sidderden, alsof
de elektrische stroom die uit zijn ogen spatte en zijn haar overeind
zette van top tot teen door hem heen knetterde, en hem schuddend en bevend in ware stuiptrekkingen dwars door de muziektent joeg.

'– Ik juich het uit zoals in bijbelse tijden –'
'– *Ik juich het uit zoals Elia het deed.*'
'– Juich het luide uit en maak de Duivel kwaad –'
'– *Vooruit kinderen, maak de Duivel kwaad!*'

Het plein was vrijwel uitgestorven. Aan de overkant van de straat stonden een paar tienermeisjes onzeker te giechelen. Mevrouw Mireille Abbott stond in de deur van de juwelierswinkel; verderop bij de ijzerhandel zat een gezin er in een geparkeerde auto door de open raampjes naar te kijken. Aan Ratliffs pink (die hij een eindje van de potlooddunne microfoon af hield, als van het oor van een theekopje) ving een robijnkleurige steen de ondergaande zon en vonkte dieprood op.

'– In deze Laatste Dagen waarin wij nu leven –'
'– *Zijn wij gekomen om uit deze Bijbel de waarheid te prediken.*'
'– Wij preken deze Bijbel als in de dagen van weleer.'
'– *Wij preken dit Boek zoals de profeten het deden.*'

Harriet zag de pick-up (DEZE WERELD IS DE MIJNE NIET!) – en stelde teleurgesteld vast dat de achterbak leeg was, afgezien van een kleine, opzij met vinyl beklede versterker die op een goedkoop diplomatenkoffertje leek.

'O, het is lang geleden dat sommigen van jullie die hier nu aanwezig zijn –'
'– jullie bijbel hebben gelezen –'
'– ter kerke zijn geweest –'
'– als kindertjes neer zijn geknield –'

Met een schok merkte Harriet dat Eugene Ratliff haar recht aankeek.

'...want de zinnelijke gedachte is de DOOD'
'– de wraakzuchtige gedachte is de DOOD'
'– want de Vreselijke Lust is de DOOD...'

'Vleselijke,' zei Harriet vrijwel automatisch.
'Wat zeg je?' zei Hely.
'Het is vléselijke. Niet vréselijke.'

'– want het loon van de zonde is de DOOD'
'want de leugens van de Duivel zijn de HEL EN DE DOOD'

Het was dom van ze geweest, besefte Harriet, zich zo dichtbij te wagen, maar daar was nu niets meer aan te doen. Hely stond met open mond te staren. Ze gaf hem een por in zijn ribben. 'Kom mee,' fluisterde ze.

'Wat is er?' zei Hely, en veegde met zijn onderarm over zijn klamme voorhoofd.

Harriet bewoog haar ogen snel even opzij, waarmee ze 'wegwezen' bedoelde. Zonder een woord te zeggen draaiden ze zich om en liepen netjes met hun fiets aan de hand weg, tot ze de hoek om en uit het zicht waren.

'Maar waar waren die slangen nou?' zeurde Hely. 'Die zaten toch in die pick-up?'

'Ze hebben ze zeker weer naar binnen gebracht toen Dial weg was.'

'Kom op,' zei Hely. 'Laten we erheen gaan. Gauw, voor ze klaar zijn.'

Ze sprongen op hun fiets en reden zo hard ze konden naar het mormonenhuis. De schaduwen begonnen dieper te worden en in elkaar over te lopen. De kogelvormig gesnoeide buksboompjes die de middenberm van Main Street markeerden, glansden fel aan de zonkant, als een lange rij maansikkels waarvan de bol voor driekwart verduisterd maar nog wel zichtbaar was. In de donkere ligusterwallen langs de straat klonk inmiddels de doordringende roep van krekels en kikkers. Toen ze eindelijk – hijgend en hard trappend – het houten huis in het oog kregen zagen ze dat het portaal donker was, en de oprit verlaten. De enige levende ziel in de hele straat was een stokoude zwarte man met uitstekende, glimmende jukbeenderen en een gezicht zo effen en sereen als een mummie, die bedaard over de stoep slenterde met een papieren zak onder de arm.

Hely en Harriet verstopten hun fietsen onder een breed uitgestoelde schijnels halverwege de middenberm. Vanachter de heester bleven ze behoedzaam staan kijken tot de oude man de hoek om was gesukkeld. Toen renden ze naar de overkant en hurkten neer onder de lage, uitwaaierende takken van een vijgenboom in de tuin van het huis ernaast – want in de tuin van het houten huis was geen dekking, daar groeide nog geen struikje, alleen wat zeewiergroene plukjes leliegras rond de stronk van een afgezaagde boom.

Harriet keek naar de regenpijp die naar de eerste verdieping liep, en vroeg: 'Hoe komen we boven?'

'Wacht even.' Ademloos van zijn eigen lef schoot Hely weg uit hun schuilhoekje onder de vijgenboom, rende pijlsnel de trap op en vloog net zo hard weer naar beneden. Hij scheerde door de onbeschutte tuin en dook weer onder de boom, naast Harriet. Met een komisch stripfiguurtjesgebaar haalde hij zijn schouders op en zei: 'Op slot.'

Samen keken ze door het trillende bladerdek naar het huis. Aan hun kant lag het in het donker. Aan de straatkant, in het warme licht, blonken de ramen lavendelblauw in de ondergaande zon.

'Daarboven,' zei Harriet, en ze wees. 'Waar het dak plat is, zie je dat?'

Boven de aflopende dakrand stak een kleine gevelspits omhoog. Daarin zat een smal matglasraampje dat van onderen een stukje openstond. Hely wilde net vragen hoe ze daar dacht te komen – het was zeker vijf meter boven de grond – toen ze zei: 'Als je me even een kontje geeft klim ik langs de regenpijp omhoog.'

'Had je gedroomd!' zei Hely, want de regenpijp was zowat doormidden geroest.

Het was maar een klein raam – nog geen halve meter breed. 'Vast een badkamerraampje,' zei Harriet. Ze wees naar een donker raam halverwege. 'Waar komt dat op uit?'

'Bij de mormonen. Heb ik gecheckt.'

'Wat zit erachter?'

'De trap. Er is daar een overloopje met een prikbord en een paar posters.'

'Misschien' – Harriet gaf een klap op haar arm en zei triomfantelijk: 'Hébbes,' terwijl ze de bloederige mug bekeek die over haar handpalm was uitgesmeerd.

'Misschien zijn de benedenverdieping en de bovenverdieping binnendoor met elkaar verbonden,' zei ze tegen Hely. 'Je hebt daar toch niemand gezien, hè?'

'Hoor nou, Harriet, ze zijn er niet. Als ze terugkomen en ons betrappen zeggen we dat het een weddenschap was, maar we moeten echt opschieten, anders kunnen we het wel vergeten. Ik blijf hier niet de hele avond buiten zitten.'

'Oké...' Ze haalde diep adem en rende de kale tuin in, Hely vlak achter haar aan. Op hun tenen gingen ze de trap op. Hely hield de straat in de gaten terwijl Harriet, haar hand tegen de ruit, naar binnen gluurde: een verlaten trappenhuis, vol klapstoelen gestapeld; trieste bruinige muren, opgefleurd door een beverig streepje licht uit een raam aan de straat. Verderop hingen een waterkoeler en een prikbord met een paar posters (*Praat eens met een vreemde! Veilig vrijen: tips voor risicojongeren*).

Het raam had geen hor en zat dicht. Zij aan zij haakten ze hun vingers onder de rand van de metalen sponning en trokken eraan, tevergeefs –

'Auto,' siste Hely. Ze drukten zich plat tegen de muur, met bonzend hart, terwijl de auto langs zoefde.

Zodra hij weg was kwamen ze uit het donker te voorschijn en probeerden het nog eens. 'En dat daar?' fluisterde Hely, en op zijn tenen tuurde hij naar het midden van het raam, waar de bovenste en onderste ruit samenkwamen, naadloos.

Harriet begreep wat hij bedoelde. Er was geen grendel en geen ruimte waarin de ruiten over elkaar konden glijden. Ze haalde haar vinger langs de rand.

'Hé,' fluisterde Hely plotseling, en hij gebaarde dat ze moest helpen.

Samen drukten ze de bovenkant van de ruit naar binnen; er pakte iets, er piepte iets en toen zwaaide het raam van onderen kreunend naar buiten, over een horizontale draaipen. Hely controleerde de donkerende straat nog een laatste keer – duim omhoog, kust vrij – en even later wurmden ze zich naast elkaar naar binnen.

Ondersteboven, met zijn vingertoppen naar de vloer, zag Hely de grijze spikkels van het linoleum op zich af suizen, vliegensvlug, alsof het namaakgranito het oppervlak was van een vreemde planeet die met een miljoen kilometer per uur naar hem toe kwam razen – en *baf,* kwam zijn hoofd op de grond en buitelde hij naar binnen, terwijl Harriet naast hem neersmakte.

Ze waren binnen: op het overloopje van een ouderwetse trap met maar drie treden naar boven en bovenaan nog een overloop, een lange. Barstend van opwinding en zo zacht mogelijk ademend krabbelden ze overeind en vlogen naar boven – waar ze, toen ze de hoek om gingen, bijna frontaal tegen een zware vergrendelde deur knalden, waaraan een dik hangslot bengelde.

Er was nog een ander raam ook – een ouderwets houten schuifraam met een hor. Hely liep erheen om het te bekijken, en terwijl Harriet beteuterd naar het hangslot staarde begon hij opeens wild te gebaren, zijn tanden opeengeklemd in een starre grijns van op winding: want de dakrand liep ook onder dit raam door, regelrecht naar dat raampje in de gevelspits.

Door hard te trekken, tot ze rood aanliepen, wisten ze de schuif bijna een halve meter omhoog te wrikken. Harriet wrong zich er het eerst doorheen, terwijl Hely haar benen bijstuurde alsof hij een ploeg bediende, tot ze hem per ongeluk een schop gaf en hij met een vloek achteruit sprong. De dakbedekking plakte warm en korrelig aan haar handen. Voorzichtig, o zo voorzichtig richtte ze zich op. Haar ogen stijf dichtgeknepen zocht ze met haar linkerhand steun bij het raamkozijn en stak Hely haar rechterhand toe terwijl hij naast haar naar buiten kroop.

Het windje begon kouder te worden. Een koppel straaljagers trok een diagonaal van condens door de lucht, smalle witte waterskisporen in een immens meer. Harriet, snel ademend, te bang om naar beneden te kijken, ving het ijle parfum op van een 's avonds geurende bloem in de diepte: violieren misschien, of siertabak. Ze legde haar hoofd in haar nek en keek naar de lucht; de wolken waren reusachtig, de onderkant stralend roze geglansd als bij wolken op een schilderij van een bijbelverhaal. Heel, heel voorzichtig – rug tegen de muur, tintelend van de spanning – schoven ze voetje voor voetje de steile hoek om en zagen in de diepte opeens de tuin met hun vijgenboom.

Ze haakten hun vingertoppen onder de aluminium gevellijst, die de hitte van de dag had vastgehouden en nog iets te warm was om aan te kunnen raken – en schuifelden zijwaarts naar de gevelspits. Harriet was er het eerst en schoof door naar de andere kant om ruimte voor Hely te maken. Het was inderdaad een piepklein raampje, niet veel groter dan een schoenendoos, en het stond aan de onderkant maar een centimeter of vijf opengeschoven. Behoedzaam, hand over hand, verplaatsten ze hun greep van de gevellijst naar het raampje en sjorden het met zijn tweeën omhoog: eerst nog wat aarzelend, voor het geval dat het ding opeens omhoog zou schieten en ze achterover zouden vallen. Soepel gleed het een centimeter of tien naar boven, maar toen bleef het moervast zitten, al trokken ze tot hun armen trilden.

Harriets handen waren nat en haar hart bonkte als een tennisbal in haar borst. Toen hoorde ze, beneden op straat, een auto aankomen.

Ze verstijfden. De auto zoefde langs zonder te stoppen.

'Hé man,' hoorde ze Hely fluisteren, '*niet omlaag kijken.*' Hij stond een paar centimeter van haar af, zonder haar aan te raken, maar zijn hele lijf straalde vochtige warmte uit, een tastbare corona, als een krachtveld.

Ze keek opzij; strijdlustig stak hij zijn duim op in het spookachtige, lavendelblauwe schemerlicht, schoof toen zijn hoofd en onderarmen door het raam als een zwemmer die de schoolslag deed, en zette zich af.

Het ging maar net. Bij zijn middel bleef hij klem zitten. Harriet – die zich met haar linkerhand aan de aluminium gevelrand vastklampte en met de rechter aan de bovenkant van het raampje rukte – week zo ver mogelijk naar achteren voor zijn woest trappelende voeten. De richel was smal, en ze gleed uit en zou zijn gevallen als ze zich niet op het nippertje staande had weten te houden, maar nog voor ze had kunnen slikken of naar adem happen, viel Hely's bovenlichaam met een harde plof naar binnen, zodat alleen zijn gympjes nog naar buiten staken. Even bleef hij verbijsterd zo hangen en toen trok hij ook de rest binnenboord. 'Já!' hoorde Harriet hem zeggen – zijn stem ver weg, juichend, met die vertrouwde extase uit de tijd dat ze op donkere zolders naar kartonnen burchten kropen.

Nu stak zij ook haar hoofd naar binnen. In het schemerlicht kon ze hem maar net onderscheiden: ineengerold, zijn handen om een bezeerde knieschijf gevouwen. Stuntelig – op zijn knieën – kwam hij overeind, liep naar het raampje, greep haar bij haar onderarmen en gooide zich met zijn volle gewicht naar achteren. Harriet trok haar buik in en probeerde zich erdoor te wurmen, *oef*, in de lucht schoppend, net als Poeh toen hij in het konijnenhol vastzat.

Nog steeds kronkelend viel ze in een wirwar van armen en benen omlaag – half op Hely, half op een klam, schimmelig kleedje dat rook als iets op de bodem van een boot. Toen ze opzij rolde bonkte haar hoofd met een hol geluid tegen de muur. Ze bevonden zich inderdaad in een badkamer, een piepkleintje: wastafel en wc, geen badkuip, hardboard wanden met tegelmotief.

Hely, die was opgekrabbeld, trok haar overeind. Zodra ze stond rook ze een zure, vissige stank – geen schimmel, hoewel van schimmel doortrokken, maar scherp, sterk en uitgesproken goor. Ze probeerde de vieze smaak achter in haar keel weg te slikken en leefde al haar opkomende paniek uit in een worsteling met de deur (een zwabberend vinyl harmonicageval met houtnerfmotief) die klemvast zat in zijn sleuven.

Toen de deur losschoot rolden ze over elkaar heen een groter vertrek in – net zo bedompt, maar nog donkerder. De muur tegenover hen bolde uit in een dikbuikige welving, beroet door rook-schade en kromgetrokken van het vocht. Hely – hijgend van op-winding, onbesuisd als een terriër die zijn prooi rook – werd plot-seling bij de keel gegrepen door een zo snijdende angst dat het een metaalsmaak op zijn tong achterliet. Zijn ouders hadden hem zijn hele leven gewaarschuwd, deels vanwege Robin en wat er met hem was gebeurd, dat je niet alle volwassenen moest vertrouwen; er waren er – niet veel, maar wel een paar – die kinderen stalen van hun ouders om ze te martelen of zelfs te vermoorden. Nog nooit had de waarheid daarvan hem met zo'n kracht getroffen, als een stomp in zijn maag; maar hij werd bijna zeeziek van die stank en die walgelijk bollende wanden, en alle gruwelverhalen die zijn ouders hem hadden verteld (kinderen met een prop in de mond vastgebonden in verlaten huizen, opgehangen aan een touw of in een kast opgesloten om ze te laten verhongeren) kwamen plotse-ling tot leven, keken hem aan met priemende gele ogen en grijns-den hem toe met haaientanden: *tsjop-tsjop*.

Niemand wist waar ze waren. Niemand – geen buurman, geen voorbijganger – had hen naar binnen zien klauteren; niemand zou ooit te weten komen wat er met ze was gebeurd als ze niet thuis-kwamen. Toen hij in het kielzog van Harriet, die zelfverzekerd naar de volgende kamer liep, over een snoer struikelde gilde hij het bijna uit.

'Harriet?' Zijn stem klonk raar. Hij bleef daar in het schemer-duister staan wachten tot ze iets terugzei, en staarde naar het eni-ge licht dat er te zien was – drie rechthoeken, afgetekend in de vuurgloed die alle drie de met folie beplakte ramen omlijstte, spookachtig zwevend in het donker – toen de vloer opeens onder hem wegzakte. Misschien was het wel een valstrik. *Hoe wisten ze dat er niemand thuis was?*

'Harriet!' riep hij. Plotseling moest hij zo dringend plassen als hij nog nooit van zijn leven had moeten plassen, en driftig aan zijn rits frunnikend, bijna zonder te weten wat hij deed, keerde hij zich van de deur om en liet het lopen, zo op het kleed: gauw gauw gauw, zonder aan Harriet te denken, bijna op en neer hippend in zijn nood; want door hem met zoveel klem te waarschuwen voor kinderlokkers hadden Hely's ouders onbedoeld een paar wonder-lijke ideeën bij hem doen postvatten, in het bijzonder de panische overtuiging dat gekidnapte kinderen niet naar de wc mochten van hun overweldigers, maar zich moesten bevuilen waar ze maar wa-ren: vastgebonden aan een smerige matras, opgesloten in de achterbak van een auto, begraven in een doodskist met een luchtbuisje....

Ziezo, dacht hij, half in extase van opluchting. Ook al gingen die kinkels hem martelen (met vouwmessen, spijkerpistolen, noem maar op), ze zouden tenminste niet het plezier hebben hem in zijn broek te zien plassen. Toen hoorde hij iets, achter zich, en zijn hart maakte een schuiver als een auto op een ijsbaan.

Maar het was Harriet maar, die heel klein leek in de deuropening, met grote, inktzwarte ogen. Hij was zo blij dat ze er was dat het niet eens in hem opkwam zich af te vragen of ze hem had zien plassen.

'Kom eens kijken,' zei ze, kortaf.

Door haar kalmte verdween zijn angst als sneeuw voor de zon. Hij liep achter haar aan naar de andere kamer. Zodra hij naar binnen ging sloeg de muskusachtige stank van bederf – dat hij die niet had herkend! – hem met zo'n kracht in het gezicht dat hij het gewoon proefde –

'Mozesmina!' zei hij en kneep zijn neus dicht.

'Ik zéí het toch,' zei ze nuffig.

De kisten – een heleboel, de vloer stond bijna vol – fonkelden in het flauwe licht; paarlemoeren knopen, spiegelscherven, spijkerkoppen, strassteentjes en verbrijzeld glas, alles blonk zacht in het schemerduister als in een spelonk vol piratenschatten, ruwe zeemanskisten kwistig bestrooid met achteloze handenvol diamanten, zilver en robijnen.

Hij keek omlaag. In het krat bij zijn gympje lag – vlakbij – een houtratelslang opgerold met zijn staart te zwaaien, *tgg tgg tgg*. Zonder erbij na te denken sprong hij achteruit, maar toen zag hij door het draadgaas in een hoek van zijn blikveld nog een slang, die zich slinks naar hem uitgulpte in een gevlekte s-vorm. Toen het beest met zijn snuit tegen de zijwand van de kist stootte veerde het terug, met zo'n gesis en zo'n krachtige zwiep (een onmogelijke beweging, als een film die je achterstevoren afdraait, een straal die oprijst uit een plas gemorste melk en omhoogvliegt, de kan weer in) dat Hely opnieuw een sprong maakte en tegen een ander krat knalde, waaruit een spervuur van messcherp gesis spatte.

Nu zag hij dat Harriet bezig was een rechtopstaande kist tussen de rest uit naar de vergrendelde deur te duwen. Ze bleef staan en veegde de haren uit haar ogen. 'Deze wil ik,' zei ze. 'Kom even helpen.'

Hely was perplex. Hij besefte nu pas dat hij al die tijd niet had

geloofd dat het haar menens was, en de opwinding bruiste ijskoud
in hem op, tintelend, dodelijk, verrukkelijk, als koud groen zeewater dat door een gat in de bodem van een boot naar binnen gutst.

Harriet schoof – haar lippen opeengeperst – het krat een meter
verder over een smalle uitsparing op de vloer en zette het op zijn
kant. 'We nemen hem...' zei ze, en zweeg even terwijl ze haar handen tegen elkaar wreef, 'we nemen hem mee de trap af naar buiten.'

'We gaan toch niet over stráát lopen met die kist?'

'Kom nou maar helpen, oké?' Hijgend trok ze de kist van zijn
krappe plaats.

Hely liep naar haar toe. Het was geen pretje om je tussen die
kratten door te wringen; achter het draadgaas – niet dikker dan
een hor, viel hem op, je ging er zo met je voet doorheen – was hij
zich vaag bewust van een schimmig bewegen: cirkels, zich verbre-
kend, versmeltend, ineenrollend, de ene zwarte diamant na de
andere rondglibberend in boosaardige stille kringen. Zijn hoofd
leek vol ijle lucht. *Het is niet echt*, zei hij tegen zichzelf, *niet echt,
nee, het is maar een droom*, en inderdaad zouden zijn dromen hem
nog vele jaren – nog toen hij allang volwassen was – met geweld
in die onwelriekende duisternis terugwerpen, tussen de sissende
schatkisten van een nachtmerriewereld.

Het bijzondere van de cobra – koninklijk, rechtop, een eenling,
geërgerd meezwaaiend op het hotsen van zijn krat – viel Hely niet
op; hij was zich alleen bewust van het ongewone gewicht van het
dier, dat af en toe hinderlijk van de ene kant naar de andere
schoof, en van de noodzaak zijn hand ver bij het gaas weg te houden. Verbeten duwden ze de kist naar de achterdeur, die Harriet
ontgrendelde en wijd openzette. Daarna tilden ze de kist samen
op, droegen hem in de lengte tussen zich in de buitentrap af (de
cobra, uit balans geslagen, ramde en ranselde er in kille furie op
los) en zetten hem neer.

Inmiddels was het donker. De lantaarns waren aan en van de
overkant kwam het schijnsel van verandalampen. Duizelig, te
bang om zelfs maar naar de kist te kijken, zo kwaadaardig klonk
het uitzinnige gebonk daarbinnen, trapten ze hem diep onder het
huis.

De avondbries was kil. Harriet had kippenvel en haar armen
prikten. Boven – om de hoek, uit het zicht – woei de hordeur open
tegen de leuning en sloeg weer dicht. 'Wacht even,' zei Hely. Hij
kwam overeind uit zijn half gehurkte houding en vloog de trap

weer op. Met trillende slappe vingers frunnikte hij aan de klink, tastte naar het slot. Zijn handen waren plakkerig van het zweet; hij was door een vreemde, nachtmerrieachtige lichtheid bevangen en de donkere, oeverloze wereld deinde om hem heen, alsof hij hoog in het want van een slingerend, zwalkend piratenschip zat en de nachtwind de hoge golven geselde...

Vlug, sprak hij zichzelf toe, *opschieten, we moeten maken dat we hier wegkomen,* maar zijn handen wilden niet, ze glipten en glibberden machteloos over de deurklink alsof ze niet eens bij hem hoorden...

Van beneden klonk een gesmoorde kreet van Harriet, zo verbijsterd van schrik en radeloosheid dat ze halverwege stokte.

'Harriet?' riep hij in de gespannen stilte die volgde. Zijn stem klonk vlak en vreemd luchtig. Meteen daarop hoorde hij autobanden op grind. Het licht van koplampen gleed statig door de achtertuin. Als Hely in later jaren aan deze avond dacht, was dát altijd het beeld dat hem om de een of andere reden het levendigst voor de geest kwam: het stugge vergeelde gras plotseling overstroomd door het verblindende schijnsel van koplampen, hier en daar hoge halmen – kafferkoren, stekelzaad – trillend en hel verlicht...

Voor hij had kunnen nadenken of zelfs maar ademhalen verflauwden de felle lichtbundels: *pof.* Nog eens *pof,* en het gras werd donker. Er ging een autoportier open en toen stampten er zo te horen wel tien paar zware laarzen de trap op.

Hely raakte in paniek. Naderhand zou het hem verbazen dat hij zich in zijn angst niet van de trap had gestort en een been of wie weet zijn nek had gebroken, maar door de verschrikking van die zware voetstappen kon hij alleen maar aan de evangelist denken, aan dat geschonden gezicht dat in het donker op hem afkwam, en het enige wat erop zat was het appartement weer in vluchten.

Hij vloog naar binnen, en in het halfduister zonk de moed hem in de schoenen. Kaarttafeltje, klapstoelen, koelbox: waar kon hij zich verstoppen? Hij holde naar de achterkamer en stootte zijn teen tegen zo'n dynamietkist (die reageerde met een kwaaie mep en een ratelend *tgg tgg tgg*) en meteen drong zijn vreselijke vergissing tot hem door, maar het was al te laat. De voordeur knarste. *Heb ik die eigenlijk wel dichtgedaan?* dacht hij, met een misselijkmakende rilling van angst.

Stilte, de langste van Hely's leven. Na een eeuwigheid de zachte klik van een sleutel die in een slot werd omgedraaid, nog eens en nog eens, kort na elkaar.

'Wat is er,' zei een schorre mannenstem, 'wil hij niet?'

In de kamer ernaast floepte het licht aan. In de lichtvlag van de deuropening zag Hely dat hij in de val zat: geen dekking, geen vluchtmogelijkheid. Afgezien van de slangen was de kamer zo goed als leeg: kranten, gereedschapskist, een met de hand geschilderd uithangbord rechtop tegen een muur ('MET HULP VAN DE GOEDE HEER: TER HANDHAVING EN VERBREIDING VAN DE PROTESTANTSE GODSDIENST EN DE UITVOERING VAN AL ONZE BURGERLIJKE WETTEN...') en in de hoek ertegenover een vinyl zitzak. Hysterisch van de haast (ze hoefden maar even door die open deur te kijken of ze zagen hem) glipte hij tussen de dynamietkisten door naar de zitzak.

Nog een klik: 'Ja, hij pakt,' zei de schorre stem onduidelijk, terwijl Hely zich op zijn knieën liet vallen, zich zo goed en zo kwaad als het ging onder de zitzak wurmde en die bijna helemaal over zich heen trok.

Nog meer gepraat, dat hij nu niet meer verstond. De zitzak was zwaar, hij lag met zijn rug naar de deur, zijn benen stijf onder zich gevouwen. Het kleed dat tegen zijn rechterwang drukte rook naar zweetsokken. En toen ging – tot zijn ontzetting – de plafondlamp aan.

Wat zeiden ze? Hij probeerde zich zo klein mogelijk te maken. Omdat hij zich niet kon verroeren zat er, tenzij hij zijn ogen sloot, niets anders op dan naar een stuk of zes slangen te staren die rondkropen in een opzichtige kist met een zijkant van draadgaas, op een halve meter van zijn neus. Terwijl hij zo lag te staren, half gehypnotiseerd, zijn spieren verkrampt van angst, wriemelde er één kleine slang tussen de andere uit en kroop tot halverwege het gaas omhoog. Zijn keel was wit en zijn buikschubben golfden in langwerpige horizontale schilden, het vlekkerige witroze van calaminelotion.

Te laat – zoals wel vaker wanneer hij opeens merkte dat hij naar de spaghettisausachtige ingewanden van een platgereden dier stond te staren – sloot Hely zijn ogen. Van onder uit zijn blikveld zweefden zwarte cirkeltjes omhoog op een oranje achtergrond – de nagloed van het licht in negatief – als luchtbellen in een aquarium, steeds zwakker naarmate ze hoger kwamen, tot ze oplosten...

Trillingen in de vloer: voetstappen. Ze bleven staan, en daarna klosten er nog een paar, zwaarder en sneller, de kamer in tot ze opeens stilhielden.

Als mijn schoen maar niet uitsteekt! bedacht Hely met een bijna onbedwingbare siddering van afgrijzen.

Alles stond stil. De stappen gingen een pas of twee achteruit. Nog meer gesmoord gepraat. Hij had de indruk dat één paar voeten naar het raam ging, daar rusteloos ijsbeerde, toen weer terugliep. Hoeveel verschillende stemmen er waren kon hij niet zeggen, maar er was één stem die zich duidelijk uit de andere losmaakte: vervormd en eentonig, zoals in dat spelletje dat Harriet en hij weleens deden in het zwembad, waarbij ze om beurten zinnetjes onder water zeiden en erachter probeerden te komen wat de ander zei. Tegelijk hoorde hij een gedempt *krsj krsj krsj* uit de slangenkist komen, een zo zacht geluidje dat hij meende het zich maar te verbeelden. Hij deed zijn ogen open. In de smalle strook tussen zitzak en vies kleed bleek hij van opzij tegen een halve meter bleke slangenbuik aan te kijken, die in een bizarre houding tegen het gaas van de kist tegenover hem gevlijd lag. Het leek wel de leverkleurige tentakel van een diepzeedier, die blind heen en weer veegde, als een ruitenwisser... terwijl het zich schúrkte, besefte Hely, vol gefascineerd afgrijzen, *krsj... krsj... krsj...*

Plotseling floepte de plafondlamp uit. De voetstappen en stemmen verwijderden zich.

Krsj... krsj... krsj... krsj... krsj...

Hely staarde – verstard, zijn handen tussen zijn knieën geklemd – wanhopig het halfduister in. De slangenbuik was nog net te zien achter het gaas. En als hij hier nou de hele nacht moest blijven? Hulpeloos schoten en tolden zijn gedachten door zijn hoofd, in zo'n wilde warreling dat hij er misselijk van werd. *Prent je de uitgangen in*, zei hij tegen zichzelf; dat stond in zijn boek voor gezondheidsleer in geval van brand of nood, maar hij had niet goed opgelet en met de uitgangen die hij zich hier had ingeprent, schoot hij geen steek op: achterdeur, onbereikbaar... binnentrap, met een hangslot afgesloten door de mormonen... badkamerraampje – ja, dat ging – hoewel, het was al niet meegevallen om erdoor binnen te komen, dus om je daar onhoorbaar door naar buiten te persen, en dat ook nog in het donker...

Voor het eerst dacht hij weer aan Harriet. Waar zat ze? Hij probeerde te bedenken wat hij zou doen als de rollen waren omgekeerd. Zou ze zo verstandig zijn om gauw iemand te gaan halen? In alle andere omstandigheden had Hely liever gehad dat ze gloeiende kooltjes over zijn rug stortte dan dat ze zijn vader erbij haalde, maar nu zag hij – op doodgaan na – geen alternatief. Hely's

vader, kalend, wat slap rond de taille, was van iets minder dan ge-
middelde lengte, maar dankzij zijn jaren als middelbareschooldi-
recteur was zijn oogopslag het gezag zelve, en wist hij op zo'n
ijzige manier een stilte te rekken dat zelfs volwassen mannen ervoor door de knieën gingen.

Harriet? Gespannen stelde hij zich de kleine witte telefoon in
zijn ouderlijke slaapkamer voor. Als Hely's vader wist wat er was
gebeurd, zou hij hier onbevreesd zó naar binnen stampen, hem bij
zijn nekvel pakken en het huis uit sleuren – naar de auto, voor een
pak ransel en op de terugweg een preek waarvan Hely's oren zouden tuiten – terwijl de evangelist, beduusd ineengedoken tussen
zijn slangen, *ja meneer danku meneer* zou zitten mompelen.

Zijn nek deed pijn. Hij hoorde niets, ook die slang niet. Plotseling bedacht hij dat Harriet misschien wel dood was: gewurgd,
neergeknald, wie weet zelfs overreden door de pick-up van de
evangelist toen die het terrein opdraaide.

Niemand weet waar ik ben. Hij kreeg kramp in zijn benen. Heel
voorzichtig strekte hij ze een klein beetje. *Niemand. Niemand. Niemand.*

Er schoot een golf van tintelingen door zijn kuiten. Een paar
minuten bleef hij doodstil liggen – verzenuwd, in de volle verwachting dat de evangelist zich elk moment op hem kon storten.
Toen er niets gebeurde draaide hij zich ten slotte om. Het bloed
prikte in zijn afgeknepen armen en benen. Hij wriemelde met zijn
tenen, draaide zijn hoofd heen en weer. Hij wachtte. Op het laatst
hield hij het niet meer uit en stak zijn hoofd onder de zitzak uit.

De kisten vonkten in het donker. Uit de deuropening viel een
schuine rechthoek van licht over het tabaksbruine kleed. Daarachter – Hely schoof op zijn ellebogen centimeter voor centimeter
naar voren – tekende zich een vuilgele kamer af, fel verlicht door
een peertje aan het plafond. Er was een schrille stem met een
boerse tongval aan het praten, rad en onverstaanbaar.

Hij werd onderbroken door een bromstem. 'Voor mij heeft Jezus nooit geen poot uitgestoken, en van de wet moet je het al helemaal niet hebben.' Daarop werd de deuropening opeens verduisterd door een reusachtige schaduw.

Hely zette zijn nagels in het kleed; hij bleef roerloos liggen en
hield zijn adem in. Daarop kwam er nog een stem: verder weg,
wrevelig. 'Met de Here hebben die reptielen niks te maken. Dat
zijn gewoon klerebeesten.'

De schaduw stootte een griezelig, hoog grinniklachje uit – en

Hely's spieren trokken strak als stalen kabels. *Farish Ratliff.* Vanuit de deuropening gleed zijn slechte oog – bleek als het oog van een gekookte snoekbaars – speurend door het donker als de lichtbundel van een vuurtoren.

'Ik zal je zeggen wat jullie moeten doen...' Tot Hely's immense opluchting verwijderde de zware tred zich. Uit de andere kamer klonk gepiep, alsof er een kastdeurtje werd opengetrokken. Toen hij uiteindelijk zijn ogen opende was de deuropening weer licht en leeg.

'...wat jullie moeten doen, als jullie het zat hebben om ermee rond te sjouwen, je rijdt met de hele reut het bos in en daar laat je ze los en je schiet ze dood. Knal ze allemaal aan barrels. Steek ze in de hens,' zei hij met stemverheffing door het gesputter van de evangelist heen, 'pleur ze in de rivier, je ziet maar. Weg probleem.'

Een geladen stilte. 'Slangen kunnen zwemmen,' zei een andere stem – ook van een man, blank, maar jonger.

'Nou, daar zullen ze ver mee komen, hè, in zo'n pokkekist.' Geknisper, alsof Farish ergens een hap van had genomen, waarna hij verderging met een jolige stem vol kruimels. 'Kijk, Eugene, als jij geen zin hebt om er een lolletje mee te trappen, ik heb in m'n handschoenenvakje een .38 liggen. Geef me een kwartje en ik ga gelijk die kamer in en maak ze af, de hele reut.'

Hely's hart maakte een duikeling. *Harriet!* dacht hij verwilderd. *Waar zit je?* Dit waren de mannen die haar broer hadden vermoord; als ze hem vonden (en vinden zouden ze hem, dat wist hij zeker), gingen ze hem ook vermoorden...

Wat had hij voor wapen? Hoe moest hij zich verdedigen? Naast de eerste slang was nu een tweede langs het gaas omhooggekropen, met zijn snuit tegen de onderkant van de kaak van de andere; ze leken wel de verstrengelde slangen op een esculaapteken. Hij had er nog nooit bij stilgestaan hoe akelig dat doodgewone symbooltje was – dat in rood op zijn moeders collecte-enveloppen van de Longstichting gedrukt stond. Zijn hoofd tolde. Vrijwel zonder te beseffen wat hij deed stak hij een trillende hand uit en duwde het schuifje van de kist met slangen voor hem omhoog.

Hij keerde zich op zijn rug en dacht, starend naar het met gipsplaten beklede plafond: *Zo, dat houdt ze wel even op.* In de verwarring die dit zeker zou veroorzaken, kon hij misschien ontsnappen. Ook al werd hij gebeten, dan kon hij misschien toch het ziekenhuis nog wel bereiken...

Een van de slangen had in het wilde weg naar hem gehapt toen hij het slot vastpakte. Nu voelde hij iets kleverigs – gif? – in zijn hand. Het beest had uitgehaald en hem dwars door het gaas heen besproeid. Haastig boende hij zijn hand af aan het zitvlak van zijn short, en hij hoopte maar dat hij er geen vergeten sneetjes of schrammen had zitten.

Het duurde even voor de slangen doorhadden dat ze bevrijd waren. De twee die tegen het gaas hadden gezeten, waren meteen de vrijheid in getuimeld en bleven een moment roerloos liggen, tot er andere slangen over hun rug gluurden om te zien wat er aan de hand was. Plotseling – als was er een seintje gegeven – begrepen ze kennelijk dat ze vrij waren en gleden verheugd de kist uit, alle kanten op zwierend.

Hely wurmde zich zwetend onder de zitzak uit en kroop zo snel hij durfde langs de deuropening, door de baan licht heen die uit de andere kamer over de vloer viel. Hoewel hij doodsbenauwd was waagde hij het niet even naar binnen te gluren en bleef strak omlaag kijken, uit angst dat ze zijn blik op zich zouden voelen rusten.

Toen hij veilig – tenminste, voorlopig veilig – voorbij de deur was, liet hij zich zakken in de schaduw van de andere muur, beverig en slap van het gebonk van zijn hart. Nu wist hij niets meer te bedenken. Als een van de mannen besloot weer op te staan en hier binnen te komen en het licht aan te doen, zou die hem meteen zien, weerloos ineengedoken tegen het hardboard...

Had hij dat écht gedaan, die slangen loslaten? Van waar hij stond zag hij er twee midden op de vloer liggen en een andere monter naar het licht kronkelen. Net had het nog een goed idee geleken, maar nu had hij er hartgrondig spijt van: *alsjeblieft, God, laat hem alsjeblieft niet hierheen kruipen...* De slangen hadden dezelfde tekening op hun rug als koperkoppen, alleen scherper. Bij de waaghalzige slang – die ongegeneerd op de andere kamer aankoerste – onderscheidde hij nu het vijf centimeter dikke rijtje ratelringen om de staart.

Maar wat hem onrustig maakte waren de slangen die hij niet kon zien. Er hadden minstens vijf of zes slangen in die kist gezeten – en misschien wel meer. Waar waren die?

Vanuit de ramen aan de voorkant ging het loodrecht omlaag naar de straat. Zijn enige hoop was de badkamer. Als hij eenmaal op het dak stond kon hij aan de rand gaan hangen en zich verder laten vallen. Hij was weleens van bijna even hoge boomtakken gesprongen.

Maar tot zijn ontzetting was de badkamerdeur niet waar hij hem verwachtte. Voetje voor voetje schuifelde hij langs de muur – te ver door naar zijn smaak, naar het donkere gedeelte waar hij de slangen had losgelaten – maar wat hij voor de deur had aangezien was de deur helemaal niet, alleen een plaat hardboard die tegen de muur stond.

Hely was verbijsterd. De badkamerdeur zat links, dat wist hij zeker; en hij stond net te dubben of hij zou doorlopen of teruggaan toen hij zich plotseling, met haperend hart, realiseerde dat die deur aan de linkerkant van de ándere kamer zat.

Hij was zo ontzet dat hij zich niet kon verroeren. Heel even viel de kamer weg (diepe afgronden, onpeilbare schachten, pupillen die zich in een reflex verwijdden) en toen alles weer op hem afschoot wist hij niet meteen waar hij was. Hij leunde met zijn hoofd tegen de muur en liet het heen en weer rollen. Hoe had hij zo dom kunnen zijn? Hij had áltijd moeite met richtingen, haalde rechts en links door elkaar; letters en cijfers speelden stuivertje-wisselen wanneer hij even van de bladzijde opkeek en grijnsden hem dan vanaf een andere plaats toe; op school ging hij soms zelfs op de verkeerde plaats zitten zonder het door te hebben. *Slordig! Slordig!* schreeuwden de rode aantekeningen in zijn boekverslagen, rekenwerkjes en volgekraste schriften.

De lichten die de oprit in zwaaiden hadden Harriet volkomen verrast. Ze liet zich plat op de grond vallen en onder het huis rollen – *beng*, midden tegen de kist van de cobra, die woedend terugmepte. Het grind knerpte, en nauwelijks was ze op adem gekomen of op nog geen meter van haar gezicht kwamen autobanden langs gescheurd, met een vlaag wind en blauwig licht rimpelend door het ruige gras.

Harriet – haar gezicht in het pulverige stof – rook een doordringende, weeë lucht als van iets wat dood was. In Alexandria had iedereen een kruipruimte onder zijn huis, uit angst voor overstromingen, en deze was nog geen halve meter hoog en weinig minder benauwend dan een graf.

De cobra, die het niet was bevallen om hotsend en stotend en op zijn kant de trap af te worden gedragen, beukte tegen de kist, met gruwelijke, droge klappen die ze door het hout heen kon voelen. Maar erger nog dan de slang of die dooie-rattenlucht was het stof, dat ondraaglijk in haar neus kriebelde. Ze draaide haar hoofd opzij. De rossige weerschijn van de achterlichten streek schuin onder het huis door, en plotseling gloeiden er korrelige bergjes wormenaarde op, mierenhopen, een vuile glasscherf.

Toen werd alles zwart. Er sloeg een autoportier dicht. '... daardoor dat die wagen in de hens vloog,' zei een bromstem, niet die van de evangelist. '"Goed," zeg ik tegen hem – ze hadden me plat op mijn pens op de grond gelegd – "ik zal het eerlijk met je spelen en je mag me gelijk in de gevangenis zetten, maar deze jongen heeft een aanhoudingsbevel tegen hem lopen waar je u tegen zegt." Ha! Die wist niet hoe snel hij ervandoor moest.'

'Kat in het bakkie, neem ik aan.'

Gelach: niet aardig. 'Kan je wel stellen, ja.'

De voeten stampten haar kant op. In een wanhopige poging een nies te onderdrukken hield Harriet haar adem in, drukte haar hand tegen haar mond en kneep haar neus dicht. De voetstappen klosten boven haar de trap op. Een insect nam een steekproefje van haar enkel. Toen het niet op verzet stuitte, nam het er zijn gemak van en boorde wat dieper, terwijl Harriet over haar hele lichaam trilde van de drang het weg te slaan.

Weer een prik, ditmaal in haar kuit. Brandmieren. Fijn.

'Nou, toen hij weer thuiskwam,' zei de bromstem – zwakker nu, verdwijnend, 'mochten ze állemaal kijken wie of er het ware verhaal uit hem kon krijgen...'

Toen zweeg de stem. Boven was het stil maar ze had de deur niet open horen gaan en ze begreep dat ze niet naar binnen waren gelopen maar nog even boven aan de trap bleven staan, op hun hoede. Ze bleef doodstil liggen, haar oren tot het uiterste gespitst.

Er verstreken een paar minuten. De mieren staken haar – enthousiast en in steeds grotere aantallen – in armen en benen. Ze lag nog altijd met haar rug tegen de kist, en van tijd tot tijd gaf de cobra door het hout heen een norse klap tegen haar ruggengraat. In de verstikkende stilte meende ze stemmen te horen, voetstappen, maar de geluiden vervlogen en losten op als ze probeerde ze thuis te brengen.

Verkrampt van angst lag ze op haar zij naar de pikdonkere oprit te staren. Hoe lang zou ze hier moeten blijven liggen? Als ze lucht van haar kregen zat er niets anders op dan nog dieper onder het huis te kruipen, brandmieren of geen brandmieren: wespen bouwden nesten onder huizen, en er zaten stinkdieren, en spinnen, en alle mogelijke knaagdieren en reptielen; zieke katten en hondsdolle buidelratten sleepten zich erheen om er te sterven, en kort geleden had een zekere Sam Bebus, een zwarte man die verwarmingsketels repareerde, de voorpagina gehaald toen hij een menselijke schedel had gevonden onder Marselles, een neoklassiek herenhuis in Main Street, maar een paar straten verderop.

Plotseling kwam vanachter een wolk de maan te voorschijn, die het hoog opgeschoten gras langs het huis zilver kleurde. Zonder zich iets van de brandmieren aan te trekken, hief ze haar wang op uit het stof en luisterde. Op ooghoogte huiverden lange halmen draadgierst – wit omrand in het maanlicht –, bogen zich plat tegen de grond en veerden terug, verfomfaaid en bibberig. Ze wachtte, met ingehouden adem. Ten slotte, na een lange stilte, werkte ze zich stukje bij beetje op haar ellebogen naar voren en stak haar hoofd onder het huis uit.

'Hely?' fluisterde ze. Het was doodstil in de tuin. Her en der drong onkruid, als opkomende tarwe, tussen het glinsterende grind van de oprit omhoog. Aan het eind stond de pick-up – wanstaltig kolossaal oprijzend – stil en donker met zijn achterkant naar haar toe.

Harriet floot even en wachtte weer. Toen er voor haar gevoel een hele tijd was verstreken, kroop ze onder het huis uit en krabbelde op. Er zat iets in haar wang gedrukt, zo te voelen een geplet keverschild; ze veegde het weg, met zanderige handen, klopte de mieren van haar armen en benen. Wolkenslierten, bruin als benzinedamp, trokken rafelig langs de maan. Toen verwaaiden ze en baadde de tuin in heldere, asgrijze maneschijn.

Vlug trok Harriet zich weer terug in het donker. Op het boomloze grasveld leek het wel klaarlichte dag. Voor het eerst bedacht ze dat ze Hely eigenlijk niet naar beneden had horen komen.

Ze gluurde om de hoek. De tuin van het buurhuis, het gras vol deinende bladschaduwen, was uitgestorven: geen levende ziel te bekennen. Steeds ongeruster schoof ze langs de zijkant van het huis. Door een hek van ijzergaas zag ze opeens de glanzend verstilde tuin van het andere buurhuis, waar een kinderbadje eenzaam en verlaten in het maanverlichte gras stond.

In de donkere schaduw liep ze, rug tegen de muur, om het huis heen, maar nergens was een spoor van Hely te bekennen. Hij was vast naar huis gerend en had haar laten zitten. Met tegenzin liep ze het grasveld op en keek met gestrekte hals omhoog naar de eerste verdieping. Het houten vloertje voor de deur was leeg; het badkamerraampje – nog halfopen – donker. Boven scheen licht: beweging, stemmen, te vaag om te verstaan.

Ze raapte haar moed bij elkaar en rende de helder verlichte

straat op, maar toen ze bij de struik op de middenberm kwam waar ze hun fiets hadden achtergelaten, maakte haar hart een duikeling en een schuiver, en ze bleef stokstijf staan: ze kon haar ogen niet geloven. Onder de witbloeiende takken lagen beide fietsen plat op hun kant, onaangeroerd.

Als versteend bleef ze staan. Na een paar tellen kwam ze weer tot zichzelf, dook achter de struik en liet zich op haar knieën vallen. Hely had een nieuwe fiets, een dure; hij was er op het belachelijke af zuinig op. Ze staarde ernaar, haar hoofd in haar handen, en deed haar best niet in paniek te raken. Toen duwde ze de takken uiteen en tuurde naar de overkant, naar de verlichte eerste verdieping van het mormonenhuis.

De stilte van dat huis, met die spookachtig blikkerende, zilverbeklede ramen op de bovenverdieping, joeg haar hevige angst aan, en ineens drong de ernst van de situatie met een schok tot haar door. Hely zat in de val daarboven, ze wist het zeker. En ze moest hulp halen, maar daar was geen tijd voor, en ze was alleen. Ze ging op haar hurken zitten en probeerde, ontredderd om zich heen kijkend, te bedenken wat ze moest doen. Het badkamerraampje stond weliswaar nog een eindje open, maar wat schoot ze daarmee op? In *Schandaal in artiestenkringen* had Sherlock Holmes een rookbom door het raam naar binnen gegooid om Irene Adler het huis uit te krijgen – leuk idee, maar Harriet had geen rookbom of zoiets, zij had alleen grind en takjes bij de hand.

Nog even bleef ze zitten nadenken – toen rende ze in het volle licht van de hoge maan de straat weer over naar de tuin ernaast, waar ze zich onder die vijgenboom hadden verstopt. Onder een baldakijn van pecannotenbomen spreidde zich een rommelig bloembed van schaduwplanten uit (caladium, vuurwerkplant), in een kring van witgekalkte brokken beton.

Ze knielde neer en probeerde er een op te tillen, maar ze zaten aan elkaar gemetseld. In het huis hoorde ze vaag, gedempt door een airconditioner die met veel geraas warme lucht uit een zijraam blies, het schelle, onvermoeibare gekef van een hond. Als een wasbeertje dat met zijn poot een rivierbodem afstroopt naar vis, dompelde ze haar handen onder in de schuimzee van groen en tastte blindelings rond in de verwilderde wirwar tot haar vingers zich om een glad brok beton sloten. Met twee handen tilde ze het omhoog. De hond kefte nog steeds. 'Pancho!' snerpte een akelige yankeestem, een oudevrouwenstem, ruw als schuurpapier. Zo te horen was ze ziek. 'Kop dicht!'

Voorovergebogen door het gewicht van de steen rende Harriet de oprit van het houten huis weer op. Er stonden twéé pick-ups aan het eind, zag ze. De ene kwam uit Mississippi – district Alexandria – maar de andere had een nummerbord uit Kentucky, en al was die steen nog zo zwaar, ze bleef abrupt staan en nam even de tijd om zich het nummer in het geheugen te prenten. Toen Robin was vermoord was niemand op het idee gekomen om op kentekens te letten.

Vlug dook ze achter de eerste pick-up, die uit Kentucky. Toen hief ze het brok beton op (dat niet zomaar een brok beton was, zag ze nu, maar een tuinornament in de vorm van een opgerold poesje) en sloeg het tegen de koplampen.

Pof, deden de lampen toen ze knapten – rustig, met een plofje als van een flitslicht; *pof pof*. Toen holde ze terug en sloeg alle lampen van de pick-up van de Ratliffs kapot, voor én achter. Hoewel ze er graag uit alle macht op los had geramd, bedwong ze zich; ze was bang de buren te alarmeren, en bovendien was er alleen maar een flinke tik voor nodig – als bij een eierschaal – om ze zo te verbrijzelen dat er grote driehoekige stukken glas op het grind vielen.

Ze raapte de grootste en puntigste scherven van de achterlichten op en drukte die in de loopvlakken van de achterbanden, zo diep ze kon zonder zich te snijden. Toen liep ze om de pick-up heen naar de voorkant en deed daar hetzelfde. Ze haalde een keer of drie diep adem, met bonkend hart. Daarna ging ze rechtop staan en hief, met beide handen en alle kracht die ze in zich had, het betonnen poesje zo hoog mogelijk op en smeet het door de voorruit.

Hij brak met een vrolijke plons. Er kletterde een regen van glaskorrels op het dashboard neer. Aan de overkant van de straat floepte een verandalicht aan, gevolgd door dat van het buurhuis, maar de maanovergoten oprit – glinsterend van het gebroken glas – was inmiddels verlaten, want Harriet was al halverwege de trap.

'Wat was dat?'

Stilte. Plotseling stroomde er, tot Hely's afgrijzen, uit het peertje aan het plafond honderdvijftig watt witte elektriciteit op hem neer. Ontzet, verblind door het felle schijnsel, kromp hij ineen tegen het smerige hardboard, en voor hij met zijn ogen kon knipperen (wat waren er ontzéttend veel slangen op het kleed) vloekte er iemand en werd het weer donker.

Een lijvige gedaante kwam door de deur de duistere kamer in.

Lichtvoetig, voor die omvang, glipte hij langs Hely naar de ramen aan de voorkant.

Hely verstijfde: het bloed zakte in één snelle guts weg uit zijn hoofd naar zijn enkels, maar net toen het vertrek begon te zwaaien, brak er tumult uit in de voorkamer. Opgewonden gepraat, onverstaanbaar. Een stoel die schrapend naar achteren werd getrokken. 'Nee, niet doen,' zei iemand duidelijk.

Verhit gefluister. In het donker, maar een meter van hem vandaan, stond Farish Ratliff in de schaduw te luisteren – roerloos, zijn kin geheven en zijn plompe benen wijd, als een beer in de aanval.

In de andere kamer ging krakend de deur open. 'Farsh?' zei een van de mannen. Toen hoorde Hely tot zijn stomme verbazing een kinderstem, dreinerig, hijgend, onduidelijk.

Angstaanjagend dichtbij snauwde Farish: 'Wie is dat?'

Consternatie. Farish – maar een paar passen van Hely verwijderd – slaakte een lange, getergde zucht, draaide zich abrupt om en liep dreunend terug naar de verlichte kamer alsof hij iemand de strot af wilde knijpen.

Een van de mannen schraapte zijn keel en zei: 'Zeg, Farish –'

'Beneje... Ga dan kijke...' De nieuwe stem – die van het kind – klonk boers en dreinerig, iets té dreinerig, besefte Hely, met een ongelovige opwelling van hoop.

'Farsh, ze zegt dat de pick-up –'

'Hij heb jullie raampjes ingeslage,' piepte het scherpe dunne stemmetje. 'Als jullie gauw benne –'

Er ontstond grote opschudding, afgekapt door een brul die luid genoeg was om de muren te laten instorten.

'– als jullie gauw zijn krijg je hem nog te pakken,' zei Harriet; het accent was opeens verdwenen, de stem – hoog, pedant – onmiskenbaar de hare, maar dat viel blijkbaar niemand op in het pandemonium van gestamel en gevloek. Voeten daverden de achtertrap af.

'Godverklere!' krijste iemand buiten.

Van beneden steeg een spectaculair gevloek en geschreeuw op. Hely sloop behoedzaam naar de deur. Even bleef hij staan luisteren, zo gespannen dat hij in het zwakke licht geen acht sloeg op de kleine ratelslang, ineengekronkeld voor een uithaal, nog geen halve meter van zijn voet af.

'Harriet?' fluisterde hij eindelijk – probeerde hij tenminste te fluisteren, want hij was zijn stem bijna volledig kwijt. Voor het eerst drong het tot hem door wat een verschrikkelijke dorst hij had. Van de oprit kwamen verwarde kreten en de klap van een vuist op metaal – hol doorgalmend, als bij de verzinkte wasteil die op school bij toneelvoorstellingen en dansuitvoeringen voor de onweerseffecten moest zorgen.

Voorzichtig gluurde hij om de deur. De stoelen waren schots en scheef naar achteren geschoven; op het kaarttafeltje stonden glazen met smeltend ijs, in een keten van waterkringen, naast een asbak en twee pakjes sigaretten. De deur naar de overloop stond op een kier. Er was nog een kleine slang de kamer in gekropen, die nu onopvallend onder de radiator lag, maar Hely was de slangen straal vergeten. Zonder tijd te verspillen, zelfs zonder te kijken waar hij zijn voeten zette, rende hij door de keuken naar de achterdeur.

De evangelist stond, zijn armen stijf om zich heen geslagen, op de stoeprand en boog zich naar voren om de straat in te kijken, alsof hij op een trein stond te wachten. De verbrande kant van zijn gezicht was van Harriet afgewend, maar ook van opzij was hij huiveringwekkend, met die heimelijke, verontrustende gewoonte van hem om nu en dan zijn tong tussen zijn lippen door te steken. Harriet stond zo ver bij hem vandaan als redelijkerwijs mogelijk was, met haar gezicht weggedraaid, zodat hij noch de anderen (die nog steeds op de oprit stonden te tieren) haar goed konden bekijken. Ze zou het het liefst op een lopen zetten; daarom was ze ook naar het trottoir gedrenteld, maar de evangelist had zich losgemaakt uit de consternatie en was achter haar aan gekomen, en ze was er niet zeker van of ze wel harder kon rennen dan hij. Daarboven had ze inwendig getrild en gesidderd toen de broers boven haar uittorenden in die verlichte deuropening; stuk voor stuk reuzen, overweldigende kolossen, roodverbrand, vettig, vol littekens en tatoeages, die dreigend op haar neerblikten met hun koude, lichte ogen. De goorste en zwaarste van het stel – met een baard en een ruige bos zwart haar, en een gruwelijk wit vissenoog, als de blinde Pew in *Schateiland* – had met zijn vuist op een deurpost geslagen, en zo'n smerige stroom onrustbarend gemene krachttermen losgelaten dat Harriet geschrokken achteruit was gedeinsd; nu stond hij, zijn grijsdoorschoten manen wapperend, de restanten van een van de achterlichten systematisch met zijn laars aan splinters te trappen. Hij was net de Laffe Leeuw, maar dan kwaadaardig, met zijn krachtpatserstors en zijn korte beentjes.

'Zei je dat ze niet met een auto waren?' zei de evangelist, en hij keerde zich met litteken en al naar haar toe om haar onderzoekend op te nemen.

Harriet keek zwijgend naar de grond en schudde haar hoofd. De mevrouw met de chihuahua – broodmager, in een mouwloze nachtpon en op badslippers, een roze plastic ziekenhuisbandje om haar pols – slofte weer naar haar eigen huis terug. Ze was met het hondje op haar arm en een bewerkt leren etui met haar sigaretten en aansteker naar buiten gekomen, en had aan de rand van haar tuin staan kijken wat er aan de hand was. Over haar schouder staarde de nog steeds keffende chihuahua Harriet recht aan, spartelend alsof hij zich het liefst zou losmaken uit de greep van zijn bazinnetje om Harriet aan flarden te knauwen.

'En het was een blanke?' vroeg de evangelist. Hij droeg een leren vest over een wit overhemd met korte mouwen, en zijn grijze haar zat naar achteren geplakt in een hoge, golvende vetkuif. 'Zeker weten?'

Harriet trok gespeeld bedeesd een sliert haar voor haar gezicht en knikte.

'Jij hangt vanavond anders nog knap laat op straat rond. Heb ik jou daarnet niet op het plein gezien?'

Harriet schudde haar hoofd en keek even behoedzaam achterom naar het huis – en zag Hely, met verwezen blik, krijtwit, als een speer de trap af schieten. Hij vloog naar beneden, zonder Harriet of wie dan ook te zien – en botste met een smak tegen de eenogige man op, die in zijn baard mompelend, het hoofd gebogen, met grote snelle stappen naar het huis was gestruind.

Hely wankelde achteruit, met een ijselijk, amechtig kreetje. Maar Farish drong zo langs hem en kloste de trap op. Hij schudde driftig met zijn hoofd en praatte op afgemeten boze toon ('... moeten ze niet wagen, moeten ze níet...') als tegen een onzichtbare maar duidelijk aanwezige persoon van nog geen meter hoog die achter hem aan de trap op hobbelde. Opeens schoot zijn arm uit en mepte door de lege lucht: hard, alsof hij in aanraking kwam met een tastbare verschijning, een gebocheld onheil dat hem achternazat.

Hely was spoorloos. Opeens viel er een schaduw over Harriet. 'Wie ben jij?'

Hevig geschrokken keek Harriet op en zag Danny Ratliff boven zich uitsteken.

Hij schudde zijn haar naar achteren en vroeg, handen in zijn zij:

'Gewoon toevallig gezien, hè? Waar zat jij toen ze de boel hier sloopten? Waar kwam ze vandaan?' vroeg hij aan zijn broer.

Harriet staarde naar hem omhoog, perplex. Uit Danny Ratliffs plotseling opengesperde neusgaten maakte ze op dat de afkeer duidelijk op haar gezicht stond te lezen.

'Kijk me niet zo aan,' snauwde hij. Van dichtbij was hij bruin en mager als een wolf; hij had een spijkerbroek aan en een smerig T-shirt met lange mouwen, en zijn ogen – overhuifd door zware wenkbrauwen – hadden een valse, licht loensende blik waar ze zenuwachtig van werd. 'Had je wat?'

De evangelist, kennelijk bloednerveus zoals hij aldoor de straat af keek, sloeg zijn armen over elkaar en stak zijn handen onder zijn oksels. 'Rustig maar,' zei hij met zijn hoge, al te vriendelijke stem. 'We zullen je heus niet bijten.'

Hoe bang Harriet ook was, toch viel de uitgelopen blauwe tatoeage op zijn onderarm haar onwillekeurig op, en ze vroeg zich af wat die afbeelding moest voorstellen. Welke dominee had er nou tatoeages op zijn armen?

'Wat is er?' vroeg hij. 'Je hebt zeker schrik van mijn gezicht, hè?' Zijn toon was heel minzaam, maar opeens, totaal onverwacht, pakte hij haar bij de schouders en bracht zijn gezicht vlak voor het hare, op een manier waaruit je kon opmaken dat het ook wél iets was om heel bang voor te zijn.

Harriet verstijfde, meer vanwege zijn handen op haar schouders dan vanwege het litteken (glimmend rood, met de vezelige, bloeddoorlopen glans van rauw bindweefsel). Van onder een glad, wimperloos ooglid schitterde zijn oog, kleurig, als een blauwe glas-schilfer. Plotseling schoot zijn gekromde hand uit, alsof hij haar een klap wilde geven, maar toen ze ineendook lichtten zijn ogen op: 'Haháá!' zei hij triomfantelijk. Licht, tergend streek hij met zijn knokkels over haar wang – en terwijl hij zijn hand voor haar langs haalde, toverde hij onverwacht een dubbelgebogen reepje kauwgom te voorschijn, dat hij tussen wijs- en middelvinger rond-draaide.

'Nou heb je niet meer zoveel te vertellen, hè?' zei Danny. 'Boven had je nog een hoop praats, daarnet.'

Harriet staarde geconcentreerd naar zijn handen. Ze waren knokig en hadden iets jongensachtigs, maar zaten onder de litte-kens, de afgekloven nagels zwart omrand, de vingers vol lelijke dikke ringen (een zilveren schedel, een motorembleem), als de vingers van een popster.

'Wie het ook gedaan heeft, die is 'm wel érreg gauw gesmeerd.'
Harriet keek hem snel van opzij aan. Het was moeilijk te zeggen
wat hij dacht. Hij keek steeds de straat af en zijn ogen schoten
vlug, met een onrustig soort argwaan heen en weer, als een pestkop op het schoolplein die zeker wilde weten dat de meester niet
keek voor hij uithaalde en iemand een stomp gaf.

De evangelist liet het reepje kauwgom voor haar gezicht slingeren en vroeg: 'Hebben?'

'Nee dank u,' zei Harriet, en ze had het nog niet gezegd of ze
had er al spijt van.

'Wat heb jij hier eigenlijk te zoeken?' vroeg Danny Ratliff plotseling, en hij draaide zich met een ruk naar haar toe, alsof ze hem
beledigd had. 'Hoe heet je?'

'Mary,' fluisterde Harriet. Haar hart bonsde. *Nee dank u,* hoe
verzon ze het. Ze mocht er dan groezelig uitzien (bladeren in het
haar, armen en benen vol zand), maar wie zou geloven dat zij een
achterbuurtkind was? Niemand, en achterbuurtlui al helemaal
niet.

'Hihii!' Danny Ratliffs schelle giechel klonk snerpend en angstaanjagend. 'Ik kan je niet horen.' Hij praatte snel, maar bijna zonder zijn lippen te bewegen. 'Harder.'

'Máry.'

'Zei je Mary? Mary wie? Van wie ben jij er een?'

Er huiverde een zacht windje door de bomen. Bladerschaduwen
beefden en wiegelden op het maanovergoten wegdek.

'John... Johnson,' zei Harriet zwakjes. *Jemig,* dacht ze. *Kan ik
niets beters verzinnen?*

'Johnson?' zei de evangelist. 'Van welke Johnson dan wel?'

'Gek, voor mij ben jij er eentje van Odum.' Danny's kaakspieren
bewogen tersluiks, links van zijn mond, waar hij op zijn wang
kauwde. 'Wat doe jij hier zo helemaal alleen? Heb ik jou niet bij de
poolhal gezien?'

'Mamma...' Harriet slikte en besloot opnieuw te beginnen.
'Mamma heb me verboden om...'

Ze zag dat Danny Ratliff naar de dure nieuwe mocassins loerde
die Edie voor haar van L.L. Bean had laten komen.

'Mamma heb me verboden om daar te komen,' hakkelde ze, met
een klein stemmetje.

'Wie is je mamma?'

'Odum z'n vrouw is ontslapen,' zei de evangelist zedig, en hij
vouwde zijn handen.

'Ik vraag jou niks, ik vraag háár wat.' Danny knaagde opzij van zijn duimnagel en keek Harriet strak aan, met een kille blik die haar een heel onbehaaglijk gevoel gaf. 'Kijk haar ogen eens, Gene,' zei hij tegen zijn broer, met een zenuwachtig rukje van zijn hoofd.

Gedienstig bukte de evangelist om in haar gezicht te turen. 'Krijg nou wat, die zijn groen. Hoe kom jij aan die groene ogen?'

'Moet je zien zoals ze me aan staat te staren,' zei Danny schril.

'Zoals die staat te staren. Wat heb jij, meissie?'

De chihuahua blafte nog steeds. In de verte hoorde Harriet iets wat op een politiesirene leek. De mannen hoorden het ook en verstrakten, maar op hetzelfde moment klonk er van boven een bloedstollende gil.

Danny en zijn broer keken elkaar even aan, en toen rende Danny weg naar de trap. Eugene – die verstijfd was van ontzetting en alleen aan Dial kon denken (want als Dial en de sheriff niet op dit geblèr afkwamen, dan kwamen ze nooit) – sloeg zijn hand voor zijn mond. Achter zich hoorde hij het geklepper van voeten op het trottoir, en toen hij omkeek zag hij het meisje wegrennen.

'Meissie!' riep hij haar na. 'Hé jij, meissie!' Hij wilde haar net achterna gaan toen boven met een knal een raam omhoog vloog en er een slang uit kwam zeilen, het wit van zijn onderkant bleek afstekend tegen de avondhemel.

Eugene sprong achteruit. Hij was sprakeloos van schrik. Hoewel het beest middenin plat was gestampt en zijn kop een bloederige brij was, stuiterde en schokte het nog stuiptrekkend op het gras.

Opeens stond Loyal Reese achter hem. Hij keek naar de dode slang en zei tegen Eugene: 'Dat mag niet.' Op hetzelfde moment kwam Farish met gebalde vuisten en moordlust in zijn ogen de achtertrap af denderen, en voordat Loyal – die als een klein kind met zijn ogen knipperde – nog één woord kon zeggen, had Farish hem al hardhandig omgedraaid en hem zo'n dreun op zijn mond gegeven dat hij op zijn benen stond te zwaaien.

'Voor wie werk jij?' loeide hij.

Loyal struikelde achteruit en opende zijn mond – die nat was en een beetje bloedde – en toen er na een paar seconden nog geen geluid uit kwam, keek Farish vlug even om en sloeg hem opnieuw, ditmaal tegen de grond.

'Wie heeft jou gestuurd?' schreeuwde hij. Loyals mond zat vol bloed; Farish greep hem bij de voorkant van zijn overhemd en sleurde hem overeind. 'Wie heeft dit bedacht? Jij en Dolphus, hè, jullie dachten zeker dat jullie mij wel konden naaien, hè, even makkelijk een paar flappen verdienen, hè, maar mooi dat jullie de verkeerde naaien –'

'Farish,' riep Danny, die met twee treden tegelijk de trap af kwam rennen, wit als een laken, 'heb jij die .38 in de wagen?'

'Ho even,' zei Eugene, in paniek – wapens in de huurwoning van Dial? Een lijk? 'Jullie vergissen je,' riep hij, met zijn armen zwaaiend. 'Rustig nou allemaal.'

Farish duwde Loyal op de grond. 'Ik heb de hele nacht de tijd,' zei hij. '*Kankerlijer.* Als je me belazert breek ik je tanden uit je bek en knal je een gat in je pens.'

Danny greep Farish bij zijn arm. 'Laat toch, Farish, kom óp nou. Dat pistool hebben we boven nodig.'

Steunend op zijn ellebogen richtte Loyal zich op. 'Zijn ze los?' vroeg hij, en er klonk zo'n argeloze verbazing in zijn stem door dat zelfs Farish stokstijf bleef staan.

Danny wankelde achteruit in zijn motorlaarzen en veegde met een vuile arm over zijn voorhoofd. Hij zag er meer dood uit dan levend. 'Ze zitten door het hele huis, die tyfusbeesten,' zei hij.

'We missen er nog een,' zei Loyal tien minuten later, en hij veegde met zijn knokkels het bloederige spuug van zijn mond. Zijn linkeroog was paars en zo gezwollen dat het bijna dichtzat.

'Ik ruik iets raars,' zei Danny. 'Het stinkt hier naar pis. Ruik jij het, Gene?' vroeg hij aan zijn broer.

'Daar gaat-ie!' riep Farish plotseling, en hij dook op een kapot luchtrooster af waaruit vijftien centimeter slangenstaart stak.

De staart zwiepte even en verdween, met een afscheidsratel, als een zweepslag in het rooster.

'Niet doen,' zei Loyal tegen Farish, die met de neus van zijn laars tegen het rooster beukte. Met één snelle beweging was hij bij het rooster en boog zich er onbevreesd overheen (Eugene en Danny, en zelfs Farish, die zijn dans staakte, gingen een flink stuk achteruit). Met gespitste lippen stootte hij een griezelig, snerpend geluid uit: *ieieieieie*, een kruising tussen een fluitketel en een natte vinger die over een ballon wrijft.

Stilte. Weer tuitte Loyal zijn bebloede, gezwollen lippen: *ieieieieie*, een fluitje waarvan je haren overeind gingen staan. Toen legde hij zijn oor tegen de grond en luisterde. Na zeker vijf minuten stilte krabbelde hij met een vertrokken gezicht overeind en veegde zijn handen af aan zijn dijen.

'Hij is weg,' deelde hij mee.

'Weg?' riep Eugene. 'Waarheen?'

Loyal veegde met de rug van zijn hand zijn mond af. 'Naar die woning hier beneden,' zei hij somber.

'Jij kan bij het circus,' zei Farish, die met kersvers respect naar Loyal keek. 'Goeie truc zeg. Wie heeft jou zo leren fluiten?'

'Slangen luisteren naar mij,' zei Loyal bescheiden terwijl iedereen hem stond aan te gapen.

'Hállo!' Farish sloeg een arm om hem heen; het fluitje had zo'n indruk op hem gemaakt dat hij helemaal was vergeten dat hij kwaad was. 'Kan je mij dat niet leren?'

Danny staarde uit het raam en mompelde: 'Er is hier iets raars aan de hand.'

'Wat?' snauwde Farish en hij draaide zich met een ruk naar hem om. 'Als je wat te zeggen hebt, Danny m'n jongen, zeg het dan recht in mijn gezicht.'

'Ik zei, *er is hier iets raars aan de hand*. Die deur stond open toen we vanavond binnenkwamen.'

'Gene,' zei Loyal en hij schraapte zijn keel, 'je moet die lui van beneden even waarschuwen. Ik weet exact waar die knaap zit. Hij is door dat rooster omlaag gegaan en nou neemt hij er zijn gemak van in de verwarmingsbuizen.'

'Enig idee waarom die niet terugkomt?' zei Farish. Hij tuitte zijn lippen en probeerde vruchteloos het spookachtige fluitje na te doen waarmee Loyal zes houtratelslangen, een voor een, uit verschillende hoeken van de kamer te voorschijn had gelokt. 'Is die minder goed afgericht als de rest?'

'Er is er geeneen afgericht. Ze kunnen niet tegen al dat geschreeuw en gestamp.' Loyal krabde op zijn hoofd en keek door het rooster. 'Nee, die is weg.'

'Hoe krijg je hem nou weer hier?'

'Hé zeg, ik moet naar de dokter!' jammerde Eugene, die met zijn hand om zijn pols stond. De andere hand was zo opgezet dat het wel een volgepompte gummi handschoen leek.

'Góéiedag,' zei Farish monter. 'Je bent écht gebeten.'

'Dat zei ik toch! Hier en hier, en hier!'

Loyal kwam kijken en zei: 'Meestal maakt hij bij één beet niet al z'n gif op.'

'Dat beest bleef aan me hangen!' De kamer begon rondom langzaam zwart te worden; Eugenes hand brandde, hij voelde zich high en niet onprettig, zoals hij zich vroeger in de jaren zestig had gevoeld, voor zijn redding, toen hij in de gevangeniswasserij schoonmaakmiddelen snoof om te trippen, toen de dampende betonnen loopgangen hem zo insloten dat hij alles binnen een nauw maar vreemd behaaglijk kringetje zag, alsof je door een lege closetrol keek.

'Ik ben weleens erger gebeten,' zei Farish, en dat was waar: jaren geleden, toen hij een steen optilde van een akker die hij aan het omploegen was. 'Heb je daar ook een fluitje voor, Loyle?'

Loyal tilde Eugenes gezwollen hand op. 'Goeie hemel,' zei hij sip.

'Vooruit!' zei Farish vrolijk. 'Bid voor hem, dominee! Laat de Here voor ons neerdalen! Laat eens zien wat je kan!'

'Zo werk ik niet. Sjonge, dat kereltje heeft jou goed te grazen genomen!' zei Loyal tegen Eugene. 'Midden in die ader hier.'

Rusteloos haalde Danny zijn hand door zijn haar. Hij was stijf en alles deed pijn van de adrenaline, zijn spieren stonden strak als hoogspanningskabels; hij wou nog een lijntje; hij wou als de sodemieter weg uit de Missie; voor zijn part viel Eugene zijn arm eraf en Farish had hij ook goed zat. Nou had Farish hem helemaal mee naar de stad gesleept – maar had Farish die drugs veilig weggestopt in Loyals pick-up toen hij de kans had? Nee. Hij had eerst wel een halfuur, als een pasja onderuit gezakt op zijn stoel, snoeverige verhalen zitten vertellen die zijn broers al wel duizend keer hadden gehoord en al met al zijn klep zitten roeren, met smaak profiterend van het feit dat dat beleefd luisterende domineetje niet wegkon. Ondanks alle weinig subtiele hints van Danny was hij nog steeds niet naar buiten gegaan om de drugs vanuit de plunjezak over te hevelen naar die verstopplaats van hem. O nee, daarvoor vond hij Loyal Reese en de drijfjacht op de ratelslangen nu veel te leuk. En hij had zich te makkelijk door Reese laten inpakken, véél te makkelijk. Als Farish had gebruikt, beet hij zich soms vast in ideeën en hersenspinsels waarvan hij zich niet meer kon losrukken; je wist nooit waar zijn aandacht nu weer op zou vallen. Dan liet hij zich als een klein kind afleiden door de onbenulligste wissewasjes – een mop, een tekenfilm op de televisie. Hun vader was vroeger net zo. Die kon bezig zijn Danny, Mike of Ricky Lee halfdood te slaan om een kleinigheid, maar hij hoefde maar een onbenullig nieuwsbericht op te vangen of hij bleef halverwege een klap steken (terwijl zijn zoon als een huilend hoopje op de grond lag) en rende naar de andere kamer om de radio harder te zetten. *De veeprijzen gaan omhoog!* Nou nou, het is me wat.

Hardop zei hij: 'Weet je wat ik weleens wil weten.' Hij had Dolphus nooit vertrouwd, en die Loyal vertrouwde hij ook niet. 'Hoe zijn die slangen eigenlijk úít die kist gekomen?'

'O, shít,' zei Farish en hij stormde naar het raam. Even later drong het tot Danny door dat het statische *plop plop* dat vaag in zijn oren knetterde niet denkbeeldig was, maar een echte auto die buiten op het grind stopte.

In zijn blikveld siste en flakkerde een vurig stipje, als een branden-de teek. Voor hij het wist was Loyal naar de achterkamer ver-dwenen en zei Farish, bij de deur: 'Kom hier. Zeg tegen hem dat die herrie – Eugene? – zeg tegen hem dat je een slangenbeet op hebt gelopen, in de tuin –'

'Zeg dat hij,' zei Eugene, die glazig uit zijn ogen keek en wan-kelde in het helle licht van het peertje aan het plafond, 'zeg dat hij die pokkereptielen van hem inlaadt. En dat hij niet jarig is als ik hem hier morgenochtend nog zie.'

'Pardon, heer,' zei Farish, en hij deed een stap naar voren om de woedend stotterende gedaante die erin wilde tegen te houden.

'Wat is hier aan de hand? Wat voor een feestje –'

'Niks feestje, meneer, néé, níét naar binnen,' zei Farish, hem met zijn grote lichaam de weg versperrend, 'dit is niet het moment om even een praatje te maken. We hebben hier hulp nodig, mijn broer heeft een slangenbeet opgelopen – helemaal van de kaart, ziet u wel? Help even om hem naar de auto te brengen.'

'Doperse duivel!' zei Eugene tegen een rood aangelopen Roy Dial – in geruite short en kanariegeel poloshirt – die hij in zijn hallucinatie aan het einde van de zwarte tunnel zag flakkeren, in een steeds engere krans van licht.

Die nacht lag Eugene – terwijl een zwaar beringde, hoerige dame weende te midden van drommen bezoek en bloemen, op het flik-kerende zwartwitscherm weende om de wijde poort en de brede weg en de menigten die daarover het verderf tegemoet snelden – in zijn ziekenhuisbed te woelen, een lucht als van verbrande kle-ren in zijn neus. Heen en weer zweefde hij, tussen de witte gordij-nen en de hosanna's van de hoerige dame en een storm over de oevers van een donkere, verre rivier. Beelden tolden af en aan als in een visioen: besmeurde duiven; een boosaardige vogel op zijn nest van schubbige lapjes afgeworpen slangenvel; een lange zwar-te slang die uit een gat kwam kruipen, zijn maag vol vogels: mi-nuscule bobbels, bewegend, nog levend, worstelend om zelfs in het stikzwart van de slangenbuik nog te zingen...

Op de Missie lag Loyal – opgerold in zijn slaapzak – vast te slapen, ondanks zijn blauw oog, niet gehinderd door nachtmerries of reptielen. Voor het ochtendkrieken werd hij verkwikt wakker, deed zijn gebeden, waste zijn gezicht en dronk een glas water, laadde vlug zijn slangen in, ging weer naar boven en schreef, aan de keukentafel gezeten, ingespannen een bedankbriefje aan Eugene op de achterkant van een benzinebonnetje, dat hij op tafel achterliet naast een imitatieleren, met franje versierde boeklegger, een pamflet getiteld 'Het gesprek van Job' en een stapeltje dollarbiljetten, zevenendertig in totaal. Bij zonsopkomst zat hij in zijn pick-up op de grote weg, met kapotte lichten en al, op de terugweg naar zijn toogdag in Oost-Tennessee. Dat de cobra (zijn pronkjuweel, de enige slang waarvoor hij had betaald) ontbrak merkte hij pas in Knoxville; toen hij Eugene erover belde werd er niet opgenomen. En op de Missie was er niemand die de gil van de mormonenjongens hoorde, die later waren opgestaan dan anders (na achten, ze waren de vorige avond laat thuisgekomen uit Memphis) en tijdens hun ochtendgebed werden opgeschrikt door de aanblik van een houtratelslang die boven op een mand met pas gewassen overhemden naar hen lag te kijken.

5
De rode handschoenen

De volgende ochtend werd Harriet laat wakker: ongewassen tussen zanderige lakens en alles kriebelde. De lucht in de kruipruimte, de kleurige kisten bezet met kopspijkertjes, de lange schaduwen in de verlichte deuropening, dat en meer was in haar slaap doorgesijpeld en had een vreemdsoortige mengeling gevormd met de pentekeningen uit haar goedkope uitgave van 'Rikki-tikki-tavi' – waarin Teddy met zijn grote ogen, het vosaapje en zelfs de slangen parmantig en vertederend waren weergegeven. Onder aan de bladzijde zat een zielig diertje vastgebonden te snikken, als de slotprent in een sprookjesboek; het had pijn en ze moest het helpen, maar zag niet in hoe en hoewel zijn aanwezigheid één groot verwijt was, een herinnering aan haar eigen laksheid en onrechtvaardigheid, stootte hij haar zo erg af dat ze niet eens in zijn richting kon kijken, laat staan hem kon helpen.

Niet op letten, Harriet! galmde Edie. Zij en de evangelist stonden in de hoek van haar slaapkamer bij de ladekast een martelwerktuig in elkaar te zetten dat eruitzag als een tandartsenstoel met gecapitonneerde arm- en hoofdsteunen waar naalden uit staken. Ze maakten de verontrustende indruk geliefden te zijn, met hun opgetrokken wenkbrauwen en al die bewonderende blikken naar elkaar, terwijl Edie voorzichtig de naaldpunten hier en daar met haar vingertop controleerde en de evangelist liefhebbend glimlachend een stap achteruit deed, met zijn armen over elkaar en zijn handen onder zijn oksels...

Terwijl Harriet kribbig terugleed in het stilstaande water van de nachtmerrie schoot Hely op het bovenste bed zo snel overeind dat hij zijn hoofd tegen het plafond stootte. Zonder erbij na te denken gooide hij zijn benen over de rand, en viel bijna, want hij was de vorige avond panisch geweest dat er iets achter hem aan naar boven kon klimmen en had daarom de ladder losgehaakt en op het vloerkleed gegooid.

Gegeneerd – alsof hij was gevallen op de speelplaats en iedereen keek – ging hij weer recht zitten en sprong op de vloer, en hij
was zijn donkere koele kamertje al uit en halverwege de gang toen
hij merkte hoe stil het was in huis. Hij liep op zijn tenen naar de
keuken beneden (niemand te bekennen, oprit leeg, zijn moeders
autosleutels weg) en gooide een kom vol Giggle Pops die hij meenam naar de woonkamer, waar hij de televisie aanzette. Er was
een spelshow aan de gang. Hij slurpte zijn kom leeg. De melk was
wel lekker koud maar de knapperige korrels schuurden tegen zijn
verhemelte – ze hadden gek genoeg geen smaak en ze waren niet
eens zoet.

Hely werd onrustig van het stille huis. Hij moest denken aan die
verschrikkelijke ochtend nadat hij en zijn oudere neef Todd een
fles rum uit een papieren zak op de voorbank van een niet-afgesloten Lincoln bij de country club hadden gepikt en half leeg hadden gedronken. Terwijl de ouders van Hely en Todd op de Aloha-
party bij het zwembad stonden te kletsen en knabbelden aan
worstjes op cocktailprikkers, hadden hij en Todd een golfkarretje
geleend waarmee ze tegen een dennenboom waren geknald, al
herinnerde Hely zich daar bijzonder weinig van: hoofdzakelijk dat
hij eindeloos van een steile helling achter de golfbaan rolde. Toen
hij later maagpijn kreeg zei Todd dat hij naar het buffet moest
gaan en zoveel mogelijk cocktailworstjes achter elkaar moest opeten, dat zou wel helpen tegen de pijn. Hij had op zijn knieën liggen overgeven achter een Cadillac op het parkeerterrein, terwijl
Todd zo hard moest lachen dat zijn gemene sproetenkop tomaat-
rood was geworden. Op een of andere manier was Hely thuisgekomen, in bed gekropen en gaan slapen, al wist hij er niets meer
van. Toen hij de volgende ochtend wakker werd was het huis verlaten: ze waren met zijn allen zonder hem naar Memphis om Todd
en zijn ouders naar het vliegveld te brengen.

Het was de langste dag van Hely's leven geweest. Hij had uren
in zijn eentje in het huis rond moeten hangen: alleen, niets te
doen, en ondertussen proberen te achterhalen wat er de vorige
avond was gebeurd, doodsbang dat hem een verschrikkelijke straf
te wachten stond zodra zijn ouders thuiskwamen – wat ook zo
was. Hij moest al het geld afgeven dat hij voor zijn verjaardag had
gekregen, om aan de schade mee te betalen (zijn ouders hadden
het meeste betaald), hij moest een excuusbrief schrijven aan de
eigenaar van het golfkarretje. Hij mocht een eeuwigheid geen tv
meer kijken. Maar het ergste was dat zijn moeder zich hardop

afvroeg waar hij had leren stelen. 'Het gaat niet eens om de drank' – ze moest het wel honderden keren tegen zijn vader hebben gezegd – 'maar dat hij die gestólen heeft.' Zijn vader maakte daarin geen onderscheid: hij gedroeg zich alsof Hely een bank had beroofd. Hij had een hele tijd geen woord tegen Hely gezegd, behalve dingen als 'mag ik het zout even?', had zelfs geweigerd hem aan te kijken en het leven thuis was nooit meer geworden wat het geweest was. Todd – het muzikale genie, eerste klarinet van de band op zijn middelbare school in Illinois – had alle schuld natuurlijk op Hely afgeschoven, zoals in hun hele kindertijd als ze elkaar zagen, wat gelukkig niet vaak was.

In de spelshow (een rijmspelletje waarbij de deelnemers een rijmwoord moesten bedenken om een raadsel op te lossen) had een beroemde gast net een lelijk woord gezegd. De presentator liet het lelijke woord overstemmen door een afschuwelijk geluid, als van zo'n piepend hondenspeeltje, en hief vermanend zijn vinger naar de beroemdheid, die een hand voor haar mond klapte en haar ogen ten hemel sloeg...

Waar zaten zijn ouders verdomme! Waarom kwamen ze niet gewoon thuis, dan hadden ze het maar gehad. *Tut, tut!* zei de lachende presentator. De andere beroemdheid in het panel was ver naar achteren gaan leunen op zijn stoel en klapte waarderend.

Hij probeerde niet meer aan de vorige avond te denken. De ochtend werd bezoedeld en bedorven door de herinnering, zoals door de nasmaak van een nachtmerrie; hij probeerde zich wijs te maken dat hij niets had misdaan, niet echt, dat hij geen spullen had beschadigd en niemand kwaad had gedaan en niets had meegenomen wat niet van hem was. Afgezien dan van die slang – maar die hadden ze niet echt gepikt, die zat nog onder dat huis. En die andere slangen had hij losgelaten, nou en? Ze waren in Mississippi: er kropen toch al overal slangen rond, een paar meer of minder zou toch niemand opvallen? Hij had alleen maar een schuifje opengeduwd, één schuifje. Wat was daar nou zo erg aan? Hij had toch geen golfkarretje van een gemeenteraadslid gestolen en in de prak gereden...

Ting ging het belletje: *tijd voor de laatste ronde!* De spelers – nerveus bewegende ogen – stonden te slikken voor het Grote Bord: waar maakten díé zich nou druk om? dacht Hely verbitterd. Hij had Harriet na zijn ontsnapping niet meer gesproken, wist niet eens of ze wel veilig thuis was gekomen, nog zoiets dat hem dwars begon te zitten. Hij was de tuin uit gestoven, naar de overkant gesjeesd en naar huis gerend, over schuttingen en door achtertuinen, terwijl hij het gevoel had dat er van alle kanten in het donker honden naar hem blaften.

Toen hij door de achterdeur naar binnen was geslopen, rood en hijgend, zag hij op de klok van het fornuis dat het nog vroeg was, pas negen uur. Hij hoorde zijn ouders televisie kijken in de woonkamer. Nu, vanochtend, wenste hij dat hij zijn hoofd om de deur van de woonkamer had gestoken en iets tegen hen had gezegd, of 'Welterusten' had geroepen vanaf de trap of zo, maar hij had hun niet onder ogen durven komen en was laf, zonder iets te zeggen, naar bed gehold.

Hij had er geen behoefte aan Harriet te spreken. Haar naam alleen al herinnerde hem aan dingen waar hij liever niet aan dacht. De woonkamer – bruin kleed, ribfluwelen bank, tennistrofeeën in een vitrine achter de bar: alles leek onaards, onveilig. Stokstijf, alsof er achter hem in de deuropening een vijandige toeschouwer naar hem stond te loeren, keek hij strak naar de zorgeloze, over hun raadsel beraadslagende beroemdheden en probeerde zijn problemen te vergeten: geen Harriet, geen slangen, geen dreigende straf van zijn vader. Geen grote enge boerenkinkels die hem hadden herkénd, dat wist hij zeker... Stel dat ze naar zijn vader gingen? Of erger nog, hem achterna kwamen? God mocht weten wat een mafkees als die Farish Ratliff zou doen.

Er stopte een auto op de oprit. Hely slaakte bijna een gil. Maar toen hij uit het raam keek zag hij dat het niet de Ratliffs waren, maar zijn vader. Vlug, verkrampt probeerde hij onderuit te zakken en breeduit te gaan zitten om zich een achtelozer houding te geven, maar hij zat niet lekker omdat hij al ineenkromp bij het vooruitzicht van de dichtslaande deur, de voetstappen van zijn vader die snel en driftig in de gang opklonken zoals altijd als hij kwaad was en het menens was...

Hely deed – trillend van inspanning – zijn uiterste best om niet al te stijfjes te zitten, maar hij kon zijn nieuwsgierigheid niet bedwingen en gluurde gauw doodsbenauwd even naar buiten – en zag dat zijn vader, tergend bedaard, uit de auto stapte. Hij zag er onbekommerd uit – verveeld zelfs, al viel zijn gezicht lastig te interpreteren met de grijze zonnekleppen die op zijn bril geklemd zaten.

Hely kon zijn ogen niet van hem afhouden en bleef kijken terwijl zijn vader om de auto heen liep en de achterbak opende. Een voor een laadde hij zijn aankopen uit in het lege zonlicht en zette ze op het beton: een bus verf. Plastic emmers. Een opgerolde groene tuinslang.

Hely stond heel voorzichtig op, bracht zijn kommetje naar de keuken en spoelde het om, waarna hij naar zijn kamer liep en de deur dichtdeed. Hij ging op het onderste bed liggen, staarde naar de latten boven zich en probeerde niet te hyperventileren en niet al te veel op zijn hartslag te letten. Kort daarna hoorde hij voetstappen. Voor de deur zei zijn vader: 'Hely?'

'Ja, pap?' *Waarom piept mijn stem zo?*

'Ik heb toch gezegd dat je de televisie uit moet zetten als je niet meer kijkt.'

'Ja, pap.'

'Kom me eens even helpen je moeders tuin water geven. Ik dacht vanmorgen dat het ging regenen, maar het ziet ernaar uit dat de bui is overgedreven.'

Hely durfde niet te weigeren. Hij had een bloedhekel aan zijn moeders bloementuin. Ruby, de huishoudster vóór Essie Lee, weigerde in de buurt van de dicht opeenstaande vaste planten te komen die zijn moeder als snijbloemen kweekte. 'Slangen houden van bloemen,' zei ze altijd.

Hely trok zijn tennisschoenen aan en ging naar buiten. De zon stond al hoog en het was heet. Met het felle licht in zijn ogen, suf van de hitte stond hij van een paar meter afstand op het dorre gele gras het bloembed te besproeien met de tuinslang, die hij zo ver mogelijk van zich af hield.

'Waar is je fiets?' vroeg zijn vader, die net uit de garage kwam.

'Ik...' De schrik sloeg Hely om het hart. Zijn fiets lag precies op de plaats wáár hij hem had achtergelaten: op de middenberm voor het houten huis.

'Hoe vaak moet ik het nog zeggen? Je mag pas binnenkomen als hij in de garage staat. Voor de laatste keer: laat hem niet in de tuin liggen.'

Er was iets mis toen Harriet beneden kwam. Haar moeder had zo'n katoenen doorknoopjurk aan die ze altijd naar de kerk droeg, en vloog in de keuken heen en weer. 'Hier,' zei ze terwijl ze Harriet koude toast en een glas melk voorzette. Ida veegde – met haar rug naar Harriet – de vloer voor het fornuis.

'Gaan we ergens heen?' vroeg Harriet.

'Nee, schat...' Al klonk de stem van haar moeder opgewekt, haar lippen stonden strak en de glimmende koraalrode lippenstift die ze op had, maakte haar gezicht bleek. 'Ik had vanmorgen gewoon zin om een keer op te staan en je ontbijt klaar te maken, goed?'

Harriet wierp een blik over haar schouder naar Ida, die zich niet omdraaide. Ze hield haar schouders vreemd. *Er is iets met Edie gebeurd,* dacht Harriet ontdaan, *Edie ligt in het ziekenhuis...* Nog voor het goed en wel tot haar was doorgedrongen bukte Ida zich – zonder naar Harriet te kijken – met het stofblik, en geschokt zag Harriet dat ze had gehuild.

Alle angst van de afgelopen vierentwintig uur stortte zich over haar uit en daarbij kwam een angst die ze niet thuis kon brengen. Timide vroeg ze: 'Waar is Edie?'

Harriets moeder keek verbaasd. 'Thuis,' zei ze. 'Hoezo?'

De toast was koud, maar Harriet at hem toch op. Haar moeder kwam bij haar aan tafel zitten en keek naar haar, met haar ellebogen op de tafel en haar kin in haar handen. 'Lekker?' vroeg ze ten slotte.

'Ja, moeder.' Omdat ze niet wist wat er mis was en wat ze moest doen concentreerde Harriet zich volledig op haar toast. Toen zuchtte haar moeder; Harriet keek op, net op tijd om haar mistroostig van tafel te zien opstaan en de keuken uit te zien slenteren.

'Ida?' fluisterde Harriet zodra ze alleen waren.

Ida schudde haar hoofd en zweeg. Haar gezicht was uitdrukkingsloos, maar er welden grote, glanzende tranen in haar ogen op. Toen wendde ze zich demonstratief af.

Harriet was gekwetst. Ze keek naar Ida's rug, naar de gekruiste schortbanden op haar katoenen jurk. Ze hoorde allerlei kleine geluidjes, kristalhelder en dreigend: het brommen van de ijskast, een vlieg die boven het aanrecht zoemde.

Ida gooide het blik in de emmer onder het aanrecht en deed het kastje dicht. 'Wat heb jij over mij gekletst?' vroeg ze zonder zich om te draaien.

'Gekletst?'

'Ik ben altijd goed voor jou.' Ida liep langs haar heen en zette het blik op de plaats waar het thuishoorde, op de vloer bij de boiler naast de zwabber en de bezem. 'Waarom wil je mij in moeilijkheden brengen?'

'Wat heb ik dan gekletst? Dat heb ik niet gedaan!'

'O jawel. En nog wat.' Harriet kromp ineen onder haar strakke, bloeddoorlopen blik. 'Het komt door jullie dat die arme stakker bij meneer Claude Hull is ontslagen. Warempel wel,' zei ze, dwars door Harriets verbaasde gestotter heen. 'Meneer Claude is gister-avond daarheen gereden; dat had je eens moeten horen, hoe hij tegen die arme vrouw tekeerging, alsof ze een hond was. Ik heb het allemaal gehoord, en Charley T. ook.'

'Dat heb ik niet gedaan! Ik...'

'Moet je dat horen. Jij moest je schamen,' siste Ida. 'Tegen me-neer Claude zeggen dat die vrouw het huis in brand wou gaan steken. En wat doe jij? Jij loopt gauw naar huis en zegt tegen je moeder dat ik je niet goed te eten geef.'

'Ik heb niet over haar gekletst! Dat was Hely!'

'Ik praat niet over hem. Ik praat over jóú.'

'Maar ik zéí nog dat hij niets moest zeggen. We zaten op zijn kamer, en toen bonkte ze op de deur en begon te schreeuwen...'

'Ja, en wat ga jij dan doen? Je gaat naar huis en kletst over mij. Jij was gister kwaad toen ik wegging omdat ik geen zin had om na mijn werk verhaaltjes te blijven vertellen. Zo was 't en niet an-ders.'

'Ida! Je weet best dat moeder soms in de war is! Ik heb alleen gezegd...'

'Ik zal je zeggen waarom je dat deed. Je was kwaad en nijdig omdat ik niet de hele avond kippen blijf braden en verhaaltjes vertellen als ik thuis mijn eigen werk nog moet gaan doen. Terwijl ik de hele dag al voor jullie heb lopen op te ruimen.'

Harriet ging naar buiten. Het was heet en stil, wit in de zon. Ze voelde zich alsof de tandarts net een kies bij haar had gevuld en ze, met een pruimpaarse pijn die aanzwol in haar achterste kiezen, door de glazen deuren in het felle zonlicht en de brandende hitte van het parkeerterrein stapte. *Word je opgehaald, Harriet?* Ja, me-vrouw, zei Harriet altijd tegen de receptioniste, of ze nu werd op-gehaald of niet.

Uit de keuken kwam geen geluid. De luiken van haar moeders kamer waren dicht. Was Ida ontslagen? Vreemd, ongelooflijk ge-noeg wekte die vraag geen verdriet of bezorgdheid, alleen de dof-fe verbazing die ze ook voelde wanneer ze na een verdoving hard op haar wang beet en geen pijn voelde.

Ik ga tomaten voor haar plukken voor het middageten, zei Har-riet bij zichzelf, en ze ging – met samengeknepen ogen tegen het felle licht – naar Ida's moestuintje opzij van het huis: een lapje grond van drie bij vier meter zonder hek eromheen, dat nodig gewied moest worden. Ida had geen ruimte voor een moestuin waar zij woonde. Ze maakte elke dag brood met tomaat voor hen, maar het merendeel van de groente nam ze mee naar huis. Bijna elke dag bood Ida Harriet iets aardigs aan als ze haar in de tuin wilde helpen – een potje dammen, een verhaal – wat Harriet altijd afsloeg; ze had een hekel aan werken in de tuin, kon niet tegen de aarde aan haar vingers, tegen de torren, de hitte en de prikhaartjes op de pompoenranken, waar haar benen van gingen jeuken.

Nu walgde ze van haar egoïstische gedrag. Er drongen zich allerlei pijnlijke gedachten op, die haar maar bleven steken. Ida moest altijd hard werken, niet alleen hier, maar ook in haar eigen huis. En moest Harriet ooit iets doen?

Een paar tomaten. Dat zal ze fijn vinden. Ze plukte ook een paar paprika's en okra's en een dikke zwarte aubergine, de eerste van de zomer. Ze legde de bemodderde groente in een kartonnen doosje en begon tandenknarsend van ongenoegen te wieden. Voor haar waren de planten, afgezien van het eetbare deel, net opgeschoten onkruid, breed uitgroeiend met ruwe, lelijke bladeren; daarom liet ze alles staan waar ze niet zeker van was en trok alleen het onkruid uit dat ze herkende: klaver en paardebloem (makkelijk) en lange halmen kafferkoren, dat Ida handig zo wist te vouwen dat er een schril, spookachtig gefluit uit kwam als ze het tegen haar lippen hield en dan op een bepaalde manier blies.

Maar de halmen waren scherp en algauw had Harriet op de muis van haar duim een rode dunne snee gekregen, alsof ze zich aan papier had gesneden. Transpirerend ging ze op haar bemodderde hielen zitten. Ze had ergens rode stoffen tuinhandschoenen, een kindermaat, die Ida Rhew vorige zomer voor haar had gekocht bij de ijzerwinkel, maar de gedachte eraan alleen al gaf haar een ellendig gevoel. Ida had weinig geld, zeker niet genoeg om aan cadeautjes uit te geven; maar het ergste was dat Harriet zo'n hekel had aan de tuin dat ze die handschoenen nooit had aangetrokken, niet één keer. *Vind je die handschoentjes van mij niet mooi?* had Ida een beetje triest gevraagd op een middag dat ze op de veranda zaten; toen Harriet protesteerde schudde ze haar hoofd.

Ik vind ze wel mooi, heus. Ik doe ze aan als we spelen...

Jij hoeft voor mij geen verhaaltjes op te hangen, kind. Ik vind het alleen jammer dat je er niks om geeft.

Harriets wangen gloeiden. De rode handschoenen hadden drie dollar gekost – bijna een dagloon voor arme Ida. Nu ze erbij stilstond besefte ze dat de rode handschoenen het enige cadeautje waren dat ze ooit van Ida had gekregen. En die was ze kwijt! Hoe had ze zo slordig kunnen zijn? Die winter hadden ze een hele tijd veronachtzaamd in een verzinkte teil in het schuurtje gelegen, bij de snoeischaar en de heggenschaar en nog wat gereedschap van Chester.

Ze liet het wieden voor wat het was, het uitgerukte onkruid lukraak op de grond, en holde naar het schuurtje. Maar de handschoenen lagen niet in de teil. Ze lagen ook niet op de werkbank van Chester, ze lagen niet op de plank met bloempotten en plantenmest en ze lagen niet achter de dichtgekoekte blikken lak, muurvuller en houtverf.

Op de planken vond ze badmintonrackets, een snoeischaar en een zaag, ontelbare verlengsnoeren, een gele plastic helm zoals in de bouw werd gedragen, nog meer tuingereedschap: snoeimessen, rozenknippers, wiedvorkjes en harken, schoffels in drie maten en Chesters eigen handschoenen. Maar niet de handschoenen die ze van Ida had gekregen. Ze merkte dat ze hysterisch begon te worden. Chester weet wel waar ze zijn, bedacht ze. Ik vraag het wel aan hem. Chester werkte alleen op maandag, op andere dagen werkte hij voor de gemeente – wieden en gras maaien op de begraafplaats – of deed hij klusjes bij anderen in de stad.

Ze stond te hijgen in het stoffige schemerdonker waar het naar benzine stonk, keek naar de berg gereedschap op de vloer vol olievlekken en vroeg zich af waar ze verder moest zoeken – want ze móést de rode handschoenen vinden; het moet, dacht ze terwijl haar ogen over de rommel schoten, ik ga dood als ik ze kwijt ben – toen Hely kwam aanrennen en zijn hoofd om de deur stak. 'Harriet!' zei hij puffend, terwijl hij zich vastklemde aan de deurpost. 'We moeten de fietsen ophalen!'

Harriet zweeg verward en vroeg toen: 'Fietsen?'

'Ze liggen nog dáár! Mijn vader merkte dat mijn fiets weg was en ik krijg ervan langs als ik hem kwijt ben! Kom nou!'

Harriet probeerde zich op de fietsen te concentreren, maar ze kon alleen aan de handschoenen denken. 'Ik kom straks wel,' zei ze ten slotte.

'Nee! Nu! Ik ga niet in mijn eentje!'

'Als je nou even wacht, dan...'

'Nee!' jammerde Hely. 'We moeten er nu heen!'

'Kijk, ik moet eerst naar binnen om mijn handen te wassen. Wil jij al die troep even voor me op de plank terugleggen?'

Hely keek naar de bende op de vloer. 'Alles?'

'Weet je nog die rode handschoenen die ik had? Ze lagen altijd in die emmer daar.'

Hely keek haar ongerust aan, alsof ze gek was.

'Tuinhandschoenen. Rode stof met elastiek bij de pols.'

'Ik meen het, Harriet. De fietsen hebben de hele nacht buiten gelegen. Misschien zijn ze er niet eens meer.'

'Als je ze vindt, moet je het zeggen, goed?'

Ze rende terug naar de moestuin en gooide het onkruid dat ze had uitgetrokken op een grote, slordige hoop. Geeft niet, hield ze zich voor, ik ruim het straks wel op... Toen pakte ze het doosje groente en rende naar huis terug.

Ida was niet in de keuken. Vlug, zonder zeep, spoelde Harriet in de gootsteen de rode aarde van haar handen. Toen bracht ze het doosje naar de woonkamer, waar ze Ida in haar tweed stoel aantrof met haar knieën wijd en haar hoofd in haar handen.

'Ida?' zei Harriet schuchter.

Stijf draaide Ida Rhew haar hoofd. Haar ogen waren nog rood.

'I-ik heb iets voor je,' stamelde Harriet. Ze zette de kartonnen doos voor Ida's voeten op de vloer.

Dof keek Ida naar de groente. 'Wat moet ik beginnen?' zei ze hoofdschuddend. 'Waar moet ik heen?'

'Je mag ze mee naar huis nemen als je wilt,' zei Harriet behulpzaam. Ze pakte de aubergine om aan Ida te laten zien.

'Jouw moeder zegt dat ik mijn werk niet goed doe. Hoe moet ik mijn werk goed doen met al die stapels kranten en rommel tegen alle muren?' Ida droogde haar ogen met de punt van haar schort. 'Ik krijg maar twintig dollar per week. Dat is niet zoals het hoort. Odean van miss Libby krijgt vijfendertig en zij heeft niet eens al deze troep van hier en ook geen twee kinderen om voor te zorgen.'

Zo hangend langs haar zij, voelden Harriets handen nutteloos. Ze wilde Ida dolgraag omhelzen, haar wangen kussen, zich op haar schoot laten vallen en in tranen uitbarsten – maar door iets in Ida's stem en in haar gespannen, onnatuurlijke houding durfde ze niet dichterbij te komen.

'Jouw moeder zegt... ze zegt dat jullie nu groot zijn en dat jullie niemand meer hoeven die op jullie past. Jullie zijn allebei naar school. En na school kunnen jullie voor jezelf zorgen.'

Hun blikken kruisten elkaar – die van Ida rood en betraand, die van Harriet rond en radeloos van ontzetting – en bleven heel even op elkaar rusten, een ogenblik dat Harriet haar hele leven zou bijblijven. Ida keek als eerste weg.

'En ze heeft gelijk,' zei ze op een berustender toon. 'Allison zit op de middelbare school en jij – jij hebt geen oppas meer nodig die altijd thuis is. Jij zit het grootste deel van het jaar toch op school.'

'Ik zit al zeven jaar op school!'

'Nou, maar dat zei ze.'

Harriet vloog naar boven, naar de kamer van haar moeder, en stormde zonder kloppen naar binnen. Ze vond haar moeder zittend op de rand van haar bed en Allison op haar knieën, huilend, met haar gezicht in de sprei. Toen Harriet binnenkwam keek ze op en wierp Harriet met gezwollen ogen een zo gekwelde blik toe dat ze ervan schrok.

'Jij ook nog, o nee,' zei haar moeder. Haar stem klonk wazig en haar ogen stonden slaperig. 'Laat me alleen, meisjes. Ik wil even rusten...'

'Je mag Ida niet ontslaan.'

'Tja, ik ben ook op Ida gesteld, meisjes, maar ze werkt niet voor niets en de laatste tijd maakt ze een ontevreden indruk.'

Het waren allemaal dingen die Harriets vader had gezegd; ze praatte traag en werktuiglijk, alsof ze een uit het hoofd geleerde toespraak opzei.

'Je mag haar niet ontslaan,' herhaalde Harriet schril.

'Je vader zegt...'

'Nou en? Hij woont hier niet.'

'Goed, meisjes, jullie moeten zelf maar met haar praten. Ida is het met me eens dat we geen van tweeën tevreden zijn zoals het hier de laatste tijd loopt.'

Het bleef een tijd stil.

'Waarom heb je tegen Ida gezegd dat ik over haar heb gekletst?' vroeg Harriet. 'Wat heb je gezegd?'

'Daar hebben we het later nog wel over.' Charlotte draaide zich om en ging op het bed liggen.

'Nee! Nú!'

'Wees maar niet ongerust, Harriet,' zei Charlotte. Ze sloot haar ogen. 'En niet huilen, Allison, alsjeblieft niet, daar kan ik niet tegen,' zei ze terwijl haar stem steeds vager klonk. 'Het komt allemaal goed, dat beloof ik...'

Gillen, spugen, krabben, bijten: geen van alle gaf voldoende uitdrukking aan de woede die in Harriet oplaaide. Ze keek naar haar moeders serene gezicht. Vredig rees haar borst, vredig daalde haar borst. Er glinsterden druppeltjes op haar bovenlip, waar de koraalrode lippenstift was vervaagd en zich in de minuscule rimpel-

tjes had verzameld, haar oogleden glansden blauwig, met diepe
holtes, als duimafdrukken, bij de binnenste ooghoek.

Harriet liet Allison op de rand van haar moeders bed achter en
liep, met haar hand op de leuning slaand, de trap af. Ida zat nog
steeds in haar stoel en staarde uit het raam, haar wang op haar
handpalmen; toen Harriet in de deuropening bleef staan en bedroefd naar haar keek leek Ida onbarmhartig scherp in haar omgeving op te lichten. Ze had nog nooit zo tastbaar geleken, zo
concreet en sterk en wonderbaarlijk solide. Haar borst onder het
dunne, vale katoen van haar verschoten jurk ging heftig met haar
ademhaling op en neer. In een opwelling wilde Harriet naar de
stoel lopen, maar Ida draaide zich, de tranen nog glinsterend op
haar wangen, naar haar om met een blik die haar aan de grond
vastnagelde.

De twee keken elkaar lang aan. Sinds Harriet klein was deden
ze al wie het langst kon blijven kijken – het was een spelletje, een
krachtmeting, bedoeld om te lachen, maar dit keer was het geen
spelletje; alles was mis en vreselijk en er werd niet gelachen toen
Harriet ten slotte beschaamd haar ogen moest neerslaan. En zwijgend – want er zat niets anders op – liep Harriet weg, met gebogen hoofd, terwijl de blik van die zo dierbare, treurige ogen op
haar rug brandde.

'Wat is er?' vroeg Hely toen hij Harriets doffe, daze uitdrukking
zag. Hij had haar al op haar kop willen geven omdat ze er zo lang
over had gedaan, maar hij zag aan haar gezicht dat ze allebei flink
in de puree zaten: erger dan ooit.

'Moeder wil Ida ontslaan.'

'Wat rot,' zei Hely meelevend.

Harriet keek naar de grond en probeerde zich te herinneren hoe
haar gelaatsspieren werkten en haar stem klonk als alles normaal
was.

'We halen de fietsen straks wel op,' zei ze; en ze vatte moed
omdat de woorden er zo achteloos uit kwamen.

'Nee! Dan vermoordt mijn vader me!'

'Zeg maar dat je hem hier hebt laten staan.'

'Ik kan hem daar niet laten liggen. Straks wordt hij gejat. Toe
nou, je zei dat je mee zou gaan,' zei Hely wanhopig. 'Loop nou
gewoon met me mee.'

'Goed dan. Maar eerst moet je beloven...'

'Alsjeblieft, Harriet. Ik heb al die rotzooi al voor je opgeruimd
en zo.'

'Je moet beloven dat je vanavond weer meegaat. Voor die kist.'
'Waar wil je die naartoe brengen?' vroeg Hely geschrokken. 'We
kunnen hem niet bij míj thuis verstoppen.'

Harriet hield beide handen op, zonder gekruiste vingers.

'Goed,' zei Hely, die ook zijn handen ophield: het was hun geheime teken, net zo bindend als een hardop uitgesproken belofte.
Toen draaide hij zich om en liep snel door de tuin naar de straat,
met Harriet vlak achter zich aan.

Ze waren op een meter of twaalf van het houten huis, dicht bij het
struikgewas en weggedoken achter bomen, toen Hely Harriet bij
de pols pakte en wees. Op de middenberm blonk een lange chro-
men stang onder de wirwar van takken van de schijnelsstruiken.

Behoedzaam liepen ze verder. De oprit was leeg. Bij het huis
ernaast, van het hondje Pancho en zijn bazin, stond een witte
dienstauto waarin Harriet de auto van mevrouw Dorrier herkende. Ieder dinsdag om kwart voor vier kwam de witte sedan van
mevrouw Dorrier langzaam over de oprit van Libby's huis aanrijden en stapte mevrouw Dorrier uit, in haar blauwe wijkverpleeg-
stersuniform, om Libby's bloeddruk op te nemen: ze pompte de
band strak om Libby's tengere, breekbare arm op, las de seconden
af op haar grote mannenhorloge terwijl Libby – die totaal overstuur raakte van alles wat ook maar zweemde naar medicijnen,
ziekte of artsen – met haar hand op haar borst gedrukt en trillende
lippen naar het plafond staarde, en in haar ogen achter haar brillenglazen de tranen opwelden.

'Kom op,' zei Hely met een blik achterom.

Harriet knikte naar de auto. 'De verpleegster is er,' fluisterde ze.
'We moeten wachten tot ze weg is.'

Ze bleven achter een boom staan wachten. Na een paar minuten zei Hely: 'Waarom duurt het zo lang?'

'Weet ik niet,' zei Harriet, die zich dat ook afvroeg: mevrouw
Dorrier had overal in het district patiënten en was altijd zo klaar
bij Libby, ze bleef nooit hangen voor een praatje of een kop koffie.

'Ik blijf hier niet de hele dag wachten,' fluisterde Hely, maar
toen ging aan de overkant van de straat de hordeur open en kwam
mevrouw Dorrier met haar witte kapje en haar blauwe uniform
naar buiten. Achter haar aan kwam de getaande yankeevrouw,
met vuile sloffen en een papegaaigroene duster aan, en Pancho
over haar arm gehaakt. 'Twee dollar voor een pil!' krijste ze. 'Ik

slik al voor veertien dollar medicijnen per dag! Ik zeg tegen die jongen bij de apotheek, ik zeg...'

'Medicijnen zijn duur,' zei mevrouw Dorrier beleefd en ze wendde zich af om weg te gaan; ze was lang en mager, rond de vijftig, had grijze lokken in haar zwarte haar en een uiterst correcte houding.

'Ik zeg: "Ik heb emfyseem, jongen! Ik heb galstenen! Ik heb reuma! Ik..." Wat heb je toch, Panch,' zei ze tegen Pancho, die in haar greep was verstrakt en zijn grote oren tot het uiterste had gespitst. Het was of hij Harriet zag, al stond ze verstopt achter de boom; zijn maki-achtige ogen waren recht op haar gericht. Hij ontblootte zijn tanden en toen begon hij – in woeste razernij – te blaffen en zich los te wurmen.

De vrouw gaf hem met haar vlakke hand een klap op zijn snuit. 'Hou je kop!'

Mevrouw Dorrier lachte – ietwat ongemakkelijk – pakte haar tas op en liep de trap af. 'Tot volgende week dan maar.'

'Hij is helemaal door het dolle heen,' riep de vrouw, die nog steeds met Pancho worstelde. 'Gisteravond was hier iemand aan het rondsluipen. En de politie was bij de buren.'

'Tsjonge!' Mevrouw Dorrier bleef bij het portier van haar auto staan. 'U meent het!'

Pancho zat nog steeds hysterisch te keffen. Terwijl mevrouw Dorrier in haar auto stapte en langzaam wegreed gaf de vrouw Pancho nog een pets, nam hem mee naar binnen en smakte de deur dicht.

Hely en Harriet wachtten nog even met ingehouden adem af, en toen ze zeker wisten dat er geen auto's aankwamen schoten ze de weg over naar het gras op de middenberm en lieten zich naast de fietsen op hun knieën vallen.

Harriet wees met een ruk van haar hoofd naar de oprit van het houten huis. 'Er is niemand thuis.' De steen in haar borst was lichter geworden en ze voelde zich iets opgelucht nu, nuchter en vlug.

Steunend trok Hely zijn fiets los.

'Ik moet die slang daar weghalen.'

Hij wist zelf niet waarom, maar hij kreeg medelijden met haar vanwege de barse toon in haar stem. Hij zette zijn fiets rechtop. Harriet stond met haar benen aan weerskanten van haar fiets kwaad naar hem te kijken.

'We komen weer terug,' zei hij, haar blik vermijdend. Hij sprong op zijn fiets, en ze zetten zich tegelijk af en reden de straat uit.

Harriet haalde hem in, passeerde hem en sneed hem bij de hoek agressief af. Ze gedroeg zich alsof ze net ontzettend op haar flikker had gekregen, dacht hij, terwijl hij haar nakeek zoals ze diep voorovergebogen op haar fiets zat en fanatiek de straat uit trapte, net Dennis Peet of Tommy Scoggs, gemene jongens die kleinere kinderen in elkaar sloegen en zelf door grotere in elkaar werden geslagen. Misschien kwam het doordat ze een meisje was – maar hij vond het spannend als Harriet zo'n gemene, roekeloze bui had. Ook de gedachte aan de cobra vond hij spannend, en al leek het hem niet – nog niet – het geschikte moment om aan Harriet uit te leggen dat hij een stuk of zes ratelslangen in het appartement had losgelaten, het drong ineens tot hem door dat het houten huis leeg was, en dat misschien nog wel een tijd zou blijven.

'Hoe vaak zou hij moeten eten, denk je?' vroeg Harriet, die kromgebogen achter de kar liep te duwen terwijl Hely ervoor liep te trekken – niet erg snel, want het was zo donker dat ze bijna niets meer konden zien. 'Misschien moeten we hem een kikker geven.'

Hely tilde de kar van de stoep op de weg. Ze hadden een badlaken uit Hely's huis meegenomen en over de kist gelegd. 'Ik ga dat beest geen kikkers voeren,' zei hij.

Zijn vermoeden dat het mormonenhuis leeg was, klopte. Het was alleen maar een vermoeden, gebaseerd op de overtuiging dat hij persoonlijk nog liever de nacht opgesloten in de achterbak van een auto doorbracht dan in een huis waarin vrij rondkruipende ratelslangen waren ontdekt. Hij had nog steeds niet aan Harriet verteld wat hij had gedaan, maar hij had wel lang genoeg over zijn daden nagedacht om zijn onschuld te kunnen bewijzen. Hij kon niet weten dat de mormonen op hetzelfde moment, in een kamer in de Holiday Inn, met een in onroerend goed gespecialiseerde jurist in Salt Lake overlegden of de aanwezigheid van giftig ongedierte in een huurhuis contractbreuk inhield.

Hely hoopte dat er niemand langs kwam rijden die hen zag. Hij en Harriet werden geacht naar de bioscoop te zijn; zijn vader had ze geld gegeven. Harriet had de hele middag bij Hely thuis gezeten, wat niets voor haar was (meestal kreeg ze genoeg van hem en ging vroeg naar huis, ook al smeekte hij haar om te blijven) en ze hadden urenlang in kleermakerszit op de grond van Hely's slaapkamer met het vlooienspel gespeeld terwijl ze zachtjes praatten over de gestolen cobra en bespraken wat ze ermee moesten doen.

De kist was te groot om bij haar of hem thuis ergens te verstoppen. Ten slotte hadden ze een ongebruikt viaduct ten westen van de stad gekozen, een viaduct dat over een volkomen uitgestorven stuk van de County Line Road buiten de stad liep.

Het was makkelijker geweest om de dynamietkist onder het huis vandaan te sjorren en op Hely's oude rode kinderkarretje te zetten dan ze hadden gedacht; ze hadden geen mens gezien. Het was een heiige, drukkende avond, met gerommel van de donder in de stille verte. Overal waren de kussens van de tuinmeubels gehaald, de sproeiers uitgezet en de katten binnengeroepen.

Ratelend ging het over het trottoir. Het was maar twee straten over open trottoirs door High Street naar het station, en hoe oostelijker ze kwamen – in de richting van het goederenemplacement en de rivier – hoe minder lichtjes ze zagen. In verwaarloosde tuinen ritselde hoog opgeschoten onkruid, waartussen bordjes TE KOOP en VERBODEN TOEGANG stonden.

Er stopten maar twee passagierstreinen per dag op het station van Alexandria. Om 07.14 uur stopte de City of New Orleans op de terugweg uit Chicago in Alexandria en om 20.47 uur stopte de trein de andere kant op, en de rest van de tijd lag het station er min of meer verlaten bij. Het gammele loketgebouwtje, met het steile puntdak en de bladderende verf, was onverlicht, maar over ongeveer een uur zou de kaartverkoper het komen openen. Erachter verbond een stelsel van ongebruikte grindwegen het rangeerterrein met het goederenemplacement en het goederenemplacement met de katoenfabriek, de houtzagerij en de rivier.

Hely en Harriet bleven staan om samen de kar van het trottoir op het grind te tillen. Er blaften honden – grote honden, maar ver weg. Ten zuiden van het station waren de lichtjes van de houtzagerij te zien en nog verder weg de vriendelijke straatlantaarns van hun eigen buurt. Ze keerden die laatste glimpen van beschaving de rug toe en liepen resoluut de andere kant uit – de buitenste duisternis in, naar de wijde, vlakke, onbewoonde woestenij die zich naar het noorden toe uitstrekte, voorbij het ongebruikte goederenemplacement met zijn open goederenwagons en lege katoenwagens, naar een smal grindpad dat in donkere dennenbossen wegliep.

Hely en Harriet hadden weleens langs deze eenzame weg – die naar het verlaten katoenpakhuis liep – gespeeld, maar niet vaak. De bossen waren stil en angstaanjagend, zelfs op klaarlichte dag was het altijd donker op het sombere voetpad – tot een smal spoor verstikt – onder de dichte, met klimranken verklitte baldakijn van hemelbomen, onvolgroeide amberbomen en dennen. De lucht was er vochtig en ongezond, vol jengelende muggen, en de stilte werd slechts een enkele maal doorbroken: als een konijn onverwacht door het struikgewas sprong of onzichtbare vogels hard krasten. Een paar jaar eerder had het bos onderdak geboden aan een stel ontsnapte kettinggangers. Ze hadden nog nooit een levende ziel gezien in die woestenij – behalve één keer een zwart jongetje dat in zijn rode onderbroek, op één knie, onderhands een steen naar hen had gegooid en toen krijsend het kreupelhout in was gewaggeld. Het was er eenzaam en Harriet noch Hely vond het leuk om er te spelen, al wilden ze dat geen van beiden toegeven.

De karrenwielen knersten luid over het grind. Niet afgeschrikt door de walmen van het insectwerende middel waarmee ze zich van top tot teen hadden bespoten, zweefden er wolken steekvliegjes om hen heen in de klamme, benauwde open ruimte. In de schaduwen en het schemerdonker konden ze alleen onderscheiden wat zich vlak voor hen bevond. Hely had een zaklantaarn meegenomen, maar nu ze hier waren leek het toch niet zo'n goed idee om in het wilde weg met lampen te gaan schijnen.

Gaandeweg werd het pad nog smaller, nog meer verstikt door twee muren van struikgewas die zich aan weerskanten steeds verder opdrongen, en ze kwamen langzaam vooruit, omdat ze telkens moesten stilhouden om takken en twijgen uit hun gezicht te duwen in het troebele, blauwe schemerlicht. 'Pff!' zei Hely voorop, en naarmate ze de kar verder voortbewogen werd het gezoem van de vliegen luider, en toen sloeg Harriet een nattige stank van ontbinding in het gezicht.

'Gadver!' hoorde ze Hely roepen.

'Wat is er?' Het was inmiddels zo donker dat ze niet veel meer zag dan de brede witte stroken achter op Hely's rugbyshirt. Het grind knerpte toen Hely de voorkant van de wagen optilde en met een ruk naar links trok.

'Wat ís dat?' De stank was niet te harden.

'Een buidelrat.'

Er lag een donkere bult – krioelend van de vliegen – in een vormeloze hoop op het pad. Ze liepen er voetje voor voetje langs, Harriet met afgewend hoofd, hoewel de twijgen en takken haar gezicht schramden.

Ze zetten door tot het metaalachtige gezoem van de vliegen was weggestorven en ze de stank ver achter zich hadden gelaten; toen bleven ze even staan uitrusten. Harriet knipte de zaklantaarn aan en lichtte met duim en wijsvinger een punt van het badlaken op. De oogjes van de cobra, glinsterend in de lichtstraal, keken haar vals aan terwijl hij zijn bek opende om naar haar te sissen, en de open spleet van zijn bek leek gruwelijk veel op een lach.

'Hoe is het met hem?' vroeg Hely nors, zijn handen op zijn knieën.

'Goed,' zei Harriet – en ze sprong achteruit (zodat de lichtkring kriskras heen en weer gleed over de boomkruinen) toen de slang tegen het gaas klapte.

'Wat was dat?'

'Niets,' zei Harriet. Ze deed de zaklantaarn uit. 'Hij zal het wel niet zo erg vinden in die kist.' Haar stem klonk erg luid in de stilte. 'Ik denk dat hij er al zijn hele leven in zit. Ze kunnen hem toch moeilijk los laten rondkruipen.'

Na een korte stilte gingen ze met enige tegenzin weer verder.

'Hij zal wel geen last hebben van de hitte,' zei Harriet. 'Hij komt uit India. Daar is het warmer dan hier.'

Hely lette goed op waar hij zijn voeten zette – zo goed als hij kon in het donker. Uit de zwarte dennenbomen aan weerskanten klonk een koor van boomkikkers en hun gefluit ging tussen linker- en rechteroor heen en weer over het pad, in een stereofonie waar ze duizelig van werden.

Het pad kwam uit op een open plek, waar het katoenpakhuis stond, botgrijs gekleurd door het maanlicht. De verre uithoeken van het laadperron – waar ze heel wat middagen met bungelende benen hadden zitten praten – kwamen haar onaards voor in de donkere schaduwen, maar de modderige ronde afdrukken op de maanverlichte deuren, van de tennisballen die ze ertegen hadden gegooid, waren heel duidelijk.

Samen tilden ze de kar over een greppel. Het ergste was achter de rug. County Line Road was drie kwartier fietsen van Hely's huis, maar de weg achter het pakhuis langs was korter. Vlak erachter lagen de spoorrails en dan – een paar minuten later – kwam het pad als bij toverslag uit op County Line Road, even voorbij Highway Five.

Vanachter het pakhuis konden ze de spoorrails nog net zien. Telegraafpalen, krom van de kamperfoelie, tekenden zich zwart af tegen een lugubere paarse lucht. Hely keek om en zag bij het maanlicht dat Harriet gespannen om zich heen keek in de zegge, die tot boven haar knieën kwam.

'Wat is er?' vroeg Hely. 'Iets kwijt?'

'Ik ben gestoken.'

Hely veegde met zijn pols over zijn bezwete voorhoofd. 'De trein komt pas over een uur langs,' zei hij.

Met vereende krachten tilden ze de kar op de rails. De passagierstrein naar Chicago zou weliswaar nog lang niet komen, maar ze wisten allebei dat er soms onverwachts goederentreinen passeerden. De plaatselijke goederentreinen, die bij het station stopten, kropen zo langzaam voort dat je ze hollend bijna voor kon blijven, maar de sneltreinen naar New Orleans stoven zo snel voorbij dat Hely – als hij met zijn moeder voor de spoorwegovergang op Highway Five stond te wachten – niet eens kon lezen wat er op de wagons stond.

Nu ze niet meer gehinderd werden door struikgewas schoten ze veel sneller op, zodat de kar hotsend op de bielzen ketste. Hely kreeg er pijn van aan zijn kiezen. Ze maakten een hoop herrie en hoewel er wel niemand in de buurt was om hen te horen, toch was hij bang dat ze zelf – met al dat kabaal en die kikkers – een aanstormende vrachttrein pas zouden horen als hij over hen heen reed. Hij hield onder het rennen zijn ogen op de rails gericht – half gehypnotiseerd door de onder zijn voeten weglopende vage stangen en zijn snelle, ritmische ademhaling – en begon zich net af te vragen of ze niet beter wat langzamer aan konden doen en toch de zaklantaarn moesten gebruiken, toen Harriet overdreven pufte en hij opkeek en met een zucht van verlichting in de verte een flikkerend rood neonlicht zag.

In de berm langs de snelweg gingen ze naast de kar op hun hurken zitten in stekelig hoog gras en gluurden naar de spoorwegovergang met het bord waarop stond STOP KIJK EN LUISTER. Een zacht windje blies in hun gezicht, fris en koel als regen. Als ze naar links de snelweg af keken – naar het zuiden, richting huis – konden ze in de verte nog net het Texaco-bord zien, en het roze en groene neonlicht van Jumbo's Drive-in. Hier waren de lichtjes meer verspreid: geen winkels, geen verkeerslichten of parkeerterreinen, alleen velden onkruid en schuren van golfplaat.

Ze schrokken op van een voorbijzoevende auto. Nadat ze naar links en naar rechts hadden gekeken om te zien of er verder niets aankwam, holden ze het spoor en de stille snelweg over. Met de hotsende kar, in de duisternis tussen hen in, staken ze een koeienwei over naar County Line Road. De County Line lag er verlaten bij, zo ver van de stad, voorbij de country club: omheinde weiden, afgewisseld met uitgestrekte braakliggende terreinen die door bulldozers waren vlakgeschraapt.

Een penetrante mestlucht woei Hely in het gezicht. Even later voelde hij iets weerzinwekkend glibberigs onder de zool van zijn gympje. Hij bleef staan.

'Wat is er?'

'Wacht even,' zei hij ongelukkig, terwijl hij zijn schoen aan het gras afschraapte. Er was geen verlichting, maar de maan scheen zo helder dat ze precies konden zien waar ze waren. Parallel met County Line Road liep een eenzame strook asfalt van een meter of twintig, die afbrak – een ventweg waarvan de bouw was stilgelegd toen de snelwegcommissie had besloten de Interstate aan de andere kant van de Houma te laten lopen, om Alexandria heen. Er groeide gras in het gebobbelde asfalt. Vóór hen vormde het verlaten viaduct een bleke boog over de County Line.

Ze gingen tegelijk weer verder. Eerst hadden ze de slang in de bossen willen verstoppen, maar hun belevenissen in Oak Lawn Estates stonden hun nog levendig voor de geest en ze huiverden bij de gedachte in het donker in dicht struikgewas rond te moeten lopen – zich een weg te moeten banen door bosjes, blindelings over weggerotte stronken te moeten stappen – en dat met een kist van meer dan twintig kilo. Ze hadden ook overwogen hem in of in de buurt van een van de pakhuizen te verstoppen, maar ook de verlaten pakhuizen, waarvan de ramen met triplex waren dichtgespijkerd, waren verboden terrein.

Bij het betonnen viaduct had je al die risico's niet. Vanuit Natchez Street was het gemakkelijk te bereiken als je de kortste weg nam, het liep in het volle zicht over County Line Road, het was afgesloten voor verkeer en lag zo ver van de stad dat er niet gauw werklieden, nieuwsgierige oudjes of kinderen kwamen.

Het viaduct was niet stabiel genoeg voor auto's – het was bovendien alleen bereikbaar met een Jeep – maar de rode kar rolde gemakkelijk de helling op toen Harriet hem van achteren duwde. Aan weerskanten stond een betonnen borstwering van bijna een meter hoog – waar je makkelijk achter weg kon duiken als er op de weg eronder een auto aankwam – maar toen Harriet er even overheen keek was het in beide richtingen donker. Erachter strekten zich weidse vlakten uit in de duisternis, met een witte sprankeling van lichtjes in de richting van de stad.

Toen ze bovenkwamen stond er een hardere wind: fris, gevaarlijk, prikkelend. Het wegdek en de borstwering waren bestoven met asgruis. Hely veegde zijn krijtwitte handen af aan zijn korte broek, knipte zijn zaklantaarn aan en liet het licht dansen over een aangekoekte ijzeren bak vol papierproppen, een scheefliggend B-2-blok, een berg cementzakken en een glazen fles met nog een dun, kleverig laagje oranje frisdrank erin. Harriet hield zich aan de muur vast en leunde voorover boven de donkere weg, als over de reling van een zeeschip. Haar haar waaide naar achteren en Hely vond dat ze er minder verdrietig uitzag dan eerder op de dag.

In de verte hoorden ze het langgerekte, spookachtige fluiten van een trein. 'Jee,' zei Harriet, 'het is toch nog geen acht uur?' Hely voelde zijn knieën knikken. 'Nee,' zei hij. Hij hoorde, ergens in de suizende duisternis, het razende geratel van de wagons, die over de rails rammelden naar de overgang van Highway Five, luider en luider en luider.

De fluit gilde, dichterbij ditmaal, en de goederentrein passeerde met een langgerekt *woesj* terwijl zij hem nakeken over de rails waar ze nog geen kwartier daarvoor de kar over hadden geduwd. De echo van het waarschuwingssignaal vibreerde grimmig in de verte. Aan de andere kant van de rivier, tussen de dikke wolken in het oosten, zigzagde een stille, kwikblauwe bliksemschicht.

'We zouden hier vaker moeten komen,' zei Harriet. Ze keek niet naar de lucht, maar naar de plakkerige zwarte plas asfalt die door de tunnel onder hun voeten liep; en al stond Hely achter haar, het was haast of ze niet verwachtte dat hij haar verstond, alsof ze tegen de overlaat van een stuwdam leunde, doof voor alles behalve het water, terwijl er schuim in haar gezicht waaide.

Ze schrokken op van de slang die in zijn kist bonkte. 'Toe maar,' zei Harriet met een mal, liefkozend stemmetje, 'ga maar lekker liggen...' Samen tilden ze de kist op en zetten hem klem tussen de borstwering en de stapel cementzakken. Harriet knielde op de grond tussen de rondslingerende ingedrukte bekertjes en sigarettenfilters die de werklieden hadden achtergelaten, en probeerde een lege cementzak onder de stapel uit te trekken.

'We moeten opschieten,' zei Hely. De hitte drukte op hem als een kriebelige klamme deken en zijn neus jeukte van het cement, het hooi op de weilanden en de statische elektriciteit in de lucht.

Harriet wurmde de lege zak los, die bleef vastzitten en in de avondlucht opwapperde als de spookachtige vlag van een maanexpeditie. Ze trok hem vlug omlaag en liet zich achter de barricade van cement vallen. Hely liet zich naast haar vallen. Met hun hoofden bij elkaar spanden ze de zak over de kist van de slang en legden brokken cement op de randen om te voorkomen dat hij zou wegwaaien.

Wat zouden de volwassenen aan het doen zijn, vroeg Hely zich af, daar in de stad, opgesloten in hun huizen: hun kasboek bijhouden, televisie kijken, hun cockerspaniëls borstelen? De avondwind was fris, verkwikkend en eenzaam; nog nooit had hij zich zo ver van de bekende wereld verwijderd gevoeld. Gestrand op een verlaten planeet... wapperende vlaggen, militaire begrafenis voor de gesneuvelden... geïmproviseerde kruisen in de aarde. Aan de horizon de schaarse lichtjes van een onbekende nederzetting: vijandig, waarschijnlijk, vijanden van de Federatie. *Kom niet in de buurt van de bewoners*, zei de strenge stem in zijn hoofd. *Dat zou de dood van jou en het meisje betekenen.*

'Hier kan hij blijven,' zei Harriet terwijl ze opstond.

'Hier is hij veilig,' zei Hely met de lage stem van een ruimtecommandant.

'Slangen hoeven niet iedere dag te eten. Ik hoop alleen dat hij goed heeft gedronken voor hij wegging.'

Er flitste bliksem – fel ditmaal, met een scherpe knal. Bijna tegelijkertijd klonk gegrom van de donder.

'Zullen we de lange weg terug nemen?' vroeg Hely terwijl hij het haar uit zijn ogen streek. 'Over de weg.'

'Waarom?' zei ze, en toen hij geen antwoord gaf: 'De trein uit Chicago komt voorlopig nog niet.'

Hely schrok van haar felle blik. 'Hij komt over een halfuur.'

'Dat halen we wel.'

'Doe maar wat je niet laten kan,' zei Hely, en hij was blij dat zijn stem stoerder klonk dan hij zich voelde. 'Maar ik ga over de weg.'

Stilte. 'Wat wil je met het karretje doen?' vroeg ze.

Hely dacht even na. 'Hier laten, denk ik.'

'Open en bloot?'

'Nou en?' zei Hely. 'Ik speel er toch niet meer mee.'

'Straks vindt iemand het.'

'Hier komt toch niemand.'

Ze renden de betonnen helling af – dat was leuk, wind in hun haar – en door de vaart die ze kregen waren ze al halverwege het donkere weiland voordat ze buiten adem raakten en op een drafje verder gingen.

'Het gaat zo regenen,' zei Harriet.

'Nou en,' zei Hely. Hij voelde zich onoverwinnelijk: hoogste officier, veroveraar van de planeet. 'Kijk, Harriet,' zei hij wijzend

naar een luxe lichtreclame die zachtjes opgloeide in een maan-
landschap van platgewalste klei op het land aan de andere kant. Er
stond:

Heritage Groves
Wonen in de toekomst

'Dat wordt wel een klotetoekomst,' zei Hely.

Ze holden langs de berm van Highway Five (Hely gespitst op de
gevaren: misschien had zijn moeder wel zin gekregen in ijs en aan
zijn vader gevraagd om voor sluitingstijd nog even naar Jumbo te
rijden), wegduikend achter lantaarns en vuilnisbakken. Zodra het
kon namen ze de donkere zijstraten en volgden die naar het plein
en Cinema Pix.

'De hoofdfilm is op de helft,' zei een meisje met een glimmend
gezicht achter het loket, dat hen over de rand van haar poeder-
doosje aankeek.

'Geeft niet.' Hely schoof zijn twee dollar onder het glazen ruitje
door en deed een stap achteruit – hij zwaaide met zijn armen, zijn
benen trilden van de zenuwen. Hij had helemaal geen zin om de
tweede helft van een film over een pratende Volkswagen uit te zitten. Net toen het meisje haar poederdoos dichtklikte en haar sleu-
telring pakte om uit haar hokje te komen en de deur voor hen te
openen, klonk er in de verte een stoomfluit: de trein van 20.47 uur
naar New Orleans, op weg naar het station van Alexandria.

Hely gaf Harriet een stomp tegen haar schouder. 'We moeten
een keer meeliften naar New Orleans. Een andere keer.'

Harriet keerde zich van hem af, sloeg haar armen over elkaar en
keek naar de straat. De donder gromde in de verte. Aan de overkant klapperde de luifel van de ijzerwinkel in de wind en over de
stoep scheerden en buitelden stukken papier.

Hely keek naar de lucht en stak zijn hand uit. Net toen het meisje de sleutel in het slot van de glazen deur stak spatte er een regen-
druppel op zijn voorhoofd.

'Kan jij met de Trans Am rijden, Gum?' vroeg Danny. Hij stond
stijf van de speed en zijn grootmoeder zag er in haar rode bloeme-
tjesduster net zo stekelig uit als een oude cactus: gebloemd, zei hij
bij zichzelf terwijl hij naar haar opkeek uit de stoel waarin hij zat,
een rode bloem van papier.

En Gum stond – als een cactus – een ogenblik te vegeteren,

toen hapte ze naar adem en zei met haar stekelige stem: 'Rijden is het punt niet. Hij ligt alleen zo laag op de weg. Met m'n reuma.'

'Nou, ik kan het niet.' Danny moest even stoppen om na te denken en opnieuw te beginnen – 'ik kan je wel naar je jury rijden als je wil, maar die auto is en blijft laag op de weg.' Alles had de verkeerde hoogte voor zijn grootmoeder. Als de pick-up het wel deed klaagde ze dat de cabine te hoog zat.

'O,' zei Gum rustig, 'ik vind het wel best als jij me brengt, jongen. Je mag best eens wat doen met dat dure vrachtwagenrijbewijs van je.'

Heel, heel langzaam strompelde ze, met dat lichte, bruine klauwachtige pootje op Danny's arm, naar de auto – over de harde aarde van het erf, waar Farish in zijn tuinstoel een telefoon uit elkaar zat te halen, en Danny bedacht (in een helle flits, zoals dat weleens gebeurde) dat al zijn broers – hijzelf incluis – het wezen der dingen konden zien. Curtis zag het goede in mensen, Eugene zag Gods aanwezigheid in de wereld, dat alles zijn eigen doel en aangewezen plaats had, Danny zag wat anderen dachten en waarom ze bepaalde dingen deden, en soms – het kwam door de drugs dat hij dat dacht – soms kon hij een beetje in de toekomst kijken. En Farish had – tenminste vóór zijn ongeluk – nog beter dan de anderen het wezen der dingen kunnen zien. Hij begreep macht en verborgen mogelijkheden, van mensen, van situaties. Maar die diepe kennis van hoe dingen werkten was op een of andere manier verdrongen door de neiging om dingen uit elkaar te halen – of het nu apparaten waren of de dieren in de prepareerschuur. Als Farish tegenwoordig nog ergens belangstelling voor had moest hij het opensnijden en op de grond uitstallen om er zeker van te zijn dat er niets bijzonders in verborgen zat.

Gum hield niet van de radio, daarom reden ze in stilte naar de stad. Danny was zich bewust van alle stukjes metaal in de bronskleurige carrosserie van de auto, die in harmonie bromden.

'Nou,' zei ze kalm, 'ik was van het begin af aan al bang dat het nooit niks zou worden met dat baantje van vrachtrijder.'

Danny zweeg. De vrachtrijderperiode, voordat hij voor de tweede keer voor een misdaad was gearresteerd, was de gelukkigste tijd van zijn leven geweest. Hij ging toen veel uit, speelde 's avonds gitaar, in de vage hoop een band op te richten, en vrachtrijden leek hem behoorlijk saai en gewoontjes vergeleken bij de toekomst die hij voor zichzelf had uitgestippeld. Maar als hij er nu op terugkeek – nog maar een paar jaar geleden, al leek het wel een heel leven – waren het de dagen in de vrachtauto's en niet de avonden in de cafés waaraan hij met weemoed terugdacht.

Gum zuchtte. ''t Is misschien maar goed ook,' zei ze met haar iele, zwakke oude stem. 'Je zou tot je dood op die ouwe truck hebben gereden.'

Beter dan hier thuis vastzitten, dacht Danny. Zijn grootmoeder had hem altijd het gevoel gegeven dat het dom van hem was die baan leuk te vinden. 'Danny verwacht niet veel van het leven,' verkondigde ze overal toen hij door het expeditiebedrijf was aangenomen. 'Het is maar goed ook dat je niet te veel verwacht, Danny, dan krijg je nooit geen teleurstellingen.' Dat was de belangrijkste levensles die ze haar kleinzoons had ingeprent: niet te veel van de wereld verwachten. Het leven was keihard, het was ieder voor zich (om haar lijfspreuken aan te halen). Als haar jongens het waagden te veel te verwachten of het te hoog in hun bol kregen, werd hun hoop meteen onderuitgehaald en vertrapt. Danny vond het maar een les van niks.

'Dat heb ik ook tegen Ricky Lee gezegd.' Korstjes en wondjes en verschrompelde zwarte aderen op de rug van haar handen, zelfingenomen op haar schoot gevouwen. 'Toen hij die basketbalbeurs kreeg voor de Delta State, moest hij 's avonds gaan werken én nog leren en trainen ook, allemaal om zijn boeken te betalen. Ik zeg: "Ik vind 't vreselijk dat jij zoveel harder moet werken dan al die anderen, Ricky. Alleen om je door een stel lummelende rijkeluiskinderen die meer hebben als jij voor gek te laten zetten."'

'Precies,' zei Danny, toen het tot hem doordrong dat zijn grootmoeder een reactie van hem verwachtte. Ricky Lee had de beurs niet aangenomen; het was Gum en Farish gelukt om hem samen zo af te zeiken dat hij hem had afgeslagen. En waar zat Ricky nu? In de bak.

'Al die moeite. Doorleren en nachtdiensten draaien, alleen om een potje te ballen.'

Danny zwoer dat Gum de volgende dag zelf maar naar de rechtbank moest rijden.

Toen Harriet die ochtend wakker werd en naar het plafond keek duurde het even voor ze wist waar ze was. Ze kwam overeind – ze had weer in haar kleren geslapen, met vieze voeten – en ging naar beneden.

Ida Rhew hing in de tuin de was op. Harriet bleef naar haar staan kijken. Ze overwoog om boven in bad te gaan – ongevraagd

– om Ida een plezier te doen, maar besloot het niet te doen: als ze zich ongewassen, in de vuile kleren van de vorige dag, vertoonde zou het Ida wel duidelijk worden dat het van levensbelang was dat ze bleef. Neuriënd, met haar mond vol wasknijpers, bukte Ida zich naar haar mand. Ze maakte geen bezorgde of bedroefde indruk, leek alleen in gedachten.

'Ben je ontslagen?' vroeg Harriet terwijl ze haar nauwlettend gadesloeg.

Ida schrok, haalde de wasknijpers uit haar mond. 'Ook goeiemorgen, Harriet!' zei ze vriendelijk op een onpersoonlijke, opgewekte toon, zodat Harriet de moed in de schoenen zonk. 'Wat ben jij vies, kind. Ga je wassen, vooruit.'

'Ben je ontslagen?'

'Nee, ik ben niet ontslagen. Ik heb besloten,' zei Ida terwijl ze weer verderging, 'ik heb besloten dat ik bij mijn dochter in Hattiesburg ga wonen.'

Er kwetterden mussen boven Harriets hoofd. Ida schudde met luid geklapper een nat kussensloop uit om aan de waslijn te hangen. 'Dat heb ik besloten,' zei ze. 'Het wordt tijd.'

Harriets mond was droog. 'Hoe ver is Hattiesburg?' vroeg ze, al wist ze ook zonder antwoord al dat het vlak bij de Golf van Mexico lag – honderden kilometers ver weg.

'Ver in het zuiden. Bij al die dennenbomen met die lange naalden! Ik ben er lang genoeg geweest, je hebt me niet meer nodig,' zei Ida – achteloos, alsof ze zei tegen Harriet dat het genoeg was geweest en ze geen lekkers of cola meer mocht. 'Ik was maar een paar jaar ouder dan jij toen ik trouwde. En een kind kreeg.'

Harriet was geschokt en gekwetst. Ze had een hekel aan baby's – dat wist Ida heel goed.

'Ja, Ida.' Diep in gedachten hing Ida nog een blouse aan de lijn. 'Alles verandert. Ik was pas vijftien toen ik met Charley T. trouwde. Straks ben jij ook getrouwd.'

Het had geen zin om ertegen in te gaan. 'Gaat Charley T. mee?'

'Natuurlijk.'

'Wil hij mee?'

'Daar ga ik van uit.'

'Wat is daar voor werk?'

'Voor wie, voor mij of voor Charley?'

'Voor jou.'

'Dat weet ik niet. Voor iemand anders werken, denk ik. Op andere kinderen passen, of baby's.'

Het idee dat Ida – Ida! – haar in de steek liet voor een kwijlende baby!

'Wanneer ga je weg?' vroeg ze koeltjes.

'Volgende week.'

Er viel niets meer te zeggen. Uit Ida's manier van doen bleek duidelijk dat ze geen behoefte had aan een verder gesprek. Harriet bleef nog even naar haar staan kijken – terwijl Ida bukte naar de mand, kleren ophing, weer bukte naar de mand – en liep toen weg, door de tuin, in de lege, onwerkelijke zonneschijn. Toen ze naar binnen ging tripte haar moeder de keuken in – bleef bezorgd om haar heen hangen in haar Blauwe-Feeënnachtjapon – en probeerde haar een kus te geven, maar Harriet rukte zich los en liep stampvoetend de achterdeur uit.

'Harriet? Wat is er, liefje?' riep haar moeder haar zielig door de achterdeur na. 'Ben je soms boos op me... Harriet?'

Ida keek Harriet ongelovig aan toen ze voorbijstormde; ze haalde de knijpers uit haar mond. 'Antwoord je moeder,' zei ze op die toon waarvan Harriet anders altijd meteen bleef staan.

'Ik hoef niet meer naar jou te luisteren,' zei Harriet en ze liep door.

'Als je moeder Ida wil ontslaan,' zei Edie, 'kan ik haar niet tegenhouden.'

Harriet probeerde zonder succes Edies blik te vangen. 'Waarom niet?' zei ze ten slotte en – toen Edie zich weer met haar potlood over haar blocnote boog: 'Waaróm niet, Edie?'

'Daarom niet,' zei Edie, die probeerde te bedenken wat ze voor haar reisje naar Charleston moest meenemen. Haar marineblauwe pumps zaten het prettigst, maar ze stonden lang niet zo goed bij haar pastelkleurige zomermantelpakjes als de wit-met-blauwe. Ze was ook een beetje beledigd omdat Charlotte haar over zo'n belangrijke beslissing als het ontslag van een huishoudster niet had geraadpleegd.

Na een tijdje zei Harriet: 'Maar waaróm kan je haar niet tegenhouden?'

Edie legde haar potlood neer. 'Dat is niet aan mij, Harriet.'

'Niet aan jou?'

'Ze heeft mij niets gevraagd. Maak je nou maar geen zorgen, meisje,' zei Edie op een zonniger toon terwijl ze opstond om nog een kop koffie in te schenken, en legde verstrooid haar hand op Harriets schouder. 'Het komt allemaal best goed. Heus!'

Blij dat ze de kwestie zo vlot had opgelost ging Edie weer zitten met haar koffie en zei, na een voor haar gevoel vredige stilte: 'Ik wou dat ik een paar van die prettige *no-iron* mantelpakjes had voor ons uitstapje. Ik heb er wel een paar, maar die zijn versleten en linnen is niet praktisch op reis. Ik kán natuurlijk een kledinghoes achter in de auto hangen.' Ze keek niet naar Harriet maar naar een punt ergens boven haar hoofd, en was alweer in gedachten verzonken, zonder dat ze Harriets rode gezicht en haar vijandige, uitdagende blik had opgemerkt.

Een paar tellen later – van gepeins, voor Edie – kwamen er krakend voetstappen de achterveranda op. 'Hallo!' Een schimmige gestalte – hand boven de ogen – tuurde door de hordeur. 'Edith?'

'Asjemenou,' riep een andere stem, zwak en vrolijk. 'Is dat Harriet, die bij je is?'

Voordat Edie kon opstaan sprong Harriet op en vloog naar de achterdeur – langs Tat, naar Libby op de veranda.

'Waar is Adelaide?' vroeg Edie aan Tat, die over haar schouder naar Harriet lachte.

Tat zei met een smalende blik: 'Ze moest even naar de winkel voor een pot Sanka.'

'Och, och,' zei Libby ondertussen op de achterveranda met een lichtelijk gesmoorde stem. 'Harriet, toch! Wat een heerlijk welkom...'

'Harriet,' riep Edie vinnig, 'niet zo aan Libby hángen.'

Ze wachtte en luisterde. Op de veranda hoorde ze Libby zeggen: 'Is er iets, engeltje?'

'Lieve hemel,' zei Tatty. 'Staat dat kind te huilen?'

'Hoeveel betaal jij Odean per week, Libby?'

'Goeie genade! Waarom vraag je dat?'

Edie stond op en liep met grote stappen naar de hordeur. 'Dat gaat je niets aan, Harriet,' snauwde ze. 'Kom binnen.'

'O, ik vind het niet erg,' zei Libby terwijl ze haar arm losmaakte, haar bril rechtzette en Harriet beduusd aankeek met een onschuldige, argeloze blik.

'Je grootmoeder bedoelt' – zei Tat, die achter Edie aan de veranda op kwam: het was van kindsaf aan haar taak geweest Edie's bitse bevelen en besluiten tactvol te herformuleren – 'wat ze bedoelt, is, Harriet, dat het niet beleefd is om vragen te stellen over geld.'

'Mij kan het niets schelen,' zei Libby loyaal. 'Ik betaal Odean vijfendertig dollar per week, Harriet.'

'Moeder betaalt Ida maar twintig. Dat klopt niet, hè?'

'Nou,' zei Libby verschrikt, na een duidelijk onthutst zwijgen, 'ik weet het niet. Ik bedoel, je moeder heeft geen óngelijk, maar...'

Edie – die absoluut niet van plan was de ochtend te verspillen aan een gesprek over een ontslagen huishoudster – viel haar in de rede: 'Wat zit je haar leuk, Lib. Vinden jullie het ook niet mooi? Wie heeft het gedaan?'

'Mevrouw Ryan,' zei Libby terwijl ze geagiteerd haar hand naar haar slaap bracht.

'We zijn nu allemaal zo grijs,' zei Tatty gemoedelijk, 'dat je ons haast niet uit elkaar kunt houden, niet?'

'Vind jij Libby's haar niet mooi zitten?' vroeg Edie streng. 'Harriet?'

Harriet, die bijna in tranen was, keek boos weg.

'Ik ken een klein meisje dat ook weleens naar de kapper mag,' zei Tat schalks. 'Ga je nog steeds met je moeder naar de herenkapper, Harriet, of mag je al naar de schoonheidssalon?'

'Meneer Liberti kan het volgens mij net zo goed, en die vraagt nog niet eens de helft,' zei Edie. 'Je had tegen Adelaide moeten zeggen dat ze niet naar de winkel hoefde, Tat. Ik heb nog zo tegen haar gezegd dat ik al van die losse zakjes voor warme chocola voor haar heb ingepakt.'

'Dat héb ik ook gezegd, Edith, maar ze zegt dat ze niet tegen suiker kan.'

Gemaakt verbaasd, plagerig, deinsde Edie achteruit. 'Waarom niet? Wordt ze ook al wíld van suiker?' Adelaide weigerde sinds kort koffie en gaf dat als reden.

'Als zij Sanka wil zie ik geen reden waarom ze dat niet zou mogen.'

Edie snoof. 'Ik ook niet. Een wilde Adelaide, ik moet er niet aan denken.'

'Hè? Wie is er wild?' vroeg Libby geschrokken.

'O, wist je dat niet? Adelaide kan niet tegen koffie. Van koffie wordt ze wild.' Adelaide beweerde dat pas sinds kort, sinds haar domme vriendin mevrouw Pitcock het was gaan zeggen.

'Och, ik vind een kopje Sanka af en toe ook wel lekker,' zei Tat. 'Maar het hoeft niet per se. Ik kan heel goed zonder.'

'Nou ja, we gaan toch niet naar Belgisch Congo! In Charleston kun je ook Sanka krijgen, ze hoeft toch niet een hele bus in haar koffer mee te slepen!'

'Ik zie niet in waarom niet. Jij neemt toch ook chocola mee. Voor jezelf.'

'Je weet hoe vroeg Addie opstaat, Edith,' bracht Libby zorgelijk in het midden, 'en ze is bang dat de roomservice pas om een uur of zeven, acht begint.'

'Daarom heb ik die lekkere warme chocola ook ingepakt! Van een kop warme chocola zal Adelaide heus niets krijgen.'

'Het maakt mij niet uit wat ik krijg, maar warme chocola klinkt heerlijk! Denk je eens in,' zei Libby terwijl ze in haar handen klapte en zich naar Harriet wendde. 'Volgende week om deze tijd zitten we in Zuid-Carolina! Ik vind het zo spannend!'

'Ja,' zei Tat opgewekt. 'En het is fantastisch knap van je grootmoeder dat ze ons erheen rijdt.'

'Ik weet niet of het knap is, maar het zal me vast wel lukken om ons heelhuids heen en terug te brengen.'

'Ida Rhew heeft ontslag genomen, Libby,' gooide een doodongelukkige Harriet er haastig tussendoor, 'ze gaat de stad uit...'

'Ontslag?' vroeg Libby, die hardhorend was; ze keek smekend naar Edith, die meestal harder en duidelijker sprak dan anderen. 'Je moet echt iets langzamer praten, Harriet.'

'Ze heeft het over Ida Rhew die voor ze werkt,' zei Edie met haar armen over elkaar. 'Die gaat weg, en Harriet is ervan ondersteboven. Ik heb al gezegd dat alles altijd verandert, en dat mensen weggaan, zo is het leven nu eenmaal.'

Libby's gezicht betrok. Oprecht meelevend keek ze naar Harriet.

'Ach, wat jammer,' zei Tat. 'Je zult Ida straks wel missen, liefje, ze is al zo lang bij jullie.'

'Och,' zei Libby, 'maar het kind houdt van Ida! Je houdt toch van Ida, lieverd?' zei ze tegen Harriet, 'net zoals ik van Odean houd.'

Tat en Edie keken elkaar met een veelbetekenende blik aan en Edie zei: 'Jij houdt een beetje te veel van Odean, Lib.' Odeans luiheid was al heel lang een bron van vermaak voor Libby's zusters; Odean bleef altijd zitten, zogenaamd vanwege haar zwakke gezondheid, terwijl Libby haar iets koels te drinken gaf en de afwas deed.

'Maar Odean is al vijftig jaar bij me,' zei Libby. 'Ze is familie. Ze was nota bene in De Beproeving al bij me, en ze is niet gezond.'

Tat zei: 'Ze profiteert van je, Libby.'

'Lieverd,' zei Libby, die rood was geworden, 'vergeet niet dat Odean me het huis uit heeft gedragen toen ik longontsteking had en zo ziek was, die keer dat we op het platteland waren. Gedra-

gen! Op haar rug. Helemaal van De Beproeving naar Chippokes!'

Edie zei zuinig: 'Maar nu doet ze in ieder geval niet veel meer.'

Stil keek Libby Harriet lang aan met een vaste, medelijdende
blik in haar waterige oude ogen.

'Het is vreselijk om kind te zijn,' zei ze eenvoudig, 'altijd aan de
willekeur van anderen overgeleverd.'

'Wacht maar tot je groot bent,' zei Tatty bemoedigend terwijl ze
een arm om Harriets schouder legde. 'Dan heb je je eigen huis en
kan Ida Rhew bij jou komen wonen. Hoe vind je dat?'

'Onzin,' zei Edie. 'Ze komt er gauw genoeg overheen. Huishoudsters komen en gaan...'

'Ik kom er nooit meer overheen!' gilde Harriet, zodat ze allemaal schrokken.

Voordat iemand een woord kon uitbrengen schudde ze Tatty's
arm van zich af, draaide zich om en rende weg. Edie trok berustend haar wenkbrauwen op, als wilde ze zeggen: *Daarmee heb ik
nou al de hele ochtend te stellen.*

'Lieve help!' zei Tat ten slotte, terwijl ze met haar hand over
haar voorhoofd streek.

'Eerlijk gezegd,' zei Edie, 'is het volgens mij een vergissing van
Charlotte, maar ik ben het beu om daar altijd te moeten ingrij-
pen.'

'Je hebt altijd alles voor Charlotte gedaan, Edith.'

'Precies. En daarom weet ze niet hoe ze zelf iets moet doen.
Het wordt hoog tijd dat ze zich eens wat verantwoordelijker gaat
gedragen.'

'En de meisjes dan?' vroeg Libby. 'Hoe moet het daar nu mee
verder?'

Met een knikje in de richting waarin Harriet was weggegaan zei
Edie: 'Jij was nauwelijks ouder dan zij toen je De Beproeving
moest bestieren, Libby, en voor pappa en ons moest zorgen.'

'Dat is zo. Maar deze kinderen zijn anders dan wij vroeger,
Edith. Ze zijn gevoeliger.'

'Het maakte niet uit of we wel of niet gevoelig waren. We hadden geen keus.'

'Wat is er met dat kind?' vroeg Adelaide, die opgemaakt met
poeder en lippenstift en pas gepermanent haar de veranda op
kwam. 'Ze rende als een bliksemschicht de straat uit toen ik haar
tegenkwam, en vies dat ze was. En ze wilde niets tegen me zeggen.'

'Kom, we gaan naar binnen,' zei Edie, want het werd al warm.
'Ik heb een pot koffie klaarstaan. Voor wie het mag tenminste.'

'Lieve hemel,' zei Adelaide, die bleef staan om een bed met rozerode lelies te bewonderen, 'die bloeien dat het een lieve lust is!'

'Die zephyranthes? Die heb ik van het oude huis meegenomen.
Midden in de winter opgegraven en in potten gezet en de zomer
daarna kwam er maar één op.'

'Moet je ze nu zien!' Adelaide leunde over de rand.

'Moeder noemde ze altijd,' zei Libby terwijl ze over de balustrade van de veranda keek, 'moeder noemde ze altijd haar rozeregen-
lelies.'

'Zephyranthes heten ze eigenlijk.'

'Roze regen, zo noemde moeder ze. We hadden ze bij haar begrafenis, en tuberozen. Wat was het warm toen ze stierf...'

'Ik moet echt naar binnen,' zei Edie, 'ik krijg nog een zonnesteek. Als jullie zover zijn, ik zit binnen koffie te drinken.'

'Is het lastig om voor mij water op te zetten?' vroeg Adelaide.
'Ik kan niet tegen koffie, daar word ik...'

'Wild van?' Edie keek haar met een opgetrokken wenkbrauw
aan. 'Nee, een wilde Adelaide kunnen we niet hebben.'

Hely was de hele buurt doorgefietst maar Harriet was nergens te
bekennen. De vreemde sfeer bij haar thuis (zelfs vreemd voor
Harriets huis) maakte hem bang. Er had niemand opengedaan. Hij
was zomaar naar binnen gelopen en had Allison huilend aan de
keukentafel aangetroffen, terwijl Ida druk bezig was de vloer te
dweilen alsof ze het niet hoorde of zag. Ze hadden geen van beiden een woord gezegd. Het had hem koude rillingen bezorgd.

Hij besloot de bibliotheek te proberen. Toen hij de glazen deur
openduwde woei hem een vlaag kunstmatig gekoelde lucht tegemoet – het was altijd kil in de bibliotheek, 's zomers en 's winters.
Mevrouw Fawcett draaide zich met haar stoel bij de uitleenbalie
om en wuifde naar hem, met luid rinkelende armbanden.

Hely zwaaide terug en – voordat ze hem bij de lurven kon grijpen om hem over te halen zich voor de zomerleeswedstrijd in te
schrijven – liep zo snel als de beleefdheid toestond door naar de
leeszaal. Harriet zat met haar ellebogen op tafel onder een portret
van Thomas Jefferson. Voor haar lag het grootste boek opengeslagen dat hij ooit had gezien.

'Hoi,' zei hij terwijl hij zich in de stoel naast haar liet zakken.
Hij was zo opgewonden dat hij bijna niet zacht kon praten. 'Je

raadt het nooit. De auto van Danny Ratliff staat voor de rechtbank.'

Zijn blik viel op het enorme boekwerk – dat, zag hij nu, een boek van ingebonden kranten was – en zag tot zijn schrik op het vergeelde krantenpapier een gruwelijke, korrelige foto van Harriets moeder, met haar mond open en haar haar in de war, voor Harriets huis. 'Tragedie op moederdag', zo luidde de kop. Op de voorgrond duwde een wazige mannenfiguur een brancard achter in een auto, zo te zien een ambulance, maar je kon niet goed zien wat erop lag.

'Hé,' zei hij – luid, met zichzelf ingenomen – 'dat is jóúw huis.'

Harriet sloeg het boek dicht; ze wees naar het bordje waarop Stilte stond.

'Kom,' fluisterde Hely en hij gebaarde haar hem te volgen. Zonder iets te zeggen duwde Harriet haar stoel naar achteren en liep met hem mee naar buiten.

Hely en Harriet kwamen op het trottoir, in de hitte en het verblindende licht. 'Moet je horen, ik weet zeker dat het de auto van Danny Ratliff is,' zei Hely, terwijl hij zijn ogen met zijn hand afschermde. 'Er is maar één zo'n Trans Am in de stad. Als hij niet vlak voor de rechtbank geparkeerd stond zou ík een stuk glas onder zijn band leggen.'

Harriet dacht aan Ida Rhew en Allison, die op dit moment thuis, met de gordijnen dicht, naar hun stomme serie met spoken en vampiers zaten te kijken.

'Laten we die slang halen en in zijn auto stoppen,' zei ze.

'Vergeet het maar,' zei Hely, opeens nuchter. 'We kunnen hem niet helemaal hierheen halen op die kar. Dat ziet iedereen.'

'Waarom hebben we hem dan meegenomen?' zei Harriet verbitterd. 'Nou moeten we hem laten bijten ook.'

Ze bleven een tijdje op de trap van de bibliotheek staan zonder iets te zeggen. Uiteindelijk zei Harriet met een zucht: 'Ik ga weer naar binnen.'

'Wacht!'

Ze draaide zich om.

'Ik heb iets bedacht.' Hij had niets bedacht, maar voelde zich gedwongen iets te zeggen om zijn gezicht te redden. 'Ik dacht. Die Trans Am heeft een glazen dak. Zo'n dak dat open kan,' voegde hij eraan toe toen hij Harriets onbegrijpende uitdrukking zag. 'Wedden om een miljoen dollar dat hij over County Line Road moet om thuis te komen? Al die kinkels wonen die kant uit, bij de rivier.'

'Daar wóónt hij ook,' zei Harriet. 'Ik heb het opgezocht in het telefoonboek.'

'Perfect. Want de slang is al op het viaduct.'

Harriet trok een minachtend gezicht.

'Kom op,' zei Hely. 'Heb je dat niet op het nieuws gezien, laatst, van die kinderen in Memphis die op een viaduct stenen naar auto's stonden te gooien?'

Harriet fronste haar wenkbrauwen. Bij haar thuis keek niemand naar het nieuws.

'Het was een hele toestand. Er zijn twee mensen doodgegaan. Er kwam een kerel van de politie vertellen dat je van rijbaan moest veranderen als je kinderen naar beneden zag kijken. Kóm nou,' zei hij, terwijl hij hoopvol met de neus van zijn gympje tegen haar voet porde. 'Je doet nu toch niets. Laten we dan tenmínste even bij die slang gaan kijken. Ik wil hem nog een keer zien, jij niet? Waar is je fiets?'

'Ik ben lopend.'

'Geeft niet. Spring maar op het stuur. Jij mag heen op het stuur als ik terug op het stuur mag.'

Leven zonder Ida. Als Ida niet bestond, dacht Harriet terwijl ze in kleermakerszit op het stoffige, door de zon witgebleekte viaduct zat, dan zou ik me nu niet zo ellendig voelen. Ik hoef alleen maar te doen alsof ik haar nooit heb gekend. Niks aan.

Voor het huis zelf zou het weinig uitmaken als Ida wegging. Er waren altijd maar weinig sporen van haar bestaan geweest. Er stond een fles donkere Karo maïsstroop van haar in de provisiekast voor op haar broodjes, dan had je nog de rode plastic drinkbeker waar ze in de zomer 's ochtends altijd ijs in deed en die ze de hele dag overal meenam om van te drinken. (Harriets ouders hadden liever niet dat Ida uit de gewone keukenglazen dronk; bij die gedachte alleen al schaamde Harriet zich.) Verder had je het schort dat Ida altijd op de achterveranda hing, de snuifblikjes met zaailingen van tomaten en het moestuintje bij het huis.

Dat was alles. Ida werkte al Harriets hele leven bij hen. Maar als die paar bezittingen van Ida weg zouden zijn – de plastic beker, de snuifblikjes, de fles stroop – zou er niets meer zijn waaruit bleek dat ze er ooit was geweest. Toen dat tot Harriet doordrong voelde ze zich oneindig veel ellendiger. Ze stelde zich het verlaten moestuintje voor, vol onkruid.

Ik zal het verzorgen, hield ze zich voor. Ik bestel zaden via bonnen achter op tijdschriften. Ze zag zichzelf al met een strohoed op en in een tuinkiel zoals de bruine kiel die Edie altijd droeg, terwijl ze hard op de bovenkant van een schop trapte. Edie kweekte bloemen: zou dat heel anders zijn dan groente? Edie kon het haar leren, Edie zou wel blij zijn dat ze belangstelling kreeg voor iets nuttigs....

De rode handschoenen schoten haar weer te binnen en bij die gedachte welden angst en verwarring en leegte in haar op, die als een krachtige golf in de hitte over haar heen spoelden. Het enige cadeautje dat Ida haar ooit had gegeven, en dat was ze kwijt... Nee, hield ze zich voor, je vindt die handschoenen heus wel, denk er nu maar niet aan, denk aan iets anders...

Waaraan? Hoe ze ooit een beroemde, met prijzen overladen botanist zou worden. Ze zag zichzelf als George Washington Carver in een witte laboratoriumjas tussen rijen bloemen lopen. Ze zou een briljant geleerde worden, maar toch bescheiden, iemand die geen geld aannam voor haar ontelbare geniale uitvindingen.

Bij daglicht zag alles er anders uit vanaf het viaduct. De weilanden waren niet groen maar dor en bruin, met stoffige rode plekken waar het vee het had kaalgetrapt. Langs het prikkeldraad woekerde de kamperfoelie, verstrengeld met gifsumak. Daarachter een ongebaande lege vlakte, niets dan het geraamte van een schuur – grijze planken, roestig zink – net een gestrand schip.

De schaduw van de opgestapelde zakken cement was verrassend donker en koel – en het cement zelf voelde ook koel aan haar rug. Mijn hele leven blijf ik me deze dag herinneren, hoe ik me voel, dacht ze. Aan de andere kant van de heuvel, uit het zicht, dreunde monotoon een landbouwmachine. Erboven zweefden drie gieren, als zwarte vliegers in de wolkeloze lucht. De dag dat ze Ida verloor zou altijd beheerst worden door die zwarte vleugels die door de strakblauwe lucht gleden, door schaduwloze weilanden en lucht als droog glas.

Tegenover haar zat Hely – in kleermakershouding in het witte stof – zijn rug tegen de borstwering een stripboek te lezen, met op het omslag een gevangene die in een gestreept gevangenispak op handen en knieën over een begraafplaats kroop. Hij leek half in slaap, al had hij een poosje – ongeveer een uur – ingespannen uitgekeken, op zijn knieën, en *sst! sst!* gesist telkens als er een vrachtwagen voorbijkwam.

Ze dwong zich in gedachten terug te gaan naar haar moestuin. Het zou de mooiste tuin van de wereld worden met vruchtbomen en sierheggen en in patronen geplante kolen: op den duur zou de hele tuin erdoor worden ingenomen, en die van mevrouw Fountain erbij. Passanten zouden hun auto parkeren en vragen of ze rondgeleid konden worden. De Ida Rhew Brownlee Tuinen... nee, dat leek meer op een gedenkteken, dacht ze vlug, net of Ida dood was.

Opeens dook een van de gieren; alsof ze door een en hetzelfde vliegertouw werden binnengehaald, doken de andere twee hem na om een vermorzelde veldmuis of marmot te verslinden waar de tractor overheen was gereden. In de verte naderde een auto, onscherp in de trillende lucht. Harriet hield beide handen boven haar ogen. Een tel later zei ze: 'Hely!'

Het stripboek vloog door de lucht. 'Weet je het zeker?' vroeg hij terwijl hij overeind krabbelde om te kijken. Het was al twee keer vals alarm geweest.

'Het is hem,' zei ze en ze liet zich op handen en knieën vallen om door het witte stof naar de muur aan de andere kant te kruipen, naar de kist die op vier zakken cement lag.

Hely tuurde naar de weg. Er schemerde een auto in de verte, in een zinderend waas van uitlaatgassen en stof. Hij leek niet hard genoeg te rijden voor de Trans Am, maar net toen hij dat wilde zeggen weerkaatste de zon blikkerend op de motorkap in een harde, metaalachtige bronskleur. Uit de trillende luchtspiegeling schoot de grijns van een grille tevoorschijn: een blinkende haaienbek, onmiskenbaar.

Hij dook achter de muur weg (de Ratliffs hadden pistolen bij zich; dat herinnerde hij zich nu pas) en kroop naar Harriet om haar te helpen. Samen draaiden ze de kist zo dat het gaas naar de weg toe stond. Toen het erop aankwam, bij het eerste valse alarm, om blindelings voor het gaas langs te reiken en de grendel los te schuiven, waren ze al als verlamd geweest: ze hadden zenuwachtig staan schutteren terwijl de auto onder hen door schoot. Nu zat de grendel losser en hadden ze een lollystokje klaarliggen om hem open te duwen zonder hem aan te raken.

Hely keek om. De Trans Am kwam op hen af – onrustbarend langzaam. *Hij heeft ons gezien; dat kan niet anders.* Maar de auto stopte niet. Zenuwachtig keek hij naar de kist, die boven hun hoofd stond.

Harriet, die hijgde alsof ze astmatisch was, keek om. 'Goed...' zei ze, 'daar gaan we, een, twee...'

De auto verdween onder de brug, ze schoof de grendel open en opeens verliep alles in slowmotion toen ze samen, met één zet, de kist kantelden. Terwijl de cobra glibberde en gleed, met zijn staart sloeg in een poging weer omhoog te komen, schoten er allerlei gedachten tegelijk door Hely's hoofd: de belangrijkste was hoe ze weg moesten komen. Zouden ze hem voor kunnen blijven? Want hij zou vast en zeker de auto stilzetten – elke gek zou dat doen als er een cobra op het dak van zijn auto viel – en ze achterna komen.

Het beton dreunde onder hun voeten net toen de cobra eruit gleed en door de lucht viel. Harriet stond op, met haar handen op de balustrade en een gezicht dat net zo hard en gemeen stond als dat van een jongen uit een hogere klas. 'Bommen los,' zei ze.

Ze leunden over de balustrade om te kijken. Hely was duizelig. Kronkelend viel de cobra door de lucht, schoot op het asfalt onder hen af. Mis, dacht hij, neerkijkend op de lege weg, en net op dat moment kwam de Trans Am – met het glazen dak open – onder hun voeten tevoorschijn, pal onder de vallende slang...

Een paar jaar daarvoor had Pem honkballen naar Hely gegooid in de straat voor het huis van hun grootmoeder: een oud huis met een moderne aanbouw – bijna helemaal van glas – aan Parkway in Memphis. 'Als je hem door die ruit mikt,' zei Pem, 'krijg je van mij een miljoen.' 'Oké,' zei Hely en sloeg zonder nadenken en raakte de bal *pats* zonder er ook maar naar te kijken, en hij sloeg zo ver dat zelfs Pems mond openviel toen de bal over zijn hoofd ver, heel ver door vloog, in een rechte lijn, zonder van zijn koers af te wijken tot hij, *beng,* insloeg: midden in de serreruit en zowat in de schoot van zijn grootmoeder, die aan de telefoon was – met Hely's vader, bleek later. Het was een onwaarschijnlijke treffer, een kans van één op een miljoen; Hely was niet goed in honkbal, hij werd altijd als laatste van de niet-homo's en niet-debielen voor een team gekozen; nog nooit had hij zo'n hoge, rake, trefzekere slag gegeven, en het slaghout was op de grond geknald terwijl hij verbaasd naar de gave, zuivere boog keek, die recht afging op het middelste paneel van zijn grootmoeders glazen serre...

En het gekke was, hij had gewéten dat die bal door de ruit van zijn grootmoeder zou gaan, had het geweten op het moment dat hij de bal hard tegen het slaghout voelde komen; terwijl hij stond te kijken hoe de bal als een geleid projectiel op de middelste ruit afsuisde had hij geen tijd gehad voor andere gevoelens dan de meest intense blijdschap, en een paar ademloze hartslagen lang (tot vlak voordat de bal door de ruit ging, dat onmogelijke, verre doelwit) waren Hely en de honkbal één geworden; het was of hij de bal met zijn gedachten stuurde, of God om een of andere reden op dat vreemde moment had besloten hem volledige mentale controle te geven over het onbezielde voorwerp dat op topsnelheid naar het onvermijdelijke doel vloog, *doing, kledderum, banzai...*

Ondanks alles wat erop volgde (tranen, slaag) bleef het een van de bevredigendste momenten van zijn leven. En met hetzelfde ongeloof – dezelfde schrik en vervoering, hetzelfde verblufte ontzag voor alle onzichtbare krachten in de kosmos die in harmonie en op dit ene onmogelijke tijdstip samenwerkten – keek Hely toe toen de anderhalve meter lange cobra scheef deels op het dak neerkwam, waardoor de topzware staart steil de Trans Am in gleed en de rest van de slang meetrok.

Hely – die zich niet meer in kon houden – sprong op en stootte zijn vuist omhoog: 'Yés!' Joelend en dansend als een duivel greep hij Harriets arm en schudde eraan, opgetogen wijzend naar de Trans Am, die piepend remde en naar de overkant van de weg slipte. Zachtjes, in een wolk van stof, gleed de auto naar de berm van kiezel, en de steentjes knerpten onder de banden.

Toen stond hij stil. Voordat ze zich konden verroeren of iets konden zeggen ging het portier open en tuimelde niet Danny Ratliff naar buiten, maar een uitgemergeld mummieachtig wezen: breekbaar, geslachtsloos, gekleed in een weerzinwekkend mosterdgeel broekpak. Machteloos klauwde het naar zichzelf, strompelde de snelweg op, bleef staan en deed een paar struikelende stappen de andere kant uit. *Aa-ieieieie,* kermde het. De kreten klonken iel en merkwaardig slap als je bedacht dat de cobra zich vastklemde aan de schouder van het wezen: een anderhalve meter lang massief zwart lijf dat aan het schild bungelde (boosaardig brilteken duidelijk zichtbaar) en eindigde in een smalle en schrikwekkend beweeglijke zwarte staart, die een donderwolk van rood stof opzwiepte.

Harriet stond als aan de grond genageld. Hoewel ze zich dit moment duidelijk genoeg had voorgesteld, gebeurde het allemaal op een bepaalde manier verkeerd om, als door het dunne uiteinde van de telescoop – de kreten ver en onmenselijk, de gebaren vlak, verkleind en vol van een bizarre, gestileerde afschuw. Stoppen – het speelgoed opruimen, het schaakbord omgooien en opnieuw beginnen – kon niet meer.

Ze draaide zich om en rende weg. Achter haar een ratelend geluid en een vlaag wind en het volgende moment zeilde Hely's fiets voorbij, stuiterde de oprit op en stoof weg over de snelweg – nu was het ieder voor zich, Hely die als een van de Gevleugelde Apen uit *De Tovenaar van Oz* voorovergebogen zat en als een bezetene trapte.

Harriet rende met bonkend hart, de zwakke kreten van het wezen (*aiii – aiii*) echoden betekenisloos in de verte. De hemel laaide op, hel en barbaars. De vluchtstrook af, daar, op het gras, langs dat hek met het bordje VERBODEN TOEGANG en al half over de wei. Ze hadden op iets gemikt en ze hadden iets geraakt in het peilloze licht buiten het viaduct, maar dat was niet zozeer de auto zelf als wel een punt waarna er geen weg meer terug was: de tijd was nu een achteruitkijkspiegel, het verleden vloog achteruit naar het verdwijnpunt. Door te rennen kwam ze weliswaar vooruit, kon ze misschien zelfs thuiskomen, maar kon ze niet terug; geen tien minuten, geen tien uur, geen tien jaar of tien dagen. Pech gehad, zoals Hely zou zeggen. Pech: want de weg die ze wilde nemen was de weg terug, en het verleden de enige plaats waar ze wilde zijn.

Verheugd glipte de cobra het hoge gras van de koeienwei in, een hitte en begroeiing in die veel weg hadden van die van zijn geboorteland, en tegelijk de mythen en legenden van de stad in. In India had de slang aan de rand van dorpen en bebouwd gebied gejaagd (om in de schemering in graanbakken te glippen, ratten te eten) en hij had zich aangepast aan de schuren, maïsbakken en afvalcontainers van zijn nieuwe thuis. Nog jaren later zouden boeren, jagers en dronkelappen de cobra in het vizier krijgen, zouden sensatiezoekers op hem jagen om hem te fotograferen of te doden en zouden vele, vele verhalen over raadselachtige sterfgevallen rondom zijn stille, eenzame levenspad hangen.

'Waarom was je niet bij haar?' vroeg Farish in de wachtkamer van de intensive care. 'Dat wil ik wel 'es weten. Ik dacht dat jij haar thuis zou brengen.'

'Hoe kon ik nou weten dat ze eerder klaar was? Ze had naar de Poolhal moeten bellen. Toen ik om vijf uur weer bij de rechtbank kwam, was ze al weg.' En zat ik zonder vervoer, wilde Danny eigenlijk zeggen, al deed hij dat niet. Hij had naar de autowasserij moeten lopen om te kijken of Catfish hem thuis kon brengen.

Farish ademde snuivend in en uit, zoals altijd als hij driftig begon te worden. 'Oké, maar dan had je daar op haar moeten wachten.'

'Bij de rechtbank? Buiten in de auto? De hele dag?'

Farish vloekte. 'Had ik haar zelf maar gebracht,' zei hij terwijl hij zich omdraaide. 'Ik had kunnen weten dat er zoiets zou gebeuren.'

'Farish,' begon Danny, maar deed er toen het zwijgen toe. Het was beter Farish er niet aan te herinneren dat hij niet kon rijden.

'Waarom heb je haar verdomme niet met de pick-up gebracht?' snauwde Farish. 'Nou?'

'Ze zei dat de pick-up te hoog voor haar was. *Te hoog*,' herhaalde Danny toen Farish wantrouwend fronste.

'Ik versta je wel,' zei Farish. Hij keek Danny een onbehaaglijk moment lang aan.

Gum lag op de intensive care aan twee infusen en een hart-longmonitor. Ze was door een passerende vrachtwagenchauffeur binnengebracht. Die kwam daar toevallig net op tijd langs om het verbijsterende schouwspel te zien van een oude vrouw die met een koningscobra aan haar schouder gekleefd over de snelweg strompelde. Hij had de wagen aan de kant gezet, was eruit gesprongen en had met een twee meter lang stuk irrigatiepijp van buigzaam plastic uit zijn vrachtwagen naar het beest gemept. Toen hij het van haar af had geslagen was de slang meteen in het on-kruid weggeschoten – maar er was geen twijfel mogelijk, zei hij tegen de arts van de eerste hulp toen hij Gum binnenbracht, dat het een cobra was, met gespreid schild en brilteken en al. Hij wist hoe ze eruitzagen, zei hij, van het plaatje op zijn doosje hagelkorrels.

'Het is net als met die gordeldieren en die agressieve Afrikaanse bijen,' vertelde de vrachtwagenchauffeur – een kleine, stevige kerel met een breed, rood, opgewekt gezicht – toen dokter Breedlove in het hoofdstuk Giftige Reptielen van zijn handboek voor interne geneeskunde zocht. 'Die slangen worden dol en komen uit Texas hierheen kruipen.'

'Als het waar is wat u zegt,' zei dokter Breedlove, 'moet hij van veel verder komen dan Texas.'

Dokter Breedlove kende mevrouw Ratliff uit zijn jaren bij de eerste hulp, waar ze een vaste klant was. Een van de jongere broeders kon een aardige imitatie van haar weggeven: hand op de borst gedrukt, terwijl ze strompelend op weg naar de ziekenwagen haar kleinzoons nog amechtig instructies gaf. Het cobraverhaal leek klinkklare onzin maar – hoe ongelooflijk het ook klonk – de symptomen van de oude vrouw kwamen overeen met een cobrabeet, en helemaal niet met de beet van een inheems reptiel.

Haar bovenste oogleden begonnen te hangen, haar bloeddruk was laag, ze klaagde over pijn op de borst en benauwdheid. Er was geen opvallende zwelling rond de beet, zoals bij de beet van een ratelslang. Het dier had kennelijk niet ver doorgebeten. De schoudervulling van haar broekpak had voorkomen dat de slang zijn giftanden te diep in haar schouder zette.

Dokter Breedlove waste zijn grote roze handen en ging de gang op om met het clubje kleinzoons te praten dat narrig voor de intensive-careafdeling stond.

'Ze vertoont neurotoxische symptomen,' zei hij. 'Ptose, ademhalingsmoeilijkheden, dalende bloeddruk, ontbreken van lokaal oedeem. We houden haar nauwlettend in de gaten, want wellicht is intubatie noodzakelijk en moet er beademd worden.'

De kleinzoons – geschrokken – keken hem argwanend aan, terwijl het zo te zien achterlijke jongetje geestdriftig naar dokter Breedlove zwaaide. 'Hoi!' zei hij.

'Waar is ze?' Farish duwde de arts opzij. 'Ik wil met haar praten.'

Farish deed een stap naar voren om duidelijk te maken dat hij de leiding had.

'Meneer. Menéér. Dat kan op dit moment niet, vrees ik. Meneer? Ik moet u verzoeken ogenblikkelijk op de gang terug te komen.'

'Waar is ze?' vroeg Farish, die verbijsterd tussen slangetjes en machines en bliepende apparaten bleef staan.

Dokter Breedlove ging voor hem staan. 'Meneer, ze heeft geen pijn en ze rust nu.' Vakkundig loodste hij Farish met de hulp van een paar verpleegkundigen de gang op. 'Ze kan nu beter niet gestoord worden. U kunt niets voor haar doen. Kijk, daar is een wachtkamer waar u kunt gaan zitten. Dáár.'

Farish schudde zijn arm van zich af. 'En wat doen jullie voor haar?' vroeg hij alsof het in ieder geval niet genoeg was.

Dokter Breedlove draaide zijn riedel maar weer af: over de hartlongmonitor en de ptose en het ontbreken van lokaal oedeem. Wat hij er niet bij zei was dat het ziekenhuis geen antistof tegen cobragif had, en er ook niet aan kon komen. In de laatste paar minuten met dat handboek voor interne geneeskunde was dokter Breedlove aardig wat te weten gekomen over dit onderwerp, dat tijdens zijn studie niet aan de orde was gekomen. Tegen cobrabeten hielp uitsluitend het specifieke tegengif. Maar alleen de allergrootste dierentuinen en medische centra hadden dat in voorraad, en het moest binnen een paar uur worden toegediend, anders hielp het niet. De oude vrouw moest het dus op eigen houtje zien te klaren. Een cobrabeet was, volgens het handboek, in tien tot vijftig van de honderd gevallen dodelijk. Dat was een ruime marge – vooral omdat er niet bij stond of het overlevingspercentage gebaseerd was op behandelde of onbehandelde beten. Bovendien was ze oud en had ze behalve die slangenbeet nog veel meer kwalen. Haar medische dossier was een paar centimeter dik. En als hem gevraagd zou worden hoe groot de kans was dat de oude dame de volgende dag, of zelfs het volgende uur, zou halen, zou dokter Breedlove geen flauw idee hebben gehad waarop hij moest gokken.

Harriet hing op, liep naar boven, ging zonder kloppen haar moeders slaapkamer in en ging aan het voeteneinde van het bed staan. 'Morgen ga ik naar kamp Lake de Selby,' verklaarde ze.

Harriets moeder keek van het blad voor oud-studenten van Ole Miss op. Ze had zitten soezen boven een profiel van een vroegere studiegenoot die een ingewikkelde baan had op Capitol Hill, waar Charlotte het fijne niet van begreep.

'Ik heb Edie opgebeld. Zij brengt me.'

'Hè?'

'De tweede groep is er al en eigenlijk is het tegen de regels, zeiden ze tegen Edie, maar ik mag toch komen. Ze krijgt zelfs korting.'

Ze wachtte onbewogen af. Haar moeder zei niets; maar het maakte niet uit, al zou ze iets te zeggen hebben, want de zaak was volledig in Edies handen. En al had ze nog zo'n hekel aan kamp de Selby, de tuchtschool of de gevangenis was erger.

Want Harriet had haar grootmoeder uit pure paniek opgebeld. Toen ze door Natchez Street rende had ze nog voor ze thuis was huilende sirenes gehoord – ze wist niet of ze van een ziekenauto of de politie waren. Hijgend, hinkend, met kramp in haar benen en brandende pijn in haar longen had Harriet zich in de badkamer beneden opgesloten, haar kleren uitgetrokken en in de wasmand gegooid, en een bad vol laten lopen. Een paar keer had ze – terwijl ze stokstijf in bad zat te staren naar de smalle tropische lichtspleetjes die door de gesloten jaloezieën in het schemerdonkere vertrek vielen – bij de voordeur geluiden gehoord die op stemmen leken. Wat moest ze in vredesnaam doen als het de politie was?

Versteend van angst, in de volle overtuiging dat er elk moment iemand op de badkamerdeur kon kloppen, bleef Harriet in bad zitten tot het water ijskoud was. Eenmaal eruit en aangekleed was ze op haar tenen naar de gang geslopen om door de vitrage te spieden, maar er was niemand op straat. Ida was al naar huis, en binnen was het onheilspellend stil. Het was of er jaren waren verstreken, maar in werkelijkheid waren het maar drie kwartier.

Gespannen stond Harriet in de gang naar het raam te kijken. Na een poosje kreeg ze er genoeg van, maar ze kon zich er nog steeds niet toe brengen naar boven te gaan en ze liep heen en weer, tussen de gang en de woonkamer, en keek zo nu en dan door het raam naar buiten. Toen hoorde ze opnieuw sirenes; één benauwd moment lang dacht ze dat ze ze George Street in hoorde komen. Ze stond midden in de woonkamer, bijna te bang om zich te verroeren, en al heel snel hield ze het niet meer van de zenuwen en draaide Edies nummer – met ingehouden adem liep ze met de telefoon naar de zijramen, waar vitrage voor hing, zodat ze onder het praten de straat in de gaten kon houden.

Edie, dat moest ze haar nageven, was gelukkig snel in actie gekomen, zo vlug dat Harriet bijna weer genegenheid voor haar begon te voelen. Ze had geen vragen gesteld toen Harriet stamelde dat ze van gedachten was veranderd over het kerkkamp, en graag zo gauw mogelijk weg wilde. Ze was meteen gaan bellen met Lake de Selby en vroeg op hoge toon – na de aanvankelijke tegenwerpingen van een temerig meisje van het kantoor – rechtstreeks te worden doorverbonden met dokter Vance. Zo had ze alles voor elkaar gekregen en toen ze – binnen tien minuten – terugbelde had ze een paklijst, een waterskivergunning, een bovenbed in de Mezenhut en het plan om Harriet de volgende morgen om zes uur op te halen. Ze was (anders dan Harriet had gedacht) het kamp niet vergeten, ze had er alleen genoeg van gekregen om op te moeten boksen tegen Harriet en tegen Harriets moeder, die haar in zulke dingen niet steunde. Edie was ervan overtuigd dat het probleem met Harriet was dat ze te weinig met andere kinderen omging, vooral nette, normale, baptistische kindertjes; en terwijl Harriet – met moeite – haar mond hield, praatte zij geestdriftig over de énige tijd die Harriet daar zou hebben, en de wonderen die een beetje discipline en christelijke, sportieve activiteiten voor haar zouden doen.

De stilte in haar moeders slaapkamer was oorverdovend. 'Nou,' zei Charlotte. Ze legde het tijdschrift weg. 'Dat komt allemaal wel erg onverwacht. Ik dacht dat je het vorig jaar zo verschrikkelijk vond in dat kamp.'

'We gaan weg voor jij wakker bent. Edie wil vroeg weg. Het leek me beter als je het vast wist.'

'Waarom ben je opeens van mening veranderd?' vroeg Charlotte.

Harriet haalde brutaal haar schouders op.

'Nou, ik ben trots op je.' Charlotte wist niets anders te bedenken. Ze zag dat Harriet verschrikkelijk was verbrand, en mager was geworden; op wie leek ze nou toch? Met dat steile zwarte haar, en haar kin zo naar voren?

'Ik vraag me af,' zei ze hardop, 'waar dat boek van Hiawatha toch is gebleven dat vroeger altijd in huis rondslingerde?'

Harriet keek weg – naar het raam, alsof ze iemand verwachtte.

'Het is belangrijk...' Charlotte probeerde dapper de draad van het gesprek op te pakken. Het zijn die over elkaar geslagen armen, dacht ze, en haar haar. 'Ik bedoel, het zal je goed doen om bezig te zijn met... met dingen.'

Allison stond voor haar moeders slaapkamerdeur te treuzelen – zeker om af te luisteren, dacht Harriet. Ze liep Harriet achterna door de gang en bleef in de deuropening van hun kamer staan toen Harriet haar la opentrok en er tennissokken, ondergoed en haar groene kamp de Selby-shirt van de vorige zomer uit haalde.

'Wat heb je gedaan?' vroeg ze.

Harriet hield even op. 'Niets,' zei ze. 'Waarom zou ik iets gedaan hebben?'

'Je gedraagt je alsof je in de puree zit.'

Na een lange stilte ging Harriet – met een gloeiend gezicht – verder met pakken.

Allison zei: 'Als je terugkomt is Ida weg.'

'Kan me niets schelen.'

'Dit is haar laatste week. Als je weggaat zie je haar niet meer terug.'

'Nou en?' Harriet kwakte haar tennisschoenen in haar rugzak. 'Ze houdt toch niet echt van ons.'

'Dat weet ik wel.'

'Nou, wat kan mij het dan schelen?' antwoordde Harriet effen, maar haar hart stopte even en sloeg over.

'Omdat wij van háár houden.'

'Ik niet,' zei Harriet snel. Ze ritste de rugzak dicht en gooide hem op het bed.

Beneden pakte Harriet een vel briefpapier van het tafeltje in de gang en begon in het afnemende licht een briefje te schrijven:

Beste Hely,
Ik ga morgen naar kamp. Ik hoop dat je verder nog een fijne zomer hebt. Misschien krijgen we als je volgend jaar in je nieuwe klas komt wel hetzelfde overblijflokaal.

Je vriendin,
Harriet C. Dufresnes

Ze had het briefje net af toen de telefoon ging. Eerst wilde ze niet opnemen maar nadat hij een keer of vier was overgegaan zwichtte ze en pakte – behoedzaam – de hoorn op.

'Hé, man,' zei Hely, een krakende en heel zwakke stem in zijn rugbyhelm-telefoon. 'Heb je al die sirenes zonet gehoord?'

'Ik heb je net een briefje geschreven,' zei Harriet. In de gang leek het wel winter in plaats van augustus. Van de met wingerd overwoekerde veranda – door de vitrage van de zijramen en de spijltjes van het waaiervormige bovenlicht boven de deur – viel het licht grijs, sober en vaag naar binnen. 'Edie brengt me morgen naar kamp.'

'Wat krijgen we nou!' Zijn stem klonk alsof hij vanaf de bodem van de zee sprak. 'Niet gaan, joh! Je bent gek!'

'Hier blijf ik niet.'

'Laten we dan samen weglopen!'

'Dat gaat niet.' Met haar teen tekende Harriet een glanzend zwart teken in het stof – ongerept, als het stof op een paarse pruim – dat als rijp op de gebogen rozenhouten voet van de tafel lag.

'En als iemand ons nou heeft gezien? Harriet?'

'Ik ben er nog,' zei Harriet.

'En mijn kar dan?'

'Weet ik niet,' zei Harriet. Ze had zelf ook al over Hely's kar nagedacht. Die stond nog steeds op het viaduct, en de lege kist ook.

'Zal ik hem gaan ophalen?'

'Nee. Dan ziet iemand je misschien. Je naam staat er toch niet op, hè?'

'Hij is nog bijna nieuw. Ik had hem nog nooit gebruikt. Zeg, Harriet, wie was dat eigenlijk?'

'Weet ik niet.'

'Hij zag er wel vreselijk oud uit. Die persoon.'

Er volgde een gespannen grotemensenstilte – anders dan hun gewone stiltes, als ze niets meer te zeggen wisten en op hun gemak zaten te wachten tot de ander weer begon.

'Ik moet ophangen,' zei Hely uiteindelijk. 'Mijn moeder maakt taco's voor het eten.'

'Oké.'

Ze zaten stil te ademen, elk aan zijn eigen kant van de lijn: Harriet in de hoge, bedompte gang, Hely op zijn kamer in het bovenste bed.

'Hoe is het eigenlijk afgelopen met die kinderen waar je het over had?' vroeg Harriet.

'Hè?'

'Die kinderen uit Memphis, van het nieuws. Die stenen gooiden van het viaduct.'

'O, die. Die zijn gepakt.'

'En toen?'

'Weet ik niet. Ze zullen wel de gevangenis in zijn gegaan.'

Er volgde weer een lange stilte.

'Ik stuur je wel een kaart. Dan heb je wat te lezen als jullie Postappèl hebben,' zei Hely. 'Als er iets gebeurt schrijf ik het wel.'

'Nee, niet doen. Je moet niets ópschrijven. Niet daarover.'

'Ik zal heus niks verklappen!'

'Dat weet ik wel,' zei Harriet prikkelbaar. 'Je moet er gewoon niet over praten.'

'Nou, niet tegen zomaar iedereen.'

'Tegen helemaal níémand. Hoor 'es, je moet het niet doorvertellen aan bijvoorbeeld... bijvoorbeeld... *Greg de Loach.* Ik meen het, Hely,' zei ze door zijn tegenwerping heen. 'Je moet beloven dat je het niet aan hem vertelt.'

'Greg woont helemaal bij Hickory Circle. Ik zie hem alleen op school. Trouwens, Greg zou ons nooit verraden, dat weet ik zeker.'

'Toch moet je het niet doorvertellen. Want als je het ook maar aan één iemand doorvertelt...'

'Ik wou dat ik met je mee kon. Ik wou dat ik ook ergens heen ging,' zei Hely ongelukkig. 'Ik ben bang. Volgens mij kon het weleens de oma van Curtis zijn, waar we die slang op hebben gegooid.'

'Luister nou. Je moet het echt beloven. Vertel het aan níémand. Want...'

'Als het de grootmoeder van Curtis is, dan is het ook die van de anderen, van Danny en Farish en de evangelist.' Tot Harriets verbazing begon hij schril, hysterisch te lachen. '*Die kerels vermoorden me.*'

'Ja,' zei Harriet ernstig, 'en daarom mag je het nooit aan iemand vertellen. Als jij niks zegt en ik niks zeg...'

Ze voelde iets en keek op – en zag tot haar hevige schrik dat Allison in de deuropening van de woonkamer stond, op een meter afstand.

'Het is wel klote dat je weggaat.' Hely's stem klonk blikkerig aan de andere kant van de lijn. 'Ik snap alleen niet dat je naar dat stomme rotkamp van de baptisten gaat.'

Harriet wendde zich nadrukkelijk van haar zusje af en maakte een vaag geluid om aan te geven dat ze niet vrijuit kon spreken, maar Hely snapte het niet.

'Ik wou dat ík ergens heen kon. Wij zouden dit jaar met vakantie naar de Smoky Mountains gaan, maar pap zei dat hij niet zoveel kilometers wil rijden met de auto. Trouwens, heb jij wat kleingeld voor me, zodat ik je kan bellen als het moet?'

'Ik heb geen geld.' Typisch Hely: proberen haar geld af te troggelen terwijl hij degene was die zakgeld kreeg. Allison was verdwenen.

'Goh, ik hoop dat het niet zijn oma is. Laat het alsjeblíéft zijn oma niet zijn.'

'Ik moet ophangen.' Waarom was het licht zo triest? Harriet had een gevoel alsof haar hart brak. In de spiegel tegenover haar, in het doffe spiegelbeeld van de muur boven haar hoofd (barsten in het stucwerk, donkere foto's, doodse wandkandelaars van verguld hout) kringelde een schimmelig wolkje zwarte stipjes.

Ze hoorde nog steeds Hely's schurende ademhaling aan de andere kant. Bij Hely thuis was niets triest – alles vrolijk en nieuw, altijd de televisie aan – maar zelfs zijn ademhaling klonk anders, tragisch, zoals die door de telefoonlijn in haar huis aankwam.

'Mijn moeder heeft juf Erlichson als mijn nieuwe klassenlerares voor volgend jaar gevraagd,' zei Hely. 'Dus dan zien we elkaar niet meer zo vaak als de school weer begint, denk ik.'

Harriet maakte een onverschillig geluid om de steek van verdriet bij dit verraad te verhullen. Harriet had dit jaar in de klas gezeten van Edies oude vriendin mevrouw Clarence Hackney (bijgenaamd 'de Hakbijl') en die zou ze nu weer krijgen. Maar als Hely juffrouw Erlichson had gekozen (die jong en blond was, en nieuw op school) betekende het dat Hely en Harriet niet bij elkaar kwamen te zitten en andere pauzetijden en een ander rooster zouden krijgen.

'Juffrouw Erlichson is tof. Mijn moeder zei dat ze niet van plan was nóg een kind van haar te dwingen om een jaar bij mevrouw Hackney te zitten. Bij haar mag je je boekbespreking houden over wat je maar wilt en... Oké,' zei Hely als antwoord op een stem op de achtergrond. Tegen Harriet zei hij: 'Etenstijd. Ik spreek je nog.'

Harriet bleef met de zware zwarte hoorn in haar hand zitten tot aan de andere kant de ingesprektoon klonk. Ze legde de hoorn met een harde klik op de haak. Hely – met zijn iele, vrolijke stem, zijn plannen voor de klas van juffrouw Erlichson – zelfs Hely leek nu iets wat ze kwijt was, of kwijt zou raken, iets zo onbestendigs als vuurvliegjes of de zomer. Het licht was bijna helemaal verdwenen uit de nauwe gang. En zonder Hely's stem – hoe blikkerig en onduidelijk die ook was – die de somberheid kon doorbreken, verdiepte haar verdriet zich tot het aanzwol als een stroomversnelling.

Hely! Die leefde in een drukke, gezellige, kleurrijke wereld, waarin alles modern en licht was: maïschips en pingpong, stereo's en seven-up, zijn moeder die in T-shirt en afgeknipte spijkerbroek op haar blote voeten op het kamerbrede tapijt rondliep. Het rook er zelfs nieuw en limoenfris – niet zoals in haar eigen schemerdonkere huis, zwaar en onwelriekend van de herinneringen, met een geur als de treurige lucht die uit oude kleren en stof opsteeg. Wat gaf Hely – die taco's kreeg voor het avondeten, in de herfst onbekommerd naar de klas van juffrouw Erlichson zou gaan – wat gaf Hely nou om kilte en eenzaamheid. Wat wist hij van haar wereld?

Toen Harriet er later aan terugdacht, leek die dag het exacte, kristalheldere, objectieve punt waarop haar leven onherroepelijk de weg naar de misère was ingeslagen. Ze was nooit echt gelukkig of tevreden geweest, maar ze was totaal niet voorbereid op de vreemde duisternis die haar wachtte. De rest van haar leven zou Harriet er met een huivering aan terugdenken dat ze niet dapper genoeg was geweest om nog één laatste middag – de allerlaatste! – thuis te blijven en op de grond voor Ida's stoel te zitten, met haar hoofd op Ida's knieën. Waar zouden ze het over hebben gehad? Ze zou het nooit weten. Het zou haar pijn doen dat ze lafhartig was gevlucht voordat Ida's laatste week voorbij was, het zou haar pijn doen dat het hele misverstand op een of andere vreemde manier haar schuld was, het zou haar verschrikkelijk veel pijn doen dat ze geen afscheid van Ida had genomen. Maar het zou haar vooral pijn doen dat ze te trots was geweest om tegen Ida te zeggen dat ze van haar hield. In haar woede, en haar trots, had ze niet beseft dat ze Ida nooit meer zou zien. Er begon een heel nieuw, naargeestig soort leven rond Harriet neer te dalen, daar in de donkere gang aan het telefoontafeltje, en dat leven zou haar, hoe nieuw het toen ook leek, in de weken daarop gruwelijk vertrouwd worden.

6

De begrafenis

'Gastvrijheid was toen een wezenlijk onderdeel van het leven,' zei Edie. Haar stem – helder, gedragen – kwam gemakkelijk boven de warme wind uit die door de portierraampjes naar binnen bulderde en zonder de moeite te nemen richting aan te geven veranderde ze majesteitelijk van rijbaan en sneed een houtwagen op de linkerweghelft.

De Oldsmobile was een weelderige auto, met de mollige welvingen van een zeekoe. Edie had hem in de jaren vijftig gekocht bij Colonel Chipper Dee, de garage in Vicksburg. Tussen Edie, die achter het stuur zat, en Harriet, die onderuitgezakt tegen het portier aan de passagierskant hing, lag nog een breed stuk lege zitting. Daarop, naast Edies strooien tas met houten beugels, stonden de geruite thermoskan met koffie en een doos donuts.

'In De Beproeving kwamen moeders neven en nichten vaak onverwacht aanzetten en dan bleven ze wekenlang, en iedereen vond dat doodgewoon,' zei Edie. De maximumsnelheid was tachtig kilometer per uur maar Edie hield haar gebruikelijke, rustige gangetje van zestig aan.

In de spiegel zag Harriet dat de vrachtwagenchauffeur tegen zijn voorhoofd tikte en ongeduldig gebaarde met zijn open hand.

'Ik bedoel natuurlijk niet de familie uit Memphis,' zei Edie, 'maar ik bedoel die uit Baton Rouge. Miss Ollie en Jules, en Mary Willard. En kleine tante Fluff!'

Harriet staarde somber uit het raampje: houtzagerijen en een dorre vlakte met dennen, bespottelijk rozig in het vroege ochtendlicht. De warme, stoffige wind blies haar haren in haar ogen, liet een losse flap van de plafondbekleding eentonig heen en weer wapperen en het cellofaan van de doos donuts ritselen. Ze had dorst – en honger – maar er was niets anders te drinken dan koffie, en de donuts waren droog en oud. Edie kocht altijd donuts van een dag oud, ook al waren die maar een paar cent goedkoper dan verse.

'De oom van mijn moeder had een kleine plantage bij Coving-ton – Angevine, heette die,' vertelde Edie terwijl ze met haar vrije hand een servetje pakte; op een manier die alleen maar te om-schrijven viel als koninklijk – als een koning die gewend is met zijn handen te eten – nam ze een grote hap van haar donut. 'Libby nam ons drietjes er altijd mee naartoe met die oude trein, de Num-mer Vier. We bleven er wekenlang! Miss Ollie had een speelhuisje achter het huis, met een houtkachel en een tafel en stoelen, en in dat huisje speelden we nog het allerliefst!'

De achterkant van Harriets benen plakten aan de bank. Geïr-riteerd heen en weer schuivend probeerde ze lekkerder te gaan zitten. Ze reden al drie uur en de hete zon stond hoog. Edie over-woog regelmatig de Oldsmobile in te ruilen – voor iets met air-conditioning of een radio die het deed – maar elke keer bedacht ze zich op het laatste moment, vooral om het heimelijke genoegen Roy Dial zijn handen te zien wringen en te zien trappelen van de zenuwen. Meneer Dial kon het niet uitstaan dat een keurige bap-tistische oude dame in een twintig jaar oude auto reed; als er nieu-we modellen waren gekomen, kwam hij weleens aan het eind van de middag bij Edie langs om een ongevraagd 'proefmodel' af te leveren – meestal de allernieuwste Cadillac. 'Probeert u hem nou maar eens een paar dagen,' zei hij dan met zijn handpalmen om-hoog. 'Kijk maar hoe u hem vindt.' Edie hield hem wreed aan het lijntje, deed of ze verliefd werd op de aangeboden wagen, om hem dan – net als meneer Dial de papieren in orde maakte – terug te brengen: opeens mankeerde er iets aan de kleur of de elektrische raampjes, of klaagde ze over een minuscule tekortkoming, een rammelend geluidje in het dashboard of een stroef portierslot.

'Op het kenteken van Mississippi staat nog steeds "gastvrij-heidsstaat", maar volgens mij is de ware gastvrijheid hier in de eerste helft van deze eeuw uitgestorven. Míjn overgrootvader was mordicus tegen de bouw van het oude Alexandria Hotel, lang voor de oorlog,' zei Edie met stemverheffing om boven het lange, drin-gende getoeter van de vrachtwagen achter haar uit te komen. 'Als er een respectabele reiziger in de stad kwam, zou hij die met alle plezier persoonlijk onderdak bieden, zei hij altijd.'

'Edie, die man achter je toetert tegen je.'

'Laat hem maar,' zei Edie, die haar eigen ontspannen tempo aanhield.

'Hij wil erlangs, denk ik.'

'Hij zal er niet dood aan gaan als hij wat langzamer moet rijden. Waar wil hij eigenlijk zo gauw naartoe met al die boomstammen?'

Het landschap – zanderige kleiheuvels, rijen dennenbomen waar geen eind aan kwam – was zo ruig en onbekend dat Harriet er pijn in haar buik van kreeg. Alles wat ze zag herinnerde haar eraan dat ze ver van huis was. Zelfs de mensen in de auto's die ze passeerden zagen er anders uit: roodverbrand, met brede, platte gezichten en in boerse kleren, heel anders dan de mensen bij haar thuis.

Ze passeerden een mistroostig groepje bedrijven: Freelon Spraying Co., Tune's AAA Transmission, New Dixie Stone and Gravel. Een beverige oude zwarte man in overall met een oranje jagerspetje op strompelde met een bruine zak met boodschappen door de berm. Wat zou Ida denken als ze bij Harriet thuis kwam en merkte dat ze weg was? Ze zou er nu wel zo ongeveer zijn; Harriet begon iets sneller te ademen bij de gedachte.

Doorbuigende telefoondraden, veldjes kool en maïs, gammele huisjes met een erf van aangestampte aarde. Harriet drukte haar voorhoofd tegen de warme ruit. Misschien zou Ida nu begrijpen hoe diep Harriet was gekwetst; misschien zou ze begrijpen dat ze niet telkens kon dreigen haar biezen te pakken als ze ergens kwaad over was. Een zwarte man van middelbare leeftijd met een bril op gooide voer uit een blikje naar een stel rode kippen; hij hief plechtig zijn hand naar de auto en Harriet zwaaide terug, zo fanatiek dat ze zich een beetje geneerde.

Ze zat ook over Hely in. Hij mocht er dan vrij zeker van zijn dat zijn naam niet op de kar stond, maar ze vond het geen prettig idee dat dat ding er nog stond en iemand het zou kunnen vinden. Haar maag draaide om als ze eraan dacht wat er kon gebeuren wanneer iemand erachter kwam dat de kar van Hely was. Niet aan denken, niet aan denken, hield ze zich voor.

En aldoor reden ze verder. De krotjes maakten plaats voor nog meer bossen, met af en toe een vlakke akker die naar bestrijdingsmiddelen stonk. Op een naargeestige kleine open plek stond een dikke blanke vrouw in een bruine blouse en short, met aan haar ene voet een orthopedische hoge schoen, natte kleren over een waslijn te slingeren naast haar caravan; ze keek even naar de auto, maar zwaaide niet.

Opeens werd Harriet opgeschrikt door piepende remmen en een draai, waardoor ze tegen het portier werd gesmakt en de doos donuts kantelde. Edie was – zomaar tussen het verkeer door – het hobbelige landweggetje ingeslagen dat naar het kamp voerde.

'Sorry, liefje,' zei Edie opgewekt terwijl ze haar tas rechtop zette. 'Ik snap niet waarom ze die bordjes zo klein maken dat je ze pas kunt lezen als je er al bijna voorbij bent.'

In stilte hotsten ze over de grindweg verder. Er rolde een zilveren lippenstift over de bank. Harriet ving hem op voor hij viel – *Kersen in de sneeuw*, stond op het etiketje onderop – en stopte hem terug in Edies strooien handtas.

'Je kunt wel merken dat we in Jones County zijn!' zei Edie vrolijk. Tegen het licht van de zon was haar donkere profiel scherp en meisjesachtig. Alleen haar hals en haar handen op het stuur – met knobbels en sproeten – verrieden haar leeftijd; in haar schone witte blouse, haar geruite rok en tweekleurige, bijpassende molières zag ze eruit als een geestdriftige krantenverslaggeefster uit de jaren veertig, op jacht naar De Grote Primeur. 'Herinner je je nog de oude deserteur Newt Knight uit je *Geschiedenis van Mississippi*, Harriet? De Robin Hood van Piney Woods, zo noemde hij zich! Hij en zijn mannen waren arme sloebers die weigerden mee te doen aan een rijkeluisoorlog en hielden zich hier in deze uithoek schuil en wilden niets met de Zuidelijken te maken hebben. De Republiek van Jones, zo noemden ze zich! De cavalerie stuurde bloedhonden op ze af en de oude vrouwen van die armoedzaaiers strooiden rode peper waar die honden in stikten. Dat is het soort heren dat je hier in Jones County tegenkomt.'

'Edie,' zei Harriet, die ondertussen het gezicht van haar grootmoeder had zitten observeren, 'misschien moet je eens naar de oogarts.'

'Ik kan uitstekend lezen, dame. Vroeger,' vertelde Edie koninklijk, 'wemelde het hier in deze uithoek van de afvallige Zuidelijken. Ze waren te arm om zelf slaven te houden en ze haatten iedereen die dat wel kon. Daarom hebben ze zich van de Afgescheidenen afgescheiden! Moesten ze hier in de dennenbossen die schrale maïsveldjes van ze omspitten. Ze snapten natuurlijk niet dat de oorlog eigenlijk om de rechten van de afzonderlijke staten ging.'

Links maakte het bos plaats voor een sportveld. Bij die aanblik – de zielige kleine tribune, de voetbaldoelen, het schrale gras – kreeg Harriet het Spaans benauwd. Een stel stoere oudere meisjes sloeg tegen een bal aan een touw, hun slagen en gejoel weerklonken luid hoorbaar in de ochtendstilte. Boven het scorebord hing een met de hand beschreven bord:

Nieuwkomers in De Selby!
Er zijn geen grenzen!

Harriets keel snoerde zich dicht. Opeens zag ze in dat ze een vreselijke vergissing had begaan.

'Nathan Bedford Forrest kwam niet bepaald uit de rijkste of beschaafdste familie ter wereld, maar hij was wél de grootste generaal uit de oorlog!' zei Edie. 'Jawel! "Als eerste aankomen met de meeste mannen", dat was het motto van Forrest!'

'Edie,' zei Harriet vlug met een klein stemmetje, 'ik wil hier niet blijven. Zullen we weer naar huis gaan?'

'Naar húís?' Edies stem klonk geamuseerd – niet eens verbaasd. 'Wat een onzin! Je krijgt de tijd van je leven.'

'Nee, alsjeblíéft. Ik vind het hier vreselijk.'

'Waarom wilde je er dan heen?'

Daarop moest Harriet het antwoord schuldig blijven. Toen ze de bekende bocht omreden, onder aan de heuvel, ontvouwde zich een panorama van vergeten gruwelen. De kale plekken in het gras, de dennen die dof waren van het stof, dat speciale gelige rood van het grind, in de kleur van rauwe kippenlever – hoe had ze kunnen vergeten hoe afschuwelijk ze dit oord vond, hoe ongelukkig ze hier iedere minuut van de dag was geweest? Links voor haar, de poort; erachter, de blokhut van de leider, in dreigende schaduwen gedompeld. Boven de deur hing een zelfgemaakt spandoek met een duif en in vette hippieletters: HALLELUJA!

'Alsjeblieft, Edie,' zei Harriet vlug, 'ik heb me bedacht. Laten we weggaan.'

Edie draaide zich om – haar handen om het stuur geklemd – en keek haar fel aan: lichte ogen, roofzuchtig en kil, ogen die Chester 'scherpschutterogen' noemde omdat ze precies geschikt leken om langs de loop van een geweer te kijken. Harriets ogen ('Kleine scherpschutter,' noemde Chester haar soms) waren net zo licht en verkillend; maar voor Edie was het niet vervelend om haar eigen blik zo op haar gefixeerd, in het klein te zien. Ze merkte niets van het leed en de angst in de starre blik van haar kleinkind, die ze alleen maar brutaal, en daarbij agressief, vond.

'Doe niet zo mal,' zei ze harteloos, en ze keek weer op de weg – net op tijd om niet in een greppel te rijden. 'Je zult het heerlijk hebben. Volgende week om deze tijd sta je te jammeren en te gillen omdat je niet naar huis wilt.'

Harriet keek haar verwonderd aan.

'Je zou het hier zelf ook niet leuk vinden, Edie,' zei ze. 'Je zou voor geen goud bij deze mensen willen blijven.'

"O, Edie!" Gemeen, met een falsetstemmetje, imiteerde Edie Harriet. ' "Ik wil terug! Breng me terug naar het kamp!" Dat zeg je straks als het tijd is om naar huis te gaan.'

Harriet was te diep gekwetst om iets te zeggen. 'Niet waar,' wist ze uiteindelijk uit te brengen. 'Niet waar.'

'O, jawel!' galmde Edie, met haar kin naar voren, op die zelfingenomen, vrolijke toon die Harriet vreselijk vond; en 'O, jawel!' – nóg harder, zonder naar haar te kijken.

Opeens klonk een klarinetstoot, een huiveringwekkende toon, deels dierlijk gebalk en deels boertige groet: dokter Vance, met klarinet, kondigde hun komst aan. Dokter Vance was geen echte dokter – geen arts – hij was maar een soort veredelde christelijke bandleider: hij was een yankee, met dikke borstelige wenkbrauwen en grote paardentanden. Hij was een hoge piet in het baptistische jongerencircuit, en Adelaide was degene die – terecht – had opgemerkt dat hij sprekend leek op de beroemde tekening van Tenniel van de getikte Hoedenmaker uit *Alice in Wonderland*.

'Welkom, dames,' kraaide hij terwijl hij zijn hoofd door Edies opengedraaide portierraampje stak. 'Prijs de Heer!'

'Bravo,' antwoordde Edie, die niets moest hebben van de evangelische toon die soms in dokter Vances uitspraken sloop. 'Hier is dan ons kampeerstertje. Laten we haar maar even inschrijven, en dan ga ik weer.'

Dokter Vance trok zijn kin in en grijnsde tegen Harriet. Zijn gezicht had een rauwe steenrode kleur. Harriet keek koel naar het haar in zijn neusgaten, de vlekken op zijn grote, vierkante tanden.

Dokter Vance deinsde theatraal achteruit, als gestoken door Harriets blik. 'Poe!' Hij stak een arm omhoog, rook aan zijn oksel en keek Edie aan. 'Ik dacht even dat ik vanmorgen was vergeten mijn deodorant op te doen.'

Harriet keek naar haar knieën. Ook al moet ik hier blijven, dacht ze, ik hoef nog niet te doen alsof ik het leuk vind. Dokter Vance had het liefst onstuimige, spontane en luidruchtige deelnemers en wie niet vanzelf in de kampstemming kwam, plaagde en treiterde hij en probeerde hij los te laten komen. *Wat is er? Kun je niet tegen een grapje? Kun je niet om jezelf lachen!* Als een kind – om welke reden dan ook – te stil was zorgde dokter Vance ervoor dat het met de ballon vol water werd natgespat, of moest het voor het oog van alle anderen huppen als een kip of een ingevet varken in een modderkuil zien te vangen of een rare muts opzetten.

'Harriet!' zei Edie na een pijnlijke stilte. Wat Edie ook beweerde, ook zij voelde zich niet op haar gemak bij dokter Vance, en dat wist Harriet.

Dokter Vance blies een valse toon op de klarinet, en stak – toen hij ook daarmee Harriets aandacht niet kon trekken – zijn hoofd weer door het raampje om zijn tong naar haar uit te steken.

Ik ben op vijandelijk gebied, hield Harriet zich voor. Ze moest zien vol te houden en niet vergeten waarom ze hier was. Want al had ze nog zo'n hekel aan Lake de Selby, het was voorlopig de veiligste plek.

Dokter Vance floot: een spottende toon, beledigend. Harriet wierp met tegenzin een blik op hem (verzet had geen zin: hij zou haar geen rust gunnen) en hij liet zijn wenkbrauwen als een droevige clown zakken en stak zijn onderlip naar voren. 'Een pruilfuif is geen fuif,' zei hij. 'En weet je waarom niet? Nou? *Omdat er maar plaats is voor één persoon.*'

Harriet tuurde – met gloeiende wangen – langs hem heen door het raampje. Lange lijzen van dennen. Er kwam een rij meisjes in zwempak voorbij, behoedzaam op hun tenen lopend, voeten en benen onder de rode modder. De macht van de hoofdmannen uit de bergen is gebroken, hield ze zich voor. Ik ben uit mijn land gevlucht naar de heidevelden.

'Problemen thúís?' hoorde ze dokter Vance schijnheilig informeren.

'Absoluut niet. Harriet is gewoon – ze heeft het wat hoog in de bol,' zei Edie met een heldere, verdragende stem.

Er schoot Harriet een levendige, afschuwelijke herinnering te binnen: dokter Vance, die haar bij de hoelahoepwedstrijd het podium op duwde terwijl het hele kamp brulde van het lachen om haar ontzetting.

'Nou.' Dokter Vance grinnikte. 'Daar weten we hier wel weg mee!'

'Hoor je dat, Harriet? Hárriet. Ik begrijp gewoon niet wat haar bezielt,' zei Edie met een zuchtje.

'O, een paar avonden keten, een paar wedstrijdjes hete-aardappellopen en dan komt ze wel in de stemming.'

De keetavonden! Warrige herinneringen schreeuwden om aandacht: gepikte onderbroeken, water op haar matras (*Kijk, Harriet plast in bed!*), een schelle meisjesstem die roept: *Je mag hier niet zitten!*

Kijk, daar heb je onze boekenwurm!

'Hé hallóho!' Het was de vrouw van dokter Vance met haar hoge, boerse stem, die in haar polyester short gemoedelijk op hen af kwam schommelen. Mevrouw Vance (of 'Miss Patsy' zoals ze zich door de kampdeelnemers liet noemen) had de leiding over het meisjeskamp, en ze was even erg als dokter Vance, maar op een andere manier: klef en bemoeizuchtig, en ze stelde te veel persoonlijke vragen (over vriendjes, intieme zaken en dat soort dingen). Miss Patsy was haar officiële bijnaam, maar de meisjes noemden haar 'Nurse'.

'Hé liefie!' Ze stak haar hand door het portierraam en kneep Harriet in haar bovenarm. 'Hoe is 't, meid!' Knijp, knijp. 'Kijk toch 'es aan!'

'Dag mevrouw Vance,' zei Edie, 'hoe maakt u het?' Dwars als ze was mocht Edie mensen als mevrouw Vance wel, omdat die haar de gelegenheid boden zich extra voornaam en majesteitelijk te gedragen.

'Zo, komen jullie? Dan gaan we even naar het kantoor!' Alles wat mevrouw Vance zei klonk gemaakt enthousiast, net zoals bij die vrouwen in de Miss Mississippi-parade of in de Lawrence Welk-show. 'Asjemenou, wat ben jij groot geworden!' zei ze tegen Harriet. 'Deze keer ga je vast niet meer op de vuist, hè?'

Dokter Vance wierp op zijn beurt Harriet een koude blik toe die haar niets beviel.

In het ziekenhuis bleef Farish speculerend en theoretiserend telkens weer het scenario van het ongeluk van hun grootmoeder afdraaien, de hele nacht door, tot halverwege de volgende dag zijn broers zijn verhalen niet meer konden aanhoren. Duf, met rode ogen van vermoeidheid zaten ze onderuitgezakt in de wachtkamer van de intensive care half naar hem te luisteren en half te kijken naar een tekenfilm over een hond die een misdaad oploste.

'Als je beweegt, gaat hij bijten,' zei Farish tegen de lucht, alsof hij het tegen de afwezige Gum had. 'Je had je stil moeten houden. Ook al lag hij in je schoot.'

Hij was opgestaan, haalde zijn handen door zijn haar en begon weer te ijsberen, voor het beeld langs. 'Farsh,' zei Eugene hard, terwijl hij zijn benen andersom over elkaar sloeg. 'Gum moest toch rijden, of niet?'

'Ze had toch niet in een greppel hoeven te rijden?' zei Danny.

Farish fronste zijn wenkbrauwen. 'Al had je me een dreun gegeven, ik was niet van mijn plek gekomen,' zei hij op ruzietoon. 'Ik was doodstil blijven zitten. Als je beweegt' – hij maakte een soepele schaatsbeweging met zijn vlakke hand – 'bedreig je hem. Dan gaat hij zich verdedigen.'

'Wat had ze dan in jezusnaam moeten doen, Farish? Er kwam godverdomme een slang door het dak van de auto.'

Opeens klapte Curtis in zijn handen en wees naar de televisie. 'Gum!' riep hij uit.

Farish draaide zich met een ruk om. Even later barstten Eugene en Danny in geschokt gelach uit. In de tekenfilm liep de hond met een groep jonge mensen door een oud spookkasteel. Aan de muur hing een grijnzend geraamte naast een paar trompetten en bijlen – en gek genoeg vertoonde dat skelet sterke gelijkenis met Gum. Opeens schoot het van de muur en vloog achter de hond aan, die jankend wegrende.

'Zo,' zei Eugene, die bijna niet uit zijn woorden kon komen, 'zo zag ze eruit toen de slang achter haar aan kwam.'

Zonder een woord te zeggen draaide Farish zich om en keek hen moe en wanhopig aan. Curtis – die begreep dat hij iets verkeerds had gedaan – hield meteen op met lachen en keek Farish ongerust aan. Maar net op dat moment verscheen dokter Breedlove in de deuropening, waarop ze allemaal zwegen.

'Uw grootmoeder is bij bewustzijn,' zei hij. 'Het ziet ernaar uit dat ze het haalt. De slangetjes zijn weggehaald.'

Farish sloeg zijn handen voor zijn gezicht.

'Tenminste die van het beademingsapparaat. Het infuus zit er nog, want haar hartslag is nog onstabiel. Willen jullie naar haar toe?'

Plechtig liepen ze een voor een achter hem aan (behalve Curtis, die tevreden Scooby Doo bleef kijken), tussen een woud van machines en raadselachtige apparatuur door naar een hoek, afgeschermd met gordijnen die Gum aan het zicht onttrokken. Ze lag doodstil en hoewel die bewegingloosheid op zichzelf wel beangstigend was, zag ze er eigenlijk niet veel krakkemikkiger uit dan anders, alleen waren haar oogleden half geloken door de spierverlamming.

'Nou, ik laat u even alleen,' zei de dokter terwijl hij energiek in zijn handen wreef. 'Maar heel even. Vermoei haar niet.'

Farish liep als eerste naar het bed. 'Ik ben het,' zei hij, en hij boog zich over haar heen.

Haar oogleden trilden, langzaam tilde ze haar hand van de deken, en Farish nam die in zijn beide handen.

'Wie heeft je dit geflikt?' vroeg hij op strenge toon, en hij hield zijn hoofd bij haar lippen om haar te verstaan.

Na een paar tellen zei ze: 'Weet ik niet.' Haar stem klonk schor en iel en heel zwak. 'Ik zag alleen een paar kinderen in de verte.'

Farish kwam hoofdschuddend overeind en sloeg met zijn vuist in zijn hand. Hij liep naar het raam en staarde naar het parkeerterrein.

'Niks kinderen,' zei Eugene. 'Weet je waar ik aan moest denken, toen ik het hoorde? Aan *Porton Stiles.*' Hij had zijn arm nog in een mitella vanwege zijn eigen slangenbeet. 'Of nee, aan Buddy Reebals. Ze zeiden altijd dat Buddy een zwarte lijst heeft. Dat er lui op stonden die hij nog eens wilde opruimen.'

'Die waren het allemaal niet,' zei Farish, opkijkend met een plotselinge flits van inzicht. 'Die hele toestand is laatst bij de Missie begonnen.'

Eugene zei: 'Je hoeft mij niet zo aan te kijken. Het is niet míjn schuld.'

'Denk je soms dat Loyal erachter zit?' zei Danny tegen Farish.

'Hoe kan dat nou?' zei Eugene. 'Die is al een week weg.'

'Nou, één ding staat vast. 't Is wel zijn slang, verdomme. Geen twijfel aan,' zei Farish.

'Zei hij niet dat hij er eentje kwijt was?'

'Nou, maar jíj hebt hem gevraagd om hier te komen met zijn slangen,' zei Eugene kwaad. 'Ik niet. Ik bedoel, ik durf niet eens meer naar mijn eigen huis...'

'Ik zei alleen dat 't zíjn slang was,' zei Farish, tikkend met zijn voet van ergernis. 'Ik zei niet dat hij hem had gegooid.'

'Kijk, Farish, er zit me iets niet lekker,' zei Danny. 'Wie heeft die voorruit ingeslagen? Als ze op zoek waren naar spul...'

Danny zag dat Eugene hem gek aankeek; hij hield zijn mond en stak zijn handen in zijn zakken. Het was niet handig om in het bijzijn van Gum en Eugene over de drugs te beginnen.

'Denk je dat het Dolphus was?' zei hij tegen Farish. 'Of iemand die voor hem werkt of zo?'

Farish dacht erover na. 'Nee,' zei hij. 'Al dat gedoe met die slangen, dat is allemaal niks voor Dolphus. Die zou gewoon iemand sturen om je koud te maken.'

'Weet je wat ik nou weleens zou willen weten?' vroeg Danny. 'Wie dat meisje was dat die avond boven aan de deur kwam.'

'Daar moest ik nou ook net aan denken,' zei Farish. 'Ik heb haar niet goed gezien. Waar kwam ze vandaan? Wat liep ze daar bij het huis rond te snuffelen?'

Danny haalde zijn schouders op.

'Heb je dat niet gevraagd?'

'Luister eens,' zei Danny, en hij probeerde beheerst te blijven praten, 'er gebeurde die avond zoveel.'

'Heb je d'r zomaar weg laten gaan? Je zei dat je een kind zag,' zei Farish tegen Gum. 'Zwart of blank? Meisje of jongen?'

'Ja, Gum,' zei Danny. 'Wat heb je gezien?'

'Nou, eerlijk gezegd,' zei hun grootmoeder zwakjes, 'heb ik het niet zo goed gezien. Je weet hoe 't is met m'n ogen.'

'Was 't er één? Of meer dan een?'

'Ik heb niet zoveel gezien. Toen ik van de weg reed, hoorde ik op het viaduct een kind schreeuwen en lachen.'

'Dat meisje,' zei Eugene tegen Farish, 'stond eerder die avond op het plein bij Loyal en mij te kijken, toen we preekten. Ik herinner me haar wel. Ze had een fiets.'

'Ze was niet op de fiets toen ze bij de Missie kwam,' zei Danny. 'Ze rende weg.'

'Ik zeg alleen maar wat ik zag.'

'Ik heb wel een fiets gezien, geloof ik, nou ik erover nadenk,' zei Gum. 'Maar ik weet het niet zeker.'

'Ik wil dat meisje spreken,' zei Farish. 'Jullie weten dus niet wie ze is?'

'Ze heeft wel haar naam gezegd, maar ze kwam er niet uit. Eerst was het Mary Jones en toen Mary Johnson.'

'Zou je haar herkennen?'

'Ik wel,' zei Eugene. 'Ik heb wel tien minuten naast haar gestaan. Ik heb haar gezicht goed gezien, van dichtbij.'

'Ik ook,' zei Danny.

Farish perste zijn lippen op elkaar. 'Is de politie erbij geweest?' vroeg hij opeens aan zijn grootmoeder. 'Hebben ze je vragen gesteld?'

'Ik heb niks gezegd.'

'Prima.' Farish klopte zijn grootmoeder onhandig op de schouder. 'Ik ga uitzoeken wie dit heeft gedaan,' zei hij. 'En als ik diegene vind dan zal het hem berouwen.'

De laatste paar dagen dat Ida bij hen werkte leken op de laatste paar dagen voordat Weenie doodging: die eindeloze uren dat Allison naast zijn doos op de keukenvloer lag, toen een deel van hem er nog was maar het grootste deel – het beste – al was vertrokken. *Le Sueur's Peas*, stond er op zijn doos. Het zwarte opschrift stond met ellendige wanhoop in Allisons geheugen gegrift. Ze had met haar neus maar een paar centimeter van die letters af gelegen, terwijl ze op het snelle ritme van zijn pijnlijk zwoegende gehijg probeerde te ademen alsof ze hem met haar eigen longen in leven kon houden. Wat was de keuken enorm groot, zo van onderen bezien en zo diep in de nacht: al die schaduwen. Nog steeds had de dood van Weenie voor haar de wasachtige glans van het linoleum in de keuken van Edie, het benauwde gevoel van haar pronkkasten (een publiek van borden, gerangschikt op tribunes, starend alsof ze er ook niets aan konden doen); de nutteloze vrolijkheid van rode theedoeken en gordijnen met kersen erop. Die stomme, trouwhartige spullen – kartonnen doos, kersengordijnen en kleurig serviesgoed – waren Allison in haar verdriet na komen te staan, hadden de vreselijke, lange nacht wakend met haar doorgebracht. En nu Ida wegging was er niets in huis wat het verdriet van Allison deelde of weerkaatste, alleen weer de dingen: de sombere vloerkleden, de wazige spiegels; de fauteuils die rouwend in elkaar gedoken stonden en zelfs de tragische oude staande klok die zich stijf rechtop stond in te houden alsof hij anders snikkend ineen zou zakken. In de porseleinkast stonden de Weense doedelzakspelers en de dametjes van Doulton-porselein met hun crinolines smekend in het rond te gebaren: opgewonden rode wangetjes, donkere oogjes leeg en verbijsterd.

Ida had het Druk. Ze mestte de ijskast uit; haalde alle spullen uit de keukenkastjes en sopte ze af; maakte bananenbrood en een paar stoofschotels, verpakte die in aluminiumfolie en stopte ze in de vriezer. Ze praatte, neuriede zelfs, en maakte eigenlijk een best vrolijke indruk, behalve dat ze bij al die bedrijvigheid Allisons blik ontweek. Eén keer dacht Allison haar te zien huilen. Aarzelend bleef ze in de deuropening staan. 'Huil je?' vroeg ze.

Ida Rhew sprong op van schrik, om daarna lachend een hand tegen haar hart te drukken. 'Lieve kind toch!' riep ze.

'Ben je verdrietig, Ida?'

Maar Ida schudde alleen van nee en ging verder met haar werk; Allison ging naar haar kamer en huilde. Later zou ze spijt krijgen dat ze een van haar laatste uren met Ida zo had verknoeid en in haar eentje op haar slaapkamer was gaan zitten huilen. Maar op dat moment was het zo droevig om in de keuken toe te kijken hoe Ida met haar rug naar haar toe de kastjes schoonmaakte dat ze het niet uithield; het was zo droevig dat Allison bij de herinnering eraan nog een paniekerig, benauwd gevoel kreeg, alsof ze stikte. Op de een of andere manier was Ida er toen al niet meer; ze kon nog zo warm en tastbaar zijn, ze was eigenlijk al veranderd in een herinnering, een schim, ook al stond ze daar nog steeds met haar witte verpleegstersschoenen in de zonnige keuken.

Allison liep naar de winkel om een kartonnen doos te halen waarin Ida haar stekjes kon meenemen, zodat die onderweg heel bleven. Met al het geld dat ze bezat – tweeëndertig dollar aan gespaard kerstgeld – kocht ze voor Ida alles waarvan ze dacht dat ze het leuk vond of nodig had: blikjes zalm, want Ida at graag crackers met zalm tussen de middag, ahornsiroop, kniekousen, een stuk luxe Engelse lavendelzeep, Fig Newton-koekjes, een doos Russell Stover-chocolaatjes, een postzegelboekje, een leuke rode tandenborstel, een tube streepjestandpasta en zelfs een grote pot multivitaminen.

Allison sjouwde alles mee naar huis en was op de achterveranda lang in de weer om Ida's verzameling stekjes in te pakken, elk snuifblikje, elk plastic bekertje in een afzonderlijk zorgvuldig gevouwen hoesje van vochtig krantenpapier. Op zolder stond een mooie rode doos met kerstboomlampjes. Allison had de lampjes op de grond gegooid, de doos meegenomen naar haar slaapkamer en was net bezig de cadeautjes opnieuw in te pakken toen haar moeder de gang in kwam lopen (lichtvoetige, onbekommerde tred) en haar hoofd om de deur stak.

'Stil is het zo zonder Harriet, hè?' vroeg ze opgewekt. Haar gezicht glom van de coldcream. 'Wil je op mijn kamer naar de televisie komen kijken?'

Allison schudde haar hoofd. Ze voelde zich niet op haar gemak: het was niets voor haar moeder om 's avonds na tienen nog belangstellend binnen te wippen en met uitnodigingen te strooien.

'Waar ben je mee bezig? Kom toch bij mij tv kijken,' zei haar moeder, toen Allison geen antwoord gaf.

'Oké,' zei Allison. Ze stond op.

Haar moeder keek haar met een eigenaardige uitdrukking aan. Allison wist niet goed waar ze kijken moest van verlegenheid. Soms, vooral als ze met z'n tweeën waren, voelde ze sterk haar moeders teleurstelling dat zij het was en niet Robin. Daar kon haar moeder ook niets aan doen – ze probeerde het juist heel roerend uit alle macht te verbergen – maar Allison besefte dat haar bestaan alleen al haar moeder herinnerde aan wat er niet meer was, en uit respect voor haar moeders gevoelens deed ze haar best om haar niet voor de voeten te lopen en zo onopvallend mogelijk aanwezig te zijn in huis. Ze had een paar moeilijke weken voor de boeg: Ida weg én Harriet niet thuis.

'Je hóéft geen tv te komen kijken,' zei haar moeder na een tijdje. 'Ik dacht alleen dat je dat misschien leuk vond.'

Allison voelde dat ze begon te blozen. Ze ontweek haar moeders blik. Alle kleuren in de slaapkamer – ook die van de doos – leken veel te hard en te fel.

Toen haar moeder weer weg was, ging Allison verder met inpakken en daarna stopte ze de rest van het geld in een envelop, samen met de postzegels, een schoolfoto van zichzelf, en haar adres, zorgvuldig met blokletters op een vel mooi briefpapier geschreven. Toen strikte ze een glimmend groen lint om de doos.

Veel later, in het holst van de nacht, ontwaakte Allison met een schok uit een boze droom – een droom die ze al vaker had gehad, waarin ze voor een witte muur stond die zich vlak voor haar gezicht bevond. In die droom kon ze zich niet bewegen, en was het alsof ze de rest van haar leven naar die blinde muur zou moeten blijven kijken.

Ze bleef stilletjes in het donker naar de doos op de vloer naast haar bed liggen staren tot de straatlantaarns uitgingen en de kamer blauw kleurde van de dageraad. Ten slotte stond ze op, pakte een speld uit de la van haar toilettafel en ging in kleermakerszit voor de doos zitten, waarna ze minstens een uur bezig was om moeizaam geheime boodschappen in het karton te prikken tot de zon aan de hemel stond en het weer licht was in de kamer: Ida's laatste dag. WE HOUDEN VAN JE IDA, viel er in de doos te lezen. IDA R. BROWNLEE. KOM TERUG IDA. VERGEET ME NIET IDA. VEEL LIEFS.

Danny voelde zich er wel schuldig over, maar vond het heerlijk rustig dat zijn oma in het ziekenhuis lag. Het ging thuis allemaal veel makkelijker als zij Farish niet voortdurend ophitste. En Farish snoof wel veel (bij afwezigheid van Gum kon hij ongestoord de hele nacht met scheermes en spiegeltje voor de tv zitten) maar zonder de spanning van driemaal daags een gedwongen samenzijn in de keuken voor een overvloedige vette maaltijd van Gum, ontplofte hij minder vaak tegen zijn broers.

Danny gebruikte zelf ook veel, maar dat was oké; hij ging er binnenkort mee kappen, maar was nu gewoon nog even niet zo ver. Bovendien gaf het hem voldoende energie om de hele caravan schoon te maken. Zwetend, op blote voeten, alleen een spijkerbroek aan, maakte hij de ramen, de muren en de vloeren schoon; hij gooide al het ranzige vet en spekvet weg dat Gum in stinkende oude koffieblikken overal in de keuken had gehamsterd; hij boende de badkamer, wreef het zeil tot het glom en bleekte al hun oude onderbroeken en T-shirts tot ze weer wit waren. (Hun grootmoeder had nooit kunnen wennen aan de wasmachine die Farish voor haar had gekocht; omdat ze het witte goed niet apart waste van het bonte, was het grauw geworden.)

Schoonmaken gaf Danny een goed gevoel: alles onder controle. De caravan zag er picobello uit, als de kombuis van een marineschip. Zelfs Farish maakte hem er een compliment over. Danny paste er wel voor op om aan een van zijn 'projecten' (de gedeeltelijk in elkaar gezette apparaten, de kapotte grasmaaiers en carburateurs en staande lampen) te zitten, maar eromheen schoonmaken kon hij wel; het knapte er al flink van op als alle overbodige rommel werd weggegooid. Twee keer per dag reed hij met afval naar de vuilstort. Als hij voor Curtis alfabetsoep had opgewarmd of eieren met spek had gebakken, deed hij meteen de afwas in plaats van de boel te laten staan. Hij had zelfs uitgedokterd hoe hij alles in de keukenkast zo kon neerzetten dat het minder ruimte innam.

's Nachts bleef hij op met Farish. Dat was nog een pluspunt van speed: het verdubbelde je dag. Je had tijd om te werken, tijd om te praten, tijd om na te denken.

En er viel heel wat na te denken. De recente aanvallen – op de Missie, op Gum – hadden de aandacht van Farish op één punt geconcentreerd. Vroeger, vóór de verwonding aan zijn hoofd, had Farish een groot talent bezeten om praktische en logistieke problemen op te lossen, en iets van die oude, rustige, berekenende schranderheid zag je nog in de manier waarop hij zijn hoofd schuin hield, zoals hij daar met Danny op het verlaten viaduct de plek van de misdaad stond te inspecteren: de versierde dynamietkist van de cobra, leeg; een rood kinderkarretje, en een massa kleine voetsporen die heen en weer liepen in het cementstof.

'Als zij dit gedaan heeft,' zei Farish, 'leg ik dat kleine kreng om.' Hij zweeg, handen in zijn zij, en staarde naar het stof.

'Waar denk je aan?' vroeg Danny.

'Hoe een kind die zware kist heeft kunnen versjouwen.'

'Met dat karretje daar.'

'Maar toch nooit de trappen van de Missie af.' Farish beet op zijn onderlip. 'En als ze die slang had gejat waarom zou ze dan op de deur zijn gaan kloppen van kijk, hier ben ik?'

Danny haalde zijn schouders op. 'Kinderen,' zei hij. Hij stak een sigaret aan, snoof de rook op en knipte de grote Zippo dicht. 'Die zijn stom.'

'Wie dit geflikt heeft was zo stom nog niet. Die had lef – en gevoel voor timing.'

'Of geluk.'

'Kan,' zei Farish. Hij had zijn armen over elkaar geslagen – wat in die bruine overall een militaire indruk maakte – en ineens keek hij strak naar Danny's profiel op een manier die Danny niet aanstond.

'Jij zou Gum toch nooit kwaad doen?' vroeg hij.

Danny's mond viel open. 'Nee!' Hij was zo geschokt dat hij bijna niets uit kon brengen. 'Jezus!'

'Het is een oud mens.'

'Alsof ik dat niet weet!' zei Danny, die zijn lange haar driftig uit zijn gezicht veegde.

'Ik probeer alleen te bedenken wie er nog meer wist dat zij die dag in de Trans Am reed en niet jij.'

'Waarom?' vroeg Danny na een kort, verbluft zwijgen. De schittering van de autoweg die hem verblindde maakte zijn verwarring nog groter. 'Wat maakt dat nou uit? Ze heeft alleen gezegd dat ze liever niet in de pick-up klauterde. Dat heb ik toch gezegd. Vraag het haar anders zelf.'

'Of mij.'

'Wat?'

'Of mij,' zei Farish. Hij ademde hoorbaar, met vochtige korte pufjes. 'Míj zou je toch ook nooit kwaad doen?'

'Nee,' zei Danny na een lange, gespannen stilte, op een zo neutraal mogelijke toon. 'Rot toch op, zak,' had hij liever gezegd maar dat durfde hij niet. Hij was met die drugshandel evenveel tijd kwijt als Farish, deed allerhande klusjes en boodschappen, werkte in het lab – moest meneer verdomme nog overal heenrijden ook – maar een gelijk deel krijgen, vergeet het maar, nee, niks kreeg hij, hij mocht al blij zijn als Farish hem af en toe een briefje van tien of twintig toewierp. Goed, een tijd lang was het stukken beter geweest dan een reguliere baan. Hele dagen poolen of Farish rondrijden in de auto, muziek luisteren, 's nachts opblijven: leve de lol was het, en gebruiken naar wens. Maar élke ochtend de zon op zien komen werd toch een beetje veel van het goede, ook wel onwezenlijk, en de laatste tijd werd het gewoonweg eng. Hij kreeg genoeg van dit leven, genoeg van het high worden, maar denk je dat Farish hem ooit zou betalen wat hem toekwam, zodat hij hier weg kon om ergens opnieuw te beginnen waar niemand hem kende (in dit stadje had je nu eenmaal weinig kans als je Ratliff heette) en waar hij eindelijk eens een fatsoenlijke baan kon krijgen? Vergeet het maar. Waarom zou Farish? Die zat gebakken, met zijn onbetaalde slaaf.

Plotseling zei Farish: 'Zorg dat je dat kind vindt. Dat heeft nu voorrang. Ik wil dat jij dat kind vindt en dat je uitzoekt wat ze hiervan weet. Al moet je dat kreng haar nek ervoor omdraaien.'

'Zíj heeft het historische Williamsburg al gezien, het laat haar koud of ík het zie.' Adelaide draaide zich gepikeerd om voor een blik door de achterruit.

Edie haalde diep adem, door haar neus. Ze had eerst Harriet naar het zomerkamp gebracht en daardoor om te beginnen al schoon genoeg van het autorijden; verder hadden Libby (die twee keer terug had gemoeten om te kijken of ze echt wel alles had uitgedraaid) en Adelaide (die hen in de auto had laten wachten terwijl ze nog gauw even een jurk streek die ze op de valreep per se mee wilde nemen) en Tat (die pas toen ze bijna de stad uit waren tot de ontdekking kwam dat haar horloge nog op het aanrecht lag) er samen met hun chaotische gedrag, waarmee je een heilige nog aan het vloeken zou krijgen, voor gezorgd dat ze al twee uur vertraging hadden, en nu – nog voor ze op de grote weg zaten – wilde Adelaide ook nog met alle geweld omrijden via een andere staat.

'Ach, we zullen Virginia heus niet missen, we krijgen al zoveel te zien,' zei Tat – rouge op, fris, geurend naar lavendelzeep, Aqua Net en eau de toilette Souvenez-vous?. Ze rommelde in haar gele tasje, op zoek naar haar astma-inhaler. 'Al is het misschien toch wel jammer... als we toch al helemaal die kant op gaan...'

Adelaide begon zich koelte toe te wuiven met het tijdschrift *Mississippi By-ways* dat ze had meegenomen voor in de auto.

'Als jullie het achterin benauwd krijgen,' zei Edie, 'draai dan je raampje maar een stukje open.'

'Ik wil niet dan mijn haar in de war raakt. Ik ben net bij de kapper geweest.'

Tat boog zich langs haar heen en zei: 'Ach, het kan wel op een kiertje...'

'Nee! Stop! Dat is het portier!'

'Nee, Adelaide, dát is het portier. Dít is het raampje.'

'Toe, laat maar. Het gaat prima zo.'

Edie zei: 'Ik zou me maar niet te veel om mijn haar bekommeren als ik jou was, Addie. Het wordt straks verschrikkelijk warm daar achterin.'

'Nou, met al die open raampjes om me heen,' zei Adelaide stijfjes, 'zit ik toch al op de vliegende tocht.'

Tat schoot in de lach. 'Nou, mijn raampje blijft open.'

'Nou,' zei Adelaide nuffig, 'en mijn raampje blijft dicht.'

Libby – die voorin naast Edie zat – maakte een tobberig geeuwgeluidje, alsof ze haar draai maar niet kon vinden. Haar bescheiden reukwatertje was nog wel uit te houden, maar in combinatie met de hitte en de krachtige oosterse dampen van Shalimar en van Souvenez-vous? die opstegen van de achterbank, was het genoeg om Edies bijholten te verstoppen.

Opeens krijste Tat: 'Waar is mijn tasje?'

'Wat? Wat?' vroeg iedereen tegelijk.

'Ik kan mijn tasje niet vinden!'

'Terug, Edith!' zei Libby. 'Ze heeft haar tasje thuis laten liggen.'

'Niet thuis! Daarnet had ik het nog!'

Edie zei: 'Nou, ik kan hier midden op straat niet keren.'

'Maar waar is het dan? Net had ik het nog! Ik...'

'O, Tatty!' Vrolijk gelach van Adelaide. 'Hier is het! Je zit erbovenop.'

'Wat zei ze? Heeft ze het al?' vroeg Libby angstig achteromkijkend. 'Heb je het nu gevonden, Tat?'

'Ja, ik heb het alweer.'

'O, goddank. Gelukkig ben je het niet kwijt. Wat zou je moeten, zonder je tasje?'

Alsof ze iets aankondigde op de radio, zei Adelaide plechtig: 'Dit doet me denken aan dat malle weekend toen we op Onafhankelijkheidsdag naar Natchez gingen. Dat vergeet ik nooit.'

'Nee, ik ook niet,' zei Edie. Het was in de jaren vijftig, toen Adelaide nog rookte; Edie zat aan het stuur en naast haar had de druk pratende Adelaide de asbak in brand laten vliegen.

'Goeie help, wat was dat een lange, warme rit.'

Edie zei zuur: 'Ja, warm was het zeker, dat vond mijn hand ook.'

Er was een gloeiend heet stukje gesmolten plastic – cellofaan van

Addies pakje sigaretten – op Edies handrug blijven plakken toen
ze de vlammen uitsloeg en tegelijkertijd de auto op de weg probeerde te houden (Addie had naast haar alleen maar gillend met
haar armen zitten wapperen); het was een gemene brandwond,
waaraan ze een litteken had overgehouden, en door de pijn en de
schrik was Edie bijna van de weg geraakt. Ze was in die augustus-
hitte driehonderd kilometer door blijven rijden met haar rechterhand in een kartonnen bekertje met ijswater, en terwijl de tranen
haar over de wangen liepen had ze al die tijd het gemopper en
geklaag van Adelaide moeten aanhoren.

'En die keer dat we in augustus met z'n allen naar New Orleans
zijn gereden?' vroeg Adelaide, terwijl ze komisch een hand over
haar borst liet fladderen. 'Ik dacht dat ik zou bezwijken aan de
hitte, Edith. Ik dacht, als je straks naar opzij kijkt, zie je *dat ik dood
ben.*'

Ach jij! dacht Edie. Jij met je dichte raampje! Dat was toch zeker
je eigen schuld?

'Ja!' zei Tat. 'Wat een rit was dat! En het was...'

'Jíj was er helemaal niet bij.'

'Wel waar!'

'Ja, ze was er wel bij, ik vergeet het nooit,' zei Adelaide met
aplomb.

'Weet je het niet meer, Edith, het was die keer dat je naar de
drive-in van de McDonalds in Jackson reed, waar je onze bestelling probeerde door te geven aan een afvalbak op de parkeerplaats.'

Vrolijke lachsalvo's. Edie concentreerde zich knarsetandend op
de weg.

'O, wat zijn wij toch malle oude dametjes,' zei Tat. 'Wat moeten
die mensen daar wel niet hebben gedacht.'

'Ik hoop maar dat ik niets heb vergeten,' mompelde Libby.
'Vannacht dacht ik ineens dat ik mijn kousen thuis had laten liggen
en al mijn geld kwijt was.'

'Je hebt zeker geen oog dichtgedaan, hè schat?' vroeg Tat, die
naar voren leunde en een hand op Libby's tengere schoudertje
legde.

'Onzin! Ik voel me uitstekend! Ik...'

'Je weet best dat dat niet zo is! Je hebt de hele nacht liggen tobben!' zei Adelaide. 'Weet je waar jij van op zou knappen? Van een
lekker ontbijt.'

Tatty klapte in haar handen en zei: 'Gunst, wat een geweldig
idee!'

'Kom Edith, laten we stoppen.'

'Zeg, hoor eens! Ik had vanochtend om zes uur willen vertrekken. Als we nu stoppen is het al middag voor we op de grote weg zitten! Hebben jullie dan niet gegeten voor jullie weggingen?'

'Nou, eigenlijk wist ik niet hoe mijn maag het zou houden tot we een tijdje onderweg waren,' zei Adelaide.

'We zijn nog maar net de stad uit!'

'Maak je om mij nou geen zorgen, schat,' zei Libby. 'Ik ben zo opgewonden dat ik toch geen hap door mijn keel krijg.'

'Hier, Tat,' zei Edie, die naar de thermosfles tastte. 'Schenk maar een kopje koffie voor haar in.'

'Als ze zo slecht heeft geslapen, krijgt ze misschien hartkloppingen van koffie,' zei Tat zuinig.

Edie snoof minachtend. 'Wat hebben jullie toch? Vroeger dronken jullie altijd koffie bij mij zonder gezeur over hartkloppingen of wat dan ook. En nu doen jullie alsof het vergif is. Worden jullie er ineens wíld van.'

Volkomen onverwachts zei Adelaide: 'O, hemeltje. We moeten terug, Edith.'

Tat sloeg een hand voor haar mond en lachte. 'We zijn wel warhoofden vanochtend, hè?'

'Wat nu weer?' vroeg Edie.

'Het spijt me,' zei Adelaide stuurs. 'Ik moet terug.'

'Wat ben je vergeten?'

Adelaide bleef recht voor zich uit kijken. 'De Sanka.'

'Nou, dan koop je maar weer nieuwe.'

'Maar,' mompelde Tat, 'als ze nu thuis al een pot heeft staan, is het toch zonde om een nieuwe te kopen...'

'En bovendien,' zei Libby – handen tegen haar gezicht, ogen opengesperd in volstrekt ongeveinsde paniek – 'misschien kan ze het wel nergens vinden! Stel dat ze het daar niet verkopen?'

'*Sanka is overal te krijgen.*'

'Kom, Edith,' snauwde Adelaide. 'Kom me niet met die onzin aan. Als je me niet mee terug wilt nemen, stop je maar, dan stap ik uit.'

Abrupt en zonder richting aan te geven zwenkte Edie de oprit van het bankfiliaal op om te keren op de parkeerplaats. 'Wat een stel zijn we toch! En ik maar denken dat ik de enige was die vanochtend van alles vergat,' zei Tat monter terwijl ze tegen Adelaide aan gleed – en zich met één hand op Addies arm schrap zette voor Ediths woeste manoeuvre; ze wilde net aan iedereen gaan verkondigen dat ze het nu niet meer zo erg vond dat ze haar horloge thuis had laten liggen toen er van de voorbank een stokkende kreet van Libby klonk en BENG de Oldsmobile – na een harde klap van rechts – zich om zijn as draaide zodat voor ze het wisten de claxon loeide, het bloed uit Edies neus gutste en ze aan de verkeerde kant van de weg door een web van gebarsten glas naar de aanstormende tegenliggers staarden.

'Ha-rrriet!'

Gelach. Tot Harriets ontzetting had de in spijkergoed gehulde buiksprekerspop haar tussen het publiek uit gepikt. Ze zat met nog vijftig andere meisjes van uiteenlopende leeftijden op houten banken in de open plek van het bos die de leiding 'de kapel' noemde.

Helemaal vooraan draaiden twee meisjes die bij Harriet in de hut zaten (Dawn en Jada) zich om en staarden haar woedend aan. Ze hadden die ochtend nog ruzie met haar gemaakt, een ruzie die was onderbroken door de bel voor 'de kapel'.

'Zeg, rustig aan een beetje, beste Ziggie!' grinnikte de buikspreker. De buikspreker was een van de leiders van het jongenskamp en hij heette Zach. Dokter Vance en zijn vrouw hadden meer dan eens verteld dat Zig (de pop) en Zach al twaalf jaar een slaapkamer deelden, dat de pop met Zach als diens 'kamergenoot' was meegegaan naar de Bob Jones-universiteit en Harriet had er al veel en veel meer over gehoord dan haar lief was. De pop was met zijn kniebroek en platte hoed aangekleed als een Dead End Kid, en had een enge rode mond en sproeten die net mazeltjes leken. En nu zette hij – zeker om Harriet na te apen – grote ogen op en liet hij zijn hoofd helemaal ronddraaien.

'Zeg baas! En dan noemen ze míj een leeghoofd!' riep hij kwaad.

Nog meer gelach – vooraan het hardst, van Jada en Dawn, die enthousiast in hun handen klapten. Harriet keek met gloeiende wangen strak en hooghartig naar de bezwete rug van het meisje dat voor haar zat: een ouder meisje met vetrolletjes die om haar behabandjes puilden. Hopelijk zie ik er later nooit zo uit, dacht ze. Ik ga nog liever dood van de honger.

Ze zat nu tien dagen in het kamp. Een eeuwigheid leek het. Ze verdacht Edie ervan dat die iets tegen dokter Vance en zijn vrouw had gezegd, want de leiders van het kamp moesten eeuwig en altijd haar hebben, maar het probleem was voor een deel – Harriet zag dat glashelder, zonder er iets aan te kunnen veranderen – dat het haar niet lukte om op te gaan in de groep. Ze had uit principe verzuimd de 'kaart van gelofte' die in haar informatiemap zat te ondertekenen en terug te geven. Het was een soort contract dat bestond uit een reeks plechtige beloften, en er werd op alle kinderen uit het kamp druk uitgeoefend om die af te leggen: de belofte niet naar films van boven de zeventien te gaan of naar 'hard of acid rock' te luisteren, geen alcohol te drinken, niet aan seks voor het huwelijk te doen, geen marihuana of tabak te roken en de naam des Heren niet ijdel te gebruiken. Niet dat Harriet nu zo graag een van die dingen zou willen doen (behalve dan eens een keertje naar de bioscoop gaan) maar ze was vastbesloten om niet te tekenen.

'Zeg liefie! Heb je niet iets vergeten?' vroeg Nursie Vance opgewekt, terwijl ze een arm om Harriet heen sloeg (Harriet verstijfde onmiddellijk) en haar een gezellig kneepje gaf.

'Nee.'

'Ik heb van jou nog geen kaart van gelofte gekregen.'

Harriet zweeg.

Nursie gaf haar nog een opdringerige knuffel. 'Weet je, liefie, God geeft ons maar twee keuzes! Iets is goed of het is fout! Je staat aan de kant van Jezus of niet!' Ze haalde een blanco kaart van gelofte uit haar zak.

'Ga hier maar eens over bidden, Harriet. En dan doe je wat de Heer je ingeeft.'

Harriet keek strak naar Nursies uitpuilende witte tennisschoenen.

Nursie pakte stevig Harriets hand vast. 'Zullen we samen bidden, liefie?' vroeg ze samenzweerderig, alsof ze een enorme traktatie aanbood.

'Nee.'

'O, de Heer zal je hierin naar het juiste besluit leiden, dat weet ik zeker,' zei Nursie met sprankelende geestdrift. 'Dat weet ik gewoon zeker!'

De meisjes van Harriets indianenhut hadden al koppels gevormd voordat Harriet kwam en doorgaans negeerden ze haar; wel was ze op een nacht wakker geworden met haar hand in een teiltje warm water, terwijl de andere meisjes giechelend en fluisterend in het donker bij haar voeteneind stonden (je hand in warm water stoppen als je sliep was een trucje om je in bed te laten plassen), maar ze leken het toch niet speciaal op haar te hebben gemunt, hoewel, vergeet dat stuk folie niet dat ze onder de wc-bril over de pot hadden gespannen. Gesmoord gelach van buiten. 'Hé, wat doe je daar zo lang?' Een stuk of tien meiden stonden slap van de lach te wachten toen zij met een onbewogen gezicht en natte korte broek uit de latrine kwam – maar die poets was toch niet speciaal voor haar bedoeld geweest, ze had toch gewoon pech gehad? Aan de andere kant leken ze er wél allemaal aan mee te doen: Beth en Stephanie, Beverley en Michelle, Marcy en Darci en Sara Lynn, Kristle en Jada en Lee Ann en Devon en Dawn. Ze kwamen bijna allemaal uit Tupelo en Columbus (de meisjes uit Alexandria – niet dat ze die aardiger vond – zaten in andere hutten, de Wielewaal en de Goudvink); ze waren allemaal groter dan Harriet en zagen er ouder uit; het waren meiden die lipgloss met een smaakje op hadden en afgeknipte spijkerbroeken droegen, die zich op de waterski-steiger insmeerden met kokosolie. Hun gesprekken (over de Bay City Rollers, de Osmonds en een zekere Jay Jackson, een jongen van hun school) verveelden en ergerden haar.

Harriet was erop voorbereid geweest. Ook op de kaart van gelofte was ze voorbereid geweest. Ze was voorbereid op het sombere bestaan zonder bibliotheekboeken; op de teamsporten (die ze verafschuwde) en de keetavonden, de donderpreken tijdens de godsdienstles; voorbereid op het ongemak en de verveling van kanotochtjes in de broeierige windloze middaghitte, waarop ze stom geklets moest aanhoren: of Dave wel een goed christen was, hoe ver boven de gordel Wayne was gebleven met Lee Ann en of Jay Jackson dronk.

Dat was allemaal al erg genoeg. Maar ze werd komend schooljaar dertien, en waar ze niét op voorbereid was: die gruwelijk vernederende classificatie – voor het eerst van haar leven – van 'tienermeisje': een wezen zonder hersens, een en al sappen en welving, als je op de lectuur af mocht gaan die ze te lezen kreeg. Waar ze niet op voorbereid was geweest waren de zonnige, krenkende dia's vol onterende medische informatie; ook niet op de verplichte kringgesprekken waar ze de meisjes aanspoorden vragen te stellen van persoonlijke aard – die volgens Harriet soms uitgesproken pornografisch waren – vragen die ze nog moesten beantwoorden ook.

Tijdens die gesprekken gloeide Harriet van schaamte en haat. Ze voelde zich vernederd door Nursies botte veronderstelling dat zij, Harriet, over één kam viel te scheren met die domme meiden uit Tupelo: geobsedeerd door okselluchtjes, het voortplantingsmechanisme en afspraakjes met jongens. De nevel van deodorant en 'intiemspray' in de kleedkamers; het stoppelige beenhaar, de vettige lipgloss: alles werd ranzig van het olielaagje van de 'puberteit', van obsceniteit, tot de vochtdruppeltjes op de hotdogs aan toe. Sterker nog: Harriet had het gevoel dat er zo'n stuitende dia van 'Hoe je lichaam zich ontwikkelt', een en al baarmoeder, eileider en borstklier, op haar arme lijf stond geprojecteerd, het gevoel alsof iedereen alleen maar organen, geslachtsdelen en haargroei op onbetamelijke plekken zag als ze naar haar keken, ondanks haar kleren. De wetenschap dat er niet aan viel te ontkomen ('een volkomen natuurlijk aspect van het volwassen worden!') hielp niet meer dan de wetenschap dat ze ooit dood zou gaan. Maar de dood was tenminste nog waardig: die maakte een einde aan schande en verdriet.

Goed, sommige meisjes uit haar hut, vooral Kristle en Marcy, hadden gevoel voor humor. Maar haar vrouwelijker hutgenoten (Lee Ann, Darci, Jada, Dawn) waren grof en angstaanjagend; het stond Harriet tegen dat ze zichzelf zo gretig omschreven in platte biologische termen, zoals wie er 'tieten' had en wie niet. Ze hadden het over aflikken en de vlag die uithing; hun taalgebruik was erg beperkt. Bovendien zochten ze overal iets smerigs achter. 'Kijk,' had Harriet gezegd toen Lee Ann haar zwemvest niet dicht kreeg, 'je hoeft alleen maar dit dingetje daarin te wippen, zó...'

Alle meisjes, ook de ondankbare Lee Ann, waren in lachen uitgebarsten. 'Wát moet ze doen, Harriet?'

'Wippen,' had Harriet koeltjes gezegd. 'Wippen is een prima woord...'

'O ja?' Stompzinnig gehinnik – smerig waren ze, allemaal, dat hele zwetende, menstruerende zootje jongensgekken, met hun schaamhaar en hun transpiratieproblemen dat elkaar daar knipogend stond aan te stoten. 'Zeg het nog eens, Harriet? Wat bedoel je? Wát moet ze doen?'

Zach en Zig waren op het onderwerp bierdrinken overgestapt. 'Moet jij me eens vertellen, Zig. Zou jij iets drinken wat vies smaakte? En nog slecht voor je was ook?'

'Bah! Nooit van m'n leven!'

'Nou, je zult het niet geloven, maar dat is precies wat veel volwassenen en zelfs kinderen doen!'

Zig keek stomverbaasd naar het publiek. 'Deze kinderen hier, baas?'

'Misschien wel. Want je hebt er altijd wel een paar sufkoppen tussen die denken dat bierdrinken Te Gék is, *man!*' Zach maakte het vredesteken. Nerveus gelach.

Harriet, die hoofdpijn had gekregen van het zitten in de zon, tuurde naar een verzameling muggenbulten op haar arm. Na deze bijeenkomst (die goddank over tien minuten voorbij was) was er drie kwartier zwemmen, dan een overhoring bijbelkennis, en dan de lunch.

Zwemmen was de enige activiteit die Harriet fijn vond en waar ze naar uitzag. Alleen gelaten met haar hartslag wiekte ze door het donkere, droomloze meer, door de bleke, flikkerende bundels zon die doordrongen in het duister. Vlak onder de waterspiegel was het water warm als een bad; als ze dieper ging, prikten er koude stralen bronwater in haar gezicht en stegen er poederige donkere pluimen als groene rook op uit de pluizige modder op de bodem, en de pluimen wentelden met elke slag, elke trap.

De meisjes mochten maar tweemaal in de week zwemmen: dinsdags en donderdags. Ze was nu extra blij dat het vandaag donderdag was omdat het haar nog duizelde van de onaangename verrassing die ze vanochtend bij het Postappèl had gehad. Ze had post van Hely gekregen. Toen ze de envelop openmaakte, vond ze tot haar verbijstering een knipsel uit de *Alexandria Eagle* met de kop 'Vrouw aangevallen door exotisch reptiel'.

Er had ook een brief in gezeten, op papier van school met blauwe lijntjes. 'Oooh, is die van je vriendje?' Dawn had de brief uit haar hand gegrist. '"Hoi Harriet"', las ze voor zodat iedereen het horen kon. '"Hoe is het daar?"'

Het krantenknipsel dwarrelde op de grond. Met trillende handen greep Harriet het, verfrommelde het tot een prop en stopte het in haar zak.

'"Dacht dat je dit wel zou willen zien. Lees maar goed..." Wat moet ze lezen? Waar is dat dan?' vroeg Dawn.

Harriet had haar hand in haar zak gestoken en klauwde het krantenpapier tot snippers.

'Het zit in haar zak,' zei Jada. 'Ze heeft iets in haar zak gestopt.'
'Pak het af! Pak het af!'

Verrukt dook Jada op Harriet af; Harriet sloeg haar in haar gezicht.

Jada begon te krijsen. 'O god! Ze heeft me gekrabd! Je hebt op mijn oog gekrabd, stomme trut!'

'Stil een beetje,' siste iemand. 'Straks hoort Mel het.' Mel was Melanie, de leidster van hun hut.

'Het bloedt!' gilde Jada. 'Ze wou mijn oog uitsteken! Godver!'

Dawn stond aan de grond genageld en haar glanzend opgemaakte mond hing open. Harriet maakte van de verwarring gebruik door Hely's brief terug te grissen en in haar zak te proppen.

'Kijk dan!' zei Jada, die haar hand uitstak. Er zat bloed op haar
vingertoppen, en op haar ooglid, niet veel, maar je zag het wel.
'Moet je kijken wat ze gedaan heeft!'

'Kop dicht, allemaal,' zei iemand schril, 'of we krijgen een straf-
punt.'

'En dan,' zei iemand anders verongelijkt, 'mogen we geen
marshmallows roosteren met de jongens.'

'Ja, dat is zo. Koppen dicht!'

Jada stapte met theatraal geheven vuisten op Harriet af. 'Ik zou
maar goed uitkijken als ik jou was,' zei ze, 'ik zou maar...'

'Kop dicht! Daar heb je Mel!'

Toen had de bel geklonken. En zo hadden Zach en zijn pop
Harriet gered, voorlopig tenminste. Als Jada dit zou melden,
kwam er trammelant, maar dat was niks nieuws: Harriet was gewend aan trammelant omdat ze had gevochten.

Waar ze wel over in zat, was het krantenknipsel. Het was ongelooflijk stom van Hely geweest om het op te sturen. Gelukkig had
niemand het gezien; dat was het voornaamste. Op die kop na had
ze er zelf ook niets van gelezen; ze had het grondig versnipperd,
samen met Hely's brief, en de stukjes had ze in haar zak flink door
elkaar gekneed.

Hier op de open plek was iets veranderd, besefte ze. Zach was
opgehouden met praten en alle meisjes zaten ineens doodstil en
zeiden niets meer. In die stilte schoot er paniek door Harriet heen.
Ze verwachtte dat alle hoofden naar haar om zouden kijken, maar
toen schraapte Zach zijn keel en drong het tot Harriet door, alsof
ze uit een droom ontwaakte, dat die stilte niets met haar te maken
had: er werd gebeden. Haastig deed ze haar ogen dicht en boog
haar hoofd.

Zodra het bidden voorbij was, en de meisjes zich uitrekten en
giechelend en pratend in groepjes bijeen gingen staan (Jada en
Dawn, en zo te zien Darci ook, hadden het duidelijk over Harriet:
armen over elkaar geslagen, vijandige blikken in haar richting vanaf de overkant van de open plek) greep Mel (zonneklep op, veeg
zinkzalf over haar neus) Harriet in de kraag. 'Geen zwemmen
voor jou. Je moet bij meneer en mevrouw Vance komen.'

Harriet probeerde haar ontzetting te verbergen.

'Op kantoor,' zei Mel, en ze liet haar tong over haar beugel glijden. Ze keek over Harriet heen – naar de geweldige Zach natuurlijk, bang dat hij terug zou glippen naar het jongenskamp zonder dat hij met haar had gepraat.

Harriet knikte en probeerde onverschillig te kijken. Wat konden ze haar eigenlijk maken? De hele dag alleen in de hut laten zitten?

'Zeg,' riep Mel haar achterna – ze had Zach al in de gaten gekregen, een hand opgestoken en drong zich door de meisjes heen op hem af – 'als de Vances vóór de godsdienstles met je klaar zijn, kom dan maar naar de tennisbaan om mee te trainen met de groep van tien uur, oké?'

Het dennenbos was donker – weldadig na al dat felle, zongebleekte van 'de kapel' – en het pad was zacht en plakkerig. Harriet liep met haar hoofd omlaag. Dat was snel, dacht ze. Jada was wel een bazige pestkop, maar voor een klikspaan had Harriet haar niet aangezien.

Maar ach, misschien was het wel niets. Misschien wilde dokter Vance haar alleen maar de les lezen (een 'sessie' noemde hij dat, waarbij hij eindeloos bijbelteksten citeerde over Gehoorzaamheid en haar ten slotte vroeg of ze Jezus als haar persoonlijke Verlosser wilde aanvaarden). Of misschien wilde hij haar wel aan de tand voelen over dat Star Wars-poppetje. (Eergisteravond had hij het hele kamp bijeengeroepen, de jongens én de meisjes, en was hij een uur lang tegen ze tekeergegaan omdat een van hen volgens hem een Star Wars-poppetje had gestolen van zijn zoontje Brantley, een drein van een kleuter.)

Of misschien was er telefoon voor haar. De telefoon stond in het kantoor van dokter Vance. Maar wie zou haar nu bellen? Hely?

Misschien is het de politie wel, dacht ze ongerust, misschien hebben ze het karretje gevonden. Die gedachte probeerde ze meteen van zich af te zetten.

Op haar hoede kwam ze uit het bos. Bij het kantoor, naast het busje en de stationcar van dokter Vance, stond een auto met een garagekenteken – van Dial Chevrolet. Nog voor Harriet zich kon afvragen wat dat met haar te maken had, ging met een melodieuze tinkelstroom van de windgong de deur van het kantoortje open en kwam dokter Vance naar buiten, gevolgd door Edie.

Harriet schrok zo dat ze geen voet meer kon verzetten. Edie zag er anders uit – grauw, mat – en even vroeg Harriet zich af of ze

zich soms vergiste, maar nee, het was Edie: ze had gewoon een
oude bril op die Harriet niet gewend was, met een zwart mannen-
montuur dat te grof was voor haar gezicht en haar bleek maakte.
Dokter Vance kreeg Harriet in het oog en zwaaide, met beide
armen, alsof hij zich aan de overkant van een vol stadion bevond.
Harriet liep schoorvoetend verder. Ze kreeg het gevoel dat ze weleens echt diep in de problemen zou kunnen zitten – maar toen zag
Edie haar ook en ze lachte: en om de een of andere reden (die bril
misschien?) was het de oude Edie, de Edie van heel vroeger, de
Edie uit het hartvormige doosje, de Edie die floot en Robin honkballen toewierp onder dreigende Kodak-luchten.
    'Hottentot!' riep ze.
    Dokter Vance keek met beheerste welwillendheid toe, toen Har-
riet – barstend van liefde bij dat zo zelden gebruikte, dierbare oude koosnaampje – over het grind naar Edie toe holde, en Edie
bukte (snel, soldatesk) voor een vluchtig kusje op haar wang.
    'Jawel! Deksels blij om oma weer te zien!' bulderde dokter
Vance, die op zijn hielen wipte en zijn ogen opsloeg naar de hemel. Hij zei het met overdreven warmte, maar ook alsof hij eigenlijk aan iets anders dacht.
    'Harriet,' vroeg Edie, 'zijn dit al jouw spullen?' en Harriet zag
voor Edies voeten haar koffer, haar plunjezak en haar tennisracket
op het grind liggen.
    Na een korte, verwarde stilte – waarin ze nog niet doorhad
waarom haar spullen daar lagen – zei Harriet: 'Je hebt een nieuwe
bril.'
    'De bril is oud. De auto nieuw.' Edie knikte naar de nieuwe auto
die naast die van dokter Vance stond. 'Als je nog iets in de hut
hebt liggen, ga dat dan maar gauw halen.'
    'Waar is jouw auto?'
    'Dat doet er nu niet toe. Schiet nou maar op.'
    Harriet – niet iemand die een gegeven paard in de bek zag –
holde ervandoor. Ze was stomverbaasd over deze redding uit totaal onverwachte hoek; te meer omdat ze bereid was geweest zich
aan Edies voeten te werpen en te smeken en bidden of ze mee
naar huis mocht.
    Afgezien van een paar op handenarbeid gemaakte spullen die
ze niet wilde (groezelig pannenlapje, versierde potlodendoos van
karton, nog niet droog) moest Harriet alleen nog haar badslippers
en haar handdoeken meenemen. Haar ene handdoek was door
iemand ingepikt voor het zwemmen, dus greep ze de andere en

rende weer terug naar het kantoor van dokter Vance.

Dokter Vance laadde de spullen in de kofferbak van de nieuwe auto voor Edie – die zich een beetje stijf bewoog, viel Harriet nu pas op.

Misschien is er wel iets met Ida, dacht Harriet ineens. Misschien heeft Ida besloten om niet weg te gaan. Of misschien wil ze me nog één keer zien voor ze gaat. Maar ze wist wel dat dat allebei niet waar was.

Edie keek haar achterdochtig aan. 'Had je niet twee handdoeken?'

'Nee, Edie.' Ze zag een spoor van iets donkers, een soort korstje onder Edies neus: snuif? Chester nam weleens snuif.

Voor Harriet kon instappen kwam dokter Vance aanlopen, schoof tussen haar en het portier in, boog naar voren en stak zijn hand naar haar uit.

'God trekt Zijn eigen plan, Harriet.' Hij zei het alsof hij een geheimpje verklapte. 'Wil dat zeggen dat wij er altijd blij mee zijn? Nee. Wil dat zeggen dat wij het altijd begrijpen? Nee. Wil dat zeggen dat wij erover moeten klagen en kermen? Welzeker niet!'

Gloeiend van schaamte keek Harriet dokter Vance in zijn harde grijze ogen. In de discussiegroep van Nursie na afloop van de vertoning van 'Hoe je lichaam zich ontwikkelt' was er heel wat afgepraat over Gods Plan – dat die eileiders en hormonen en vernederende uitscheidingen op de dia's deel uitmaakten van Gods Plan voor meisjes.

'En waarom is dat zo? Waarom wil God ons beproeven? Waarom toetst Hij onze standvastigheid? Waarom moeten wij die universele uitdagingen overdenken?' Zijn blik gleed onderzoekend over haar gezicht. 'Wat kunnen wij ervan leren voor onze christelijke levenswandel?'

Stilte. Harriet walgde zo dat ze haar hand niet terug kon trekken. Hoog in de dennen krijste een blauwe gaai.

'Een van de uitdagingen die wij het hoofd moeten bieden, Harriet, is dat wij dienen te aanvaarden dat Zijn plan altijd voor ons bestwil is. En wat wil aanvaarding zeggen? Wij moeten buigen voor Zijn wil! Wij moeten ons er vreugdevol naar schikken! Dat is de uitdaging die ons christenen wordt gesteld!'

Ineens werd Harriet – haar gezicht maar een paar centimeter van het zijne – heel erg bang. Met uiterste concentratie staarde ze naar het plukje rossige stoppels in de spleet van zijn kin dat het scheermes had overgeslagen.

'Laat ons bidden,' zei dokter Vance ineens, met een kneepje in haar hand. 'Lieve Heer,' zei hij, terwijl hij duim en wijsvinger tegen zijn stijf gesloten ogen drukte. 'Welk een voorrecht is het vandaag voor U te staan! Welk een zegen tot U te mogen bidden! Laat ons verheugd, verheugd zijn in Uw aangezicht!'

Wat bedoelt hij nou? dacht Harriet verbouwereerd. Haar muggenbulten jeukten, maar ze durfde er niet aan te krabben. Met neergeslagen ogen staarde ze naar haar voeten.

'Ocheer. Wil in de komende dagen bij Harriet en haar familie zijn. Wil over hen waken. Wil hen hoeden, leiden en bewaren. Ocheer, help hen begrijpen,' zei dokter Vance, die alle medeklinkers en lettergrepen heel nadrukkelijk uitsprak, 'dat hun smarten en beproevingen deel zijn van hun christelijke levenswandel...'

Harriet had haar ogen gesloten. Waar is Edie? dacht ze. In de auto? De hand van dokter Vance kleefde en voelde akelig aan; wat zou ze zich schamen als Marcy en de meisjes uit haar hut langskwamen en haar op het parkeerterrein hand in hand zagen staan met dokter Vance, uitgerekend dokter Vance.

'Ocheer. Help hen U niet de rug toe te keren. Help hen zich aan U te onderwerpen. Help hen zonder morren te aanvaarden. Help hen niet ongehoorzaam of opstandig te worden, maar Uw handelen te aanvaarden en Uw verbond te heiligen...'

Wat moeten we aanvaarden? dacht Harriet, met een gemene steek van schrik.

'... wij vragen dit in de naam van Jezus onze Heer, AMEN,' zei dokter Vance, zo luid dat Harriet opschrok. Ze keek om zich heen. Edie stond aan de linkerkant van de auto, met een hand op de motorkap – maar het viel niet te zeggen of ze daar de hele tijd al stond of er na het bidden naartoe was geschuifeld.

Nursie Vance was uit het niets opgedoken. Ze stortte zich op Harriet om haar in een volborstige wurggreep te nemen. 'God houdt van je!' zong ze met haar belletjesstem. 'Vergeet dat nooit!'

Ze gaf Harriet een tikje op haar achterwerk en wendde zich stralend tot Edie, alsof ze dacht weer eens fijn te kunnen babbelen. 'Hallóho!' Maar Edie was niet meer zo tot gezelligheid bereid als toen ze Harriet was komen brengen. Ze knikte Nursie stug toe en daar bleef het bij.

Ze stapten in; nadat Edie over haar bril even naar de knoppen op het nog vreemde dashboard had getuurd, startte ze en reed weg. Meneer en mevrouw Vance gingen midden op het open stuk grind staan en bleven – met een arm om elkaars middel geslagen – zwaaien tot Edie de bocht omging.

De nieuwe auto had airconditioning, wat een heel stuk rustiger was. Harriet nam alles goed op – de nieuwe radio, de elektrische raampjes – en ging met een onbehaaglijk gevoel zitten. In hermetisch afgesloten koelte snorden ze door de golvende bladschaduw voort over de grindweg, zoetjes verend over kuilen die de Oldsmobile tot diep in het chassis hadden doen schokken. Pas toen ze helemaal aan het eind van de donkere grindweg waren en de zonnige autoweg opdraaiden, durfde Harriet een blik op haar grootmoeder te werpen.

Maar Edie leek elders met haar gedachten. Ze gleden verder. De weg was breed en leeg: geen auto's, wolkeloze hemel, bermen van roestrood stofzand die aan de einder tot een stipje ineenvloeiden. Onverwachts schraapte Edie haar keel, met een luid, opgelaten 'ahem'.

Harriet wende zich geschrokken van het raampje af om Edie aan te kijken. Die zei: 'Het spijt me voor je, meiske.'

Even stokte Harriets ademhaling. Alles stond stil: de schaduwen, haar hart, de rode wijzers van het dashboardklokje. 'Wat is er dan?' vroeg ze.

Maar Edie bleef op de weg kijken. Haar gezicht was als versteend.

De airconditioning stond te hoog. Harriet omklemde haar blote armen. Moeder is dood, dacht ze. Of Allison. Of mijn vader. En tegelijk wist ze diep vanbinnen dat ze dat alles aan zou kunnen. 'Wat is er gebeurd?' vroeg ze.

'Het gaat om Libby.'

In de consternatie na het ongeluk had niemand erbij stilgestaan dat een van de oude dames iets ernstigs kon mankeren. Afgezien van een paar blauwe plekken en schaafwonden – en de bloedneus van Edie, die erger was dan het eruitzag – waren ze allemaal meer geschrokken dan gewond. En het ambulancepersoneel had hen ergerlijk grondig onderzocht voordat ze weg mochten. 'Deze heeft geen schrammetje,' had de wijsneuzige broeder gezegd die Libby – wit haar, parels, poederroze jurk – uit de gekreukelde auto had geholpen.

Libby had een verdoofde indruk gemaakt. Aan haar kant was de klap het hardst aangekomen; ze bleef weliswaar met haar vingertoppen haar nek aftasten – behoedzaam, alsof ze de hartslag zocht

– maar zei met een afwerend handgebaar: 'O, maak je over míj maar geen zorgen!' toen Edie ondanks het protest van de hulpverleners uit de ambulance klom om te kijken hoe het met haar zusters was.

Ze hadden allemaal een stijve nek. Die van Edie voelde aan alsof ermee geknald was als een rijzweep. Adelaide liep rondjes om de Oldsmobile en bleef maar in haar oren knijpen om te controleren of ze allebei haar oorbellen nog had terwijl ze riep: 'Het is een wonder dat we nog leven! Het is een wonder dat je ons niet de dood hebt ingejaagd, Edith!'

Maar nadat ze allemaal waren onderzocht op hersenschuddingen en gebroken botten (waarom, dacht Edith, waaróm had ze er niet op gestaan dat die stommelingen Libby's bloeddruk opnamen? Als gediplomeerd verpleegster had ze verstand van die dingen) hadden de broeders uiteindelijk alleen Edie naar het ziekenhuis willen brengen, wat haar razend maakte, want ze mankeerde niets – geen ernstige botbreuken, geen inwendig letsel, dat wist ze zeker. Ze had zich helaas tot een discussie laten verleiden. Er was niets met haar aan de hand, alleen gebroken ribben van de klap tegen het stuur, en uit haar verpleegsterstijd bij het leger wist Edie dat je daar niets aan kon doen, alleen intapen en de soldaat weer op pad sturen.

'Maar u heeft een gebroken rib, mevrouw,' zei de andere ambulanceman – niet die wijsneus, maar die met dat dikke hoofd als een pompoen.

'Ja, dat weet ik ook wel!' had Edie hem bijna schreeuwend toegevoegd.

'Maar mevrouw...' Er werden opdringerige handen naar haar uitgestoken. 'Laat ons u maar naar het ziekenhuis brengen, mevrouw...'

'Waarom? Daar tapen ze me toch alleen maar in en dat kost me dan honderd dollar. Voor honderd dollar kan ik zelf mijn ribben wel intapen!'

'Een bezoek aan de eerste hulp gaat u heel wat meer kosten dan honderd dollar,' zei de wijsneus, die op de motorkap van Edies arme vernielde auto leunde (de auto! de auto! telkens als ze ernaar keek deed het pijn aan haar hart). 'Alleen al voor de foto's bent u vijfenzeventig dollar kwijt.'

Er had zich een kleine menigte verzameld; voornamelijk pottenkijkers van het bankfiliaal, giechelende kauwgumkauwende meiden met getoupeerd haar en bruine lippenstift. Tat – die al

zwaaiend met haar gele tasje de politieauto had aangehouden –
stapte weer achter in de kapotte Oldsmobile en bleef daar (ondanks de nog steeds loeiende claxon) bij Libby zitten terwijl alles
verder werd afgehandeld met de agent en de andere bestuurder,
iets wat eindeloos duurde. De automobilist was een kras, irritant,
pedant oud baasje dat Lyle Pettit Rixey heette; hij was heel mager,
had lange puntschoenen en een haakneus als een duveltje-uit-een-
doosje, en onder het lopen tilde hij op een precieuze manier hoog
zijn knieën op. Hij leek erg trots op het feit dat hij uit Attala
County kwam, en ook op zijn naam, die hij met veel genoegen
telkens voluit herhaalde. Hij wees voortdurend met een verongelijkte knokige vinger naar Edie: 'dat mens daar', zei hij dan, alsof
Edie dronken was, een alcoholiste. 'Dat mens daar stak zo voor
me de weg over. Dat mens hoort niet achter het stuur.' Edie draaide zich hooghartig om en beantwoordde met haar rug naar hem
toe de vragen van de agent.

Het ongeluk was haar schuld; ze had geen voorrang verleend en
ze kon die schuld maar beter waardig op zich nemen. Haar bril
was kapot en vanaf de plek waar ze stond, in de zinderende hitte
('dat mens heeft wel een warme dag uitgezocht om vlak voor me
de weg op te schieten,' mopperde meneer Rixey tegen het ambulancepersoneel) leken Libby en Tat niet veel meer dan een roze en
een gele vlek op de achterbank van de Oldsmobile. Edie bette haar
voorhoofd met een vochtig zakdoekje. In De Beproeving hadden
er elke kerst jurken in vier verschillende kleuren onder de boom
gelegen – roze voor Libby, blauw voor Edie, geel voor Tat en lavendelblauw voor de kleine Adelaide. Kleurige inktlappen, kleurige strikken en postpapier... blonde porseleinen poppen, allemaal
hetzelfde, op hun jurkje na, alles in hun eigen pastelkleur...

'Bent u midden op de weg gekeerd of niet?' vroeg de politie-
man.

'Nee! Ik ben hier gekeerd, hier op de parkeerplaats.' Op de weg
blikkerde een autospiegel, aan de rand van Edies gezichtsveld,
waardoor ze werd afgeleid, en tegelijkertijd schoot haar om een
onverklaarbare reden een jeugdherinnering te binnen: de oude
blikken pop van Tatty – in bemodderde gele kleertjes – die met
ledematen als stilgezette molenwieken in de moestuin van De Beproeving lag, onder de vijgenbomen, waar de kippen soms kwamen scharrelen als ze ontsnapt waren. Edie had zelf nooit met
poppen gespeeld – had er nooit belangstelling voor gehad – maar
die blikken pop zag ze nu verrassend scherp voor zich: het lijfje

van bruine katoen, het neusje glimmend met een macabere, metaalachtige glans waar de verf was weggesleten. Hoeveel jaar had
Tatty dat gehavende ding met die metalen doodskop niet door de
tuin met zich meegesjouwd; hoeveel jaar was het niet geleden dat
Edie voor het laatst aan dat griezelige neusloze gezichtje had gedacht?

De agent ondervroeg Edie een halfuur lang. Door zijn zeurderi-
ge bromstem en zijn spiegelzonnebril was het net alsof ze ondervraagd werd door The Fly uit die horrorfilm van Vincent Price.
Edie schermde met een hand haar ogen af en probeerde zich op
de vragen te concentreren, maar haar blik werd steeds opzij getrokken naar de auto's die op de zonovergoten weg voorbijflitsten
en ze moest steeds maar aan Tatty's oude pop met die zilveren
streep als neus denken. Hoe heette dat vreselijke ding toch ook
weer? Edie kon er met geen mogelijkheid op komen. Tatty was pas
opgehouden met brabbelen toen ze naar school ging en haar poppen hadden de meest absurde zelfverzonnen namen gehad, zoals
'Gryce' en 'Lillium' en 'Artemo'...

De meisjes van de bank kregen er genoeg van en drentelden,
terwijl ze hun nagels inspecteerden en hun haar om een vinger
draaiden, weer naar binnen. Adelaide – door Edie verbitterd als de
schuldige aangemerkt (zij met haar Sanka!) – leek zich nogal te
ergeren en stond op koele afstand van de plaats des onheils, alsof
ze er niet bijhoorde, te praten met een nieuwsgierige vriendin van
het koor, mevrouw Cartrett, die was gestopt om te kijken wat er
aan de hand was. Op een gegeven ogenblik was ze bij mevrouw
Cartrett in de auto gestapt en weggereden zonder iets tegen Edie
te zeggen. 'We rijden even naar de McDonalds om een worstje en
een broodje te halen,' had ze tegen Tat en die arme Libby geroepen. Naar de McDonalds! En toen Edie van de agent met het in-
sectengezicht eindelijk mocht gaan, had tot overmaat van ramp
haar arme trouwe auto uiteraard niet willen starten, en had ze zich
moeten vermannen om terug te lopen naar dat vreselijk kille
bankfiliaal, om onder de neus van al die ongemanierde meiden
achter de loketten te vragen of ze mocht opbellen. En al die tijd
hadden Libby en Tat zonder morren in die moordende hitte achterin de Oldsmobile zitten wachten.

De taxi was er binnen de kortste keren. Van waar zij stond te
telefoneren met de man van de garage, voorin aan het bureau van
de chef, had Edie door de spiegelruit het tweetal naar de taxi zien
lopen: arm in arm op hun zondagse schoenen voetje voor voetje

over het grind. Ze klopte op de ruit; in het felle licht draaide Tat zich half om en stak haar hand op en op dat moment schoot de naam van Tatty's oude pop haar zo abrupt te binnen dat ze in de lach schoot. 'Pardon?' vroeg de man van de garage, en de chef – bolle ogen achter dikke brillenglazen – keek naar Edie alsof ze gek was, maar dat liet haar koud. *Lycobus.* Ja, natuurlijk. Zó heette die blikken pop. Lycobus was stout en had een grote mond tegen haar moeder; Lycobus vroeg de poppen van Adelaide op de thee en dan kregen ze alleen maar water en radijsjes.

Toen de takelwagen eindelijk was gekomen, had Edie van de chauffeur een lift naar huis geaccepteerd. Het was voor het eerst sinds de Tweede Wereldoorlog dat ze weer in zo'n grote bak zat; hij had een hoge cabine, en het was geen pretje geweest er met gebroken ribben in te klauteren, maar, zoals de rechter zijn dochters altijd graag had voorgehouden: lieverkoekjes worden niet gebakken.

Toen ze thuiskwam was het bij enen. Edie hing haar kleren op (pas bij het uitkleden bedacht ze dat de koffers nog in de Oldsmobile lagen) en nam een verkoelend bad; daarna, in haar beha en onderbroek op de rand van het bed gezeten, hield ze haar adem in en tapete haar ribben in zo goed en zo kwaad als het ging. Toen nam ze een glas water en een pijnstiller met codeïne die ze nog had liggen van een akkefietje met haar tanden, trok een kimono aan en ging op bed liggen.

Een hele tijd later was ze gewekt door een telefoontje. Even had ze gedacht dat het dunne stemmetje aan de andere kant van de lijn de moeder van de kinderen was. 'Charlotte?' blafte ze, en toen antwoord uitbleef: 'Met wie spreek ik?'

'Met Allison. Ik ben bij Libby thuis. Ze... ze lijkt me zo van streek.'

'Daar kan ik inkomen,' zei Edie; bij het overeind komen had de pijn haar overvallen en ze haalde scherp adem. 'Bezoek komt voor haar nu niet zo gelegen. Eigenlijk moet je haar nu niet lastigvallen, Allison.'

'Ze lijkt niet moe. Ze... ze zegt dat ze bietjes moet inmaken.'

'Bietjes inmaken!' Edie snoof. 'Ik zou ook vreselijk van streek zijn als ik vanmiddag bieten moest inmaken.'

'Maar ze zegt...'

'Ga jij nou maar naar huis zodat Libby kan rusten,' zei Edie. Ze was suffig van de pijnstiller; bovendien was ze bang dat Allison naar het ongeluk zou vragen (de agent had geopperd dat het misschien aan haar ogen lag; er was sprake geweest van een onderzoek en intrekking van haar rijbewijs) en daarom wilde ze het gesprek liefst zo snel mogelijk beëindigen.

Tobberig gemompel op de achtergrond.

'Wat zegt ze?'

'Ze maakt zich zorgen. Ze heeft gevraagd of ik je wilde bellen. Ik weet niet wat ik doen moet, Edie, kom alsjeblieft hierheen om...'

'Waarom in vredesnaam?' vroeg Edie. 'Geef haar maar.'

'Ze is in de kamer hiernaast.' Gepraat, onverstaanbaar, daarna kwam Allisons stem terug. 'Ze zegt dat ze de stad in moet en dat ze niet weet waar haar kousen en schoenen zijn.'

'Zeg maar dat ze zich niet zo druk moet maken. De koffers liggen nog in de auto. Heeft ze haar middagdutje wel gedaan?'

Nog meer gemompel, en Edie had de grootste moeite om haar geduld te bewaren.

'Hallo?' zei ze luid.

'Ze zegt dat het goed met haar gaat, Edie, maar...'

(Libby zei altijd dat het goed met haar ging. Toen ze roodvonk had zei ze nog dat het goed met haar ging.)

'... maar ze wil niet gaan zitten,' zei Allison; haar stem klonk ver weg, alsof ze de hoorn niet dicht genoeg bij haar mond hield. 'Ze staat in de huiskamer...'

Allison bleef praten en Edie bleef luisteren, maar toen de ene zin was afgelopen en Allison al met de volgende bezig was besefte Edie dat ze er geen woord van had verstaan.

'Het spijt me,' zei ze kortaf, 'maar je moet echt duidelijker spreken,' en voordat ze Allison de les had kunnen lezen omdat ze zo binnensmonds sprak, klonk er lawaai bij de voordeur: *tik tik tik tik tik*, een reeks korte, felle klopjes. Edie sloeg de kimono opnieuw om zich heen, bond hem stevig dicht en tuurde de gang in. Daar stond Roy Dial te grijnzen, net een buidelrat met die grijze zaagtandjes van hem. Hij wuifde haar zonnig toe.

Haastig trok Edie haar hoofd weer naar binnen in de slaapkamer. *De aasgier*, dacht ze. *Het liefst schoot ik hem neer.* Hij leek bijzonder in zijn nopjes. Allison zei nu weer iets anders.

'Hoor eens, ik moet nu ophangen,' zei ze kordaat. 'Er staat bezoek op de veranda en ik ben nog niet aangekleed.'

'Ze zegt dat ze naar het station moet om een bruid af te halen,' zei Allison duidelijk verstaanbaar.

Edie, die er niet graag voor uitkwam dat ze slecht hoorde en bij

onlogische overgangen in een gesprek onverstoorbaar doorhob-
belde, haalde diep adem (haar ribben deden er pijn van) en zei:
'Zeg tegen Lib dat ik zeg dat ze moet gaan liggen. Als ze wil kom
ik wel langs om haar bloeddruk te meten en haar iets kalmerends
te geven zodra...'

Tik tik tik tik tik!

'Zodra ik hem heb afgepoeierd,' zei ze en maakte een eind aan
het gesprek.

Ze sloeg een sjaal om, stapte in haar pantoffels en liep de gang
op. Door het glas-in-lood van de voordeur hield meneer Dial –
mond open in overdreven vertoon van verrukking – iets omhoog
wat veel weg had van een in geel cellofaan verpakte fruitmand.
Toen hij zag dat ze in haar peignoir was, maakte hij een gebaar
van bedroefd berouw (waarbij hij zijn wenkbrauwen in het midden omhoog liet gaan, als een omgekeerde v) wees op de mand en
zei met overdreven lipbewegingen: 'Neem me niet kwalijk dat ik
u stoor! Een kleinigheidje! Ik zet het hier wel neer...'

Na een ogenblik van besluiteloosheid, riep Edie – op heel andere, levendige toon – 'Een ogenblikje! Ik kom eraan!' Daarna – met
een glimlach die verzuurde zodra ze zich omdraaide – haastte ze
zich terug naar haar kamer, deed de deur dicht en plukte een jurk
uit de kast.

Rits op de rug dicht, rouge links, rouge rechts, poederdonsje
over de neus, borstel door het haar (gezicht vertrokken van de
pijn in haar opgeheven arm) en nog even een snelle blik in de
spiegel voor ze haar kamer uit ging en door de gang naar hem toe
liep.

'Lieve deugd,' zei ze stijfjes, toen meneer Dial haar de mand
overhandigde.

'Ik hoop dat ik niet ongelegen kom,' zei meneer Dial, die vertrouwelijk zijn hoofd draaide om haar met zijn andere oog aan te
kijken. 'Dorothy kwam Susie Cartrett tegen in de winkel en die
heeft alles over het ongeluk verteld... Ik zeg al jaren' – hij legde
zijn hand op haar arm om zijn woorden kracht bij te zetten – 'dat
ze een stoplicht bij die kruising moeten zetten. Al jaren! Ik heb
nog naar het ziekenhuis gebeld maar daar zeiden ze gelukkig dat
u niet was opgenomen.' Met een hand op zijn borst hief hij zijn
ogen dankbaar ter hemel.

'Allemensen,' zei Edie ontdooiend. 'Dank u wel.'

'Neemt u van mij aan dat het de gevaarlijkste kruising van de
hele streek is! Weet u wat er gaat gebeuren? Het is een schande

dat ik het zeg, maar er moet daar eerst iemand worden doodgereden voordat de gemeenteraad wakker wordt. Dóódgereden.'

Tot haar verrassing liet Edie zich vermurwen door de houding van meneer Dial – heel aangenaam was die eigenlijk, vooral omdat hij er blijkbaar zo van overtuigd was dat zij onmogelijk schuld kon hebben aan het ongeluk. En toen hij naar de nieuwe Cadillac voor het huis wees ('zomaar een aardigheidje... ik dacht dat u wel een paar dagen een leenauto kon gebruiken...') was ze lang niet zo negatief over zijn gewiekste vrijpostigheid als ze een paar minuten daarvoor nog zou zijn geweest; ze liep zonder morren met hem mee terwijl hij alle extra's opsomde: lederen bekleding, cassettespeler, stuurbekrachtiging ('deze schoonheid heb ik nog maar twee dagen binnen, en ik moet zeggen, zodra ik hem zag dacht ik: dát is nu de ideale auto voor juffrouw Edith!'). Ze putte een wonderlijke bevrediging uit zijn demonstratie van de automatische raampjes en de verdere snufjes, zeker nu er kortgeleden nog mensen waren geweest die hadden durven suggereren dat Edie misschien niet meer achter het stuur thuishoorde.

Hij ging maar door. Edies pijnstiller raakte uitgewerkt. Ze probeerde hem te onderbreken, maar Dial rook zijn kans (van de chauffeur van de takelwagen wist hij dat de Oldsmobile rijp voor de sloop was) en begon met lokkertjes te strooien: vijfhonderd dollar van de catalogusprijs af – en waarom? Handpalmen omhoog: 'Omdat ik zo'n goed hart heb? Nee, juffrouw Edith. Nee, ik zal u zeggen waarom. Omdat ik een goede zakenman ben, en omdat Chevrolet Dial u als klant wil.' Terwijl hij daar in de volle zomerzon stond uit te leggen waarom hij ook nog de verlengde garantie zou verlengen, kreeg Edie – met een pijnscheut in haar borstbeen – een venijnig, nachtmerrieachtig visioen van de naderende ouderdom. Pijnlijke gewrichten, wazig zicht, voortdurend de nasmaak van aspirine achter in de keel. Bladderende verf, lekkende daken, kranen die drupten, katten die plasten op het kleed en eeuwig ongemaaide gazons. En tijd: genoeg tijd om uren voor het huis te staan luisteren naar alle oplichters, schurken of 'hulpvaardige' onbekenden die kwamen aanwaaien. Hoe vaak was ze niet naar De Beproeving gereden en had ze daar haar vader de rechter op de oprijlaan aangetroffen in gesprek met een handelsreiziger, een gewetenloze aannemer of een grijnzende beunhaas van een bomensnoeier die later zou volhouden dat de offerte per tak was geweest, niet per boom; joviale Judassen op Florsheimschoenen die hem seksblaadjes of slokjes whisky aanboden tussen de beloftes van exclusieve kansen en ongelooflijk commissieloon door: olierechten, gegarandeerde afzetterreinen en genoeg risicoloze investeringen en Kansen van Uw Leven om de arme grijsaard definitief te verlossen van alles wat hij bezat, zijn geboortehuis incluis...

Met een groeiend gevoel van wanhoop bleef Edie luisteren. Wat had verzet voor zin? Net als haar vader was ze een verstokte, stoïcijnse heiden; ze ging weliswaar uit burgerzin en sociaal plichtsgevoel naar de kerk, maar geloofde geen woord van wat daar werd gezegd. Overal rook ze groene grafgeuren: gemaaid gras, lelies en omgespitte aarde; bij iedere ademhaling schoot de pijn door haar ribben en ze moest steeds denken aan de broche van onyx en diamant die ze van haar moeder geërfd had en die ze als een suf oud mens had opgeborgen in een niet-afgesloten koffer die nu in de niet-afgesloten kofferbak van een autowrak lag, aan de andere kant van de stad. *Mijn hele leven word ik al beroofd,* dacht ze. *Alles wat me ooit dierbaar was is me ontnomen.*

En vreemd genoeg schonk het haar troost, dat familiaire van Dial, met zijn rood aangelopen gezicht, zijn weeë aftershave en zijn dolfijnengehinnik. Zijn overdreven maniertjes, die een contrast vormden met die degelijke, omvangrijke borst onder het gesteven overhemd, waren verrassend geruststellend. Uiterlijk heb ik hem altijd aantrekkelijk gevonden, dacht Edie. Roy Dial had zo zijn gebreken maar was tenminste niet zo onbeschaamd om te suggereren dat Edie niet achter het stuur thuishoorde... 'Ik wil en zal blijven rijden,' had ze nog geen week daarvoor tegen dat stuk onbenul van een oogarts gebulderd, 'al rijd ik iedereen in Mississippi dood...' En terwijl ze stond te luisteren naar meneer Dial die over de auto vertelde en zijn dikke vinger op haar arm legde (nog één ding moest hij aan haar kwijt, en daarna nog een, en toen ze schoon genoeg van hem begon te krijgen, vroeg hij: 'Wat moet ik verder nog zeggen om uw klandizie te krijgen? Nu meteen? Vertel maar wat ik moet zeggen om zaken met u te kunnen doen...'); terwijl Edie, die gek genoeg voor één keer niet in staat was om zich los te rukken, naar zijn verkooppraatjes bleef staan luisteren, ging Libby, nadat ze in een teiltje had overgegeven, op bed liggen met een koel washandje op haar voorhoofd, om weg te glijden in een coma waaruit ze nooit meer zou ontwaken.

Een beroerte. Dat was het. Wanneer ze de eerste had gekregen, wist niemand. Op elke andere dag zou Odean er zijn geweest, maar Odean had vanwege hun reisje een week vrij. Toen Libby eindelijk opendeed – het had even geduurd, zo lang dat Allison dacht dat ze misschien lag te slapen – had ze haar bril niet op en stonden haar ogen wat wazig. Ze keek Allison aan alsof ze iemand anders had verwacht.

'Gaat het een beetje?' vroeg Allison. Ze had van het ongeluk gehoord.

'O, ja hoor,' zei Libby afwezig. Ze liet Allison binnen en liep toen het huis in alsof ze iets zocht wat ze op de verkeerde plaats had opgeborgen. Op het eerste gezicht mankeerde haar niets, afgezien van een vlekkerige blauwe plek op haar jukbeen, met de kleur van dun uitgesmeerde bosbessenjam, en haar haar dat minder netjes zat dan anders.

Allison keek om zich heen en vroeg: 'Kan je de krant niet vinden?' Het huis was brandschoon: pas gedweilde vloer, alles afgestoft en zelfs de kussens van de bank keurig opgeschud en op hun plaats: op de een of andere manier had Allison juist door al die netheid niet beseft dat er weleens iets mis kon zijn. Bij haar thuis ging ziekte gepaard met rommel: groezelige gordijnen, zand tussen de lakens, openstaande laden en kruimels op tafel.

Na even zoeken vond Allison de krant – opengevouwen bij het kruiswoordraadsel, met haar bril erbovenop – op de vloer naast Libby's stoel; ze bracht krant en bril naar de keuken, waar Libby aan tafel zat en met één hand het kleed glad streek in steeds hetzelfde kleine cirkeltje.

'Hier is je puzzel,' zei Allison. Het licht in de keuken was akelig fel. Het zonlicht stroomde door de vitrage naar binnen, en toch was de plafondlamp aan, alsof het een donkere wintermiddag was in plaats van hartje zomer. 'Zal ik een potlood halen?'

'Nee, ik kan niet overweg met dat domme ding,' zei Libby kribbig terwijl ze de krant opzij schoof, 'de letters glijden steeds van de bladzijde af... En ik moet hoognodig aan mijn bietjes beginnen.'

'Bietjes?'

'Als ik er niet gauw aan begin, zijn ze nooit op tijd klaar. Het bruidje komt met de Nummer Vier in de stad aan...'

'Welk bruidje?' had Allison na een korte stilte gevraagd. Van de Nummer Vier had ze ook nog nooit gehoord. Alles was hel verlicht en onwezenlijk. Ida Rhew was nog maar een uur geleden vertrokken – zoals altijd vrijdags, alleen zou ze maandag niet terugkomen, of welke andere dag dan ook. En ze had niets meegenomen, alleen de rode plastic beker waar ze altijd uit dronk: in de gang had ze bij het weggaan de zorgvuldig ingepakte stekjes en de doos met cadeautjes geweigerd: te zwaar om te dragen, zei ze. Ze had zich omgedraaid om Allison recht aan te kijken en had opgewekt gezegd: 'Dat heb ik allemaal niet nodig, hoor!' op de toon van iemand die door een peuter een knoop of een besabbeld snoepje krijgt aangeboden. 'Wat moet ik met al die onzin?'

Allison vocht onthutst tegen haar tranen. 'Ik hou van je, Ida,' zei ze.

'Tja,' zei Ida peinzend, 'ik hou ook van jou.'

Verschrikkelijk was het; te verschrikkelijk om waar te zijn. En toch stonden ze daar bij de voordeur. Er welde heet verdriet op in Allisons keel toen ze zag hoe zorgvuldig Ida de groene cheque opvouwde die op het gangtafeltje lag – twintig dollar en nul dollarcent – waarbij ze zich er eerst van vergewiste dat de randjes precies op elkaar lagen voor ze er met een haal van duim en wijsvinger een vouw in maakte. Toen knipte ze haar zwarte tasje open en stopte ze de cheque erin.

'Ik kan niet meer rondkomen van twintig dollar in de week,' zei ze. Haar stem klonk rustig en gewoon, en tegelijkertijd helemaal verkeerd. Het kon toch niet dat ze hier zo in de gang stonden, dit kon toch niet waar zijn? 'Ik hou van jullie allemaal, maar het is niet anders. Ik word oud.' Ze gaf Allison een aai over haar wang. 'Lief zijn jullie, hè. Zeg maar tegen Kleine Lillik dat ik van haar hou.' Ida noemde Harriet altijd 'Lillik' – als afkorting van 'Lelijkerd' – als ze stout was. Toen ging de deur dicht en was ze weg.

'Volgens mij,' zei Libby, en Allison zag lichtelijk ongerust dat Libby haar blik schoksgewijs over de keukenvloer liet gaan, alsof ze een motje rond haar voeten zag fladderen, 'kan ze ze nooit vinden als ze hier komt.'

'Pardon?' vroeg Allison.

'Bietjes. Ingemaakte bietjes. O, waarom wil niemand me nu helpen?' vroeg Libby met een klaaglijke, halfkomische blik.

'Wat kan ik doen?'

'Waar is Edith?' vroeg Libby met een stem die vreemd afgemeten en kordaat klonk. 'Díe helpt me wel.'

Allison ging aan de keukentafel zitten en probeerde haar aandacht te trekken. 'Moeten die bietjes per se vandáág?' vroeg ze. 'Lib?'

'Ik weet alleen wat me is opgedragen.'

Allison knikte, en zat zich even in de veel te lichte keuken af te vragen wat ze nu moest. Soms kwam Libby van het zendingsge-

nootschap of de vrouwenvereniging thuis met de raarste en heel
gedetailleerde opdrachten: dan moest ze spaarzegeltjes hebben, of
oude brilmonturen, of etiketten van Campbell-soepblikken (waar
het baptistentehuis in Honduras dan geld voor gaf), of ijslolly-
stokjes of lege Lux-flessen (knutselmateriaal voor de kerkbazaar).

'Zeg maar wie ik kan bellen,' zei ze ten slotte, 'dan zeg ik dat je
vanochtend een ongeluk hebt gehad. Dan neemt iemand anders
die bietjes wel mee.'

Abrupt zei Libby: 'Edith helpt me wel.' Ze stond op en liep
weer naar de andere kamer.

'Zal ik haar even opbellen?' vroeg Allison die haar met een tu-
rende blik in de gaten hield. 'Libby?' Ze had haar nog nooit zo
pinnig horen praten.

'Edith regelt het allemaal wel,' zei Libby, met een zwak, bokkig
stemmetje dat helemaal niet bij haar paste.

En Allison was naar de telefoon gelopen. Maar ze was nog daas
van het vertrek van Ida; ze had niet de woorden kunnen vinden
om Edith uit te leggen hoe ánders Libby leek, zo verward en met
zo'n raar weggezakte uitdrukking op haar gezicht. De beschaamde
manier waarop ze aan haar jurk bleef plukken. Allison liep zo ver
als het snoer het toeliet, haar hals rekkend om in de kamer ernaast
te kunnen kijken, en begon in haar consternatie te stotteren. De
witte, piekende randjes van Libby's kapsel leken rood in brand te
staan – zulk dun haar dat Allison Libby's vrij grote oren erdoorheen zag.

Edith viel Allison midden in haar verhaal in de rede. 'Ga jij nou
maar naar huis zodat Libby kan rusten,' zei ze.

'Wacht,' zei Allison, en riep toen naar de kamer ernaast: 'Libby?
Hier is Edie. Wil je met haar praten?'

'Wat zeg je?' vroeg Edie. 'Hallo?'

Het zonlicht vormde een meertje op de eetkamertafel, plasjes
fel, dramatisch goud; op het plafond dansten waterige muntjes van
licht – weerkaatsingen van de kroonluchter. Het hele huis had iets
verblindends gehad, verlicht als een balzaal. Om Libby schenen
rode contouren, als bij smeulend vuur; de middagzon die zich in
een krans om haar uitgoot droeg in haar schaduw een duisternis
die voelde als brand.

'Ze – ik maak me zorgen over haar,' zei Allison. 'Ik snap niet
wat ze bedoelt.'

'Hoor 'ns, ik moet nu ophangen,' zei Edie. 'Er staat bezoek aan
de deur, en ik ben nog niet aangekleed.'

En toen had Edie opgehangen. Allison bleef nog even bij de telefoon staan om haar gedachten te ordenen, en had zich toen naar de kamer ernaast gehaast om te kijken hoe het met Libby was, die zich met een starende, starre uitdrukking naar haar omdraaide.

'We hadden een stel pony's,' zei ze. 'Vossen waren het.'

'Ik ga de dokter bellen.'

'Nee, dat doe je níét,' zei Libby – zo vastberaden dat Allison zich meteen aan haar toon van volwassen autoriteit gewonnen gaf. 'Dat doe je in geen geval.'

'Je bent ziek.' Allison begon te huilen.

'Nee, mij mankeert niets. Helemaal niets. Alleen hadden ze me allang moeten komen ophalen,' zei Libby. 'Waar blijven ze toch? Het is al bijna avond.' Ze legde haar hand in die van Allison – haar kleine, droge, perkamentachtige hand – en keek haar aan alsof ze verwachtte dat ze haar ergens heen zou brengen.

Telkens als de ventilator de lucht in het warme rouwzaaltje naar haar toe blies, gaf de bedwelmende geur van lelies en tuberozen Harriet een wee gevoel in haar maag. Ze zat met doffe ogen in haar mooiste zondagse jurk – de witte met de madeliefjes – op een bank met een krullerige rugleuning. Het houtsnijwerk boorde zich tussen haar schouderbladen en het lijfje van haar jurk zat te strak, waardoor de beklemming op haar borst en de verstikkende lucht nog erger werden; ze had het gevoel of ze ergens in een buitenaardse atmosfeer geen zuurstof, maar een ijl soort gas zat in te ademen. Ze had de vorige avond en die ochtend niets gegeten; het grootste deel van de nacht had ze wakker gelegen en met haar gezicht in het kussen gedrukt liggen huilen; toen ze die ochtend laat en met een bonkend hoofd in haar eigen slaapkamer wakker was geworden, had ze zich even liggen verbazen over de vertrouwde dingen (van de gordijnen en het in de toiletspiegel weerkaatste gebladerte tot dezelfde oude stapel te lang geleende bibliotheekboeken op de vloer). Alles was nog zoals ze het had achtergelaten op de dag dat ze naar het kamp ging – en toen viel het als een zware steen op haar dat Ida weg was, Libby dood was, alles verschrikkelijk mis was.

Edie stond bij de deur, in het zwart, met een hoog halssnoer van parels; wat zag ze er statig uit, naast de standaard met het condoléanceregister! Tegen iedereen die binnenkwam zei ze hetzelfde. 'De kist staat in de achterkamer,' zei ze bij wijze van begroeting tegen een man met een rood hoofd in een muf bruin pak die haar hand omklemde; en daarna, langs hem heen tegen de magere mevrouw Fawcett, die zich gepast achter hem had opgesteld om op haar beurt te wachten: 'De kist staat in de achterkamer. Het spijt me dat u haar niet meer kunt zien, het was niet míjn beslissing.'

Even leek mevrouw Fawcett in de war, toen pakte ook zij Edies hand. Ze leek bijna in tranen. 'Van harte gecondoleerd,' zei ze. 'Ik vind het zo erg. Op de bibliotheek waren we allemaal dol op juffrouw Cleve. Toen ik vanochtend binnenkwam en de boeken zag liggen die ik voor haar apart had gelegd was dat zó treurig.'

Mevrouw Fawcett! dacht Harriet met een wanhopige golf van genegenheid. In de zee van donkere pakken bracht ze troostende fleur met haar bedrukte zomerjurk en rode espadrilles; ze was kennelijk zo van haar werk gekomen.

Edie gaf mevrouw Fawcett een klopje op haar hand. 'Ja, zíj was ook erg dol op jullie in de bibliotheek,' zei ze op een harde, joviale toon waar Harriet naar van werd.

Adelaide en Tat stonden bij de bank tegenover die van Harriet te praten met een stel dikke oudere dames, zusjes, zo te zien. Ze hadden het over de bloemen in de rouwkapel, dat de mensen van het rouwcentrum het hadden klaargespeeld om ze in één nacht te laten verwelken. De dikke dames gaven luidkeels lucht aan hun verontwaardiging.

'Het personeel had ze weleens water kunnen geven!' riep de grootste en joligste van de twee: appelwangen, bolrond, en met witte krulletjes, als het vrouwtje van de kerstman.

Adelaide stak haar kin in de lucht en zei koel: 'Ach, dáár kunnen die zich natuurlijk niet mee bezighouden,' en Harriet voelde een ondraaglijke steek van haat – voor Addie, voor Edie, voor al die oude dames die allemaal zo goed wisten hoe het hoorde in het protocol van de rouw.

Vlak naast Harriet stond nog een groepje vrolijk pratende dames. Harriet kende alleen de kerkorganiste, mevrouw Wilder Whitfield. Daarnet hadden ze nog staan schateren, alsof ze op een kaartavondje waren, maar nu hadden ze hun hoofden bij elkaar gestoken en praatten op gedempte toon verder. 'Bij Olivia Vanderpool,' zei een kleurloze vrouw met een glad gezicht zachtjes, 'bij Olivia heeft het jaren geduurd. Die woog op het laatst nog maar vierendertig kilo en verdroeg alleen nog maar vloeibaar voedsel.'

'Arme Olivia. Na die tweede val is ze nooit meer de oude geworden.'

'Botkanker schijnt het ergste te zijn.'

'O, beslist. Het is nog een zegen dat het bij juffrouw Cleve zo snel is gegaan. Dat goeie mensje had toch niemand.'

Hád niemand? dacht Harriet. Libby? Mevrouw Whitfield zag Harriets woedende blik en lachte haar toe; maar Harriet wendde zich af en staarde met tranen in haar rode ogen naar het vloerkleed. Sinds de terugrit van het kamp naar huis had ze zoveel gehuild dat ze murw en misselijk was; ze kon geen hap door haar keel krijgen. Toen ze vannacht eindelijk in slaap was gevallen, had ze over insecten gedroomd: een razende zwarte zwerm die ergens bij iemand thuis uit een oven stroomde.

'Bij wie hoort dat kind?' vroeg de andere vrouw luid fluisterend aan mevrouw Whitfield.

'Aáh,' zei mevrouw Whitfield, en ging onverstaanbaar verder. In het schemerdonker spatte en pinkte het schijnsel van stormlampen; alles nu wazig – alles vloeide dooreen. Een deel van haar, een koel en woedend deel, bleef afzijdig en hekelde haar omdat ze huilde, terwijl de kaarsvlammen flakkerden en opschoten in tergende prisma's.

Het rouwcentrum – in Main Street, vlak bij de baptistenkerk – was gehuisvest in een hoog Victoriaans pand dat wemelde van de torenspitsen en smeedijzeren pieken. Hoe vaak was Harriet er niet langs gefietst, zich afvragend wat er zich in die torentjes, achter die koepeltjes en de ramen met de markiezen afspeelde? Soms – 's nachts, wanneer er iemand was overleden – flakkerde er licht achter het glas-in-lood van de hoogste toren, licht dat haar deed denken aan een artikel over mummies dat ze eens in een oude *National Geographic* had gelezen. *Balsemende priesters werkten tot diep in de nacht* luidde het onderschrift bij het plaatje (Karnak bij nacht, spookachtig licht) *om hun farao's voor te bereiden op de lange reis naar de onderwereld.* Altijd als het licht in die toren brandde voelde Harriet een huivering langs haar ruggengraat trekken en trapte ze een beetje harder door naar huis, of – in het vroege winterdonker op de terugweg van de koorrepetitie – trok ze op de achterbank van Edies auto haar jas dichter om zich heen en dook ze weg in de kussens:

Ding dong, klinkt de klok

zongen de meisjes bij het touwtjespringen na de repetitie op het
grasveld bij de kerk

Vaarwel lieve moeder
Leg mij op het knekelveld
Naast mijn oudste broeder

Welke nachtelijke rituelen er daarboven ook plaatsvonden – opensnijden, leeghalen en opvullen van dierbaren – beneden was alles
in slaperige Victoriaanse naargeestigheid weggezakt. De salons en
ontvangstkamers waren groots en schaduwrijk, de tapijten dik en
roestkleurig, de meubelen (stoelen met gedraaide poten, tweezits-
bankjes waarop geen paartje meer plaatsnam) sleets en stug. Een
fluwelen koord barricadeerde de toegang tot de trap: rood tapijt
dat zich geleidelijk aan terugtrok tot in griezelfilmduister.

De begrafenisondernemer, meneer Makepeace, was een joviaal
mannetje met lange armen, een lange, smalle, sierlijke neus en een
aan polio overgehouden sleepbeen. Hij was opgeruimd en spraakzaam, en ondanks zijn beroep geliefd. Hinkend ging hij door het
vertrek, van het ene pratende groepje naar het andere, deze gede-
formeerde dignitaris, hij schudde handen, altijd glimlachend, altijd
verwelkomend; men ging een stapje voor hem opzij en betrok
hem hoffelijk in gesprekken. Zijn karakteristieke silhouet, de hoek
van zijn lamme been en zijn gewoonte met beide handen zijn bo-
venbeen beet te grijpen en dat vooruit te trekken als het manke
ledemaat achterbleef, dat alles deed Harriet denken aan een plaatje dat ze ooit had gezien in een van Hely's horrorstrips: de ge-
bochelde butler die zijn been – met kracht, met beide handen –
losrukt uit de greep van een monster dat het van onderaf vast-
grijpt.

De hele ochtend had Edie het erover gehad hoe goed meneer
Makepiece zijn werk wel niet had gedaan. Ze had haar zin willen
doordrijven en de kist open willen laten, al had Libby haar hele
leven met klem gezegd dat ze na haar dood niet te kijk wilde liggen. Toen Libby nog leefde, had Edie haar laatdunkend uitge-
lachen om haar angsten; nu Libby dood was, had ze haar wens
genegeerd en zowel kist als kleding uitgekozen met het oog op
vertoning – omdat de familie van buiten de stad dat zo verwachtte
en omdat het de gewoonte was, zo hoorde het nu eenmaal. Maar
Adelaide en Tatty waren die ochtend in de achterkamer van het
rouwcentrum zo in alle staten geraakt dat Edie ten slotte ge-

snauwd had 'Ach, voor mijn part' en meneer Makepeace had opgedragen de kist te sluiten.

Naast de sterke geur van de lelies rook Harriet nog een ander luchtje. Iets chemisch, als mottenballen, maar dan weeïger: balsemvloeistof? Nee, niet aan zulke dingen denken. Je kon maar beter helemaal niet denken. Libby had Harriet nooit uitgelegd waarom ze zo tegen een open kist gekant was, maar Harriet had Tatty een keer aan iemand horen vertellen dat toen zij jong waren 'die lijkbezorgers op het platteland er soms een potje van maakten. Toen er nog geen elektrische koeling bestond. Onze moeder is in de zomer gestorven, zie je.'

Even klonk de stem van Edie, op haar post bij het condoléanceregister, duidelijk boven de andere stemmen uit: 'Ach, die mensen hebben mijn vader toen niet gekend. Díe zat niet met dat soort dingen.'

Witte handschoenen. Discreet gemompel, het leek wel een bijeenkomst van de *Daughters of the American Revolution*. De lucht – bedompt, verstikkend – bleef Harriet in de longen steken. Tatty stond hoofdschuddend en met haar armen over elkaar te praten met een klein kaal mannetje dat Harriet niet kende, en ondanks de donkere kringen onder haar ogen en haar niet gestifte lippen was haar houding vreemd zakelijk en kil. 'Nee,' zei ze, 'nee, die bijnaam van pappa is afkomstig van de oude meneer Holt le Fevre, uit de tijd dat ze nog klein waren. Meneer Holt liep met zijn kindermeisje te wandelen op straat toen hij er ineens vandoor ging en zich op pappa stortte en pappa vocht natuurlijk terug, en meneer Holt – die drie keer zo groot was als hij – barstte in huilen uit en riep: "Jij bent gewoon een grote bullebak!"'

'Ja, dat heb ik mijn vader vaak horen zeggen als hij het over de rechter had. Grote Bullebak.'

'Nou, het was eigenlijk geen bijnaam die bij pappa paste. Zo groot was hij niet. Al was hij die laatste jaren wel dikker geworden. Met zijn slechte aderen en die opgezette enkels van hem kon hij niet meer zo goed uit de voeten als vroeger.'

Harriet beet op haar wang.

'Toen meneer Holt niet meer zo goed bij was,' zei Tat, 'op het laatst, vertelde Violet dat hij af en toe nog een helder moment had en dan vroeg hij: "Hoe zou het toch met die Grote Bullebak gaan? Ik heb die Grote Bullebak al een tijd niet gezien." Maar toen was pappa natuurlijk al jaren dood. Op een middag hield hij maar niet op over pappa, waarom die nooit meer kwam, tot Violet ten einde raad maar zei: "Bullebak is langsgeweest, Holt, hij wou je graag spreken. Maar jij lag te slapen." '

'God hebbe z'n ziel,' zei de kale man, die over Tats schouder heen naar een echtpaar keek dat net binnenkwam.

Harriet zat stil, doodstil. *Libby!* had ze wel willen roepen, roepen zoals ze soms nu nog om Libby riep als ze in het donker uit een nachtmerrie wakker werd. Libby, die bij de dokter al tranen in haar ogen kreeg; Libby, die bang was voor bijen!

Haar ogen kruisten die van Allison – rood, overvloeiend van verdriet. Harriet perste haar lippen op elkaar, zette haar nagels diep in haar handpalmen, keek strak naar het vloerkleed en hield met uiterste concentratie haar adem in.

Vijf dagen – nog vijf hele dagen voor ze stierf – had Libby in het ziekenhuis gelegen. Kort voor het einde leek het zelfs alsof ze zou ontwaken: ze lag te mompelen in haar slaap en onzichtbare bladzijden van een boek om te slaan, maar daarna begreep niemand haar woorden meer omdat ze te onsamenhangend waren geworden en zakte ze weg in een witte mist van medicijnen en verlamming. *Ze zakt weg*, had de verpleegster gezegd die haar die laatste ochtend was komen controleren, in de kamer waar Edie op een stretcher naast haar bed sliep. Er was nog net genoeg tijd om Adelaide en Tat naar het ziekenhuis te laten komen – en toen, even voor achten, terwijl alle drie de zussen rond het bed stonden, waren haar ademtochten met steeds grotere tussenpozen gekomen, 'totdat', zei Tat, met een wrang lachje, 'ze gewoon ophielden'. Ze hadden haar ringen eraf moeten zagen, zo dik waren haar handen... die kleine handjes van Libby, zo perkamentachtig en teer! Die dierbare, kleine handen, vol vlekjes, handen die papieren bootjes vouwden en lieten varen in de afwasteil! *Opgezwollen, net grapefruits* was de omschrijving, de vreselijke omschrijving, die Edie de afgelopen dagen meer dan eens had gebruikt. *Opgezwollen, net grapefruits. Heb de juwelier moeten bellen om de ringen van haar vingers te zagen...*

Waarom heb je me niet gebeld? had Harriet verbijsterd, verbluft gevraagd toen ze eindelijk iets uit kon brengen. Haar stem had in de airco-kilte van Edies nieuwe auto schril en ongepast opgeklonken onder de zwarte lawine die haar bijna had verpletterd bij de woorden *Libby is dood.*

Tja, had Edie berustend gezegd, *ik dacht, waarom zou ik je plezier bederven voordat het nodig is?*

'Arme kleintjes,' zei een vertrouwde stem, die van Tat, boven hen.

Allison barstte – handen voor het gezicht – in snikken uit. Harriet klemde haar tanden op elkaar. *Ze is de enige die nog meer verdriet heeft dan ik*, dacht ze, *de enige andere hier die echt verdrietig is.* 'Niet huilen.' De schooljuffenhand van Tat rustte even op Allisons schouder. 'Dat zou Libby niet hebben gewild.'

Ze klonk aangeslagen – een beetje maar, stelde Harriet kil vast met dat kleine harde deel van haar dat zich afzijdig hield, en dat toekeek, niet geraakt door verdriet. Maar niet aangeslagen genoeg. *Waarom*, dacht Harriet, verblind, versuft en met brandende ogen van het huilen, *waarom hebben ze me in dat rotkamp laten zitten terwijl Libby in bed lag dood te gaan?*

Edie had in de auto haar excuses gemaakt – zo'n beetje. *We dachten dat ze wel weer beter zou worden*, had ze eerst gezegd, en later *ik dacht dat je je haar liever zou herinneren zoals ze was* en ten slotte *ik heb er niet bij stilgestaan.*

'Meisjes?' vroeg Tat. 'Kennen jullie onze nichten Delle en Lucinda uit Memphis nog?'

Twee gebogen oudedamesgestaltes stapten op hen af; de ene lang en in het bruin, de andere rond en in het zwart, met een met lovertjes bezet zwartfluwelen tasje.

'Nee maar!' zei de lange bruine. Ze stond als een man, in haar grote platte schoenen met de handen in haar zakken van haar kakikleurige doorknoopjurk.

'Die arme kinders,' mompelde de kleine dikke zwarte, terwijl ze haar ogen (zwart omrand als bij een diva in een stomme film) bette met een roze papieren zakdoekje.

Harriet staarde hen aan en dacht aan het zwembad op de country club: het blauwe licht, hoe volslagen stil de wereld werd als ze op een diepe ademteug onder water gleed. *Daar kun je nu zijn*, hield ze zich voor, *daar kun je nu in gedachten zijn als je je maar goed genoeg concentreert.*

'Harriet, mag ik je even lenen?' Adelaide – die er in haar begrafeniszwart met witte kraag tiptop uitzag – greep haar hand en trok haar omhoog.

'Alleen als je belooft dat je haar meteen weer terugbrengt!' zei de kleine ronde dame, zwaaiend met een zwaar beringde vinger. *Je kunt hier weggaan. In gedachten. Gewoon weggaan.* Wat zei Peter Pan ook weer tegen Wendy? 'Gewoon je ogen dichtdoen en aan mooie dingen denken.'

'Oh!' Adelaide bleef midden in het zaaltje stokstijf staan en sloot haar ogen. De mensen dromden langs hen heen. Vlakbij

klonk muziek van een onzichtbaar orgel ('Nader mijn God tot U'
– niet erg spannend, maar Harriet wist nooit precies wat de oude
dames in extase bracht) zwaar en langdradig op. 'Tuberozen!' Adelaide ademde weer uit en de lijn van haar neus
en profil leek zo op die van Libby dat Harriets hart verkrampte.
'Ruik toch eens!' Ze pakte Harriets hand en trok haar mee naar
een groot bloemstuk in een porseleinen vaas.

De orgelmuziek was nep. In een nis achter de antieke spiegelta-
fel ontdekte Harriet een grote bandrecorder die achter een velours
gordijn onverstoorbaar stond te draaien.

'Mijn lievelingsbloemen!' Adelaide maande Harriet dichterbij.
'Kijk, die kleintjes daar. Ruik toch eens, liefje!'

Harriets maag maakte een duikeling. In het veel te warme zaaltje was de geur overdadig, een zoete doodslucht.

'Zijn ze niet hemels?' zei Adelaide. 'Die had ik in mijn bruids-
boeket...'

Er flakkerde iets voor Harriets ogen en langs de randen werd
alles zwart. Voor ze het wist tolden de lampen en hadden grote
vingers – mannenvingers – haar bij haar elleboog gegrepen.

'Flauwvallen doe ik niet, maar in een afgesloten ruimte krijg ik
er wél hoofdpijn van,' zei iemand.

'Zorg dat ze frisse lucht krijgt,' zei de onbekende die haar overeind hield: een oude man, uitzonderlijk lang, met wit haar en borstelige zwarte wenkbrauwen. Ondanks de warmte droeg hij een
spencer over zijn overhemd en stropdas.

Uit het niets dook Edie – geheel in het zwart, als de boze heks
zelf – in Harriets gezichtsveld neer. Kille groene ogen taxeerden
haar even, koel. Vervolgens richtte ze zich op (*hoger, hoger en hoger*) en zei: 'Breng haar naar de auto.'

'Ik neem haar wel mee,' zei Adelaide. Ze pakte Harriets linker-
arm, de oude man (die echt oud was, in de tachtig, misschien wel
in de negentig) pakte haar rechter, en samen brachten ze Harriet
naar buiten, het verblindende zonlicht in: heel langzaam, meer in
het tempo van de oude man dan dat van Harriet, hoe wankel ze
zich nu ook voelde.

'Harriet,' zei Adelaide theatraal terwijl ze haar een kneepje gaf,
'je weet vast niet wie dit is! Dit is meneer J. Rhodes Sumner, die
even verderop woonde in de straat waar ik ben opgegroeid!'

'Op Chippokes,' sprak meneer Sumner met opgezette borst.

'Ja, Chippokes heette het grote huis. Vlak bij De Beproeving. Je
hebt ons toch weleens horen praten over meneer Sumner, Har-

riet, die als diplomaat naar Egypte ging?'

'Ik kende je tante Addie al als baby.'

Adelaide lachte behaagziek. 'Zo klein nou ook weer niet. Ik dacht dat je het wel leuk zou vinden om met meneer Sumner te praten, omdat je zo geïnteresseerd bent in koning Toet en zo, Harriet.'

'Zo lang heb ik niet in Caïro gezeten,' zei meneer Sumner. 'Alleen in de oorlog. Toen Jan en alleman in Caïro zat.' Hij schuifelde naar het open rechterraampje van een verlengde zwarte limousine – de Cadillac van de begrafenisonderneming – en boog zich licht voorover om iets tegen de chauffeur te zeggen. 'Wil je even op deze jongedame hier passen? Ze gaat een paar minuutjes op de achterbank liggen.'

De chauffeur – wiens gezicht ondanks zijn enorme roestrode afrokapsel even blank was als dat van Harriet – schrok op en zette de radio uit. 'Wat?' vroeg hij van links naar rechts blikkend alsof hij niet wist naar wie hij het eerst moest kijken – naar de beverige grijsaard die zich door zijn raampje naar binnen boog of naar Harriet, die achter instapte. 'Is ze niet lekker?'

'Zeg,' zei meneer Sumner, die zich bukte om in het schemerduister van de auto rond te kijken, 'ik geloof waarachtig dat deze kar een bar heeft!'

De chauffeur leek zich te vermannen en kwam tot leven. 'Nee, baas, dat is mijn ándere auto!' zei hij op schertsende, toegeeflijke, gemaakt vriendelijke toon.

Meneer Sumner sloeg waarderend op het dak van de auto toen hij met de chauffeur meelachte. 'Prachtig!' riep hij. Zijn handen trilden; hij leek wel goed bij, maar was een van de oudste, breekbaarste mensen die Harriet ooit had zien rondlopen. 'Prachtig! Jij hebt je zaakjes wel voor elkaar, geloof ik, hè?'

'Ik mag niet klagen.'

'Dat doet me deugd. Nou, kindje,' zei hij tegen Harriet, 'wat had jij gehad willen hebben? Heb je trek in cola?'

'Ach, John,' hoorde ze Adelaide mompelen. 'Dat is toch niet nodig.'

John! Harriet keek strak voor zich uit.

'Ik wil je alleen zeggen dat ik meer van je tante Libby heb gehouden dan van wie ook ter wereld,' hoorde ze meneer Sumner zeggen. Zijn stem was oud en beverig, met een sterk slepende Zuidelijke tongval. 'Ik had dat meisje zó ten huwelijk gevraagd als ik gedacht had dat ze me wou hebben!'

Tot Harriets woede welden er tranen op in haar ogen. Ze perste haar lippen stijf op elkaar en deed haar best om niet te huilen. Het was om te stikken in de auto.

Meneer Sumner zei: 'Toen jouw overgrootvader was gestorven heb ik Libby wél gevraagd om met me te trouwen. Zo oud als we toen al waren.' Hij grinnikte. 'En weet je wat ze zei?' Toen het hem niet lukte haar blik te vangen tikte hij licht op het portier. 'Nou? Weet je wat ze zei, liefje? Dat het misschien wel had gekund als ze maar niet in een vlíégtuig hoefde. Ha ha ha! Je moet weten, jongedame, dat ik toen in Venezuela werkte.'

Achter hem zei Adelaide iets. De oude man zei zacht: 'Verdomd als dit niet weer een kleine Edith is!'

Adelaide lachte koket – en daarop begonnen Harriets schouders te schokken, zomaar vanzelf, en de snikken barstten tegen wil en dank los.

'Ach!' riep meneer Sumner oprecht aangeslagen; zijn schaduw – in het autoraampje – viel weer over haar heen. 'Lief kindje toch!'

'Nee, nee. Néé,' zei Adelaide resoluut terwijl ze hem meetroonde. 'Laat haar maar met rust. Ze redt het wel, John.'

Het portier stond nog open. Het gehuil van Harriet klonk luid en weerzinwekkend in de stilte. Voorin zat de chauffeur van de limousine haar zwijgend in de achteruitkijkspiegel te observeren, over een goedkope pocket heen (met een horoscoopcirkel op het omslag) die *Astrologie en liefde* heette. Na een tijdje vroeg hij: 'Is je mamma dood?'

Harriet schudde haar hoofd. In de spiegel trok de chauffeur een wenkbrauw op. 'Ik vroeg: is je mamma dood?'

'Néé.'

'Nou, dan.' Hij drukte de aansteker in. 'Dan heb je niks te huilen.'

De aansteker klikte naar buiten, en de chauffeur blies een lange sliert rook uit het open raampje. 'Je weet niet wat verdriet is,' zei hij, 'tot je mamma doodgaat.' Hij trok het dashboardkastje open en stak haar over de leuning een paar zakdoekjes toe.

'Wie is er dan dood?' vroeg hij. 'Je pappa?'

'Mijn tante,' bracht Harriet met moeite uit.

'Je wat?'

'*Mijn tante.*'

'Ah! Je tantetje!' Stilte. 'Woon je bij haar?'

Na een paar tellen geduldig wachten haalde de chauffeur zijn schouders op, draaide zich weer om, en bleef rustig, met zijn elleboog uit het open raampje, zijn sigaret roken. Af en toe keek hij omlaag in zijn boek, dat hij met één hand openhield naast zijn rechterdij.

'Wanneer ben je geboren?' vroeg hij Harriet na een tijdje. 'Welke maand?'

'December,' zei Harriet net toen hij het nog eens wilde vragen.

'December?' Hij keek haar over de leuning heen aan met twijfel op zijn gezicht. 'Ben jij een Schutter?'

'Steenbok.'

'Steenbók!' Zijn lach was akelig en dubbelzinnig. 'Een geitje dus! Ha ha ha!'

Aan de overkant luidden de klokken voor het middaguur bij de baptistenkerk; hun ijzig, mechanisch geklingel riep bij Harriet een van haar vroegste herinneringen op: Libby (herfstmiddag, stralende lucht, rode en gele bladeren in de goot) die zich naast Harriet bukte in haar rode parka, haar handen om Harriets middel. 'Hoor!' en samen hadden ze staan luisteren in de zonnige kou: een toon in mineur – die tien jaar later nog onveranderd opklonk, kil en droevig als een toon op een speelgoedpianootje – een toon die zelfs nu in de zomer de klank had van kale takken, winterluchten en dingen die voorbij waren.

'Bezwaar als ik de radio aanzet?' vroeg de chauffeur. Toen Harriet geen antwoord gaf omdat ze zo huilde, zette hij hem toch maar aan.

'Heb je een vriendje?' wilde hij weten.

Verderop, op straat, toeterde een auto. 'Yo!' riep de chauffeur en stak even zijn hand op; Harriet schoot als gebeten overeind toen ze recht in de ogen keek van Danny Ratliff die oplichtten van herkenning; ze zag haar schok weerspiegeld op zijn gezicht. Het volgende moment was hij verdwenen en keek ze het onfatsoenlijk geheven achtereind van de Trans Am na.

'Zeg. Ik vroeg dus,' zei de chauffeur – en tot haar schrik besefte Harriet dat hij haar achteroverleunend aankeek. 'Heb je een vriendje?'

Harriet probeerde de Trans Am na te kijken zonder dat het opviel en zag hem honderd meter verderop linksaf slaan, in de richting van het station en het oude goederenemplacement. Aan de overkant begon de kerkklok – op de laatste wegstervende toon van het kerklied – plotseling fel het hele uur te slaan: *dong dong dong dong dong...*

'Je hebt kapsones,' zei de chauffeur. Zijn stem klonk plagerig koket. 'Waar of niet?'

Ineens bedacht Harriet dat hij misschien zou keren en terug zou komen. Ze keek naar de stoep van het rouwcentrum. Daar drentelden mensen rond – een groepje oude mannen die stonden te roken, en een stukje verderop Adelaide en meneer Sumner, hij zorgzaam over haar heen gebogen – gaf hij haar een vuurtje? Addie rookte al jaren niet meer. Maar jawel, daar stond ze, armen over elkaar; ze wierp haar hoofd in haar nek als een vreemde en blies een rookpluim uit.

'Jongens moeten geen meisjes met kapsones,' zei de chauffeur.

Harriet stapte uit – het portier stond nog open – en liep haastig de traptreden van het rouwcentrum op.

Er knetterde een siddering van wanhoop over Danny's rug terwijl hij in volle vaart het rouwcentrum achter zich liet. Uit duizend richtingen tegelijk troffen hem ijzige naaldjes van speedy helderheid. Uren en uren had hij naar het meisje gezocht, op de gekste plekken, de hele stad had hij uitgekamd; eindeloos langzaam was hij door de woonwijken gereden, lus na lus na lus. En net nu hij had besloten het bevel van Farish maar te vergeten en niet verder te zoeken: daar was ze!

En nog wel in het gezelschap van Catfish, dat was het krankzinnige. Je wist weliswaar nooit waar Catfish op zou duiken, want die oom van hem, een van de rijkste figuren (zwart én blank) van de stad, stond aan het hoofd van een aanzienlijk zakenimperium dat zich onder meer bezighield met grafdelven, snoeien, schilderen, stronk- en wortelverwijdering, dakonderhoud, loterijen, reparaties van auto's en elektrische apparatuur en nog een handjevol van zulke ondernemingen. Je wist nooit waar Catfish op zou duiken: in Niggertown, waar hij voor zijn oom de huur op ging halen, als glazenwasser op een ladder bij de rechtbank of achter het stuur van een taxi of lijkwagen.

Maar verklaar nu: deze tachtigtorenhoge doorgeflipte opeenstapeling van feiten. Want het was toch te toevallig voor woorden dat dat meisje (uitgerekend dat meisje) daar met Catfish achter in een begrafenislimousine van De Bienville zat. Catfish wist dat er een grote zending spul klaarlag en was net een tikje te nonchalant nieuwsgierig naar de plek waar Danny en Farish die opgeslagen hadden. Ja, hij was net iets te belangstellend geweest, met die relaxte, gladde praatjes van hem, tot twee keer toe was hij 'even komen aanwippen' bij hun caravan, in zijn Gran Torino onaangekondigd komen rondneuzen, een schim achter die getinte raampjes. Hij was abnormaal lang in de badkamer blijven hangen, had er rondgescharreld en intussen met veel geraas de kranen laten lopen; ook was hij net ietsje te haastig overeind gekomen toen Danny naar buiten kwam en hem erop betrapte dat hij onder de Trans Am stond te kijken. Lekke band, had hij gezegd. Ik dacht dat je een lekke band had, man. Maar er mankeerde niets aan die band en dat wisten ze allebei.

Maar nee, Catfish en dat meisje waren nog zijn minste zorg, bedacht hij met een akelig besef van onafwendbaar naderend onheil terwijl hij over de grindweg naar de watertoren hotste; het leek trouwens wel of hij daar altijd en eeuwig rondhobbelde, in zijn bed, in zijn dromen, en vijfentwintig keer per dag kwam hij weer in precies diezelfde kuil van de weg terecht. Nee, het kwam niet alleen door de drugs, dat gevoel dat hij in de gaten werd gehouden. Na die inbraak bij Eugene en de aanval op Gum waren ze allemaal constant op hun hoede, schrokken ze bij het geringste geluid, maar Danny's grootste zorg was nu Farish, die verhit was tot het kookpunt.

Toen Gum in het ziekenhuis lag hoefde Farish niet eens meer te dóén alsof hij naar bed ging. Hij bleef gewoon op, elke nacht, de hele nacht, en Danny moest samen met hem opblijven, en Farish maar ijsberen en plannen smeden, met de gordijnen dicht voor de opkomende zon, en spul hakken op de spiegel terwijl hij zijn keel hees praatte. En nu Gum weer thuis was (onbewogen, nergens nieuwsgierig naar, met slaapogen voor de deur langs schuifelend op weg naar de wc) doorbrak haar aanwezigheid dat patroon niet, maar voerde Farish' angst op tot een hoogte die bijna niet te harden was. Er verscheen een geladen .38 op het tafeltje, naast het spiegeltje en de scheermesjes. Bepaalde figuren – gevaarlijke figuren – hadden het op hem gemunt. Hun grootmoeder liep gevaar. En ja, Danny kon dan wel zijn schouders ophalen over sommige theorieën die Farish erop nahield, maar wat wist je er werkelijk van? Dolphus Reese (sinds het voorval met de cobra was die persona non grata) had vaak zitten opscheppen over zijn banden met de georganiseerde misdaad. En de georganiseerde misdaad, die zich over de distributietak van de drugshandel had ontfermd, lag sinds de moord op Kennedy onder één deken met de CIA.

'Het gaat niet om mij,' zei Farish, terwijl hij zijn neus dichtkneep en onderuit zakte, 'man, ik ben heus niet bang om mezelf, nee, het gaat om Gum. Met wat voor klootzakken hebben we te maken? M'n eigen leven kan me niks verdommen. Ze hebben mij op m'n blote poten de jungle doorgejaagd en ik heb me een hele week lang verstopt moeten houden in zo'n tyfus modderrijstveld – een hele week lang ademhalen door een bamboestok. Mij kunnen ze niks meer maken. Is dat duidelijk?' vroeg Farish terwijl hij met de punt van zijn knipmes naar het testbeeld van de televisie priemde. 'Jullie kunnen me niks meer maken.'

Danny sloeg zijn benen over elkaar om zijn wippende knie stil te houden en zweeg. Dat Farish steeds vaker over zijn oorlogservaringen begon beviel hem niks, want Farish had het grootste deel van de Vietnamjaren in de psychiatrische inrichting van Whitfield gezeten. Doorgaans bewaarde Farish zijn Namverhalen voor de poolhal. Danny had ze altijd voor leugens versleten. Nog niet eens zo lang gleden had Farish hem onthuld dat de regering bepaalde gevangenen en patiënten uit de inrichting – verkrachters, gekken, overtollige mensen – 's nachts van hun bed lichtte en inzette voor hoogst geheime militaire operaties vanwaar geen terugkeer verwacht werd. Zwarte helikopters in de nachtelijke katoenvelden van de gevangenis, de wachttorens leeg, felle rukwinden door dorre stengels. Mannen met bivakmutsen, uitgerust met kalasjnikovs. 'En dan nog wat,' zei Farish die een blik achterom wierp voor hij in het blikje spuugde dat hij altijd bij zich had. 'Ze spraken niet allemaal Engels.'

Danny zat erover in dat het spul nog bij hen lag (al verstopte Farish het, dwangmatig, meermalen per dag opnieuw). Volgens Farish moesten ze het 'een tijdje onder zich houden' voor ze het van de hand deden, maar juist dat laatste (dat wist Danny heel goed) was het echte probleem nu Dolphus uit beeld was. Catfish had aangeboden ze met iemand in contact te brengen, een neef of zo in het zuiden van Louisiana, maar dat was nog voordat Farish Catfish betrapte toen die onder de auto loerde en hij met een mes naar buiten was gestormd onder het dreigement zijn kop eraf te kappen.

Catfish was daarna wijselijk bij hen uit de buurt gebleven, had zelfs niet meer gebeld, maar helaas was Farish daarmee nog niet van zijn achterdocht af. Hij hield Danny ook in de gaten, en liet hem dat goed merken. Soms maakte hij tersluiks toespelingen, of deed juist doortrapt alsof hij open kaart speelde en vertelde Danny schijngeheimen door; dan weer zat hij verdacht bedaard op zijn stoel alsof hij iets aan de weet was gekomen en zei – met een grote grijns op zijn gezicht: 'Klootzak. Vuile klóótzak dat je bent.' En soms sprong hij zomaar op en begon Danny tierend van de gekste leugens en verraad te beschuldigen. Danny kon alleen zorgen dat Farish niet door het lint ging en hem in elkaar sloeg door te allen tijde kalm te blijven, wat Farish ook zei of deed; lijdzaam slikte hij zijn beschuldigingen (steevast onberekenbaar en explosief, met tussenpozen waar geen peil op viel te trekken); altijd gaf hij Farish langzaam en zorgvuldig antwoord, altijd beleefd, nooit onvoorspelbaar, en zonder onverhoedse bewegingen: de psychologische tegenhanger van met je handen omhoog de auto uitkomen.

En toen, op een ochtend voor zonsopgang, de vogels begonnen net te zingen, was Farish overeind gesprongen. Tierend, mompelend, om de haverklap zijn neus snuitend in een bebloede zakdoek, had hij een plunjezak gepakt en Danny bevolen hem naar de stad te rijden. Bij aankomst had hij Danny opdracht gegeven hem midden in de stad af te zetten, terug te rijden naar huis en daar zijn telefoontje af te wachten.

Maar Danny (die eindelijk pisnijdig was geworden na alle scheldpartijen en valse beschuldigingen) had het niet gedaan. Hij was de hoek om gereden, had de auto op het lege parkeerterrein van de presbyteriaanse kerk gezet en was – te voet en op veilige afstand – achter Farish aangegaan die met zijn legerplunjezak kwaad voortstampte over het trottoir.

Farish had de drugs verstopt in de oude watertoren achter de treinrails. Daar was Danny vrij zeker van omdat hij – nadat hij het spoor van Farish bijster was geraakt in de dichtgegroeide wildernis rond de rangeerterreinen – hem in de verte in het oog had gekregen op de ladder tegen de toren, hoog in de lucht, moeizaam omhoogklimmend met zijn plunjezak tussen zijn tanden, een gevuld silhouet tegen de absurd rozerode ochtendhemel.

Hij had rechtsomkeert gemaakt, was naar zijn auto teruggelopen en meteen doorgereden naar huis: uiterlijk kalm, maar met hersens die overuren draaiden. Dáár was het dus verstopt, in de toren, en daar lag het nog: vijfduizend dollar aan methamfetamine, tienduizend in versneden staat. Geld voor Farish, niet voor hem. Hij zou er een paar honderd van opstrijken – of wat Farish hem verder wenste toe te stoppen – als het verkocht werd. Maar een paar honderd dollar was niet genoeg om naar Sheveport te verhuizen, of naar Baton Rouge, niet genoeg voor een flatje, een vriendin en een start als vrachtrijder op de lange baan. Heavy metal zou hij voortaan draaien, met country was het afgelopen als hij eenmaal ontsnapt was aan deze hillbillystad. Zo'n grote truck met chroom (rookglas, cabine met airco) razend over de snelweg, westwaarts. Weg van Gum. En weg van Curtis, Curtis met die zielige jeugdpuistjes die nu op zijn hele gezicht kwamen opzetten. Ook weg van de vergeelde schoolfoto van hemzelf die in de caravan van Gum boven de televisie hing: mager, schichtig, lange donkere pony. Danny zette de auto stil, stak een sigaret op en bleef zitten. De watertank zelf, zo'n vijftien meter boven de grond, was een groot houten vat met een puntdak op dunne metalen poten. Een gammele onderhoudsladder leidde naar boven, waar een valdeurtje toegang gaf tot het waterreservoir.

Dag en nacht bleef het beeld van die plunjezak Danny voor ogen zweven, als een kerstcadeautje ergens op een bovenste plank waar hij niet naartoe mocht klimmen om te kijken. Telkens als hij in zijn auto stapte, trok het hem aan als een magneet. Al twee keer was hij in z'n eentje naar de watertank gereden, alleen maar om er dagdromend naar te zitten staren. Een vermogen. Zijn vluchtkans.

Als het tenminste van hem was, maar dat was het niet. En hij zag het al helemaal niet zitten om er naartoe te klimmen, uit angst dat Farish een sport van de ladder had doorgezaagd, de valdeur op scherp had gezet met een automatisch afgaand geweer of de toren anderszins van boobytraps had voorzien: Farish had Danny zelf geleerd hoe hij een bom moest maken in een ijzeren buis; rond zijn lab stonden zelfgemaakte, scherpgepunte vallen van planken en roestige spijkers, en in het omringende gras was struikeldraad verborgen; verder had Farish pas nog via een advertentie achter in *Soldier of Fortune* een doe-het-zelfset besteld voor een messenwerper met veermechaniek. 'Trap op deze schoonheid en – doing!' had hij gezegd, extatisch opspringend van zijn arbeid op de overvolle vloer terwijl Danny ontzet achter op de kartonnen doos las: *Stelt aanvallers buiten gevecht binnen een straal van twaalf meter.*

Wie kon zeggen wat hij bij de toren voor rottigheid had geïnstalleerd? Als er daar iets op scherp stond, was het (Farish kennende) bedoeld om te verminken, niet om te doden, maar Danny had geen zin om een oog of vinger kwijt te raken. Toch zei een hardnekkig stemmetje in zijn hoofd dat Farish bij de toren niet met valstrikken in de weer was geweest. Twintig minuten daarvoor, toen hij naar het postkantoor was gereden om de elek-

triciteitsnota van zijn grootmoeder te posten, was Danny overspoeld door een golf uitzinnig optimisme, een oogverblindend
visioen van het zorgeloze bestaan dat hem wachtte in Zuid-Loui-
siana; hij was in Main Street gekeerd en naar het rangeerterrein
gereden met het voornemen linea recta de toren op te gaan, de tas
eruit te vissen, die in de achterbak – in de reserveband – te verstoppen en zonder blikken of blozen de stad achter zich te laten.
Maar toen hij er eenmaal was, zag hij ertegenop om uit te stappen. Er glinsterden zilverige pestflitsjes – draad? – tussen het gras
onder aan de toren. Met trillende handen van de speed stak Danny
een sigaret op en keek omhoog naar de watertoren. Een vinger of
teen verliezen was een genoegen vergeleken bij wat Farish zou
doen bij het geringste vermoeden van wat Danny nu dacht.
En dat Farish het spul uitgerekend in een watertank had verstopt was ook niet zomaar: dat was een welbewuste stoot onder
de gordel. Farish wist hoe bang Danny was voor water – en wel
sinds zijn vader hem zo rond zijn vierde van een steiger in een
meer had gekieperd om hem te leren zwemmen. Maar in tegenstelling tot Farish en Mike en zijn andere broers, die waren gaan
zwemmen toen diezelfde streek met hen werd uitgehaald, was
Danny gezonken. Hij herinnerde het zich nog allemaal haar-
scherp, de verschrikking van het zinken, en toen de verschrikking
van het stikken, het uitspugen van het bruine modderwater terwijl
zijn vader (woedend omdat hij met kleren en al in het meer moest
springen) tegen hem tekeerging; toen Danny bij die gammele steiger vandaan ging, was dat zonder veel verlangen ooit nog in diep
water te gaan zwemmen.
Ook had Farish, dwars als hij was, de praktische risico's genegeerd die de opslag van het poeder in zo'n akelig vochtige omgeving met zich meebracht. Danny was eens op een regenachtige
dag in maart met Farish in het lab geweest toen het spul door de
vochtigheidsgraad niet had willen kristalliseren. Wat ze ook deden, het bleef aan elkaar plakken en vormde onder hun vingers op
de spiegel één kleverige massa waar niets mee te beginnen viel.
Danny was alle moed verloren; hij snoof nog een lijntje om zijn
zenuwen te kalmeren, gooide zijn sigaret uit de auto en startte.
Eenmaal weer op straat was hij zijn eigenlijke doel (het posten van
zijn grootmoeders betalingen) vergeten en maakte hij nog een
rondje langs het rouwcentrum. Catfish zat nog wel in de limousine, maar het meisje was weg, en op de trap stonden veel te veel
mensen.

Misschien rijd ik nog een blokje om, dacht hij. Alexandria: vlak en verlaten, een circuit van zich herhalende straatnaambordjes, een gigantische speelgoedtreinset. Dat gevoel van vervreemding, dat deed je na een tijdje de das om. Benauwde straten, kleurloze luchten. De gebouwen leeg – alles nep en bordkarton. *En als je maar lang genoeg doorrijdt*, dacht hij, *kom je altijd weer uit bij het begin.*

Grace Fountain kwam tamelijk beschroomd aan de voordeur van Edies huis. Ze liet zich leiden door de stemmen en het feestelijk getinkel van glas, via een gang die werd versmald door enorme boekenkasten met ruiten, naar een volle zitkamer. Er zoefde een ventilator. Het vertrek was stampvol mannen die hun jasje hadden uitgetrokken, vrouwen met rode gezichten. Op het kanten tafelkleed stond een punchbowl, en schalen met broodjes ham; zilveren dienschaaltjes met pinda's en gesuikerde amandelen; een stapel rode papieren servetjes (*smakeloos*, registreerde mevrouw Fountain) met Edies monogram in goudkleur.

Mevrouw Fountain stond met haar tasje in haar hand geklemd in de deuropening te wachten tot iemand haar zou komen begroeten. Edies huis (eigenlijk meer een bungalowtje) was op zich kleiner dan het hare, maar mevrouw Fountain was van boerenafkomst – 'van goedchristelijke komaf', zei ze zelf liever, maar het bleven wel hillbilly's – en was onder de indruk van de punchbowl, de gordijnen van goudkleurige zijde en de grote eettafel in plantagestijl, die zelfs met onuitgeklapt blad plaats bood aan minstens twaalf eters, en van het dominante portret van de vader van rechter Cleve, waardoor de kleine schoorsteenmantel nog kleiner leek. Tegen de wanden van het vertrek stonden stijf in de houding – als op een dansschool – vierentwintig eetkamerstoelen met in petit point geborduurde zittingen en liervormige ruggen; de kamer mocht dan wat aan de kleine kant zijn, en het plafond iets te laag voor zoveel grote, donkere meubels, mevrouw Fountain voelde zich er toch door geïntimideerd.

Edith – wit diensterschortje over zwarte jurk – kreeg mevrouw Fountain in de gaten, zette haar dienblad met broodjes neer en liep op haar af. 'Nee maar, Grace. Aardig dat je even langskomt.' Ze had een zware, zwarte bril op, een mannenbril, zo een als Porter, de overleden echtgenoot van mevrouw Fountain, had gedragen; niet bepaald flatteus voor een vrouw, vond mevrouw Fountain; ook dronk ze alcohol, uit een keukenglas met een voch-

tig kerstservetje om de onderkant – whisky met ijs, zo te zien.
Mevrouw Fountain – niet in staat zich in te houden – zei: 'Het
lijkt wel een feest, zo'n grootse bedoening hier na de begrafenis.'
'Tja, we kunnen nu eenmaal niet bij de pakken neer gaan zitten,
hè?' snauwde Edie. 'Haal maar wat hapjes nu ze nog warm zijn.'
Mevrouw Fountain wist niet hoe ze het had, bleef roerloos
staan en liet haar blik over dingen in de verte dwalen. Ten slotte
antwoordde ze vaag: 'Dank je' en liep stijfjes naar het buffet.
Edie hield haar koude glas tegen haar slaap. Tot dan toe was ze
hoogstens een keer of vijf in haar leven aangeschoten geweest –
en alle malen vóór haar dertigste, in aanmerkelijk vrolijker omstandigheden.
'Edith, kan ik ergens mee helpen, lieverd?' Dat was een vrouw
van de baptistenkerk, kort van gestalte, rond van gezicht, met zo'n
goedmoedig zenuwachtig Winnie-the-Pooh-trekje in haar manier
van doen, maar Edith kon met geen mogelijkheid meer op haar
naam komen.
'Nee, dank je!' zei ze en gaf de vrouw een klopje op haar rug
terwijl ze verderliep, tussen de vele mensen door. De pijn in haar
ribben benam haar bijkans de adem, maar vreemd genoeg was ze
er blij mee, want het hielp haar zich te concentreren – op de gasten, en op het condoléanceregister, en de schone glazen; op de
warme hapjes, het bijvullen van de schaal met zoutjes en de punchbowl, waar regelmatig vers gemberbier bij moest; al die beslom-
meringen leidden haar weer af van Libby's dood, die nog niet echt
tot haar was doorgedrongen. De afgelopen dagen – één hectische,
groteske chaos van artsen, bloemen, begrafenisondernemers, papieren die getekend moesten worden en mensen die aankwamen
van buiten de stad – had ze geen traan gelaten; ze had zich gewijd
aan de bijeenkomst na de begrafenis (het zilver moest gepoetst, de
punchkommetjes met veel getinkel van zolder gehaald en afgewas-
sen), die gedeeltelijk bedoeld was voor de gasten van verre, van
wie sommigen elkaar in geen jaren hadden gezien. Hoe droevig de
gelegenheid ook was, iedereen wilde natuurlijk bijpraten; Edie
was dankbaar dat ze een reden had in touw te blijven, te blijven
glimlachen, de schaaltjes met gesuikerde amandelen te blijven bijvullen. De avond daarvoor had ze een witte doek om haar haar
gebonden en was druk in de weer gegaan met stoffer en blik, meu-
belpoets en rolveger; ze had kussens opgeschud, spiegels gezeemd, meubels versleept, kleedjes geklopt en vloeren geschrobd
tot diep in de nacht. Ze schikte de bloemen; ze herschikte de bor-

den in haar porseleinkast. Toen was ze haar smetteloze keuken in
gegaan, had een enorme teil sop gemaakt en was – met van vermoeidheid trillende handen – de punchkommetjes gaan afwassen,
de ene stoffige, tere kom na de andere, honderd in totaal; en toen
ze om drie uur 's nachts eindelijk haar bed opzocht, was de slaap
der rechtvaardigen over haar neergedaald.

Blossom, de poes van Libby met het roze neusje, had als jongste aanwinst in huis angstig haar toevlucht gezocht in Edies
slaapkamer, waar ze onder het bed was weggekropen. Boven op
boeken- en porseleinkast troonden Edies eigen katten, vijf stuks:
Dot en Salambo, Rhamses en Hannibal en Slim; met zwiepende
staart sloegen ze op ruime afstand van elkaar door gele heksen-
ogen de gang van zaken beneden hen gade. Over het algemeen
was Edith niet blijer met bezoek dan haar katten, maar vandaag
was ze dankbaar voor de drommen: het leidde haar af van haar
familieleden met hun onbevredigende gedrag dat meer ergernis
dan troost gaf. Ze had genoeg van hen, van allemaal, en in het
bijzonder van Addie, zoals die zich aanstelde met die vreselijke
oude vent van Sumner – Sumner de mooie-praatjesverkoper,
Sumner de flikflooier, Sumner voor wie hun vader de rechter
minachting had gekoesterd. En moest je eens zien hoe ze aan
zijn mouw plukte en mooie oogjes tegen hem opzette, en maar
punch drinken die ze niet had helpen maken uit kommen die ze
niet had helpen afwassen; Addie, die niet één middag bij Libby
in het ziekenhuis was komen zitten omdat ze bang was geweest
haar middagdutje te missen. Ze had ook genoeg van Charlotte,
die evenmin naar het ziekenhuis was gekomen, omdat ze het te
druk had in bed met die hysterische wanen die haar teisterden;
ze had ook genoeg van Tatty – die was dan wel vaak in het ziekenhuis komen opdagen, maar alleen om ergerlijke theorieën te
verkondigen: hoe Edith de aanrijding had kunnen voorkomen, en
hoe ze op Allisons verwarde telefoontje had moeten reageren; ze
had ook genoeg van de kinderen met hun overdreven gesnotter
in de rouwkamer en bij het graf. Ze zaten nog steeds buiten op
de veranda en stelden zich precies zo aan als toen met die dode
kat: *geen verschil*, dacht Edie verbitterd, *in de verste verte geen verschil*. Even smakeloos vond ze de krokodillentranen van haar
nicht Delle, die in geen jaren bij Libby op bezoek was geweest.
'Het is alsof we moeder weer verliezen,' had Tatty gezegd; maar
Libby was voor Edie moeder en zus tegelijk. Sterker nog: ze was
de enige ter wereld (man of vrouw, levend of dood) aan wier

opvattingen Edie zich ooit iets gelegen had laten liggen.

Op twee van deze eetkamerstoelen – oude kameraden in ramp-zalige tijden, dicht opeen langs de muren van dit kleine vertrek – had meer dan zestig jaar daarvoor in de schemerige salon van De Beproeving de kist van hun moeder gestaan. Een rondreizende dominee – van de Church of God, niet eens een baptist – had uit de bijbel gelezen; een psalm, iets over goud en onyx, alleen had hij onyx als 'oinks' uitgesproken. Dat 'oinks' was een familiegrapje geworden. De arme Libby, een tiener toen, was mager en bleek in een oude zwarte cocktailjurk van hun moeder, die was ingespeld bij zoom en buste; haar porseleinbleke gezicht (van nature zonder veel kleur, zoals bij blonde meisjes in die tijd vóór zonnebruin en rouge het geval was) was ziekelijk, krijtwit weggetrokken van sla-peloosheid en verdriet. Wat Edie nog het sterkst bij stond was dat haar eigen hand in die van Libby vochtig en heet had aangevoeld en dat ze de hele tijd strak naar de voeten van de dominee was blijven staren; hij had Edies blik wel proberen te vangen, maar ze was te verlegen geweest om hem aan te kijken en een halve eeuw daarna zag ze nog steeds de barstjes in het leer van zijn veter-schoenen en de roestrode schuine streep zonlicht die over de om-slagen van zijn zwarte broek viel.

Het overlijden van hun vader de rechter was zo'n heengaan ge-weest dat iedereen 'een zegen' noemt; zijn begrafenis was verras-send gezellig geworden, met talrijke oude, rood aangelopen 'kom-panen' (zoals de rechter en zijn vrienden elkaar noemden, al zijn vismaatjes en zijn confrères) die in de benedensalon van De Be-proeving met hun rug naar de open haard whisky stonden te drin-ken en anekdotes uitwisselden over 'Grote Bullebak' (hun bijnaam voor hem) als kind en als jongeman. En nog geen halfjaar daarna de kleine Robin – die gedachte kon ze nog steeds niet verdragen, dat kleine kistje, krap anderhalve meter lang; hoe was ze die dag ooit doorgekomen? Onder de kalmeringsmiddelen zat ze... haar verdriet zo hevig dat het haar overviel als misselijkheid, als voed-selvergiftiging... thee en custardvla had ze uitgebraakt...

Ze keek op uit haar nevel, schrok zich lam toen ze een kleine Robinachtige gestalte met tennisschoenen en afgeknipte spijker-broek door haar gang zag sluipen; die jongen van Hull, besefte ze na een paar tellen van verbijstering, dat vriendje van Harriet. Wie had die nu binnengelaten? Edie glipte de gang in en dook achter hem op. Toen ze hem bij de schouder greep, gilde hij van schrik – een doodsbang gepiep – en dook voor haar weg als een muis voor een uil.

'Wat kan ik voor je doen?'

'Harriet... ik was...'

'Ik ben Harriet niet. Harriet is mijn kleindochter,' zei Edie. Ze sloeg haar armen over elkaar en bekeek hem met het ironische genoegen in zijn schutterigheid waardoor Hely haar zo haatte. Hely deed een nieuwe poging. 'Ik... ik...'

'Toe, zing het maar.'

'Is ze hier?'

'Ja, ze is hier. En nu naar huis jij.' Ze greep hem bij de schouders en draaide hem om naar de deur.

De jongen rukte zich los. 'Gaat ze terug naar het kamp?'

'Het is nu geen speelkwartier,' snauwde Edie. De moeder van die jongen – van jongs af aan al een brutale flirt – had niet de moeite genomen naar Libby's begrafenis te komen, geen bloemen gestuurd, niet eens iets laten horen. 'Ga maar gauw naar je moeder en zeg dat ze zorgt dat jij geen mensen met een sterfgeval in de familie lastigvalt.' En toen hij haar aan bleef gapen riep ze: 'En nu vórt jij!'

Ze bleef hem bij de deur nakijken toen hij het trapje af liep en op z'n dooie akkertje naar de hoek kuierde waar hij uit het zicht verdween. Toen liep ze naar de keuken, pakte de fles whisky uit het aanrechtkastje, schonk haar glas bij en ging terug naar de woonkamer om te kijken hoe het met haar gasten stond. De drukte nam af. Charlotte (die er verfomfaaid, bezweet en verhit uitzag, alsof ze zwaar lichamelijk werk had verricht) stond op haar post bij de punch wezenloos te glimlachen naar mevrouw Chaffin van de bloemenwinkel met haar mopskopje, die tussen haar slokjes punch door gezellig tegen haar aankletste. 'Als ik je een goede raad mag geven,' zei ze – eigenlijk was het meer schreeuwen, want zoals veel dove mensen had mevrouw Chaffin de neiging haar stem te verheffen in plaats van anderen te vragen wat harder te praten, 'je moet het nest weer vullen. Het is verschrikkelijk om een kind te verliezen, maar ik krijg in mijn vak veel met de dood te maken, en volgens mij is het het beste er een paar kleintjes bij te nemen en bezig te blijven.'

Edie zag een grote ladder achter in de kous van haar dochter. Punchbaas spelen was toch niet zo'n veeleisende taak – zelfs Harriet en Allison hadden het nog gekund, en Edie zou het ook aan een van hen hebben gevraagd als ze het niet zo ongepast had gevonden dat Charlotte dan bij de receptie tragisch in het niets zou hebben staan staren. 'Maar ik weet niet wat ik moet dóén,' had ze angstig gejammerd toen Edie haar had meegetroond naar de punchbowl en haar de opscheplepel in de hand had geduwd.

'Je vult hun kommetje en als ze nog meer willen vul je het weer bij.'

Verbijsterd – alsof de lepel een Engelse sleutel was en de punchbowl een ingewikkeld apparaat – had Charlotte haar moeder aangekeken. Een paar dames van het koor stonden met een aarzelend glimlachje beleefd bij de kommen te dralen.

Edie had de lepel uit Charlottes hand gegrist, in de punch gedompeld, een kommetje gevuld en op het tafellaken gezet, en de lepel weer aan Charlotte teruggegeven. Aan het eind van de tafel had de kleine mevrouw Teagarten (volledig in het groen, net een kwiek boomkikkertje met haar brede mond en grote, vochtige ogen) theatraal een sproetig handje naar haar borst gebracht. 'Goeie genade! Is dat voor míj?'

'Jazeker!' riep Edie met haar vrolijkste toneelstem en de nu stralende dames begonnen naar hen op te rukken.

Charlotte had haar moeder dringend aan haar mouw getrokken. 'Maar wat moet ik dan tegen ze zéggen?'

'Wat heerlijk fris is dit!' riep mevrouw Teagarten uit. 'Proef ik gemberbier?'

'Waarschijnlijk hoef je niets te zeggen,' zei Edie zachtjes tegen Charlotte, en daarna, hardop, tegen het hele gezelschap: 'Ja, het is maar een doodgewone punch hoor, zonder alcohol, niets bijzonders, dezelfde die we met Kerstmis hebben. Mary Grace! Katherine! Willen jullie niet een kommetje?'

'O, Edith...' De koordames dromden om hen heen. 'Wat ziet dat er heerlijk uit... Hoe je daar allemaal tíjd voor hebt...'

'Edith is zo'n doorgewinterde gastvrouw, die draait daar haar hand niet voor om.' Dat kwam van nicht Lucinda, die met de handen in de zakken van haar rok was komen aanstruinen.

'Ja, dat is voor Edith geen punt,' klonk het schril van Adelaide, 'die heeft een vríezer.'

Edie had de sneer genegeerd, had een aantal mensen aan elkaar voorgesteld en was weggeglipt, Charlotte bij de punchbowl achterlatend. Je hoefde Charlotte alleen maar te vertellen wat ze moest doen en dan ging het prima, als ze zelf maar niet hoefde na te denken of beslissen. De dood van Robin had eigenlijk een dubbel verlies betekend, want ze had ook Charlotte er door verloren – die actieve, slimme dochter van haar, nu zo tragisch veranderd: eigenlijk was er niets meer van haar over. Natuurlijk kwam niemand ooit echt over zo'n klap heen, maar het was nu toch al meer dan tien jaar geleden. De meeste mensen krabbelden dan op een gegeven moment toch weer overeind en pakten de draad weer op. Weemoedig dacht Edie terug aan Charlottes jeugd, toen ze had aangekondigd dat ze kledinginkoopster bij een groot warenhuis wilde worden. Hoe had al die energie toch tot op het laatste sprankje in het niets kunnen verdwijnen?

Mevrouw Chaffin zette haar kom op het schoteltje, dat op haar linkerhandpalm balanceerde. 'Weet je,' zei ze tegen Charlotte, 'die rode kerststerren kunnen prachtig zijn bij een begrafenis rond de kerst. De kerk is in die tijd van het jaar vaak zo donker.'

Edie stond met haar armen over elkaar naar hen te kijken. Zodra er zich een geschikt moment voordeed, wilde ze zelf nog een woordje met mevrouw Chaffin wisselen. Dix was weliswaar – op zo'n korte termijn, had Charlotte gezegd – niet in staat geweest om voor de begrafenis uit Nashville over te komen, maar het bloemstuk van boerenjasmijn en Iceberg-rozen dat hij had gestuurd (zo sierlijk, zo smaakvol, *vrouwelijk* eigenlijk) was Edie opgevallen. Het was in ieder geval veel stijlvoller dan mevrouw Chaffins gewone stukken. Daarom was ze in het rouwcentrum het vertrek binnengelopen waar mevrouw Hatfield Keene mevrouw Chaffin een handje met de bloemen hielp, en ze had mevrouw Keene horen zeggen – een beetje terughoudend, als in reactie op een vertrouwelijke mededeling die ze ongepast vond: 'Maar misschien was het Dixons secretarésse.'

Mevrouw Chaffin verschikte een tak gladiolen, snoof, en hield sluw haar hoofd een beetje schuin. 'Tja. Ik zat aan de telefoon en heb de bestelling zelf opgenomen,' zei ze terwijl ze een stap achteruit deed om haar werk te monsteren, 'en ik moet zeggen dat ze op míj niet bepaald overkwam als de secretaresse.'

Hely ging niet naar huis, maar sloeg de hoek om en maakte toen een omtrekkende beweging naar het zijhek van Edies tuin, waar hij Harriet aantrof in de grote zitschommel van de achtertuin. Zonder omhaal liep hij op haar af en vroeg: 'Hoi, ben je al lang thuis?'

Hij had verwacht dat zijn aanwezigheid haar meteen zou opfleuren, maar merkte tot zijn ergernis dat het niet zo was. 'Heb je mijn brief gekregen?' wilde hij weten.

'Ja, díé heb ik gekregen,' zei Harriet. Ze had zich bijna ziek gegeten aan gesuikerde amandelen, en had nu een akelige nasmaak in haar mond. 'Die had je nooit moeten sturen. Bij het Postappèl heeft een van de meiden hem afgepikt en ze wilde hem hardop gaan voorlezen.' Hely ging naast haar in de schommelbank zitten. 'Ik was als de dóód, man. Ik...'

Met een kort knikje maakte Harriet hem attent op Edies veranda, zeven meter verderop, waar een stuk of vijf volwassenen met punchkom in de hand achter de grijze hor stonden te babbelen. Hely haalde diep adem. Met een stem die iets zachter was zei hij: 'Het is hier zó eng geweest. Hij rijdt de héle stad door. Heel langzaam. Alsof hij aan het zoeken is. Toen ik bij mijn moeder in de auto zat, zag ik hem ook weer, geparkeerd bij dat viaduct, net of hij er stond te posten.'

Ze zaten zij aan zij maar keken strak voor zich uit naar de volwassenen op de veranda, en niet naar elkaar. 'Je bent er toch niet de kar gaan ophalen, hè?' vroeg Harriet.

'Nee!' zei Hely verontwaardigd. 'Ik ben toch niet gek? Een tijdlang is hij er iedere dag geweest. En nu gaat hij steeds naar de oude spoorterreinen.'

'Waarom?'

'Weet ik veel? Een paar dagen geleden had ik niks te doen en toen ben ik naar het pakhuis gegaan om er tegen de muur te gaan tennissen. Opeens hoorde ik een auto, en het is maar goed dat ik me verstopt had, want mooi dat híj het was! Ik ben nog nooit zo bang geweest. Hij zette de auto stil en bleef een tijdje zitten. En daarna heeft hij nog een poos rondgelopen. Misschien had hij me wel gevolgd, dat weet ik niet.'

Harriet wreef in haar ogen en zei: 'Ik heb hem ook die kant op zien rijden. Vandaag nog.'

'Naar de spoorlijn?'

'Dat zou best kunnen. Ik vroeg me al af waar hij naartoe ging.'

'Ik ben in ieder geval blij dat hij me niet gezien heeft,' zei Hely. 'Toen hij uitstapte kreeg ik zowat een hartverzakking. Ik heb bijna een uur in die bosjes moeten zitten.'

'Eigenlijk moeten we erheen op een Speciale Missie om te kijken wat hij er uitvoert.'

Ze had gedacht dat Hely de uitdrukking Speciale Missie onweerstaanbaar zou vinden, en was verrast door de vastberaden toon waarop hij meteen zei: 'Mij niet gezien. Ik ga daar nóóit meer naartoe. Jij snapt niet...'

Zijn stem was hard uitgeschoten. Een volwassene op de ve-

randa draaide een gezicht in hun richting waarop de uitdrukking
niet viel te onderscheiden. Harriet gaf hem een por in zijn ribben.

Hij keek haar gegriefd aan. 'Je snapt het echt niet,' zei hij, zachter. 'Je had het moeten zien! Hij had me vermoord als hij me ontdekt had, dat zag je aan de manier waarop hij rondkeek.' Hely
deed hem na: verwrongen gezicht, wilde blik die het terrein afspeurde.

'Wat zocht hij dan?'

'Weet ik niet. Ik méén het, ik wil niet nog iets met hem uitvre-
ten, Harriet, en jij kunt ook maar beter uit zijn buurt blijven. Als
hij of een van zijn broers erachter komt dat wij die slang hebben
gegooid, gaan we eraan. Heb je dat stuk uit de krant nog gelezen
dat ik heb opgestuurd?'

'Dat is niet meer gelukt.'

'Nou, het was zijn oma,' zei Hely ernstig. 'Ze is bijna doodgegaan.'

Het tuinhek van Edie ging piepend open. Ineens sprong Harriet
op. 'Odean!' Maar de kleine zwarte vrouw – ze droeg een strohoed, en een katoenen jurk met ceintuur – wierp een zijdelingse
blik op Harriet zonder haar hoofd om te draaien en gaf geen antwoord. Haar lippen waren opeengeklemd en haar gezicht stond
strak. Langzaam schuifelde ze naar de achterveranda, het trapje
op, en klopte aan.

Met een hand boven haar ogen tuurde ze door de hordeur en
vroeg: 'Is Miss Edith hier?'

Na een moment van aarzeling ging Harriet – ontdaan en met
wangen die gloeiden omdat Odean haar genegeerd had – weer in
de schommel zitten. Odean was wel oud en knorrig, en Harriet
had nooit zo goed met haar kunnen opschieten, maar niemand
had zo dicht bij Libby gestaan als zij; die twee waren net een oud
getrouwd stel geweest, niet alleen wat hun gekibbel betrof (vooral
over de kat van Libby, waar Odean een geweldige hekel aan had)
maar ook in hun onverstoorbare, kameraadschappelijke genegenheid voor elkaar – en alleen al de aanblik van Odean had Harriet
hevig ontroerd.

Ze had sinds het ongeluk niet meer aan Odean gedacht. Odean
was al in De Beproeving bij Libby, toen ze allebei nog jong waren.
Waar moest ze nu heen, wat moest ze nu doen? Het was een gam-
mel oud vrouwtje en (daar had Edie vaak genoeg over gemopperd) als hulp in de huishouding stelde ze niet veel meer voor.

Verwarring achter de horren van de veranda. 'Dáár,' zei iemand binnen, die plaatsmaakte, en met een zijdelingse pas wrong Tat zich naar buiten. 'Odean!' zei ze. 'Je weet toch wel wie ik ben? De zus van Edith?'

'Waarom heeft niemand mij over Miss Libby verteld?'

'Och, hemel... Ach, wat erg. Odean.' Blik achterom, naar de veranda: onthutst, beschaamd. 'Wat vind ik dat naar. Kom even binnen, wil je?'

'Mae Helen, die voor mevrouw McLemore werkt, is het me komen vertellen. Niemand is me komen halen. En nu hebben jullie haar in de grond gestopt.'

'O, Odean! We dachten dat je geen telefoon had...'

In de stilte die daarop volgde, floot een meesje: vier heldere, dartele, gezellige tonen.

'U had me kunnen komen halen.' De stem van Odean sloeg over. Haar koperkleurige gezicht stond onbeweeglijk. 'Waar ik woon. Ik woon in Pine Hill, dat weet u. Die moeite had iemand toch wel kunnen nemen...'

'Odean... O, hemel,' zei Tat hulpeloos. Ze haalde diep adem en keek om zich heen. 'Kom toch alsjeblieft even binnen zitten.'

'Nee, mevrouw,' zei Odean stijfjes. 'Dank u wel.'

'Odean, het spijt me toch zo. We hebben er niet bij stilgestaan...'

Odean veegde driftig een traan weg. 'Ik werk al vijfenvijftig jaar bij Miss Libby en niemand is me komen vertellen dat ze in het ziekenhuis lag.'

Tat sloot even haar ogen. 'Odean.' Er viel een pijnlijke stilte. 'O, wat is dit ontzettend. Hoe kun je ons vergeven?'

'De hele week denk ik: ze is met jullie naar Zuid-Carolina, en maandag moet ze weer komen werken. En nu ligt ze onder de grond.'

'Toe, alsjeblieft.' Tat legde een hand op Odeans arm. 'Wacht even, dan ga ik gauw Edith halen, wil je alsjeblieft even blijven wachten?'

Ontdaan liep ze naar binnen. Op de veranda werden de gesprekken – niet goed verstaanbaar – hervat. Odean draaide zich om en keek uitdrukkingsloos voor zich uit. Iemand – een man – leverde duidelijk hoorbaar commentaar: 'Ze zal wel geld willen.'

Het bloed steeg Harriet naar de wangen. Odean – strak gezicht, zonder een krimp te geven – bleef roerloos staan. Tussen al die grote blanke mensen in hun zondagse kledij oogde ze heel klein en grauw: een eenzaam winterkoninkje in een zwerm troepialen.

Hely was opgestaan en stond het achter de schommel met onverholen nieuwsgierigheid te bekijken.

Harriet wist zich geen raad. Ze had de neiging erheen te lopen en naast Odean te gaan staan – dat zou Libby hebben gewild – maar Odean leek niet erg toeschietelijk, had zelfs iets grimmigs dat Harriet afschrikte.

Ineens, zonder enige waarschuwing, ontstond er beroering op de veranda en kwam Allison naar buiten gestormd, recht in de armen van Odean, zodat de oude dame – met paniek in de ogen bij die plotselinge overval – zich aan de balustrade vast moest grijpen om niet achterover te vallen. Allison huilde zo heftig dat zelfs Harriet er bang van werd. Odean bleef strak over Allisons schouder kijken, zonder de omhelzing te beantwoorden of die merkbaar te waarderen.

Edie kwam naar buiten, het trapje af. 'Allison, naar binnen,' zei ze. Ze greep haar bij de schouder en draaide haar om: 'Nu!'

Met een schreeuw rukte Allison zich los en rende weg, langs de schommelbank, langs Hely en Harriet, de tuin door en Edies schuurtje in. Er klonk een metalige klap, alsof er een hark van de muur viel bij het dichtknallen van de deur.

Hely zei effen, terwijl hij zijn hoofd meedraaide om haar na te kijken: 'Die zus van jou is gek, man.'

Op de veranda weerklonk Edies heldere, vérdragende stem alsof ze een menigte toesprak, weliswaar formeel, maar er trilde toch emotie in door en iets van urgentie. 'Odean! Fijn dat je er bent! Kom even binnen, als je wilt.'

'Nee, mevrouw, ik wil niemand tot last zijn.'

'Doe niet zo mal! We vinden het juist fijn dat je er bent!'

Hely schopte Harriet tegen haar voet. 'Zeg,' zei hij met een knik naar het schuurtje. 'Wat hééft die nou?'

'Lieve mens toch!' Edie begon tegen Odean uit te varen, die nog steeds geen vin verroerde: 'Zo is het wel genoeg! Kom nou maar meteen naar binnen!'

Harriet kon geen woord uitbrengen. Uit het gammele schuurtje klonk één enkele, rare, droge snik, alsof er iemand gewurgd werd. Harriets gezicht vertrok, maar niet van afkeer, zelfs niet van schaamte: Hely zag er zo'n merkwaardige, angstaanjagende emotie in dat hij een pas bij haar vandaan deed, alsof ze iets besmettelijks had.

'Eh,' zei hij hardvochtig, over haar heen kijkend – wolken, een vliegtuig met spoor in de lucht – 'ik ga nu maar, denk ik.'

Hij wachtte nog of ze iets zou zeggen, en toen ze bleef zwijgen, slenterde hij weg – niet met zijn gebruikelijke drafje, maar schutterig, met zwaaiende armen.

Het hek klikte dicht. Harriet staarde woedend naar de grond. De stemmen op de veranda klonken nu luid op, en met doffe pijn besefte Harriet waarover het ging: Libby's testament. 'Waar is het?' hoorde ze Odean vragen.

'Maak je geen zorgen, dat wordt binnenkort allemaal geregeld,' zei Edie, die Odean bij de arm pakte alsof ze haar naar binnen wilde loodsen. 'Het testament ligt in haar safe. Maandagochtend ga ik met de notaris...'

'Die vertrouw ik niet,' zei Odean fel. 'Miss Lib heeft mij iets beloofd. Odean, zei ze tegen mij, Odean, als er iets gebeurt, kijk dan in mijn cederhouten kist. Daar ligt een envelop voor jou. Die moet je gewoon pakken, zonder iemand iets te vragen.'

'Odean, we hebben haar spullen niet aangeraakt. Maandag...'

'De Heer weet het, wat er is gebeurd,' zei Odean ongenaakbaar. 'Hij weet het, en ík weet het. Jawel, mevrouw, ik weet heel goed wat Miss Libby heeft gezegd.'

'Je kent meneer Billy Wentworth toch?' Edies stem luchtig, als tegen een kind, maar met een hese ondertoon die naar dreiging zweemde. 'Ga me nu niet vertellen dat jij meneer Billy niet vertrouwt, Odean! Die op het plein zijn kantoor heeft met zijn schoonzoon?'

'Ik wil alleen maar wat voor mij bestemd is.'

De zitschommel was roestig. Tussen de spleten van de klinkers welde fluwelig mos op. Met een soort wanhopige, samengebalde krachtsinspanning richtte Harriet al haar aandacht op een gehavende tritonschelp aan de voet van een vaas in de tuin.

Edie zei: 'Odean, dat betwist ik ook niet. Je krijgt wat je wettelijk toebehoort. Zodra...'

'Het gaat niet om de wet. Het gaat erom wat eerlijk is.'

De schelp was verkalkt van ouderdom, verweerd tot een substantie die leek op kruimelend gips; de punt was afgebroken, bij de binnenlip ging hij over in blozend paarlemoer, het tere zilverigroze van Edies oude Maiden Blush-rozen. Vóór Harriets geboorte ging de hele familie elk jaar op vakantie naar de Golf van Mexico; na de dood van Robin waren ze er nooit meer geweest. Bij de tantes in de kast stonden op de bovenste planken stoffige, treurige potten vol kleine grijze tweekleppige schelpen die ze op die vakanties van vroeger hadden verzameld. 'Als ze een tijdje uit het water zijn verliezen ze hun betovering,' had Libby gezegd; ze had de wasbak in de badkamer vol laten lopen, de schelpen erin gedaan, een keukentrapje gehaald waar Harriet op kon staan (die toen heel klein was, een jaar of drie; en wat had de wasbak groot en wit geleken!). En wat was ze verrast geweest toen dat egale grijs in het water fonkelend, glimmend en toverachtig werd, en uiteenviel in ontelbare, twinkelende kleuren: een violette zweem hier, dáár geweekt tot mosselzwart, uitwaaierend in ribbels, spiralend tot tere, veelkleurige windingen: zilver, marmerblauw, koraalrood, parelmoergroen en -roze! Wat was het water koel en helder, haar eigen handen, afgesneden bij de pols, kilrozerood en zacht! 'Ruik eens!' had Libby gezegd, diep ademhalend. 'Zo ruikt de zee!' En Harriet had haar gezicht dicht bij het water gebracht en de pittige kracht opgesnoven van een zee die ze nooit had gezien; de zilte lucht waar Jim Hawkins het in *Schateiland* over had. De brullende branding; de kreten van de vreemde zeevogels en de witte zeilen van de Hispaniola – als de witte bladzijden van een boek – die bolden tegen wolkeloze, hete luchten.

De dood – dat zeiden ze allemaal – was een land van geluk. Op die oude foto's aan zee was haar familie weer jong, en Robin stond tussen hen in: boten, witte zakdoeken, zeevogels die opvlogen naar het licht. Het was een droom waarin iedereen gered werd.

Maar het was een droom over het leven van vroeger, niet over het leven van straks. Het leven van nu: roestrood magnoliablad, bloempotten met korsten van mos, het gestage zoemen van bijen in de warme middag en het gezichtloze geroezemoes van de begrafenisgasten. Modder en slijmerig gras, onder de gebarsten klinker die ze opzij had geschopt. Harriet keek heel aandachtig naar de lelijke plek op de grond, alsof die het enige echte op de wereld zou zijn – wat in zekere zin ook zo was.

7
De toren

De tijd was ontwricht. Harriet was haar manier om hem te meten kwijt. Ida was de planeet geweest die met haar baan de uren aangaf, en haar lichtende, vertrouwde, betrouwbare kringloop (maandag wasdag, dinsdag versteldag, brood in de zomer en soep in de winter) had elk facet van Harriets leven bepaald. De weken draaiden achter elkaar rond, elke dag een aaneenschakeling van vaste vooruitzichten. Op donderdagochtend klapte Ida de strijkplank uit en ging naast de gootsteen staan strijken, met het massieve strijkijzer dat wolken stoom uitproestte; op donderdagmiddag, zomer en winter, schudde ze de kleden uit en klopte ze en hing ze buiten te luchten, en wanneer het rode Turkse tapijt over de balustrade van de veranda hing was dat dan ook een vlag die steevast 'donderdag' betekende. Eindeloze donderdagen in de zomer, kille donderdagen in oktober en donkere donderdagen uit een ver eersteklassertjesverleden, toen ze onrustig dommelend met amandelontsteking onder warme dekens lag. De plof van de mattenklopper en het gesis en geborrel van het stoomstrijkijzer waren niet alleen levendige geluiden in het heden maar ook schakels in een keten die zich door heel haar leven heen terugslingerde en in het onbestemde duister van haar vroegste kinderjaren verdween. De dagen eindigden om vijf uur, als Ida op de achterveranda van schort wisselde; de dagen begonnen met het knarsen van de voordeur en Ida's stap in de gang. Vredig zweefde het gebrom van de stofzuiger uit verre kamers; boven en beneden het lome piepen van Ida's rubberzolen en soms het hoge droge gekakel van haar heksenlachje. Zo vergleden de dagen. Deuren gingen open, deuren gingen dicht, schaduwen verdwenen en verschenen. Ida's snelle blik, als Harriet op haar blote voeten langs een openstaande deur rende, was een korte, heerlijke zegen: liefde, zomaar vanzelf. Ida! Haar lievelingslekkers (zuurstokken, koud maïsbrood met stroop); haar 'programma's'. Grapjes en standjes, volle lepels suiker als sneeuw neerdwarrelend naar de bodem van het glas ijsthee.

Vreemde droevige oude liedjes opstijgend uit de keuken (*mis je dan je moeder niet, somtijds, somtijds?*) en lokkende vogelgeluiden uit de achtertuin terwijl de witte overhemden wapperden aan de lijn, fluitjes en trillers, *kit kit, kit kit*, zoet gerinkel van gepoetst zilver, rondbuitelend in de afwasteil, de verscheidenheid en de geluiden van het leven zelf.

Maar nu was het allemaal weg. Zonder Ida dijde de tijd uit en ging op in een uitgestrekte schemerige leegte. Uren en dagen, licht en donker gleden onopgemerkt in elkaar over; er bestond geen verschil meer tussen middagmaal en ontbijt, weekeinde en weekdagen, dageraad en avondschemer; en het was of ze diep achter in een kunstmatig verlichte grot leefde.

Met Ida waren veel genoegens verdwenen. Daar was slaap er een van. De ene na de andere nacht had Harriet in de bedompte hut wakker gelegen tussen zanderige lakens, haar ogen vol tranen – want Ida was de enige die een bed kon opmaken zoals zij het graag wilde, en in motels, soms zelfs bij Edie thuis, lag Harriet tot diep in de nacht wakker, met wijdopen ogen, ziek van heimwee, zich pijnlijk bewust van onbekende stoffen, vreemde luchtjes (parfums, mottenballen, wasmiddelen die Ida niet gebruikte) maar bovenal van Ida's aanraking, ondefinieerbaar, altijd geruststellend wanneer ze alleen of angstig wakker werd, en nooit heerlijker dan wanneer ze die moest missen.

Maar Harriet was thuisgekomen in galmende stilte: in een betoverd huis, omsingeld door een doornenhaag. Aan Harriets kant van de kamer (Allisons kant was een bende) zag alles er onberispelijk uit, precies zoals Ida het had achtergelaten: het bed keurig, witte roesjes, het stof er als rijp over neergedaald.

En zo bleef het ook. Onder de sprei waren de lakens nog smetteloos. Ze waren door Ida's hand gewassen en glad gestreken; dat bed was het laatste spoor van Ida in huis, en hoe Harriet er ook naar verlangde om erin te kruipen, haar gezicht in het heerlijk zachte kussen te stoppen en het dek over haar hoofd te trekken, ze kon zich er niet toe brengen dat laatste beetje paradijs dat haar nog restte te verstoren. 's Nachts zweefde de weerspiegeling van het bed glanzend en doorschijnend in de zwarte vensterruiten, wit banket vol strikjes en kwikjes, zacht als een bruidstaart. Maar het was een traktatie waar Harriet alleen naar kon kijken en verlangen: want als er eenmaal in dat bed werd geslapen, vervloog zelfs de hoop op slaap.

Daarom sliep ze boven op de dekens. De nachten verstreken

onrustig. Er staken muggen in haar benen, ze jengelden bij haar oren. De vroege ochtenden waren koel, en dan kwam Harriet weleens verward overeind om denkbeeldig beddengoed te pakken; als haar handen zich dan om lucht sloten liet ze zich weer op de sprei vallen, met een *floep*, en begon – als een terriër trekkebenend in haar slaap – te dromen.

Ze droomde over zwart moeraswater waarin ijs dreef, landweggetjes die ze steeds opnieuw af moest hollen met een splinter in haar voet omdat ze geen schoenen aanhad; over donkere meren waarin ze naar boven zwom tot ze met haar hoofd tegen een metalen plaat stootte die haar onder water opgesloten hield, de lucht daarboven buiten bereik; over het logeerbed bij Edie waaronder ze zich verstopte voor een griezelig wezen – onzichtbaar – dat haar met zachte stem toeriep: 'Heb je wat achtergelaten, missy? Heb je wat voor me achtergelaten?' 's Ochtends werd ze laat en uitgeput wakker, haar wang vol diepe rode moeten van de motiefjes in de sprei. En nog voor ze haar ogen opsloeg durfde ze zich al niet te bewegen en bleef roerloos en met ingehouden adem liggen, met het gevoel dat ze wakker werd in een wereld waarin iets niet klopte.

En dat was ook zo. Het was angstwekkend donker en stil in huis. Ze stond op, liep op haar tenen naar het raam en schoof het gordijn opzij met het gevoel dat ze de enige overlevende van een verschrikkelijke ramp was. Maandag: lege waslijn. Hoe kon het nu maandag zijn zonder een waslijn vol wapperende lakens en hemden? De schaduw van de lege waslijn over het dorre gras deed pijn aan haar ogen. Ze sloop de trap af naar de halfduistere gang – want nu Ida weg was, was er niemand die 's ochtends de jaloezieën opentrok (of koffie zette, of 'goeiemorgen kleintje!' riep of een van al die opbeurende kleine dingen deed waarmee Ida altijd bezig was) en bleef het huis vrijwel de hele dag in een gedempte onderwaterschemer verzonken.

Achter die doffe stilte – een vreselijke stilte, alsof de wereld was vergaan en er bijna niemand meer leefde – lag het schrijnende besef dat Libby's huis, maar een paar straten verderop, afgesloten was en leeg stond. Het grasveld ongemaaid, de bloembedden bruin verdord en ritselend van het onkruid; en binnen de spiegels zonder spiegelbeeld, als lege poelen, zon- en maanlicht onaangedaan door de kamers glijdend. Wat kende Harriet Libby's huis goed, op ieder uur en bij iedere stemming en weersgesteldheid – de winterse landerigheid, als het schemerig was in de gang en de gaskachel zachtjes brandde; de stormachtige nachten en dagen

(regen stromend langs purperen ramen, schaduwen stromend
langs de muren ertegenover) en de vlammende herfstmiddagen,
als Harriet na school moe en neerslachtig bij Libby in de keuken
zat, troost putte uit Libby's gebabbel en zich koesterde in de
warmte van haar zachtmoedige vragen. Al die boeken die Libby
had voorgelezen, elke dag na school een hoofdstuk: *Oliver Twist*,
Schateiland, *Ivanhoe*. Soms was het oktoberlicht dat op zulke middagen plotseling in de ramen aan de westkant laaide zakelijk, met
beangstigend felle stralen, van een schittering en kilte die iets on-
draaglijks leken aan te kondigen, als de barbaarse gloed van oude,
op het sterfbed opgehaalde herinneringen, een en al dromen en
schril vaarwel. Maar altijd, al was het licht nog zo stil en mistroostig (loden tik van schoorsteenklok; bibliotheekboek met de
rug naar boven opengeklapt op de bank), straalde Libby zelf wit
en fris terwijl ze door de sombere kamers liep, haar witte kapsel
gelaagd als een pioenroos. Soms zong ze voor zich uit, en dan
klonk haar iele stemmetje tussen de hoge schaduwen van de bete-
gelde keuken zoet trillend door de logge brom van de Frigidaire
heen:

De uil en de poes gingen varen op zee
In een bootje zo rood als een peen
Met een grote zak krenten en een heleboel centen
En een briefje van tien daaromheen...

Daar zat ze, te borduren, het zilveren schaartje aan een roze lint
om haar hals, de kruiswoordpuzzel te maken of een biografie van
Madame de Pompadour te lezen, tegen haar kleine witte poes te
praten... *trip trip trip*, nu hoorde Harriet haar voetstappen, dat speciale geluid van haar schoenen maatje vierendertig, *trip trip trip* de
lange gang door om de telefoon op te nemen. Libby! Zo verheugd
als Libby altijd leek wanneer Harriet belde – ook 's avonds laat –
alsof er op de hele wereld niemand was van wie ze zo graag de
stem wilde horen! 'O! Daar is mijn *schattekind!*' riep ze, 'wat lief
van je om je arme oude tantetje even te bellen...' en de blijheid en
warmte van haar stem grepen Harriet zo aan dat ze (al stond ze
daar in haar eentje, bij de wandtelefoon in de donkere keuken)
haar ogen sloot en haar hoofd liet hangen, helemaal warm en
gloeiend, als een klok die werd geluid. Was er verder nog iemand
die het zo heerlijk vond om Harriets stem te horen? Nee, niemand. En nu kon ze dat nummer draaien, draaien zo vaak ze wil-

de, elk moment draaien, tot het einde der tijden, nooit zou ze aan de andere kant van de lijn Libby meer horen roepen: Mijn schatte- kind! Mijn *hartje*! Nee, nu was het daar leeg, en stil. De geur van cederhout en vetiverwortel in dichte kamers. De meubels zouden weldra weg zijn, maar nu was het daar nog net zoals toen Libby op reis ging: bedden opgemaakt, de omgespoelde theekopjes weg- gezet in het afdruiprek. De dagen schreden onopgemerkt achter elkaar door de kamers. Als de zon opkwam zou de presse-papier van belletjesglas op Libby's schoorsteenmantel weer vlammend tot leven komen, een kort, glanzend leven, om weer in duister en sluimer te verzinken nadat de driehoek van zonlicht erlangs was getrokken, rond het middaguur. Het vloerkleed met zijn bloem- ranken – weids, warrig speelbord uit Harriets kinderjaren – gloei- de nu eens hier, dan weer daar op in de gele strepen licht die in de namiddag schuin door de houten jaloezieën priemden en langs de muren gleden. Lange dunne vingers die in lange vervormde slier- ten over de ingelijste foto's streken: Libby als meisje met Edie aan de hand, mager en met verschrikte ogen; het door orkanen geteis- terde Huize De Beproeving, in sepia tinten, met zijn onheilszwan- gere sfeer van door wingerd verstikte tragiek. Ook dat avondlicht zou algauw verflauwen en verdwijnen, tot er geen ander licht meer was dan het koele blauwe schemerlicht van de straatlan- taarns – net genoeg om bij te zien – dat zwak bleef schijnen tot het ochtendgloren. Hoedendozen; netjes opgevouwen handschoe- nen, sluimerend in laden. Donkere hangkasten vol kleren die Lib- by's hand nooit meer zouden voelen. Binnenkort zouden ze in kisten gepakt naar zendingsposten in Afrika en China worden verzonden – en binnenkort zou er misschien een rank Chinees dametje, in een beschilderd huis onder goudgele bomen en verre luchten, in een van Libby's roze zondagsschooljaponnen thee drinken met de zendelingen. Hoe kon de wereld zo maar door- gaan: de mensen die tuinen aanplantten, een kaartje legden, naar zondagsschool gingen en kisten met oude kleren naar de missies in China verstuurden terwijl ze ondertussen op een ingestorte brug af snelden, een gapend gat in het donker?

Zo piekerde Harriet. Ze zat alleen, op de trap, in de gang of aan de keukentafel, met haar hoofd in haar handen; ze zat in de ven- sterbank van haar slaapkamer en keek naar de straat. Oude herin- neringen staken en prikten haar: boze buien, ondankbaarheid, woorden die ze nooit meer kon terugnemen. Steeds weer moest ze denken aan die keer dat ze in de tuin zwarte torren had gevan-

gen en die op een kokoscake had gedrukt waaraan Libby de hele
dag had gewerkt. En hoe Libby had gehuild, als een klein meisje,
met haar handen voor haar gezicht had gehuild. Ze had ook gehuild toen Harriet op haar achtste verjaardag boos tegen haar had
gezegd hoe afschuwelijk ze haar cadeautje vond: een bedelhartje
voor aan haar bedeltjesarmband. 'Speelgoed! Ik wou spéélgoed!'
Later had haar moeder haar apart genomen en gezegd dat het een
duur bedeltje was, duurder dan Libby zich kon veroorloven. Het
ergste: de laatste keer dat ze Libby had gezien, de allerallerlaatste
keer, had ze haar hand van zich afgeschud en was zonder omkij-
ken weggerend over de stoep. Soms werd ze, in de loop van de
lusteloze dag (uren versuft op de bank, mat door de *Encyclopaedia
Britannica* bladerend), opnieuw met zo'n kracht door die gedachten overvallen dat ze in de kast kroop en de deur sloot en huilde,
huilde, met haar gezicht in haar moeders stoffige oude tafzijden
avondjaponnen, ziek van de overtuiging dat wat ze voelde nooit
minder, alleen nog maar erger zou worden.

Over twee weken begon de school weer. Hely zat op iets wat hij
'muziekworkshop' noemde waarbij je elke dag naar het footballveld ging en op en neer marcheerde in de smoorhitte. Als het
footballteam dan het veld op kwam voor de training, liepen ze
allemaal in de pas terug naar de met zink gedekte kantine van een
sportzaal en gingen daar met hun instrument op een klapstoeltje
zitten repeteren. Daarna maakte de bandleider een kampvuur
waarop hij hotdogs grilde, of zette hij een partijtje softball op
touw, of een 'jam session' met de groten. Soms kwam Hely vroeg
thuis, maar dan, zei hij, moest hij na het eten trombone studeren.
    In zekere zin was Harriet wel blij dat hij er niet was. Ze schaam-
de zich voor haar verdriet, dat te groot was om verborgen te houden, en voor de toestand waarin het huis verkeerde. Sinds Ida's
vertrek was Harriets moeder stoutmoediger geworden, op een
manier die deed denken aan nachtdiertjes in de dierentuin van
Memphis: kleine buideldieren met ogen als schoteltjes, die – mis-
leid door de ultraviolette lampen die hun glazen kooi verlichtten
– aten en zich wasten en behendig in de weer waren met hun bladerrijke bedoeninkje in de illusie dat ze veilig uit het zicht waren,
onder dekking van het donker. Van de ene dag op de andere doken
er kriskras door het hele huis heimelijke sporen op, gemarkeerd
door papieren zakdoekjes, astma-inhalers, potjes pillen, hand-
crème en nagellak, glazen smeltend ijs die kettingen van witte rin-

gen op de tafels achterlieten. In een wel heel vol en smerig hoekje van de keuken verscheen een draagbare schildersezel met daarop een elke dag wat verder gevorderd portret van een paar waterige paarse viooltjes (maar met de vaas waarin ze stonden kwam ze nooit verder dan de potloodschets). Zelfs haar haar kreeg een nieuwe, warme donkerbruine kleur ('Chocolate Kiss' stond er op het flesje – vol kleverige zwarte druppels – dat Harriet in het rieten prullenmandje in de badkamer beneden vond). Om de ongeklopte kleden, de plakkerige vloeren, de zuur ruikende handdoeken in de badkamer bekommerde ze zich niet, maar aan kleinigheden schonk ze een verbluffende overmaat van zorg. Op een middag trof Harriet haar aan terwijl ze stapels rommel naar links en naar rechts schoof zodat ze op haar knieën met een speciaal poetsmiddel en een speciaal lapje de koperen deurknoppen kon poetsen; op een andere middag was ze – zonder te letten op de kruimels, de vetspatten, de gemorste suiker op het aanrecht, het vuile tafelkleed en de torenhoge stapel afwas die in wankel evenwicht boven het koude grijze gootsteenwater uitstak, en al helemaal zonder aandacht voor bepaalde, zoetige luchtjes van bederf die overal en nergens vandaan kwamen – een vol uur verwoed bezig met een oude verchroomde broodrooster die ze net zo lang opwreef tot hij blonk als de bumper van een limousine, en daarna bleef ze nog eens een volle tien minuten haar huisvlijt staan bewonderen. 'We redden ons best, hè?' zei ze, en: 'Ida maakte de spulletjes toch nooit écht schoon, hè, niet zó?' (met een welgevallige blik op de broodrooster), en: 'Léúk, hè? Wij zo met ons drietjes.'

Het was niet leuk. Maar ze deed haar best. Op een dag, eind augustus, stond ze op, nam een schuimbad, kleedde zich aan, stiftte haar lippen en ging op een keukentrapje in het *James Beard Kookboek* zitten bladeren tot ze op een recept stuitte dat Steak Diane heette, waarna ze naar de supermarkt liep en alle ingrediënten insloeg. Thuisgekomen deed ze een met roesjes afgezet cocktailschortje (een kerstcadeau, nooit gebruikt) voor haar jurk, stak een sigaret op, schonk een glas cola met ijs en een scheutje bourbon in en nam daar onder het koken af en toe een slokje van. Daarna baanden ze zich in ganzenmars, zij met de schotel hoog boven haar hoofd, gedrieën een weg naar de eetkamer. Harriet maakte op tafel een plekje vrij, Allison stak een paar kaarsen aan, die lange, bevende schaduwen op het plafond wierpen. Het was de beste maaltijd die Harriet in lange tijd had gehad – al stond de stapel afwas drie dagen later nóg in de gootsteen.

Ida was niet in de laatste plaats vanwege dat – onvoorziene – aspect waardevol geweest: dat ze haar moeders actieradius had beperkt, maar zó dat het pas nu – te laat – tot Harriet doordrong. Hoe vaak had ze niet naar haar moeders gezelschap verlangd, gewild dat ze weer op de been was en uit haar slaapkamer kwam? Nu was die wens – met één klap – vervuld, en Harriet mocht dan eenzaam zijn geweest en ontmoedigd door de slaapkamerdeur die altijd voor haar neus dichtging, nu wist ze nooit wanneer die deur krakend open kon gaan en haar moeder naar buiten kwam zeilen om hunkerend achter Harriets stoel heen en weer te drentelen, alsof ze wachtte tot Harriet het verlossende woord sprak dat de stilte zou verbreken zodat alles tussen hen weer ontspannen en prettig werd. Harriet had haar moeder graag geholpen, als ze maar enig idee had gehad wat ze moest zeggen. Allison kon hun moeder kalmeren zonder een woord te zeggen, louter door de rust die ze van nature uitstraalde – maar in Harriets geval lag het anders, die leek iets te moeten zeggen of doen, al wist ze niet wat, en dat verwachtingsvolle staren benauwde haar zo dat ze niets wist uit te brengen en zich schuldig voelde, en soms – als het te nadrukkelijk was, of te lang duurde – geremd en boos. Dan keek ze, koppig, strak naar haar handen, de grond, de muur tegenover haar, het maakte niet uit, als ze zich maar kon afsluiten voor de smeekbede in haar moeders ogen.

Harriets moeder praatte niet vaak over Libby – ze kon Libby's naam nauwelijks zeggen zonder in tranen uit te barsten – maar haar gedachten gingen bijna steeds naar Libby uit, en welke loop ze namen was net zo duidelijk alsof ze werden uitgesproken. Libby was overal. De gesprekken draaiden om haar, al werd haar naam niet genoemd. Sinaasappels? Iedereen dacht dan aan de schijfjes sinaasappel die Libby graag in de kerstpunch liet drijven, de sinaasappeltaart (een pover dessert, uit een oorlogskookboek voor de gerantsoeneerde keuken) die Libby weleens maakte. Peren? Ook peren waren rijk aan associaties: Libby's perenjam met gember, het liedje over de kleine perenboom dat Libby altijd zong, het stilleven met peren dat Libby rond de eeuwwisseling had geschilderd op de vrouwenuniversiteit van Mississippi. En op de een of andere manier kon je, alleen door over dingen te praten, uren over Libby praten zonder haar naam te laten vallen. In elk gesprek trilden stilzwijgende toespelingen op Libby door; elke landstreek of kleur, elke plant of boom, elke lepel, deurknop, lekkernij was gedompeld en gedrenkt in haar nagedachtenis – en hoewel Harriet de juistheid van die toewijding niet in twijfel trok, toch kreeg ze soms het ongemakkelijke gevoel dat Libby van een mens was veranderd in een wee, alomaanwezig gas dat door sleutelgaten en onder kierende deuren door sijpelde.

Al met al was het een vreemde vorm van praten, des te vreemder omdat hun moeder de meisjes op wel honderd stilzwijgende manieren duidelijk had gemaakt dat ze niets over Ida mochten zeggen. Als ze het alleen maar zijdelings over Ida hadden was haar ongenoegen al zichtbaar. En toen Harriet eens, zonder nadenken, in haar verdriet Libby en Ida in één adem had genoemd, verstrakte ze, met haar glas halverwege haar lippen.

'Hoe durf je!' had ze geroepen, alsof Harriet een trouweloze opmerking over Libby had gemaakt – laaghartig, onvergeeflijk –, en daarna tegen Harriet: 'Kíjk niet zo naar me.' Ze pakte de verschrikte Allison bij de hand, liet die weer los en vluchtte de kamer uit.

Terwijl het Harriet was verboden haar eigen verdriet te uiten was haar moeders verdriet een voortdurend verwijt, en Harriet had vaag het gevoel dat het haar schuld was. Soms – vooral 's nachts – werd het tastbaar, als mist, en vulde het hele huis; het hing in een dichte nevel om haar moeders gebogen hoofd en afgezakte schouders, even zwaar als de whiskylucht die om Harriets vader hing als hij had gedronken. Harriet liep zachtjes naar de deuropening en keek zwijgend naar haar moeder, die in het gelige licht van de lamp aan de keukentafel zat, met het hoofd in de handen en een brandende sigaret tussen haar vingers.

Maar als haar moeder dan omkeek en probeerde te glimlachen of een gesprekje wilde beginnen, vluchtte Harriet weg. Ze kon niet tegen die timide, meisjesachtige manier waarop haar moeder tegenwoordig door het huis tripte, om hoekjes gluurde en in kasten keek, alsof Ida een tiran was die ze blij was kwijt te zijn. Als ze voorzichtig dichterbij kwam – met een beschroomd lachje, op die specifieke aarzelende manier die betekende dat ze wilde 'praten' – voelde Harriet dat ze tot ijs verhardde. Ze bleef zo stil als een steen zitten toen haar moeder naast haar op de bank schoof en haar met een onbeholpen gebaar een klopje op haar hand gaf.

'Jij hebt je hele leven nog voor je.' Ze praatte te hard; ze leek wel een toneelspeelster.

Harriet zweeg en bleef nors naar de *Encyclopaedia Britannica* staren die op haar schoot lag, opengeslagen bij een lemma over de

cavia-achtigen. Dat was een Zuid-Amerikaans knaagdierenge-
slacht waartoe ook de marmot behoorde.

'Ik bedoel' – haar moeder lachte, een gesmoord, dramatisch
lachje – 'dat jij het soort pijn dat ik heb gekend hopelijk nooit
hoeft door te maken.'

Harriet bekeek vol aandacht een zwartwitfoto van het water-
zwijn, het grootste lid van het geslacht der cavia-achtigen. Het was
het grootste knaagdier ter wereld.

'Jij bent nog jong, schatje. Ik heb mijn best gedaan om je te be-
schermen. Ik wil alleen niet dat je de fouten maakt die ik heb gemaakt.'

Ze wachtte. Ze zat veel te dichtbij. Hoewel Harriet zich onbehaaglijk voelde verroerde ze zich niet en weigerde op te kijken. Ze
was vastbesloten haar moeder geen enkele kans te geven. Haar
moeder wilde alleen maar dat ze belangstelling toonde (uiterlijke
belangstelling, geen echte) en Harriet wist heel goed wat haar plezier zou doen: dat ze de encyclopedie demonstratief weg zou leggen, haar handen in haar schoot zou vouwen en een meelevende
frons trekken terwijl haar moeder zat te praten. *Arme moeder*. Dat
was genoeg; dan was ze tevreden.

En veel was het niet. Maar Harriet vond het zo oneerlijk dat ze
ervan rilde. Luisterde haar moeder soms als *zíj* wilde praten? En
terwijl ze zwijgend naar de encyclopedie bleef staren (wat was het
moeilijk om stand te houden en niets terug te zeggen!), herinnerde
ze zich hoe ze, verblind door de tranen om Ida, haar moeders
slaapkamer binnen was komen struikelen en hoe die kwijnend,
majesteitelijk een vingertje had geheven, *één vingertje*, en dat was
het dan...

Plotseling merkte Harriet dat haar moeder was opgestaan en op
haar neerkeek. Haar glimlach was dun en scherpgepunt als een
vishaakje. 'Laat ik je alsjeblieft niet storen bij het lezen,' zei ze.

Meteen werd Harriet overmand door berouw. 'Wat zei je, moeder?' Ze legde de encyclopedie opzij.

'Laat maar.' Haar moeder wendde abrupt haar ogen af, trok het
koord van haar peignoir aan.

'Moeder?' riep Harriet haar na door de gang, toen de slaapkamerdeur dichtviel, met een net iets te beschaafd klikje. 'Het spijt
me, moeder...'

Waaróm deed ze zo naar? Waarom kon ze zich niet gedragen
zoals anderen dat van haar verlangden? Harriet zat zichzelf op de
bank de les te lezen; en de venijnige, akelige gedachten tolden nog

door haar hoofd toen ze allang overeind was gekomen en de trap op naar bed was gesloft. Haar beklemming en schuldgevoel beperkten zich niet tot haar moeder – en zelfs niet tot haar huidige situatie – maar strekten zich wijd en zijd uit, en de gedachte aan Ida martelde haar nog het meest. Stel dat Ida een beroerte kreeg? Of werd overreden? Dat kwam voor, dat wist Harriet nu maar al te goed: iemand kon zomaar doodgaan, kon zomaar omvallen. Zou Ida's dochter het hun dan laten weten? Of – en dat was waarschijnlijker – zou ze aannemen dat het bij Harriet thuis toch niemand interesseerde?

Harriet lag – met een kriebelige gehaakte sprei over zich heen – in haar slaap te draaien en te woelen, en beschuldigingen en bevelen te roepen. Af en toe flitste er blauwig hoogzomers weerlicht door de kamer. Ze zou nooit vergeten hoe haar moeder Ida had behandeld, het nooit vergeten en nooit vergeven, nooit en te nimmer. Maar hoe boos ze ook was, ze kon haar hart niet – niet volledig – pantseren tegen de kwelling van haar moeders verdriet.

En het allerondraaglijkst was het wanneer haar moeder probeerde te doen of er niets aan de hand was. Dan kwam ze in haar pyjama naar beneden geslenterd, plofte als een soort halfgare kinderoppas neer op de bank tegenover haar zwijgende dochters, stelde voor 'leuke' dingen te gaan doen, alsof ze gewoon een gezellig groepje vriendinnen waren die zomaar wat bij elkaar zaten. Ze had een blosje, haar ogen schitterden, maar al die opgewektheid had een overspannen en meelijwekkend geforceerde ondertoon die Harriet op de rand van tranen bracht. Ze wilde een spelletje kaart doen. Ze wilde toffee maken – toffee! Ze wilde televisie kijken. Ze wilde met zijn allen een steak gaan eten in de country club – wat niet kon, de eetzaal van de country club was niet eens open op maandag, wat bezielde haar? En ze stelde afgrijselijke vragen. 'Wil je geen beha?' vroeg ze Harriet, of: 'Zou je niet eens een vriendinnetje hier willen vragen?' of: 'Heb je zin om naar Nashville te gaan om je vader op te zoeken?'

'Je moet eens een partijtje geven,' zei ze tegen Harriet.

'Partijtje?' zei Harriet op haar hoede.

'Ach, je weet wel, een partijtje voor de meisjes van je klas, met cola of ijs.'

Harriet kon geen woord uitbrengen van ontzetting.

'Je moet meer... met anderen omgaan. Ze hier uitnodigen. Meisjes van je eigen leeftijd.'

'Waarom?'

Haar moeder maakte een wegwuivend gebaar. 'Straks ga je naar de middelbare school,' zei ze. 'Nog even en je moet over je school-bals gaan nadenken. En je weet wel, cheerleaders, en de modebrigade.'

Modebrigade? dacht Harriet verbaasd.

'Je hebt de mooiste tijd van je leven nog voor je. Volgens mij zul jij op de middelbare school opbloeien, Harriet.'

Harriet wist niet wat ze daarop moest zeggen.

'Ligt het aan je kleren, is dat het, liefje?' Haar moeder keek haar smekend aan. 'Wil je daarom je vriendinnetjes niet bij je thuis vragen?'

'Nee!'

'We gaan wel met je naar Memphis, naar Youngland. Leuke kleren voor je kopen. Laat je vader maar betalen.'

Zelfs voor Allison waren hun moeders stemmingswisselingen afmattend, tenminste, zo leek het, want Allison bleef de laatste tijd zonder verklaring 's middags en 's avonds van huis weg. Er werd vaker opgebeld. Harriet had in één week twee telefoontjes aangenomen van een meisje dat zich 'Trudy' noemde en voor Allison belde. Wie 'Trudy' was vroeg Harriet niet, en het interesseerde haar ook niet, maar ze keek wel door het raam toen Trudy (een schimmige figuur in een bruine Chrysler) voor het huis stopte, waar Allison in T-shirt en afgeknipte spijkerbroek stond te wachten op de stoeprand.

Ook Pemberton kwam haar weleens halen, in de pastelblauwe Cadillac, en dan reden ze weg zonder Harriet te groeten of haar mee te vragen. Nadat ze met luid gerammel de straat uit waren gereden bleef Harriet in de vensterbank van haar onverlichte slaapkamer zitten staren naar de sombere lucht boven de treinrails. Ver weg zag ze de lichtjes van het honkbalveld, van Jumbo's Drive-in. Waar gingen ze heen, Pemberton en Allison, als ze zo wegreden in het donker, wat hadden ze elkaar te vertellen? De straat glom nog na van de onweersbui van vanmiddag; daarboven scheen de maan door een rafelig gat in de donderwolken, zodat de bollende omtrekken vaalwit, dramatisch belicht werden. Daarachter – achter die scheur in de lucht – was louter klaarheid: koude sterren, peilloze verte. Het was of je in een heldere, ogenschijnlijk ondiepe poel keek, maar als je een muntje in dat doorzichtige water gooide zou het vallen, vallen, almaar vallen, eeuwig doorwentelen zonder ooit de bodem te raken.

'Wat is Ida's adres?' vroeg Harriet op een ochtend aan Allison. 'Ik wil haar over Libby schrijven.'

Het was warm en stil in huis; de vuile was lag in grote, groezelige balen over de wasmachine gedrapeerd. Allison keek uitdrukkingsloos op van haar kom cornflakes.

'Nee,' zei Harriet, na een korte, ongelovige stilte.

Allison wendde haar ogen af.

'Je gaat me toch niet vertellen dat je dat niet hebt! Wat mankeert je?'

'Ze heeft het niet gegeven.'

'Heb je het dan niet gevráágd?'

Stilte.

'Nou? Héb je het niet gevraagd? Wat is er met jou aan de hand?'

'Ze weet waar wij wonen,' zei Allison. 'Als ze wil schrijven.'

'Schatje?' De stem van hun moeder in de andere kamer: behulpzaam, om woest van te worden. 'Zoek je iets?'

Na langdurig zwijgen ging Allison – met neergeslagen ogen – verder met eten. Het geknisper van haar cornflakes klonk weerzinwekkend luid, als het versterkte geknisper van een blad-etend insect in een natuurfilm. Harriet schoof achteruit op haar stoel en keek in vruchteloze paniek om zich heen: welke stad had Ida genoemd, welke stad ook weer, wat was de achternaam van haar getrouwde dochter? En zou het iets uitmaken, al wist ze het? Toen Ida nog in Alexandria woonde had ze geen telefoon. Als ze Ida ergens voor nodig hadden moest Edie met de auto naar Ida's huis – wat niet eens een huis wás, maar een scheefgezakt bruin krot op een lapje aangestampte aarde, geen gras, geen stoep, alleen modder. Uit een smalle, roestige ijzeren kachelpijp erbovenop kwamen rookpluimen, toen Edie er een keer op een winteravond met Harriet langs was gegaan in de auto, om Ida vruchtencake en mandarijnen te brengen voor haar kerst. De herinnering aan Ida die in de deur verscheen – verrast, in het licht van de koplampen, haar handen afvegend aan een vuil schort – vloog Harriet naar de keel, met een plotseling fel verdriet. Ida had hen niet binnengelaten, maar de glimp door de open deur had Harriet overspoeld met verwarring en triestheid: oude koffieblikken, een tafel met een zeiltje, Ida's gerafelde, naar rook ruikende oude wintertrui – een mannentrui – die aan een spijker hing.

Ze spreidde de vingers van haar linkerhand en keek tersluiks even naar de kerf die ze op de dag na Libby's begrafenis met een Zwitsers zakmes in haar handpalm had gemaakt. In de verstikkende treurigheid van het stille huis had ze een kreet van verrassing geslaakt om de steekwond. Het mes viel kletterend op de badkamervloer. Er sprongen nieuwe tranen in haar ogen, die toch al pijnlijk brandden van het huilen. Ze kneep in haar hand en perste haar lippen stijf op elkaar terwijl er zwarte muntjes van bloed op de schemerige tegels drupten; ze keek om zich heen en naar alle hoeken van het plafond, alsof ze hulp van boven verwachtte. De pijn gaf een merkwaardige opluchting – ijskoud en verkwikkend – en had haar op een meedogenloze manier gekalmeerd, en haar geholpen haar gedachten te ordenen. *Wanneer het geen pijn meer doet,* had ze zich voorgehouden, *als het genezen is, dan voel ik me beter over Libby.*

En het begón te genezen. De snee deed nauwelijks meer pijn, alleen als ze haar hand op een bepaalde manier dichtkneep. Er was een wijnrode ribbel littekenweefsel opgebobbeld in het steekgaatje; dat was leuk om naar te kijken, net een kloddertje roze lijm, en het deed haar met een prettig gevoel aan Lawrence of Arabia denken, die zichzelf met brandende sigaretten had verwond. Zoiets maakte blijkbaar een moedige soldaat van je. 'De truc,' had hij in de film gezegd, 'is dat je niet om de pijn moet geven.' In het veelomvattende en vernuftige plan van het lijden, zoals Harriet het nu begon te begrijpen, was dat een truc die de moeite van het leren beslist waard was.

En zo ging augustus voorbij. Op de begrafenis van Libby had de dominee uit de psalmen gelezen. 'Ik ben slapeloos, ik gelijk op een eenzamen mus op het dak.' De tijd heelde alle wonden, had hij gezegd. Maar wanneer dan?

Harriet dacht aan Hely, die nu op het footballveld in de brandende zon op zijn trombone speelde, en ook dat deed haar aan de psalmen denken. 'Looft Hem met bazuingeschal, looft Hem met harp en citer.' Hely's gevoelens gingen niet zo diep; hij leefde in zonnige ondiepe wateren, waar het altijd warm en licht was. Hij had tientallen huishoudsters zien komen en gaan. En ook haar verdriet om Libby begreep hij niet. Hely hield niet van oude mensen, was er bang voor; hij hield zelfs niet van zijn eigen grootouders, die in een andere stad woonden.

Maar Harriet miste haar grootmoeder en haar oudtantes, en die hadden het te druk om zich veel met haar bezig te houden. Tat was Libby's spullen aan het inpakken: ze vouwde haar linnengoed op, poetste haar zilver, rolde tapijten op, stond op ladders om gordijnen af te halen en probeerde te bedenken wat er moest gebeuren met alle spulletjes in Libby's porseleinkasten, cederhouten ladekasten en kleerkasten. 'Lieverd, je bent een engel dat je dat aanbiedt,' zei Tat toen Harriet opbelde met het aanbod om haar te helpen. Maar al waagde Harriet zich er wel heen, ze had zich er niet toe kunnen zetten het tuinpad op te lopen, zo greep de drastisch veranderde aanblik van Libby's huis haar aan: de door onkruid overwoekerde bloembedden, het ongemaaide gazon, de tragische sfeer van verwaarlozing. De gordijnen voor de ramen aan de voorkant waren weg, en die afwezigheid kwam hard aan; binnen zag je, boven de schoorsteenmantel van de woonkamer, alleen nog maar een grote blinde plek waar de spiegel had gehangen. Harriet bleef ontzet op de stoep staan; ze draaide zich om en rende naar huis. Die avond belde ze, beschaamd, Tat op om zich te verontschuldigen.

'Tja,' zei Tat, op heel wat minder vriendelijke toon dan Harriet had gehoopt. 'Ik vroeg me al af wat er was.'

'Ik – ik –'

'Lieverd, ik ben moe,' zei Tat, en ze klonk ook uitgeput. 'Kan ik je ergens mee helpen?'

'Het huis ziet er anders uit.'

'Ja, dat is zo. Het is moeilijk te verdragen. Gisteren ging ik even aan die kleine tafel van haar zitten, in die keuken vol dozen, en toen heb ik mijn ogen uit mijn hoofd gehuild.'

'Tatty, ik –' Harriet begon zelf te huilen.

'Hoor eens, lieverd. Het is heel lief van je om aan Tatty te denken, maar het gaat sneller als ik het in mijn eentje doe. Arm engeltje.' Nu huilde Tat ook. 'We gaan iets leuks doen als ik klaar ben, goed?'

Zelfs Edie – duidelijk en duurzaam als de beeldenaar op een muntje – was veranderd. Ze was magerder geworden na Libby's dood; haar wangen waren ingevallen en ze leek op de een of andere manier kleiner. Harriet had haar niet vaak meer gezien sinds de begrafenis. Vrijwel dagelijks reed ze in haar nieuwe auto naar het plein, voor afspraken met bankdirecteuren, advocaten of accountants. Libby's nalatenschap was een chaos, voornamelijk vanwege het faillissement van rechter Cleve en diens verwarde pogingen om, aan het eind van zijn leven, de laatste restjes van zijn vermogen te verdelen en te verdoezelen dat er zo weinig van over was. Een groot deel van die verwarring werkte door in het kleine, geblokkeerde erfenisje dat hij Libby had nagelaten. Tot overmaat van ramp had meneer Rixey, de oude man wiens auto ze had aangereden, een schadeclaim tegen Edie ingediend wegens 'ernstige emotionele en psychische schade'. Hij weigerde een schikking te treffen; een rechtszaak leek dan ook niet te vermijden. Hoewel Edie er geen woord over zei en alles stoïcijns droeg, was ze merkbaar aangeslagen.

'Tja, het was wél jouw schuld, lieverd,' zei Adelaide. Sinds het ongeluk had ze voortdurend hoofdpijn, zei Adelaide, 'gerommel met dozen' bij Libby kon ze niet aan, ze was zichzelf niet. 's Middags na haar dutje ('dutje!' zei Tat, alsof zíj niet graag een dutje zou doen) liep ze naar Libby's huis, zoog de kleden en de stoelbekleding (overbodig) en pakte dozen over die Tat al had ingepakt, maar ze zat vooral in over Libby's nalatenschap; en ze haalde zowel Tatty als Edie het bloed onder de nagels vandaan met haar vriendelijk gebrachte maar doorzichtige verdenking dat Edie en de advocaten haar, Adelaide, haar 'deel', zoals zij het noemde, ontfutselden. Elke avond belde ze Edie om haar, tergend uitvoerig, te ondervragen over wat er die dag bij de advocaat was gebeurd (die advocaten waren te duur, klaagde ze, ze vreesde dat haar 'deel' helemaal zou worden 'opgegeten' door hun honoraria), en om meneer Sumners financiële adviezen door te geven.

'Adelaide,' riep Edie minstens voor de zesde keer uit, 'ik wou dat je die oude man niets over onze zaken vertelde!'

'Waaróm niet? Het is een vriend van de famílie.'

'Maar niet van mij!'

Adelaide zei, onuitstaanbaar opgewekt: 'Ik vind het een prettig gevoel dat iemand zich om mijn belangen bekommert.'

'Dat doe ik volgens jou dan zeker niet.'

'Dat heb ik niet gezegd.'

'Dat heb je wel degelijk gezegd.'

Dit was niets nieuws. Adelaide en Edie hadden het nooit met elkaar kunnen vinden – als kind al niet – maar nog nooit was het tot zo'n onverholen vijandigheid tussen hen gekomen. Als Libby nog had geleefd, had ze vrede tussen hen gesticht lang voordat de verhoudingen in deze crisis waren beland; had ze Adelaide dringend om geduld en discretie verzocht en Edie – met alle gebruikelijke argumenten – om verdraagzaamheid gesmeekt. ('Ze ís de jongste... heeft nooit een moeder gehad... pappa heeft Adelaide zo verwend...')

Maar Libby was dood. En nu er niemand meer bemiddelde werd de kloof tussen Edie en Adelaide met de dag ijziger en die-

per, zozeer dat zelfs Harriet (per slot Edies kleindochter) een onbehaaglijke kilte in Adelaides houding begon te voelen. Dat onderging ze als des te onrechtvaardiger omdat zij vroeger, als Addie
en Edie ruzie hadden, meestal partij voor Addie had gekozen.
Edie kon bazig zijn, dat wist Harriet maar al te goed. Voor het
eerst begon ze begrip te krijgen voor Edies gezichtspunt en in te
zien wat Edie precies met het woord 'kleinzielig' bedoelde.

Meneer Sumner was weer naar huis vertrokken – in Zuid-Carolina of waar hij dan ook woonde – maar Adelaide en hij waren
druk aan het corresponderen geslagen, wat Adelaide deed zwellen
van gewichtigheid. 'Caméllia Street,' zei ze, toen ze Harriet de
afzender liet zien op een van de brieven die hij haar had gestuurd.
'Is dat geen enige naam? Zulke namen hebben de straten hier niet.
Wat zou ik graag in een straat met zo'n elegante naam wonen.'
Ze hield de envelop een eindje van zich af en bestudeerde hem
vertederd over de rand van haar bril. 'Hij heeft ook een mooi
handschrift voor een man, hè?' vroeg ze aan Harriet. 'Sierlijk. Zo
zou ik het noemen, en jij? Ach ja, pappa had toch zo'n hoge dunk
van meneer Sumner.'

Harriet zweeg. Volgens Edie had de rechter meneer Sumner
'een gladakker en een charmeur' gevonden, wat dat ook mocht
betekenen. En Tatty – wier mening in dit geval beslissend was –
weigerde iets over meneer Sumner te zeggen, maar uit haar houding was wel op te maken dat ze niets aardigs te zeggen had.

'Jullie zouden vast heel wat te bespreken hebben, meneer
Sumner en jij,' zei Adelaide. Ze had de kaart uit de envelop gehaald en bekeek hem van beide kanten. 'Het is een echte kosmo-
poliet. Hij heeft in Egypte gewoond, wist je dat?'

Al pratend tuurde ze naar de foto – een gezicht op Old Charleston – op de voorkant; op de achterkant zag Harriet, in meneer
Sumners welsprekende ouderwetse schrijfstijl, de zinnetjes *toch
iets meer voor mij* en *mijn lieve mevrouw.*

'Ik dacht dat jou dat interesseerde, Harriet,' zei Adelaide, terwijl
ze de kaart een eindje van zich af hield en met haar hoofd schuin
bekeek. 'Al die ouwe mummies en katten en zo.'

'Gaan jullie je soms verloven, meneer Sumner en jij?' flapte
Harriet eruit.

Adelaide raakte verstrooid een oorbel aan. 'Moest je dat van je
grootmoeder vragen?'

Denkt ze soms dat ik achterlijk ben? 'Nee, tante.'

'Ik hoop niet,' zei Adelaide met een kil lachje, 'ik hoop niet dat

je me zo héél erg oud vindt...' en terwijl ze opstond om Harriet uit
te laten keek ze even naar haar spiegelbeeld in het raam, op een
manier waar Harriet treurig van werd.

Er was veel lawaai overdag. In de verte, drie straten verderop, bul-
derden zware machines – bulldozers, kettingzagen. De baptisten
hakten de bomen om en bestraatten het terrein om de kerk, omdat
ze meer parkeerruimte nodig hadden, zeiden ze; het gerommel in
de verte klonk dreigend, als van tanks, een oprukkend leger dat
zich met geweld door de stille straten drong.

De bibliotheek was gesloten, er waren schilders bezig op de
jeugdafdeling. Die werd knalgeel geverfd, met een gladde glimmende glanslak, taxigeel. Het was afzichtelijk. Harriet was dol
geweest op de studeerkamerachtige houten lambrisering die daar
al zat zolang ze zich kon herinneren; hoe haalden ze het in hun
hoofd om al dat mooie donkere oude hout over te schilderen? En
de zomerleeswedstrijd was achter de rug; en Harriet had niet gewonnen.

Ze had niemand om mee te praten, niets te doen, kon alleen
naar het zwembad. Elke dag om één uur stak ze haar handdoek
onder haar arm en liep erheen. Augustus liep op zijn eind; de foot-
balltrainingen en cheerleaderrepetities en zelfs de kleuterschool
waren al begonnen, en afgezien van de gepensioneerden op de
golfbaan en een paar jonge huisvrouwen die op ligstoelen lagen te
bakken, was de country club uitgestorven. De lucht was voornamelijk heet en stil als glas. Af en toe verdween de zon achter een
wolk en kwam er een vlaag warme wind, die het oppervlak van het
zwembad rimpelde en aan de luifel van het kraampje rammelde.
Onder water vond Harriet het fijn om hard tegen iets te kunnen
knokken en vechten, en om naar de witte, Frankenstein-achtige
lichtbogen van elektriciteit te kijken die als uit een enorme genera-
tor tegen de wanden van het zwembad opsprongen. Als ze daar zo
zweefde – in glinsterende schakels en sprankels, drie meter boven
de uitstulpende welving van het diepe – kon ze zichzelf minuten
achtereen vergeten, verzonken in echo's en stilte, ladders van
blauw licht.

Af en toe liet ze zich een hele tijd dromerig op haar buik drijven
als een dode, starend naar haar eigen schaduw in de diepte. Houdini bevrijdde zich tamelijk snel tijdens zijn onderwatertrucs, en
terwijl de politieagenten op hun horloge keken en aan hun kraag
rukten, zijn assistent om de bijl riep en zijn vrouw gilde en zoge-

naamd in zwijm viel, was hij doorgaans al goed en wel los van zijn ketenen en dreef hij – uit het zicht – heel rustig onder de waterspiegel.

Dat had Harriet zich in de loop van de zomer dan tenminste eigen gemaakt. Een minuut haar adem inhouden haalde ze makkelijk en als ze zich doodstil hield haalde ze er twee (maar niet zo makkelijk). Soms telde ze de seconden af, maar meestal vergat ze dat; wat haar boeide was het proces, de trance. Haar schaduw – drie meter onder haar – deinde donker over de bodem van het diepe, zo groot als de schaduw van een volwassen man. *De boot is gezonken*, zei ze tegen zichzelf – en ze fantaseerde dat ze schipbreuk had geleden en stuurloos ronddobberde in een bloedlauwe oneindigheid. Gek genoeg was dat een prettige gedachte. *Niemand zal me komen redden.*

Zo dreef ze daar al tijden – bijna zonder te bewegen, alleen om adem te halen – toen ze, heel zwakjes, haar naam hoorde roepen. Met één zwemslag van armen en benen kwam ze boven: in de hitte, het helle licht, het luide gezoem van het koelsysteem naast het clubhuis. Door een waas zag ze Pemberton (die er nog niet was toen ze kwam) vanaf zijn hoge badmeestersstoel wuiven en daarna in het water springen.

Om de plons te ontwijken, dook ze – door onverklaarbare paniek bevangen – met een koprol onder en zwom naar het ondiepe, maar hij was te snel en sneed haar af.

'Hoi!' zei hij toen ze bovenkwam, met een imposante zwiep van zijn hoofd die de druppels in het rond deed vliegen. 'Je bent goed geworden op kamp! Hoe lang kan je nou je adem inhouden? Nee, seriéus,' zei hij toen ze niet antwoordde. 'Laten we het timen. Ik heb een stopwatch.'

Harriet voelde dat ze rood werd.

'Kom op nou. Waarom wil je niet?'

Dat wist ze niet. Beneden, op de blauwe bodem, zagen haar voeten – waarover lichtblauwe, wiegende tijgerstrepen liepen – er inwit en tweemaal zo dik uit als normaal.

'Dan niet.' Pem ging even staan om zijn haar naar achteren te strijken, en liet zich toen weer in het water zakken zodat hun hoofden op gelijke hoogte waren. 'Gaat dat je niet vervelen, alleen maar zo in het water liggen? Chris is er wel een beetje pissig over.'

'Chris?' zei Harriet, na een geschrokken zwijgen. Van haar eigen stem schrok ze nog meer: die klonk kurkdroog en schor, alsof ze in geen dagen had gepraat.

'Toen ik hem kwam aflossen zat hij van: "Moet je dat kind zien, dat daar in het water ligt als een boomstam." Die peutermoeders kwamen er alsmaar over zaniken, alsof hij een dood kind gewoon de hele middag zo in het zwembad zou laten drijven.' Hij lachte en toen Harriet hem nog steeds niet aankeek, zwom hij naar de andere kant.

'Wil je een colaatje?' zei hij, met een vrolijk wipje in zijn stem dat haar aan Hely deed denken. 'Gratis? Chris heeft me de sleutel van de koeling gegeven.'

'Nee dank je.'

'Zeg, waarom zei je laatst niet dat Allison thuis was toen ik belde?'

Harriet keek hem aan, met een nietszeggende blik waarop Pems voorhoofd zich rimpelde, hupte over de bodem van het zwembad en zwom weg. Het was waar, ze had gezegd dat Allison er niet was en toen opgehangen, hoewel Allison in de kamer ernaast zat. Sterker nog, ze wist niet waarom ze dat had gedaan, kon er zelfs geen reden voor verzinnen.

Hij hupte achter haar aan, ze kon hem horen spetteren. *Waarom laat hij me niet met rust?* dacht ze wanhopig.

'Hé,' hoorde ze hem roepen. 'Ik hoorde dat Ida Rhew heeft opgezegd.' Voor ze het wist kwam hij alweer voor haar gegleden.

'Zeg,' zei hij en keek haar toen nog eens goed aan, verrast. 'Huil je?'

Harriet dook – trapte een flinke plens stuifwater in zijn gezicht – en schoot er onder water vandoor: *woesj.* Het ondiepe was warm, als badwater.

'Harriet?' hoorde ze hem roepen toen ze bovenkwam bij het laddertje. Met verbeten haast klauterde ze omhoog en holde daarna met gebogen hoofd naar de kleedkamer, gevolgd door een kronkelend snoer van zwarte voetafdrukken.

'Hé!' riep hij. 'Doe nou niet zo. Je mag je net zo lang dood houden als je wilt. Harriet?' riep hij nog eens toen ze achter het betonnen muurtje naar de dameskleedkamer rende, met gloeiende oren.

Alleen de gedachte aan Danny Ratliff gaf Harriet het gevoel dat ze een doel had. Het maakte haar ongedurig. Steeds weer stelde ze zich – tegen wil en dank, als bij een ontstoken kies waar je hard op drukt – op de proef door aan hem te denken, en steeds laaide dan de woede weer op, met misselijkmakende voorspelbaarheid, vuurwerk dat opspatte uit een open zenuw.

In haar kamer lag ze, in het verflauwende licht, op het kleed naar het flodderige zwartwitfotootje te staren dat ze uit het jaarboek had geknipt. De nonchalante, ongeregelde sfeer die het uitstraalde – en die haar eerst had geschokt – was allang vervaagd, en als ze er nu naar keek zag ze geen jongen en zelfs geen mens, maar de onverholen belichaming van het kwaad. Ze vond zijn gezicht inmiddels zo verderfelijk dat ze de foto niet meer wilde aanraken, alleen bij de rand om hem op te pakken. De ellende van haar huis was het werk zijner handen. Hij verdiende te sterven. Dat ze die slang op zijn grootmoeder had gegooid, had haar niet opgelucht. Hem moest ze hebben. Bij het rouwcentrum had ze een glimp van zijn gezicht opgevangen, en van één ding was ze nu overtuigd: *hij had haar herkend.* Hun blikken hadden elkaar gekruist en zich in elkaar vastgehaakt – en in zijn bloeddoorlopen ogen was zo'n fel, eigenaardig licht opgeflikkerd toen hij haar zag, dat haar hart bonsde als ze eraan terugdacht. Er was een griezelig inzicht tussen hen opgeflitst, een soort besef, en hoewel Harriet niet precies wist wat het betekende had ze de wonderlijke indruk dat zij net zo in Danny Ratliffs gedachten rondspookte als hij in de hare.

Vol weerzin bedacht ze hoe het leven de volwassenen die ze kende klein had gekregen, stuk voor stuk. Er was iets wat hen murw maakte naarmate ze ouder werden, iets wat hen aan hun eigen krachten deed twijfelen – luiheid? Gewoonte? Ze verloren hun greep; ze vochten niet meer en berustten in wat er gebeurd was. 'Zo is het leven.' Dat zeiden ze allemaal. 'Zo is het leven, Harriet, zo is het nou eenmaal, wacht maar af.'

Nou, Harriet wachtte níét af. Zij was nog jong en de ketenen spanden nog niet strak om haar enkels. Jarenlang was ze doodsbenauwd geweest om negen te worden – Robin was negen toen hij stierf – maar haar negende verjaardag was gewoon voorbijgegaan, en nu was ze nergens meer bang voor. Wat er ook te doen stond, zíj zou het doen. Ze zou nu toeslaan – nu ze het nog kon, voor haar wilskracht verslapte en de moed haar in de steek liet –, uitsluitend voortgestuwd door haar eigen gigantische eenzaamheid.

Ze richtte haar aandacht op het probleem dat voor haar lag. Waarom ging Danny Ratliff naar het goederenemplacement? Wat viel daar nou te stelen. De meeste pakhuizen waren dichtgespijkerd, en bij de andere was Harriet weleens omhooggeklommen om door de ramen te kijken: voor het merendeel leeg, afgezien van voddige katoenbalen, machines zwart van ouderdom en stoffige pesticidetanks die in de hoeken ontzield op hun rug lagen. De krankzinnigste mogelijkheden schoten haar door het hoofd: een goederenwagon vol opgesloten gevangenen. Begraven lijken, jutezakken vol gestolen bankbiljetten. Skeletten, moordwapens, geheime bijeenkomsten.

De enige manier om erachter te komen wat hij eigenlijk in zijn schild voerde, stelde ze vast, was zelf een kijkje op dat goederenemplacement gaan nemen.

Ze had Hely al tijden niet meer gesproken. Omdat hij de jongste van die 'muziekworkshop' was vond hij zichzelf nu te goed om zich met Harriet in te laten. Dat hij er alleen bij was gevraagd omdat de kopersectie niet genoeg trombones had, deed daar niets aan af. De laatste keer dat Hely en zij met elkaar hadden gepraat – aan de telefoon, en toen had zij hém gebeld – had hij het alleen maar over die band gehad, was met verhalen over de grote kinderen komen aanzetten alsof hij ze kénde, had de tamboermajorette en de blitse solokoperblazers bij hun voornaam genoemd. Op gezellige maar afstandelijke toon – alsof ze een lerares was, of een vriendin van zijn ouders – lichtte hij haar in over de talloze technische details van het pauzenummer dat ze repeteerden: een Beatles-medley, die de band zou afsluiten met 'Yellow Submarine' terwijl ze op het footballveld een reusachtige duikboot (met een rondgedraaid tamboerstokje als propeller) vormden. Harriet hoorde het zwijgend aan. Ze reageerde evenmin op Hely's vage maar enthousiaste kreten over de 'te gekke' kinderen in de schoolband. 'De footballspelers kunnen hélemaal geen lol trappen. Die moeten opstaan en rondjes hardlopen als het nog donker is, Cogwell, de coach, staat de hele tijd tegen ze te brullen, het lijkt wel de nationale garde of zoiets. Maar Chuck en Frank en Rusty en de ouderejaars van de trompetsectie... die zijn stúkken ruiger dan die jongens van het footballteam.'

'Hmm.'

'Ze doen niet anders dan een grote mond geven en maffe grappen maken en ze lopen de hele dag met hun zonnebril op. Wooburn is gaaf, die zit daar niet mee. Bijvoorbeeld, gisteren... o, wacht even,' zei hij tegen Harriet en daarna tegen een kribbige stem op de achtergrond: 'Wat zeg je?'

Gepraat. Harriet wachtte. Even later was Hely terug.

'Sorry. Ik moet gaan studeren,' zei hij braaf. 'Pappa zegt dat ik tweemaal per dag moet studeren omdat mijn nieuwe trombone zoveel heeft gekost.'

Harriet hing op, leunde – in het stille, vale licht van de gang – met haar ellebogen op het telefoontafeltje en dacht na. Was hij Danny Ratliff vergeten? Of liet het hem gewoon koud? Het verbaasde haar dat ze zich Hely's afstandelijke houding niet aantrok, maar onwillekeurig deed het haar goed dat zijn gebrek aan belangstelling haar nauwelijks raakte.

Die nacht had het geregend, en hoewel de grond nat was kon Harriet niet zien of er pas nog een auto had gereden over de brede grindvlakte (een laadterrein voor katoenwagens, niet echt een weg) die het rangeerterrein verbond met het goederenemplacement en dat weer met de rivier. Met haar rugzakje en haar oranje schrift onder de arm, voor als ze aanwijzingen moest opschrijven, stond ze aan de rand van de uitgestrekte, zwarte meccanovlakte en staarde uit over de scharen en lussen en koppen en staarten van de rails, de witte andreaskruisen en de gedoofde seinlampen, de vastgeroeste goederenwagons in de verte, en het waterreservoir dat er hoog boven uittorende, op spichtige poten: een enorme ronde tank waarvan het dak net zo'n puntvorm had als de hoed van de Blikken Man uit *De tovenaar van Oz*. Als klein meisje was ze om onduidelijke redenen gehecht geraakt aan de watertoren, misschien vanwege die gelijkenis; het was net een vriendelijk soort stomme wachter, en bij het inslapen dacht ze er dikwijls aan hoe eenzaam en onbemind hij daar stond, ergens in het donker. Toen ze zes was, waren er met Halloween eens een paar ondeugende jongens naar boven geklommen, die een griezelig pompoengezicht op de tank hadden geverfd, met spleetogen en zaagtanden – en nog dagen daarna had Harriet 's nachts onrustig wakker gelegen, uit haar slaap gehouden door de gedachte dat haar trouwe kameraad (nu scherpgetand en vijandig) dreigend over de stille daken blikte.

Het griezelige gezicht was allang weer vervaagd. Iemand anders had er met goudverf *Eindexamenklas 1970* overheen gespoten, en ook dat was nu vervaagd, verbleekt door de zon en dof geworden door de regen van jaren. Over de voorkant liepen, van boven tot onder, droefgeestige zwarte druppelsporen van verval – maar al zat hij er niet echt meer, die duivelskop, in Harriets herinnering gloeide hij nog steeds, als het nabeeld van het licht in een kamer waar de lampen net uit waren gedaan.

De lucht was wit en leeg. *Met Hely*, dacht ze, *heb ik tenminste iemand om mee te praten*. Was Robin hier weleens komen spelen, had hij met zijn benen aan weerskanten van zijn fiets over de rails staan uitkijken? Ze probeerde alles door zijn ogen te zien. Het zou wel niet zo veranderd zijn; misschien dat de telegraafdraden wat verder doorbogen, misschien dat de klimop en de winde wat dichter om de bomen hingen. Hoe zou het er over honderd jaar allemaal uitzien, als zij dood was?

Ze rende dwars over het goederenemplacement – over de rails springend, voor zich uit neuriënd – naar het bos. Haar stem klonk luid in de stilte; in haar eentje had ze zich nog nooit zo ver in dit verlaten gebied gewaagd. *Als er nu eens een ziekte uitbrak in Alexandria*, dacht ze, *en iedereen ging dood behalve ik? Dan ging ik in de bibliotheek wonen*, zei ze tegen zichzelf. Die gedachte monterde haar op. Ze zag zichzelf lezen bij kaarslicht, schaduwen flakkerend op het plafond boven de doolhof van boekenkasten. Ze kon een koffer van thuis meenemen – pindakaas en crackers, een deken, een stel schone kleren – en twee van die grote fauteuils in de leeszaal tegen elkaar schuiven om op te slapen...

Toen ze bij het paadje was en het schaduwrijke bos in liep (welig groen ritselde tussen de ruïnes van haar in de dood gesmoorde stad, spleet de trottoirs, slingerde zich door de huizen) voelde de overgang van warmte naar koelte aan alsof je in het meer een koele bel bronwater in zwom. Luchtige wolken mugjes wervelden van haar weg, rondtollend door de plotselinge beweging als vijverbeestjes in groen water. Bij daglicht was het pad smaller en dichter begroeid dan ze in het donker had gedacht; geveerde toefjes vossestaart en draadgierst staken kriebelend omhoog, en de voren in de klei waren bedekt met een schuimig laagje groene algen.

Hoog boven haar een rauwe kreet waar ze van schrok: alleen maar een kraai. Bomen, druipend omhangen met enorme slierten en slingers kudzu, torenden hoog op aan weerszijden van het pad, als rottende zeemonsters. Langzaam liep ze verder – opstarend naar het donkere bladerdak – zonder het luide gezoem van vliegen op te merken, dat steeds luider werd tot ze een vieze lucht rook en omlaag keek. Voor haar lag een glinsterende groene slang – niet giftig, want zijn kop was niet spits, maar zo'n soort slang had ze nog nooit gezien – dood op het pad. Hij was ongeveer een meter lang, plat gestampt in het midden, zodat zijn ingewanden naar buiten waren gespat in donkere glanzende klodders, maar het bijzondere was zijn kleur: fonkelend geelgroen, met iriserende schubben, als het kleurenplaatje van de Slangenkoning in een oud sprookjesboek dat ze al van klein af aan had. *'Goed dan,'* had de

Slangenkoning tegen de eerlijke herder gezegd, 'ik zal driemaal in je mond spuwen, en dan zul je de taal der dieren verstaan. Maar pas op dat je je geheim niet aan andere mensen laat weten, want dan worden ze boos en doden ze je.'

Langs het pad zag Harriet de geribbelde afdruk van een laars – een grote laars – duidelijk afgetekend in de modder; tegelijk proefde ze de doodsstank van de slang achter in haar keel, en ze zette het op een lopen, met bonkend hart, alsof de duivel zelf haar op de hielen zat, rende weg zonder te weten waarom. De blaadjes van het schrift flapperden luid in de stilte. Overal om haar heen het getikkel van waterdruppels, losgeschud uit de klimranken; een wirwar van misvormde hemelbomen (van verschillende hoogte, als stalagmieten op de bodem van een grot) rees bleek en wankel uit de wurggreep van dicht kreupelhout, de schubbige stammen opglanzend in het schemerlicht.

Ze brak door naar de zon – en voelde plotseling dat ze niet alleen was, en bleef staan. In de sumak snerpten sprinkhanen, schril, als bezeten; ze hield het schrift boven haar ogen, speurde rond over de helle, geblakerde vlakte –

Hoog in een hoek van haar blikveld sprong een zilveren flits op haar af – uit de lucht, leek het wel – en met een schok zag Harriet een donkere gedaante hand over hand de ladder van de watertoren opkruipen, op een hoogte van een meter of tien en een afstand van ongeveer twintig meter. Weer die lichtflits: een metalen horloge, blikkerend als een seinspiegeltje.

Met wild kloppend hart deed ze een stap achteruit het bos in en gluurde door het druipende, dicht vervlochten gebladerte. Het was hem. Zwart haar. Broodmager. Strak T-shirt, op de rug een opschrift dat ze niet kon lezen. Ze tintelde van opwinding, maar tegelijk was er iets in haar wat beheerst afstand nam en zich erover verwonderde hoe klein en kleurloos het was, dit moment. *Daar is hij*, zei ze tegen zichzelf (zich opporrend met die gedachte, in een poging de gepaste opwinding uit te lokken), *het is hem, het is hem...*

Er hing een tak voor haar gezicht, ze dook omlaag om hem beter te zien. Nu beklom hij de laatste sporten van de ladder. Toen hij zich op het dak had gehesen, bleef hij op de smalle omloop staan, het hoofd gebogen, de handen in de zij, roerloos afgetekend tegen de helle, onbewolkte lucht. Toen bukte hij zich, met een scherpe blik achterom, legde een hand op de ijzeren reling (die heel laag zat, hij moest een beetje overhellen) en schuifelde er vlug en lenig langs, naar links en uit haar zicht.

Ze wachtte. Even later kwam hij aan de andere kant weer te voorschijn. Net op dat moment wipte er een sprinkhaan in haar gezicht, en ze deed een stap achteruit, licht ritselend. Er knapte een takje onder haar voet. Danny Ratliff (want hij was het; ze zag zijn profiel duidelijk, zelfs in die dierlijk ineengedoken houding) draaide met een ruk zijn hoofd in haar richting. Dat kón hij niet gehoord hebben, zo'n zacht geluidje en zo ver weg, maar op de een of andere manier had hij het gehoord, hoe ongelooflijk ook, want zijn ogen, licht en vreemd, bleven talmen, onbeweeglijk... Harriet bleef doodstil staan. Er hing een wingerdrank voor haar gezicht, zacht meetrillend met haar adem. In zijn ogen – die kil over haar heen gleden terwijl hij de grond afspeurde – blonk dat bizarre, blinde, marmerachtige licht dat ze weleens op oude foto's van soldaten uit het Zuidelijke leger had gezien: zonverbrande jongens met helle ogen, de pupillen als speldenknopjes, die strak in de kern van een grote leegte staarden.

Toen keek hij een andere kant op. Tot haar afgrijzen begon hij de ladder af te klimmen, gejaagd, steeds omkijkend.

Hij was al over de helft toen Harriet tot zichzelf kwam, zich omdraaide en zo snel ze kon wegrende, het vochtige zoemende pad weer af. Ze liet het schrift vallen, struikelde verzenuwd terug om het op te rapen. De groene slang lag in een vishaakvorm te glinsteren in het schemerlicht. Ze sprong eroverheen – sloeg met twee handen de vliegen weg die gonzend opstegen naar haar ge-zicht – en rende verder.

Ze schoot de open plek op waar het katoenpakhuis stond: zin-ken dak, dichtgespijkerde ramen als dode ogen. Ver achter zich hoorde ze het gekraak van kreupelhout; even verstijfde ze van paniek, wanhopig besluiteloos. In het pakhuis wist ze schuilplaat-sen genoeg – de opgestapelde balen, de lege wagons – maar als hij haar daar in het nauw wist te brengen kwam ze er nooit meer uit.

In de verte hoorde ze hem roepen. Met schurend gehijg, een hand stijf tegen haar stekende zij geklemd, rende ze om het pak-huis heen (verbleekte blikken reclameborden: Purina Checker-board, General Mills) naar een grindweg: veel breder, breed ge-noeg voor een auto, vol brede kale plekken, het rode leem door-kringeld met patronen van zwart en wit zand en bespikkeld met grillige schaduwvlekken van hoge platanen. Het bloed bonsde in haar oren, haar gedachten rammelden en kletterden door haar hoofd als muntjes in een spaarvarken en haar benen waren zwaar, alsof ze in een nachtmerrie door modder of stroop holde en ze

niet snel genoeg vooruit kreeg, niet snel genoeg vooruit kreeg,
niet wist of het gekraak en geknap van takjes (als geweerschoten,
onnatuurlijk luid) alleen van haar eigen voortdenderende voeten
kwam of van voeten die achter haar over het pad denderden.
De weg zwenkte steil heuvelafwaarts. Steeds harder rende ze,
almaar harder, bang om te vallen maar ook bang om te vertragen,
haar voeten stug voortstampend, alsof ze helemaal niet bij haar
hoorden maar een grof mechaniek vormden, dat haar voortdreef
tot de weg omlaag en toen – abrupt – weer omhoog dook naar
hoge aarden wallen: de dijk.

De dijk, de dijk! Haar tred werd trager, steeds langzamer, en
voerde haar halverwege de steile helling tot ze – hijgend van vermoeidheid – op het gras viel en op handen en knieën naar boven
kroop.

Ze hoorde het water voor ze het zag... en toen ze eindelijk weer
rechtop stond, met knikkende knieën, blies de wind haar koel in
het bezwete gezicht en zag ze het gele water kolken in de inham-
men. En langs de hele rivier: mensen. Zwarte en blanke mensen,
jonge en oude mensen, babbelend, boterhammen etend en vissend. In de verte pruttelden motorbootjes. 'Nou, ik zal je zeggen
wie ik wel een goeie vond,' zei een hoge plattelandsstem – een
mannenstem, goed verstaanbaar – 'die met die Spaanse naam,
hem vond ik mooi preken.'

'Dokter Mardi? Mardi is toch zeker geen Spaanse naam.'

'Ach, maakt niet uit. Dat was de beste, als je het mij vraagt.'

De lucht was fris en rook naar modder. Duizelig en trillend
stopte Harriet het schrift in haar rugzakje en klom omlaag, de dijk
af naar de vier vissers die vlak onder haar zaten (en het nu over
mardi gras hadden, of dat van oorsprong nou een Spaans feest
was of een Frans), en liep – op lichte benen – verder de oever af,
langs twee wrattige oude vissers (broers, zo te zien, in bermuda-
broek met ceintuur, hoog opgetrokken over Humpty Dumpty-
buiken), langs een zonnende dame in een ligstoel, als een met
knalroze lippenstift en dito hoofddoekje opgedirkte zeeschildpad,
langs een gezin met een transistorradio, een koelbox vol vis en
een hele rits vuile kinderen met benen vol schrammen, die stoei-
end en buitelend heen en weer holden, elkaar uitdaagden om hun
hand in de aasemmer te steken, krijsten en weer wegholden...

Verder ging het. Het was net of iedereen zweeg, viel haar op, als
zij naderbij kwam – maar misschien beeldde ze zich dat in. Hier
kon hij haar toch geen kwaad doen – te veel mensen –, maar net

op dat moment prikte haar nek alsof er iemand naar haar staarde. Zenuwachtig keek ze even om – en bleef staan toen ze een morsige man in spijkerbroek met lang zwart haar zag, nog geen meter van haar af. Maar het was Danny Ratliff niet, alleen maar iemand die op hem leek.

Over de dag zelf – de mensen, de koeltassen, het gegil van de kinderen – hing nu een heel eigen, helle dreiging. Harriet begon harder te lopen. Het zonlicht weerkaatste in de spiegelende brillenglazen van een welgevulde man (bovenlip puilend, weerzinwekkend, vol pruimtabak) aan de overkant van het water. Hij keek volkomen uitdrukkingsloos; ze wendde gauw haar blik af, bijna alsof hij een raar gezicht tegen haar had getrokken.

Gevaar: het was nu overal. Stel dat hij haar opwachtte, ergens verder weg op straat? Dat zou hij doen, als hij slim was: op zijn schreden terugkeren, omlopen en haar opwachten, haar vanachter een geparkeerde auto of een boom bespringen. Ze moest toch zeker naar huis terug? Ze zou haar ogen open moeten houden, op de hoofdstraten blijven en geen kortere weg nemen door stille buurten. Pech gehad: er waren heel wat stille buurten in de oude stad. En als ze eenmaal in Natchez Street was, met al die lawaaiige bulldozers bij de kerk, wie zou haar dan horen als ze gilde? Niemand, als ze op het verkeerde moment gilde. Wie had Robin gehoord? En die was toen nog wel samen met zijn zusjes in zijn eigen voortuin.

De oever was nu smal en rotsig, en verlaten. In gedachten verzonken liep ze de stenen treden op (vol barsten, met her en der ronde speldenkussentjes van gras) die in een zigzaglijn naar de straat voerden, en toen ze op een vlak stuk de bocht omging, struikelde ze bijna over een vuile peuter met een nog vuilere baby op schoot. Voor hen zat, geknield op een oud mannenhemd dat als een picknickdeken onder haar lag uitgespreid, Lasharon Odum de blokjes van een in stukken gebroken reep chocola te herschikken op een groot, pluizig boomblad. Naast haar stonden drie plastic bekertjes gelig water dat eruitzag alsof het uit de rivier was geschept. Alle drie de kinderen zaten onder de korstjes en muggenbulten, maar wat Harriet in de eerste plaats zag waren de rode handschoenen – háár handschoenen, de handschoenen die ze van Ida had gekregen, nu vies en kapot – aan Lasharons handen. Voordat Lasharon, die verbaasd opkeek, iets kon zeggen sloeg Harriet haar het blad uit de handen, zodat de brokjes chocola door de lucht vlogen, sprong boven op haar en sloeg haar tegen de grond. De handschoenen zaten haar ruim en lubberden om de vingertoppen; de linker rukte ze er zonder veel moeite af maar zodra Lasharon begreep waar Harriet op uit was begon ze zich te verweren.

'Geef hier! Hij is van mij!' brulde Harriet en toen Lasharon haar ogen sloot en haar hoofd schudde, greep ze een handvol haar van Lasharon vast.

Lasharon gilde, haar handen vlogen omhoog naar haar slapen en meteen stroopte Harriet de handschoen af en stopte hem in haar zak.

'Die is van míj,' siste ze. 'Dief.'

'Van míj!' krijste Lasharon, met een stem vol verbijsterde verontwaardiging. 'Zij heeft ze aan mij gegeven!'

Gegeven? Dat bracht Harriet van haar stuk. Ze wilde vragen wie haar die handschoenen dan had gegeven (Allison? haar moeder?) en bedacht zich toen. De peuter en de baby zaten Harriet met grote, ronde, bange ogen aan te staren.

'Zij heeft ze aan míj –'

'Hou je mond!' riep Harriet. Ze schaamde zich nu een beetje omdat ze zo razend was geworden. 'Waag het niet om ooit nog bij mij thuis te komen bedelen!'

In de korte, verwarde stilte die daarop volgde draaide ze zich om – met wild bonzend hart – en liep vlug de trap op. Ze was zo overstuur van het incident dat ze Danny Ratliff even was vergeten. *In elk geval*, zei ze tegen zichzelf – terwijl ze de stoep haastig achteruit weer op stapte toen er op de weg een stationcar voorbij zoefde; ze moest uitkijken waar ze liep – *in elk geval heb ik de handschoenen terug. Mijn handschoenen*. Dat was alles wat ze nog van Ida had.

Toch was Harriet niet bepaald trots op zichzelf, alleen nijdig en een beetje van streek. De zon scheen hinderlijk in haar ogen. En net toen ze weer zonder kijken de weg op wilde lopen, hield ze haar pas in, hief haar hand tegen de felle zon, keek snel naar links en naar rechts, en vloog naar de overkant.

Oh, what would you give in exchange for your soul, zong Farish terwijl hij een schroevendraaier in de onderkant van Gums elektrische blikopener priemde. Hij was in een opperbest humeur. Zo niet Danny, die tot op het merg werd opgevreten van de zenuwen, angsten, bange voorgevoelens. Hij zat op het metalen trapje van zijn caravan aan een bloedende nijnagel te pulken terwijl Farish – te midden van een glinsterende warwinkel van cilinders, zuigerveren en pakkingen die in de dikke stoflaag rondslingerden – druk neuriënd aan het werk was. Als een verknipte loodgieter doorzocht hij, in zijn bruine overall, methodisch hun grootmoeders caravan, de carport, de schuren, keek in stoppenkasten, rukte vloerdelen los en wrikte (blazend en puffend van triomf) allerlei apparaatjes open waar zijn oog op viel, niet te stuiten in zijn jacht op doorgesneden draden, weggemaakte onderdelen en verstopte transistorbuisjes, elk subtiel bewijs van sabotage in de elektronische apparatuur van het huishouden. 'Zometeen,' snauwde hij, met een naar achteren gezwaaide arm, 'ik zei zometéén,' telkens als Gum naar hem toe schuifelde alsof ze iets wilde gaan zeggen, 'ik begin er zó aan, oké?' Maar hij was er nog niet aan begonnen, en het erf lag zo vol bouten, buizen, stekkers, draden, schakelaars, anoden en allerlei restjes metaalafval dat het wel leek of er een bom was ontploft die in een straal van tien meter troep neer had laten komen.

Op de stoffige grond staarden twee labelnummers van een wekkerradio – een dubbele nul, wit op zwart – naar Danny omhoog, als een paar bolle stripfiguurtjesogen. Farish morrelde en prutste aan de blikopener, rondlummelend tussen de rotzooi alsof hij helemaal niets in zijn schild voerde, en hoewel hij niet speciaal naar Danny keek had hij een uitgesproken raar lachje op zijn gezicht. Je kon maar beter niet op Farish letten, met al die geniepige steken onder water van hem, die stiekeme speedfreakspelletjes – maar toch, hij voerde duidelijk iets in zijn schild en het hinderde Danny dat hij niet precies wist wat. Hij vermoedde namelijk dat dat uitgebreide contraspionagegedoe van Farish een voor hem bedoelde vertoning was.

Hij staarde van opzij naar zijn broer. *Ik heb niks gedaan,* hield hij zich voor. *Ik ben daar alleen even gaan kijken. Heb niks weggepakt.* *Maar hij weet dat ik dat wel wilde.* En dan was er nog iets. Er had iemand naar hem staan kijken. Beneden in de begroeiing van sumak en kudzu achter de toren had er iets bewogen. Een witte flits, het leek wel een gezicht. Een gezichtjé. Het waren de voetafdrukken van een kind, in de sponzige, overschaduwde klei van het pad, diepe sporen die alle kanten op zwenkten, en dat was al griezelig genoeg, maar verderop – naast een dode slang op het pad – had hij een voddig zwartwitfotootje van hemzelf gevonden. *Van hemzelf!* Een heel klein schoolfotootje, van heel lang geleden, uit een jaarboek geknipt. Hij had het opgeraapt en ernaar staan staren, en zijn ogen niet kunnen geloven. En er waren allerlei oude herinneringen en angsten uit dat verre verleden bovengekomen, die zich hadden vermengd met de vlekkerige schaduwen, de modderige rode klei en de stank van de dode slang... hij was bijna van zijn stokje gegaan, zo onbeschrijfelijk eng was het om die jongere uitgave van hemzelf, in een nieuw overhemd, daar vanaf de grond naar hem op te zien lachen, zoals de hoopvolle foto's op modderige vers gedolven graven op dorpsbegraafplaatsen.

En het was nog echt ook, hij had het zich niet verbeeld, want dat fotootje zat nu in zijn portefeuille, waar hij het, uit pure ongelovigheid, al wel dertig keer uit had gehaald om ernaar te kijken. Kon Farish het daar hebben neergelegd? Als waarschuwing? Of als wrede grap, iets om Danny te laten flippen als hij op het vlindermijntje stapte of in de vishaak liep die onzichtbaar op ooghoogte bungelde? Het was zo spookachtig dat het hem niet losliet. Zinloos bleven zijn gedachten steeds maar in dezelfde groef ronddraaien (net als de deurknop van zijn slaapkamer, die dol bleef ronddraaien zonder dat de deur openging), en de enige reden waarom hij dat schoolfotootje niet nu meteen uit zijn portefeuille haalde om er nog eens naar te kijken, was dat Farish voor hem stond.

Terwijl Danny nietsziend voor zich uit tuurde, verstarde hij (zoals zo vaak sinds hij niet meer sliep) in een dagdroom: wind over een sneeuw- of zandvlakte, ver weg een wazige figuur. Hij dacht dat zij het was, en was er steeds dichter naartoe gelopen, tot hij besefte dat ze het niet was, dat er daar voor hem in feite helemaal niets was, niets dan leegte. Wie wás dat vervloekte meisje? Gisteren bijvoorbeeld stond er een pak cornflakes of zoiets midden op de keukentafel bij Gum, een of ander kinderontbijtspul dat Curtis lekker vond, een vrolijk gekleurd pak, en Danny was er, op weg naar de badkamer, als aan de grond genageld naar blijven staren, want *op dat pak stond haar gezicht.* Dat was zij! Bleek gezicht, zwart, rondgeknipt haar, boven een kom cornflakes die een toverachtige lichtglans wierp op haar naar voren gebogen gezicht. En rondom haar hoofd elfjes en sterretjes. Hij schoot erop af, griste het pak van tafel – en zag verbouwereerd dat zij helemaal niet (meer) op dat plaatje stond, maar een ander kind, een kind dat hij van de televisie herkende.

In zijn ooghoek flikkerden kleine ontploffinkjes, overal vonkten flitslichten. En opeens bedacht hij – met een schok teruggekeerd in zijn lichaam, dat hevig zwetend weer op het trapje van zijn caravan zat – dat dat meisje, telkens wanneer ze vanuit haar eigen

onbestemde dimensie zijn hoofd in glipte, in zijn gedachten vooraf werd gegaan door iets wat veel weghad van een geopende deur
met een wervelend soort fel schijnsel dat erdoor naar binnen
stroomde. Lichtspikkels, glinsterende stofjes als levende wezens
onder een microscoop – speedbeestjes, dat zou de wetenschappe-
lijke verklaring wel zijn, want elke kriebel, elke kippenvelrilling,
elke microscopisch kleine stip en korrel die over je vermoeide
oogballen zwom was net een levend insect. Dat je wist hoe het
wetenschappelijk in elkaar zat maakte het er niet minder echt op.
Op het laatst kropen er beestjes over elk denkbaar oppervlak, in
lange, vloeiende slierten, kronkelend over de nerf in de vloerplanken. Beestjes op je vel die je niet weg kon boenen, al boende je je
vel eraf. Beestjes in je eten. Beestjes in je longen, je oogballen,
zelfs in je sidderende hart. Farish legde de laatste tijd een papieren
servetje (met een rietje erdoor gestoken) op zijn glas ijsthee, tegen
de onzichtbare zwermen die hij constant uit zijn gezicht en van
zijn hoofd sloeg.

En Danny had ook beestjes – alleen waren de zijne goddank
geen wroetende of kruipende beestjes, de maden en termieten van
de ziel, maar vuurvliegjes. Zelfs nu, op klaarlichte dag, flikkerden
ze ergens in een hoek van zijn blikveld. Stofdeeltjes, ondergaan als
elektronische plofjes; twinkel twinkel, overal. De chemicaliën hadden zich van hem meester gemaakt, waren nu de baas; het waren
chemicaliën – puur, metaalachtig, exact – die in dampbelletjes omhoog borrelden en tegenwoordig het denken, het praten en zelfs
het zien voor hun rekening namen.

Daarom denk ik natuurlijk als een chemicus, bedacht hij, en de
luciditeit van die simpele redenering verblufte hem.

Hij rustte uit in de regen van vonken die als sneeuw om hem
neerdwarrelden bij die plotselinge openbaring, toen het met een
schok tot hem doordrong dat Farish tegen hem praatte – en bovendien al een tijdje tegen hem aan het praten was.

'Hè?' zei hij, schuldbewust opverend.

'Ik zei, je wéét toch wel waar die D in het midden van Radar
voor staat,' zei Farish. Hij glimlachte erbij, maar zijn gezicht was
gezwollen en steenrood aangelopen.

Danny – ontzet over deze rare uitdaging, over het afgrijzen dat
zo diep in zelfs het onschuldigste contact met zijn eigen soort was
binnengedrongen – ging rechtop zitten, draaide spastisch zijn
lichaam weg en groef in zijn zak naar een sigaret waarvan hij wist
dat hij die niet had.

'*Detection.* Opsporing. R*adio Detecting* and R*anging.*' Farish schroefde een hol onderdeeltje los uit de blikopener, hield het tegen het licht, keek erdoor en gooide het weg. 'Dat is een van de meest geraffineerde bewakingssystemen die er bestaan – standaardvoorziening in elk overheidsvoertuig – en iedereen die je wijsmaakt dat de politie het gebruikt om hardrijders in de val te laten lopen, die lult uit z'n nekhaar.'

Opsporing? dacht Danny. Waar wilde hij heen?

'Radar is in de oorlog ontwikkeld, topgeheim, voor militaire doeleinden – en nou gebruikt elk politiebureau in het land het verdomme in vredestijd om de gangen van de Amerikaanse bevolking na te gaan. *Al* die kosten? *Al* die scholing? Wou je mij vertellen dat dat alleen maar is bedoeld om te weten te komen wie er tien kilometer te hard rijdt?' Farish snoof smalend. 'Gelúl.'

Verbeeldde hij het zich of keek Farish hem nu even buitengewoon doordringend aan? Hij zit me uit te dagen, dacht Danny. Hij wil kijken wat ik ga zeggen. Het stomme was: hij wilde Farish over dat meisje vertellen, maar kon niet bekennen dat hij naar de watertoren was geweest. Wat had hij daar te zoeken? Toch kon hij het bijna niet laten om wel over dat meisje te beginnen, tegen beter weten in: al kwam hij er nog zo voorzichtig mee, Farish werd geheid achterdochtig.

Nee, hij moest zijn mond houden. Misschien had Farish wel door dat hij de drugs wilde stelen. En misschien – hoe, dat kon Danny ook niet precies bedenken, maar heel misschien – had Farish er zelfs wel iets mee te maken dat het meisje daar hád gezeten.

'Die korte golfjes zenden echo's uit' – Farish spreidde zijn vingers – 'en die kabbelen dan weer terug met je exacte positie. Het is *informatievoorziening*, dat is het.'

Een tést, dacht Danny, heimelijk door zenuwen overmand. Zo pakte Farish de zaken aan. De laatste dagen liet hij overal in het laboratorium enorme bergen dope en poen zomaar voor het grijpen liggen, waar Danny natuurlijk geen vinger naar uit had gestoken. Maar misschien hoorden die recente voorvallen wel bij een ingewikkelder test. Was het stom toeval dat het meisje uitgerekend bij de Missie had aangeklopt op die avond dat Farish daar met alle geweld naartoe had gewild, de avond dat de slangen los waren gelaten? Er had al meteen een luchtje aan gezeten, dat ze daar was komen opdagen. Maar Farish had toch eigenlijk niet zoveel aandacht aan haar besteed, of wel?

'Wat ik wil zeggen,' zei Farish, en hij haalde zwaar snuivend adem toen er uit de blikopener een waterval van onderdeeltjes rinkelend op de grond viel, 'als ze al die golven op ons af stralen, dan moet er dus iemand aan de andere kant zitten. Ja toch?' Boven aan zijn snor – die nat was – kleefde een brokje amfetamine zo groot als een erwt. 'Je hebt niks aan al die informatie als er niet iemand is die het ontvangt, iemand die daarvoor opgeleid is, iemand die daarvoor heeft doorgeleerd. Correct? Ik zei correct?'

'Correct,' zei Danny na een korte stilte, zich inspannend om de juiste toon te treffen, wat niet helemaal lukte. Waar wilde Farish heen, met al dat gedram over controle en spioneren, tenzij hij het gebruikte om zijn ware vermoedens te verbergen? *Maar hij weet niks,* dacht hij, plotseling in paniek. *Hij kan het niet weten.* Farish kon niet eens rijden.

Farish liet zijn nekwervels kraken en zei listig: 'Kolere, dat wéét je toch.'

'Wat?' zei Danny, om zich heen kijkend; even dacht hij dat hij onbewust iets hardop had gezegd. Maar voor hij kon opspringen om zijn onschuld te betuigen begon Farish in een klein kringetje rond te benen, zijn ogen strak op de grond gericht.

'Het is niet algemeen bekend bij het Amerikaanse vólk, de militaire toepassing van die golven,' zei hij. 'En ik zal je godverdomme nog eens wat anders vertellen. Zelfs het Pentagon weet godverdomme niet wat voor golven het eigenlijk zíjn. O ja, ze kunnen ze ópwekken, en ze ópsporen' – hij liet een kort, gierend lachje horen – 'maar waar ze uit bestáán, dat weten ze godverdomme niet.'

Ik moet kappen met die stuff. Ik hoef alleen maar, zei Danny bij zichzelf – zich akelig bewust van een vlieg die telkens weer bij zijn oor kwam zoemen, als een lus in een cassettebandje in zo'n eindeloze klotenachtmerrie – ik hoef alléén maar mijn hersens op scherp te zetten, clean te blijven, een paar dagen te slapen. Ik kan die speed gaan pakken en maken dat ik de stad uit kom terwijl hij hier nog op de grond over radiogolven zit te wauwelen en broodroosters zit te mollen met een schroevendraaier...

'Van elektronen krijg je hersenbeschadiging,' zei Farish, en hij keek Danny indringend aan, alsof hij vermoedde dat Danny het niet in alles met hem eens was.

Danny voelde zich slap. Hij had zijn uurlijkse lijntje al moeten hebben. Als hij dat niet kreeg zou hij algauw inzakken, want zijn overbelaste hart trilde, zijn bloeddruk zakte naar nul, en hij was half gek van de angst dat het hele zaakje tot staan kwam, want slaap was geen slaap meer als je nooit meer sliep; op het laatst rolde die, opgestuwd, onweerstaanbaar over je heen en sloeg je tegen de vlakte, een hoge zwarte muur die meer weghad van de dood.

'En wat zijn radiogolven?' zei Farish.

Dat hadden ze al eens doorgenomen. 'Elektronen.'

'Precies, eikel!' Farish boog zich voorover, met een maniakale, Charles Manson-achtige glinstering in zijn ogen, en gaf zichzelf een verrassend woeste dreun op zijn kop. 'Elektronen! Elektronen!'

De schroevendraaier schitterde: *wam*, Danny zag het, op een reusachtig filmdoek, als een koude wind die hem vanuit zijn toekomst tegemoet woei... zag zichzelf op zijn zweterige matrasje liggen, buiten westen, weerloos, te zwak om zich te verroeren. Tikkende klok, bollende gordijnen. Toen, *piep*, ging de gecapitonneerde deur van zijn caravan open, heel langzaam, en schuifelde Farish stilletjes naar zijn bed, het slagersmes in zijn vuist...

'Néé!' riep hij, en toen hij zijn ogen opende zag hij Farish' goede oog als een drilboor op zich afkomen.

Ze bleven elkaar even aanstaren, een lang, wonderlijk moment. Toen grauwde Farish: 'Kijk je hand eens. Wat heb je daarmee gedaan?'

Beduusd hief Danny allebei zijn handen, trillend, voor zijn ogen en zag dat zijn duim onder het bloed zat, bij de nijnagel waaraan hij had zitten pulken.

'Pas jij maar op jezelf, broer,' zei Farish.

Die ochtend kwam Edie langs – in stemmig marineblauw – om Harriets moeder op te halen en samen ergens te gaan ontbijten voordat Edie, om tien uur, naar de accountant moest. Ze had drie dagen daarvoor gebeld om het af te spreken, en Harriet – die had opgenomen en haar moeder aan de telefoon was gaan roepen – had het eerste stukje van hun gesprek afgeluisterd voor ze had neergelegd. Edie had gezegd dat er iets vertrouwelijks was wat ze moesten bespreken, dat het iets belangrijks was en dat ze het niet over de telefoon wilde bespreken. Nu, in de gang, wilde ze niet gaan zitten en keek steeds beurtelings op haar horloge en omhoog naar de trap.

'Tegen de tijd dat we daar zijn serveren ze geen ontbijt meer,' zei ze, en ze sloeg haar armen opnieuw over elkaar, ongeduldig met haar tong klakkend: *ts ts ts*. Haar wangen zagen wit van de poeder en haar lippen (scherp in een gewelfde boog getekend, met de glimmende, helderrode lippenstift die Edie altijd voor de kerk reserveerde) leken minder op dameslippen dan de smalle, opeengeklemde lippen van de oude Sieur d'Iberville uit Harriets boek over de geschiedenis van Mississippi. Haar mantelpakje – getailleerd en met driekwart mouwen – was heel streng, en met zijn ouderwetse snit ook stijlvol, het pakje waarin Edie (volgens Libby) precies Mrs. Simpson was, die met de koning van Engeland was getrouwd.

Harriet, die onderuitgezakt op de onderste traptrede hing en kwaad naar het tapijt keek, hief haar hoofd op en barstte uit: 'Maar waaróm mag ik dan niet mee?'

'Ten eerste,' zei Edie, over Harriet heen naar boven kijkend, 'moeten je moeder en ik iets bespreken.'

'Dan ben ik wel stil!'

'Privé. Ten tweede,' zei Edie, en ze richtte haar kille, lichte blik nogal fel op Harriet. 'Jij kúnt zo helemaal nergens naartoe. Ga jij je boven maar wassen en aankleden.'

'Nemen jullie dan een paar flensjes voor mij mee?'

'O, moeder,' zei Charlotte, die de trap af kwam rennen in een ongestreken jurk, met haar dat nog vochtig was van het bad. 'Het spijt me toch zo. Ik –'

'O, al goed!' zei Edie, maar aan haar stem was te horen dat ze dat niet meende, bij lange na niet.

Ze gingen naar buiten. Mokkend keek Harriet hen tussen de stoffige organdie gordijnen na terwijl ze wegreden.

Allison lag nog boven te slapen. Ze was de vorige avond laat thuisgekomen. Afgezien van een paar mechanische geluidjes – het tikken van de klok, het snorren van de afzuiginstallatie en het zoemen van de boiler – was het huis zo stil als een duikboot.

Op het aanrecht stond een bus zoute crackers, gekocht toen Ida er nog was en Libby nog leefde. Harriet nestelde zich in Ida's stoel en at er een paar. De stoel rook nog naar Ida als ze haar ogen sloot en diep inademde, maar het was een vluchtige geur, die verdween als ze te veel haar best deed om hem op te vangen. Vandaag was ze, voor het eerst sinds de ochtend van haar vertrek naar Lake de Selby, wakker geworden zonder te huilen – of te willen huilen – maar al waren haar ogen droog en was haar hoofd helder, toch voelde ze zich rusteloos; het hele huis was doodstil, alsof het ergens op wachtte.

Harriet at haar crackers op, veegde haar handen af en klom op een stoel om de pistolen op de bovenste plank van het wapenkabi-

net te bekijken. Uit de buitenissige gokkerspistolen (de Derringers
met hun paarlemoeren kolf, de zwierige duelleerkoppels) koos ze
het grootste, lelijkste handwapen dat erbij was – een double action
Colt-revolver; die leek nog het meest op de pistolen waarmee ze
politiemannen op de televisie had zien schieten.

Ze sprong van de stoel, deed het kabinet dicht, legde het wapen
voorzichtig op het kleed – met twee handen (het was zwaarder
dan het eruitzag) – en rende naar de boekenkast in de eetkamer
om de *Encyclopaedia Britannica* te halen.

Vuurwapens. *Zie:* Wapens.

Ze nam de W mee naar de zitkamer en gebruikte de revolver als
steun voor het boek, waarna ze met gekruiste benen op het kleed
ging zitten en de tekening en de tekst probeerde te begrijpen. De
technische terminologie ging haar boven de pet; na een halfuurtje
liep ze weer naar de boekenkast om het woordenboek te pakken,
maar daar kwam ze ook niet veel verder mee.

Steeds opnieuw bekeek ze de afbeelding, er op handen en
knieën overheen hangend. Beugelkrop. Uitklapbare cilinder...
maar welke kant klapte dat ding dan uit? De revolver op het plaatje was anders dan die ze voor zich had liggen: cilindervergrende-
ling, cilinderhefboom, uitwerper...

Opeens klikte er iets, en de cilinder klapte naar buiten: leeg. De
eerste kogels die ze probeerde wilden niet in de gaten, de tweede
set ook niet, maar in het doosje lagen ook nog andere, en die gleden er vlot in.

Ze was nog niet begonnen de revolver te laden of ze hoorde de
voordeur opengaan en haar moeder binnenkomen. Vlug, met één
brede armzwaai, schoof ze alles onder Ida's fauteuil – revolver,
kogels, encyclopedie en al – en kwam overeind.

'Heb je flensjes meegenomen?' riep ze.

Geen antwoord. Harriet bleef gespannen naar het kleed staan
staren (voor een ontbijt was ze wel erg gauw terug), en luisterde
naar het geluid van haar moeders voetstappen die de trap op vlogen – en hoorde haar moeder tot haar verbazing hikkend naar
adem happen, alsof ze stikte of huilde.

Wenkbrauwen gefronst, handen in de zij, bleef ze staan luisteren. Toen ze niets hoorde ging ze behoedzaam naar de deur en
gluurde de gang in, net op tijd om de deur van haar moeders kamer open en dicht te horen gaan.

Er leek een eeuwigheid te verstrijken. Ze keek strak naar de punt van de encyclopedie, die een heel klein stukje onder de strook stof langs de rand van Ida's fauteuil uitstak. Nu bukte ze zich – terwijl de gangklok verder tikte en alles maar stil bleef –, trok de encyclopedie uit zijn schuilplaats en ging op haar buik, met haar kin in haar handen, het lemma 'Vuurwapens' opnieuw liggen lezen, van voren naar achteren.

Een voor een kropen de minuten voorbij. Harriet ging plat voorover liggen, lichtte de strook tweed van de stoel op en tuurde naar de donkere vorm van de revolver en het kartonnen doosje met kogels dat ernaast stond, en stak, gesterkt door de stilte, haar hand onder de stoel om ze eronderuit te trekken. Ze ging er zo in op dat ze pas merkte dat haar moeder beneden was gekomen toen die plotseling in de gang, van heel dichtbij, 'liefje?' zei.

Harriet schrok. Er waren kogels uit het doosje gerold. Ze grabbelde ze van de grond en stopte een handvol in haar zakken.

'Waar ben je?'

Ze had maar net tijd om alles weer onder de stoel te schuiven en overeind te komen voordat haar moeder in de deuropening verscheen. Haar poeder was van haar gezicht verdwenen, haar neus was rood, haar ogen vochtig; met lichte verbazing zag Harriet dat ze Robins kleine kraaienkostuum in haar hand had – wat was het zwart, en wat kléín, zoals het daar slap en verfomfaaid aan zijn gewatteerde satijnen knaapje hing, net de schaduw van Peter Pan, die hij met zeep had proberen op te plakken.

Haar moeder leek iets te willen zeggen, maar deed het niet en keek Harriet nieuwsgierig aan. 'Wat ben je aan het doen?' vroeg ze.

Met een bang voorgevoel staarde Harriet naar het kleine kostuumpje. 'Waarom –' zei ze, en niet in staat haar zin af te maken knikte ze er even naar.

Harriets moeder keek er even naar, verwonderd, bijna alsof ze niet meer wist dat ze het in haar hand had. 'O ja,' zei ze, en ze depte haar ooghoek met een papieren zakdoekje. 'Tom French heeft aan Edie gevraagd of zijn kind het mag lenen. De eerste football-wedstrijd is met een team dat De Raven heet of zoiets, en het leek Toms vrouw zo leuk als een van de kinderen als vogel verkleed met de cheerleaders mee het veld op zou gaan.'

'Als je het niet uit wilt lenen moet je dat tegen ze zeggen.'

Harriets moeder leek een tikje verbaasd. Ze keken elkaar aan, een lang, vreemd geladen moment.

Toen schraapte Harriets moeder haar keel. 'Wanneer wil je met me naar Memphis om je schoolkleren te kopen?' vroeg ze.

'Wie moet ze in orde maken?'

'Wat bedoel je?'

'Ida legt altijd een zoom in mijn schoolkleren.'

Harriets moeder deed haar mond open om iets te zeggen en schudde toen haar hoofd, alsof ze er een onaangename gedachte uit wilde verdrijven. 'Wanneer kom je daar nou eens overheen?'

Harriet keek woedend naar het kleed. Nóóit, dacht ze.

'Ik weet dat je van Ida hield, schattebout... en misschien heb ik niet beseft hóéveel...'

Stilte.

'Maar... Ida wilde zelf weg, liefje.'

'Ze was wel gebleven als je het haar had gevraagd.'

Harriets moeder kuchte. 'Ik vind het echt net zo akelig als jij, schatje, maar Ida wilde niet blijven. Je vader liep voortdurend te klagen dat ze zo weinig deed. We hadden er aldoor ruzie over aan de telefoon, wist je dat?' Ze keek naar het plafond. 'Hij vond dat ze niet genoeg deed, voor wat we haar betaalden –'

'Jullie betaalden haar niks!'

'Harriet, ik geloof dat Ida hier al een hele tijd niet... niet meer zo gelukkig was. Ergens anders kan ze meer verdienen... Ik heb haar ook niet meer echt nodig, zoals toen jij en Allison klein waren...'

Harriet hoorde haar ijzig aan.

'Ida was al zo lang bij ons dat ik mezelf min of meer heb aangepraat dat ik niet zonder haar kon, denk ik, maar... het gaat toch príma zo?'

Harriet beet op haar bovenlip en staarde koppig naar de hoek van de kamer – overal rotzooi, het hoektafeltje bezaaid met pennen, enveloppen, onderzettertjes, oude zakdoeken, een overvolle asbak op een stapel tijdschriften.

'Of niet? Prima toch? Ida' – haar moeder keek hulpeloos om zich heen – 'Ida had gewoon lák aan mij, zag je dat dan niet?'

Er viel een lange stilte, en Harriet zag vanuit haar ooghoek op het kleed onder de tafel een kogel liggen die ze over het hoofd had gezien.

'Begrijp me goed. Toen jullie klein waren had ik niet zonder Ida gekund. Toen was ze een enórme steun voor me. Vooral met...' Harriets moeder zuchtte. 'Maar de laatste jaren beviel het haar niet zoals het hier allemaal ging. Ze zal voor jullie best lief zijn geweest, maar tegen mij deed ze zo wrokkig, ze stond daar maar met haar armen over elkaar, me te kritiséren...'

Harriet staarde strak naar de kogel. Lichtelijk verveeld inmiddels, naar haar moeders stem luisterend zonder die echt te horen, hield ze haar blik op de vloer gericht en algauw droomde ze weg in een favoriete fantasie. De tijdmachine vertrok; ze bracht hulpgoederen naar Scott en zijn mannen op de Zuidpool; alles hing van haar af. Paklijsten, paklijsten, en alles wat hij had meegenomen was verkeerd. *Moet doorvechten tot het laatste kruimpje beschuit...* Zij zou ze allemaal redden, met voorraden uit de toekomst: poederchocola en vitamine-C-tabletten, zelfverwarmend voedsel, pindakaas, benzine voor de sleden, verse groente uit de tuin, staaflantaarns...

Plotseling merkte ze dat haar moeders stem ergens anders vandaan kwam. Ze keek op. Haar moeder stond nu in de deuropening.

'Ik kan geloof ik niets goed doen, hè?' zei ze.

Ze keerde zich om en liep weg. Het was nog geen tien uur. De zitkamer lag nog koel in de schaduw; daarachter de naargeestige krochten van de gang. Er hing nog een vaag, zoet vleugje van haar moeders parfum in de stoffige lucht.

Er klonk getinkel en geschraap van kleerhangers uit de garderobekast. Harriet bleef staan waar ze was en toen ze haar moeder na een paar minuten nog steeds in de gang hoorde scharrelen, sloop ze naar de plek waar de verdwaalde kogel lag en schopte hem onder de bank. Ze ging op het puntje van Ida's stoel zitten wachten. Ten slotte, na lange tijd, waagde ze zich in de gang en zag haar moeder voor de open kastdeur staan, bezig linnengoed opnieuw op te vouwen – niet erg netjes – dat ze van de bovenste plank had gepakt.

Haar moeder glimlachte, alsof er niets was gebeurd. Met een komisch zuchtje deed ze een stap achteruit en zei, terwijl ze de rommel overzag: 'Lieve help. Soms denk ik dat we de auto maar moeten volstouwen en bij je vader gaan wonen.'

Ze wierp een snelle blik opzij naar Harriet. 'Nou?' zei ze opgewekt, alsof ze een geweldige traktatie had voorgesteld. 'Hoe zou je dat vinden?'

Ze doet toch wat ze zelf wil, dacht Harriet moedeloos. Het maakt niet uit wat ik zeg.

Haar moeder boog zich weer over haar linnengoed en zei: 'Ik weet niet hoe jij erover denkt, maar volgens mij wordt het tijd dat we ons eens wat meer als gezín gaan gedragen.'

Harriet zweeg verbouwereerd, en vroeg toen: 'Waarom?' Haar moeders woordkeuze was verontrustend. Als haar vader een onredelijk bevel wilde uitvaardigen, luidde hij dat vaak in met de opmerking: *we moeten ons eens wat meer als gezin gaan gedragen.* 'Ach, het is gewoon te zwaar,' zei haar moeder dromerig. 'Twee meisjes grootbrengen in mijn eentje.'

Harriet ging de trap op naar haar kamer, streek neer op de vensterbank en keek uit het raam. Het was warm en uitgestorven op straat. De hele dag trokken er wolken langs. Om vier uur liep ze naar Edie en bleef daar op het verandatrapje zitten, haar kin in haar handen, tot Edies auto om vijf uur de hoek om kwam rijden. Harriet rende haar tegemoet. Edie tikte tegen het raampje en lachte. Haar marineblauwe mantelpakje zat nu minder vlot, gekreukeld door de hitte, en bij het uitstappen bewoog ze zich houterig en traag. Harriet huppelde naast haar over het paadje, het trapje en de veranda op, terwijl ze buiten adem vertelde dat haar moeder had voorgesteld naar Nashville te verhuizen – en ze was perplex toen Edie alleen diep zuchtte en haar hoofd schudde.

'Ach,' zei ze, 'misschien is dat wel niet zo'n gek idee.'

Harriet wachtte.

'Als je moeder getrouwd wil blijven, zal ze toch een beetje haar best moeten doen, ben ik bang.' Edie bleef even voor de deur staan, haalde diep adem, en draaide de sleutel om in het slot. 'Zo kan het ook niet doorgaan.'

'Waaróm niet?' jammerde Harriet.

Edie bleef staan en sloot haar ogen, alsof ze hoofdpijn had. 'Het ís je vader, Harriet.'

'Maar ik vind hem niet áárdig.'

'Ik ben ook niet zo dol op hem,' zei Edie bits. 'Maar als ze met elkaar getrouwd willen blijven, zullen ze toch in dezelfde staat moeten wonen, dacht je niet?'

'Pappa maakt het niet uit,' zei Harriet, na een korte, onthutste stilte. 'Die vindt alles best zoals het is.'

Edie snoof. 'Ja, dat geloof ik graag.'

'Maar zal je me dan niet missen? Als we verhuizen?'

'Soms loopt het leven niet zoals we het graag willen,' zei Edie, alsof ze een opbeurend maar weinig bekend feit meedeelde. 'Als de school weer begint...'

Waar? dacht Harriet. Hier, of in Tennessee?

'... moet je je maar op je huiswerk storten. Dat leidt je wel af.'

Binnenkort is ze dood, dacht Harriet, en ze staarde naar Edies handen, gezwollen bij de knokkels en als een vogelei bespikkeld met chocoladebruine vlekjes. Libby's handen hadden dezelfde vorm, maar die waren witter en slanker, met blauwe aderen op de rug.

Toen ze opkeek van haar gemijmer, schrok ze even van de koude, nadenkende blik waarmee Edie haar nauwlettend gadesloeg.

'Je had niet met pianoles moeten stoppen,' zei Edie.

'Maar dat was Allison!' Harriet was altijd vreselijk geschokt als Edie dat soort vergissingen maakte. 'Ik heb nooit op piano gezeten.'

'Nou, dan moet je daar maar eens mee beginnen. Je hebt lang niet genoeg om handen, Harriet, daar wringt de schoen. Toen ik zo oud was als jij,' zei Edie, 'reed ik paard en speelde viool en maakte ik al mijn eigen kleren. Als je leerde naaien, zou je misschien wat meer belangstelling voor je uiterlijk krijgen.'

'Wil je met me naar De Beproeving gaan kijken?' vroeg Harriet opeens.

Edie keek geschrokken. 'Er valt daar niets te zien.'

'Maar wil je er met me naartoe gaan? Alsjeblieft? Waar het vroeger was?'

Edie gaf geen antwoord. Ze tuurde met een onbestemde uitdrukking op haar gezicht over Harriets schouder. Bij het geronk van een optrekkende auto op straat keek Harriet even om en zag nog net een metalig glanzende flits om de hoek verdwijnen.

'Verkeerde huis,' zei Edie, en ze nieste: ke-*tsjóé*. 'Godzijdank. Nee,' zei ze en diepte met knipperende ogen een papieren zakdoekje op uit haar tasje, 'er valt niet veel meer te zien, bij De Beproeving. Die vent van wie de grond nu is, is kippenboer en je hebt kans dat hij ons niet eens op het terrein wil laten om naar de plaats van het huis te kijken.'

'Waarom niet?'

'Omdat het een ouwe schurk is. Het is daar nu één grote vervallen bende.' Ze gaf Harriet verstrooid een klopje op haar rug. 'Vooruit, naar huis met jou, dan kan Edie die hoge hakken eens uittrekken.'

'Als ze naar Nashville verhuizen, mag ik dan hier bij jou blijven wonen?'

'Maar Harriet!' zei Edie, na een korte, gechoqueerde stilte. 'Wil je dan niet bij je moeder en Allison blijven?'

'Néé. Oma,' zei Harriet erachteraan, terwijl ze Edie oplettend gadesloeg.

Maar Edie trok alleen haar wenkbrauwen op, alsof het haar amuseerde. Op dat irritante kwieke toontje van haar zei ze: 'O, ik denk dat je na een week of twee wel van gedachten zou veranderen.'

De tranen sprongen Harriet in de ogen. Ze zweeg bokkig, zonder dat dat soelaas bood, en riep toen: 'Nee! Waarom zég je dat altijd? Ik wéét wat ik wil, ik verander nóóit van –'

'We zien wel als het zover is,' zei Edie. 'Ik las laatst toevallig iets wat Thomas Jefferson op zijn oude dag aan John Adams heeft geschreven: dat de meeste dingen waarover hij zich in zijn leven druk had gemaakt nooit plaats hadden gevonden. "Hoezeer zijn wij gebukt gegaan onder het kwaad dat nimmer is geschied." Of iets in die trant.' Ze keek op haar horloge. 'Als het je troost, volgens mij is er een torpedo voor nodig om je moeder uit dat huis weg te krijgen, maar zo denk ík erover. En nu vort met jou,' zei ze tegen Harriet, die haar mismoedig aan stond te staren, met rode ogen.

Zodra hij de hoek om was parkeerde Danny de auto voor de presbyteriaanse kerk. 'Kólere,' zei Farish. Hij ademde zwaar door zijn neus. 'Was dát 'r?'

Danny knikte, te high en te aangeslagen om iets te zeggen. Hij hoorde allerlei angstaanjagende geluidjes: ademende bomen, zingende telefoondraden, gras dat zacht knetterend groeide.

Farish draaide zich om en keek door het achterraampje. 'Verdomme, ik zei toch dat je moest uitkijken naar dat kind. Wou je zeggen dat dit de eerste keer is dat je haar hebt gezien?'

'Ja,' zei Danny nors. Hij zat er nog van te trillen, zo plotseling als dat meisje in zicht was gesprongen, in dat onhandig verre uithoekje van zijn blikveld, net als toen bij de watertoren (al kon hij Farish daar niet over vertellen; daar had hij per slot helemaal niet mogen kómen). En nu, bij die omslachtige rondrit, doelloos rondrijdend (*steeds een andere route nemen*, zei Farish, *steeds op andere tijden rijden, steeds in je spiegeltjes kijken*), nu was hij de hoek omgeslagen en had op een veranda uitgerekend dat meisje zien staan.

Allerlei echo's. Ademen glanzen bewegen. Duizend spiegels schitterden boven in de bomen. Wie was die oude dame? Toen de auto vaart minderde had haar blik die van Danny gekruist, exact gekruist gedurende een verwarde, vreemde flits, en ze had precies dezelfde ogen als dat meisje... Eén hartslag lang was alles weggevallen.

'Rijden,' had Farish gezegd, met een klap op het dashboard, en toen ze de hoek om waren had Danny moeten stoppen omdat hij véél te high was, omdat er iets mafs aan de hand was, een waanzinnige veeltraps-speedtelepathie (roltrappen omhoog en omlaag, ronddraaiende discobollen op elke verdieping); ze voelden het allebei, ze hoefden er geen woord aan vuil te maken en Danny kon Farish zelfs bijna niet aankijken, want hij wist dat ze zich allebei precies hetzelfde bizarre voorval herinnerden dat die ochtend om zes uur was gebeurd: hoe Farish (die de nacht had doorgehaald) in zijn onderbroek de woonkamer was binnengekomen met een pak melk, en er op hetzelfde moment een baardige tekenfilmfiguur in onderbroek met een pak melk in zijn hand dwars over de televisie liep. Farish bleef staan; die figuur ook.

Zie jij dat? had Farish gevraagd.

Ja, had Danny gezegd, zwetend. Ze hadden elkaar even aangestaard. Toen ze weer naar de televisie hadden gekeken, was het beeld veranderd.

Ze zaten samen in de gloeiendhete auto, met bijna hoorbaar bonzend hart.

'Is het je opgevallen,' zei Farish opeens, 'dat alle vrachtwagens die we onderweg tegen zijn gekomen zwart waren?'

'Wat zeg je?'

'Ze zijn wat aan het vervoeren. Ik mag doodvallen als ik weet wat.'

Danny zei niets. Hij wist dat het gelul was, die paranoïde praatjes van Farish, maar tegelijk wist hij dat het iets betekende. De vorige avond was er drie keer opgebeld, met exact een uur ertussen, en telkens had de beller opgehangen zonder iets te zeggen. En dan was er verder nog die verschoten patroonhuls die Farish op de vensterbank van het laboratorium had gevonden. Waar sloeg dat op?

En nou dit: dat meisje, weer dat meisje. Het welige, natgesproeide gazon van de presbyteriaanse kerk glansde blauwgroen in de schaduw van de siersparren: bochtige klinkerpaadjes, gladgeschoren buxushagen, alles proper en fonkelend als een speelgoedtreinset.

'Wat ik maar niet snap is wie ze verdomme is,' zei Farish, in zijn zak grabbelend naar de speed. 'Je had haar niet mogen laten ontsnappen.'

'Eugene heeft haar laten gaan, ik niet.' Danny kauwde op de binnenkant van zijn wang. Nee, hij had het zich niet verbeeld: het

meisje was van de aardbodem verdwenen in de weken na het ongeluk van Gum, toen hij door de stad had gereden om haar te zoeken. Maar nu: je hoefde maar aan haar te denken, het maar over
haar te hebben, en daar was ze, oplichtend in de verte met dat
zwarte Chinese kapsel en die kwaaie ogen.

Ze namen allebei een lijntje, waardoor ze een beetje tot zichzelf
kwamen.

'Iemand,' zei Danny, en hij snoof wat op, 'iémand heeft dat kind
ingezet om ons te bespioneren.' Zo high als hij was, had hij er
meteen spijt van dat hij dat had gezegd.

Farish keek donker. 'Zal ik jou eens wat zeggen? Als iemand,'
hij gromde en veegde langs zijn natte neus met de rug van zijn
hand, 'als iemand dat grietje heeft ingezet om míj te bespioneren,
dan snij ik haar zo de strot af.'

'Ze weet iets,' zei Danny. Maar waarom? *Omdat ze door het
raampje van een lijkwagen naar hem had gekeken. Omdat ze zich in
zijn dromen had gedrongen. Omdat ze hem achtervolgde, achternazat,
van zijn stuk bracht.*

'Nou, ik zou weleens willen weten wat ze daar uitspookte bij
Eugene. Als dat kleine loeder mijn achterlichten heeft gemold...'

Zijn melodramatische toon wekte Danny's achterdocht. 'Als zij
die achterlichten heeft gemold,' zei hij, angstvallig Farish' oog vermijdend, 'waarom heeft ze dan aangeklopt om het te zeggen?'

Farish haalde zijn schouders op. Hij pulkte aan een korst op zijn
broek, ging daar plotseling helemaal in op, en Danny was er – opeens – van overtuigd dat hij meer van dat meisje (en de hele rest)
wist dan hij zei.

Nee, dat sloeg nergens op, maar toch zat er meer achter. In de
verte blaften honden.

'Er is iemand,' zei Farish plotseling, terwijl hij ging verzitten, 'er
is iémand naar boven geklommen om al die slangen bij Eugene los
te laten. Alle ramen daar zijn dichtgeschilderd, behalve in de badkamer. En dáár kan alleen een kind door.'

'Ik ga met haar praten,' zei Danny. *En een heleboel aan haar vragen. Zoals: waarom heb ik je nog nooit van mijn leven gezien en zie ik
je nou overal? Waarom strijk je en fladder je 's nachts tegen mijn ramen
als een doodshoofdvlinder?*

Hij had al zo lang niet meer geslapen dat hij zijn ogen nog niet
had gesloten of hij was in een omgeving met hoog gras en donkere meren, lek geslagen skiffs omspoeld door schuimend water.
Daar was ze, met haar motbleke gezicht en haar kraaizwarte haar,

ze fluisterde iets in het klamme duister vol zagende cicaden, iets wat hij bijna verstond maar net niet helemaal... Ik versta je niet, zei hij.

'Wat versta je niet?'

Ping: zwart dashboard, blauwe presbyteriaanse sparren, Farish naast hem die hem aanstaarde. 'Wat niet?' zei die nog eens. Danny knipperde met zijn ogen, veegde zijn voorhoofd af. 'Laat maar,' zei hij. Hij zweette.

'In Nam had je die kleine soldatenmeisjes, dat waren taaie sodemietertjes,' zei Farish opgewekt. 'Die renden met granaten op scherp alsof het een spelletje was. Je kan een kind rotzooi laten opknappen waar alleen een gek zich aan zou wagen.'

'Klopt,' zei Danny. Dat was een van Farish' stokpaardjes. In Danny's kinderjaren had hij Danny, Eugene, Mike en Ricky Lee op grond van dat principe al het vuile werk voor hem laten opknappen, door ramen naar binnen klimmen terwijl hij, Farish, in de auto donuts at en zat te snuiven.

'En als er een kind wordt gesnapt? Wat dan nog? De tuchtschool? Flikker toch op –' Farish schoot in de lach, 'toen jullie klein waren heb ik jullie ervoor ópgeleid. Ricky kroop al door de ramen zodra hij op mijn schouders kon staan. En als er een smeris langskwam –'

'Gotsammekrake,' zei Danny, nuchter, en ging rechtop zitten, want in het achteruitkijkspiegeltje had hij net het meisje – alleen – de hoek om zien komen.

Harriet – hoofd gebogen, in sombere gedachten verzonken – liep over het trottoir in de richting van de presbyteriaanse kerk (en van haar troosteloze huis, drie straten verder), toen ze plotseling met een klikje het portier van een auto die een meter of vijf verderop geparkeerd stond open hoorde gaan.

Het was de Trans Am. Bijna zonder na te denken maakte ze rechtsomkeert, schoot de dompige, bemoste tuin van de kerk in en rende door.

De zijtuin van de kerk kwam uit op de tuin van mevrouw Claiborne (hortensia's, klein kweekkasje), die grensde aan Edies achtertuin, waar een twee meter hoge houten schutting omheen stond. Harriet rende over het donkere paadje (tussen Edies schutting en een prikkende, ondoordringbare coniferenhaag) en knalde tegen een andere omheining op: die van mevrouw Davenport, draadgaas. In paniek klauterde ze eroverheen; haar short bleef haken aan een stukje ijzerdraad bovenop, en met een draai van haar hele lichaam rukte ze zich los en sprong hijgend omlaag.

Achter zich, op het groene paadje, het dreunende gedaver van voetstappen. Veel dekking bood mevrouw Davenports tuin niet, en ze keek radeloos om zich heen voor ze er dwars doorheen holde, de klink van het hekje oplichtte en de oprit af rende. Ze had rechtsomkeert willen maken naar Edies huis, maar eenmaal op het trottoir was er iets wat haar tegenhield (waar kwamen die voetstappen vandaan?) en na een fractie van een seconde in dubio te hebben gestaan, rende ze rechtdoor naar de overkant, naar het huis van de O'Bryants. Midden op straat zag ze, tot haar schrik, de Trans Am de hoek om komen.

Ze waren dus ieder een andere kant op gegaan. Slim. Ze rende – onder de hoge dennen, over het tapijt van dennennaalden in de donker beschaduwde voortuin van de O'Bryants – linea recta naar het tuinhuisje achter, waar meneer O'Bryants biljart stond. Ze greep de klink, rukte eraan: op slot. Buiten adem tuurde ze naar binnen – gelige schrootjeswanden, boekenplanken, leeg op een paar oude jaarboeken van de Alexandria Academy na, een glazen lamp met Coca-Cola-opschrift aan een ketting boven de donkere tafel – en schoot toen rechtsaf.

Mis: weer een omheining. In de volgende tuin blafte een hond. Als ze de straat meed kon die kerel in de Trans Am haar in elk geval niet te pakken krijgen, maar ze moest uitkijken dat die andere, die te voet was, haar niet klem liep of open terrein opjoeg.

Met wild jagend hart en stekende longen zwenkte ze linksaf. Achter zich hoorde ze zwaar gehijg, het dreunen van zware voeten. Voort ging ze, zigzaggend, door een doolhof van struiken, overstekend, weer overstekend, haaks afslaand als haar pad opeens doodliep; dwars door onbekende tuinen, over hekken en door een verwarrend mozaïek van gazons met terrassen en tuintegels, langs schommels, waslijnen, barbecues, langs een kindje in een box dat haar met grote verschrikte ogen aangaapte en met een plof ging zitten. Verderop – een veranda waarop een lelijke oude man met een buldogkop zich half uit zijn stoel overeind hees en 'Scheer je weg!' blafte toen Harriet opgelucht (want het was de eerste volwassene die ze zag) haar pas vertraagde om op adem te komen.

Zijn woorden werkten als een klap; hoe bang ze ook was, ze schrok zo dat ze even bleef staan, niet langer dan een hartslag, en verbijsterd naar de furieuze, vuur schietende ogen keek, naar de sproetige, gezwollen oude vuist, opgeheven als om toe te slaan. 'Jíj, ja!' riep hij. 'Scheer je weg hier!'

Ze rende door. Van sommige mensen die in de straat woonden wist ze wel hoe ze heetten (de Wrights, de Motleys, meneer en mevrouw Price), maar ze kende ze alleen van gezicht, niet zo goed dat ze hijgend bij hen op de deur kon gaan bonken: waarom had ze zich hierheen lagen opjagen, naar onbekend terrein? *Denk ná, denk ná,* zei ze tegen zichzelf. Een paar huizen terug – vlak voordat die oude man zijn vuist tegen haar had geschud – was ze langs een El Camino gekomen, met verfblikken en stukken afdekplastic in de bak; dat was een ideale verstopplaats geweest...

Ze dook weg achter een butagastank en snakte naar adem, dubbelgevouwen, haar handen op haar knieën. Had ze ze afgeschud? Nee: opnieuw uitzinnig geblaf van de Airdale terriër verderop in de straat, die woest tegen het hek was opgesprongen toen ze erlangs rende.

In het wilde weg keerde ze om en stormde verder. Ze dook door een opening in een ligusterhaag en viel bijna languit over een verbouwereerde Chester, die op zijn knieën met een druppelslang zat te rommelen in een dik met mulch bedekt bloembed.

Hij gooide zijn armen omhoog alsof er iets ontplofte. 'Kijk uit!' Chester deed klusjes voor allerlei mensen, maar ze wist niet dat hij hier werkte. 'Wat voor de donder – '

'Waar kan ik me verstoppen?'

'Verstóppen? Hier mag jij helemaal niet spelen.' Hij slikte even en wapperde naar haar met zijn modderige hand. 'Wég jij. Ophoepelen.'

Harriet keek in paniek om zich heen: glazen kolibrievoederhuisje, met glas afgeschutte veranda, smetteloze picknicktafel. De overkant van de tuin was afgesloten met een hulsthaag, achterin hield een wal van rozenstruiken haar aftocht tegen.

'Óphoepelen zei ik. Moet je zien wat een gat je in die heg hebt gemaakt.'

Er liep een met goudsbloemen omzoomd tegelpaadje naar een tuttig, popperig schuurtje, in dezelfde kleuren geschilderd als het huis: krullerig versierd lijstwerk, groene deur op een kier. Ten einde raad vloog Harriet het paadje op, rende naar binnen ('Hé!' riep Chester) en wierp zich op de grond tussen een houtstapel en een dikke baal glaswol.

Het rook er bedompt en stoffig. Harriet kneep haar neus dicht. In het halfduister staarde ze, hijgend en met prikkende hoofdhuid,

naar een rafelige badmintonpluimbal op de vloer naast de opge-
taste houtblokken, naar een groepje kleurige blikken waarop 'Ben-
zine', 'Smeerolie' en 'Prestone' stond. Stemmen: mannenstemmen. Ze verstijfde. Er ging een hele tijd
voorbij, waarin het net was of die blikken met 'Benzine', 'Smeer-
olie' en 'Prestone' de laatste drie door mensenhand vervaardigde
voorwerpen ter wereld waren. *Ze kunnen me toch niets doen?* dacht
ze verwilderd. *Waar Chester bij is?* Ze spitste haar oren maar werd
verdoofd door haar schurende ademhaling. *Gewoon gillen,* hield ze
zich voor, *als ze je vastpakken, gil je en ruk je je los, gillen en wegrennen...* Om de een of andere reden was ze nog het bangst voor die
auto. Al zou ze niet kunnen zeggen waarom, ze had het gevoel dat
alles verloren zou zijn zodra ze haar in die auto hadden.

Chester zou vast niet toestaan dat ze haar meenamen. Maar zij
waren met zijn tweeën en Chester was in zijn eentje. En Chesters
woord zou waarschijnlijk niet veel waard zijn tegenover twee
blanken.

De seconden tikten voorbij. Wat zeiden ze toch, waarom duurde het zo lang? Gespannen tuurde ze naar een uitgedroogde ho-
ningraat onder de werkbank. Toen voelde ze plotseling dat er een
gedaante naderde.

Krakend ging de deur open. Er viel een driehoek van flets licht
over de aarden vloer. Al het bloed trok uit haar hoofd weg, en
even dacht ze dat ze van haar stokje ging, maar het was Chester
maar, alleen Chester maar, die zei: 'Kom er maar uit.'

Het was of er een glazen wand uiteen was gespat. De geluiden
stroomden weer terug: vogelgekwetter, een schril tjirpende krekel
op de grond achter een olieblik.

'Zit je daar?'

Ze slikte; haar stem klonk dun en schor toen ze zei: 'Zijn ze
weg?'

'Wat heb jij die mannen geflikt?' Hij stond tegen het licht; ze
kon zijn gezicht niet zien, maar het wás Chester, zonder meer:
Chesters schuurpapierstem, zijn slungelige silhouet. 'Ze gedragen
zich alsof je ze hebt gerold.'

'Zijn ze weg?'

'Jáhaa,' zei Chester ongeduldig. 'Kom er nou maar uit.'

Harriet stond op van achter de rol isolatiemateriaal en veegde
met de buitenkant van haar arm over haar voorhoofd. Ze zat onder het gruis en er kleefde spinrag aan haar wang.

Chester tuurde diep het donkere schuurtje in en zei: 'Je hebt daar toch niks omgegooid, hè?' en liet toen zijn blik over haar heen glijden: 'Wat zie jij eruit.' Hij hield de deur voor haar open. 'Waarom zitten die achter jou aan?' Harriet, nog steeds buiten adem, schudde haar hoofd.

'Dat soort mannen horen geen kind achterna te zitten,' zei Chester, met een blik achterom terwijl hij een sigaret uit zijn borstzakje trok. 'Wat heb je gedaan? Een steen naar hun auto gegooid?' Harriet rekte zich om langs hem heen te kijken. Door het dichte struikgewas (liguster, hulst) kon ze niets van de straat zien. 'Zal ik jou eens wat zeggen.' Chester blies de rook met kracht door zijn neus uit. 'Je boft dat ik hier vandaag werk. Mevrouw Mulverhill is naar haar koor, anders had ze de politie gebeld dat jij hier zo door die heg binnen kwam vallen. Vorige week moest ik de tuinslang op een zielige ouwe hond zetten. Die scharrelde hier door de tuin.'

Hij stond te roken. Nog steeds voelde Harriet haar hart bonken in haar oren.

'Trouwens,' zei Chester, 'waarom loop jij bij andere mensen door de struiken te stampen? Eigenlijk moest ik dat tegen je grootmoeder zeggen.'

'Wat zeiden ze tegen je?'

'Zéíden? Ze zeiden niks. Die ene had zijn auto op straat geparkeerd. De andere stak zijn hoofd door de heg en gluurde naar binnen. Net of hij de elektricien was en de meter zocht.' Chester schoof onzichtbare takken uit elkaar en deed het gebaar na, compleet met raar heen en weer schietende ogen. 'Hij had zo'n overall aan die ze bij het Gas en Licht van Mississippi hebben.'

Boven hen knapte een tak; het was maar een eekhoorntje, maar Harriet schrok zich wild.

'Ga je me nou nog vertellen waarom je voor die mannen vluchtte?'

'Ik – ik was...'

'Ja?'

'Ik was aan het spelen,' zei Harriet slapjes.

'Maak je nou maar niet zo druk.' Door een waas van rook nam Chester haar scherp op. 'Waarom kijk je zo bang die kant op? Zal ik met je meelopen naar je huis?'

'Nee,' zei Harriet, maar toen Chester in de lach schoot drong het tot haar door dat haar hoofd tegelijk *ja* knikte.

Chester legde een hand op haar schouder. 'Jij bent hélemaal in de war,' zei hij opgewekt, maar hij keek er bezorgd bij. 'Weet je wat. Ik moet toch langs jullie als ik naar huis ga. Wacht maar even, dan spoel ik mijn handen af onder de brandkraan en loop met je mee.'

'Zwarte vrachtwagens,' zei Farish opeens toen ze de weg naar huis opreden. De pep kwam zijn oren uit, hij ademde met astmatisch piepende uithalen. 'Nog nooit van m'n leven zoveel zwarte vrachtwagens gezien.'

Danny maakte een onduidelijk geluid en streek met een hand over zijn gezicht. Zijn spieren trilden en hij was nog steeds van de kaart. Wat zouden ze met het meisje gedaan hebben als ze haar te pakken hadden gekregen?

'Godverdomme,' zei hij, 'ze hadden daar de politie wel op ons af kunnen sturen.' Hij had – als zo vaak, tegenwoordig – een gevoel alsof hij halverwege een levensgevaarlijke stunt in een droom weer bij zijn positieven kwam. Waren ze niet goed bij hun hoofd? Zo achter een kind aan zitten, in een woonwijk op klaarlichte dag? In Mississippi stond de doodstraf op kidnappen.

'Dit is bezopen,' zei hij hardop.

Maar Farish zat opgewonden uit het raampje te wijzen, zijn dikke zware ringen (de pinkring in de vorm van een dobbelsteen) protserig fonkelend in de middagzon. 'Daar,' zei hij. 'En daar.'

'Wat?' zei Danny. 'Wat?' Overal auto's; licht dat zo schel van de katoenvelden kaatste dat het wel licht op water leek.

'Zwarte vráchtwagens.'

'Waar?' Door de snelheid van de rijdende auto kreeg hij het gevoel alsof hij iets had vergeten of iets belangrijks had achtergelaten.

'Daar, daar, daar.'

'Die is gróén.'

'Nietwaar – dáár!' riep Farish triomfantelijk. 'Zie je wel, daar gaat er weer een.'

Danny – bonkend hart, de druk in zijn hoofd steeds klemmender – had zin om 'nou én, godverdómme' te zeggen, maar zag er uit angst voor Farish vanaf. Over hekken, dwars door keurige stadstuinen met barbecues rauzen: idioot. Het was zo waanzinnig dat hij er duizelig van werd. Dit was het hoofdstuk waarin je in één klap tot je positieven hoorde te komen en je schouders moest rechten: op de rem trappen, de auto keren, en je leven voorgoed veranderen, het hoofdstuk dat Danny nooit zo geloofwaardig vond.

'Kijk daar dan.' Farish gaf zo'n harde klap op het dashboard dat Danny zich bijna een beroerte schrok. 'Die heb je wel gezien, zeker weten. Die vrachtwagens verzamelen zich. Maken zich klaar voor de strijd.' Overal licht, te veel licht. Zonnevlekken, moleculen. De auto was een vreemd ding geworden. 'Ik moet naar de kant,' zei Danny. 'Hè?' zei Farish.

'Ik kan niet meer rijden.' Hij voelde zijn stem hoog en hysterisch worden; er suisden auto's langs, kleurige energieflitsen, overvolle dromen.

Op het parkeerterrein van de White Kitchen zat hij met zijn voorhoofd op het stuur diep adem te halen terwijl Farish met zijn vuist in zijn handpalm stompte en uitlegde dat je niet werd gesloopt door de speed, maar doordat je niet meer at. Zo voorkwam hij – Farish – dat hij doordraaide. Hij at echte maaltijden, of hij trek had of niet. 'Maar jij, jij ben net als Gum,' zei hij en hij prikte met zijn wijsvinger in Danny's biceps. 'Je vergeet te eten. Daarom ben jij zo'n gratepakhuis.'

Danny staarde naar het dashboard. Koolmonoxidedampen en walging. Hij vond het niet prettig zich in welke zin dan ook met Gum te moeten vergelijken, maar met zijn geblakerde huid, holle wangen en hoekige, magere, uitgeteerde lijf was hij de enige van haar kleinzoons die echt veel op haar leek. Daar had hij nog nooit bij stilgestaan.

'Hier,' zei Farish, lichtte een bil op en zocht driftig naar zijn portefeuille, blij dat hij van dienst kon zijn, blij dat hij advies kon geven. 'Ik weet precies wat jij nodig hebt. Een cola uit de tap en een broodje warme ham. Daar kom je wel van bij.'

Moeizaam deed hij het portier open, hees zich eruit (voortvarend, stijf in de benen, slingerend als een ouwe zeerot) en ging naar binnen om de cola en het broodje te halen.

Danny bleef stil zitten. Farish' lucht hing zwaar en overdadig in de smoorhete auto. Een broodje warme ham was wel het laatste waar hij op zat te wachten, maar hij zou het hoe dan ook naar binnen moeten zien te werken.

Het beeld van het hollende meisje brandde nog na op zijn netvlies, als het condensspoor van een straalvliegtuig: een zwartharige veeg, een bewegend doel. Maar het was het gezicht van die oude dame op de veranda dat hem niet losliet. Toen hij als in slowmotion langs dat huis (haar huis?) reed waren haar ogen (felle ogen, vol licht) over hem heen gegleden zonder hem te zien en had hij een duizelige, weeë schok van herkenning gekregen. Want die oude dame kende hij – persoonlijk, al was het vanuit de verte, als iets uit een lang vervlogen droom.

Door de spiegelruit zag hij Farish, op de toonbank geleund, uitgebreid zwammen met een broodmager serveerstertje dat hij graag mocht. Misschien waren ze bang voor hem of konden ze de klandizie niet missen, of misschien was het wel gewoon vriendelijkheid, maar de serveersters bij de White Kitchen hoorden Farish' wilde verhalen altijd eerbiedig aan en schenen zich niet te ergeren aan zijn uiterlijk of zijn slechte oog of dat brallerige betwetersair van hem. Al verhief hij zijn stem, al raakte hij verhit en begon hij met zijn armen te maaien of stootte zijn koffie om, ze bleven kalm en beleefd. Op zijn beurt hield Farish in hun aanwezigheid zijn smerige tong in bedwang, ook als hij stijf stond van de pep, en op Valentijnsdag had hij zelfs eens een bosje bloemen mee naar het restaurant genomen.

Terwijl hij zijn broer in de gaten hield stapte Danny uit en liep langs een strook verpieterde struikjes naar de telefooncel, opzij van het restaurant. De helft van de bladzijden van het telefoonboek was eruit gescheurd, maar gelukkig was het de laatste helft, en met een trillende vinger ging hij de C af. Op de brievenbus had de naam Cleve gestaan. En jawel, daar had je het, zwart op wit: E. Cleve, Margin Street.

Vreemd genoeg riep dat iets op. Hij bleef in de smoorhete cel staan tot het kwartje was gevallen. Want hij had die oude dame zelf ontmoet, zo lang geleden dat het wel in een ander leven leek. In de streek wist iedereen wie ze was, niet zozeer vanwege haarzelf als wel vanwege haar vader, die een hoge piet was geweest in de plaatselijke politiek, en ook vanwege het vroegere huis van haar familie, dat De Beproeving heette. Maar dat huis – destijds beroemd – was er allang niet meer en bestond nu alleen nog in naam. Aan de Interstate lag, niet ver van waar het had gestaan, een goedkope eettent (met een reclamebord waarop een landhuis met witte zuilen prijkte) die zich Steakhouse De Beproeving noemde. Het reclamebord stond er nog, maar de eettent was inmiddels dichtgespijkerd en bood een macabere aanblik, met bordjes VERBODEN TOEGANG vol graffiti en onkruid in de bloembakken ervoor, alsof de grond zelf er op de een of andere manier al het nieuwe uit weg had gezogen om het een oud aanzien te geven.

Als kind (in welke klas wist hij niet meer, die hele school was één grauw waas voor hem) was hij eens op een verjaardagspartijtje in De Beproeving geweest. De herinnering was altijd blijven hangen: enorme vertrekken, spookachtig, schemerig, oeroud, met vergeeld behang en kroonluchters. De oude dame aan wie het huis toebehoorde was de grootmoeder van Robin, en Robin was een schoolvriendje van Danny. Robin woonde in de stad, en Danny – die vaak over straat zwierf terwijl Farish in de poolhal zat – had hem een keer, op een winderige namiddag in de herfst, alleen voor zijn huis zien spelen. Ze hadden elkaar een tijdje als waakzame diertjes staan aankijken – Danny op straat, Robin in zijn tuin. Toen zei Robin: 'Ik vind Batman goed.'

'Ik ook,' zei Danny. Daarna hadden ze samen over de stoep heen en weer gerend en gespeeld tot het donker werd.

Omdat Robin zijn hele klas op zijn partijtje had gevraagd (hij had zijn vinger opgestoken of het mocht, was tussen de rijen op en neer gelopen en had elk kind een envelop gegeven) kon Danny makkelijk met iemand meerijden zonder dat zijn vader of Gum ervan wist. Kinderen als Danny gaven nooit verjaardagspartijtjes, en van zijn vader mocht hij er zelfs niet naartoe als hij ervoor was uitgenodigd (wat meestal niet gebeurde), want een zoon van hem ging echt geen geld uitgeven aan zoiets nutteloos als een cadeautje, en zeker niet voor een rijkeluiskind. Dat soort flauwekul subsidieerde Jimmy George Ratliff niet. Hun grootmoeder redeneerde weer anders. Als Danny naar een partijtje ging zou hij bij de gastheer in het krijt staan: 'schuldplichtig' zijn. Waarom zouden ze uitnodigingen accepteren van stadslui die Danny (ongetwijfeld) alleen hadden uitgenodigd om hem uit te lachen: vanwege zijn afdragertjes, zijn boerse manieren? Danny's familie was arm; zij waren 'eenvoudige mensen'. Voor hen was de luxe van taart en feestkleren niet weggelegd. Gum vergat nooit haar kleinzoons daaraan te herinneren, dus er was geen gevaar dat ze dat zouden vergeten en boven hun stand gingen leven.

Danny had aangenomen dat het partijtje bij Robin thuis zou zijn (wat op zich al erg fijn was), maar hij wist niet wat hem overkwam toen de propvolle stationcar, met de moeder van een meisje dat hij niet kende achter het stuur, de stad uit, langs katoenvelden en door een lange bomenlaan reed, die uitkwam op het huis met de zuilen. Hij paste niet in zo'n omgeving. En het allerergste was nog wel dat hij geen cadeautje bij zich had. Op school had hij een Matchbox-autootje dat hij had gevonden in een blaadje uit een schrift proberen te verpakken, alleen had hij geen plakband, en

het zag er helemaal niet uit als een cadeautje maar als een verfrommelde prop oud huiswerk.

Gelukkig scheen niemand te merken dat hij geen cadeautje had;
tenminste, niemand zei er wat van. En van dichtbij was het huis
lang niet zo deftig als het uit de verte had geleken – het was vervallen, vol mottige kleedjes, afgebrokkeld stucwerk en barsten in
het plafond. De oude dame – Robins grootmoeder – had de leiding over het partijtje, en ook zij was groot, statig en schrikwekkend; toen ze de voordeur opendeed had ze hem de stuipen op het
lijf gejaagd, zoals ze boven hem uittorende met haar stramme gestalte, haar rijk ogende zwarte kleren en haar boze wenkbrauwen.
Haar stem klonk vinnig, en haar voetstappen ook; kwiek klakkend
gingen ze door de galmende vertrekken, zo kordaat en hekserig
dat de kinderen zwegen wanneer ze binnenkwam. Maar ze had
hem een prachtige taartpunt op een glazen bordje gegeven: een
stuk met een dikke roos van suikerglazuur en ook nog een sierlet-
ter, de grote roze H van HIEP. Ze had over alle kinderen, die bij de
prachtige tafel om haar heen dromden, heen gekeken en toen had
ze Danny (die wat achteraf stond) over hun hoofden heen dat speciale stuk met de roze roos aangereikt, alsof Danny de enige in de
kamer was die ze dat gunde.

Dat was dus die oude dame: *E. Cleve.* Hij had haar al in geen
jaren meer gezien of aan haar gedacht. Toen De Beproeving in
brand vloog – een brand die de nachthemel tot kilometers in het
rond deed oplichten – hadden Danny's vader en grootmoeder met
valse, geamuseerde ernst hun hoofd geschud, alsof ze altijd al hadden geweten dat zo'n soort huis wel moest afbranden. Onwillekeurig genoten ze van het schouwspel van die 'fijne lui' die een
toontje lager moesten zingen; vooral Gum, die als meisje katoen
had geplukt op de velden van De Beproeving koesterde een diepe
wrok jegens het huis. Bij de blanken had je een bepaalde klasse
van kapsoneslijers – verraders van hun ras, zei Danny's vader –
die blanke ongeluksvogels net zo laag aansloegen als de gemiddel-
de plantagenikker.

Ja, de oude dame was aan lager wal geraakt, en een val zoals zij
had gemaakt, dat was ongewoon, en triest en raadselachtig. Danny's eigen familie kon moeilijk aan nog lager wal raken dan ze al
zat. En Robin (een hartelijk, aardig jochie) was dood – jaren alweer –, vermoord door een passerende gluiperd of een smerige
ouwe landloper die van de spoorbaan was komen aanwandelen,
dat wist niemand. Die maandagochtend op school had juf Marter

(een vet secreet met een suikerspinkapsel, van wie Danny eens een hele week met een gele vrouwenpruik op had moeten zitten, als straf voor iets, hij wist niet meer wat), op de gang met de andere onderwijzers staan fluisteren, en haar ogen waren rood, alsof ze had gehuild. Toen de bel was gegaan was ze achter haar tafeltje gaan zitten, en zei ze: 'Kinderen, ik heb een heel verdrietig bericht.'

De meeste stadskinderen wisten het al, maar Danny niet. Eerst dacht hij dat juf Marter ze in de zeik nam, maar toen ze potloden en vouwkarton moesten pakken om kaartjes voor Robins familie te maken, begreep hij dat dat niet zo was. Op zijn kaartje maakte hij met veel zorg een tekening van Batman, Spiderman en de Incredible Hulk, samen op een rijtje voor Robins huis. Hij wilde ze in volle actie afbeelden – terwijl ze Robin redden, boeven vermorzelden – maar daarvoor kon hij niet goed genoeg tekenen, hij moest ze gewoon naast elkaar op een rijtje recht voor zich uit laten staren. Bij nader inzien zette hij zichzelf er ook bij, een beetje apart. Hij had het gevoel dat hij Robin in de steek had gelaten. Normaal was de huishoudster er niet op zondag, maar die keer wel. Als hij zich eerder die middag niet door haar had laten wegjagen, had Robin misschien nog geleefd.

Eigenlijk had Danny het gevoel dat hij door het oog van de naald was gekropen. Hun vader liet Curtis en hem vaak alleen door de stad zwerven – vaak 's avonds – en ze hadden daar bepaald geen veilig huis of aardige buren naar wie ze toe konden als er een gluiperd achter ze aan zat. Curtis verstopte zich wel braaf als het moest, maar begreep niet waarom hij niets mocht zeggen en je moest hem voortdurend de mond snoeren – en toch was Danny blij dat ze samen waren, zelfs als Curtis bang werd en een hoestbui kreeg. Het ergst waren de avonden dat Danny alleen was. Muisstil verstopte hij zich dan, in schuurtjes en achter heggen, snel en oppervlakkig ademend in de duisternis, tot twaalf uur, als de poolhal dichtging. Dan kroop hij uit zijn schuilplaats en rende door de donkere straten naar de verlichte poolhal, omkijkend bij het minste geluidje. Dat hij tijdens die nachtelijke omzwervingen nooit opvallend enge mannen zag maakte hem alleen maar banger, alsof de moordenaar van Robin onzichtbaar was, of geheime krachten bezat. Hij begon nare dromen te krijgen over Batman, die zich omdraaide in een lege ruimte en op hem af kwam lopen, heel snel, met gloeiende, boosaardige ogen.

Danny huilde nooit – dat wilde zijn vader niet hebben, ook van

Curtis niet – maar op een dag knapte er iets en barstte hij waar zijn hele familie bij was in snikken uit, wat hemzelf net zo verbaasde als de anderen. En toen hij niet kon ophouden, sleurde zijn vader hem aan zijn arm omhoog en zei dat hij hem wel iets zou geven waarom hij kon huilen. Na het pak ransel met de riem sneed Ricky Lee hem de pas af in het smalle gangetje van de caravan. 'Het was zeker je vrijer.'

'Je had zeker liever gehad dat jíj het was geweest,' zei zijn grootmoeder beminnelijk.

Meteen de volgende dag was Danny op school gaan opscheppen over wat hij niet had gedaan. Op de een of andere vreemde manier had hij alleen zijn figuur willen redden – híj was nergens bang voor, híj niet –, maar toch zat het hem dwars als hij erbij stilstond, dat het verdriet de vorm van leugens en branie had gekregen, dat het voor een deel zelfs jaloezie was geweest, alsof Robins leven een en al partijtjes en cadeautjes en taart was geweest. Want oké, Danny had het niet makkelijk gehad, maar hij was tenminste niet dood.

Het belletje boven de deur klingelde, en Farish kwam met een vettige papieren zak het parkeerterrein op stevenen. Hij bleef abrupt staan toen hij de lege auto zag.

Soepel stapte Danny de telefooncel uit: geen onverhoedse bewegingen. De laatste paar dagen was Farish' gedrag zo onberekenbaar dat Danny zich langzamerhand net een gijzelaar voelde.

Farish draaide zich om en keek Danny met glazige ogen aan. 'Wat doe jij nou híér?' vroeg hij.

'Eh, niks aan de hand, ik keek alleen even in het telefoonboek,' zei Danny, en hij liep vlug naar de auto, met een angstvallig gemoedelijk, neutraal gezicht. De laatste tijd hoefde er maar íéts afwijkends te gebeuren of Farish ontplofte; de vorige avond had hij, kwaad over iets wat hij op televisie had gezien, met zo'n harde klap een glas melk op tafel gezet dat het in zijn hand was gebroken.

Farish staarde hem agressief aan, met een vorsende blik. 'Jij bent mijn broer niet.'

Danny bleef staan, zijn hand op het portier van de auto. 'Hè?'

Zonder de minste waarschuwing viel Farish uit en sloeg Danny tegen de vlakte.

Toen Harriet thuiskwam zat haar moeder boven met haar vader te bellen. Wat dat betekende wist Harriet niet, maar het leek haar

geen goed voorteken. Ze ging op de trap zitten wachten, met haar
kin in haar handen. Toen haar moeder na een hele tijd – wel een
halfuur – nog steeds niet te voorschijn was gekomen, drukte ze
zich op naar de volgende tree, en even later naar de volgende, tot
ze zich ten slotte helemaal omhoog had gewerkt en boven aan de
trap zat, met haar rug naar de kier licht die onder haar moeders
deur door scheen. Ze luisterde, aandachtig, maar hoewel de klank
van haar moeders stem goed hoorbaar was (hees, omfloerst) waren de woorden dat niet.

Ten slotte gaf ze het op en liep de trap af naar de keuken. Ze
was nog steeds een beetje buiten adem, en af en toe voelde ze in
haar borst een spiertje pijnlijk trekken. Door het raam boven de
gootsteen stroomde de ondergaande zon de keuken in, vuurrood
en purper, imposant, als altijd tegen het eind van de zomer als de
orkanen in aantocht waren. *Goddank ben ik niet naar Edie terugge-
gaan*, dacht ze, en ze slikte iets weg. In haar paniek had het niet
veel gescheeld of ze had hen rechtstreeks naar Edies voordeur
gebracht. Edie was een taaie: maar het was wél een oude dame,
met gebroken ribben.

De sloten in huis: allemaal verouderd, van het steekslottype,
makkelijk te forceren. Op de voor- en achterdeur zaten ouderwetse valklinken, waar je niets aan had. Harriet had zelf een keer op
haar kop gekregen toen ze het slot van de achterdeur had geforceerd. Ze had gedacht dat het klem zat en zich er van buitenaf met
haar volle gewicht tegenaan gegooid; nu, maanden later, hing de
slotkast nog steeds aan één spijker in de rottende deurlijst te bungelen.

Door het opengeschoven raam kwam een kil briesje, dat langs
haar wang streek. Boven en beneden: overal open ramen, gestut
door ventilators, in vrijwel ieder vertrek open ramen. Als ze daaraan dacht kreeg ze het nachtmerrieachtige gevoel dat ze onbe-
schermd was, een makkelijke prooi. Wat weerhield hem ervan zó
naar het huis te komen? Waarom zou hij ingewikkeld doen met
die ramen als hij elke deur in kon die hij uitkoos?

Allison kwam op blote voeten de keuken in rennen, pakte de
hoorn van de telefoon alsof ze iemand wilde bellen, en luisterde
even, met een rare blik, voordat ze de haak indrukte en de hoorn
er voorzichtig weer oplegde.

'Wie heeft ze aan de telefoon?' vroeg Harriet.

'Pappa.'

'Nog stééds?'

Allison haalde haar schouders op, maar ze keek bezorgd en liep gauw, met gebogen hoofd, weer weg. Harriet fronste haar wenkbrauwen en bleef nog even staan, ging toen naar de telefoon en tilde behoedzaam de hoorn op.

Op de achtergrond hoorde ze een televisie. '... zal het je wel niet kwalijk mogen nemen,' zei haar moeder verongelijkt.

'Doe niet zo gek.' Dat haar vader er genoeg van had was duidelijk aan zijn ademhaling te horen. 'Kom dan hier, als je me niet gelooft.'

'Je moet geen dingen zeggen die je niet meent.'

Zachtjes drukte Harriet de haak in en legde de hoorn er weer op. Ze was bang geweest dat ze het over haar hadden, maar dit was erger. Het was al geen pretje als haar vader op bezoek kwam en met zijn aanwezigheid een rumoerige, explosieve, geladen sfeer in huis veroorzaakte, maar hij bekommerde zich er wel om wat anderen van hem vonden, en met Edie en de tantes in de buurt gedroeg hij zich beter. De wetenschap dat die maar een paar straten verderop woonden gaf Harriet een veiliger gevoel. Bovendien was het huis zo groot dat ze meestal wel muisstil kon rondlopen en hem mijden. Maar zijn flat in Nashville was klein, vijf kamers maar. Daar zou ze hem niet kunnen ontlopen.

Alsof haar gedachten werden beantwoord klonk er, *beng*, een harde klap achter haar, en ze schoot omhoog, haar hand aan haar keel. Het raam was omlaag gevallen en er tuimelde van alles tegelijk (tijdschriften, een rode geranium in een stenen bloempot) op de keukenvloer. Heel even, gedurende een spookachtig, vacuümgezogen moment (gordijnen slap, briesje weg), staarde ze naar de gebroken pot, de verkruimelde zwarte aarde op het zeil en toen, beklemd, naar de vier in schaduw gehulde hoeken van het vertrek. De ondergaande zon wierp een vlammende, lugubere gloed over het plafond.

'Hallo?' fluisterde ze ten slotte tegen de (goede of boze) geest die door het vertrek had gewaard. Want ze had het gevoel dat ze werd gadegeslagen. Maar het bleef stil, en na nog even te hebben gewacht, draaide ze zich om en holde de keuken uit alsof de duivel zelf haar op de hielen zat.

Met een leesbrilletje van de drogist op zijn neus zat Eugene rustig bij Gum aan de keukentafel in de zomeravondschemering. Hij las een beduimeld oud boekje van de Regionale Educatieve Dienst, getiteld *Zelf tuinieren: fruittuin en siertuin.* De hand met de slangen-

beet zag er, hoewel allang niet meer verbonden, nog steeds onbruikbaar uit en hield met stijve vingers als een presse-papier het
boekje open.

Eugene was als een ander mens uit het ziekenhuis teruggekeerd.
Hij had een goddelijke openbaring gehad toen hij wakker lag, luisterend naar het imbeciele televisiegelach dat door de gang golfde
– glimmend gepoetste dambordtegels, rechte lijnen die samenkwamen bij witte, naar de Eeuwigheid openzwaaiende dubbele
deuren. Elke nacht lag hij tot zonsopgang te bidden, starend naar
de kille, harpvormige lichtschijn op het plafond, huiverend in de
steriele sfeer van de dood: het gezoem van röntgenapparaten, de
robotbliepjes van de hartmonitoren, de steelse rubbervoetstappen
van de verpleegsters en het gekwelde ademen van de man in het
bed naast het zijne.

Eugenes openbaring was drieledig geweest. Een: omdat hij
geestelijk niet was voorbereid op het werken met slangen en geen
zalving van de Heer had ontvangen, had God in Zijn genade en
gerechtigheid naar hem uitgehaald en hem geslagen. Twee: niet
iedereen – iedere christen, iedere gelovige – op aarde was voorbe-
stemd dienaar van het Woord te zijn; Eugene had ten onrechte
gedacht dat het dienaarschap (waarvoor hij in vrijwel elk opzicht
ongeschikt was) de enige ladder was waarover de rechtschapene
de Hemel kon bereiken. De Heer had blijkbaar andere plannen
met Eugene, al van meet af aan – want Eugene was geen spreker;
hij was niet ontwikkeld, kon niet in tongen spreken noch makkelijk contact maken met zijn medemens; zelfs het litteken op zijn
gezicht maakte hem tot een ongeloofwaardig boodschapper, omdat de mensen ervan schrokken en terugdeinsden voor zulke
zichtbare blijken van de wraak van de Levende God.

Maar als Gene niet geschikt was om de Schrift te profeteren of
het evangelie te verkondigen – wat moest hij dan? *Een teken*, had
hij gebeden, slapeloos in zijn ziekenhuisbed, in de koele grijze
schaduwen... en onder het bidden richtte zijn blik zich steeds weer
op de met linten versierde vaas rode anjers naast het bed van zijn
buurman – een heel lange, heel bruine oude man, met een heel
gerimpeld gezicht, wiens mond open- en dichtging als die van een
aan de haak geslagen vis en wiens droge, speculaasbruine handen
– vol zwarte toefjes haar – aan de fletse sprei plukten en trokken
met een vertwijfeling die hij niet kon aanzien.

Die bloemen waren het enige puntje kleur in de kamer. Toen
Gum in het ziekenhuis lag was Eugene er weer naartoe gegaan om

even om de deur te kijken bij zijn arme buurman, met wie hij nooit een woord had gewisseld. Het bed was leeg, maar de bloemen stonden er nog, vuurrood opgloeiend op het nachtkastje alsof ze meeleefden met de donkerrode pijn die als een diepe bas door zijn gebeten arm vibreerde, en plotseling viel de sluier weg en werd hem geopenbaard dat die bloemen zelf het teken waren waarom hij had gebeden.

Het waren kleine levende dingen, die bloemen, die door God waren geschapen en evengoed leefden als zijn eigen hart: ranke slanke schoonheden, met aderen, met vaten, die water dronken uit hun geribbelde glazen vaas, die ook in het Dal van de Schaduw des Doods nog hun tere, bekoorlijke kruidnagelgeur verspreidden. En terwijl hij over die dingen nadacht had de Heer zelf tot Eugene gesproken, zoals hij daar stond in de stilte van de middag, en Hij zei: *Leg mijn tuinen aan.*

Dat was de derde openbaring. Nog die middag had Eugene tussen de pakjes zaad op de achterveranda gesnuffeld en een rijtje boerenkool en een rijtje koolraap gezaaid op een vochtig, donker lapje grond waar tot voor kort een stapel oude tractorbanden op een stuk zwart plastic had gelegen. Hij had ook twee rozenstruikjes gekocht van de aanbieding in de supermarkt, en die had hij tussen het pierige gras voor zijn grootmoeders caravan geplant. Gum was natuurlijk weer achterdochtig, alsof hij haar met die rozen een gemene streek wilde leveren; Eugene had haar een paar keer in de voortuin naar de armzalige struikjes zien staren alsof het gevaarlijke indringers, klaplopers en profiteurs waren, die hun het vel over de oren kwamen halen. Achter Eugene aan strompelend terwijl hij de rozen verzorgde met een bestrijdingsmiddel en een gietertje, zei ze: 'Wat ík weleens zou willen weten, wie moet er voor dat spul zorgen? Wie moet dat betalen, al die dure spuitbussen, en de mest? Wie moet ze straks water geven en afvegen en opkweken en er de hele tijd mee aanrommelen?' En ze had Eugene aangekeken met een sombere martelaarsblik, alsof ze wilde zeggen dat ze wel wist dat de vreugdeloze, verpletterende last van de verzorging op háár schouders terecht zou komen.

De deur van de caravan ging open – met zo'n luid gepiep dat Eugene geschrokken overeind schoot – en Danny kwam binnen: vuil, ongeschoren, hologig en schijnbaar uitgedroogd, alsof hij dagen door de woestijn had gezworven. Hij was zo mager dat zijn spijkerbroek van zijn heupen gleed.

Eugene zei: 'Wat zie jij er beroerd uit.'

Danny keek hem even doordringend aan en plofte neer aan tafel, zijn hoofd in zijn handen.

'Het is je eigen schuld. Je moet gewoon met dat spul stoppen.'

Danny hief zijn hoofd op. Zijn lege blik was angstaanjagend. Plotseling zei hij: 'Weet je nog dat meisje met dat zwarte haar die toen bij de achterdeur van de Missie aanklopte, die avond dat jij bent gebeten?'

'Eh, jawel,' zei Eugene. Hij sloeg het boekje dicht met zijn vinger ertussen. 'Ja. Farsh kan wel uitkramen wat hij wil, en niemand die er wat van mag zeggen –'

'Dus je weet het nog.'

'Ja. Toevallig dat je het daarover hebt.' Eugene overwoog even waar hij moest beginnen. 'Dat meisje rende bij me vandaan,' zei hij, 'nog voor die slangen het raam uit kwamen. Ze had de zenuwen, daar op de stoep bij mij, en toen die schreeuw van daarboven klonk was ze metéén weg.' Eugene legde het boekje weg. 'En ik zal je nog eens wat zeggen, die deur had ik wél afgesloten. Wat Farsh ook zegt. Hij stond open toen we weer terugkwamen, en –'

Hij trok zijn nek in en keek verbaasd naar het fotootje dat Danny hem opeens onder zijn neus duwde.

'Maar dat ben jij,' zei hij.

'Ik –' Danny huiverde en sloeg zijn roodomrande ogen op naar het plafond.

'Waar komt dat vandaan?'

'Heeft zíj laten liggen.'

'Laten liggen? Waar?' zei Eugene, en toen: 'Wat is dat voor geluid?' Buiten klonk luid gekerm. Hij stond op en zei: 'Is dat Curtis?'

'Nee' – Danny haalde diep, haperend adem – 'Farish.'

'Farish?'

Schrapend schoof Danny zijn stoel achteruit, en hij keek verwilderd om zich heen. Het gesnik klonk stokkend, gierend, wanhopig als het gesnik van een kind, maar heftiger, alsof Farish zijn hart eruit spuugde en kotste.

'Goh,' zei Eugene, vol ontzag. 'Moet je dat horen.'

'Ik heb daarnet gedonder met hem gehad, op het parkeerterrein bij de White Kitchen,' zei Danny. Hij stak zijn handen op, die vuil en ontveld waren.

'Wat was er dan?' zei Eugene. Hij ging naar het raam en gluurde naar buiten. 'Waar is Curtis?' Curtis, die problemen met zijn luchtwegen had, kreeg vaak hevige hoestbuien als hij van streek was, of als een ander dat was – wat hem meer dan wat ook van streek maakte.

Danny schudde zijn hoofd. 'Weet ik niet,' zei hij, en zijn stem klonk hees en gespannen, alsof hij hem had geforceerd. 'Ik heb het zat om de hele tijd bang te zijn.' Tot Eugenes verbazing trok hij een gemeen kapmes uit zijn laars en legde dat met een harde klap op tafel, met een stonede maar veelbetekenende blik. 'Dat is mijn bescherming,' zei hij. 'Tegen hém.' En hij draaide zijn ogen weg op een manier die onmiskenbaar aan een inktvis deed denken – het oogwit zichtbaar – en waarmee hij Farish bedoelde, begreep Eugene.

Het vreselijke gehuil was tot bedaren gekomen. Eugene ging bij het raam weg en kwam bij Danny zitten. 'Je maakt jezelf nog kapot,' zei hij. 'Zorg eens dat je een beetje slaap krijgt.'

'Slaap,' herhaalde Danny. Hij stond op, alsof hij een redevoering wilde gaan afsteken, en ging toen weer zitten.

Gum kwam binnen schuifelen met haar looprekje, voetje voor voetje vooruit schaatsend, *tik tik, tik tik,* en zei: 'Toen ik klein was zei mijn pa dat er een steekje los zit aan mannen die op een stoel gaan zitten om een boek te lezen.'

Dat zei ze met een liefdevol soort welbehagen, alsof de simpele wijsheid van die opmerking voor haar vader pleitte. Het boekje lag op tafel. Ze pakte het op, met een bevende oude hand, hield het een stukje van zich af en bekeek de voorkant. Daarna draaide ze het om en bekeek de achterkant. 'Heremetijd, Gene.'

Eugene schoof zijn bril omlaag. 'Wat is er?

'Och,' zei Gum, na een toegeeflijke korte stilte. 'Ach. Ik moet er nou eenmaal niet aan denken dat je je wat in je hoofd haalt. Het is een harde wereld voor ons soort volk. En ik moet zéker niet denken aan al die jonge professors die vóór jou in de rij staan voor werk.'

'Huh? Ik mag toch zeker wel alleen even in dat boekje kijken?' Ze bedoelde het heus niet kwaad, zijn grootmoeder; het was gewoon een arm, versleten oud wijfje dat haar hele leven hard had gewerkt, nooit iets had bezeten, nooit een kans had gehad, niet eens had geweten wat dat was, een kans. Maar waarom dat betekende dat haar kleinzoons ook geen kans hadden, dat begreep Eugene niet goed.

'Het is zomaar iets wat ik van de educatieve dienst mee heb genomen, hoor,' zei hij. 'Voor niks. Jij zou daar ook eens moeten gaan kijken. Ze hebben daar dingen waarin ze je van zowat alle

gewassen en groentes en bomen die je hebt, uitleggen hoe je ze
moet kweken.'
    Danny, die al die tijd stil voor zich uit had zitten staren, kwam
overeind, iets te snel. Hij keek glazig uit zijn ogen en stond op zijn
benen te zwaaien. Eugene en Gum keken hem allebei aan. Hij
deed een stap achteruit. 'Die bril staat je goed,' zei hij tegen Eugene.
    'Dank je,' zei Eugene, en hij schoof hem verlegen weer om-
hoog.
    'Ja, hij staat goed,' zei Danny. Zijn ogen keken glazig, met een
gespannen soort fascinatie. 'Die zou je altijd op moeten hebben.'
Hij draaide zich om, en tegelijkertijd knikten zijn knieën door,
en hij viel op de grond.

    Alle dromen waartegen Danny zich de afgelopen twee weken had
verzet, denderden nu in één klap over hem heen, als een kolkende
watermassa uit een doorgebroken dam, vol drijfhout en wrakgoed
uit verschillende stadia van zijn leven, kriskras door elkaar mee
omlaag stortend – zodat hij weer dertien was en op een brits lag,
zijn eerste nacht in het tuchthuis (bruine B-2-blokken, enorme
ventilator op de betonnen vloer, heen en weer zwenkend alsof het
ding elk moment kon opstijgen en wegvliegen), maar ook vijf – in
de eerste klas – en negen, toen zijn moeder in het ziekenhuis lag
en hij haar zo miste, zo bang was dat ze zou doodgaan en zo bang
was voor zijn dronken vader in de andere kamer, dat hij zich, buiten zichzelf van angst, alle specerijen op de bedrukte gordijnen
die toen in zijn slaapkamer hingen in het geheugen prentte. Het
waren oude keukengordijnen; nog altijd wist Danny niet wat koriander was, of foelie, maar nog altijd zag hij die bruine lettertjes
deinen op het mosterdgele katoen (foelie, koriander, kruidnagel,
nootmuskaat), en de namen alleen al waren een gedicht dat heer
Nachtmerrie opriep, die grijnzend, met hoge hoed, aan zijn bed
kwam...
    Woelend in zijn bed was Danny al die leeftijden tegelijk en toch
ook zichzelf, twintig jaar: met een strafblad, met een verslaving,
met een virtueel vermogen bestaand uit de dope van zijn broer die
hem met schrille spookstem toeriep vanuit een geheime berg-
plaats hoog boven de stad – zodat het beeld van de watertoren in
zijn hoofd vermengd raakte met dat van een boom waar hij eens,
toen hij klein was, in was geklommen en een retrieverjonkie uit
had gegooid om te zien wat er gebeurde (het ging dood), en zijn

schuldbewuste plannen om Farish te bestelen werden afgestopt en
dooreen gehusseld met beschamende kinderleugens over racewa-
gens waarin hij had gereden en mensen die hij in elkaar had geslagen en vermoord; met herinneringen aan school, de rechtbank, de
gevangenis, en aan de gitaar waarop hij van zijn vader niet meer
had mogen spelen omdat het te veel werk kostte (waar wás die
gitaar? hij moest hem vinden, buiten in de auto zaten mensen op
hem te wachten, als hij niet opschoot gingen ze zonder hem weg).
Heen en weer geslingerd tussen al die tegenstrijdige momenten en
plaatsen rolde hij met zijn hoofd over zijn kussen. Hij zag zijn
moeder – zijn moeder! – door het raam naar hem kijken, en kon
wel huilen om de ongerustheid op haar opgezette, zachtaardige
gezicht; voor andere gezichten deinsde hij panisch achteruit. Hoe
zag je het verschil tussen de levenden en de doden? Sommigen
waren hem welgezind, anderen niet. En allemaal spraken ze tegen
hem en elkaar, ook al hadden ze elkaar tijdens hun leven nooit
gekend, liepen als zakenlui af en aan in grote groepen, en het was
moeilijk te zeggen wie waar hoorde en wat ze hier allemaal deden,
in zijn kamer, waar ze niet hoorden; hun stemmen vermengden
zich met de regen die op het zinken dak van de caravan roffelde
en zelf waren ze grijs en vormeloos als de regen.

Eugene zat – met dat vreemde geleerdenbrilletje van de drogist
– naast zijn bed. Af en toe verlicht door een bliksemflits waren hij
en de stoel waarop hij zat het enige rustpunt te midden van een
duizelingwekkende, steeds wisselende werveling van mensen. Van
tijd tot tijd leek het kamertje leeg te stromen en dan schoot Danny
recht overeind, van angst dat hij doodging, van angst dat zijn hart
stil was blijven staan en zijn bloed afkoelde en zelfs zijn geesten
van hem weg gleden...

'Ga liggen, líggen,' zei Eugene. Eugene: zo gek als een ui, maar
op Curtis na de zachtmoedigste van zijn broers. Farish had een
flinke scheut van hun vaders kwaadaardigheid meegekregen – al
was het minder sinds hij zich door zijn kop had geschoten. Dat
had hem wel wat ingetoomd. Ricky Lee had het waarschijnlijk het
ergst, die kwaadaardige inslag. Dat kwam hem in Angola goed van
pas.

Maar Eugene leek minder op pa, met zijn nicotinebruine tanden
en bokkenogen, dan op hun arme alcoholische moeder, die raas-
kallend over een Engel van God die blootsvoets op de schoorsteen
stond was gestorven. Het was een lelijke vrouw geweest, God ze-
gene haar, en Eugene – die ook lelijk was, met zijn dicht bijeen-

staande ogen en zijn brave knobbelneus – leek van gezicht heel veel op haar. Die bril had iets wat het afstotelijke van zijn litteken verzachtte. *Poef*: het weerlicht voor het raam zette hem van achteren in een blauwe gloed; achter het brillenglas leek de over zijn linkeroog uitwaaierende brandvlek wel een rode ster. 'Het probleem is,' zei hij, zijn handen tussen zijn knieën geklemd, 'dat ik niet doorhad dat je het kruipende serpent niet kan afzonderen van de hele rest van de schepping. Als je dat wel doet, allemachtig, dan bíjt hij je toch.' Danny staarde hem verwonderd aan. Die bril gaf hem iets onnatuurlijk ontwikkelds, als een schoolmeester uit een droom. Toen Eugene uit de gevangenis terugkwam had hij opeens de gewoonte in lange, onsamenhangende alinea's te spreken – als een man die tegen vier muren praat, en niemand heeft die ernaar luistert – en ook daarin leek hij op hun moeder, die woelend in haar bed tegen niet-aanwezig bezoek praatte en Eleanor Roosevelt en Jesaja en Jezus aanriep.

'Kijk,' zei Eugene, 'die slang, hè, dat is een dienaar des Heren, het is Zijn schepsel. Noach heeft hem met de andere in zijn ark meegenomen. Je kan niet zomaar zeggen van "och, de ratelslang is slecht", want God heeft álles gemaakt. Álles is goed. Zijn hand heeft het reptiel geschapen, evengoed als Dezulke het kleine lammetje heeft geschapen.' En hij richtte zijn blik op een hoekje waarin het licht niet echt doordrong, waar Danny, vol afgrijzen met zijn vuist een gil smorend, het hijgende zwarte beest uit zijn oude nachtmerrie zag, huiverend, wringend, klein en bezeten zwoegend op de vloer voor Eugenes voeten... en al was het niets noemenswaardigs, was het eerder erbarmelijk dan gruwelijk, toch was die vunzige fladderende vleug stank voor Danny een gruwel die elk bloedvergieten, elke beschrijving tartte: zwarte vogel, zwarte mannen en vrouwen en kinderen, elkaar verdringend om de beschutting van de beekoever, doodsangst en explosie, de gore smaak van olie in zijn mond en een siddering alsof zijn hele lichaam uiteenviel: verkrampte spieren, geknapte pezen, ontbindend in zwarte veren en uitgebleekt gebeente.

Ook Harriet schoot – diezelfde ochtend in alle vroegte, toen het buiten net licht was – in paniek recht overeind in haar bed. Wat haar bang had gemaakt, wat ze had gedroomd wist ze nauwelijks nog. De zon was op, maar pas net. Het regende niet meer en het was stil en schemerig in de kamer. Uit Allisons bed werd ze over een bult van beddengoed strak aangestaard door een rommelig hoopje teddyberen en een schele kangoeroe; van Allison zelf was alleen een lange sliert haar zichtbaar, wijd uitgewaaierd over het kussen gevlijd als het haar van een verdronken meisje dat vlak onder de waterspiegel drijft.

Er lagen geen schone blouses in het kastje. Zachtjes schoof ze Allisons la open – en vond daar tussen de warboel van vuile kleren tot haar vreugde een gestreken en netjes opgevouwen blouse, een oude padvindstersblouse. Ze hield hem tegen haar gezicht en snoof, lang, dromerig: hij rook nog heel vaag naar Ida's was.

Ze trok haar schoenen aan en ging op haar tenen naar beneden. In het hele huis heerste stilte, op het tikken van de klok na, en de rommelige bende leek op de een of andere manier minder morsig in het ochtendlicht, dat warm glanzend over de trapleuning en het stoffige mahonie tafelblad viel. In het trappenhuis lachte het verleidelijke portret van haar moeder als schoolmeisje: roze lippen, witte tanden, reusachtige schitterogen met witte sterretjes die, *ting*, vonkten in verblinde pupillen. Harriet sloop erlangs – als een inbreker langs een bewegingsmelder, diep voorovergebogen – naar de zitkamer, waar ze zich bukte en de revolver onder Ida's stoel uit trok.

In de garderobekast op de gang zocht ze iets om hem in te vervoeren, en vond een stevige plastic tas met een koordje. Maar toen ze zag dat de vorm door het plastic heen duidelijk herkenbaar was haalde ze hem er weer uit, wikkelde hem in een paar dikke lagen krantenpapier en slingerde het bundeltje over haar schouder, als Dick Whittington in het verhalenboek, die erop uitgaat om zijn geluk te zoeken.

Zodra ze naar buiten stapte begon er een vogel te fluiten, bijna in haar oor leek het wel: een zoet, helder, ladderend deuntje dat opbruiste en daalde en weer aanzwol. Hoewel augustus nog niet voorbij was tintelde er iets stoffigs en koels, iets herfstigs, in de ochtendlucht; de zinnia's in de tuin van mevrouw Fountain – voetzoekerrood, vurig oranje en goud – begonnen te knikkebollen, hun voddige kopjes sproetig en verblekend.

Afgezien van de vogels – die luid en doordringend zongen, met een manisch, aan radeloosheid grenzend optimisme – was de straat stil en verlaten. Op een leeg grasveld sisselde een sproeier; de straatlantaarns, de verlichte veranda's gloeiden in langgerekt, leeg perspectief en zelfs het nietige geluid van haar voetstappen op het wegdek leek te galmen en ver te dragen.

Bedauwd gras, natte straten die zich zwart en breed uitrolden

alsof ze eindeloos doorliepen. Naarmate ze dichter bij het goederenemplacement kwam werden de gazons kleiner en de steeds
dichter opeenstaande huizen armoediger. Een paar straten verderop – in de richting van de Italiaanse wijk – passeerde ronkend een
eenzame auto. De cheerleaderrepetities begonnen nu weer gauw,
hier vlakbij, op het beschaduwde terrein van het Oude Ziekenhuis. Harriet had ze daar al een paar ochtenden horen schreeuwen
en gillen. Na Natchez Street waren de trottoirs hobbelig, gebarsten en
heel smal, nog geen halve meter breed. Ze liep langs dichtgespijkerde woningen met verzakte veranda's, tuinen met roestige bu-
tagastanks en gras dat al in weken niet meer gemaaid was. Een
oranjerode chow-chow met een verklitte vacht sprong met luid
gerammel tegen zijn draadgaashek op, blikkerende tanden in zijn
blauwe bek: tsjop-tsjop. Hoe vals hij ook was, die chow-chow, toch
had Harriet met hem te doen. Zo te zien had hij nog nooit van zijn
leven een wasbeurt gehad, en 's winters lieten zijn baasjes hem
buiten met alleen een aluminium taartvorm met bevroren water.

Langs het voedselbonnenkantoortje, langs de uitgebrande supermarkt (door de bliksem getroffen, nooit herbouwd), daarna
sloeg ze af, de grindweg op naar het goederenemplacement en de
watertoren van het spoor. Het stond haar niet duidelijk voor ogen
wat ze ging doen of wat er voor haar lag – en daar kon ze ook
maar beter niet te veel over nadenken. Angstvallig hield ze haar
blik op het natte grind gericht, dat vol zwarte twijgjes en beblader-
de takken lag, afgewaaid bij het onweer van de vorige avond.

Lang geleden had de watertoren de stoomlocomotieven van
water voorzien, maar of hij nu nog ergens voor diende wist ze
niet. Een paar jaar eerder waren Harriet en een jongen, Dick Pillow, naar boven geklommen om te zien hoe ver ze vandaar konden uitkijken – en dat was aardig ver, bijna tot aan de Interstate.
Ze had gefascineerd naar het uitzicht gekeken: wasgoed wapperend aan lijnen, puntdaken als een zee van origami-arken, rode
daken, groene daken, zwarte en zilveren daken, daken van hout en
van koper, van teer en van zink, die zich daarbeneden uitstrekten
tot in de heiige dromerige verte. Alsof je naar een ander land
keek. Het panorama had iets feeërieks en speelgoedachtigs dat
haar deed denken aan foto's die ze weleens van het Verre Oosten
had gezien – van China, van Japan. Daarachter kroop de rivier,
zijn gele oppervlak vol plooien en glinstering, en de afstanden
leken zo onmetelijk dat je je vlak achter de einder, voorbij de mod-

derige drakenkronkels van de rivier, moeiteloos een fonkelend opwindbaar Azië kon voorstellen, tinkelend, gonzend, klingelend met zijn miljoenen miniatuurklokjes.

Het uitzicht had haar zo gefascineerd dat ze nauwelijks op het reservoir had gelet. Al deed ze nog zo haar best, ze kon zich niet meer precies voor de geest halen hoe het er bovenop uitzag of hoe het was gebouwd, alleen dat het van hout was en dat er in het dak een deurtje was uitgesneden. In haar herinnering mat het ruim een vierkante meter, met scharnieren en een handvat als van een keukenkastje. Al had ze dan zo'n levendige verbeelding dat ze nooit zeker wist wat ze zich echt herinnerde en waarmee haar fantasie de lege plek had ingekleurd, hoe meer ze aan Danny Ratliff dacht, ineengehurkt boven op de toren (zijn gespannen houding, de opgejaagde blikken die hij steeds achterom wierp), des te sterker kreeg ze het idee dat hij iets verstopte, of zichzelf wilde verstoppen. Maar wat ze steeds weer voor zich zag was die gespannen, verknipte opgejaagdheid in zijn ogen toen zijn blik rakelings langs de hare ging, en plotseling oplichtte, als een zonnestraal die op een seinspiegel viel: het was of hij een code terugkaatste, een noodsignaal, een herkenningsteken. Hoe dan ook, *hij wist dat ze hier ergens was*; ze bevond zich binnen het bereik van zijn bewustzijn; het rare was (en Harriet werd er koud van toen dat tot haar doordrong) dat Danny Ratliff de enige mens in lange tijd was die echt naar haar had gekéken.

De zonverlichte spoorlijnen blonken als donker kwik, slagaderen die zich vanuit de wissels zilverig vertakten; de oude telegraafpalen waren bepruikt met kudzu en wilde wingerd, en daarboven verhief zich de watertoren, het hout verbleekt door de zon. Harriet liep er met behoedzame stappen naartoe over de met onkruid overgroeide open plek. Ze liep eromheen, en nog eens, en weer, steeds weer om de verroeste metalen poten heen, op een paar meter afstand.

Toen, na een zenuwachtige blik over haar schouder (geen auto's, en ook geen autogeluiden, niets dan vogelgetjilp), liep ze ernaartoe om de ladder te bekijken. De onderste sport was hoger dan ze zich herinnerde. Iemand die heel lang was hoefde misschien niet te springen om erop te komen, maar ieder ander wel. Toen ze hier twee jaar geleden met Dick was had ze op zijn schouders gestaan en was hij op het bananenzadel van zijn – gevaarlijk wiebelende – fiets geklommen om achter haar aan te komen.

Paardenbloemen, plukjes dor gras oppiekend tussen het grind, bezeten tsjirpende krekels: alsof ze wisten dat de zomer ten einde liep, dat ze binnenkort zouden sterven, en het dringende van hun lied gaf de ochtend iets geladens, onbestendigs en onrustigs. Harriet bekeek de poten van het reservoir: metalen dubbele-T-stukken, met om de halve meter een langwerpig gat, enigszins schuin binnenwaarts oplopend naar het reservoir. Hogerop werd de onderbouw bijeengehouden door metalen stangen, die elkaar diagonaal kruisten in een reusachtige X. Als ze zich ver genoeg langs een voorpoot omhoog slingerde (het was een heel eind naar boven; ze was niet zo goed in afstanden schatten) kon ze misschien over een van die laagste dwarsstangen voetje voor voetje schuifelend bij de ladder komen.

Vol goede moed ging ze van start. Haar snee was wel genezen, maar omdat de palm van haar linkerhand nog gevoelig was moest ze vooral haar rechterhand gebruiken. De gaten waren net groot genoeg om er haar vingers en de neuzen van haar gympen in te kunnen klemmen.

Hijgend klom ze omhoog. Het ging maar langzaam. De staander zat dik onder het roeststof, dat steenrood afgaf op haar handen. Hoewel ze geen last had van hoogtevrees – hoogtes vond ze heerlijk, ze was gek op klimmen – had ze maar weinig houvast, en ze moest elke centimeter bevechten.

Ook al val ik, hield ze zich voor, *dan nog val ik niet dood*. Ze was vaak van grote hoogte gevallen (en gesprongen) – van het dak van het schuurtje, de dikke tak van de pecannotenboom bij Edie in de tuin, de steigers bij de presbyteriaanse kerk – en ze had nog nooit iets gebroken. Toch voelde ze zich op die hoogte aan spiedende blikken blootstaan, en bij elk geluidje van beneden, elk kraakje of vogelkreetje wilde ze wegkijken van de roestige balk vijftien centimeter voor haar neus. Zo dichtbij was die balk een wereld op zichzelf, het kale oppervlak van een roestrode planeet...

Haar handen begonnen gevoelloos te worden. Op het schoolplein – bij een wedstrijdje touwtrekken, of hangend aan een touw of aan de bovenste stang van een klimrek – werd ze weleens bekropen door de vreemde aanvechting om haar greep losser te maken en zich te laten vallen, en tegen die aanvechting moest ze zich ook nu verzetten. Ze hees zich verder omhoog, klemde haar kiezen op elkaar, bundelde al haar kracht in haar pijnlijke vingertoppen, en opeens trilde er een rijmpje uit een oud kinderboek los, en klingelde door haar hoofd:

Ouwe baas Tsjang, ik hoor het zo vaak,
Jij loopt met een mand op je bol over straat,
Je snijdt je vlees met een schaartje of twee,
En je hebt ook twee stokjes, daar eet je het mee...

Met haar laatste wilskracht greep ze de onderste dwarsbalk en trok zich op. Ouwe baas Tsjang! Als klein meisje was ze doodsbang geweest voor het plaatje in het vertelboek: met zijn Chinese punthoed, zijn sliertdunne hangsnor en zijn langwerpige sluwe mandarijnenogen, maar het allerengst vond ze het smalle schaartje dat hij ophield, o zo fijntjes, en zijn langgerekte dunne spottende glimlach... Ze pauzeerde even om haar positie te taxeren. Nu – en dat was het lastigste stukje – moest ze haar been voor zich uit door de lucht naar de dwarsbalk zwaaien. Ze haalde diep adem en hees zich op, de leegte in.

Van opzij kwam een scheef, gekanteld beeld van de grond haar tegemoet, en een volle seconde was Harriet ervan overtuigd dat ze viel. Het volgende moment zat ze opeens schrijlings op de stang, die ze als een luiaard omklemde. Ze zat nu heel hoog, hoog genoeg om haar nek te breken, en ze sloot haar ogen en rustte even uit, haar wang tegen het ruwe ijzer.

Ouwe baas Tsjang, ik hoor het zo vaak,
Jij loopt met een mand op je bol over straat,
Je snijdt je vlees met een schaartje of twee...

Voorzichtig deed ze haar ogen open, zette zich schrap tegen de staander en ging rechtop zitten. Wat was ze nu hoog boven de grond! Precies zo had ze gezeten – schrijlings op een tak, haar onderbroek bemodderd en haar benen vol stekende mieren – die keer dat ze in een boom was geklommen en er niet meer uit kon. Dat was de zomer na de eerste klas. Ze was afgedwaald – van godsdienstles, was dat het? En ze was tot bovenin geklauterd, onverschrokken, 'Je lijkt wel een eekhoorn!' verbaasde de oude man zich die Harriets vlakke, beschaamde stemmetje vanuit de hoogte om hulp had horen roepen.

Langzaam en met beverige knieën kwam ze overeind, zich vastklampend aan de staander. Ze pakte over naar de dwarsstang boven zich en begon – hand over hand – over te steken. Nog zag ze die oude man, met zijn bochel en zijn rooddooraderde platte ge-

zicht, tussen een wirwar van takken door naar haar omhoog turen.
'Van wie ben jij er een?' had hij schor omhoog geroepen. Hij
woonde in het grijsgepleisterde huis naast de baptistenkerk, die
oude man, daar woonde hij in zijn eentje. Nu was hij dood en was
er in zijn voortuin alleen nog maar een stronk waar de pecannotenboom had gestaan. Wat was hij geschrokken toen hij haar emo-
tieloze kreetjes ('Help... help...') vanuit het niets omlaag had horen
zweven – hij had omhoog, omlaag, om zich heen en naar alle kanten gekeken, alsof hij door een geest op zijn schouder was getikt!
De hoek in de x was te nauw om in te kunnen staan. Harriet
ging weer zitten, schrijlings over twee stangen, en greep de stangen tegenover zich vast. Dat snijpunt was lastig; ze had niet veel
gevoel meer in haar handen, en haar hart maakte een woeste buiteling toen ze zich – haar armen trillend van vermoeidheid – door
de leegte naar de overkant slingerde...
Nu was ze veilig. Ze liet zich omlaag glijden, over de lagere lin-
kerdwarsstang van de x, alsof ze bij haar thuis van de trapleuning
gleed. Hij was een gruwelijke dood gestorven, die oude man, en
Harriet kon er bijna niet aan denken. Er was bij hem ingebroken
en de dieven hadden hem gedwongen naast zijn bed op de grond
te gaan liggen en hem met een honkbalknuppel buiten westen
geslagen; toen zijn buren ongerust werden en poolshoogte gingen
nemen, bleek hij dood in een plas bloed te liggen.
Ze was tot stilstand gekomen tegen de staander aan de overkant; de ladder zat er vlak achter. Het was niet zo'n lastig stukje,
maar ze was moe en begon onvoorzichtig te worden, en pas toen
ze de ladder vastpakte flitste er een schok van paniek door haar
lichaam, want ze was uitgegleden en had zich nog net op het nippertje schrap kunnen zetten. Nu lag het achter haar, dat gevaarlijke moment, nog voor ze had beseft dat ze in gevaar was.
Ze sloot haar ogen en hield zich stijf vast tot haar ademhaling
gelijkmatiger werd. Toen ze ze weer opendeed was het net of ze
aan de touwladder van een heteluchtballon hing. De hele aarde
leek zich in een panoramisch vergezicht voor haar uit te spreiden,
als het vergezicht vanaf het kasteel in haar oude verhalenboek *Uit
het torenraam*:

De lichtval speelt op het kasteel
En op sneeuwtoppen vol verhaal,
De weerschijn scheert over het meer
En de waterval daalt magistraal....

Maar voor dagdromen had ze geen tijd. Het geronk van een sproeivliegtuigje – dat ze heel even voor een auto hield – joeg haar de stuipen op het lijf, en ze draaide zich weer om en klauterde zo snel ze kon verder de ladder op.

Danny lag stil op zijn rug naar het plafond te staren. Het licht was hard en scherp; hij voelde zich slap, alsof hij koorts had gehad, en plotseling drong het tot hem door dat hij al een hele tijd naar dezelfde streep zon lag te kijken. Ergens buiten hoorde hij Curtis iets zingen, een woord als 'gumjum' of zoiets, steeds opnieuw, en terwijl hij daar zo lag werd hij zich langzaam bewust van een vreemd bonkend geluid op de vloer naast zijn bed, als van een hond die zich krabde.

Moeizaam kwam hij op zijn ellebogen overeind – en deinsde hevig geschrokken achteruit toen hij Farish (armen over elkaar, tikkende voet) op de door Eugene verlaten stoel naar zich zag zitten kijken, met een zuigende, broedende blik. Zijn knie wipte onrustig, zijn baard was kleddernat om zijn mond, alsof hij ergens mee had gemorst of kwijlend op zijn lippen had zitten kauwen.

Voor het raam kwetterde een vogel – een sijsje of hoe heette dat, een kort, zoet *twiedeldie*, net als op de televisie. Danny verschoof en wilde juist rechtop gaan zitten toen Farish naar voren schoot en hem een por tegen zijn borst gaf.

'O nee, dat had je gedacht.' Zijn amfetamineadem sloeg Danny warm en stinkend in het gezicht. 'Ik heb jou dóór, vuile hufter.'

'Schei uit,' zei Danny lusteloos en hij wendde zijn gezicht af, 'laat me even opstaan.'

Farish leunde achterover, en even doemde zijn gestorven vader – armen over elkaar – vlammend op uit de hel, en keek hem door Farish' ogen woest en smalend aan.

'Kop dicht,' zei hij en duwde Danny terug op het kussen, 'geen woord van jou, jij doet wat ík zeg. En je brengt mij nú verslag uit.'

Danny bleef doodstil liggen, verbouwereerd.

'Ik heb verhoren meegemaakt,' zei Farish, 'en mensen die onder de dope zaten. Slórdigheid. Dat gaat ons allemaal nog eens opbreken. Slaapgolven zijn magnétisch,' zei hij en hij tikte met twee vingers tegen zijn voorhoofd, 'vat je wel? Vat je wel? Die kunnen je hele mentaliteit wegvagen. Je stelt je bloot aan een elektromagnetische kracht die je hele loyaliteitssysteem in één klap definitief naar de kloten helpt.'

Hij is echt van de pot gerukt, dacht Danny. Farish streek luid snuivend met een hand door zijn haar – huiverde, en wapperde er toen met wijd gespreide vingers mee door de lucht alsof hij iets slijmerigs of smerigs had aangeraakt.

'Geen geintjes!' brulde hij, toen hij Danny naar zich zag kijken. Danny sloeg zijn blik neer – en zag Curtis, kin ter hoogte van de drempel, door de open deur van de caravan naar binnen gluren. Hij was oranje om zijn mond, alsof hij met zijn grootmoeders lippenstift had gespeeld, en hij had een geheimzinnige, glunderende uitdrukking op zijn gezicht.

Blij met die afleiding lachte Danny tegen hem. 'Hé daar alligator,' zei hij, maar voor hij kon vragen wat dat voor oranje was om zijn mond, draaide Farish zich om zijn as, slingerde een arm omhoog – als een dirigent, zo'n hysterische baardige Rus – en krijste: 'Weg weg wég!'

Ogenblikkelijk was Curtis verdwenen: bonk bonk bonk het ijzeren trapje van de caravan af. Danny kwam voorzichtig overeind, maar net toen hij uit bed wilde kruipen draaide Farish zich bliksemsnel weer om en stak een priemende vinger naar hem uit.

'Zei ik opstaan? Heb ik dat gezegd?' Zijn gezicht was bijna paars aangelopen. 'Ik zal je eens even wat uitleggen.'

Danny ging gewillig zitten.

'We opereren met militaire waakzaamheid. Verstaan? Verstáán?'

'Verstaan,' zei Danny toen hij eenmaal doorhad wat er van hem werd verwacht.

'Goed, daar gaan we dan. Dit zijn de vier niveaus' – Farish telde ze af op zijn vingers – 'in het systeem. Code Gróén. Code Géél. Code Oránje. Code Róód. Oké.' Hij stak een trillende wijsvinger op. 'Misschien dat je op grond van je ervaring met het besturen van een motorrijtuig wel kan raden waar Code Groen voor staat.'

'Start?' zei Danny, na een lange, vreemde, slaperige stilte.

'Pósitief. Pósitief. Alles Startklaar. Bij Code Groen ben je op je gemak en niet op je hoede en dreigt er geen gevaar uit de omgeving. En nou goed luisteren,' zei Farish, tussen opeengeklemde tanden. 'Er is geen Code Groen. Code Groen bestaat niet.'

Danny staarde naar een kluwen oranje en rode verlengsnoeren op de vloer.

'Code Groen is geen optie en ik zal je zeggen waarom niet. En ik zeg het maar één keer.' Hij begon te ijsberen – nooit zo'n goed teken bij Farish. 'Als je op Code Groen-niveau wordt aangevallen, ben je er geweest.'

Vanuit zijn ooghoek zag Danny Curtis' mollige knuistje omhoogkomen en een pakje Sweet Tarts op de vensterbank van het open raam naast zijn bed leggen. Onhoorbaar schoof Danny erheen en bracht het geschenk in veiligheid. Curtis' vingers wapperden even ter bevestiging en zakten toen tersluiks uit het zicht. 'Momenteel opereren we met Code Oránje,' zei Farish. 'Bij Code Oranje is het gevaar duidelijk aanwezig en ben je daar te állen tijde alert op. Te állen tijde, hoor je.'

Danny duwde het pakje Sweet Tarts onder zijn kussen. 'Relax, man,' zei hij, 'zit je toch niet zo op te fokken.' Dat had hij op... tja, ontspannen toon willen zeggen, maar toch klonk het zo niet, en Farish draaide zich bliksemsnel om. Zijn gezicht, vlekkerig en gezwollen en paars aangelopen, was vertrokken en sidderde van razernij.

'Weet je wat,' zei hij onverwachts. 'We gaan een eindje rijden, jij en ik. *Ik kan je gedachten lezen, stomme eikel!*' loeide hij, tegen de zijkant van zijn hoofd beukend terwijl Danny hem verbluft aangaapte. 'Denk maar niet dat je mij die vuile streken van je kan flikken.'

Danny deed zijn ogen even dicht en toen weer open. Hij moest pissen als een rund. 'Hoor nou even, man,' zei hij smekend, terwijl Farish op zijn lip zat te knauwen en kwaad naar de vloer staarde, 'hou je gemak nou eens even. Kalm aan,' zei hij, met opgestoken handpalmen, toen Farish opkeek – iets te vlug, zijn blik iets te gejaagd en te ongericht.

Voor hij het wist had Farish hem bij zijn kraag omhoog gesleurd en in zijn gezicht gestompt. 'Ik heb jou door, mannetje,' siste hij, en hij greep hem bij zijn overhemd en rukte hem weer omhoog. 'Ik ken jou vanbinnen en vanbuiten. Lul.'

'Farish –' Versuft van de pijn voelde Danny aan zijn kaak en wrikte hem heen en weer. Zo ver moest je het dus nooit laten komen. Farish woog minstens veertig kilo meer dan Danny.

Farish kwakte hem weer op bed. 'Doe je schoenen aan. Jij rijdt.'

'Prima,' zei Danny, over zijn kaak wrijvend, 'waarheen?' en als dat brutaal klonk (en dat klonk het) dan kwam dat onder andere doordat Danny altijd reed, waar ze ook heen gingen.

'Geen geintjes.' Een klinkende klap met de rug van de hand midden in zijn gezicht. 'Als er ook maar een grámmetje van dat spul ontbreekt – nee, zitten jij, zei ik opstaan?'

Zonder een woord te zeggen ging Danny zitten en wurmde zijn blote, plakkende voeten in zijn motorlaarzen.

'Mooi zo. Blijf zo maar kijken.'

De hordeur van Gums caravan kreunde, en even later hoorde Danny haar op haar sloffen door het grind aan komen schuifelen.

'Farish?' riep ze, met haar schriele, dorre stemmetje. 'Alles goed? Farish?' Typerend, dacht Danny, echt weer typerend dat hij het was waar ze zich zorgen over maakte.

'Staan,' zei Farish. Hij greep Danny bij de elleboog, trok hem mee naar de deur en gaf hem een zet naar buiten.

Danny, die voorover het trapje af zeilde, landde op zijn buik op de grond. Terwijl hij opstond en zich afklopte bleef Gum met een uitdrukkingsloos gezicht staan: knokig en gelooid, net een hagedis in haar dunne duster. Uiterst traag wendde ze haar blik af, en zei tegen Farish: 'Wat heeft díé?'

Daarop verhief Farish zich in de deuropening. 'O, reken maar dat die wat hééft,' loeide hij. 'Zíj ziet het ook al! O ja, jij denkt wel dat je míj wat wijs kan maken' – hij lachte, een onnatuurlijk hoog lachje – 'maar je maakt je eigen grootmoeder nog geeneens wat wijs!'

Gum tuurde langdurig naar Farish en toen naar Danny, haar oogleden half dichtgezakt en in permanente slaapstand door het cobragif. Daarna stak ze haar hand uit, pakte het vel van Danny's bovenarm vast en draaide het om, tussen duim en wijsvinger – hard, maar met zo'n geniepig licht gebaar dat haar gezicht en kleine felle oogjes er kalm bij bleven.

'O Farish,' zei ze, 'doe toch niet zo streng tegen hem,' maar met een ondertoon die liet doorschemeren dat Farish alle reden had om streng tegen Danny te doen, en niet zo zuinig ook.

'Poe!' riep Farish. 'Het is ze gelukt,' zei hij alsof hij het tegen verborgen camera's in de omringende bomen had. 'Ze hebben hem te grazen. Mijn eigen broer.'

'Waar heb je het over?' vroeg Danny in de geladen, zinderende stilte die daarop volgde, en hij schrok ervan hoe zwakjes en onoprecht zijn stem klonk.

In zijn verwarring ging hij achteruit toen Gum heel, heel langzaam het trapje van Danny's caravan op schuifelde tot waar Farish stond, met vuur schietende ogen en hard snuivend – stinkende, warme pufjes. Danny moest zich afwenden, hij kon er niet eens naar kijken, want hij besefte maar al te scherp dat Farish razend werd van haar traagheid, er gek van werd, er zo psychotisch van begon te worden dat het zijn ogen uitknalde, zoals hij daar als een idioot met die voet stond te tikken, hoe kón ze in jezusnaam zo gestoord sloom doen? Iedereen merkte (iedereen behalve Farish) dat hij al begon te trillen van irritatie als hij met haar in één kamer was (*schraap schraap*), er witheet van werd, hels, knetter – maar ja, Farish werd natuurlijk nooit kwaad op Gum, reageerde zijn frustratie alleen op alle anderen af.

Toen ze eindelijk de bovenste tree had bereikt, zag Farish vuurrood, zijn hele lichaam schuddend als een machine die elk moment kon ontploffen. Heel voorzichtig stak ze een onderdanige hand omhoog en tikte hem op zijn mouw.

'Is het echt zo belangrijk?' vroeg ze, op een vriendelijke toon waaruit tegelijk viel op te maken dat het wel degelijk heel belangrijk was.

'Ja verdomme!' brulde Farish. 'Ik laat me niet bespioneren! Ik laat me niet bestelen! Ik laat me niet beliegen – nee, nee,' zei hij, met een ruk van zijn hoofd bij wijze van reactie op haar lichte, vliesdunne klauwtje op zijn arm.

'Hè toe. Gum vindt het toch zo sneu dat jullie niet met elkaar kunnen opschieten.' Maar daarbij keek ze naar Danny.

'Mij hoef je niet sneu te vinden!' tierde Farish. Theatraal posteerde hij zich voor Gum, alsof Danny elk moment op hen af kon stormen en ze allebei vermoorden. 'Hém moet je sneu vinden!

'Ik vind jullie allebei niet sneu.' Ze schuifelde langs Farish door de open deur Danny's caravan in.

'Alsjeblieft, Gum,' zei Danny wanhopig, en hij kwam zo dichtbij als hij durfde, rekte zich en zag het roze van haar verschoten duster in het schemerdonker verdwijnen. 'Ga alsjeblieft niet naar binnen.'

'Góéiedag,' hoorde hij haar zwakjes zeggen. 'Ik zal dat bed eens even gaan opmaken...'

'Maak je daar maar niet druk over!' zei Farish, met een woedende blik naar Danny, alsof het allemaal zíjn schuld was.

Danny schoot langs Farish heen de caravan in. 'Niet doen, Gum,' zei hij angstig, 'alsjeblíéft.' Farish ging steevast volledig door het lint wanneer Gum het in haar hoofd haalde om bij Danny of Gene 'de boel op te ruimen', iets wat ze trouwens geen van beiden wilden. Toen hij eens, jaren geleden (en dat zou hij nooit vergeten), binnenkwam bleek ze bezig zijn kussen en beddengoed systematisch met insectenverdelger te bespuiten...

Gum slofte Danny's slaapkamer in en zei: 'Goeie God, wat zijn die gordijnen vies.'

Er viel een lange schaduw over de drempel naar binnen. 'Ik dacht dat ík met jou aan het praten was,' zei Farish op zachte, angstaanjagende toon. 'Kom hier, godverdomme, en lúíster.' Met een abrupt gebaar greep hij Danny bij de achterkant van zijn overhemd en slingerde hem weer het trapje af, tussen de aangestampte aarde en de rotzooi op het erf (kapotte tuinstoelen, lege bier- en frisdrankblikjes en WD-40-spuitbussen en een heel slagveld van schroeven, transistoren, radertjes en gesloopte apparaten), sprong voor Danny overeind had kunnen komen naar beneden en gaf hem een gemene trap in zijn ribben.

'En waar ga jij de laatste tijd heen als je in je eentje een ritje gaat maken?' schreeuwde hij. 'Hè? Hè?'

De schrik sloeg Danny om het hart. Had hij in zijn slaap gepraat?

'Je zei dat je Gums overschrijvingen op de bus ging doen. Maar dat heb je niet gedaan. Die hebben nog twee dagen op de voorbank gelegen nadat jij terugkwam van god weet waar, met je banden een halve meter dik onder de modder, dat heb je toch zeker niet gekregen van een ritje door Main Street naar het postkantoor?'

Hij gaf Danny nog een trap. Danny rolde zich op zijn zij tot een bal, zijn armen stijf om zijn knieën.

'Doet Catfish soms met je mee?'

Danny schudde zijn hoofd. Hij proefde bloed in zijn mond.

'Want ik maak hem af. Ik maak die nikker af. Ik maak jullie allebei af.' Farish trok het portier aan de passagierskant van de Trans Am open, greep Danny bij zijn nekvel en slingerde hem naar binnen.

'Jij rijdt,' schreeuwde hij.

Danny vroeg zich af hoe hij dat dan moest doen, aan de verkeerde kant van de auto, en voelde aan zijn bloedneus. *Goddank dat ik niet heb gebruikt*, dacht hij en veegde met de rug van zijn hand langs zijn mond, gescheurde lip en al, *goddank dat ik niet heb gebruikt, anders werd ik gek...*

'Rije?' zei Curtis vrolijk terwijl hij naar het open raampje kwam hobbelen, en hij maakte een *vroem vroem*-geluid met zijn oranjebesmeurde lippen. Toen zag hij, onthutst, het bloed op Danny's gezicht.

'Nee, boefje,' zei Danny, 'jij gaat niet rije,' maar opeens betrok Curtis' gezicht, en hij draaide zich om, met stokkende adem, en maakte zich uit de voeten terwijl Farish het portier aan de stuur-

kant opentrok: *klik.* Een kort fluitje. 'Erin,' zei hij en voor Danny
het besefte waren de twee Duitse herders van Farish op de achterbank gesprongen. De ene, die Van Zant heette, hijgde luid in zijn
oor; zijn adem was heet en stonk naar bedorven vlees.
Danny's maag trok samen. Dat was een slecht teken. Die honden waren afgericht op aanvallen. De teef was een keer uit haar
hok ontsnapt en had Curtis dwars door zijn spijkerbroek zo hard
in zijn been gebeten dat het in het ziekenhuis moest worden gehecht.
'Alsjeblíéft, Farish,' zei hij toen die de stoel liet terugklappen en
achter het stuur ging zitten.
'Kop dicht.' Farish staarde recht voor zich uit, met een vreemd
lege blik. 'De honden gaan mee.'
Danny begon demonstratief in zijn zak te voelen. 'Als ik moet
rijden moet ik mijn portefeuille bij me hebben.' Maar wat hij
eigenlijk bij zich wilde hebben was een wapen, al was het maar
een mes.
Het was kokend heet in de auto. Danny slikte. 'Farish?' zei hij.
'Als ik moet rijden moet ik mijn rijbewijs bij me hebben. Ik ga het
even pakken.'
Farish zat onderuitgezakt, sloot zijn ogen en bleef zo even zitten – doodstil, de oogleden trillend, alsof hij een dreigende hartaanval probeerde af te weren. Toen, heel plotseling, schoot hij
rechtop en brulde uit volle borst: 'Eugéne!'
'Hé,' zei Danny boven het oorverdovende geblaf op de achterbank uit, 'die hoef je daar echt niet voor te roepen, ik ga het zelf
wel even pakken, oké?'
Hij pakte de kruk van het portier. 'Hé, dat zag ik!' riep Farish.
'Farish –'
'En dat ook!' Farish' hand schoot naar de bovenkant van zijn
laars. *Heeft hij daar soms een mes zitten?* dacht Danny. *Fijn.*
Amechtig van de hitte, over zijn hele lijf trillend van de pijn,
bleef hij even stil zitten nadenken. Hoe kon hij het nou zo aanpakken dat Farish niet meteen weer door het behang ging?
'Aan deze kant kan ik niet rijden,' zei hij ten slotte. 'Ik ga mijn
portefeuille even pakken en dan wisselen we van plaats.'
Hij sloeg oplettend zijn broer gade. Maar Farish was momenteel elders met zijn gedachten. Hij had zich naar de achterbank
omgedraaid en liet de Duitse herders zijn gezicht aflebberen.
'Die honden,' zei hij dreigend en hief zijn kin op onder hun fanatieke liefkozingen, 'die honden betekenen meer voor me dan

alle mensen die er ooit zijn gebóren. Ik geef meer om die honden dan om alle mensenlevens die er ooit zijn gelééfd.'

Danny wachtte. Farish kuste en aaide de honden en mompelde tegen ze in een onduidelijk babytaaltje. Na een paar tellen (die UPS-overall mocht dan lelijk zijn, één ding beviel Danny er wel aan: Farish kon er nauwelijks of eigenlijk geen vuurwapen onder verbergen) deed hij behoedzaam het portier open, stapte uit en liep het erf over.

Zacht knarsend ging de deur van Gums caravan open, met een rubberachtig ijskastgeluid. Eugene stak zijn hoofd naar buiten. 'Zeg maar dat ik niet op die toon wil worden aangesproken.'

Er werd hard getoeterd, waardoor de herders opnieuw als gekken begonnen te blaffen. Eugene schoof zijn bril naar de punt van zijn neus en gluurde over Danny's schouder. 'Ik zou die beesten niet in de auto laten meerijden, als ik jou was,' zei hij.

Farish wierp zijn hoofd in zijn nek en brulde: 'Terugkomen! Nú!'

Eugene haalde diep adem en wreef met zijn hand over zijn nek. Bijna zonder zijn lippen te bewegen zei hij: 'Als hij niet weer in Whitfield belandt, vermoordt hij nog eens iemand. Toen hij hier vanochtend binnenkwam wou hij me in brand steken.'

'Wat?'

'Jij sliep,' zei Eugene, en hij keek ongerust over Danny's schouder naar de Trans Am; wat er ook aan de hand was met Farish en die auto, het maakte hem bloednerveus. 'Hij haalde zijn aansteker uit zijn zak en zei dat hij de rest van mijn gezicht weg ging branden. Ga niet met hem in de auto. Niet met die honden erbij. Je weet nooit wat hij gaat doen.'

Uit de auto schreeuwde Farish: 'Laat ik je niet hoeven halen!'

'Hoor eens,' zei Danny, zenuwachtig achterom kijkend naar de Trans Am, 'zorg jij voor Curtis? Beloof je dat?'

'Hoezo? Waar ga je dan heen?' zei Eugene, en hij keek hem doordringend aan. Toen wendde hij zijn hoofd af.

'Nee,' zei hij met half dichtgeknepen ogen, 'nee, vertel maar niet, zeg maar niks meer –'

'Ik tel tot drie,' krijste Farish.

'Beloofd?'

'Beloofd, ik zweer het bij God.'

'Één.'

'Luister maar niet naar Gum,' zei Danny, dwars door de opnieuw loeiende toeter heen. 'Die wil je toch alleen maar van je plannen afhouden.'

'Twéé!'

Danny legde zijn hand op Eugenes schouder. Met een snelle blik naar de Trans Am (het enige wat hij zag bewegen waren de honden, die met hun staart tegen het raampje bonkten) zei hij: 'Doe me een lol. Blijf even hier staan en laat hem er niet in.' Vlug glipte hij de caravan in, griste het .22 pistooltje van Gum van zijn plek op het schap achter de televisie, trok zijn broekspijp op en stak het met de loop omlaag in zijn laars. Gum bewaarde het graag geladen en wel, en hij hoopte vurig dat het dat nog was; geen tijd voor gepruts met patronen.

Buiten zware snelle voetstappen. Hij hoorde Eugene zeggen, op schrille, bange toon: 'Waag het niet je hand tegen mij op te heffen.'

Danny trok zijn broekspijp omlaag en deed de deur open. Hij wilde net met zijn smoesje ('mijn portefeuille') komen toen Farish hem met een ruk bij zijn kraag omhoogtrok. 'Denk maar niet dat je van míj weg kunt lopen, makker.'

Hij sleurde Danny het trapje af. Halverwege de auto kwam Curtis naar ze toe dribbelen en probeerde zijn armen om Danny's middel te slaan. Hij huilde – of liever gezegd, hoestte en snakte naar lucht, zoals altijd als hij overstuur was. Danny slaagde erin, achter Farish aanstrompelend, zijn hand naar achteren te steken en hem een aai over zijn hoofd te geven.

'Ga maar terug, mannetje,' riep hij Curtis na. 'Braaf zijn...' Eugene keek ongerust toe vanuit de deuropening van de caravan; de arme Curtis huilde nu, huilde zijn hart uit zijn lijf. Danny zag dat zijn pols vol oranje lippenstift zat waar Curtis er zijn mond op had gedrukt.

Het was een schreeuwerige kleur, opzichtig; het raakte Danny zo dat hij even verstijfde. *Ik ben hier te moe voor*, dacht hij, *te moe*.

En toen, voordat hij er erg in had, had Farish het bestuurdersportier van de Trans Am opengetrokken en hem naar binnen geslingerd. 'Rijden,' zei hij.

Bovenop was de watertoren gammeler dan Harriet zich herinnerde: pluizige grijze planken, hier en daar losgeschoten spijkers of donkere kieren waar het hout was gekrompen en gespleten. Het geheel was bespikkeld met dikke witte komma's en krullen van vogelpoep.

Vanaf de ladder bekeek Harriet het geheel op ooghoogte. Toen stapte ze er voorzichtig op en begon naar het midden te klimmen

– en er knapte iets in haar borst toen er onder haar voet een plank kraakte en opeens wegzakte, als een ingedrukte pianotoets. Heel behoedzaam deed ze een reuzenstap achteruit. Met een gierende snerp schoot de plank omhoog. Verstijfd, met bonkend hart, kroop ze naar de rand van het reservoir, bij de reling, waar de planken steviger lagen – waarom was de lucht zo raar en ijl in de hoogte? *hoogteziekte*, daar hadden piloten en bergbeklimmers last van, en wat het ook precies mocht betekenen, het gaf weer wat ze voelde, een vage onpasselijkheid, en lichtsprankjes in haar ooghoeken. In de heiige verte glinsterden zinken daken. Aan de andere kant lag het dichte groene bos waar Hely en zij zo vaak hadden gespeeld, hun dagenlange oorlogen hadden gevoerd, elkaar bestokend met kluiten rode modder: een oerwoud, welig en gonzend, een palmenrijk klein Vietnam om met een parachute in neer te dalen.

Ze liep tweemaal om het reservoir heen. Het deurtje was nergens te bekennen. Ze begon al te denken dat er helemaal geen deurtje was toen ze het eindelijk zag: verweerd, bijna volmaakt gecamoufleerd in het effen oppervlak, op een enkel schilfertje chroomverf na dat nog niet helemaal van het handvat was gebladderd.

Ze liet zich op haar knieën vallen. Met een brede ruitenwisserzwaai van haar arm trok ze het open (piepende scharnieren, als in een griezelfilm), en liet het opzij vallen met een klap die in de planken onder haar doortrilde.

Binnen: donker, stank. Er hing een zacht, intiem gejengel van muggen in de stilstaande lucht. Door de gaatjes boven in het dak priemde een stekelveld van potlooddunne zonnepijltjes, stoffige stralen die elkaar in het donker kruisten, wollig en wemelend van stuifmeel als guldenroede. In de diepte lag het water, troebel en inktzwart, de kleur van motorolie. Verder weg aan de andere kant zag ze vaag de schimmige vorm van een gezwollen dier, drijvend op zijn zij.

Er liep een wrakke, half doorgeroeste ladder een meter of drie naar omlaag, tot vlak boven het water. Toen haar ogen aan het halfduister gewend waren zag ze, met een huivering, dat er aan de bovenste sport iets glimmends zat vastgeplakt: een soort pakje, in een zwarte plastic vuilniszak gewikkeld.

Ze duwde ertegen met de neus van haar schoen. Na een korte aarzeling ging ze op haar buik liggen, stak haar hand uit en klopte erop. Er zat iets zachts maar toch stevigs in – geen geld, geen stapeltje van iets, niets scherps of duidelijk omlijnds, maar iets wat meegaf als zand wanneer je erop drukte. Het pakje was een paar maal omwonden met dik isolatieband. Ze pulkte en plukte eraan, trok er met beide handen aan, probeerde haar nagels eronder te krijgen. Ten slotte gaf ze het op en scheurde de ene na de andere laag plastic open, tot ze op de inhoud van het pakje stuitte.

Wat daar binnenin zat was glad en koel, voelde levenloos aan. Ze trok haar hand meteen terug. Er gleed poeder uit het pakje, dat zich tot een paarlemoeren vlies over het water uitspreidde. Harriet tuurde omlaag naar de droge regenboogkleuren (gif? springstof?), een pulverig waas, traag wervelend op de waterspiegel. Ze wist alles van verdovende middelen (van de tv, van de kleurenplaatjes in haar boek voor gezondheidsleer), maar die waren spectaculair, nadrukkelijk herkenbaar: met de hand gerolde sigaretten, injectienaalden, kleurige pillen. Misschien was dit een neppakje, als lokaas bedoeld, zoals in *Dragnet*; misschien was het echte pakje ergens anders verstopt en was dit gewoon een goed ingepakt zakje met... wat?

Er blonk iets in de opengescheurde zak, iets bleek glimmends. Voorzichtig duwde ze het plastic opzij en zag een geheimzinnig nest van glimmende witte zakjes, als een klont reusachtige insecteneieren. Eentje tuimelde er met een *plop* in het water – vlug trok ze haar hand weg – en bleef daar half ondergedompeld drijven, net een kwal.

Eén vreselijk moment had ze gedacht dat die zakjes leefden. In de weerschijn van het water die op de wanden van het reservoir danste was het alsof ze zachtjes pulseerden. Nu zag ze dat het alleen maar doorzichtige plastic zakjes waren, stuk voor stuk boordevol wit poeder.

Voorzichtig raakte ze er een aan (het dunne blauwe lijntje van de treksluiting bovenaan was duidelijk zichtbaar), tilde het omhoog en woog het in haar hand. Het poeder was zo te zien wit – als suiker of zand – maar de structuur was anders, korreliger, kristalachtiger, en het voelde eigenaardig licht. Ze maakte het zakje open en hield het onder haar neus. Geen geur, alleen een zwak, schoon luchtje dat haar deed denken aan het schuurpoeder waarmee Ida de badkamer altijd schoonmaakte.

Nou ja, wat het ook was: het was van hem. Met een onderhandse worp gooide ze het zakje in het water. Daar dreef het. Ze keek ernaar en toen, zonder echt na te denken over wat ze deed, of waarom ze het deed, stak ze haar hand in het zwarte plastic holle-tje (nog meer witte zakjes, dicht opeen als zaden in een peul), trok ze eruit en liet ze met lome handenvol, drie, vier tegelijk, in het zwarte water vallen.

Eenmaal in de auto was Farish vergeten wat hem dwarszat, zo leek het tenminste. Onderweg door de katoenvelden, heiig van de ochtendwarmte en de bestrijdingsmiddelen, keek Danny voortdu-rend zenuwachtig opzij naar Farish, die ontspannen met de radio mee zat te neuriën. Ze waren nog niet van het grind af het asfalt op gereden of Farish' gespannen, agressieve stemming was om onverklaarbare redenen omgeslagen in een beter humeur. Hij had zijn ogen gesloten en een diepe, voldane zucht geslaakt toen de koele lucht uit de airconditioner blies, en nu zoefden ze over de grote weg naar de stad en luisterden naar de *Morning Show* met Betty Brownell en Casey McMastres op WNAT (wat volgens Fa-rish 'Waardeloze Noord-Amerikaanse Teringherrie' betekende). WNAT draaide de top-veertig, waar Farish een gloeiende hekel aan had. Maar nu beviel het hem blijkbaar: hij zat mee te knikken, trommelend op zijn knie, de armleuning, het dashboard.

Alleen trommelde hij een beetje te hard. Danny werd er ner-veus van. Hoe ouder Farish werd hoe meer hij in zijn gedrag op zijn vader ging lijken: dat typische glimlachje vlak voor hij een gemene opmerking maakte, die onnatuurlijke levendigheid – spraakzaam, overdreven vriendelijk – die voorafging aan een hevi-ge uitbarsting.

Rebelléérder! Rebelléérder! Toen Danny dat woord, 'rebelleer-der', het lievelingswoord van zijn vader, een keer op school had laten vallen, had de meester gezegd dat het niet eens bestond. Maar Danny hoorde nóg die hoge krankzinnige uithaal in zijn vaders overslaande stem, rebelléérder, en de riem die hard neer-kwam bij 'léér' terwijl Danny naar zijn handen staarde: sproeten, poriën, een fijn netwerk van littekens, de knokkels wit, zo kramp-achtig klemde hij zich vast aan de keukentafel. Danny kende zijn eigen handen goed, heel goed zelfs: bij elk moeilijk, ellendig mo-ment had hij ze als een boek bestudeerd. Ze waren een entree-kaartje voor het verleden: afranselingen, sterfbedden, begrafenis-sen, fiasco's; vernederingen op het schoolplein en veroordelingen in de rechtszaal; herinneringen die echter voor hem waren dan dit stuur, deze straat.

Algauw waren ze aan de rand van de stad. Ze reden langs het

schaduwrijke terrein van het Oude Ziekenhuis, waar een paar cheerleaders – in v-formatie – spatgelijk omhoog sprongen: *héé!* Ze droegen geen uniform, zelfs geen blouses in dezelfde kleur, en ondanks hun strakke synchrone bewegingen hadden ze iets slordigs. Armen maaiden als in vlaggenspraak, vuisten ramden de lucht.

Op een andere – iedere andere – dag had Danny misschien zijn auto achter de oude apotheek geparkeerd om in stilte naar ze te kijken. Nu reed hij langzaam door de grillige bladerschaduw, op de achtergrond flitsen van paardenstaarten en bruine benen en armen, en plotseling sloeg het hem koud om het hart toen er op de voorgrond een veel kleiner, gebocheld wezen opdoemde, een megafoon in de hand, dat zijn zompende, soppende tred onderbrak om hem gade te slaan vanaf het trottoir. Het had iets van een kleine zwarte kobold – nog geen meter hoog, met een oranje snavel en grote oranje voeten en een vreemd doorweekt voorkomen. Toen de auto langskwam draaide het zich om, met een vloeiende, zwiepende beweging, en sloeg als een vleermuis zijn zwarte vleugels uit... en Danny werd overvallen door het griezelige gevoel dat hij het al eens had ontmoet, dit wezen, deels zwarte vogel, deels dwerg, deels duivels kind; dat hij het zich op de een of andere manier (hoe onwaarschijnlijk het ook was) ergens van herinnerde. Sterker nog: dat hét zich hém herinnerde. En toen hij in het achteruitkijkspiegeltje keek zag hij het opnieuw: een kleine zwarte gedaante met zwarte vleugels, die zijn auto nakeek als een onwelkome boodschapper van gene zijde.

De grenzen vervagen. Danny's hoofdhuid prikte. De lommerrijke weg had nu iets van een tunnelachtige lopende band in een nachtmerrie: diepgroene woelige schaduwen, die aan weerskanten opdrongen.

Hij keek in het spiegeltje. Het wezen was weg.

Het kwam niet door de drugs, die had hij er wel uitgezweet in zijn slaap; nee, de rivier was buiten haar oevers getreden en van de bodem was allerlei rotzooi en monsterlijk afval boven komen drijven, een rampenfilm, dromen, herinneringen, niet voor bekentenis vatbare angsten buitelden open en bloot over straat. En het was Danny (niet voor het eerst) te moede alsof hij deze dag al had meegemaakt in een droom, alsof hij door Natchez Street op weg was naar iets wat al plaats had gevonden.

Hij wreef over zijn mond. Hij moest plassen. Hoeveel pijn zijn ribben en zijn hoofd ook deden na dat pak rammel van Farish, zijn hoge nood was vrijwel het enige waaraan hij kon denken. En doordat hij met de drugs was gestopt had hij bovendien een weeë chemische smaak in zijn mond.

Tersluiks wierp hij een blik op Farish. Die ging nog steeds helemaal op in de muziek: knikte mee, neuriede voor zich uit, trommelde op de armleuning. Maar die ene politiehond op de achterbank, de teef, zat zo woest naar Danny te kijken alsof ze precies wist wat hij in zijn schild voerde.

Hij probeerde zich moed in te spreken. Eugene zou – ondanks al dat reli-fanatisme van hem – voor Curtis zorgen. En dan had je Gum nog. Alleen haar naam zette al een lawine van schuldbewuste gedachten in beweging, maar al probeerde hij nog zo hard om genegenheid voor zijn grootmoeder op te roepen, hij voelde niets. Soms, vooral als hij Gum midden in de nacht op haar kamer hoorde hoesten, schoot hij vol sentimentele ontroering over alle ontberingen die ze had geleden – de armoede, het zware werk, de kankergezwellen en de maagzweren, de reuma, noem maar op – maar liefde was een emotie die hij alleen voor zijn grootmoeder voelde als hij haar zag, en dan nog alleen af en toe; nooit als hij haar niet zag.

En wat deed dat alles er eigenlijk toe? Danny moest zo nodig plassen dat zijn ogen bijna uit zijn kop knalden; hij kneep ze stijf dicht, deed ze weer open. *Ik stuur wel geld naar huis. Zodra ik het spul heb afgezet en binnen ben...*

Was er een andere weg? Nee. Er was geen andere weg – afgezien van de weg die voor hem lag – naar dat huis aan het water in een andere staat. Die toekomst moest hij voor ogen houden, werkelijk voor zich zien, er vlot en vastberaden op aan koersen.

Ze reden langs het oude Alexandria Hotel met zijn verzakte bordes en doorgerotte luiken – het spookte er, zeiden ze, geen wonder ook, al die mensen die daar waren gestorven, je voelde het er gewoon omheen hangen, die hele geschiedenis met al die doden. En Danny kon wel als een beest janken naar het universum, dat hem hier had gedumpt: in dit godverlaten stadje, dit uitgewoonde land dat sinds de Burgeroorlog geen geld meer had gezien. Zijn eerste veroordeling wegens misdrijf was niet eens zijn eigen schuld geweest, maar die van zijn vader, van wie hij een krankzinnig dure Stihl-kettingzaag had moeten stelen uit de werkplaats van een rijke ouwe Duitse boer die zijn spullen 's nachts met een geweer zat te bewaken. Als hij daar nu aan terugdacht was het gewoon zielig zoals hij zich op zijn vrijlating had verheugd, de dagen tot hij weer naar huis mocht had geteld, want wat hij toen niet had begrepen (en daarmee was hij beter af), was dat je nooit meer vrij kwam als je eenmaal in de gevangenis zat. De mensen gingen anders met je om; je viel meestal terug, zoals iemand die malaria of een serieus drankprobleem had gehad meestal ook terugviel. Het enige wat erop zat was ergens heen gaan waar niemand je kende, waar niemand je familie kende, waar je een heel nieuw leven kon beginnen.

Steeds dezelfde straatnamen, dezelfde woorden. *Natchez, Natchez, Natchez*. Kamer van Koophandel: ALEXANDRIA: ZO MOET HET! *Nee, zo móét het niet*, dacht Danny bitter, *zo ís het godverdomme*.

Met een scherpe bocht sloeg hij af naar het goederenemplacement. Farish greep zich vast aan het dashboard en keek hem aan met stomme verwondering: 'Wat doe je nou?'

'Jij zei dat ik hierheen moest,' zei Danny, zo neutraal mogelijk.

'O ja?'

Danny had het gevoel dat hij iets moest zeggen, maar hij wist niet wat. Had Farish het eigenlijk wel over de toren gehad? Opeens was hij er niet meer zo zeker van.

'Je zei dat je mijn sporen wou nagaan,' zei hij, bij wijze van proefje – even een balletje opgooien, even kijken wat er dan gebeurde.

Farish haalde zijn schouders op, zakte – tot Danny's verbazing – weer onderuit en keek uit het raampje. Zijn humeur knapte meestal op van een beetje rondrijden. Danny hoorde Farish nóg zachtjes fluiten toen hij voor het eerst met de Trans Am was komen aanrijden. Zo stapel als die op rijden was, gewoon hup de auto in, en weg! In die eerste paar maanden waren ze knetterstoned naar Indiana gereden, zij met z'n tweeën, en een andere keer helemaal naar West-Texas – zomaar, niet dat daar iets te zien was, gewoon mooi weer en de borden die over hun hoofd heen flitsten, terwijl ze de FM-band afzochten naar een goed nummer.

'Weet je wat. We gaan ergens ontbijten,' zei Farish.

Danny's voornemens wankelden. Hij had honger. Toen schoot zijn plan hem weer te binnen. Het stond vast, zo vast als een huis, het was de enige uitweg. Zwarte vleugels, die hem klapwiekend de hoek om wenkten, naar een toekomst die hij niet kon zien.

Hij keerde niet, hij reed door. De bomen dromden steeds dichter om de auto heen. Ze zaten nu zo'n eind van de verharde weg dat het niet eens een weg meer was, alleen maar grind vol kuilen en voren.

'Ik zoek alleen even een plek om te keren,' zei hij en besefte tegelijk hoe idioot dat klonk.

Toen stopte hij. Het was nog een heel stuk lopen naar de toren (de weg was slecht, het onkruid hoog, hij reed liever niet nog verder, met het risico dat hij vast bleef zitten). De honden begonnen als gekken te blaffen, sprongen heen en weer en probeerden zich naar de voorbank te dringen. Danny wendde zich af, alsof hij wilde uitstappen. 'We zijn er,' zei hij dom. Vlug trok hij het pistooltje uit zijn laars en richtte het op Farish.

Maar Farish zag het niet. Hij had zich half omgedraaid en zwaaide zijn dikke buik in de richting van het portier. 'Wég daar, áf,' zei hij tegen de teef die Van Zant heette, 'af, zei ik, áf.' Hij hief zijn hand op, de hond kromp in elkaar.

'Wou je míj wat flikken? Beetje de rebelleerder spelen? Met míj?'

Hij had niet eens naar Danny of het pistool gekeken. Om zijn aandacht te trekken moest Danny zijn keel schrapen.

Farish hief een vuile rode hand op. 'Hou je gemak,' zei hij, zonder te kijken, 'wacht even, even die hond een beetje discipline bijbrengen. Ik heb het zát met jou,' pats, op zijn kop, 'luizige teef, je dacht toch godverdomme niet dat jij de baas bent.' De hond en hij keken elkaar dreigend aan. Haar oren lagen plat tegen haar kop gedrukt; haar gele ogen gloeiden onverzettelijk.

'Vooruit. Ga je gang maar. Ik geef je zó'n hengst dat – nee, even stil,' zei hij, terwijl hij een arm ophief en zich half naar Danny keerde, met het slechte oog op hem gericht. 'Ik moet die teef een lesje leren.' Het was koud en blauw als een oester, dat slechte oog. 'Toe maar,' zei hij tegen de hond. 'Probéér maar. Dat wordt dan de laatste keer dat je ooit –'

Danny haalde over en schoot Farish door het hoofd. Zo makkelijk ging het, zo snel: krak. Farish' hoofd knakte voorover en zijn mond viel open. Met een merkwaardig soepel gebaar pakte hij het dashboard vast om zich schrap te zetten – en toen keek hij Danny aan, zijn goede oog half dicht, maar zijn blinde wijdopen. Uit zijn mond blubberde een klodder spuug vermengd met bloed; hij was net een vis, een aan de haak geslagen katvis, blub blub.

Danny schoot nog eens, ditmaal in de hals, en stapte toen – in de stilte die in schrille kringen om hem heen tuitte en wegstierf – uit de auto en knalde het portier dicht. Nu was het gebeurd; hij kon niet meer terug. Er was bloed op de voorkant van zijn overhemd gespat, hij voelde aan zijn wang en keek naar de roestrode smurrie op zijn vingertoppen. Farish was voorovergezakt, met zijn armen op het dashboard; zijn hals was een smeerboel maar zijn mond, vol bloed, bewoog nog. Sable, de kleinste van de twee honden, had zijn poten over de rug van de stoel geslagen en probeerde uit alle macht – rondtrappende achterpoten – eroverheen en boven op het hoofd van zijn baas te klimmen. De andere hond – dat kankerkreng, de teef die Van Zant heette – was over de andere stoel heen geklauterd. Met haar neus omlaag cirkelde ze tweemaal rond, draaide nog eenmaal de andere kant op, en liet zich toen met een plof op haar achtereind in de stoel vallen, haar zwarte oren gespitst als duivelsoren. Even loenste ze woest naar Danny met haar wolvenogen, en toen begon ze te blaffen: stotend, scherp geblaf, helder en vérdragend.

Ze had net zo goed 'Brand! Brand!' kunnen roepen, zo'n onmiskenbaar alarm was het. Danny deed een stap achteruit. Bij de droge knal van het pistool waren er hele zwermen vogels opgevlogen, als granaatscherven. Nu streken ze weer neer, in de bomen, op de grond. In zijn auto zat overal bloed: op de voorruit, op het dashboard, op het raampje aan de andere kant.

Ik had moeten ontbijten, dacht hij hysterisch. Wanneer heb ik voor het laatst gegeten?

En bij die gedachte drong het tot hem door dat hij, meer dan wat ook, moest wateren, en dat al dringend moest sinds het moment dat hij die ochtend wakker was geworden.

Er kwam een verrukkelijk gevoel van opluchting over hem, dat zijn bloedbaan binnen sijpelde. *Alles oké*, dacht hij terwijl hij zijn broek dichtritste, en daarop –

Zijn mooie auto, zijn auto. Net was het nog een snoepje, een pronkjuweel, en nu was het een misdaadscène uit *True Detective*. Binnen schoten de honden wild heen en weer. Farish hing over het dashboard, het hoofd omlaag. Zijn houding was vreemd ontspannen en natuurlijk; hij kon zich evengoed naar voren hebben gebogen om sleuteltjes te zoeken die hij had laten vallen, als die dieprode plas bloed er niet was geweest die uit zijn hoofd welde en op de vloer drupte. De hele voorruit was met bloed bespat – een waaier van dikke donkere glanzende druppels, als takken dikke hulstbessen van de bloemist, tegen het glas geplakt. Op de achterbank vloog Sable heen en weer, zijn staart bonkte tegen de raampjes. Van Zant, die naast haar baas zat, dook keer op keer naar hem toe, in snelle schijnaanvallen: duwde haar neus in zijn wang, veerde achteruit, sprong weer naar voren om hem nog een

duwtje te geven, en blafte maar door, kort, doordringend geblaf
dat – het was een hond, verdomme, maar toch, die korte scherpe
noodsignalen waren evenmin mis te verstaan als een luid om hulp
roepende stem. Danny wreef over zijn kin en keek verwilderd om zich heen. De
prikkel die hem ertoe had gedreven de trekker over te halen was
verdwenen, terwijl zijn problemen zich hadden vermenigvuldigd
tot ze de zon verduisterden. Waarom had hij Farish in godsnaam
ín de auto neergeschoten? Had hij het maar twee tellen uitgesteld.
Maar nee: hij had op hete kolen gezeten, wilde het achter de rug
hebben, had als een imbeciel zitten popelen om de trekker over te
halen en zijn schot te lossen in plaats van het goede moment af te
wachten. Hij boog voorover, zette zijn handen op zijn knieën. Hij was
misselijk en zweterig, zijn hart hamerde en hij had al weken geen
fatsoenlijke maaltijd meer gehad, alleen rotzooi – ijswafels en Seven-up; de felle stoot adrenaline was weggeëbd, en daarmee het
kleine beetje kracht dat hij had gehad, en er was niets ter wereld
wat hij zo verschrikkelijk graag wilde als op de warme groene
grond gaan liggen en zijn ogen sluiten.

Hij staarde als gebiologeerd naar de grond, vermande zich en
rechtte zijn rug. Van een lekker lijntje zou hij meteen opknappen
– een lijntje, góéie god, bij die gedachte sprongen de tranen hem
in de ogen – maar hij was van huis gegaan zonder iets mee te nemen, en het laatste waar hij zin in had was het autoportier open-
trekken om Farish' lijk af te tasten en alle zakken van die vieze
stinkende ouwe ups-overall open en dicht te ritsen.

Hij strompelde om de auto heen naar de voorkant. Van Zant
viel naar hem uit, en haar snuit sloeg met zo'n krakende klap tegen de voorruit dat hij terugdeinsde.

Onder het plotselinge spervuur van geblaf bleef hij even met
gesloten ogen staan, licht ademend, om zijn zenuwen tot bedaren
te brengen. Hij wilde hier wel niet zijn, maar hij was er nou eenmaal. En hij kon nu beter eens gaan nadenken, rustig aan, stapje
voor stapje, als een klein kind.

Het waren de vogels – die met luid misbaar opstegen – waarvan
Harriet opschrok. Opeens waren ze als in een explosie overal om
haar heen, en ze kromp in elkaar en sloeg een arm voor haar ogen.
Er streken een stuk of vijf kraaien vlak bij haar neer, hun klauwen
om de reling van het reservoir geklemd. Ze draaiden hun kop en

keken haar aan, en de dichtstbijzijnde kraai klapwiekte en vloog op. In de diepte, ver weg, klonk iets als geblaf van honden, honden die buiten zichzelf waren. Maar het was net of ze vlak daarvoor nog een ander geluid had gehoord, een lichte knal, heel zwak in de winderige zongebleekte verte.

Harriet – benen in het reservoir, voeten op de ladder – verroerde zich niet. Verward dwaalde haar blik af en bleef aan een van de vogels haken: hij had iets kwieks en boosaardigs over zich, als een vogel uit een tekenfilm, en keek haar aan, zijn kop scheef, bijna alsof hij iets wilde zeggen, maar op hetzelfde moment weerkaatste er van beneden een tweede knal, en de vogel ging recht zitten en vloog weg.

Ze luisterde, halverwege de ladder, half in, half buiten het reservoir, zich met één hand vasthoudend, en verstijfde toen de ladder kreunde onder haar gewicht. Haastig krabbelde ze de planken op, kroop op handen en knieën naar de rand en boog zich er zo ver mogelijk overheen.

In de diepte – aan de overkant van het terrein, naar het bos toe, te ver om het goed te kunnen zien – stond de Trans Am. Er begonnen weer vogels naar de open plek af te dalen, een voor een streken ze neer, op de takken, in de struiken, op de grond. Naast de auto zag ze Danny Ratliff, heel ver weg. Hij stond met zijn rug naar haar toe en hield zijn handen tegen zijn oren gedrukt, alsof er iemand tegen hem schreeuwde.

Harriet dook weg – geschrokken van zijn wilde, gespannen houding – en het volgende moment drong het tot haar door wat ze had gezien en richtte ze zich langzaam weer op.

Ja: helderrood. In druppels over de voorruit gesproeid, zo helder en fel dat het zelfs van een afstand in het oog sprong. Daarachter, in de auto, achter dat half doorzichtige waas van druppeltjes, dacht ze een afschuwelijke beweging te zien: iets wat spartelde en ranselde, heen en weer zwiepte. En wat het ook was, dat donkere gewoel, ook Danny Ratliff leek er bang voor te zijn. Hij wankelde traag achteruit, robotachtig, als een neergeschoten cowboy die nog even traag achteruitwankelt in een film.

Harriet werd opeens overmand door een vreemd gevoel van leegte en loomheid. Vanwaar zij zat, op die hoogte, zag alles er op de een of andere manier vlak en onbelangrijk uit, bijkomstig. De zon brandde wit en genadeloos, en in haar hoofd zoemde die zelfde wonderlijke, ijle lichtheid waardoor ze, toen ze naar boven klom, de neiging had gekregen haar greep te verslappen en zich te laten vallen.

Ik zit in de problemen, zei ze tegen zichzelf, *lelijk in de problemen*, maar ze kon het maar met moeite tot zich door laten dringen, hoe waar het ook was.

In de lichte verte bukte Danny Ratliff zich om iets blinkends uit het gras op te rapen, en met een misselijkmakende steek in haar hart besefte Harriet, door de manier waarop hij het vasthield, dat het een pistool was. In de angstaanjagende stilte verbeeldde ze zich even een zwakke flard trompetmuziek te horen – Hely's harmonieorkestje, in het oosten, heel ver weg – en toen ze in verwarring een blik in die richting wierp dacht ze een heel lichte gouden fonkeling, als van zon op koper, te zien opflitsen in de heiige verte.

Vogels – overal vogels, één grote zwarte krassende explosie, als radioactieve neerslag, als granaatscherven. Dat was een slecht voorteken; woorden, dromen, wetten, getallen, wervelingen van gegevens in zijn hoofd, onontcijferbaar, spiralend in volle vlucht. Danny hield zijn handen voor zijn oren; hij zag zijn eigen spiegelbeeld, vervormd, in de met bloed bespatte voorruit, een kolkende rode sterrennevel gestold op glas, wolken die in een ijl waas achter zijn hoofd voorbij schoven. Hij was misselijk en uitgeput; hij wilde een douche en een stevige maaltijd, hij wilde thuis zijn, in bed. Deze rotzooi wilde hij niet. *Ik heb mijn broer doodgeschoten, en waarom? Omdat ik zó nodig moest pissen dat ik niet helder meer kon denken.* Wat zou Farish daarop kicken. Morbide verhalen in de krant, daar kwam hij niet meer van bij: de dronkelap die vanaf een viaduct had staan plassen, was uitgleden en op de snelweg te pletter was gevallen; de sukkel die wakker was geworden van een rinkelende telefoon naast zijn bed, zijn pistool had gepakt en zich door zijn kop had geschoten.

Het pistool lag in het gras voor zijn voeten, waar hij het had laten vallen. Stram bukte hij zich om het te pakken. Sable zat Farish' wang en nek te besnuffelen, met wroetende, stotende duwtjes waar Danny onpasselijk van werd, en Van Zant volgde al Danny's bewegingen met haar borende gele ogen. Toen hij een stap in de richting van de auto zette, schoot ze achteruit en begon met hernieuwde energie te blaffen. *Waag het eens dat portier open te doen*, leek ze te zeggen. *Waag het godverdomme eens dat portier open te doen.* Danny dacht aan de dressuursessies op het achtererf, waar Farish gewatteerde vullingen en jutezakken om zijn armen wikkelde en *Pak ze! Pak ze!* brulde. Het hele erf vol dwarrelende donzige vlokjes.

Zijn knieën trilden. Hij wreef over zijn mond, probeerde zich te vermannen. Toen richtte hij, over zijn arm, op het gele oog van de hond Van Zant, en haalde de trekker over. Er sprong een gaatje ter grootte van een zilveren dollar in het raampje. Met zijn tanden op elkaar tegen het gegier, gebonk en gesnik in de auto bukte hij zich, zijn oog tegen het glas, stak het pistool door het gaatje en schoot nog eens op haar, zwenkte het pistool en loste een schot op de andere hond, midden in de roos. Daarna trok hij zijn arm terug en gooide het wapen zo ver hij kon van zich af.

Hij stond daar in het schelle ochtendlicht te hijgen alsof hij een kilometer had hardgelopen. Het gegier uit de auto was het ergste geluid dat hij ooit van zijn leven had gehoord: hoog, onaards, als een kapotte machine, een metaalachtige snikkende toon die maar door bleef gaan, onvermoeibaar, een geluid dat hem fysiek pijn deed, zo'n pijn dat hij dacht dat hij een tak in zijn oor zou moeten steken als het niet ophield...

Maar het hield niet op, en nadat hij daar voor zijn gevoel idioot lang had gestaan, zijn rug half afgewend, liep hij met strakke benen naar de plek waar hij het pistool had gegooid, terwijl het gegil van de honden in zijn oren bleef galmen. Grimmig ging hij op zijn knieën zitten en zocht tussen het dunne onkruid, duwde het met zijn handen uit elkaar, terwijl zijn rug verstijfde onder de krachtige snerpende kreten.

Maar het pistool was leeg: de patronen op. Danny veegde het met zijn overhemd schoon en gooide het dieper het bos in. Hij wilde zich net dwingen naar de auto terug te gaan, om even te kijken, toen de stilte over hem heen kwam rollen, in verpletterende golven – elke golf met zijn eigen kam en dal, net als de kreten die eraan vooraf waren gegaan.

Ze zou nu naar ons toe komen met onze koffie, dacht hij, over zijn mond wrijvend, *als ik door was gereden naar de White Kitchen, als ik deze weg niet in was geslagen.* Het serveerstertje dat Tracey heette, die spichtige met de bungelende oorbellen en het platte kontje, kwam daar altijd ongevraagd mee aanzetten. Hij zag voor zich hoe Farish, achterovergeleund op zijn stoel met zijn buik vorstelijk voor zich uit, zijn eeuwige toespraak over zijn eieren afstak (dat hij die niet wilde hoeven drínken, dat ze tegen de kokkin moest zeggen dat ze ze niet hárd genoeg kon maken), en hijzelf aan de andere kant van het tafeltje naar die verklitte smerige ouwe kop als zwart zeegras keek en dacht: *je hebt geen idee hoe weinig het maar heeft gescheeld.*

Toen verdween dat allemaal en merkte hij dat hij naar een gebroken fles tussen het onkruid stond te staren. Hij deed één hand open en weer dicht, daarna de andere. Zijn handpalmen waren slijmerig en koud. *Ik moet hier weg,* dacht hij, in een opwelling van paniek.

En toch bleef hij staan. Het was net of hij de zekering tussen lichaam en hersens had laten springen. Nu het autoraampje was verbrijzeld en de honden niet meer jankten en jammerden, hoorde hij een sliertje muziek uit de radio opkringelen. Zouden die lui die dat liedje zongen (lulkoek over sterrenstof in je haren), zouden die ooit ook maar één seconde denken dat iemand daar op een landweggetje bij een verlaten treinspoor naar zou staan luisteren, met een lijk voor zijn neus? Nee: die lui flitsten alleen maar door Los Angeles en Hollywood, met hun witte glitterpakken, hun bovenaan donkere en onderaan doorzichtige zonnebrillen, en dronken champagne en snoven coke van zilveren dienbladen. Die kwamen geen moment op het idee – als ze in die studio's naast hun concertvleugels stonden met hun glittersjaaltjes en hun dure cocktails – die kwamen geen moment op het idee dat er op een landweggetje in Mississippi een arme sloeber zich suf zou staan piekeren over serieuze problemen terwijl de radio zong dat de engelen zich over je wiegje bogen op de dag dat jij het licht zag...

Zulke lui hoefden nooit moeilijke besluiten te nemen, dacht hij dof, naar zijn met bloed bespatte wagen starend. Die hoefden nooit een reet uit te voeren. Die kregen het allemaal zo in de schoot geworpen, als een stel nieuwe autosleuteltjes.

Hij deed een stap naar de auto, één stap. Zijn knieën trilden; het geknerp van zijn voeten op het grind joeg hem de stuipen op het lijf. *Ik moet hier weg!* zei hij tegen zichzelf, met een verhit soort hysterie alsof hij high was, wild om zich heen kijkend (links, rechts, naar de lucht) en één hand uitgestoken ter ondersteuning voor als hij viel. *Vooruit met de geit.* Wat hem te doen stond was wel duidelijk; de vraag was alleen hoe, omdat hij er nu eenmaal niet omheen kon dat hij in wezen liever met een kloofbijl zijn arm eraf hakte dan het lichaam van zijn broer ook maar met een vinger aan te raken.

Op het dashboard lag – in een heel natuurlijke ruststand – de groezelige rode hand van zijn broer, vingers vol tabaksvlekken, de dikke gouden pinkring in de vorm van een dobbelsteen. Terwijl hij daarnaar staarde probeerde hij zich weer in de situatie te verplaatsen. Hij moest een lijntje hebben, om zijn gedachten helder te krij-

gen en zijn moed bijeen te rapen. Boven in die toren lag spul zat,
meer dan zat; en hoe langer hij hier zo stond te staan, hoe langer
de Trans Am hier stond, tussen het onkruid, met een dode man en
twee dode politiehonden bloedend op de banken.

Harriet, beide vuisten om de reling geklemd, lag op haar buik, te
bang om adem te halen. Omdat haar voeten hoger lagen dan haar
hoofd was al het bloed naar haar gezicht gestroomd, waardoor
haar hart in haar slapen bonkte. Het gegil uit de auto was bedaard,
dat schelle gierende dierlijke gejank dat klonk alsof het nooit meer
zou ophouden, maar zelfs de stilte leek strak gespannen en vervormd door die onwerkelijke kreten.

Hij stond daar nog steeds, Danny Ratliff, beneden op de grond,
heel klein in de uitgestrekte, vredige verte. Alles was roerloos als
op een olieverfschilderij. Elke grasspriet, elk blaadje aan elke
boom leek gekamd, geglansd en netjes op zijn plaats geplakt.

Harriets ellebogen deden pijn. Ze verschoof een beetje in haar
benarde houding. Ze wist niet precies wat ze had gezien – het was
te ver weg – maar die schoten en kreten had ze duidelijk genoeg
gehoord, en de nagalm van het gegil hing nog in haar oren: hoog,
verzengend, onverdraaglijk. In de auto bewoog nu niets meer; zijn
slachtoffers (donkere vormen, meer dan een) waren stil.

Opeens draaide hij zich om, en haar hart trok pijnlijk samen. *O
God, alstublieft,* bad ze, *alstublieft, God, laat hem niet hierheen komen...*

Maar hij liep naar het bos. Schielijk, na een blik achterom, bukte hij zich op de open plek. In de spleet tussen zijn T-shirt en de
band van zijn spijkerbroek werd een strook papwitte huid zichtbaar – niet te rijmen met de donkerbruin verbrande huid van zijn
armen. Hij opende het pistool en controleerde het; ging rechtop
staan en poetste het schoon met zijn overhemd. Daarna gooide hij
het het bos in, en de schaduw van het pistool vloog donker over
het gras.

Harriet, die over haar bovenarm heen naar dit alles gluurde,
onderdrukte een sterke aanvechting om weg te kijken. Hoe dringend ze ook wilde weten wat hij uitvoerde, het vergde wonderlijk
veel inspanning om haar blik steeds zo strak en aandachtig op die
ene lichte, verre plek gericht te houden, en ze moest haar hoofd
schudden om een soort mist kwijt te raken die steeds weer voor
haar blikveld kroop, als de schaduw die over de getallen op het
schoolbord gleed wanneer ze daar te geconcentreerd naar staarde.

Na een poosje keerde hij het bos de rug toe en liep terug naar de auto. Daar bleef hij staan, zijn bezwete, gespierde rug naar haar toe, zijn hoofd iets gebogen, zijn armen stijf langs zijn zij. Voor hem lag zijn schaduw langgerekt op het grind, een zwarte balk die op twee uur stond. In het helle licht was dat een verkwikkende aanblik, die schaduw, rustgevend en verkoelend aan je ogen. Opeens gleed hij weg en loste op, toen Danny Ratliff zich omdraaide en naar de toren begon te lopen.

Harriets maag maakte een buiteling. Meteen vermande ze zich, tastte naar de revolver, haalde hem met haperende vingers uit zijn verpakking. Ineens leek een oude revolver waarmee ze niet kon omgaan (en waarvan ze niet eens zeker wist of ze hem goed had geladen) haar wel een erg klein ding om zich Danny Ratliff mee van het lijf te houden, helemaal op zo'n gevaarlijke plek. Ze keek wild om zich heen. Waar moest ze zich opstellen? Hier? Of aan de overkant misschien, iets lager? Toen hoorde ze een rammelend geluid op de ijzeren ladder.

Radeloos keek ze om zich heen. Ze had nog nooit van haar leven geschoten. En al raakte ze hem, dan nog zou ze niet meteen van hem af zijn, en op het gammele dak van de toren kon ze zich niet uit de voeten maken.

Kleng... kleng... kleng...

Heel even voelde ze het fysiek, die verschrikking om met huid en haar vastgegrepen en over de rand gegooid te worden, en ze krabbelde overeind, maar net toen ze zich met revolver en al door de valdeur in het water wilde storten, was er iets wat haar tegenhield. Flapperende armen – ze wankelde achteruit en hervond haar evenwicht. Het reservoir was een val. Het was al erg genoeg om hem openlijk, in de volle zon, tegemoet te treden, maar in het water en het donker zou ze geen schijn van kans hebben.

Kleng...kleng...

De revolver was zwaar en koud. Ze pakte hem onhandig vast en kroop zijdelings het dak af, draaide zich op haar buik met de revolver in beide handen en werkte zich op haar ellebogen zo ver mogelijk naar voren zonder haar hoofd echt over de rand van het reservoir te steken. Haar gezichtsveld was smaller en donkerder geworden, had zich vernauwd tot één kijkspleet, als het vizier in de helm van een ridder, en ze merkte dat ze er met een merkwaardige afstandelijkheid door naar buiten keek, alles was ver weg en onwerkelijk, op een sterk soort wanhopig verlangen na om haar leven weg te gooien als een voetzoeker, één enkele explosie midden in Danny Ratliffs gezicht.

Kleng...kleng...

Voorzichtig schoof ze naar voren, de revolver trillend in haar greep, net ver genoeg om over de rand te kijken. Toen ze nog iets verder naar voren leunde zag ze zijn kruin, een meter of vijf onder zich.

Niet opkijken, dacht ze panisch. Ze steunde op één elleboog, bracht de revolver midden voor haar gezicht in het verlengde van haar neus en toen – over de loop heen omlaag kijkend om zo recht mogelijk te mikken – sloot ze haar ogen en drukte op de trekker. *Beng*. Met een harde knal sloeg de revolver midden op haar neus terug en ze schreeuwde het uit en rolde zich op haar rug om met twee handen haar neus te omklemmen. In het duister achter haar oogleden spatte een regen van oranje vonkjes op. Ergens, ver in haar achterhoofd, hoorde ze de revolver omlaag kletteren, langs de sporten van de ladder stuiteren met een reeks hol galmende klanken, alsof er iemand in de dierentuin met een stok langs ijzeren tralies ging, maar de felle, vlijmende pijn in haar neus was met niets ter wereld te vergelijken. Er gutste bloed tussen haar vingers door, warm en glibberig, haar handen zaten onder, ze proefde het in haar mond, en toen ze naar haar rode vingertoppen keek wist ze heel even niet meer precies waar ze was, of waarom ze daar was.

Danny schrok zo hevig van de explosie dat hij bijna losliet. De stang boven hem galmde rammelend van iets zwaars en direct daarna kreeg hij een harde klap op zijn kruin.

Even dacht hij dat hij viel en wist hij niet waaraan hij zich vast moest grijpen, en toen drong het als in een droom met een schok tot hem door dat hij de ladder nog steeds stijf met beide handen vasthield. De pijn straalde in grote vlakke golven uit zijn hoofd als bij een klok die geluid werd, golven die in de lucht bleven hangen en maar langzaam uitdoofden.

Hij had iets langs zich voelen vallen; hij dacht dat hij het op het grind had horen neerkomen. Hij betastte zijn schedel – daar kwam een bult opzetten, hij kon hem al voelen – en toen draaide hij zich zo ver hij durfde om en keek omlaag of hij kon zien waardoor hij was geraakt. De zon scheen in zijn ogen en het enige wat hij beneden kon onderscheiden was de langgerekte schaduw van het reservoir en zijn eigen schaduw, een langgerekte vogelverschrikker op de ladder.

Op de open plek spiegelden de raampjes van de Trans Am als blinde ogen in het helle licht. Had Farish de toren geboobytrapt? Danny had eerst gedacht van niet – maar het drong nu tot hem door dat hij het eigenlijk niet zeker wist.

En daar was hij nu. Hij ging een stap hoger de ladder op, en bleef staan. Even overwoog hij weer naar beneden te gaan, om te zien of hij het ding kon vinden dat hem had geraakt, maar hij besefte dat het alleen maar tijdverlies zou zijn. Wat hij daar had gedaan, daar beneden, lag achter hem; wat hem nu te doen stond was verder klimmen, zich op zijn doel concentreren en naar boven gaan. Hij wilde niet opgeblazen worden, *maar als dat wel gebeurt,* dacht hij vertwijfeld, terwijl hij naar de met bloed bespatte auto in de diepte keek, *dan moet het maar godverdomme.* Er zat niets anders op dan doorgaan. Hij wreef over de pijnlijke plek op zijn hoofd, haalde diep adem en klom verder.

Iets in Harriet klikte dicht, en opeens was ze weer in haar lichaam, ze lag op haar zij, en het was alsof ze terugkwam bij een raam waarvan ze weg was gelopen, maar nu bij een andere ruit. Haar hand zat onder het bloed. Ze staarde er even naar zonder goed te begrijpen wat het was.

Toen wist ze het weer, en ze veerde overeind. Hij kwam eraan, ze had geen moment te verliezen. Ze ging staan, duizelig. Plotseling schoot er van achteren een hand op haar af en greep haar enkel, en ze gilde en trapte ernaar en rukte zich – onverwachts – los. Ze stoof naar de valdeur, net toen Danny Ratliffs toegetakelde kop en bloedbespatte overhemd achter haar opdoken op de ladder, als een zwemmer die uit een zwembad klimt.

Hij was griezelig, vies, gigantisch. Harriet – hijgend, bijna huilend van angst – klauterde de rammelende ladder af naar het water. Zijn schaduw viel over de opening van de valdeur en sneed het zonlicht af. *Kleng:* akelige motorlaarzen stapten boven haar de ladder op. En daar kwam hij omlaag, haar achterna, *kleng, kleng, kleng, kleng...*

Ze draaide zich om, gooide zich de ladder af, en belandde kaarsrecht in het water, zonk omlaag, diep het duister en de kou in, tot haar voeten de bodem raakten. Proestend, kokhalzend van de gore smaak, trok ze haar armen in en schoot omhoog, met een krachtige borstslag.

Maar toen ze bovenkwam sloot een sterke hand zich meteen om haar pols en sleurde haar omhoog het water uit. Hij stond tot

zijn borst in het water, hield zich vast aan de ladder en leunde opzij om haar bij de arm te grijpen, en zijn zilverige ogen – licht en
hel opgloeiend in zijn zonverbrande gezicht – doorboorden haar
als een dolk.

Maaiend, rukkend, zo fel vechtend als ze maar kon en met een
kracht waarvan ze nooit had geweten dat ze die in zich had, probeerde Harriet zich los te worstelen, maar ondanks de ontzaglijke
waterfontein die ze opwierp haalde het niets uit. Hij hees haar op
– haar doorweekte kleren waren zwaar, ze voelde zijn spieren trillen van inspanning – terwijl ze hem waaier na waaier van smerig
water in het gezicht schopte.

'Wie ben jij?' schreeuwde hij. Zijn lip was gescheurd, zijn wangen vettig en ongeschoren. 'Wat moet je van mij?'

Harriet stootte een verstikte snik uit. De pijn in haar schouder
sneed haar de adem af. Op zijn biceps kronkelde een blauwe tatoeage: wazige inktvisvorm, vlekkerig gotisch schrift, onleesbaar.

'Wat moet jij hier? Zeg op!' Hij schudde Harriet aan haar arm
heen en weer tot er ongewild een schreeuw uit haar keel losbrak,
en ze schopte wanhopig om zich heen in het water om ergens
houvast te vinden. In een oogwenk had hij met zijn knie haar been
vastgepind en sleurde haar – met een schril, wijverig kakellachje
– aan haar haren omhoog. Met een snelle beweging duwde hij
haar gezicht in het smerige water en rukte haar, druipend, meteen
weer omhoog. Hij trilde over zijn hele lijf.

'Geef antwoord, klein secreet dat je bent!' schreeuwde hij.

In werkelijkheid trilde Danny evenzeer van schrik als van woede.
Hij had zo snel gereageerd dat hij geen tijd had gehad om na te
denken; en al had hij het meisje dan in zijn macht, dat ze echt hier
was kon hij bijna niet geloven.

Haar neus zat vol bloed, haar gezicht – dat leek te golven in het
waterige licht – was besmeurd met roest en vuil. Dreigend staarde
ze hem aan, opgeblazen als een kerkuiltje.

'Ik zou mijn mond maar opendoen,' riep hij, 'en vlug een beetje
ook.' Zijn stem weerkaatste wild stuiterend in het reservoir. Door
het vervallen dak drongen zonnestralen binnen, traag wiegend en
trillend op de hoge dreigende wanden, een vaal, zwak licht als in
een mijnschacht of een ingestorte put.

In het schemerduister hing het gezicht van het meisje boven het
water als een witte maan. Hij werd zich bewust van het geluid van
haar snelle lichte ademhaling.

'Geef antwoord!' schreeuwde hij. 'Wat moet jij hier verdomme?' en weer rammelde hij haar door elkaar, zo hard hij kon; over het water naar voren hangend terwijl hij zich met zijn andere hand stijf aan de ladder vasthield, schudde haar bij haar nek heen en weer tot haar een schreeuw ontschoot, en hoe moe en bang hij ook was, toch welde er een golf van woede in hem op, en hij brulde zo woest boven haar kreten uit dat ze wit wegtrok en de kreten op haar lippen bestierven.

Zijn hoofd deed pijn. *Nadenken,* zei hij tegen zichzelf, *nadenken.* Goed, hij had haar te pakken – maar wat moest hij met haar? Hij zat behoorlijk klem. Al had hij zich altijd voorgehouden dat hij in geval van nood op z'n hondjes kon zwemmen, nu (tot aan zijn borst in het water, zich vasthoudend aan dat gammele laddertje) wist hij het nog niet zo zeker. Hoe moeilijk zou dat zijn, zwemmen? Koeien konden het, katten zelfs – waarom hij dan niet?

Nu merkte hij dat het kind zich slinks uit zijn greep los probeerde te werken. Met een venijnige ruk trok hij haar weer omhoog, zijn vingers zo diep in haar nekvel geplant dat ze het uitgilde.

'Hoor eens even, klein nest,' zei hij. 'Als je nu meteen je mond opendoet en zegt wie je bent, dan verzuip ik je misschien wel niet.'

Dat was gelogen, en zo klonk het ook. Hij zag aan haar asgrauwe gezicht dat zij dat net zo goed wist. Het zat hem niet lekker, want tenslotte was het nog een kind, maar hij had geen keus.

'Dan laat ik je gaan,' zei hij – overtuigend, vond hij.

Tot zijn ergernis blies het meisje haar wangen bol en trok zich nog verder in zichzelf terug. Toen hij haar omhoog het licht in hees om haar beter te zien gleed er een vochtige flits zonlicht over haar bleke voorhoofd. Ondanks de warmte zag ze er half bevroren uit, hij kon haar tanden bijna horen klapperen.

Opnieuw schudde hij haar door elkaar, zo hard dat zijn schouder er pijn van deed – maar hoewel de tranen haar over de wangen liepen bleven haar lippen stijf opeengeperst en gaf ze geen kik. Toen zag Danny plotseling, vanuit zijn ooghoek, iets bleeks in het water drijven: witte blaasjes, een stuk of drie, die half weggezonken vlak bij zijn borst in het water dobberden.

Hij week terug – kikkerdril? – en het volgende moment schreeuwde hij het uit: een schreeuw waar hij versteld van stond, die van diep onder in zijn buik verzengend omhoog spoot.

'Jezus Christus!' Hij keek verbijsterd naar wat hij zag, geloofde zijn ogen niet, en toen keek hij naar de bovenkant van de ladder, naar de flarden zwart plastic die in repen aan de bovenste sport hingen. Het was een nachtmerrie, het kon niet waar zijn: de drugs verknald, zijn fortuin naar de knoppen. Farish dood, voor niks. Moord met voorbedachten rade, als hij gepakt werd. Jezus.

'Heb jij dat gedaan? *Jij?*'

Het kind bewoog haar lippen.

Danny zag een volgelopen bel zwart plastic op het water drijven, en er ontsnapte een jammerkreet uit zijn keel alsof hij zijn hand in het vuur had gestoken. Hij draaide haar hoofd met geweld om naar het water en schreeuwde: 'Wat is dat? Wat is dat?'

Verstikt kwam het antwoord, de eerste woorden die ze zei: 'Een vuilniszak.'

'Wat heb je daarmee gedaan? Nou? Nou?' De hand spande zich om Harriets nek. En toen – schielijk – duwde hij haar hoofd naar het water.

Harriet had nog net tijd om (doodsbang, ogen in paniek het donkere water tegemoet) adem te halen voor hij haar onder duwde. Belletjes, wit opbruisend voor haar gezicht. Geluidloos worstelde ze, omringd door spooklicht, pistoolschoten en echo's. Voor haar geestesoog zag ze een vergrendelde hutkoffer over een rivierbedding stuiteren, *bonk bonk, bonk bonk*, meegesleurd door de stroom, om en om wentelend over smerige glibberige stenen, en Harriets hart was een aangeslagen pianotoets, steeds dezelfde lage toon, die hard en dwingend hamerde, terwijl er een beeld als afgestreken fosfor opflakkerde achter haar gesloten oogleden, een helwitte Lucifer-flits ritmisch dansend in het donker –

Striemende pijn aan haar schedel toen *splets* – daar ging het weer omhoog, aan haar haarwortels, met een ruk omhoog. Ze werd verdoofd door gehoest, overweldigd door herrie en echo, hij schreeuwde woorden die ze niet verstond en zijn gezicht was bloedrood, gezwollen van razernij, een verschrikkelijke aanblik. Kokkend, stikkend sloeg ze met haar armen op het water, schopte zoekend naar houvast om zich heen, en toen haar teen tegen de wand van het reservoir stootte haalde ze diep en verlicht adem. De opluchting was hemels, onbeschrijfelijk (magisch akkoord, harmonie der sferen); ze haalde adem, diep, diep, tot hij met een kreet haar hoofd onder duwde en het water haar oren weer binnen knalde.

Danny klemde zijn kiezen op elkaar en hield vol. Diep in zijn schouders kronkelden dikke koorden van pijn, en van het knarsen en zwabberen van de ladder was het zweet hem uitgebroken. Haar hoofd dobberde onder zijn hand, licht, onvast, een ballon die er elk moment onder weg kon schieten, en hij werd zeeziek van het gespartel en gekronkel van haar lichaam. Hoe hij ook trachtte zich schrap te zetten of zijn evenwicht te zoeken, hij kon maar geen makkelijke houding vinden; bungelend aan de ladder, zonder iets stevigs onder zijn voeten, bleef hij met zijn benen door het water schoppen en probeerde op iets te gaan staan wat er niet was. Hoe lang deed je erover om iemand te verdrinken? Het was een akelig karwei, en dubbel zo akelig als je het met maar één arm deed.

Tergend jengelde een mug om zijn oor. Hij zwiepte al een tijdje zijn hoofd heen en weer in een poging hem te ontwijken, maar dat kreng leek te voelen dat hij geen hand vrij had om hem weg te meppen.

Overal muggen, óveral. Ze hadden hem eindelijk gevonden en ze wisten dat hij niet weg kon. Gekmakend, genotzuchtig zogen ze zich vol in zijn kin, zijn nek, het trillende vel op zijn armen.

Vooruit, vooruit, maak er een eind aan, zei hij tegen zichzelf. Hij hield haar met zijn rechterhand – de sterkste – in bedwang, maar zijn ogen fixeerden de hand die de ladder omklemde. Hij had er nog maar weinig gevoel in, en alleen door naar de stijf om de sport gekromde vingers te kijken wist hij zeker dat hij zich nog vasthield. Bovendien joeg het water hem angst aan, en hij was bang van zijn stokje te gaan als hij ernaar keek. Een verdrinkend kind kon een volwassen man – een geoefende zwemmer, een bad-meester – mee omlaagtrekken. Hij kende die verhalen...

Opeens drong het tot hem door dat ze zich niet meer verzette. Even bleef hij stil wachten. Haar hoofd voelde zacht onder zijn hand. Hij ontspande zich een beetje. Toen keek hij om, omdat hij wel moest (maar eigenlijk wilde hij niet kijken) en zag haar ge-daante tot zijn opluchting slap in het groene water drijven.

Behoedzaam verminderde hij de druk. Ze bewoog niet. Door zijn slapende armen sloeg een golf van tintelingen en met een zwaai draaide hij zich om op de ladder, wisselde van hand en sloeg de muggen uit zijn gezicht. Nog even keek hij naar haar: indirect, uit zijn ooghoek, als bij een ongeluk op de snelweg.

Plotseling begonnen zijn armen zo heftig te schokken dat hij de ladder nauwelijks nog kon vasthouden. Hij veegde zich het zweet van het gezicht met zijn onderarm, spuugde een mondvol zurigheid uit. Toen greep hij, van top tot teen trillend, de sport boven zich vast, strekte zijn ellebogen en hees zich omhoog, terwijl het verroeste ijzer luid onder hem kreunde. Hoe moe hij ook was, hoe vurig hij ook weg wilde van dat water, toch dwong hij zich om nog eenmaal om te kijken en één laatste lange blik op haar lichaam te werpen. Daarna gaf hij haar een zet met zijn voet en keek haar na terwijl ze, willoos rondtollend als een boomstam, wegdreef naar het donker.

Harriet was niet bang meer. Er had iets vreemds bezit van haar genomen. Ketenen knapten, sloten sprongen, de zwaartekracht golfde weg; en ze gleed omhoog, hoger en hoger, zweefde stil door luchtledig duister: armen wijd, een astronaut, gewichtloos. In haar kielzog trilde duisternis, ineengeschakelde ringetjes, zwellend en uitdijend als de kringen van regendruppels in water.

Grandeur en vervreemding. Haar oren zoemden; ze kon de zon haast voelen, heet brandend op haar rug, terwijl ze over asgrijze vlakten, troosteloze verten omhoog zweefde. *Ik weet hoe het voelt om te sterven.* Als ze haar ogen opende zou ze haar eigen schaduw (gespreide armen, een kerstengel) blauw op de bodem van het zwembad zien glimmeren.

Het water kabbelde tegen de onderkant van haar lichaam en de deining leek, rustgevend, op ademhaling. Het was alsof het water – buiten haar lichaam – voor haar ademhaalde. Het ademen zelf was een vergeten lied: een lied dat de engelen zongen. Inademen: een akkoord. Uitademen: jubel, triomf, de verdwenen koren van het paradijs. Ze hield haar adem nu al zo lang in, ze kon hem best nog iets langer inhouden.

Nog iets langer. En nog langer. Plotseling duwde er een voet tegen haar schouder en ze voelde dat ze snel rondtollend naar de donkere kant van het reservoir gleed. Zachte vonkenregen. En verder zweefde ze door de kou. Twinkel twinkel: vallende sterren, lichtjes in de diepte, steden flonkerend in de donkere atmosfeer. In haar longen brandde een dwingende pijn, die zich met de seconde sterker opdrong, *maar nog iets langer,* hield ze zich voor, *en nog langer, moet doorvechten tot het laatst...*

Haar hoofd botste tegen de andere kant van het reservoir. Door de kracht werd ze naar achteren gestoten, en in diezelfde beweging, diezelfde achterwaartse golfslag, wipte haar hoofd een fractie van een seconde op, net lang genoeg om steels het kleinst denkbare teugje lucht in te ademen voor ze weer werd overspoeld.

Duisternis, opnieuw. Een nóg duisterder duisternis, als dat kon, die haar ogen het laatste glimpje licht ontnam. Ze dreef in het water en wachtte, haar kleren deinden zachtjes om haar heen. Ze bevond zich aan de zonloze kant van het reservoir, vlak bij de wand. Ze hoopte dat het donker en de beweging van het water die ademteug (een klein teugje maar, helemaal boven in haar longen) aan het zicht hadden onttrokken; het was niet voldoende geweest om de verschrikkelijke pijn in haar borst te verlichten, maar wel om nog iets langer vol te houden.

Nog iets langer. En nog langer. Ergens tikte een stopwatch. Want het was maar een spelletje, een spelletje waar ze goed in was. *Vogels kunnen zingen en vissen kunnen zwemmen en ik kan dit.* Over haar hoofdhuid en de bovenkant van haar armen tripten glinsterende speldenprikjes, als ijskoude regendruppeltjes. *Heet beton en chloorlucht, gestreepte strandballen en zwemvleugeltjes, ik ga in de rij staan voor een Snicker of misschien een Sky Rider...* Nog iets langer. En nog langer. Dieper zonk ze weg, het luchtledige in, de pijn in haar longen steeds verzengender. Ze was een kleine witte maan, zweefde hoog boven ongerepte woestijnen.

Zwaar ademend hing Danny aan de ladder. Het was zo'n bezoeking geweest om dat kind te verdrinken dat hij even die drugs was vergeten, maar nu was de realiteit van zijn situatie weer tot hem doorgedrongen, en hij kon zijn gezicht wel openkrabben, kon het wel uitjanken. Hoe moest hij godverdomme met een auto vol bloedspatten en zonder geld uit de stad wegkomen? Hij had al die tijd op de dope gerekend, dat hij die zou afzetten, in cafés of op straat als het moest. Hij had misschien veertig dollar bij zich (had hij onderweg hierheen bedacht; hij kon die man bij de Texaco-pomp toch moeilijk met speed betalen), en verder was er ook nog die 'vriend nummer één' van Farish, de uitpuilende portefeuille die Farish altijd in zijn achterzak had zitten. Die mocht Farish graag te voorschijn halen om ermee te wapperen, aan de pokertafel of in de poolhal, maar hoeveel geld er eigenlijk in zat wist Danny niet. Als hij geluk – echt geluk – had misschien wel duizend dollar.

Dus, hij had Farish' sieraden (het IJzeren Kruis was niets waard, maar de ringen wel) en die portefeuille. Hij streek met zijn hand over zijn gezicht. Met het geld in de portefeuille kon hij het wel een maand of twee uitzingen. Maar daarna –

Misschien dat hij aan een vals identiteitsbewijs kon komen. Of aan een baan waar hij er geen voor hoefde te hebben, migrantenwerk, in de sinaasappelpluk of de tabakspluk. Maar het was een armzalig loon, een armzalige toekomst, vergeleken bij de slag die hij had denken te slaan. En als ze het lijk vonden zouden ze hem zoeken. Het pistool lag tussen het onkruid, schoongeveegd, à la mafia. Het zou het slimste zijn om het in de rivier te gooien, maar nu de drugs weg waren was dat pistool een van de weinige waardevolle bezittingen die hij nog had. Hoe meer hij over zijn keuzen nadacht, hoe schaarser en lulliger ze hem voorkwamen. Hij keek naar de gedaante die in het water dobberde. Waarom had ze zijn drugs vernietigd? Waaróm? Hij had een bijgelovig gevoel over dat kind; ze was een schaduw en een onheilsvogel, maar nu ze dood was vreesde hij dat ze ook weleens zijn talisman kon zijn geweest. Voor hetzelfde geld had hij een enorme vergissing begaan – de vergissing van zijn leven – door haar te vermoorden, maar zo helpe mij, zei hij, tegen haar gedaante in het water, en hij kon de zin niet afmaken. Vanaf dat eerste moment bij de poolhal was hij op de een of andere manier samen met haar verstrikt geraakt in iets wat hij niet begreep; en dat was een raadsel dat maar op hem bleef drukken. Als hij haar op het droge voor zich had gehad, had hij het wel uit haar geslagen, maar daar was het nu te laat voor.

Hij viste een van de pakjes speed uit het smerige water. Het spul was verkleefd en verpapt, maar misschien – mits grondig gekookt – wel te spuiten. Zo verder vissend haalde hij nog een stuk of vijf min of meer doorweekte zakjes op. Hij had nog nooit drugs gespoten, maar voor alles was er toch een eerste keer?

Na nog één laatste blik ging hij de ladder op. De sporten – bijna doorgeroest – knarsten en zakten door onder zijn gewicht; hij kon het ding voelen bewegen, het zwabberde veel meer onder hem dan hem lief was, en hij was blij toen hij eindelijk uit die dompigheid bovenkwam in het felle licht en de warmte. Met trillende benen krabbelde hij overeind. Zijn hele lijf deed pijn, al zijn spieren, alsof hij murw was geslagen – wat trouwens nog waar was ook. Er kwam onweer opzetten boven de rivier. In het oosten was de lucht zonnig en blauw, in het westen staalzwart met donderkoppen die boven de rivier aan kwamen rollen en golven. Over de lage daken van de stad zeilden schaduwvlekken.

Danny rekte zich uit en wreef over de onderkant van zijn rug. Hij was kletsnat, hij droop, aan zijn armen kleefden lange slierten groen slijm, maar ondanks alles was zijn humeur idioot opgeknapt, alleen omdat hij uit dat klamme donker weg was. De lucht was vochtig, maar er stond een zacht windje en hij kon weer ademhalen. Hij liep over het dak naar de rand van het reservoir – en zijn knieën werden week van opluchting toen hij in de verte de auto zag staan, in onveranderde staat, met maar één stel slingerende sporen door het hoge onkruid erachter.

Verheugd, zonder erbij na te denken, wilde hij op de ladder stappen – maar hij was niet helemaal in evenwicht en voor hij het wist zakte, *krak*, zijn voet door een rotte plank. Opeens kantelde de wereld: een schuin vlak van grijze planken, blauwe hemel. Even maaide hij met zijn armen – wilde windmolens – om zijn evenwicht te hervinden, maar meteen daarop kwam er weer een *krak* en zakte hij tot zijn middel door de planken.

Harriet – op haar buik drijvend – werd overmand door krampachtige sidderingen. Ze had tersluiks geprobeerd haar hoofd een tikje te verdraaien om door haar neus nog zo'n vleugje lucht in te ademen, maar zonder succes. Haar longen hielden het niet meer; ze verzetten zich met geweld, pompend naar lucht, en anders maar water, en net toen haar mond zich uit eigen beweging opende, kwam ze met een siddering boven water en ademde in – diep diep diep in.

De opluchting was zo groot dat ze er bijna weer door wegzonk. Onbeholpen zette ze zich, met één hand, schrap tegen de glibberige wand en hapte, en hapte, en hapte: lucht, verrukkelijk, lucht, puur en peilloos, lucht die als een lied door haar lichaam stroomde. Ze wist niet waar Danny Ratliff was, ze wist niet of hij keek en het kon haar niet schelen, ademhalen was het enige wat nog telde, en als dit de laatste ademtocht van haar leven was, dan moest het zo zijn.

Van boven: luid gekraak. Het pistool was het eerste waar ze aan dacht, maar ze deed geen poging weg te komen. *Laat hij me maar doodschieten*, dacht ze, hijgend, ogen vochtig van dankbaarheid; *alles beter dan verdrinken*.

Toen viel er een schuine streep zonlicht heldergroen en zijdezacht over het donkere water, en ze keek net op tijd omhoog om een paar benen zwaaiend door een gat in het dak te zien komen. *Knal* zei de plank.

Terwijl het water op hem af raasde overviel Danny een misselijkmakende angst. In een wazige flits schoot hem zijn vaders waarschuwing van lang geleden weer te binnen, dat hij zijn adem in en zijn mond dicht moest houden. Meteen daarop knalde het water zijn oren in, en hij stootte een gestopte schreeuw uit, vol afgrijzen in het groene duister starend.

Hij schoot omlaag. Toen – o wonder – raakten zijn voeten de bodem. Hij sprong omhoog – klauwend, proestend, door het water klimmend – en kwam als een torpedo weer boven. Op het hoogste punt van zijn sprong had hij net tijd om een hap lucht op te slokken voor hij weer onderging.

Duister en stilte. Zo te zien was hij nog geen halve meter onder water. Boven hem blonk heldergroen de waterspiegel, en opnieuw sprong hij van de bodem omhoog – laag na laag groen, steeds bleker naarmate hij hoger kwam – en kwam met een knal weer boven in het licht. Het leek beter te gaan als hij zijn armen langszij hield en er niet mee rondmaaide zoals je bij zwemmen scheen te moeten doen.

Tussen het springen en het lucht happen door oriënteerde hij zich. Het reservoir werd door licht overspoeld. Door het ingestorte stuk dak scheen de zon naar binnen; de slijmerige groene wanden waren luguber, beklemmend. Na een sprong of drie kreeg hij de ladder in het oog, verderop links van hem.

Kon hij daar komen? vroeg hij zich af terwijl het water zich weer boven hem sloot. Dat moest toch lukken, als hij telkens iets verder die kant op sprong? Hij moest het er maar op wagen, meer zat er niet op.

Hij kwam boven. En toen – met een schok van schrik, zo hevig dat hij op het verkeerde moment inademde – zag hij het kind. Ze hing met beide handen aan de onderste sport van de ladder.

Zag hij spoken? vroeg hij zich af terwijl hij zonk, hoestend, tussen de luchtbelletjes die langs zijn ogen omhoog stroomden. Want met dat gezicht was iets eigenaardigs aan de hand; heel even had hij het rare idee gehad dat het helemaal het kind niet was dat hij zag, maar die oude dame: E. *Cleve.*

Stikkend, snakkend brak hij weer door de waterspiegel. Nee, geen twijfel aan, het was het kind, en ze leefde nog: ze zag er half verdronken uit, verkleumd, ogen donker in een vaalwit gezicht. Het nabeeld zweefde gloeiend rond achter zijn oogleden terwijl hij wegzonk in het donkere water.

En omhoog spoot hij, een vulkaan. Nu worstelde het meisje – kronkelde zich, slingerde een knie omhoog – om zich aan de ladder op te trekken. In een fontein van wit stuifwater haalde hij uit naar haar enkel en greep mis, en het water sloot zich boven hem. Bij zijn volgende sprong kreeg hij de onderste sport te pakken, die roestig en glibberig was en zo tussen zijn vingers weggleed. Weer sprong hij omhoog, greep er met beide handen naar en ditmaal had hij hem. Ze was boven hem op de ladder, klauterde als een aap voor hem uit. Het water gutste van haar af, midden in zijn opgeheven gezicht. Met uit razernij geboren energie hees hij zich op, het verroeste metaal snerpte als een levend beest onder zijn gewicht. Pal boven hem begaf een sport het onder het gympje van het kind; hij zag haar wankelen, de zijstang vastgrijpen terwijl haar voet door de lucht sloeg. *Hij houdt haar niet,* dacht hij verbluft, terwijl hij zag hoe ze zich herstelde en zich oprichtte, en nu een been omhoog zwaaide naar de rand van het reservoir, *als hij haar niet houdt houdt hij ook –*

De stang knapte in zijn vuisten. Met één snelle, klievende beweging – als van broze zijloten die van een tak worden geritst – viel hij dwars door de ladder omlaag, dwars door de doorgeroeste sporten omlaag, terug in het reservoir.

Met handen rood van het roest trok Harriet zich omhoog en viel hijgend voorover op de warme planken. In de donkerblauwe verte rommelde donder. De zon was achter een wolk verdwenen, en de wind, rusteloos woelend door de boomtoppen, deed haar huiveren. Tussen haarzelf en de ladder was het dak gedeeltelijk doorgezakt, afgeknapte planken die schuin omlaag staken naar een enorm gat; haar ademhaling ging schurend en onbeheerst, alleen van dat paniekerige geluid werd ze al beroerd, en terwijl ze op handen en knieën omhoog kwam schoot er een scherpe pijn door haar zij.

Toen klonk er in het reservoir een wild, opgewonden geplons. Ze liet zich op haar buik vallen en begon met hortende ademhaling om het ingestorte stuk dak heen te schuiven – en haar hart trok samen toen de planken snerpend kreunden onder haar gewicht en gevaarlijk doorbogen naar het water.

Hijgend krabbelde ze achteruit weg – op het nippertje, want daar brak een stuk plank af, het water in. Toen stoof er – door het gat omhoog, hoog de lucht in – een schrikbarende waaier van water op, druppels die op haar gezicht en armen spatten.

Van beneden spoot furieus – nat en borrelend – een verstikt gejammer op. Verstijfd, bijna wasbleek van angst schuifelde Harriet behoedzaam op handen en knieën naar voren; hoe duizelig ze er ook van werd om door het gat omlaag te kijken, ze kon het niet laten. Door het kapotte dak stroomde daglicht naar binnen; en de binnenkant van het reservoir blonk welig smaragdgroen: het groen van moerassen en oerwouden, van Mowgli's verlaten steden. Het grasgroene algentapijt was opengebarsten als pakijs, zwarte aderen die de troebele waterspiegel openspleten.

Opeens, *sjplasj*, vloog Danny Ratliff omhoog, wit weggetrokken, snakkend, het haar donker tegen zijn voorhoofd geplakt. Zijn hand grabbelde en greep, graaide naar de ladder – maar er was geen ladder meer, zag Harriet, verbaasd naar het groene water turend. Het ding was anderhalve meter boven het water afgebroken, daar kon hij niet bij.

Terwijl ze vol afgrijzen toekeek verdween de hand onder water, het laatste wat er nog van hem te zien was: gebroken nagels, klauwend naar de lucht. Toen wipte zijn hoofd boven water – net niet hoog genoeg, knipperende oogleden, een akelig gorgelende natte ademteug.

Hij zag haar, hoog bovenin; hij probeerde iets te zeggen. Als een vleugelloze vogel ploeterde en zwoegde hij in het water, en bij zijn gezwoeg bekroop haar een gevoel dat ze niet kon benoemen. De woorden bubbelden onduidelijk uit zijn mond terwijl hij weer omlaaggleed, wild maaiend, en weg was hij, onzichtbaar op een wierachtig plukje haar na, witte belletjes schuimend op de slijmerige waterspiegel.

Alles stil, bruisende belletjes. En daar kwam hij weer omhoog: zijn gezicht leek gesmolten, zijn mond een zwart gat. Hij klampte zich vast aan een paar drijvende planken, maar die hielden hem niet, en toen hij achterover in het water sloeg keken zijn opengesperde ogen in de hare – verwijtend, hulpeloos, de ogen van een afgehakt hoofd, opgehouden voor het gepeupel. Zijn mond trok; hij probeerde iets te zeggen, een klokkend stokkend onverstaanbaar woord dat werd opgeslokt toen hij wegzonk.

Er stond een harde wind waarvan ze kippenvel op haar armen kreeg en die een rilling door de bladeren van alle bomen joeg; en plotseling, in een oogwenk, verdonkerde de lucht tot leigrijs. Daarop, in een lange zwiepende vlaag, ratelden regendruppels als een lawine van kiezeltjes over het dak.

Het was een warme, gutsende, tropisch aandoende hoosbui: een wolkbreuk als in de stormen die tijdens het orkaanseizoen vanuit de Golf van Mexico aan kwamen razen. De regen kletterde luid op het kapotte dak – maar niet zo luid dat het gegorgel en geklots van beneden erdoor werd overstemd. Regendruppels sprongen als zilveren visjes op de waterspiegel.

Harriet kreeg een hoestbui. Het water was in haar mond en neus gekomen, en de smaak van bederf was tot diep in haar doorgedrongen; en nu, terwijl de regen haar in het gezicht striemde, spuugde ze op de planken, draaide zich op haar rug en rolde met haar hoofd heen en weer, bijna gek van het geluid dat uit het reservoir kaatste – een geluid, bedacht ze, dat waarschijnlijk veel weghad van de geluiden die Robin had gemaakt toen hij de verstikkingsdood stierf. Ze had altijd gedacht dat dat netjes en snel was gegaan, geen gespartel of akelig nat gerochel, niet meer dan één korte klap in de handen en een rookwolkje. En het trof haar hoe zoet die gedachte was: wat heerlijk om plotseling van de aardbodem te verdwijnen, wat een zoete droom om nu te verdwijnen, weg uit haar lichaam: *poef*, als een geest. Ketenen die leeg op de grond kletterden.

Van de warme groene grond steeg damp op. Ver in de diepte stond de Trans Am, verontrustend roerloos, heimelijk ineengedoken tussen het onkruid, een fijne witte nevel van regendruppels vaag oplichtend van de motorkap; er had een zoenend stelletje in kunnen zitten. In later jaren zou ze hem dikwijls precies zo zien – blind, verstolen, onbezield – in de smalle, sprakeloze marges van haar dromen.

Het was twee uur toen Harriet – nadat ze eerst even had geluisterd (alles veilig) – door de achterdeur naar binnen ging. Behalve meneer Godfrey (die haar niet scheen te hebben herkend) en mevrouw Fountain, die haar vanaf de veranda met een bijzonder vreemde blik had bekeken (smerig als ze was, overdekt met een netwerk van donkere sliertjes slijm die aan haar huid waren blijven kleven en in de zon waren vastgekoekt), was ze niemand tegengekomen. Behoedzaam schoot ze, na een snelle blik naar links en naar rechts, de gang door naar de benedenbadkamer en deed de deur achter zich op de knip. De smaak van ontbinding walmde en smeulde in haar mond, niet te harden. Ze stroopte haar kleren af (de stank was afgrijselijk; toen ze de padvindstersblouse over haar hoofd trok moest ze kokhalzen), gooide ze in bad en zette de kranen open.

Edie had vaak dat verhaal verteld van die keer dat ze bij een bruiloft in New Orleans bijna dood was gegaan van een oester. 'Zo ziek ben ik nóóit meer geweest.' Ze had hem nog niet in haar

mond, zei ze, of ze wist dat hij bedorven was; ze had hem onmiddellijk in haar servet gespuugd, maar binnen een paar uur was ze
in elkaar gezakt en moest ze naar het Baptistische Ziekenhuis
worden gebracht. Ongeveer net zo had Harriet, zodra ze het water in het reservoir had geproefd, geweten dat ze er ziek van zou
worden. De ontbinding was onder haar huid gekropen. Het zou
er met niets meer uit te wassen zijn.

Ze spoelde haar handen en
mond; ze gorgelde met waterstofperoxyde en spuugde het uit,
maakte een kommetje van haar handen onder de koudwaterkraan
en dronk, dronk, dronk, maar de stank trok overal in, zelfs in het
schone water. Hij steeg op uit de vuile kleren in de badkuip; hij
steeg wee en heet uit haar poriën op. Ze goot een half pak Mr.
Bubble in bad en liet de warme kraan lopen tot het schuim buitensporig hoog opwolkte. Maar zelfs door de verdovende mondspoeling heen bleef de smaak vies als een vlek op haar tong kleven, en
riep sterk en wel heel uitgesproken dat opgezwollen beest op dat
half gezonken tegen de donkere wand van het reservoir dobberde.

Een klop op de deur. 'Harriet,' riep haar moeder, 'ben jij dat?'
Harriet ging nooit beneden in bad.

'Ja moeder,' riep Harriet na een tel, boven het razende water uit.

'Je maakt daar toch geen bende, hè?'

'Nee moeder,' riep Harriet, met een mistroostige blik op de
bende.

'Je weet dat ik liever niet heb dat je je in die badkamer wast.'

Harriet kon niets terugzeggen. Ze werd overmand door een
golf van krampen. Ze ging op de badrand zitten, staarde naar de
vergrendelde deur, allebei haar handen stijf tegen haar mond gedrukt, en wiegde heen en weer.

'Denk erom dat je daar geen bende maakt,' riep haar moeder.

Het water dat Harriet uit de kraan had gedronken kwam meteen weer omhoog. Met één oog op de deur stapte ze uit bad en
sloop zo stil ze kon – dubbelgevouwen van de pijn in haar buik –
naar de wc. Zodra ze haar handen van haar mond haalde gutste
het eruit, *woesj*, een heldere, schrikbarende stroom bedorven water, dat precies zo rook als het stilstaande water waarin Danny
Ratliff was verdronken.

In bad dronk Harriet nog meer water uit de koudwaterkraan, waste haar kleren en waste zichzelf. Ze liet het bad leeglopen, schuurde het schoon; spoelde het slijm en het zand weg en klom er weer

in om zichzelf af te spoelen. Maar ze was zo doortrokken van de donkere stank van ontbinding dat ze ondanks alle zeep en water nog steeds het gevoel had alsof ze in vuiligheid was gepekeld en gedrenkt, verkleurd, ellendig, met hangend hoofd, als een van olie druipende pinguïn die ze eens bij Edie thuis in een nummer van de *National Geographic* had gezien, doodongelukkig in een wastobbe staand, zijn glibberige vleugeltjes opzij zodat ze zijn besmeurde lijf niet raakten.

Weer liet ze het bad leeglopen en schrobde ze het; ze wrong haar druipende kleren uit en hing ze te drogen. Ze spoot lysol; ze bespoot zichzelf met een stoffig flesje groene eau de cologne met een flamencodanseres op het etiket. Ze was nu wel schoon en roze, duizelig van de warmte, maar vlak onder dat parfum was de vochtige atmosfeer in de dampende badkamer nog doortrokken van de geur van bederf, dezelfde weeë smaak waar haar mond van doortrokken was.

Nog wat mondspoeling, dacht ze – en van het ene moment op het andere kwam er weer een stinkende straal helder braaksel boven, die in een lachwekkende vloedgolf uit haar mond spoot.

Toen het voorbij was ging Harriet op de koude vloer liggen, haar wang tegen de zeegroene tegels. Zodra ze weer op haar benen kon staan sleepte ze zich naar de wastafel en maakte zich schoon met een washandje. Daarna sloeg ze een handdoek om en sloop de trap op naar haar kamer.

Ze was zo misselijk, zo draaierig en moe dat ze voor ze het wist de dekens terug had geslagen en in bed was gekropen, het bed waarin ze al weken niet meer had geslapen. Maar het was zo'n goddelijk gevoel dat het haar niet kon schelen; en ondanks de pijnlijke krampen in haar buik viel ze in een diepe slaap.

Ze werd gewekt door haar moeder. Het was schemerig. Harriet had buikpijn, en haar ogen schrijnden net als die keer toen ze bindvliesontsteking had.

Moeizaam kwam ze omhoog op haar ellebogen en vroeg: 'Wat is er?'

'Ik vroeg of je ziek was.'

'Weet ik niet.'

Harriets moeder boog zich naar haar over om haar voorhoofd te voelen, fronste haar wenkbrauwen en deinsde achteruit. 'Wat is dat voor luchtje?' Toen Harriet geen antwoord gaf bukte haar moeder zich en snuffelde achterdochtig in haar hals.

'Heb je van die groene eau de cologne opgedaan?' vroeg ze.

'Nee moeder.' Liegen was tegenwoordig een gewoonte: nee zeggen tegenwoordig in geval van twijfel altijd maar het beste. 'Dat is waardeloos spul.' Haar moeder had het eens voor Kerstmis van haar vader gekregen, dat lindegroene parfum met de flamencodanseres; het stond al jaren ongebruikt op de plank, onlosmakelijk verbonden met Harriets kinderjaren. 'Als je parfum wilt koop ik wel een flesje Chanel Nr. 5 voor je. Of Norell – dat is moeders parfum. Zelf ben ik niet zo dol op Norell, het is een beetje sterk.'

Harriet sloot haar ogen. Van het rechtop zitten was ze weer kotsmisselijk geworden. Ze had haar hoofd nog niet op het kussen gelegd of haar moeder was alweer terug, ditmaal met een glas water en een aspirine.

'Misschien moet ik maar een kop bouillon voor je maken,' zei ze. 'Ik bel moeder wel even of zij dat in huis heeft.'

Toen ze weg was klom Harriet uit bed en strompelde – in de kriebelige gehaakte sprei gewikkeld – de gang door naar de badkamer. De vloer was koud, en de wc-bril ook. Braaksel (een beetje) maakte plaats voor diarree (een boel). Toen ze zich daarna waste aan de wastafel en in de spiegel van het medicijnkastje keek schrok ze ervan zo rood als haar ogen waren.

Rillend kroop ze weer in bed. De dekens voelden zwaar op haar armen en benen, maar erg warm werd ze er niet van.

Toen stond haar moeder de thermometer af te slaan. 'Hier,' zei ze, 'doe je mond even open,' en ze stak hem erin.

Harriet lag naar het plafond te kijken. Haar buik borrelde; de moerassmaak van het water achtervolgde haar nog steeds. Ze zakte weg in een droom waarin een verpleegster die op mevrouw Dorrier van de medische dienst leek haar uitlegde dat ze door een giftige spin was gebeten, en dat een bloedtransfusie haar het leven zou redden.

Ik heb het gedaan, zei Harriet. Ik heb hem vermoord.

Mevrouw Dorrier was met een paar anderen bezig alles klaar te maken voor de bloedtransfusie. Iemand zei: Zo, ze is zover.

Ik wil niet, zei Harriet. Laat me met rust.

Goed, zei mevrouw Dorrier, en ze ging weg. Harriet voelde zich slecht op haar gemak. Er hingen nog een paar dames rond, die fluisterden en tegen haar lachten, maar geen van hen bood aan haar te helpen of vroeg haar waarom ze dood wilde, al had ze dat wel een beetje gehoopt.

'Harriet?' vroeg haar moeder – en ze schoot overeind. Het was donker in de slaapkamer; de thermometer zat niet meer in haar mond.

'Hier,' zei haar moeder. Harriet werd onpasselijk van de weeë, naar vlees ruikende damp uit het kommetje.

Ze streek met een hand over haar gezicht en zei: 'Ik wil niet.'

'Toe, schat!' Kribbig duwde haar moeder het punchkommetje onder haar neus. Het was van robijnglas en Harriet was er dol op; op een middag had Libby het tot haar grote verrassing uit haar porseleinkast gepakt, in een stuk krant gewikkeld en aan Harriet gegeven om mee naar huis te nemen, omdat ze wist dat Harriet er zo dol op was. Nu gloeide het donker in de schemerige kamer, met één onheilspellende robijnrode vonk binnenin.

'Nee,' zei Harriet en ze draaide haar hoofd weg van het kommetje dat steeds weer tegen haar gezicht duwde, 'nee, nee.'

'Hárriet!' Dat was de bitse stem van de debutante van vroeger, lichtgeraakt en gepikeerd, het soort prikkelbaarheid dat geen tegenspraak duldde.

Daar kwam het weer, onder haar neus. Er zat niets anders op dan rechtop te gaan zitten en het aan te nemen. Ze sloeg het achterover, dat misselijkmakende vleesnat, en probeerde niet te kokhalzen. Toen ze het op had veegde ze haar mond af met het papieren servetje dat haar moeder haar voorhield – en toen kwam het er weer uit, plotseling, *blub*, over de hele sprei, met snippertjes peterselie en al.

Haar moeder slaakte een gil. Haar boosheid gaf haar iets wonderlijk jongs, als een chagrijnige oppas op een slechte avond.

'Het spijt me,' zei Harriet ongelukkig. De prut stonk naar moerasslik vermengd met kippenbouillon.

'O schat, wat een smeerboel. Nee, niet doen –' zei Charlotte met paniekerig overslaande stem toen Harriet – door uitputting overmand – aanstalten maakte om weer te gaan liggen, midden in die smeerboel.

Toen gebeurde er opeens iets vreemds. Er laaide een hard licht van boven in Harriets gezicht. Het was de plafonnière van geslepen glas in de gang. Verwonderd besefte ze dat ze niet in haar bed en niet eens in haar slaapkamer lag, maar op de vloer van de overloop in een smalle doorgang tussen stapels kranten. En het allervreemdste was nog wel dat Edie bij haar zat neergeknield, met een bleek, grimmig vertrokken gezicht en zonder lippenstift op.

Harriet – volledig de kluts kwijt – hief een arm op en rolde met haar hoofd heen en weer, en tegelijk wierp haar moeder zich op haar, luid huilend. Edies arm schoot uit om haar tegen te houden. 'Ze moet lucht krijgen!'

Harriet lag zich op de hardhouten vloer te verbazen. Afgezien van de verwondering dat ze ergens anders was, was de eerste gedachte die bij haar opkwam dat haar hoofd en nek pijn deden: heel erge pijn. De tweede was dat Edie eigenlijk niet boven hoorde te zijn. Harriet kon zich niet eens meer herinneren wanneer Edie voor het laatst verder was gekomen dan de benedengang (die betrekkelijk netjes werd gehouden, ten behoeve van bezoekers).

Hoe kom ik hier? vroeg ze aan Edie, maar dat kwam er niet helemaal uit zoals het moest (haar gedachten waren één grote kluwen), en ze slikte en probeerde het nog eens.

Edie legde haar vinger op haar mond. Ze hielp Harriet overeind – en toen Harriet langs haar armen en benen omlaag keek zag ze met een schok van bevreemding dat ze andere kleren aanhad.

Waarom heb ik andere kleren aan? probeerde ze te vragen – maar weer kwam het er niet goed uit. Dapper begon ze de zin weer van voren af aan.

'Stil maar,' zei Edie en ze legde een vinger op Harriets lippen. Aan Harriets moeder (huilend op de achtergrond, terwijl Allison achter haar, met een opgejaagde blik, op haar vingers stond te bijten) vroeg ze: 'Hoe lang heeft het geduurd?'

'Ik weet het niet,' zei Harriets moeder, haar handen krampachtig aan haar slapen.

'Het is belángrijk, Charlotte, ze heeft een tóéval gehad.'

De wachtkamer in het ziekenhuis zwaaide en flakkerde als een droom. Alles was te licht – blinkend schoon, op het oog – maar de stoelen waren sleets en groezelig als je er te goed naar keek. Allison zat een beduimeld kindertijdschrift te lezen, en twee officieel ogende dames met een naamplaatje op hun borst probeerden met een uitgebluste oude man aan de overkant van het gangpad te praten. Hij zat diep voorovergezakt op zijn stoel, alsof hij dronken was, naar de vloer te staren, zijn handen tussen zijn knieën en zijn zwierige Tiroler hoedje schuin over één oog. 'Tja, ze laat zich niets zeggen,' zei hij hoofdschuddend, 'die zal het van z'n leven niet kalmer aan doen.'

De dames keken elkaar aan. Een van hen ging naast de oude man zitten.

Toen werd het donker, en Harriet liep in haar eentje door een

onbekende stad met hoge gebouwen. Ze moest voor sluitingstijd
een paar boeken naar de bibliotheek terugbrengen, maar de straten werden steeds smaller, tot ze ten slotte nog maar een halve
meter breed waren en ze opeens voor een hoge stapel stenen
stond. *Ik moet een telefoon zien te vinden,* dacht ze.

'Harriet?'

Dat was Edie. Nu stond ze overeind. Door een klapdeur ergens
achterin was een verpleegster te voorschijn gekomen, die een lege
rolstoel voor zich uit duwde.

Het was een jonge verpleegster, mollig en knap, met zwarte
mascara en eyeliner, waarmee kunstige vleugels waren getekend,
en massa's rouge rondom de buitenrand van de oogkas, een rozerode halve cirkel van het jukbeen tot onder aan het voorhoofd –
waardoor ze (vond Harriet) leek op de foto's van de beschilderde
zangers van de Peking Opera. Regenachtige middagen bij Tatty,
languit op de vloer met *Kabuki Theatre of Japan* en *Illustrated Marco
Polo of 1880.* Koeblai Chan op een beschilderde palankijn, o ja,
maskers en draken, vergulde bladzijden en vloeipapier, een en al
Japan en China in het smalle boekenkastje van de zending onder
aan de trap!

Daar ging het, zwevend door de hel verlichte gang. De toren,
het lijk in het water waren al vervaagd tot een soort verre droom,
het enige wat ervan restte waren haar buikkramp (die venijnig
was, speerpunten van pijn die toestaken en terugweken) en de
verschrikkelijke pijn in haar hoofd. Het was dat water waarvan ze
ziek was geworden en ze wist dat ze dat moest zeggen, dat zij dat
moesten weten om haar beter te kunnen maken, maar *ik mag het
niet zeggen,* dacht ze, *dat kan ik niet.*

Bij die zekerheid doorstroomde haar een dromerig, voldaan
gevoel. De verpleegster boog zich voorover terwijl ze Harriet
door de blinkende ruimteschipgang duwde en gaf Harriet een aai
over haar wang, en Harriet – ziek en dus meegaander dan anders
– stond het toe zonder morren. Het was een zachte koele hand,
met gouden ringen.

'Gaat het?' vroeg de verpleegster toen ze Harriet een kleine,
halfafgeschermde ruimte binnenreed (Edie er driftig klikklakkend
achteraan, voetstappen weerkaatsend van de tegels) en met een
ruk het gordijn dichtschoof.

Harriet liet zich lijdzaam een ziekenhuishemd aantrekken, ging
op het knisterende papier liggen en stond de verpleegster toe haar
temperatuur op te nemen

goeie hemel!
ja, ze is flink ziek, deze dame
– en bloed af te nemen. Daarna ging ze rechtop zitten en dronk gehoorzaam een piepklein bekertje leeg met een naar krijt smakend medicijn dat volgens de verpleegster goed voor haar buik was. Edie zat op een kruk tegenover haar, naast een glazen medicijnkastje en een weegschaal met een schuifgewicht.

Daar zaten ze, met z'n tweeën nadat de verpleegster het gordijn dicht had getrokken en weg was gelopen, en Edie vroeg iets waar Harriet maar half op antwoordde, omdat ze deels in dat vertrek was, met die krijtsmaak van het medicijn in haar mond, maar tegelijk in een koude rivier zwom waarover een valse zilveren glans lag, als licht dat van petroleum afschijnt, maanlicht, en er was een onderstroom die haar bij haar benen greep en haar meesleepte, en een afschuwelijke oude man met een natte bontmuts die langs de oever meeholde en woorden riep die ze niet verstond...

'Zo. Kom eens rechtop zitten.'

Opeens bleek Harriet in het gezicht van een witgejaste onbekende te kijken. Het was geen Amerikaan maar een Indiër, met blauwzwart haar en droefgeestige lodderogen. Hij vroeg of ze wist hoe ze heette en waar ze was, scheen met een naalddun lichtje in haar gezicht; keek in haar ogen en neus en oren, voelde aan haar buik en onder haar oksels met ijskoude handen waarvan ze ineenkromp.

'– haar eerste toeval?' Weer dat woord.

'Ja.'

'Heb je iets raars geroken of geproefd?' vroeg de dokter aan Harriet.

Zijn strak starende zwarte ogen gaven haar een onbehaaglijk gevoel. Ze schudde van nee.

Voorzichtig tilde de dokter met zijn wijsvinger haar kin op. Ze zag dat zijn neusgaten zich opensperden.

'Heb je keelpijn?' vroeg hij, met zijn boterzachte stem.

Van ver weg hoorde ze Edie uitroepen: 'Goeie genade, wat is dat in haar hals?'

'Verkleuring,' zei de dokter, en hij streek er met zijn vingertoppen over en drukte er toen hard op met een duim. 'Doet dat pijn?'

Harriet bracht een onduidelijk geluid uit. Ze had eerder pijn aan haar nek dan aan haar hals. En haar neus – geraakt door de terugslag van de revolver – was akelig gevoelig; hij deed wel gezwollen aan, maar blijkbaar was dat verder niemand opgevallen.

De dokter luisterde naar haar hart en liet haar haar tong uitsteken. Geconcentreerd keek hij met een lichtje achter in haar keel. In die ongemakkelijke houding, met pijn in haar kaken, wierp Harriet een blik opzij naar de verbandgaasautomaat en de fles met ontsmettingsmiddel op het tafeltje naast haar.

'Oké,' zei de dokter met een zucht, en hij haalde de spatel weg. Harriet ging weer liggen. Opeens trok haar maag samen in een snijdende kramp. Het licht pulseerde oranje door haar oogleden.

De dokter stond met Edie te praten. 'De neuroloog komt eens in de veertien dagen,' zei hij. 'Misschien kan hij morgen of overmorgen even uit Jackson hierheen komen...'

Hij praatte maar door, met die monotone stem van hem. Weer een steek in haar buik – zo'n ontzettende dat ze zich oprolde op haar zij en haar buik vastgreep. Daarna hield het weer op. *Oké*, dacht ze, zwak en dankbaar van opluchting, *het is voorbij nu, het is voorbij...*

'Harriet,' zei Edie luid – zo luid dat Harriet begreep dat ze zeker in slaap of bijna in slaap was gevallen, 'kijk me aan.'

Gedienstig deed Harriet haar ogen open, in het pijnlijk schelle licht.

'Kijkt u eens naar haar ogen. Ziet u wel hoe rood ze zijn? Ze zien er ontstóken uit.'

'De symptomen zijn onduidelijk. We zullen de uitslagen moeten afwachten.'

Weer trok haar buik zich krachtig samen; ze draaide zich op haar buik, weg van het licht. Ze wist waarom haar ogen rood waren: dat kwam van het water.

'En die diarree dan? En die koorts? En, goeie God, die blauwe plekken in haar hals? Het lijkt wel of iemand haar heeft proberen te wurgen. Als je het mij vraagt –'

'Mogelijk is er sprake van een infectie, maar de toevallen zijn niet febriel. Febriel – '

'Ik weet wat dat betekent, dokter, ik ben verpleegster geweest,' zei Edie kortaf.

'Nou, dan zult u ook wel weten waarom mogelijke stoornissen in het zenuwstelsel de voorrang hebben,' antwoordde de dokter, precies zo kortaf.

'En die andere symptomen –'

'Zijn onduidelijk. Zoals ik al zei. We geven haar nu eerst een antibioticum en leggen een infuus bij haar aan. Morgenmiddag zullen we de uitslagen van de elektrolyten en het hematologisch bloedonderzoek wel binnen hebben.'

Harriet volgde het gesprek nu aandachtig, wachtend tot ze er-tussen kon komen. Maar ten slotte kon ze niet meer wachten en flapte eruit: 'Ik moet even naar de wc.'

Edie en de dokter draaiden zich om en keken naar haar. 'Ja, ga maar,' zei de dokter, en hij liet zijn hand even wapperen met wat Harriet een koninklijk en exotisch gebaar vond, waarbij hij als een maharadja zijn kin hief. Toen ze van de behandeltafel sprong hoorde ze hem een verpleegster roepen.

Maar er was geen verpleegster aan de andere kant van het gordijn, en er kwam er geen aan ook, en in haar nood ging Harriet maar op weg door de gang. Vanachter een balie kwam op stroeve schoenen een andere verpleegster gesjokt – haar ogen klein en twinkelend als olifantenoogjes. 'Zoek je wat?' vroeg ze. Sloom maakte ze aanstalten om Harriet bij de hand te pakken.

Ze was zo traag dat Harriet in paniek raakte, haar hoofd schudde en wegvloog. Ze scheerde door de raamloze gang, licht in het hoofd, al haar aandacht gericht op de deur aan het eind van de gang waarop 'Dames' stond, en terwijl ze langs een nis met een paar stoelen rende hield ze haar pas niet in toen ze een stem 'Hat!' dacht te horen roepen.

En toen, opeens, stond Curtis voor haar. Achter hem, zijn hand op Curtis' schouder, het litteken op zijn wang bloedrood opgloeiend als een toverbal, stond de evangelist (*donder en bliksem, ratelslangen*), van top tot teen in het zwart.

Harriet gaapte hen aan. Toen draaide ze zich om en rende weg, de schel verlichte antiseptische gang door. De vloer was glad; haar voeten schoten onder haar weg en daar viel ze, voorover, op haar gezicht, en ze rolde om en sloeg een hand voor haar ogen.

Snelle voetstappen – piepende rubberzolen op de tegels – en voor ze het wist zat de eerste verpleegster (die jonge, met de ringen en de kleurige make-up) op haar knieën naast haar. *Bonnie Fenton*, stond er op haar naamplaatje. 'Hopla!' zei ze opgewekt. 'Pijn gedaan?'

Harriet klampte zich vast aan haar arm, staarde ingespannen in het vrolijk beschilderde gezicht van de verpleegster. *Bonnie Fenton*, zei ze steeds weer voor zich uit, alsof die naam een toverformule was die haar zou behoeden. *Bonnie Fenton, Bonnie Fenton, Bonnie Fenton, verpleegkundige...*

'Dat is dus de reden waarom we niet door de gangen mogen rennen!' zei de verpleegster. Ze had het niet tegen Harriet, maar sprak, op gemaakte toon, tegen een derde, en Harriet zag – verderop in de gang – Edie en de dokter te voorschijn komen vanachter het gordijn. Ze voelde de ogen van de evangelist in haar rug branden, krabbelde overeind, rende naar Edie en sloeg haar armen om Edies middel.

'Edie,' riep ze, 'neem me mee naar huis, neem me mee naar huis.'

'Harriet! Wat bezielt je?'

'Als je naar huis gaat,' zei de dokter, 'hoe moeten we er dan achter komen wat je scheelt?' Hij probeerde vriendelijk te zijn, maar zijn lodderige gezicht had iets wasachtig gesmoltens onder de oogkassen, waardoor het opeens heel angstaanjagend werd. Harriet begon te huilen.

Een verstrooid klopje op haar rug: typisch Edie, dat klopje, kordaat en zakelijk, en Harriet moest er alleen maar harder van huilen.

'Ze is in de war.'

'Meestal worden ze slaperig, na een toeval. Maar als ze van streek is geven we haar wel iets waardoor ze zich kan ontspannen.'

Angstig gluurde Harriet even achterom. Maar de gang was leeg. Ze bukte zich en voelde aan haar knie, die pijn deed van de schuiver over de vloer. Ze was voor iemand gevlucht, ze was gevallen en had zich pijn gedaan; dat deel was waar, niet iets wat ze had gedroomd.

Zuster Bonnie maakte Harriet los van Edie. Zuster Bonnie loodste Harriet naar het kamertje achter het gordijn terug... Zuster Bonnie ontsloot een kastje en liet een injectiespuit vollopen met iets uit een glazen flesje.

'*Edie!*' schreeuwde Harriet.

'Harriet?' Edie stak haar hoofd om het gordijn heen. 'Doe niet zo mal, het is maar een prik.'

Bij het geluid van haar stem barstte Harriet opnieuw hikkend in tranen uit. 'Edie,' zei ze, 'Edie, neem me mee naar huis. Ik ben bang. Ik ben bang. Ik kan hier niet blijven. Die mensen zitten achter me aan. Ik –'

Ze draaide haar hoofd af; ze kromp in elkaar toen de verpleegster de naald in haar arm stak. Toen liet ze zich van de behandeltafel glijden, maar de verpleegster greep haar bij de pols. 'Nee nee, we zijn er nog niet, liefje.'

'Edie? Ik... Nee, ik wíl dat niet,' zei ze, terugdeinzend voor zuster Bonnie, die was omgelopen en nu met een nieuwe spuit op haar afkwam.

De verpleegster lachte er wat om, beleefd maar niet geamuseerd, en keek hulpzoekend naar Edie.

'Ik wil niet slapen, ik wíl niet slapen,' riep Harriet, en opeens omsingeld schudde ze aan de ene kant Edie en aan de andere kant zuster Bonnies zachte, dringende, goudgeringde greep van zich af. 'Ik ben bang! Ik ben –'

'Toch niet voor dit dunne nááldje, lieverd.' Zuster Bonnies stem – eerst nog sussend – klonk nu koel en een beetje griezelig. 'Doe niet zo mal. Even een klein prikje en –'

Edie zei: 'Nou, ik ga nu maar gauw even naar huis –'

'EDIE!'

'Zullen we wél zachtjes blijven praten, lieverd?' zei de verpleegster terwijl ze de naald in Harriets arm stak en de zuiger zijn klusje liet klaren.

'Edie! Nee! Ze zijn hier! Niet weggaan! Niet –'

'Ik kom weer terug – luister even naar me,' zei Edie, haar kin geheven, met een stem die scherp en nuchter boven Harriets paniekerige gehakkel uit klonk. 'Ik moet Allison naar huis brengen en dan haal ik thuis even een paar spullen.' Ze keek de verpleegster aan. 'Wilt u een kot bij haar op de kamer zetten?'

'Een kot, mevrouw?'

'Een stretcher.'

'Zeker, mevrouw.'

Harriet wreef over de prik in haar arm. *Kot.* Dat woord had een troostende kinderkamerklank, zoals *dotje*, of *hansop*, of Harriets oude koosnaampje: *Hottentot.* Ze proefde het bijna op haar tong, dat ronde, zoete woordje: glad en hard, donker als een stroopballetje.

Ze glimlachte tegen de glimlachende gezichten om de behandeltafel.

'Dáár krijgt er eentje slaap,' hoorde ze zuster Bonnie zeggen.

Waar was Edie? Harriet probeerde uit alle macht haar ogen open te houden. Immense luchten drukten op haar neer, wolken joegen door fabelduister. Ze deed haar ogen dicht, en zag boomtakken zwiepen, en voor ze het wist sliep ze.

Eugene dwaalde door de kille gangen, de handen ineengevouwen op zijn rug. Toen er eindelijk een ziekenbroeder aankwam, die het kind de behandelkamer uit reed, slenterde hij er op veilige afstand achteraan om te zien waar ze met haar naartoe gingen.

De broeder stopte bij de lift en drukte op de knop. Eugene draaide zich om en ging door de gang terug naar de trap. Terwijl hij op de eerste verdieping het galmende trappenhuis uit liep hoorde hij het belletje klingelen en daar kwam, verderop in de gang, de brancard, voeteneind naar voren, door de roestvrijstalen deuren naar buiten, de broeder sturend aan het hoofdeind.

Ze gleden de gang door. Eugene deed zo zacht mogelijk de metalen branddeur achter zich dicht en wandelde – met klakkende schoenen – discreet achter hen aan. Van veilige afstand prentte hij zich de kamer in die ze binnengingen. Daarna slenterde hij weer naar de lift en bleef langdurig staan kijken naar een verzameling kindertekeningen op het prikbord, en naar het verlichte snoepgoed in de zoemende snoepautomaat.

Hij had altijd horen zeggen dat honden janken voor een aardbeving. Nou, telkens als er de laatste tijd iets akeligs was gebeurd of op het punt stond te gebeuren, was dat zwartharige kind wel ergens in de buurt. En het wás dat kind, zo zeker als wat. Hij had haar heel goed bekeken toen bij de Missie, die avond dat hij was gebeten.

En nu was ze er weer. Achteloos liep hij langs haar openstaande deur en keek tersluiks even naar binnen. Uit een uitsparing in het plafond scheen zacht licht, dat geleidelijk in schaduw overging. In het bed was niet veel meer te zien dan een hoopje dekens. Daarboven – in de richting van het licht, als een kwal die in stil water hing – zweefde een doorzichtig, met helder vocht gevuld infuuszakje waaruit een tentakel neerslierde.

Eugene liep naar het fonteintje, dronk daar water, hing wat rond terwijl hij een vitrine voor de March of Dimes bestudeerde. Vanaf zijn post zag hij een verpleegster komen en gaan. Maar toen Eugene weer naar die kamer kuierde en zijn hoofd door de open deur naar binnen stak, zag hij dat het meisje niet alleen was. Er was een zwarte broeder aan het redderen, bezig een stretcher op te zetten, en hij had totaal geen aandacht voor Eugenes vragen.

Eugene slenterde rond en deed zijn best niet al te zeer op te vallen (wat natuurlijk niet eenvoudig was, op die lege gang), en toen hij eindelijk de verpleegster terug zag komen, haar armen vol lakens, hield hij haar staande voor ze naar binnen ging.

'Wie is dat kind daarbinnen?' vroeg hij met zijn vriendelijkste stem.

'Ze heet Harriet. Van een zekere familie Dufresnes.'

'Ah.' Die naam zei hem iets; hij wist niet goed waarom. Hij keek langs de verpleegster de kamer in. 'Is er iemand bij haar?'

'Ik heb de ouders niet gezien, alleen de grootmoeder.' De verpleegster keerde zich af, met een gedecideerde beweging.

'Arm kleintje,' zei Eugene, die het gesprek nog niet wilde afbreken, en hij stak zijn hoofd door de deur. 'Wat heeft ze?'

Nog voor ze een woord had gezegd, zag Eugene aan haar blik dat hij te ver was gegaan. 'Het spijt me. Die informatie mag ik niet geven.'

Eugene glimlachte – innemend, hoopte hij. 'Weet u,' zei hij, 'ik weet ook wel dat die vlek op mijn gezicht er niet zo mooi uitziet. Maar daarom ben ik nog geen slecht mens.'

Meestal werden vrouwen wat inschikkelijker als Eugene over zijn gebrek begon, maar de verpleegster keek hem alleen maar aan alsof hij Chinees praatte.

'Het was maar een vraagje,' zei Eugene beminnelijk, en hij hield zijn hand omhoog. 'Neem me niet kwalijk dat ik u lastig heb gevallen. Mevrouw,' zei hij, en hij liep achter haar aan naar binnen. Maar de verpleegster was met de lakens bezig. Hij overwoog of hij zou aanbieden haar te helpen, maar de houding van haar rug gaf hem te kennen dat hij beter niet al te overmoedig kon worden.

Afwezig wandelde hij weer naar de snoepautomaat. *Dufresnes.* Waar kende hij die naam toch van? Voor zoiets moest je bij Farish zijn; Farish kende de hele stad; Farish onthield adressen, familierelaties, schandalen, alles. Maar Farish lag beneden in coma en zou naar verwachting de ochtend niet halen.

Bij de verpleegsterspost tegenover de lift bleef hij staan: niemand te zien. Hij leunde een tijdje op de balie – deed of hij een fotocollage en een sprietenplant in een bloemistenkorfje bestudeerde – en wachtte. *Dufresnes.* Nog voor zijn babbeltje met die verpleegster had het incident in de gang (en vooral die oude dame, met die kordaatheid die naar geld en doperse status riekte) hem ervan overtuigd dat het kind er geen van Odum was – en dat was jammer, want als ze het wel was geweest, had dat mooi bij zijn vermoedens aangesloten. Odum had goede redenen om Farish én Danny terug te pakken.

Na een tijdje kwam de verpleegster de kamer van het kind uit – en keek hem daarbij even aan. Het was een knap meisje, maar helemaal rood gekladderd met lippenstift en verf, als een malloot. Hij draaide zich om – achteloos, met een achteloos wuivend gebaar – en slenterde door de gang terug naar de trap en naar beneden, langs de nachtzuster (haar gezicht spookachtig beschenen door het balielichtje), door de raamloze wachtkamer van de intensive care, waar de gedimde lampen dag en nacht een gedempte gloed verspreidden, en waar Curtis en Gum lagen te slapen op de bank. Het had geen zin om boven rond te blijven hangen en de aandacht op zich te vestigen. Hij ging wel weer naar boven als de dienst van die beschilderde sloerie erop zat.

Allison, thuis in bed, lag op haar zij uit het raam naar de maan te staren. Ze was zich amper bewust van Harriets lege bed – kaal, afgehaald, ondergespuugde lakens in een grote hoop op de grond. In gedachten lag ze voor zich uit te zingen – niet zozeer een liedje als wel een geïmproviseerde reeks zachte tonen die zich, met variaties, herhaalden, omhoog en omlaag, monotoon en ononderbroken als de zang van een onbekend treurig nachtvogeltje. Of Harriet er nu wel of niet was maakte voor haar weinig uit; maar algauw begon ze, bemoedigd door de stilte aan de andere kant van de kamer, hardop te neuriën, willekeurige tonen en motiefjes die eindeloos doorwentelden in het donker.

Het kostte haar moeite om in slaap te vallen, al wist ze niet waarom. Slaap was Allisons vluchthaven; de slaap verwelkomde haar met open armen zodra ze ging liggen. Maar nu lag ze op haar zij, met open ogen en sereen, voor zich uit te neuriën in de duisternis; en de slaap was een schimmige vergetele verte, een kringelen als van rook op verlaten zolders en een zingen als de zee in een parelwitte schelp.

Edie, op haar stretcher naast Harriet, werd wakker van het licht. Het was al laat: kwart over acht, op haar polshorloge, en ze moest om negen uur bj de accountant zijn. Ze stond op en ging naar de badkamer, en schrok even van haar vale, afgematte spiegelbeeld: het was wel vooral dat tl-licht, maar toch...

Ze poetste haar tanden en ging dapper in de weer met haar gezicht: tekende wenkbrauwboogjes, zoog haar lippen naar binnen. Edie had geen vertrouwen in artsen. Haar ervaring was dat ze niet luisterden, en liever gewichtig rondparadeerden met een air alsof ze de wijsheid in pacht hadden. Ze hadden meteen hun verhaal klaar, negeerden alles wat niet in hun theorieën paste. En dan was deze arts nog een buitenlander ook. Hij had het woord 'toeval' nog niet gehoord, die dokter Dagoo of hoe hij ook heette, of de andere symptomen van het kind speelden geen enkele rol meer;

die waren 'onduidelijk'. *Onduidelijk*, dacht Edie, terwijl ze de bad-kamer uitging en haar slapende kleindochter bekeek (met gecon-centreerde leergierigheid, alsof Harriet een aangetaste heester was, of een om duistere redenen verwelkte kamerplant) *omdat het geen epilepsie is, wat haar mankeert.*

Met klinische belangstelling bleef ze Harriet nog even bestude-ren en daarna ging ze weer naar de badkamer om zich aan te kle-den. Harriet was een taai kind, en Edie maakte zich niet zoveel zorgen over haar, behalve in meer algemene zin. Wat haar wél zorgen baarde – iets waardoor ze bijna de hele nacht geen oog dicht had gedaan op die ziekenhuisstretcher – was de rampzalige staat waarin het huis van haar dochter verkeerde. Nu ze erbij stil-stond, ze was er eigenlijk niet meer bóven geweest sinds Harriet klein was. Charlotte was een hamsteraar, en Edie wist wel dat die neiging sinds Robins dood sterker was geworden, maar de toe-stand van het huis had haar diep geschokt. Vervuiling: er was geen ander woord voor. Geen wonder dat het kind ziek was, met dat afval en die troep overal; het was een wonder dat ze niet alle drie in het ziekenhuis lagen. Edie ritste de rug van haar jurk dicht en beet op de binnenkant van haar wang. Vuile afwas; stapels kran-ten, hele tórens; dat moest wel ongedierte aantrekken. En het erg-ste van alles: die stank. Allerlei onaangename scenario's hadden haar door het hoofd gespeeld terwijl ze daar wakker lag, woelend en draaiend op de hobbelige stretcher. Het kind had misschien wel een vergiftiging opgelopen, of hepatitis; misschien was ze in haar slaap door een rat gebeten. Edie was te verbijsterd en gege-neerd geweest om haar vermoedens aan een onbekende dokter toe te vertrouwen – en dat was ze nog, zelfs in het koude licht van de ochtend. Wat had ze moeten zeggen? *O, trouwens, dokter – bij mijn dochter thuis is het een smeerboel?*

Er zaten vast kakkerlakken, en erger. Er moest iets gebeuren voordat Grace Fountain of een andere bemoeizieke buurvrouw de gezondheidsdienst erop afstuurde. Er Charlotte op aanspreken zou alleen maar smoesjes en tranen opleveren. Een beroep op de overspelige Dix was riskant, want als het tot een scheiding kwam (niet ondenkbaar) zou die vuiligheid Dix alleen maar sterker doen staan voor de rechter. Waarom had Charlotte in 's hemelsnaam die zwarte vrouw de laan uitgestuurd?

Edie stak haar haar op, nam een paar aspirientjes met een glas water (haar ribben deden vreselijk pijn, na die nacht op dat kot) en ging de kamer weer in. *Alle wegen leiden naar het ziekenhuis*, dacht ze. Sinds Libby's dood was ze elke nacht in haar dromen in het ziekenhuis teruggeweest – door de gangen dwalen, op en neer met de lift, zoeken naar verdiepingen en zaalnummers die niet bestonden – en nu was het overdag en was ze er weer, in bijna precies zo'n kamer als die waarin Libby was gestorven.

Harriet sliep nog – maar goed ook. De dokter had gezegd dat ze het grootste deel van de dag zou blijven slapen. Na de accountant en de zoveelste ochtend die zou heengaan met getuur in de (zo ongeveer in geheimschrift genoteerde) boekhouding van rechter Cleve, moest ze naar de advocaat. Hij drong erop aan dat ze een regeling trof met die vreselijke vent van Rixey – allemaal leuk en aardig, maar dat 'redelijke compromis' dat hij voorstelde zou haar nagenoeg aan de bedelstaf brengen. In gedachten verzonken (ze zou vandaag wel horen of hij haar 'redelijke compromis' had geaccepteerd) wierp ze nog een laatste blik in de spiegel, pakte haar tasje en liep de kamer uit zonder de evangelist te zien die aan het eind van de gang heen en weer drentelde.

De lakens voelden heerlijk koel aan. Harriet lag met haar ogen stijf dicht in het ochtendlicht. Ze had gedroomd over stenen traptreden in zonnig grasland, treden die nergens heen voerden, zo vervallen van ouderdom dat het wel zwerfkeien leken, omgerold en verzonken in de zoemende weide. De naald was een akelig *ping* in haar ellebooghoite, zilverig en kil, waaruit hinderlijke apparatuur omhoogkronkelde, door het plafond heen de witte droomhemel in.

Een paar minuten zweefde ze zo tussen slapen en waken. Er tikten voetstappen over de vloer (koude gangen, galmend als paleizen) en ze bleef doodstil liggen, in de hoop dat er een vriendelijk dienstdoend persoon naar haar toe kwam en aandacht aan haar zou schenken: aan kleine Harriet, aan kleine bleke zieke Harriet.

De voetstappen naderden het bed en hielden stil. Harriet voelde dat er zich een gedaante over haar heen boog. Ze bleef rustig liggen, met licht trillende oogleden, en liet zich bekijken. Toen sloeg ze haar ogen op en kromp ontzet in elkaar voor de evangelist, die met zijn gezicht vlak boven het hare hing. Zijn litteken sprong eruit, felrood als een kalkoenenlel; onder het verkleefde weefsel van het voorhoofd schitterde zijn oog nat en woest.

'Stil maar,' zei hij, met parkietachtig scheef gehouden hoofd. Zijn stem was hoog en monotoon, en had iets griezeligs. 'Herrie maken is nergens voor nodig, toch?'

Harriet had graag herrie gemaakt – en niet zo'n beetje ook. Verlamd van angst en verwarring staarde ze naar hem op.

'Ik weet wie jij bent.' Zijn mond bewoog nauwelijks bij het spreken. 'Jij was die avond op de Missie.'

Harriet wierp een snelle blik opzij naar de lege deuropening. De pijn vonkte door haar slapen, als elektriciteit.

De evangelist trok een frons in zijn voorhoofd terwijl hij zich nog verder vooroverboog. 'Jij hebt met die slangen gerotzooid. Volgens mij heb jij ze losgelaten, hè?' zei hij, met zijn eigenaardige schrille stem. Zijn brillantine rook naar seringen. 'En jij zat achter mijn broer Danny aan, hè?'

Harriet staarde hem aan. Wist hij van de toren?

'Waarom rende je voor me weg daar op de gang?'

Hij wist het dus níét. Harriet bleef angstvallig doodstil liggen. Op school kon niemand tegen haar op als ze deden wie de ander het langst aan kon blijven kijken. In haar hoofd klonk gedempt klokgebeier. Ze voelde zich niet lekker; ze wilde in haar ogen wrijven, de ochtend opnieuw beginnen. Er was iets met de stand van haar eigen gezicht ten opzichte van dat van de evangelist wat niet klopte; het was alsof hij een spiegelbeeld was dat ze eigenlijk vanuit een ander standpunt zou moeten zien.

De evangelist keek haar loensend aan. 'Ik vind jou maar een brutaal grietje,' zei hij. 'Brutaal als de beul.'

Harriet voelde zich slap en draaierig. *Hij weet het niet*, hield ze zich verbeten voor, *hij weet het niet*. Er zat een belletje voor de zuster opzij van haar bed, en hoewel ze popelde om haar hoofd om te draaien en ernaar te kijken, dwong ze zich stil te blijven liggen.

Hij hield haar nauwlettend in de gaten. Achter hem strekte het wit van de kamer zich uit tot in een ijle verte, een leegte die op zich net zo weerzinwekkend was als het benauwde donker van het waterreservoir.

'Zeg eens,' zei hij, en hij boog zich nóg dichter naar haar toe. 'Waar ben jij zo bang voor? Geen mens heeft een vinger naar je uitgestoken.'

Verstard sloeg Harriet haar ogen naar hem op, zonder een spier te vertrekken.

'Heb je dan misschien wat gedáán waar je bang voor bent? Ik wil weten wat jij van plan was toen je bij mijn huis rondsloop. En als jij het niet vertelt kom ik er toch wel achter.'

Plotseling zei een opgeruimde stem vanuit de deuropening: 'Klóp klóp!'

IJlings richtte de evangelist zich op en draaide zich om. Daar, in de deur, stond Roy Dial met wat zondagsschoolboekjes en een doos snoep, en hij woof.

'Ik hoop niet dat ik stoor,' zei hij terwijl hij onvervaard binnen stevende. Hij had vrijetijdskleding aan in plaats van het pak met stropdas dat hij op zondagsschool altijd droeg: heel sportief met zijn bootschoenen en kaki broek, een zweem van Florida en Sea World om hem heen. 'Nee maar, Eugéne. Wat doe jij hier?'

'Meneer Dial!' De evangelist stak prompt zijn hand uit.

Zijn toon was veranderd – met een ander soort energie geladen – en dat viel Harriet op, hoe ziek en angstig ze zich ook voelde. *Hij is bang*, dacht ze.

'Ach – ja.' Meneer Dial keek Eugene aan. 'Was er gisteren geen Ratliff opgenomen? In de krant...'

'Jazeker meneer! Mijn broer Farsh. Die...' Eugene deed zichtbaar zijn best om te kalmeren. 'Tja, hij is neergeschoten, meneer.'

Neergeschoten? dacht Harriet, verbijsterd.

'Door zijn nek geschoten, meneer. Ze hebben hem gisteravond gevonden. Hij –'

'Asjemenou, zeg!' riep meneer Dial vrolijk en hij veerde achteruit met een koddigheid waaruit bleek hoe weinig het wel en wee van de familie Ratliff hem interesseerde. 'Potjandosie! Wat een akelig bericht! Nou, ik zal zéker eens bij hem aanwippen zodra hij zich een beetje beter voelt! Ik –'

Zonder Eugene de kans te geven om uit te leggen dat Farish zich niet beter zou gaan voelen, wierp meneer Dial zijn handen omhoog alsof hij 'wat doe je eraan?' wilde zeggen, en zette de doos snoep op het nachtkastje. 'Ik ben bang dat dit niet voor jou is, Harriet,' zei hij, met zijn dolfijnengezicht en profil terwijl hij zich knus vooroverboog om haar met zijn linkeroog aan te staren. 'Ik ging voor het werk nog gauw even bij die lieve Agnes Upchurch langs' – Miss Upchurch was een kwakkelende invalide oude vrouw, een baptistische bankiersweduwe, hoog op meneer Dials lijst met vooruitzichten voor het Bouwfonds, – 'en wie denk je dat ik beneden tegen het lijf loop? Je grootmoeder! Nee maar, goeie genade! zeg ik. Miss Edith! Ik –'

Harriet zag dat de evangelist voorzichtig naar de deur sloop. Meneer Dial volgde haar blik en draaide zich om.

'En hoe ken jij deze bovenstebeste jongedame?'

De evangelist – gestuit in zijn aftocht – maakte er het beste van. Hij wreef met een hand over zijn nek, kwam met één stap weer naast meneer Dial staan alsof hij dat aldoor al van plan was, en zei: 'Ja, meneer, kijk meneer, ik was hier toen ze haar gisteravond binnenbrachten. Te zwak om te lopen. Het was een mirakels ziek klein meisje, en ik mag liegen als het niet waar is.' Hij zei het met een beslistheid alsof een nadere verklaring absoluut nergens voor nodig was.

'En daarom ging je maar eens even' – meneer Dial keek erbij alsof hij het woord bijna niet over zijn lippen kreeg – 'op bezóék? Bij onze Harriet?'

Eugene schraapte zijn keel en wendde zijn blik af. 'Ja, kijk, ik zit met mijn broer, meneer,' zei hij, 'en als ik hier nou toch ben kan ik evengoed proberen om ook anderen te bezoeken en troost te brengen. Het is een vreugde om onder de kleintjes te komen en dat kostelijke zaad uit te storten.'

Meneer Dial keek Harriet aan alsof hij wilde zeggen: heeft die man je lastiggevallen?

'Daar heb je niet meer dan een stel knieën en een bijbel voor nodig. Weet u,' zei Eugene, met een knikje naar het televisietoestel, 'er is niks schadelijkers voor het zielenheil van een kind als zo'n ding in huis. De Zondebuis, zo noem ik het.'

'Meneer Dial,' zei Harriet plotseling, en haar stem klonk iel en ver weg, 'waar is mijn grootmoeder?'

'Beneden, geloof ik,' zei meneer Dial terwijl hij haar strak aankeek met zijn kille dolfijnenoog. 'Aan de telefoon. Wat is er?'

'Ik voel me niet lekker,' zei Harriet naar waarheid.

Ze zag dat de evangelist stilletjes de kamer uit schoof. Toen hij doorhad dat Harriet naar hem keek, wierp hij haar een doordringende blik toe voordat hij weggliptе.

'Wat is er dan?' zei meneer Dial, terwijl hij zich over haar heen boog en haar bedwelmde met zijn sterke, mierzoete aftershave. 'Wil je een slokje water? Wil je iets eten? Moet je spugen?'

'Ik – ik –' Harriet probeerde met veel moeite rechtop te komen. Wat ze wilde kon ze niet vragen, niet met zoveel woorden. Ze was bang om alleen te blijven, maar ze kon niet goed bedenken hoe ze dat tegen meneer Dial moest zeggen zonder te zeggen waar ze bang voor was, en waarom.

Net op dat moment ging de telefoon naast haar bed.

'Hier, ik neem hem wel,' zei meneer Dial, en hij griste de hoorn van de haak en stak hem haar toe.

'Mamma?' zei Harriet zwak.

'Mijn gelukwensen. Een briljante manoeuvre!'

Het was Hely. Zijn stem klonk, hoe juichend ook, blikkerig en ver weg. Door de ruis op de lijn begreep Harriet dat hij met de Saints-telefoon op zijn slaapkamer belde.

'Harriet? Ha! Man, je hebt hem afgemaakt! Je hebt hem ge-móld!'

'Ik – ik –' Harriets hersens werkten niet op topsnelheid, en ze wist zo gauw niets te zeggen. Ondanks de slechte verbinding klonk zijn gejoel en geschreeuw aan de andere kant zo luid dat Harriet bang was dat meneer Dial het kon horen.

'Helemaal te gek!' In zijn opwinding liet hij met luid gekletter de telefoon vallen; daarna kwam zijn stem weer op haar af, hijgend, oorverdovend. 'Het stond in de krant –'

'Wat?'

'Ik wíst dat jij het was. Wat doe je in het ziekenhuis? Wat is er gebeurd? Ben je gewond? Is er op je geschoten?'

Harriet schraapte haar keel op hun speciale manier, die betekende dat ze niet vrij kon praten.

'O, oké,' zei Hely, na even somber te hebben gezwegen. 'Sorry.'

Meneer Dial pakte zijn snoep en mimede tegen haar: *Ik moet weg.*

'Nee, niet weggaan,' zei Harriet, plotseling in paniek, maar meneer Dial liep gewoon achterwaarts verder, de kamer uit.

Tot kijk! mimede hij, met opgewekte gebaren. *Ik moet auto's verkopen!*

'Zeg dan alleen maar ja of nee,' zei Hely. 'Zit je in de problemen?'

Angstig tuurde Harriet naar de lege deuropening. Meneer Dial was bepaald geen uitzonderlijk aardige of begrijpende volwassene, maar hij was tenminste betrouwbaar: een en al correctheid en pietluttigheid, het beminnelijke burgermansfatsoen in persoon. Geen mens zou haar kwaad durven doen als hij in de buurt was.

'Gaan ze je arresteren? Staat er een politieagent op wacht?'

'Wil je iets voor me doen, Hely?' vroeg ze.

'Ja hoor,' zei hij, opeens ernstig, waakzaam als een terriër.

Met één oog op de deur zei Harriet: 'Beloven.' Hoewel ze bijna fluisterde droeg haar stem verder dan haar lief was in die ijzige stilte van formica en gladde vlakken.

'Hè? Ik versta je niet.'

'Eerst beloven.'

'Kom op, Harriet, zeg het nou maar!'

'Bij de watertoren.' Ze haalde diep adem; er zat niets anders op dan het gewoon te zeggen. 'Daar ligt een revolver op de grond. Je moet ernaartoe gaan en –'

'Een revólver?'

'– hem oprapen en weggooien,' zei ze moedeloos. Wat had het nog voor zin om zo zacht te praten? Wie wist wie er meeluisterde, aan zijn kant of zelfs aan de hare? Ze had net een verpleegster langs de deur zien lopen, en daar kwam er alweer een, die in het voorbij gaan even nieuwsgierig naar binnen keek.

'Jémig, Harriet!

'Ik kan er zélf niet heen, Hely.' Het huilen stond haar nader dan het lachen.

'Maar ik heb repetitie van de band. En die is vandaag pas laat afgelopen.'

Repetitie van de band. De moed zonk Harriet in de schoenen. Hoe moest dit ooit lukken?

'Of,' zei Hely toen, 'of ik kan ook nú even gaan. Als ik opschiet. Mamma brengt me over een halfuur.'

Bleekjes lachte Harriet tegen de verpleegster, die haar hoofd om de deur stak. Wat maakte het ook eigenlijk uit, of ze de revolver van haar vader daar nou op de grond liet liggen zodat de politie hem zou vinden, of dat ze hem door Hely liet weghalen? In beide gevallen zou de hele band er tegen de middag van weten.

'Wat moet ik ermee doen?' vroeg Hely. 'Bij jou in de tuin verstoppen?'

'Nee,' zei Harriet, zo fel dat de verpleegster haar wenkbrauwen optrok. 'Gooi hem maar –' *jemig*, dacht ze en deed haar ogen dicht, *zeg het nou toch gewoon*. 'Gooi hem maar in de...'

'De rivier?' vroeg Hely, behulpzaam.

'Precies,' zei Harriet, opzijschuivend toen de verpleegster (een grote struise vrouw met stug grijs haar en brede handen) aanstalten maakte om haar kussen op te schudden.

'En als hij nou niet zinkt?'

Dat moest ze even tot zich door laten dringen. Hely vroeg het nog eens terwijl de verpleegster Harriets status van het voeteneind loshaakte en vertrok, met log schommelende tred.

'Het is... metaal,' zei Harriet.

Plotseling besefte ze dat Hely aan de andere kant van de lijn tegen iemand praatte.

In een wip was hij er weer. 'Oké. Ik moet ophangen!'

Klik. Harriet hield de ruisende hoorn nog tegen haar oor en bleef verbijsterd zo zitten tot de ingesprektoon inzette, legde hem

toen angstig (want ze had haar ogen geen moment van de deuropening afgehouden, geen moment) op de haak en ging weer tegen de kussens zitten, ongerust de kamer rondkijkend.

De uren sleepten zich voort, eindeloos, wit op wit. Ze had niets te
lezen, maar ondanks haar vreselijke hoofdpijn durfde ze niet te
gaan slapen. Meneer Dial had een boekje van de zondagsschool
bij haar gelaten, getiteld *Godsdienstoefeningen aan de leiband*, met
een plaatje van een blozende peuter met een ouderwets zonne-
hoedje op die een bloemenkarretje voortduwde, en in haar wanhoop zocht ze daar ten slotte maar soelaas bij. Het was bestemd
voor moeders met kleine kinderen, en het vervulde Harriet binnen
de kortste keren met weerzin.

Ondanks die weerzin las ze het hele prul van voor naar achter
en daarna zat ze maar wat te zitten. En te zitten. Er was geen klok
in de kamer, geen schilderij om naar te kijken en niets om het
mistroostige rondmalen van haar gedachten en angsten in te
tomen, niets dan de pijn die – met tussenpozen – in golven door
haar buik stuwde. Als die wegebde lag ze als een drenkeling naar
adem te snakken, voor even schoongespoeld, maar algauw begonnen haar zorgen weer met frisse energie aan haar te knagen. Hely
had eigenlijk niets beloofd. Wie wist ging hij die revolver helemaal
niet halen. En ook als hij het wel deed: zou hij dan zo verstandig
zijn om hem weg te gooien? Hely die daar in die repetitieruimte
met haar vaders revolver liep te geuren. 'Hé, Dave, kijk 'es!' Ze
kromp in elkaar en drukte haar hoofd diep in het kussen. De revolver van haar vader. Helemaal onder haar vingerafdrukken. En
dan Hely, de grootste flapuit ter wereld. Maar wie had ze anders
om hulp kunnen vragen? Alleen Hely toch? Verder niemand. Niemand.

Na een hele poos kwam de verpleegster weer binnen sjokken
(de dikke zolen van haar schoenen helemaal afgesleten aan de randen) om haar een prik te geven. Harriet, die met haar hoofd heen
en weer draaiend zachtjes in zichzelf lag te praten, deed haar uiterste best haar zorgen los te laten. Ingespannen richtte ze haar
aandacht op de verpleegster, die een opgewekt, verweerd gezicht
met rimpelige wangen had, dikke enkels en een slingerende, scheve manier van lopen. Afgezien van haar verpleegstersuniform had
ze best kapitein op een zeilschip kunnen zijn, struinend over de
dekken. Op haar naamplaatje stond Gladys Coots.

'Het is zo gepiept, hoor,' zei ze.

Harriet – te zwak en te zenuwachtig om haar gebruikelijke verzet te bieden – draaide zich op haar buik en vertrok haar gezicht toen de naald in haar bil gleed. Prikken vond ze vreselijk, en toen ze klein was had ze altijd gegild en gehuild en zich los proberen te rukken, zozeer dat Edie (die injecties kon geven) weleens bij de dokter in de spreekkamer haar mouwen had opgestroopt en de spuit had overgenomen.

'Waar is mijn grootmoeder?' vroeg ze terwijl ze zich weer omdraaide en over de prik in haar achterste wreef.

'Och jee! Heeft niemand dat verteld?'

'Wat?' riep Harriet, als een krab achteruit schuivend op haar bed. 'Wat is er gebeurd? Waar is ze?'

'Ssj. Rustig nou maar!' Energiek begon de zuster het kussen op te schudden. 'Ze moest even de stad in, dat is alles. Dat is álles,' zei ze nog eens toen Harriet haar ongelovig aankeek. 'En ga nou maar weer lekker liggen.'

Nooit, nee nooit van haar leven zou Harriet weer zo'n lange dag meemaken. De pijn klopte en vonkte genadeloos in haar slapen; op de muur schemerde onbeweeglijk een parallellogram van zon. Zuster Coots, die in en uit schommelde met de steek, was een zeldzaamheid: een witte olifant, veelgeroemd, één keer in de eeuw zag je er een. In de loop van de eindeloze ochtend nam ze bloed af, diende oogdruppels toe, bracht Harriet ijswater, gemberbier, een schaaltje met groene drilpudding die Harriet proefde en opzij schoof, kribbig kletterend bestek op het vrolijke plastic dienblad.

Bang zat ze rechtop in bed te luisteren. De gang was een kalm web van echo's: gepraat bij de balie, af en toe een lach, het tikken van stokken en het schrapen van looprekjes van de revaliderende grijze patiënten van fysiotherapie die door de gang op en neer schuifelden. Nu en dan kwam er een vrouwenstem door de intercom, die reeksen nummers en ondoorgrondelijke bevelen omriep, *Carla, kom even op de gang, zaalhulp op twee, zaalhulp op twee...*

Alsof ze sommen maakte telde Harriet alles wat ze wel wist af op haar vingers, zacht mompelend, zonder zich erom te bekommeren of ze niet goed snik leek. De evangelist wist niet van de toren. Uit niets van wat hij had gezegd bleek dat hij wist dat Danny daar (of dood) was. Maar dat zou allemaal anders worden als de dokter erachter kwam dat ze ziek was geworden van bedorven water. De Trans Am stond zo ver van de toren dat waarschijnlijk niemand op het idee was gekomen om daarboven te gaan kijken

– en als ze dat nog niet hadden gedaan, wie wist, misschien deden ze het dan niet meer ook.

Maar misschien ook wel. En verder was er nog die revolver van haar vader. Wáárom had ze die niet opgeraapt, hoe bestond het dat ze dat was vergeten? Ja, ze had er dan wel niemand mee neergeschoten, maar er wás met die revolver geschoten, dat zouden ze heus wel zien, en het feit dat hij onder aan de toren lag zou iemand toch vast wel voldoende reden geven om de toren op te gaan en er een kijkje in te nemen?

En dan Hely. Al die opgewekte vragen van hem: of ze was gearresteerd, of er een politieagent op wacht stond. Voor Hely zou het geweldig boeiend zijn als ze wél werd gearresteerd: geen opbeurende gedachte.

Toen kwam er een afschuwelijk idee bij haar op. Stel dat de Trans Am door de politie in de gaten werd gehouden? Die auto was toch de plaats van een misdrijf, net als op de televisie? Daar zouden toch agenten en fotografen omheen staan, op de uitkijk? En goed, de auto stond wel een flink eind bij de toren vandaan – maar zou Hely het benul hebben om uit de buurt te blijven, als hij daar mensen zag? Trouwens – zou hij überhaupt in de buurt van de toren kunnen komen? Oké, de pakhuizen, die lagen natuurlijk dichter bij de auto, en daar zouden ze dus vast het eerst gaan kijken. Maar uiteindelijk zouden ze zich toch wel naar de toren verspreiden? Ze kon zich wel voor haar hoofd slaan dat ze niet had gezegd dat hij voorzichtig moest zijn. Als er veel mensen waren zou hij geen andere keus hebben dan omkeren en naar huis gaan.

Halverwege de ochtend onderbrak de dokter haar gepieker. Het was Harriets huisarts, die haar altijd onderzocht als ze keelpijn of amandelontsteking had, maar ze mocht hem niet zo. Hij was nog jong en had een dik, duf gezicht, en nu al een onderkin; zijn mimiek was stug en zijn manier van doen kil en sarcastisch. Hij heette Breedlove, maar Edie had hem – deels vanwege het exorbitante honorarium dat hij vroeg – de (in de buurt populair geworden) bijnaam dokter Greedy gegeven. Hij had het aan zijn onvriendelijkheid te danken, zei men, dat hij geen aantrekkelijker praktijk in een interessantere stad had weten te bemachtigen – maar hij was zó stuurs dat Harriet niet het gevoel had dat ze bij hem het vrolijke aanhankelijke kind hoefde te spelen, zoals ze dat bij de meeste volwassenen deed, en daarom had ze ondanks alles toch een onwillig soort respect voor hem.

Terwijl dokter Greedy om haar bed heen liep ontweek Harriet

en hij elkaars blik als twee vijandige katten. Koel nam hij haar op. Hij bekeek haar status. 'Eet je veel sla?' vroeg hij streng.

'Ja,' zei Harriet, al was er niets van waar.

'Spoel je die in zout water?'

'Nee,' zei Harriet, zodra ze doorhad dat nee het antwoord was dat er van haar werd verwacht.

Hij bromde iets over dysenterie en ongewassen sla uit Mexico, hing – na een broeierige stilte – met een luide rammel haar status weer aan haar voeteind, draaide zich om en liep de kamer uit.

Plotseling ging de telefoon. Zonder op het infuus in haar arm te letten rukte Harriet de hoorn van de haak nog voor de eerste rinkel was weggestorven.

'Hoi!' Het was Hely. Op de achtergrond galmende sportzaalgeluiden: de band van de middelbare school repeteerde op klapstoeltjes in de basketbalzaal. Harriet hoorde een hele dierentuin van instrumenten die werden gestemd: geknor en getjilp, kakelende klarinetten en schetterende trompetten.

'Wacht even,' zei Harriet, toen hij meteen van wal stak, 'nee, hó even.' De muntjestelefoon in de sporthal hing in een drukke ruimte, geen omgeving voor een privé-gesprek. 'Alleen ja of nee zeggen. Heb je hem gevonden?'

'*Yes sir.*' Hij praatte met een stem die in de verste verte niet op die van James Bond leek, maar die Harriet als zijn James Bondstem herkende. 'Ik heb het wapen opgespoord.'

'Heb je het gegooid waar ik zei?'

Hely lachte snoevend. 'Q,' riep hij, 'heb ik u ooit teleurgesteld?'

In de korte, bokkige stilte die daarop volgde werd Harriet zich bewust van geluiden op de achtergrond, gescharrel en gefluister.

Ze ging rechter zitten en vroeg: 'Wie heb je daar bij je, Hely?'

'Niemand,' zei Hely, iets te vlug. Maar ze hoorde de hobbel in zijn stem terwijl hij dat zei, alsof hij een ander kind een por gaf met zijn elleboog.

Gefluister. Er giechelde iemand: een méísje. De woede flitste door Harriet heen als een stroomstoot.

'Hely,' zei ze, 'je hebt daar toch niemand bij je, hè? Néé,' zei ze door Hely's gesputter heen, 'luister naar me. Want –'

'Hee!' Láchte hij nou? 'Doe niet zo moeilijk!'

'*Want,*' zei Harriet, en ze verhief haar stem zoveel ze durfde, '*je vingerafdrukken staan op die revolver.*'

Afgezien van de band en het gescharrel en gefluister van de kinderen op de achtergrond bleef het doodstil aan de andere kant van de lijn.

'Hely?'

Toen hij ten slotte zijn mond opendeed klonk zijn stem schor en afstandelijk. 'Ik – ga wég,' zei hij boos tegen een onbekende gniffelaar op de achtergrond. Kort geharrewar. De hoorn sloeg tegen de muur. Even later kwam Hely weer aan de lijn.

'Wacht nog even, wil je?' zei hij.

Knal, daar ging de hoorn weer. Harriet luisterde. Opgewonden gefluister.

'Nee, jíj –' zei iemand.

Nog meer geharrewar. Harriet wachtte. Voetstappen die weg-holden; iemand die iets schreeuwde, onverstaanbaar. Toen Hely terugkwam was hij buiten adem.

'Jémig,' zei hij op verongelijkte fluistertoon. 'Je hebt me erin geluisd.'

Harriet – die zelf ook hijgde – zei niets. Haar eigen vingeraf-drukken zaten ook op de revolver, al had het geen enkele zin hem daarop te wijzen.

'Tegen wie heb je het gezegd?' informeerde ze, na een koele stilte.

'Tegen niemand. Nou ja – alleen tegen Greg en Anton. En Jessi-ca.'

Jéssica? dacht Harriet. Jessica Déés?

'Kom op, Harriet.' Nu begon hij te jammeren. 'Doe niet zo ge-meen. Ik heb toch gedaan wat je zei.'

'Ik heb je niet gevraagd om het tegen Jessica Déés te zeggen.'

Hely maakte een geërgerd geluid.

'Het is jóuw schuld. Je had het tegen niemand moeten zeggen. Nu zit je in de problemen, en ik kan je niet helpen.'

'Maar –' Hely kwam niet uit zijn woorden. 'Dat is niet eerlijk!' zei hij ten slotte. 'Ik heb tegen niemand gezegd dat jij het hebt ge-daan.'

'Dat ik wát heb gedaan?'

'Weet ik veel – wat je hebt gedaan.'

'Waarom denk je dat ik iets heb gedaan?'

'Jáá hoor.'

'Wie is er met je mee naar de toren geweest?'

'Niemand. Ik bedoel...' zei Hely ongelukkig, toen zijn vergissing tot hem doordrong.

'Niemand.'

Stilte.

'Dan,' zei Harriet (Jessica Déés! Was hij niet goed bij zijn

hoofd?), 'is het dus jóúw revolver. Je kunt niet eens bewijzen dat
ik je erom heb gevraagd.'

'Wélwaar!'

'O ja? Hoe dan?'

'Dat kan ik wél,' zei hij bokkig, maar zonder overtuiging. 'En of
ik het kan. Omdat...'

Harriet wachtte.

'Omdat...'

'Je kunt helemaal niets bewijzen,' zei Harriet. 'En dat ding zit
helemaal vol met jouw vingerafdrukken, die *jeweetwel*. Dus je kunt
maar beter gaan bedenken wat je tegen Jessica en Greg en Anton
moet zeggen als je niet naar de gevangenis wilt en niet op de elektrische stoel wilt komen.'

Hiermee had ze zelfs Hely's goedgelovigheid te zwaar op de
proef gesteld, dacht ze, maar gezien de verpletterde stilte aan de
andere kant van de lijn was dat blijkbaar niet zo.

Ze kreeg medelijden met hem, en zei: 'Hoor eens, Heal, ík ga je
heus niet verklikken.'

'Echt niet?' zei hij zwakjes.

'Nee! Het is alleen iets tussen ons tweeën. Als jíj het niet gezegd
hebt, weet niemand ervan.'

'Nee?'

'Zeg nou maar tegen Greg en die anderen dat je ze voor de gek
hebt gehouden,' zei Harriet, en ze zwaaide naar zuster Coots, die
net haar hoofd om de deur stak om dag te zeggen aan het eind van
haar dienst. 'Ik weet niet wat je hebt verteld, maar zeg maar dat je
het had verzonnen.'

'En als iemand hem nou vindt?' zei Hely moedeloos. 'Wat dan?'

'Toen je naar de toren ging, heb je toen iemand gezien?'

'Nee.'

'Heb je de auto gezien?'

'Nee,' zei Hely, nadat hij even bevreemd had gezwegen. 'Wat
voor auto?'

Mooi, dacht Harriet. Dan is hij dus niet bij de weg geweest en
is hij aan de achterkant uitgekomen.

'Wat voor auto, Harriet? Waar heb je het over?'

'O niks. Heb je hem in het diepe gedeelte van de rivier gegooid?'

'Ja. Vanaf de spoorbrug.'

'Mooi zo.' Hely had wel een risico genomen door daar naar boven te gaan, maar hij had geen afgelegener plekje kunnen kiezen.
'En niemand heeft het gezien? Dat weet je zeker?'

'Nee, niemand. Maar ze kunnen in de rivier dréggen.' Stilte. 'Weet je wel,' zei hij. 'Mijn víngerafdrukken.'

Harriet corrigeerde hem niet. 'Hoor nou,' zei ze. Bij Hely moest je alles nu eenmaal net zo vaak herhalen tot hij het doorhad. 'Als Jessica en die anderen niets zeggen zal geen mens ooit weten dat ze naar een... voorwerp moeten zoeken.'

Stilte.

'Wat heb je ze dan precies verteld?'

'Niet het échte verhaal.'

Dat zal best, dacht Harriet. Het echte verhaal kende hij niet.

'Wat dan wel?' vroeg ze.

'Het was eigenlijk – ik bedoel, het was zo'n beetje wat er vanochtend in de krant stond. Dat Farish Ratliff neer was geschoten. Er stond niet zoveel in, alleen dat de hondenvanger hem gisteravond had gevonden toen die achter een wilde hond aanzat die de straat uit was gerend, naar de ouwe katoenfabriek. Alleen heb ik dat weggelaten, dat stukje over die hondenvanger. Ik heb het, je weet wel, een beetje...'

Harriet wachtte.

'... een beetje geheim-agenteriger gemaakt.'

'Nou, dan maak je het gewoon nóg wat geheim-agenteriger,' stelde Harriet voor. 'Bijvoorbeeld dat –'

'Já, ik weet het al!' Nu was hij weer opgewonden. 'Wat een tof idee! Ik laat het op *From Russia with Love* lijken. Je weet wel, met dat koffertje –'

'– dat kogels en traangas afschiet.'

'*Dat kogels en traangas afschiet!* En ook die schoenen! Die schoenen!' Hij had het over de schoenen van geheim agent Klebb, met stiletto's in de neuzen.

'Ja, hartstikke goed. Hely –'

'En die boksbeugels, weet je wel, op dat exercitieterrein, weet je wel, waar ze die dikke blonde gozer een stomp in zijn buik geeft?'

'Hely? Ik zou niet té veel zeggen.'

'Nee. Niet te veel. Maar wel dat het net een verhaal is,' stelde Hely opgewekt voor.

'Precies,' zei Harriet. 'Net een verhaal.'

'Lawrence Eugene Ratliff?'

De onbekende sprak Eugene aan voor hij bij het trappenhuis was. Het was een grote, joviale man met een blonde borstelsnor en harde, grijze, bolle ogen.

'Waar ga je heen?'

'Eh –' Eugene keek naar zijn handen. Hij had weer naar de kamer van dat kind willen gaan, kijken of hij nog iets uit haar kon krijgen, maar dat kon hij natuurlijk niet zeggen.

'Mag ik even meelopen?'

'Geen punt!' zei Eugene, op de aimabele toon die hem die dag tot dusver nog niet had gebaat.

Met luid weergalmende stappen liepen ze langs het trappenhuis, de kille gang door naar de deur helemaal achterin, waarop Uitgang stond.

'Ik val je liever niet lastig,' zei de man terwijl hij de deur openduwde, 'zeker niet op zo'n moment, maar ik zou toch wel graag even met je praten, als het kan.'

Ze stapten naar buiten, uit de steriele halfschemer de verzengende hitte in. 'Waarmee kan ik u van dienst zijn?' zei Eugene, met zijn vingers zijn haar naar achteren kammend. Hij was bekaf en stijf van die stoel waarin hij de hele nacht op had gezeten, en hoewel hij de laatste tijd al veel te veel in dat ziekenhuis zat was de blakerende middagzon wel het laatste waar hij zin in had.

De onbekende ging op een betonnen bankje zitten en beduidde Eugene zijn voorbeeld te volgen. 'Ik ben op zoek naar je broer Danny.'

Eugene nam naast hem plaats en zweeg. Hij had vaak genoeg met de politie verkeerd om te weten dat het – altijd – het verstandigste was je niet in de kaart te laten kijken.

De stille klapte in zijn handen. 'Goh, wat is het warm buiten, hè?' zei hij. Hij zocht in zijn zak naar een pakje sigaretten en stak er op zijn dooie gemak een op. 'Je broer Danny is bevriend met een zekere Alphonse de Bienville,' zei hij, rook uitblazend door zijn mondhoek. 'Ken je die?'

'Van gehoord.' Alphonse was Catfish' officiële voornaam.

'Lijkt me nogal een bezig baasje.' Daarna, vertrouwelijk: 'Die heeft bij alles wat er hier zoal omgaat wel een vinger in de pap, hè?'

'Ik zou het niet weten.' Eugene bleef zo ver mogelijk bij Catfish uit de buurt. Catfish' lichtzinnige, ontspannen, oneerbiedige manier van doen gaf hem een buitengewoon onbehaaglijk gevoel; Eugene was schutterig tegen hem, klapte dicht en wist nooit iets terug te zeggen, en hij had het sterke vermoeden dat Catfish achter zijn rug de spot met hem dreef.

'Wat speelt hij voor rol in dat handeltje dat jullie runnen, daar bij je thuis?'

Eugene verstijfde inwendig, bleef met zijn handen tussen zijn knieën bungelend zitten en probeerde zijn gezicht in de plooi te houden.

De stille onderdrukte een geeuw en legde zijn arm over de rugleuning van het bankje. Hij had de hebbelijkheid nerveuze klopjes op zijn buik te geven, als een man die net is afgevallen en wil controleren of zijn buik nog wel plat is.

'Kijk, we weten er alles van, Eugene,' zei hij, 'van wat jullie daar uitspoken. We hebben er een man of vijf zitten, bij je grootmoeder. Dus vooruit, speel nou maar open kaart met me, dan bespaar je ons allebei tijd.'

'Ik zal het eerlijk zeggen,' zei Eugene en draaide zijn hoofd opzij om hem recht aan te kijken. 'Daar heb ik niks mee te maken, met wat er allemaal in die schuur gebeurt.'

'Dus je weet van dat lab. Vertel dan maar waar de drugs liggen.'

'U weet er meer van dan ik, meneer, en ik mag liegen als het niet waar is.'

'Nou, dan heb ik nog een kleinigheidje dat je misschien wel leuk vindt om te weten. Een agent van ons heeft daar letsel opgelopen van een van die vergiftigde bamboestaken waarmee jullie de boel daar hadden geboobytrapt. We hebben nog geluk gehad dat hij schreeuwde toen hij viel, anders was er iemand op zo'n struikeldraad gelopen en was het hele zaakje in de lucht gevlogen.'

'Farsh is geestelijk een beetje in de war,' zei Eugene, na een korte, verbijsterde stilte. De zon scheen in zijn ogen en hij voelde zich heel slecht op zijn gemak. 'Hij is opgenomen geweest.'

'Ja, én veroordeeld wegens misdrijf.'

Hij keek Eugene strak aan. 'Kijk,' zei Eugene, terwijl hij krampachtig zijn benen over elkaar sloeg, 'ik weet wat u denkt. Ik heb ook problemen gehad, dat geef ik toe, maar dat is allemaal verleden tijd. Ik heb God om vergeving gevraagd en mijn schuld aan de staat ingelost. Nu behoort mijn leven aan Jezus Christus toe.'

'Aha.' De stille zweeg even. 'Vertel dan eens. Wat voor rol speelt je broer Danny in deze geschiedenis?'

'Hij en Farsh zijn gisterochtend samen weggegaan met de auto. Meer weet ik er ook niet van.'

'Volgens je grootmoeder hadden ze ruzie gemaakt.'

'Echt ruzie zou ik het niet willen noemen,' zei Eugene, nadat hij even had nagedacht. Hij hoefde het niet nog erger voor Danny te maken dan het al was. Als Danny Farish niet neer had geschoten

– nou, dan zou hij wel een verklaring hebben. En als hij het wel had gedaan – en daar was Eugene bang voor – nou, dan kon Eugene hem toch niet helpen, wat hij ook zei of deed.

'Volgens je grootmoeder waren er bijna klappen gevallen. Danny had iets gedaan waar Farish kwaad van was geworden.'

'Daar heb ik helemaal niets van gemerkt.' Typisch Gum, om zoiets te zeggen. Farish hield Gum altijd ver uit de buurt van de politie. Ze was zo partijdig in haar relaties met haar kleinzoons dat ze algauw over Danny of Eugene begon te klagen en te roddelen en Farish intussen de hemel in prees.

'Goed dan.' De stille drukte zijn sigaret uit. 'Ik wil even iets duidelijk maken, oké? Dit is een vraaggesprek, Eugene, geen verhoor. Het heeft alleen zin om je naar het bureau mee te nemen en je op je rechten te wijzen als jij me geen keus laat, zijn we het daarover eens?'

'Ja meneer,' zei Eugene, terwijl hij hem recht aankeek en meteen zijn blik weer afwendde. 'Dat begrijp ik, meneer.'

'Nou. Onder ons gezegd en gezwegen, waar denk jij dat Danny is?'

'Dat weet ik niet.'

'Ik heb anders begrepen dat jullie heel dik met elkaar waren,' zei de stille op dezelfde vertrouwelijke toon. 'Het wil er bij mij niet in dat hij ervandoor is gegaan zonder tegen jou te zeggen waarheen. Heeft hij vrienden waar ik van moet weten? Connecties in een andere staat? Hij kan niet erg ver zijn gekomen in zijn eentje, te voet, niet zonder enige vorm van hulp.'

'Waarom denkt u dat hij ervandoor is? Hoe weet u dat hij niet ergens ligt, dood of gewond, net als Farsh?'

De stille sloeg zijn hand om zijn knie. 'Kijk, dat is nou interessant dat je dat vraagt. We hebben Alphonse de Bienville namelijk net vanochtend in hechtenis genomen om hem exact diezelfde vraag te stellen.'

Eugene bezon zich op die nieuwe invalshoek. 'Denkt u dat Catfish het gedaan heeft?'

'Wat gedaan heeft?' vroeg de stille achteloos.

'Mijn broer neergeschoten.'

'Tja.' De stille bleef even voor zich uit zitten staren. 'Catfish is een ondernemende zakenman. Die heeft beslist gedacht dat hij een slaatje kon slaan uit jullie handel, en het heeft er alle schijn van dat hij dat van plan was. Maar we hebben wel een probleem, Eugene. We kunnen Danny niet vinden, en we kunnen de drugs niet vinden. En we hebben ook geen bewijs dat Catfish weet waar ze liggen. Dus zijn we weer terug bij af. Daarom hoopte ik dat jij me een eindje op weg kon helpen.'

'Het spijt me, meneer.' Eugene zat over zijn mond te wrijven. 'Ik weet gewoon niet wat ik voor u kan doen.'

'Nou, misschien moest je er dan nog maar wat langer over nadenken. We hebben het per slot wél over moord en dergelijke.'

'Moord?' Eugene was met stomheid geslagen. 'Is Farish dóód?' Heel even kreeg hij geen lucht meer in de hitte. Hij was al meer dan een uur niet op de intensive care geweest; hij had Gum en Curtis alleen terug laten gaan vanuit de cafetaria, na hun groentesoep en bananenvla, terwijl hij nog even koffie was blijven drinken.

De stille keek verbaasd – maar of dat echte of gespeelde verbazing was kon Eugene niet uitmaken.

'Wist je dat niet?' zei hij. 'Ik zag je in de gang daar vandaan komen, dus ik dacht –'

'Hoor eens,' zei Eugene, die al was opgestaan en aanstalten maakte om weg te lopen, 'hoor eens. Ik moet erheen, ik moet naar mijn grootmoeder toe. Ik –'

'Toe maar, ga maar,' zei de stille, nog steeds wegkijkend, met een snelle handbeweging, 'ga maar terug en doe wat je te doen staat.'

Eugene liep door de zijdeur naar binnen en bleef even versuft staan. Een voorbijkomende verpleegster, die zijn blik opving, keek hem ernstig aan en schudde kort met haar hoofd, en plotseling zette hij het op een lopen, luid neerkletsende schoenen, langs verbaasde verpleegsters, de hele gang door naar de intensive care. Hij hoorde Gum al voor hij haar zag – een droog, iel, eenzaam gejammer, dat hem door zijn ziel sneed. Curtis zat – schrik in zijn ogen, snakkend naar adem – op een stoel in de gang, met een groot speelgoedbeest tegen zich aangedrukt waar hij hem nog nooit mee had gezien. Een dame van patiëntenzorg – die zo aardig voor ze was geweest toen ze in het ziekenhuis aankwamen, hen zonder poespas meteen naar de intensive care had gebracht – hield zijn hand vast en praatte zachtjes tegen hem. Ze stond op toen ze Eugene zag. 'Daar is hij,' zei ze tegen Curtis, 'hij is er weer, schatje, wees maar niet bang.' Toen keek ze even naar de deur van de volgende kamer en zei tegen Eugene: 'Uw grootmoeder...'

Eugene ging – armen uitgestrekt – naar haar toe. Ze strompelde langs hem heen de gang in, terwijl ze met een vreemde, dunne, schrille stem Farish' naam uitriep.

De dame van patiëntenzorg trok dokter Breedlove, die net langsliep, aan zijn mouw. 'Dokter,' zei ze, met een knikje naar Curtis, die naar lucht hapte en bijna blauw was aangelopen, 'hij heeft moeite met ademhalen.'

De dokter bleef een halve tel staan en keek naar Curtis. Daarop snauwde hij: 'Epinephrine.' Meteen holde er een zuster weg. Tegen een andere zuster snauwde hij: 'Waarom heeft mevrouw Ratliff nog geen kalmerend middel gekregen?'

En toen, te midden van alle commotie – ziekenbroeders, Curtis die een prik in zijn arm kreeg ('zo, schatje, hier knap je meteen van op') en een paar zusters die van twee kanten op zijn grootmoeder afkwamen – toen was daar opeens die stille weer.

'Hoor eens,' zei hij, met opgeheven handen, 'doe jij nou eerst wat je moet doen.'

'Hè?' zei Eugene, om zich heen kijkend.

'Ik wacht hier wel op je.' Hij knikte. 'Ik denk namelijk dat het vlugger gaat als je even meekomt naar het bureau. Zodra je zover bent.'

Eugene keek om zich heen. Het was nog niet echt tot hem doorgedrongen, hij had het gevoel alsof hij alles door een mist heen zag. Zijn grootmoeder was tot rust gekomen en werd schuifelend tussen twee verpleegsters in weggevoerd door de koele grijze gang. Curtis wreef over zijn arm – maar zijn gepiep en gehijg was als bij toverslag verdwenen. Hij liet Eugene het speelgoedbeest zien – een konijn, leek het.

'Mijs!' zei hij, met zijn vuist in zijn opgezwollen ogen wrijvend.

De stille stond Eugene nog steeds aan te kijken alsof hij verwachtte dat hij iets zou zeggen.

'Mijn kleine broertje,' zei hij, en hij streek over zijn gezicht. 'Hij is achterlijk, ik kan hem hier niet zo in zijn eentje achterlaten.'

'Dan neem je hem mee,' zei de stille. 'We hebben vast wel ergens een reep chocola voor hem.'

'Mannetje?' zei Eugene – en viel bijna om toen Curtis op hem af stoof, zijn armen om hem heen sloeg en zijn vochtige gezicht in zijn overhemd begroef.

'Jij lief,' zei hij gesmoord.

'Nou nou, Curtis,' zei Eugene en aaide hem onhandig over zijn rug, 'toe nou maar, kalm nou maar, ik vind jou ook lief.'

'Ja, het zijn lieve kinderen, hè?' zei de stille toegeeflijk. 'Mijn zuster had ook een mongooltje. Die is niet ouder dan vijftien geworden, maar goeie God, we waren allemaal gek met hem. Dat was de droevigste begrafenis die ik ooit heb meegemaakt.'

Eugene maakte een onduidelijk geluid. Curtis had talloze kwalen, waarvan sommige ernstig, en zoiets was wel het laatste waar hij op dit moment aan wilde denken. Hij besefte dat hij nu eigenlijk aan iemand moest vragen of hij naar het lichaam van Farish mocht, om er een paar minuten alleen bij te zitten, even te bidden. Farish had nooit de indruk gemaakt dat hij erg inzat over zijn lot na de dood (en over zijn lot op aarde trouwens evenmin), maar dat hoefde niet te betekenen dat hij op het laatst geen genade had gekregen. Tenslotte was God Farish al eens eerder gunstig gezind geweest. Toen hij zich door het hoofd had geschoten, na die geschiedenis met de bulldozer, en alle dokters zeiden dat alleen de apparaten hem nog in leven hielden, had hij iedereen verrast door als Lazarus te herrijzen. Hoeveel mensen waren er bijna letterlijk uit het graf opgestaan, waren plotseling te midden van al die apparaten rechtop gaan zitten met een verzoek om aardappelpuree? Zou God een ziel zo spectaculair uit het graf plukken om hem vervolgens voor eeuwig te verdoemen? Als hij het lichaam kon zien – het met zijn eigen ogen kon aanschouwen – zou hij vast weten in welke staat Farish was heengegaan.

'Ik wil mijn broer nog zien voor ze hem weghalen,' zei hij. 'Ik ga even kijken of ik de dokter kan vinden.'

De stille knikte. Eugene draaide zich om en wilde weglopen, maar Curtis – opeens in paniek – greep zijn pols vast.

'Laat hem maar bij mij, als je wilt,' zei de stille. 'Ik let wel op hem.'

'Nee,' zei Eugene, 'nee, dat is best, hij mag ook mee.'

De stille keek naar Curtis en schudde zijn hoofd. 'Als er zoiets gebeurt, is het wel een zegen voor ze,' zei hij. 'Dat ze het niet begrijpen, bedoel ik.'

'We begrijpen het allemaal niet,' zei Eugene.

Harriet werd slaperig van het middel dat ze haar hadden gegeven. Algauw klopte er iemand buiten op haar deur: Tatty. 'Lieverd!' riep ze, terwijl ze de kamer in vloog. 'Hoe is het met mijn kind?'

Harriet – opgetogen – kwam moeizaam overeind in bed en stak haar armen uit. Toen, opeens, was het net of ze droomde en er niemand in de kamer was. Het was zoiets vreemds dat ze, overweldigd, haar ogen uitwreef en haar verwarring probeerde te verbergen.

Maar Tatty was er wél. Ze gaf Harriet een kus op haar wang. 'Maar ze ziet er zo goed uit, Edith,' riep ze. 'Zo vief.'

'Nou, ze is ook een stuk opgeknapt,' zei Edie gedecideerd. Ze legde een boek op het tafeltje naast Harriets bed. 'Hier, ik dacht dat je dit wel leuk gezelschap zou vinden.'

Harriet ging weer in de kussens liggen en luisterde terwijl ze praatten en hun vertrouwde stemmen ineenvloeiden tot een stroom van stralend, harmonisch gebabbel. Toen was ze ergens anders, in een donkerblauwe zuilengang met in lakens gehulde meubels. Het regende maar en regende maar.

Ze ging rechtop zitten in de lichte kamer, en zei: 'Tatty?' Het was later op de dag. Het zonlicht op de muur tegenover haar had zich gerekt, zich verplaatst, zich zachtjes langs de muur omlaag laten glijden en zich uitgegoten tot een glanzende plas op de vloer.

Ze waren weg. Ze was duizelig, alsof ze uit een donkere film-matinee naar buiten de verblindende middag in was gelopen. Op het tafeltje naast haar bed lag een vertrouwd dik blauw boek: kapitein Scott. Bij de aanblik werd haar hart licht, en alleen om er zeker van te zijn dat ze geen spoken zag, legde ze haar hand op het boek, en daarna kwam ze – ondanks haar hoofdpijn en versuftheid – met veel moeite overeind en probeerde een poosje te lezen. Maar onder het lezen verdiepte de stilte van de ziekenhuiskamer zich tot een ijzige, bovenaardse verstildheid, en algauw had ze het onaangename gevoel dat het boek op uiterst verontrustende manier het woord tot haar – Harriet – richtte. Om de paar regels sprong er een zinnetje duidelijk en vol nadrukkelijke betekenis naar voren, alsof kapitein Scott haar rechtstreeks toesprak, alsof hij een reeks persoonlijk voor haar bestemde gecodeerde berichten in zijn dagboeken van de pool had verwerkt. Om de paar regels trof haar wel iets veelzeggends. Ze probeerde het zich uit het hoofd te praten, maar dat hielp niet, en algauw werd ze zo bang dat ze het boek weg moest leggen.

Dokter Breedlove liep langs haar open deur en bleef staan toen hij haar zo bang en van streek rechtop in bed zag zitten.

'Waarom ben jij wakker?' wilde hij weten. Hij kwam binnen, bestudeerde haar status, zonder enige uitdrukking op zijn kwabbi-ge gezicht, en liep met zware stappen de kamer uit. Binnen vijf minuten snelde een verpleegster de kamer in met de zoveelste injectienaald.

'Vooruit, draai je om,' zei ze korzelig. Om de een of andere re-den leek ze boos op Harriet.

Toen ze weg was bleef Harriet met haar gezicht in het kussen liggen. De dekens waren zacht. Geluiden, die zich uitsponnen en zacht over haar heen gleden. Daarop tolde ze schielijk omlaag, een weidse mistroostige leegte in, de oude gewichtloosheid van de vroegste nachtmerries.

'Maar ik wou geen thee,' zei een mokkende, vertrouwde stem.

Inmiddels was het donker in de kamer. Er zaten twee mensen. Achter hun hoofd brandde flauw licht in een stralenkrans. Toen hoorde Harriet tot haar schrik een stem die ze allang niet meer had gehoord: die van haar vader.

'Ze hadden niets anders.' Hij sprak op een overdreven hoffelijke, naar sarcasme zwemende toon. 'Alleen koffie en sap.'

'Ik zéí toch dat je niet helemaal naar beneden naar de cafetaria moest gaan. Er staat een cola-automaat op de gang.'

'Nou, dan drink je het toch niet.'

Harriet bleef heel stil liggen, haar ogen op een kiertje. Telkens als haar ouders samen in de kamer zaten werd de sfeer kil en gespannen, hoe beleefd ze ook tegen elkaar deden. *Wat moeten díé hier?* dacht ze doezelig. *Waren het Tatty en Edie maar.*

Toen drong het met een schok tot haar door dat ze haar vader de naam van Danny Ratliff had horen noemen.

'Erg, hè?' zei hij nu. 'Iedereen had het erover, in de cafetaria.'

'Waarover?'

'Danny Ratliff. Dat kleine vriendje van Robin, weet je niet meer? Hij kwam weleens in de tuin spelen.'

Vriendje? dacht Harriet.

Klaarwakker nu, haar hart zo wild bonkend dat het moeite kostte om niet te trillen, bleef ze met haar ogen dicht liggen luisteren. Ze hoorde haar vader een slok koffie nemen. Daarna ging hij verder: 'Hij is nog langs geweest. Erna. Zo'n haveloos jochie, weet je dat niet meer? Hij klopte bij ons aan en zei dat het hem speet dat hij niet naar de begrafenis was gekomen, hij had met niemand mee kunnen rijden.'

Maar dat is niet waar, dacht Harriet, in paniek. *Ze hadden een hekel aan elkaar. Dat zei Ida.*

'O ja!' Opeens kwam haar moeders stem tot leven, vol pijn. 'Dat arme kereltje. Nu weet ik het weer. Ach, wat erg.'

'Vreemd.' Haar vader zuchtte, diep. 'Het lijkt pas gisteren dat hij met Robin in de tuin speelde.'

Harriet verstijfde van afgrijzen.

'Ik vond het toch zo naar,' zei haar moeder, 'ik vond het toch zo naar toen ik een tijd geleden hoorde dat hij het verkeerde pad op ging.'

'Dat kon ook niet uitblijven, met zo'n familie.'

'Nou, ze zijn niet allemaal slecht. Ik kwam Roy Dial tegen op de gang, en die zei dat een van de andere broers even bij Harriet was komen kijken.'

'Echt waar?' Haar vader nam weer een grote slok koffie. 'Denk je dan dat hij wist wie ze was?'

'Dat zou me helemaal niets verbazen. Daarom zal hij wel langs zijn gekomen.'

Het gesprek nam een andere wending terwijl Harriet – door angst bevangen – roerloos met haar gezicht in het kussen bleef liggen. Het was geen moment bij haar opgekomen dat ze weleens ongelijk had kunnen hebben in haar veronderstellingen over Danny Ratliff – domweg ongelijk. Stel dat hij Robin helemaal niet had vermoord, wat dan?

Ze had niet gerekend op de zwarte ontzetting die bij dat idee over haar neerdaalde, alsof er een val achter haar dichtklikte, en onmiddellijk probeerde ze het van zich af te zetten. Danny Ratliff was schuldig, dat wist ze, wist ze zeker; het was de enige verklaring die hout sneed. Zíj wist wat hij had gedaan, ook al wist niemand anders het.

Maar desondanks was ze plotseling door hevige twijfel overvallen, en tegelijk door de angst dat ze blindelings in iets verschrikkelijks terecht was gekomen. Ze probeerde zichzelf te sussen. Danny Ratliff had Robin vermoord, ze wist het zeker, het kon niet anders. En toch, als ze zich voor de geest wilde halen waarom ze zo precies had geweten dat het waar was, stonden de redenen haar niet meer zo duidelijk bij als eerst, en nu ze er weer op probeerde te komen lukte dat niet.

Ze beet op de binnenkant van haar wang. Waarom was ze er zo zeker van geweest dat hij het was? Eens was ze daar heel zeker van geweest; de gedachte had goed áángevoeld, en daar ging het om. Maar nu bleef er – net als de smerige smaak in haar mond – een weeë angst hangen, die niet meer wegging. Waarom was ze zo zeker van haar zaak geweest? Ja goed, Ida had haar van alles verteld – maar nu leken die verhalen (de ruzies, de gestolen fiets) opeens helemaal niet meer zo overtuigend. Ida had toch ook zo'n hekel aan Hely gehad, zonder enige reden? En als Hely kwam spelen, dan was Ida toch vaak plaatsvervangend woedend geweest voor Harriet zonder de moeite te nemen om uit te zoeken wie er schuld aan de ruzie had?

Misschien had ze gelijk. Misschien had hij het wél gedaan. Maar hoe kon ze dat ooit echt te weten komen? Met een misselijkmakend gevoel dacht ze weer aan die hand die klauwend uit het groene water omhoog stak.

Waarom heb ik het niet gevraagd? dacht ze. *Hij was zo dichtbij.* Maar nee, ze was te bang geweest, ze had alleen maar weg gewild.

'O, kijk!' zei haar moeder opeens, en ze stond op. 'Ze is wakker!'

Harriet verstrakte. Ze was zo in haar gedachten verdiept dat ze had vergeten haar ogen dicht te houden.

'Kijk eens wie er is, Harriet!'

Haar vader stond op en kwam bij het bed. Zelfs in de schemerdonkere kamer viel het Harriet op dat hij dikker was geworden sinds de laatste keer dat ze hem had gezien.

'Zo, jij hebt die ouwe pappa van je al een tijd niet meer gezien, hè?' zei hij. Als hij in een jolige bui was noemde hij zichzelf graag 'die ouwe pappa'. 'Hoe gaat het met m'n meisje?'

Harriet liet zich een kusje op het voorhoofd en een tikje op haar wang welgevallen – een kwiek tikje, met gebogen hand. Het was haar vaders gebruikelijke liefkozing, maar Harriet had er een grondige hekel aan, vooral omdat diezelfde hand haar soms in woede een klap gaf.

'Hoe gaat het met je?' zei hij. Hij had sigaren zitten roken; ze kon het aan hem ruiken. 'Heb jij die dokters even om de tuin geleid, dametje!' Zoals hij dat zei leek het of ze een geweldige intellectuele of sportieve prestatie had geleverd.

Haar moeder liep zenuwachtig heen en weer. 'Misschien heeft ze wel geen zin om te praten, Dix.'

Zonder om te kijken zei haar vader: 'Nou, ze hoeft niet te praten als ze geen zin heeft.'

Terwijl ze opkeek in haar vaders dikke rode gezicht, zijn scherpe, opmerkzame ogen, had ze de sterke aanvechting hem naar Danny Ratliff te vragen. Maar ze durfde niet.

'Wat is er?' zei haar vader.

'Ik zei niets.' Haar stem verbaasde haar, zo schor en zwak als die klonk.

'Nee, maar je wilde het wel.' Haar vader keek haar vriendelijk aan. 'Wat is er?'

'Laat haar nou met rust, Dix,' zei haar moeder zacht.

Haar vader keek om – heel even, zonder een woord te zeggen – op een manier die Harriet heel goed kende.

'Maar ze is moe!'

'Dat wéét ik. Ik óók,' zei haar vader, op die koude, overmatig beleefde toon. 'Ik heb acht uur gereden om hier te komen. En nu zou ik niet tegen haar mogen praten?'

Toen ze eindelijk weg waren – het bezoekuur was om negen uur afgelopen – was Harriet veel te bang om te slapen, en ze bleef rechtop in bed zitten met haar blik op de deur, uit angst dat de evangelist terug zou komen. Een onaangekondigd bezoekje van haar vader was op zich al reden tot angst – vooral gezien de nieuwe dreiging van een verhuizing naar Nashville – maar nu zat ze over haar vader nog het minste in; wie wist wat de evangelist zou doen, nu Danny Ratliff dood was?

Toen schoot het wapenkabinet haar te binnen, en het werd haar koud om het hart. Hij keek er wel niet elke keer in als hij thuiskwam – meestal alleen in het jachtseizoen – maar je zou net zien dat hij het nu wél deed. Misschien was het dom geweest om die revolver in de rivier te gooien. Als Hely hem in de tuin had verstopt, had ze hem weer op zijn plaats terug kunnen leggen, maar daar was het nu te laat voor.

Ze had nooit gedacht dat hij zo gauw thuis zou komen. Maar goed, in feite had ze natuurlijk niemand neergeschoten met die revolver – om de een of andere reden vergat ze dat steeds weer – en als Hely de waarheid sprak lag hij nu op de bodem van de rivier. Als haar vader in het kabinet keek en zag dat die revolver weg was, dan kon hij dat toch niet met haar in verband brengen?

En dan had je Hely nog. Ze had hem vrijwel niets van het echte verhaal verteld – en dat was maar goed ook – maar ze hoopte dat hij niet al te veel over die vingerafdrukken na zou denken. Zou hij uiteindelijk beseffen dat niets hem ervan weerhield haar te verklikken? Als hij dat eenmaal doorhad was het haar woord tegen het zijne – en tegen die tijd zou het misschien wel lang genoeg geleden zijn.

De mensen letten niet op. Het kon ze niet schelen; ze zouden het vergeten. Als ze al een spoor had achtergelaten, dan zou er algauw niets meer van over zijn. Zo was het met Robin toch ook gegaan? Er was niets van het spoor overgebleven. En toen drong zich de afschuwelijke gedachte aan haar op dat Robins moordenaar – wie het ook was – op een gegeven moment vast hetzelfde had zitten bedenken.

Maar ik heb niemand vermoord, hield ze zich voor, starend naar de beddensprei. *Hij is verdronken. Ik kon er niets aan doen.*

'Wat is er, liefje?' zei de zuster die was binnengekomen om haar infuus te controleren. 'Heb je iets nodig?'

Harriet bleef roerloos, met haar knokkels in haar mond, naar de witte sprei zitten staren tot de zuster weer weg was.

Nee: ze had niemand vermoord. Maar het was wel haar schuld dat hij dood was. En misschien had hij Robin wel nooit kwaad gedaan.

Van dit soort gedachten raakte ze van streek, en ze probeerde – uit alle macht – aan iets anders te denken. Ze had gedaan wat ze doen moest; het was dwaas om nu aan zichzelf en haar aanpak te gaan twijfelen. Ze dacht aan de zeerover Israel Hands, drijvend in het ondiepe bloedlauwe water bij de Hispaniola, en die heroïsche zandbank had iets nachtmerrieachtigs en grandioos: ontzetting, valse luchten, onmetelijke waanzin. Het schip was verloren; ze had het helemaal alleen proberen te heroveren. Bijna was zij ook een held geweest. Maar ze was bang dat ze nu helemaal geen held was, maar heel iets anders.

Op het laatst – het allerlaatst, toen de wind de wanden van de tent bolde en deukte en één enkel kaarsvlammetje zwak flakkerde op een verloren continent – had kapitein Scott met gevoelloze vingers in een schriftje over zijn falen geschreven. Ja, hij had moedig naar het onmogelijke gestreefd, en had het dode, ongerepte hart van de wereld bereikt –, maar voor niets. Hij was in al zijn dagdromen beschaamd. En ze besefte hoe treurig hij zich moest hebben gevoeld, daar op die ijsvlakten, in de poolnacht, Evans en Titus Oates al verloren, onder immense sneeuwmassa's, en Birdie en dokter Wilson roerloos en stil in hun slaapzakken, wegzwevend, dromend van groene velden.

Mismoedig staarde ze voor zich uit in het steriele donker. Er drukte een last op haar, en een duisternis. Ze was dingen te weten gekomen die ze nooit had geweten, dingen waarvan ze geen idee had gehad, en toch was dat op een vreemde manier de verborgen boodschap van kapitein Scott: dat victorie en fiasco soms een en hetzelfde waren.

Harriet werd laat wakker, na een onrustige nacht. Er stond een deprimerend ontbijtblad op haar te wachten: vruchtengelei, appelsap en – heel raadselachtig – een kommetje gekookte witte rijst.

Ze had de hele nacht nare dromen gehad over haar vader, die dreigend bij haar bed had gestaan en haar heen en weer lopend op haar kop had gegeven voor iets wat ze kapot had gemaakt, iets van hem.

Toen drong het tot haar door waar ze was, en haar maag verkrampte van angst. Verward in haar ogen wrijvend kwam ze overeind om het blad te pakken – en zag Edie in de leunstoel naast haar bed zitten. Ze dronk koffie – geen koffie uit de ziekenhuiscafetaria maar koffie die ze van huis mee had genomen, in de geruite thermoskan – en las de ochtendkrant.

'O, mooi, je bent wakker,' zei ze. 'Je moeder komt zo.'

Haar manier van doen was kordaat en volkomen normaal. Harriet probeerde haar onbehagen van zich af te zetten. In die ene nacht was er toch zeker niets veranderd?

'Je moet wel eten,' zei Edie. 'Het is vandaag een grote dag voor je, Harriet. Als de neuroloog je heeft onderzocht, mag je vanmiddag misschien wel naar huis.'

Harriet deed haar best zich te vermannen. Ze moest proberen te doen alsof er niets aan de hand was; ze moest de neuroloog ervan zien te overtuigen – al moest ze daarvoor liegen – dat ze kerngezond was. Het was van het grootste belang dat ze naar huis mocht; ze moest al haar energie erop richten uit het ziekenhuis weg te komen voordat de evangelist weer naar haar kamer kwam of iemand doorkreeg wat er aan de hand was. Dokter Breedlove had iets over ongewassen sla gezegd. Daar moest ze zich aan vastklampen, dat moest ze zich inprenten en ter sprake brengen als ze haar vragen stelden; ze moest tot iedere prijs voorkomen dat er een verband werd gelegd tussen haar ziekte en de watertoren.

Met enorme wilsinspanning maakte ze zich los van haar gedachten en richtte haar aandacht op haar ontbijtblad. Ze zou die rijst wel opeten, dan was het net of ze in China zat te ontbijten. Daar zit ik, zei ze tegen zichzelf, ik ben Marco Polo, ik ontbijt met Koeblai Chan. Maar ik kan niet met stokjes eten, daarom eet ik maar met die vork.

Edie was verdergegaan met haar krant. Harriet wierp een blik op de voorpagina – en hield de vork halverwege haar mond stil. 'Verdachte van moord gevonden' luidde de kop. Op de foto tilden twee mannen een slap hangend lichaam op onder de oksels. Het gezicht was lijkbleek, met lange slierten haar langs zijn gezicht geplakt, en zo vervormd dat het eerder een plastiek van gesmolten was leek dan een echt gezicht: een verwrongen zwart gat op de

plaats van de mond en grote zwarte oogholten, als in een doods-
hoofd. Maar hoe vervormd ook, er was geen twijfel aan dat het
Danny Ratliff was.

Harriet ging rechtop zitten en probeerde met schuin gehouden
hoofd het artikel te lezen. Toen Edie omsloeg en Harriets blik en
de vreemde stand van haar hoofd zag, legde ze de krant neer en
vroeg scherp: 'Ben je misselijk? Moet ik het bakje even halen?'

'Mag ik de krant zien?'

'Natuurlijk.' Edie bladerde naar het achterste katern, trok de
strippagina eruit, gaf die aan Harriet en ging rustig verder met
lezen.

'Gaan ze alweer de gemeentebelastingen verhogen,' zei ze. 'Ik
begrijp niet wat ze dóén met al dat geld dat ze vragen. Ze zullen
wel weer wegen gaan aanleggen die ze nooit afmaken, zo zal het
wel gaan.'

Woedend staarde Harriet naar de strippagina, zonder er iets
van te zien. 'Verdachte van moord gevonden'. Als Danny Ratliff
verdachte was – als het tenminste 'verdachte' was wat er stond –
dan betekende dat toch dat hij nog leefde?

Tersluiks wierp ze nog een blik op de krant. Edie had hem nu
dubbelgevouwen, waardoor de voorpagina niet meer te zien was,
en was met de kruiswoordpuzzel begonnen.

'Ik hoorde dat Dixon gisteravond bij je op bezoek is geweest,'
zei ze op de koele toon die altijd in haar stem sloop zodra ze het
over Harriets vader had. 'En hoe was dat?'

'Gewoon.' Harriet zat – het hele ontbijt vergeten – rechtop in
bed en probeerde haar onrust te verbergen, maar ze had het gevoel dat ze dood zou gaan als ze de voorpagina niet kon lezen en
er niet achter kwam wat er was gebeurd.

Hij weet niet eens hoe ik heet, hield ze zich voor. Tenminste, ze
dacht van niet. Als haar eigen naam in de krant stond zou Edie nu
niet zo kalm voor haar neus met die kruiswoordpuzzel bezig zijn.

Hij heeft me proberen te verdrinken, dacht ze. Dat zou hij heus
niet gaan rondbazuinen.

Uiteindelijk raapte ze haar moed bijeen en zei: 'Edie, wie is die
man voor op de krant?'

Edie keek onbegrijpend en draaide de krant om. 'O, dat,' zei ze.
'Die heeft iemand vermoord. Hij hield zich schuil voor de politie
boven in die oude watertoren, kon er niet meer uit en is bijna
verdronken. Hij zal wel blij zijn geweest toen er iemand kwam
opdagen om hem te pakken.' Ze keek even naar de krant. 'Verder-

op voorbij de rivier wonen Ratliffs,' zei ze. 'Ik meen me te herinneren dat er op De Beproeving een tijdje een oude man heeft gewerkt die Ratliff heette. Tatty en ik waren doodsbang voor hem, omdat hij geen voortanden had.'

'Wat hebben ze met hem gedaan?' vroeg Harriet.

'Met wie?'

'Met die man.'

'Hij heeft bekend dat hij zijn broer heeft vermoord,' zei Edie, en ze boog zich weer over haar kruiswoordpuzzel, 'en hij werd ook gezocht in verband met een drugszaak. Dus ze zullen hem wel naar de gevangenis hebben afgevoerd.'

'Naar de gevangenis?' Harriet was even stil. 'Staat dat in de krant?'

'O, hij komt gauw genoeg weer vrij hoor, wees maar niet bang,' zei Edie kortaf. 'Ze hebben die mensen nog niet gepakt en opgesloten of ze laten ze alweer vrij. Wil je je ontbijt niet?' zei ze toen ze Harriets onaangeroerde blad zag.

Harriet boog zich demonstratief weer over haar rijst. *Als hij niet dood is*, dacht ze, *dan ben ik geen moordenaar. Dan heb ik niets gedaan. Of wel?*

'Zo. Dat is beter. Je moet wel een hapje eten voor ze dat onderzoek gaan doen,' zei Edie. 'Als ze bloed afnemen word je misschien een beetje duizelig.'

Harriet at ijverig, met neergeslagen blik, maar haar gedachten vlogen heen en weer als een dier in een kooi, en opeens viel haar opnieuw een zo verschrikkelijke gedachte in dat ze zich hardop liet ontvallen: 'Is hij ziek?'

'Wie? Die jongen, bedoel je?' zei Edie kribbig, zonder van haar kruiswoordpuzzel op te kijken. 'Daar moet ik niets van hebben, van al die flauwekul over criminelen die ziek zouden zijn.'

Op dat moment werd er luid op de openstaande deur van de kamer geklopt, en Harriet veerde geschrokken overeind, zodat ze haar blad bijna omstootte.

'Hallo, ik ben dokter Baxter,' zei de man, en hij gaf Edie een hand. Hij zag er jong uit – jonger dan dokter Breedlove – maar zijn haar begon op zijn kruin al dun te worden. Hij had een ouderwetse zwarte doktersstas bij zich die loodzwaar leek. 'Ik ben de neuroloog.'

'Ah.' Edie keek achterdochtig naar zijn schoenen – sportschoenen met dikke zolen en een blauw suède randje, net zulke schoenen als het hardloopteam van de middelbare school.

'Gek dat het hier bij jullie niet regent,' zei de dokter. Hij deed zijn tas open en begon erin te rommelen. 'Toen ik hier vanochtend uit Jackson naartoe reed –'

'Nou,' zei Edie bruusk, 'u bent de eerste die ons hier niet de hele dag heeft laten wachten.' Ze zat nog altijd naar zijn schoenen te kijken.

'Toen ik van huis ging, vanochtend om zes uur,' zei de dokter, 'werd er gewaarschuwd voor zwaar noodweer in midden-Mississippi. Zoals het daar regende, dat houd je niet voor mogelijk.' Hij rolde een rechthoekig stuk grijs flanel uit op het tafeltje naast het bed; daarop plaatste hij, keurig op een rijtje, een lampje, een zilveren hamertje en een zwart apparaatje met wijzerplaten.

'Het was echt beestenweer onderweg,' zei hij. 'Ik was even bang dat ik naar huis terug zou moeten.'

'Het is toch niet waar,' zei Edie beleefd.

'Ik heb nog geluk gehad dat ik het heb gered,' zei de dokter. 'Bij Valden waren de wegen er niet best aan toe –'

Toen hij zich omdraaide merkte hij Harriets blik op.

'Lieve help! Waarom kijk je zo naar me? Ik zal je heus geen pijn doen, hoor.' Hij nam haar even op en deed toen zijn tas dicht.

'Weet je wat,' zei hij. 'Ik zal je eerst een paar vragen stellen.' Hij haalde de status van het voeteneind van haar bed af en bestudeerde die rustig, luid ademend in de stilte.

'Wat vind je?' vroeg hij, naar Harriet opkijkend. 'Een paar vragen durf je toch wel te beantwoorden, hè?'

'Ja.'

'Ja dókter,' zei Edie, en ze legde de krant weg.

De dokter ging op de rand van haar bed zitten en zei: 'Nou, het zijn echt reuze makkelijke vragen. Straks wil je nog dat de vragen op school in je proefwerken ook zo makkelijk waren. Hoe heet je?'

'Harriet Cleve Dufresnes.'

'Mooi. Hoe oud ben je, Harriet?'

'Twaalfeneenhalf.'

'Wanneer ben je jarig?'

Hij vroeg Harriet vanaf tien terug te tellen; hij vroeg of ze wilde lachen, haar wenkbrauwen fronsen, haar tong uitsteken; hij vroeg of ze haar hoofd stil wilde houden en met haar ogen zijn vingers wilde volgen. Harriet deed wat haar werd gevraagd – haalde haar schouders op, raakte met haar vinger haar neus aan, boog haar knieën en strekte ze daarna weer – terwijl ze intussen haar gezicht in de plooi en haar ademhaling onder controle hield.

'Kijk, dit is een oogspiegel,' zei de dokter tegen haar. Hij rook onmiskenbaar naar alcohol – of het schoonmaakalcohol was, of drank of een sterk naar alcohol ruikende aftershave kon Harriet niet uitmaken. 'Wees maar niet bang, er flitst alleen maar even een heel fel lichtje op je oogzenuw achterin, dan kan ik zien of er verhoogde druk in je hersenen is...'

Harriet staarde strak voor zich uit. Er was zojuist een benauwende gedachte bij haar opgekomen: als Danny Ratliff níét dood was, hoe moest ze Hely er dan van weerhouden om niet te praten over wat er was gebeurd? Als Hely erachter kwam dat Danny nog leefde zouden zijn vingerafdrukken op die revolver hem niet meer kunnen schelen; dan zou hij het gevoel hebben dat hij alles kon zeggen, zonder angst voor de elektrische stoel. En dat hij zou willen praten over wat er was gebeurd, daarvan was ze zeker. Ze moest iets verzinnen waardoor hij zijn mond zou houden...

De dokter hield zich niet aan zijn woord, want de onderzoekjes werden gaandeweg vervelender – een staafje in haar keel om haar te laten kokhalzen; plukjes wattenpluis op haar oogbal, om haar te laten knipperen; een hamertje waarmee op haar telefoonbotje werd getikt en een naald waarmee hier en daar in haar lichaam werd geprikt, om te zien of ze dat voelde. Edie stond erbij – armen over elkaar – en hield hem scherp in de gaten.

'U ziet er wel verdraaid jong uit voor een dokter,' zei ze.

De dokter gaf geen antwoord. Hij was nog met die naald in de weer. 'Voel je dat?' vroeg hij aan Harriet.

Harriet – ogen dicht – vertrok haar gezicht kribbig terwijl hij in haar voorhoofd en haar wang prikte. Die revolver was tenminste weg. Hely kon op geen enkele manier bewijzen dat hij hem daar voor haar was gaan halen. Dat moest ze zich goed voor ogen houden. Hoe lelijk de zaken er ook voor leken te staan, het was nog altijd zijn woord tegen het hare.

Maar hij zou haar het hemd van het lijf vragen. Hij zou alles willen weten – alles wat er daar in de watertoren was gebeurd – en wat moest ze dan zeggen? Dat Danny Ratliff haar was ontsnapt, dat ze uiteindelijk niet had gedaan wat ze zich had voorgenomen? Of erger nog: dat ze het misschien al die tijd bij het verkeerde eind had gehad; dat ze misschien eigenlijk niet wist wie Robin had vermoord, en het misschien ook nooit zou weten?

Néé, dacht ze, plotseling in paniek, dat werkt nooit. Ik moet iets anders verzinnen.

'Wat is er?' vroeg de dokter. 'Heb ik je pijn gedaan?'

'Een beetje.'

'Dat is een goed teken,' zei Edie. 'Als het pijn doet.'

Misschien, dacht Harriet – naar het plafond kijkend en haar lippen opeenklemmend terwijl de dokter iets scherps langs haar voetzool trok – misschien had Danny Ratliff Robin tóch vermoord. Dat zou wel makkelijker zijn. En het zou al helemaal het makkelijkste zijn om dat tegen Hely te zeggen: dat Danny Ratliff op het laatst schuld had bekend tegenover haar (misschien was het wel per ongeluk gegaan, misschien was het wel niet zijn bedoeling geweest?), en misschien ook dat hij haar om vergeving had gesmeekt. Nu begonnen zich overal om haar heen schitterende verhaalperspectieven te openen, als giftige bloemen. Ze kon zeggen dat ze Danny Ratliffs leven had gespaard, zich met een groots gebaar van genade over hem heen had gebogen; ze kon zeggen dat ze uiteindelijk medelijden met hem had gekregen en hem in de toren had achtergelaten zodat iemand hem kon redden.

'Nou, dat viel toch best mee, hè?' vroeg de dokter, en hij stond op.

Vlug zei Harriet: 'Mag ik nu naar huis?'

De dokter schoot in de lach. 'Ho ho!' zei hij. 'Jij loopt ook hard van stapel. Ik ga nu eerst even op de gang met je grootmoeder praten, goed?'

Edie stond op. Terwijl ze met zijn tweeën de kamer uit liepen hoorde Harriet haar vragen: 'Het is toch geen meningitis, hè?'

'Nee, mevrouw.'

'Hebben ze u verteld van het overgeven en de diarree? En de koorts?'

Harriet bleef stil zitten. Ze kon de dokter buiten op de gang horen praten, en al brandde ze van verlangen om te weten wat hij over haar zei, het gemompel van zijn stem klonk ver weg en geheimzinnig en was veel te zacht om te verstaan. Ze staarde naar haar handen op de witte sprei. Danny Ratliff leefde nog, en ze zou het nooit hebben geloofd, zelfs een halfuur geleden nog niet, maar ze was er blij om. Ook al betekende het dat ze had gefaald, ze was er blij om. En wat ze had gewild mocht dan van meet af aan onmogelijk zijn geweest, er school een zekere, eenzame troost in dat ze dat had geweten en er toch haar schouders onder had gezet.

'Jémig,' zei Pem, en hij schoof achteruit van tafel, waar hij een stuk roomtaart zat te eten voor zijn ontbijt. 'Twee volle dagen heeft hij daarboven gezeten. Die stakker. Ook al heeft hij dan zijn broer vermoord.'

Hely keek op van zijn cornflakes en slaagde er – met schier onmenselijke inspanning – in zijn mond te houden.

Pem schudde zijn hoofd. Zijn haar was nog vochtig van de douche. 'Hij kon niet eens zwemmen. Moet je nagaan. Hij heeft daar twee volle dagen op en neer staan springen om zijn hoofd boven water te houden. Doet me denken aan iets wat ik eens heb gelezen, over de Tweede Wereldoorlog geloof ik, over een vliegtuig dat in de Stille Oceaan was gestort. Die gasten hebben dagenlang in het water gelegen en het stíkte daar van de haaien. Je kon niet slapen, je moest constant blijven zwemmen en naar haaien uitkijken, anders glipten ze zo naar je toe en beten je been eraf.' Hij keek ingespannen naar de foto en huiverde. 'Arme stakker. Twee volle dagen opgesloten in dat smerige geval, als een rat in een emmer. Wel een stomme plek om je schuil te houden als je niet kan zwemmen.'

Hely hield het niet meer en flapte eruit: 'Zo is het niet gegaan.'

'Néé hoor,' zei Pem verveeld. 'Dat zal jij weten.'

Hely zat – driftig met zijn benen zwaaiend – te wachten tot zijn broer van de krant opkeek of nog iets zei.

'Het was Harriet,' zei hij ten slotte. 'Die heeft het gedaan.'

'Hm?'

'Die was het. Zij heeft hem erin geduwd.'

Pem keek hem aan. 'Wie geduwd?' zei hij. 'Danny Ratliff, bedoel je?'

'Ja. Omdat die haar broer had vermoord.'

Pem snoof smalend. 'Danny Ratliff heeft Robin net zo min vermoord als ik,' zei hij terwijl hij de pagina omsloeg. 'We zaten allemaal in dezelfde klas.'

'Wélwaar,' zei Hely hartstochtelijk. 'Daar heeft Harriet bewijzen van.'

'O ja? Wat dan?'

'Dat weet ik niet – allerlei dingen. Maar ze kan het bewijzen.'

'Vast.'

'Maar goed,' zei Hely, niet in staat zich te bedwingen, 'zij is hem gevolgd naar die toren en ze heeft hem met een revolver achterna gezeten en ze heeft Farish Ratliff neergeschoten en daarna heeft ze Danny Ratliff gedwongen om de watertoren op te klimmen en erin te springen.'

Pem sloeg de strippagina achter in de krant op. 'Volgens mij heeft mamma jou te veel cola laten drinken,' zei hij.

'Het is echt waar! Ik zweer het!' zei Hely, in alle staten. 'Want –'
En toen herinnerde hij zich dat hij niet mocht zeggen hoe hij het
eigenlijk wist, en hij sloeg zijn ogen neer.

'Als ze een revolver had,' zei Pemberton, 'waarom heeft ze ze
dan niet gewoon meteen allebei neergeschoten?' Hij schoof zijn
bord opzij en keek Hely aan alsof hij niet goed wijs was. 'Hoe kan
Harriet in jézusnaam uitgerekend Danny Ratliff tegen dat ding op
laten klimmen? Danny Ratliff is een harde jongen. En al had ze
een revolver, dan nog zou hij haar die binnen twee seconden af
kunnen pakken. Sódeju zeg, hij zou hem míj zelfs binnen twee
seconden afpakken. Als je leugens wilt verkopen, zul je toch echt
met wat beters aan moeten komen, Hely.'

'Ik weet niet hoe ze het heeft gedaan,' zei Hely koppig, naar zijn
cornflakes starend, 'maar ze heeft het wél gedaan. Dat weet ik.'

Pem schoof de krant naar hem toe en zei: 'Lees dan zelf, dan zie
je wat een ezel je bent. Ze hadden daar drugs verstopt, in die toren. En daar hadden ze ruzie over. Er dreven drugs in het water.
Daarom wáren ze juist daar.'

Hely deed er – met enorme moeite – het zwijgen toe. Hij besefte plotseling met een onbehaaglijk gevoel dat hij al veel te veel had
gezegd.

'En trouwens,' zei Pemberton, 'Harriet ligt in het ziekenhuis.
Dat weet je toch, eikel.'

'Nou, en als ze nou eens met een revolver bij die watertoren
was geweest?' zei Hely kwaad. 'Als ze nou eens ruzie had gekregen met die gasten? En gewond was geraakt? En als ze die revolver nou eens bij de watertoren had laten liggen, en als ze nou eens
aan iemand had gevraagd om hem daar voor haar op –'

'Nee. Harriet ligt in het ziekenhuis omdat ze epilepsie heeft.
E-pi-lep-sie,' zei Pemberton, terwijl hij tegen zijn voorhoofd tikte.
'Sukkel.'

'O, Pem,' zei hun moeder vanuit de deuropening. Haar haar
was net geföhnd, ze had een kort tennisjurkje aan waarbij haar
gebruinde huid goed uitkwam. 'Waarom vertel je dat nou?'

'Wist ík dat dat niet mocht,' zei Pem chagrijnig.

'Dat had ik toch gezegd!'

'Sorry. Vergeten.'

Hely keek beteuterd van de een naar de ander.

Hun moeder kwam bij hen aan tafel zitten, en zei: 'Het is zo'n
stigma voor een kind op school. Het zou vreselijk voor haar zijn

als het bekend werd. Hoewel,' ze pakte Pems vork en nam een grote hap van zijn restje taart, 'mij verbaasde het niks toen ik het hoorde, en jullie vader ook niet. Het verklaart veel.'

'Wat is epilepsie?' vroeg Hely zenuwachtig. 'Betekent dat dat je gek bent of zo?'

'Néé, apekop,' zei zijn moeder vlug en ze legde haar vork neer, 'nee nee nee, geen sprake van. Ga dat nou niet overal zeggen. Het betekent alleen dat ze af en toe wegraakt. Een toeval krijgt. Zoals –'

'Zo, kijk,' zei Pem. Hij gaf een woeste imitatie, liet zijn tong slap uit zijn mond hangen, draaide zijn ogen weg, schudde op zijn stoel.

'Hou op! Pem!'

'Allison heeft het helemaal gezien,' zei Pemberton. 'Volgens haar duurde het wel tien minuten.'

Hely's moeder – die de rare uitdrukking op Hely's gezicht zag – leunde voorover en gaf hem een klopje op zijn hand. 'Wees maar niet bang, liefje,' zei ze. 'Epilepsie is niet gevaarlijk.'

'Behalve als je een auto bestuurt,' zei Pem. 'Of een vliegtuig.'

Haar moeder wierp hem een strenge blik toe – zo streng ze maar kon, wat niet zo erg streng was.

'Ik ga nu naar de club,' zei ze, overeind komend. 'Pappa heeft gezegd dat hij je vanochtend wel afzet op je repetitie, Hely. Maar ga dit nou níét aan de hele school rondvertellen. En maak je geen zorgen over Harriet. Ze wordt weer helemaal beter. Heus.'

Toen hun moeder weg was en ze haar auto de oprit af hoorden rijden, stond Pemberton op, ging naar de ijskast en begon op het bovenste schap rond te graaien. Na een poosje vond hij wat hij zocht – een blikje Sprite.

'Wat ben jij ook een imbeciel,' zei hij, terwijl hij tegen de ijskast leunde en het haar uit zijn ogen veegde. 'Het is een wonder dat ze je niet naar het buitengewoon onderwijs doen.'

Hely barstte weliswaar van verlangen om Pem te vertellen dat hij naar de toren was geweest om de revolver te halen, maar hij hield zijn lippen stijf op elkaar en tuurde woedend naar de tafel. Hij ging Harriet bellen als hij terug was van de repetitie. Ze zou wel niet kunnen praten. Maar hij kon haar vragen stellen, en dan kon zij ja of nee zeggen.

Pemberton wipte zijn blikje open en zei: 'Zeg, het is best gênant zoals jij de hele tijd leugens loopt te verzinnen. Jij denkt wel dat dat gaaf is, maar je gaat alleen maar af als een gieter.'

Hely zei niets. Hij ging haar bellen, zo gauw het kon. Als hij even weg kon glippen van de groep kon hij misschien zelfs wel op school bellen. En zodra ze weer thuis was en ze onder elkaar waren, in het schuurtje, zou ze hem uitleggen van die revolver, en hoe ze het hele zaakje had uitgedokterd – Farish Ratliff neerschieten en Danny in de toren opsluiten – en dat zou helemaal te gek zijn. De missie was volbracht, de strijd gewonnen; op de een of andere manier – ongelooflijk maar waar – had ze precies gedaan wat ze van plan was geweest, en nog zonder dat ze gesnapt was ook.

Hij keek naar Pemberton op.

'Je kan zeggen wat je wil, mij een biet,' zei hij. 'Maar ze is een genie.'

Pem lachte. 'Dat is ze zeker,' zei hij terwijl hij de deur uit liep. 'Vergeleken bij jou.'

Dankwoord

Veel dank ben ik verschuldigd aan Ben Robinson en Allen Slaight vanwege hun kennis van Houdini en zijn leven, aan dr. Stacey Suecoff en dr. Dwayne Breining voor hun onschatbare (en uitvoerige) medische informatie, aan Chip Kidd voor zijn scherpe blik, aan Matthew Johnson voor het beantwoorden van mijn vragen over de giftige reptielen en stoere auto's van Mississippi.

Verder wil ik mijn dank uitbrengen aan Binky, Gill, Sonny, Bogie, Gary, Alexandra, Katie, Amber, Peter A., Matthew G., Greta, Cheryl, Mark, Bill, Richard, Jane, Marcia, Marshall en Elizabeth, de McGloins, moeder en Rebecca, Nannie, Wooster, Alice en Liam, Peter en Stephanie, George en May, Harry en Bruce, Baron en Pongo en Cecil, en vooral aan Neal: zonder jou was dit me niet gelukt.